Friedrichstraße bei Nacht, um 1930. „Bis zu den Dächern hinauf und über die Dächer noch hinaus schweben und kleben Reklamen. Und immer gehen hier Menschen. Noch nie, seit sie ist, hat in dieser Straße das Leben aufgehört zu leben . . . Wenn es beginnt zu dunkeln und wenn die Lichter angezündet werden, tut sich ein Vorhang langsam auf, um in ein Stück üppig voll immer derselben Gewohnheiten, Lüsternheiten und Begebenheiten schauen zu lassen." (Robert Walser, Friedrichstraße, 1909)

Industriekultur
deutscher Städte und Regionen
Herausgegeben von Hermann Glaser

Berlin 2

DIE METROPOLE

Industriekultur in Berlin im 20. Jahrhundert

Unter Beteiligung zahlreicher Autoren
herausgegeben von
Jochen Boberg, Tilman Fichter
und Eckhart Gillen

Verlag C.H.Beck

Mit 335 Abbildungen, davon 19 in Farbe

CIP-Kurztitelaufnahme der Deutschen Bibliothek

Industriekultur deutscher Städte und Regionen / hrsg. von
Hermann Glaser. – München : Beck
NE: Glaser, Hermann [Hrsg.]
Berlin.
2. Die Metropole. – 1986

Die **Metropole**: Industriekultur in Berlin im 20. Jh. / unter
Beteiligung zahlr. Autoren hrsg. von Jochen Boberg . . . –
München : Beck, 1986. –
   (Industriekultur deutscher Städte und Regionen ; Ber-
   lin, 2)
   ISBN 3 406 30202 5
NE: Boberg, Jochen [Hrsg.]

ISBN 3 406 30202 5

© C.H.Beck'sche Verlagsbuchhandlung (Oscar Beck)
München 1986

Redaktion: Eckhart Gillen
Bildredaktion: Eckhart Gillen, Georg von Wilcken
Buchgestaltung und Schutzumschlag: Georg von Wilcken
Lithos: Meisenbach Riffarth & Co., Berlin
Satz: Satz-Rechen-Zentrum Berlin
Druck: C. H. Beck'sche Buchdruckerei Nördlingen
Printed in Germany

Inhalt

Provinz/Metropole

„Oft sind andere Städte bloße Gespenster besserer Vergangenheit; das hohle Berlin ist möglicherweise... das Gespenst einer besseren Zukunft" (Ernst Bloch, 1932).

Berlin ist heute Symbol für das Scheitern jener vergleichsweise kurzen Epoche eines deutschen Nationalstaates kleindeutsch-preußischer Provenienz. Während Ernst Bloch nach dem Zusammenbruch des Kaiserreiches im Ersten Weltkrieg feststellen konnte: „Dieser Ort zog zuerst wieder frische Luft ein... Berlin hat in Deutschland den Krieg gewonnen", demonstriert der Aufbau und die Betriebsamkeit westdeutscher Städte, die Abwanderung der Berliner Konzernleitungen mit ihren Forschungs- und Entwicklungsabteilungen (vgl. S. 338), daß West-Berlin nach dem Zweiten Weltkrieg seine Funktionen als Hauptstadt und größtes Industriezentrum an die west- und süddeutsche Provinz abgegeben hat. Voraussetzung ihres „provinziellen Glanzes" ist der Niedergang Berlins (Roswin Finkenzeller, Bayern vorn, FAZ 31. 8. 1985).

Berlin hat stellvertretend für Deutschland den Zweiten Weltkrieg verloren. Der verhaßte „Zivilisationsherd" (Heinrich Mann), das ‚Bollwerk der Republik', von der ‚braunen Provinz' besetzt und zur Terrorzentrale der Völkervernichtung ausgebaut, wurde zum Sündenbock der deutschen Geschichte. Während das ‚westdeutsche Amerika' in den 50er Jahren bereits wieder zu den reichsten Industrieländern der Welt gehörte, blieb West-Berlin eine durch Subventionen aus Bonn künstlich am Leben erhaltene Stadt.

Hier wurde nach 1945 die „Stunde Null", d. h. die Flucht aus der Geschichte, beim Wort genommen und tabula rasa gemacht: „Bewältigung der Vergangenheit" durch Abriß der gebauten Geschichte (vgl. S. 318 ff.) hieß die Parole. Die Kommandozentralen und Stätten der Vernichtung des NS-Staates wurden in beiden Teilen der Stadt dem Erdboden gleichgemacht (vgl. Gelände des ehemaligen Prinz-Albrecht-Palais, Abb. 334/335; Volksgerichtshof, Reichskanzlei usw.). Für die Siegermächte war Berlin das Zentrum des preußisch-deutschen Militarismus. Sie teilten die Stadt in vier Sektoren und erklärten den Staat Preußen durch Alliierten-Kontrollratsbeschluß vom 25. Februar 1947 für aufgelöst. Der erste Staatsratsvorsitzende der DDR, Walter Ulbricht, ließ das zum Teil ausgebrannte Berliner Stadtschloß als Symbol der Hohenzollernmonarchie und der Unterdrückung der Arbeiterklasse schleifen. Der erste Kanzler der Bundesrepublik, Konrad Adenauer, stiftete eine provisorische Hauptstadt im katholischen Rheinland und überließ Berlin seinem Schicksal als einsames „Leuchtfeuer der Freiheit" jenseits der Elbe. Für seine Politik der bedingungslosen Westintegration bezahlte nicht zuletzt Berlin die Rechnung. Hier wurde so manche ‚Schlacht' des Kalten Krieges ausgetragen (vgl. S. 292 ff.). Für Adenauer blieb das preußisch-protestantische Sparta an der Spree immer eine „Reichshauptstadt fast gegen den Willen der halben Nation" (Karl Scheffler, 1931). Von hier aus hatte Bismarck gemeinsam mit den Liberalen im Kulturkampf (1873–1878) den politischen Katholizismus verfolgt und die Vision eines katholisch geprägten Großdeutschen Reiches verhindert.

Der faktische Ausstieg aus der gemeinsamen deutschen Geschichte und die sichtbare Teilung durch den Mauerbau ließ die westliche Halb-Stadt, „das größte bekannte Stadtfragment" (O. M. Ungers), in die Agonie einer schleichenden Provinzialisierung verfallen, an der sie zu ersticken droht. Während Ost-Berlin, zielstrebig zur Hauptstadt der DDR ausgebaut, sich unter Erich Honecker zunehmend zu seiner preußisch-spartanischen Vergangenheit bekennt und die noch nicht abgerissenen friderizianischen und klassizistischen Baudenkmäler der historischen Stadtmitte glanzvoll rekonstruiert, ist der Westteil der Stadt immer noch auf der Suche nach seiner Identität und einer Konzeption für das Jahr 2000.

Die Stadt war um die Jahrhundertwende Schrittmacher und Brückenkopf der Modernisierung in Deutschland gewesen. Der Verstädterungsprozeß erfaßte zwar gleichzeitig mit Berlin das ganze Reich: Während 1871 nur acht Städte mehr als 100 000 Einwohner hatten, zählt die Statistik am Vorabend des Ersten Weltkriegs 48. Entsprechend stieg der Anteil der Großstädter an der Reichsbevölkerung von 4,8% auf 21,3% (vgl. Jürgen Reulecke, Geschichte der Urbanisierung in Deutschland, Ffm. 1985, S. 68). Die außerordentliche „ethnoplastische" (Willy Hellpach) Leistung Berlins bei der Integration unterschiedlichster Zuwandererströme aus allen Teilen des Reiches, vor allem aber aus Schlesien, Ostpreußen, Pommern und sein sprunghaftes Wachstum ließ die Stadt in den Augen der Zeitgenossen als extrem künstliches Gebilde erscheinen: „Ein Ort, bestimmt, jede Überlieferung aufzulösen und zu durchbrechen... revolutionär und zu jeder Änderung täglich bereit" (Carl Einstein, Fragment aus dem Nachlaß im Carl-Einstein-Archiv, Berlin). Die Städte im Süden und Westen Deutschlands (mit Ausnahme des Industriereviers an Rhein und Ruhr) waren über Jahrhunderte gewachsene Regionalzentren mit einer relativ homogenen Bevölkerungsstruktur (erst nach 1945 veränderte sich dies durch die Flüchtlingsströme aus dem Osten einschneidend). Bis zu diesem Zeitpunkt repräsentierten diese Städte Wirtschaft, Kultur, Religion und Tradition der sie umgebenden Landschaften. Berlin dagegen existierte „in keiner Geschichte, gleichsam überhaupt in keiner Herkunft... Es ist eine hoffnungslos antikathedralische (vgl. S. 230) Stadt... sie kann nie ankommen – weil sie eigentlich nie richtig angefangen hat... Berlin ist seine eigene Voraussetzung; es springt aus sich selbst heraus und ist da." Für den hier zitierten Beobachter Wilhelm Hausenstein ist Berlin im Gegensatz zu allen anderen deutschen Städten „eine echte Großstadt", „ein städtisches Absolutum", der perfekte „Zustand der Urbanität". Im Prozeß der ‚inneren' Urbanisierung (Gottfried Korff) entstand hier der Typus des modernen Großstädters (vgl. S. 32 ff.). „Das Preußische, ... die Disziplin kolonisatorischer Menschen, die auf Sand bauen", hat sich zur sachlichen Leistung reibungslosen Funktionierens gewandelt. Die urbane, weltläufige Zivilität liebt das „Zweckmäßige; man bewegt sich im Bereich der Ratio – der Witz ist nur das Gewürz auf ihrer Nüchternheit" (Wilhelm Hausenstein, Europäische Hauptstädte, Erlenbach 1932).

Diese Eigenschaften ließen Berlin zwangsläufig zum eigentlichen Zentrum der Weimarer Republik werden. War Berlin vor dem Ersten Weltkrieg in den Augen seiner Gegner „ein Hauptsitz der registrierenden... Bildung" (Julius Langbehn, 1890) und für seine kritischen Freunde eine „große Lehrwerkstatt für angewandte Logik", für „systematisch geschulte Juristen, soldatisch gewissenhafte Beamte und gutdressierte Lehrer" (Karl Scheffler, 1910); so glaubte Heinrich Mann in einem Artikel für die „BZ am Mittag" (23. 11. 1921), daß gerade diese Eigenschaften einer „ungeheuren Menschenwerkstatt" den zukünftigen Prozeß der Demokratisierung und Modernisierung Deutschlands fördern würden. In seiner optimistischen Vision erscheint Berlin als Paradigma einer egalitären und humanen Industriegesellschaft: „Deutschland sah früher in Berlin vor allem eine Verstärkung, fast eine Verzerrung seiner eigenen Eigenschaften: Tüchtigkeit und Selbstgefühl. Da das ganze Deutschland früher beides übertrieb, sah es sich in Berlin entlarvt und liebte es nicht, trotz Bewunderung". Nach dem Untergang der wilhelminischen Epoche werde Berlin jetzt – so Heinrich Mann – unwiderstehlich mit seinen zeitgemäßen Eigenschaften im ganzen Reich für sich werben: „nur daß es andere, bessere sein werden als vordem... Die Vereinheitlichung Deutschlands wird, sicherer als durch Gesetze, durch die werbende Kraft des Zivilisationsherdes geschehen, der das zu sich selbst hinangewachsene Berlin ist."

Ganz anders sah dies der katholisch-humanistische Weltbürger Wilhelm Hausenstein aus der bayrischen Provinz. Er widersprach Heinrich Mann entschieden, als er noch 1929 feststellte, daß Berlin nur die natürliche Hauptstadt Preußens sein könne. Als Hauptstadt Deutschlands sei sie zu nordöstlich, d. h. „falsch zentriert". Sie verkörperte für ihn das „bismärkisch-kleindeutsche" Reich, das zum „heillosen wilhelminischen fin de siècle" geführt habe. Wie sollte auch Berlin, das „mit phantastischer Plötzlichkeit" eine Weltstadt geworden sei, „für uns andere, Süddeutsche, Westdeutsche, für uns nichtberlinische deutsche Menschen je die Ausschließlichkeit einer wahren Hauptstadt... haben können, wo es seinen Mangel an... wahrhaft seelischer Substanz durch eine ungeheuerliche Entwicklungsidolatrie täglich neu überspringt?"

Berlin verkörperte das glatte Gegenteil von Bodenständigkeit, Heimat und Traditionsbewußtsein. Die Position dieser Weltstadt quer zur Geschichte und Kultur deutscher Städte und Regionen beschrieb Herwarth Walden in den 20er Jahren ironisierend: „Die Stadt liegt in irgend einer Himmelsrichtung vom Neckar, vom Rhein, von der Elbe und von der Donau gleich weit entfernt, von diesen Flüssen, die von trostlosen Dichtungen umwogt sind... Berlin ist Amerika als Mikrokosmos. Berlin ist zeitlose Bewegung und zeitloses Leben... Zu Berlin aber fehlen die Vereinigten Staaten von Europa. Man sollte sie schleunigst gründen." In einem ganz anderen Sinn planten dann die Nationalsozialisten Berlin als Zentrum ihres Großdeutschen Reiches in einem unterworfenen Europa.

Rückblickend war Berlin nur für einen kurzen Augenblick seiner Geschichte eine Weltstadt und Metropole Europas, in der sich die kulturellen Einflüsse zwischen Chicago und Moskau vermischten (vgl. S. 190 ff.). Man sah während der 20er Jahre in ihr einen „Uhrzeiger" künftiger sozialer und ökonomischer Entwicklungen, „auf den die ganze Welt aufmerksam blickt" (Karl Scheffler, 1931). Doch je mehr sich Berlin internationalisierte, desto größer wurde die Kluft zwischen der „amerika-nisch-bolschewistischen" Metropole (Heinrich Berl, 1932) und dem platten Land. Die Protagonisten dieser republikanischen Metropolenkultur, die Redakteure, Schriftsteller, Poetinnen, Regisseure, Schauspieler, Filmemacher, Kabarettisten, Künstler und Musiker, kurz gesagt, die Berliner Bohème, lebte in zahllosen Gruppen und Cliquen nebeneinander her. Selbst im Romanischen Café, das damals mit einer großen Badeanstalt verglichen wurde, unterteilt in ein größeres Bassin für Schwimmer und ein kleineres für Nichtschwimmer, hatten die Besucher der zwei Abteilungen kaum etwas miteinander zu tun. In der Kulturzeitschrift „Der Querschnitt" las man im August 1924: „Wo die Drehtür die beiden Bassins trennt, scheiden sich zwei Welten... In zwei Ecken des Nichtschwimmerbassins tagt und nächtigt die kommunistische Fraktion des Romanischen... Die Journalisten sind da von der Roten Fahne bis zur Kreuzzeitung... Zwischen den beiden Bassins, im Kap der Arrivierten, steht der Honoratiorentisch, in seiner geographischen Lage klar im Gebiet der Schwimmer. In Würde thront hier Slevogt mit Bruno Cassirer... Hier spricht der Kunsttrainer Scheffler des Stalls Cassirer täglich 1000 Worte Kunst... Im Schwimmerbassin lassen sich die Leute nieder, die Geld haben, oder wenigstens so tun als ob, also Filmleute, abgebaute Dramaturgen, Inseratenaquisiteure..." Fred Hildenbrandt, Film- und Feuilletonreporter des Berliner Tageblattes schrieb rückblickend über diesen Archipel der Cafés, Destillen, Restaurants, Ateliers, Kabaretts, Theater und Buchhandlungen: „Wir, die wir dazu gehörten, hausten unter uns wie auf einer Insel. Denn rings um uns her, außerhalb unserer Welt, tobte ein erbitterter und gnadenloser Kampf in der politischen und geschäftlichen Arena. Es ging dabei um Leben und Tod, um Existenz oder Untergang."

Eine ganz andere Insel war dagegen die Berliner Universität. Hier vereinigte der Nationalismus und der Antisemitismus große Teile der Studentenschaft und der Professoren. Der Theologe und Wortführer des Annexionsmemorandums von 1915 (vgl. S. 86 ff.), Professor Reinhold Seeberg, wurde 1925 zu ihrem Rektor ernannt. Hier harrte man der „befreienden Tat" (vgl. S. 226 ff.).

Seit dem Ende des 19. Jahrhunderts war Berlin Zielscheibe und Ausgangspunkt der Großstadtkritik gewesen. Für die Zivilisationskritiker war der Name dieser Metropole zum Synonym für Großstadtfeindlichkeit geworden. Das Zentrum neuer, urbaner Lebensformen provozierte die Entstehung antiurbaner Bewegungen. Hier gründeten Gymnasiasten im Ratskeller der bürgerlichen Randgemeinde Steglitz am 4. November 1901 den „Wandervogel, Ausschuß für Schülerfahrten (AFS)", der sich schon bald zu einem aktiven Kern der bürgerlichen Jugend- und Lebensreformbewegung entwickelte. Ihre Hoffnungen richteten sich auf einen großen Jugendbund aller Deutschen. Tatsächlich jedoch blieb der Wandervogel und die Bündische Jugend eine verwirrende Folge „von Gegensätzen und Spaltungen, vorläufigen Wiedervereinigungen" (Jean Pierre Faye), die letztlich mehrheitlich dem Druck der Macht und der Faszination des nationalsozialistischen Dritten Reiches erlagen.

Berlin war der Modellfall für so unterschiedliche Großstadtreformer wie Martin Mächler (Vertreter einer organischen Stadtkonzeption) und Martin Wagner (vgl. S. 126 ff.), der wie Bruno Taut mit Hilfe von Massenschnellverkehr für die Auflösung der Städte plädierte, um so den Gegensatz von Stadt und Land zu überwinden. Die urbanen Lebensformen sollten das rückständige Landleben überwinden. Letztlich stärkte dieser aufklärerisch gemeinte, aber zerstörerisch wirkende Anspruch den Nationalsozialismus. Die verängstigte Provinz rüstete zum Marsch auf die Metropole. In der geplanten Großberliner Region, die von Frankfurt/Oder im Osten bis Brandenburg im Westen reichen sollte, „wird der Landbewohner zum Großstädter... und der ehemalige Citybewohner wird Freiluft des Landes atmen" (Karl Scheffler, 1931). Doch nicht die konservativ-republikanischen Kulturkritiker und linken Utopisten setzten sich mit ihren Reformvorschlägen und Visionen durch, sondern völkische Heimatschützer und konservativ-reaktionäre Zivilisationskritiker. Die NSDAP wurde schon bald zum Sammelbecken dieser völkisch-rassistischen Stadtfeinde und propagierte den Sturm auf das Zivilisationsmonster.

Die Geschichte dieser Metropole im 20. Jahrhundert, der dieser Band gewidmet ist, zeigt exemplarisch wie diese antiurbane Grundstimmung aus einem Protest gegen die negativen gesellschaften Auswirkungen der überstürzten Verstädterung und verspäteten Industrialisierung unter dem Druck von Inflation und Weltwirtschaftskrise umgeschlagen ist in die „platte Reaktion" des irrationalen Blut- und Bodenmythos. Der antiurbane Affekt, getragen von einem sozialhygienischen Purismus, der die Natur als Ordnungsbegriff ins Feld führt gegen die Widernatur der parasitären, chaotischen Großstadt, verband sich im Deutschland der 30er Jahre auf verhängnisvolle Weise mit dem antijüdischen Rassismus und mit der eisernen Sachlichkeit technokratischen Denkens (vgl. S. 262 ff.).

Wilhelm Stapel beschwor im Januar 1930 in der Zeitschrift „Deutsches Volkstum" diesen „Geist des deutschen Volkes", der sich endlich „gegen den Geist von Berlin" erhebe. Die Forderung jener Tage lautete: „Aufstand der Landschaft gegen Berlin". Er meinte jedoch nicht das preußische Berlin, nicht den Geist von Potsdam, sondern das republikanische, libertäre „Neu-Berlin" mit seiner „großen Schnauze". Er denunzierte den Berliner Dialekt, der im Gegensatz zu den „reinblütigen" deutschen Regionaldialekten Ausdruck „schnoddriger Rechthaberei" sei. Walter Benjamin verteidigte dagegen in seiner Dialekt-Studie „Wat hier jelacht wird, det lache ick" die ironische Schnoddrigkeit des Berliners als eine „Durchdringung des Zartesten mit dem Rohen". „Die Schnödigkeit des Berliners" sei nicht nur die Folge „eines gottlosen Rationalismus, sondern vor allem anderen Ausdruck einer wunderbar trainierten Beobachtungsgabe. Seine innerste Haltung dem Leben gegenüber ist kontemplativ. Er ist so sehr Philosoph, so wenig der abgebrühte, ausgekochte Großstädter, daß er eine geniale Kraft, sich zu wundern, sich bis heute bewahren konnte" (Frankfurter Zeitung 5. 5. 1929).

Nicht zuletzt trug diese nüchterne, skeptische Haltung dazu bei, daß die Berliner auch noch im Frühjahr 1933 mehrheitlich rot wählten (vgl. S. 344 ff.). Die Nazis feierten 1937 das 700jährige Stadtjubiläum demonstrativ als ein Siegesfest der braunen Provinz über die Metropole. Im nachhinein erklärten sie, nirgendwo in Deutschland sei der Kampf so hoffnungslos gewesen wie in dieser Stadt, weil der „Berliner von Natur aus schwer zu überzeugen und zu gewinnen" gewesen sei (vgl. S. 233 f.).

Zur Widersprüchlichkeit der politischen Kultur in Berlin gehört es jedoch auch, daß sich hier nicht nur ein starkes Widerstandspotential gegen jede Art von Diktatur herausgebildet hatte, sondern hier zugleich konservative Nationalisten und die ideologischen Wegbereiter des völkischen Rassendünkels ihr Unwesen getrieben haben. Diese ‚geistigen Terroristen' vor und nach der gescheiterten deutschen Revolution im Herbst 1918 waren würdige Herren im Gehrock mit steifem Kragen oder jüngere demobilisierte Frontoffizere in abgetragenen aber sauber gehaltenen Uniformen. Sie rekrutierten sich zum großen Teil aus dem protestantischen Bildungsbürgertum.

Nach der Thronbesteigung Wilhelm II. (1888), des „Industriekaisers" (Karl Scheffler), gerieten diese Universitätsprofessoren, Lehrer, Pastoren und Schriftsteller in den Sog des zweiten Modernisierungsschubs, der tiefgreifender als die vorausgegangene Gründerepoche durch Verstädterung und Urbanisierung der Lebensformen die gesellschaftlichen Verhältnisse umwälzte und einen grundsätzlichen Wertwandel in Gang setzte. (Vgl. das Kapitel „Norddeutsches Amerika", in Bd. I, „Exerzierfeld der Moderne". Mit den soziokulturellen Konsequenzen dieser wilhelminischen Moderne beschäftigt sich das erste Kapitel dieses Bandes.) Die protestantischen Bildungsbürger fühlten sich nicht nur vom Proletariat bedroht, sondern auch in ihrer gesellschaftlichen Bedeutung zurückgedrängt vom aufstrebenden Industriebürgertum und der technischen Intelligenz, deren Bewußtsein durch eiserne Handelskategorien und technische Innovation geprägt war. Erzogen in den Traditionen des preußischen Militarismus und deutschen Idealismus war diese Bildungselite zutiefst überzeugt von dem unversöhnlichen Gegensatz zwischen der Zivilisation als dem Zweckhaft-Nützlichen, Oberflächlichen und der Kultur als dem Geistigen, National-Eigenartigen und Schöpferischen (vgl. Deutsches Wörterbuch von J. u. W. Grimm). Die Großstädter, allen voran die Berliner, machten sie verantwortlich für die materialistische Verflachung des Inneren und Echten.

Vor allem das protestantische Bildungsbürgertum empfand den Ausbruch des Ersten Weltkriegs als Erlösung verheißende „Deutsche Apokalypse". Durch diese Katharsis sollte die zersplitterte Klassengesellschaft zu einer Volksgemeinschaft – ganz in der Tradition der romantischen Sehnsucht nach der angeblich noch heilen mittelalterlichen Welt – verschmolzen werden. Sogar die sozialdemokratische Reichstagsfraktion reihte sich schließlich durch ihre mehrheitliche Zustimmung zu den Kriegskrediten in das graue Heer in Kaisers Namen ein. Bismarcks Wort von den vaterlandslosen Gesellen zeitigte so noch eine späte Wirkung. Nachdem sich das als so reinigend gepriesene Kriegsgewitter entladen und die Apokalypse in ganz anderer Weise als erhofft Deutschland heimgesucht hatte, brach für das wilhelminische Bürgertum völlig unvorbereitet eine Welt zusammen. Dieser Schock saß tief und bereitete das Jahr 1933 mit vor.

In seinem Gemälde „Die Stadt" (vgl. den Schutzumschlag dieses Bandes) brachte George Grosz 1916/17 dieses Gefühl einer zusammenbrechenden bürgerlichen Welt zum Ausdruck. In dieser Allegorie auf Berlin als der Stadt an sich vermischte sich die tradierte bildungsbürgerliche Großstadtkritik an der Hure Babylon (vgl. S. 102 ff.) mit dem Schock über den sich abzeichnenden militärischen Zusammenbruch und die offensichtliche Faszination durch die Mysterien der großen

Stadt. George Grosz war 1917 noch so etwas wie ein Spiegel des auf schwankendem Boden stehenden Bürgertums. Erst viele Monate später fand er zu einer eigenständigen Position als ätzender Kritiker des Militarismus und Kapitalismus. Das Bild läßt den Betrachter in einen Wahrnehmungstaumel geraten: Wilhelminische Prunkfassaden als Zeugen einer vergangenen Epoche stehen unvermittelt neben modernsten Kaufhausfassaden und amerikanischen Wolkenkratzern. Dazwischen „das Geschiebe der turbulenten Straße". „Die Elektrische", so Grosz in einem Brief an Otto Schmalhausen vom 30. 6. 1917, „platzt ins Bild, es klingeln die Telefons, Gebärende schreit auf... ihr Straßenzaubergärten! wo Circe die Menschen in Säue abwandelt..." Insektengleich wimmeln die menschlichen Kreaturen durcheinander. Aus einer Bemerkung in seiner Autobiografie wissen wir, daß ihn größere Menschenansammlungen „immer an Insekten denken" ließen. Grosz bekannte sich nachträglich zum angstbesetzten Ekel vor den großstädtischen Massen im wilhelminischen Deutschland.

Nach dem militärischen Zusammenbruch Deutschlands dachte die übergroße Mehrheit der Studenten, Professoren, Beamten, Frontoffiere und Publizisten nicht etwa über die Ursachen der Niederlage nach, sondern radikalisierten sich nach rechts. Sie fürchteten sich vor der von Berlin ausgehenden „demokratisch kapitalistischen Gleichheitsidee" wie vor einer ansteckenden Krankheit (Karl Scheffler, 1910). Das über Nacht demokratisch und republikanisch gewordene Berlin wurde für die völkischen und konservativen „Revolutionäre", aber auch für die Nationalbolschewisten zum „geistigen Kriegsschauplatz". Wilhelm von Schramm erklärte im April 1931 in den Süddeutschen Monatsheften: Da in Berlin „kein preußisches echtbürtiges Herrentum seine Millionen Einzelseelen zusammenhält", sei hier jetzt „ein geistiges Chaos" ausgebrochen.

Gegen den drohenden Verlust der aristokratischen Persönlichkeit in den Stahlgewittern des modernen Krieges, aber auch in der egalitären Massenkonsumgesellschaft, verteidigte diese untergehende konservative Elite ihre idealistische Idee eines autonomen Subjekts. Sie sah ihre Zukunft in der Wiederherstellung der ‚natürlichen' sozialen Rangordnung und damit auch ihres eigenen sozialen Status in einem autoritären Staat. Die Nationalsozialisten machten sich letztlich eine Mentalität zunutze, der sie mehrheitlich fremd gegenüberstanden. Insofern zehrte die braune Barbarei von den Resten einer untergehenden Gesellschaftsordnung.

Um ihre ‚Endziele' zu verschleiern, ersetzten die NS-Propagandisten die politische Argumentation und die Institutionen der bürgerlichen Öffentlichkeit als Orte gesellschaftlicher Selbstvermittlung durch den Kult der Massen, Parteitage der Hunderttausende, Weiheakte, Thingveranstaltungen und kollektive Erfolgserlebnisse wie den Bau der Reichsautobahnen. Zugleich förderten sie den Ausbau der Konsum- und Freizeitindustrie. Mit Reisen der Organisation „Kraft durch Freude", Sparen auf den Volkswagen usw. versprachen sie private Rückzugsräume, in denen sich der Volksgenosse vom ‚gleichgeschalteten' Alltag erholen konnte und von der systematischen Vorbereitung des Krieges abgelenkt wurde (vgl. S. 282 ff.). Das wirkliche Gesicht des Ersten Weltkrieges sollte in Vergessenheit geraten. In seinem Pariser Exil analysierte Walter Benjamin bereits 1935 scharfsinnig, daß diese „Ästhetisierung des politischen Lebens" zwangsläufig in einem Zweiten Weltkrieg enden werde: „Der Krieg, und nur der Krieg, macht es möglich, Massenbewegungen größten Maßstabs unter Wahrung der überkommenen Eigentumsverhältnisse ein Ziel zu geben."

Im zeitlosen Mythos von Volk, Reich und Führer produzierten die Nazis ihre germanische Utopie einer rassisch purifizierten Blutsgemeinschaft. Unter der Parole „Das deutsche Volk muß gereinigt werden" (Adolf Hitler) verfolgten und vernichteten die Nazis wie Bazillen was ihnen volks- und artfremd erschien: Juden und Kommunisten, Homosexuelle und „Gewohnheitsverbrecher", Geisteskranke und Zigeuner (vgl. S. 262 ff.). Die Konservativen dagegen träumten von der Wiederherstellung der soldatischen Ehre und des alldeutschen Geschichtsbildes.

Das Zusammentreffen „archaischster Mythen und modernster Mittel des Terrors" (Saul Friedländer, Kitsch und Tod, München 1984) fand in zwei Reden im Jahr 1943 seinen Ausdruck. In der einen rief der Propagandaminister Joseph Goebbels am 18. Februar kurz nach der Kapitulation der 6. Armee in Stalingrad vor einem Auditorium handverlesener NS-Funktionäre im Berliner Sportpalast unter frenetischem Beifall den Beginn des „totalen Krieges" aus. Im gleichen Monat verklärte Hermann Göring am selben Ort das Ende der 6. Armee durch den Vergleich mit dem sagenumwobenen Untergang der Nibelungen. Die von Goebbels geforderte, vom ‚konservativen Revolutionär' Ernst Jünger bereits 1930 beschworene, „totale Mobilmachung" aller gesellschaftlichen Ressourcen und industriellen Potentiale durch den „totalitären Staat" organisierte der Technokrat Albert Speer in der Nachfolge des tödlich verunglückten Fritz Todt (vgl. Abb. S. 10) als Reichsminister für Bewaffnung und Munition. Mit kalter Professionalität führte er die Rationalisierung und Intensivierung der Arbeit in den Rüstungsbetrieben durch, deren Produktion 1944 trotz Flächenbombardements ihren Höhepunkt erreicht hatte. Millionen von entmachteten deutschen Arbeiterinnen und Arbeitern und zwangsverschleppte Fremdarbeiter schufteten für den Endsieg in Bergwerken und stillgelegten Eisenbahntunnels, in die Teile der Rüstungsproduktion zum Schutz vor Fliegerangriffen verlegt worden waren.

Dasselbe destruktive Gewaltpotential, mit dem Europa von Berlin aus unterworfen wurde, setzte auf Geheiß Adolf Hitlers Albert Speer in seiner Funktion als „Generalbauinspektor der Reichshauptstadt Berlin" ein, um aus dem Asphaltdschungel der 20er Jahre die Welthauptstadt „Germania" zu formen (vgl. S. 230 ff. und 238 ff.). Im Spreebogen, noch heute innerstädtische Brache, begannen bereits 1938 die Abrißarbeiten ganzer historischer Häuserzeilen. Dem weiteren Abriß kam der Krieg zuvor. Hitler im November 1944 angesichts der Trümmerlandschaft zu Speer: „Immerhin ist ein Anfang gemacht!"

Die Nationalsozialisten sahen in der 1920 gebildeten Einheitsgemeinde aus sieben Nachbarstädten, 59 Dörfern und 27 Gutsbezirken ein unorganisch gewachsenes, zufälliges „Notgebilde", gleichsam den „Rohstoff" für die Bildung einer Weltstadt neuen Typs als Kristallisationskern des großdeutschen und europäischen Raumes. Bereits in den 20er Jahren wurde der Begriff „Stadtlandschaft" (vgl. S. 302 ff.) geprägt, um die „Uferlosigkeit", mit der sich die Stadt in ihr Umland ergoß und die im Vergleich mit anderen europäischen Metropolen

Die Nationalsozialisten machten sich die Argumente der konservativen Zivilisationskritik zu eigen und versprachen, Natur und Technik wieder miteinander zu versöhnen. Fritz Todt, Generalinspekteur für das deutsche Straßenwesen, und ab 1940 Reichsminister für Bewaffnung und Munition, bezeichnete sich als stärksten „Hüter des Heimatschutzgedankens" und stellte sich damit in die Tradition des 1904 gegründeten Heimatschutzbundes. Während er beteuerte, daß wir „als höchsten Besitz doch stets den unberührten deutschen Landschaftsraum pflegen", ließ er 1939 6,5 Millionen Kubikmeter Beton und Eisenbeton in 13 700 Bunker am Westwall verbauen, um Hitler „freie Hand gegen Polen" zu geben. Das Prinzip, im „Kampf gegen Formlosigkeit und Hohlheit einer kapitalistischen Technik" „jeder materiellen Aufgabe einen ideellen Sinn zu geben", galt auch für die Gestaltung der Bunker- und Batteriebauten, die trotz „aller Forderungen des taktischen Einsatzes" stets „die Erziehung zu Form und Kunst erkennen" lassen, „die der große Baumeister (Fritz Todt, d. Vf.) seinen Ingenieuren in den Kriegseinsatz mitgegeben hat" (Fritz Todt. Der Mensch. Der Ingenieur. Der Nationalsozialist, Oldenburg 1943; Abb. auf dieser Seite ebd.).

Westwall: Betonhöker als Panzersperre (rechts); Küstenbatterie (unten)

Die Internationale Bauausstellung (IBA, vgl. S. 360 ff.) hat programmatisch die durch Satellitenstädte wie das Märkische Viertel verödete Innenstadt wieder zum Wohnort erklärt. Musterprojekt ist der Komplex Rauchstraße am Tiergarten. Die Miethäuser für jeweils fünf Familien wurden in Anspielung auf die Villenstruktur des großbürgerlichen Wohn- und späte-

ren Diplomatenviertels durch raffiniertes Fassadendesign als *Stadtvillen verkleidet und heißen jetzt vornehm Palazzini. Das Konzept der Kleinsiedlung am Stadtrand, die durch ihren intimen, überschaubaren Maßstab, Entfremdung und Anonymität der Großstadt durch Nähe und nachbarschaftliche Begegnung überwinden will, wurde, wie eine Insel der Seligen, in das Zentrum einer Collage City (Colin Rowe) gerückt. Die Architekten erheben den Anspruch, neue Gemeinschaften zu stiften. Der Gestus lokaler Abwehr einer bösen Außenwelt gipfelt im bunkerartigen Torbau von Rob Krier, dessen geschwungener Mitteltrakt zwischen zwei Wohntürmen den 'Burghof' gegen die Stülerstraße abschirmt. Im Gegensatz zur geschlossenen Straßenseite mit ihren schießschartenähnlichen Fenstern, öffnet sich der Kopfbau zur Hofseite wie ein Weichhaus (ein halber, nach innen offener Turm, wie man ihn von mittelalterlichen Burganlagen kennt). „In der irrigen Annahme, Anonymität sei per se ein moralisches Übel", glaubt die postmoderne Stadtplanung, die städtische Lebensqualität durch intimere Gestaltung verbessern zu können. „Ihre vermeintliche Menschenfreundlichkeit" erzeugt „eben jene Sterilität, die sie eigentlich beheben will" (Richard Sennett, Verfall und Ende öffentlichen Lebens, Ffm. 1983). Denn Urbanität setzt die Möglichkeit des Distanznehmens und die Anonymität voraus.*

Zur Kanalisierung und Eindämmung des Verkehrs dienen 'fahrzeugabweisende Elemente', die unter dem Oberbegriff 'Poller' seit Ende der 60er Jahre von den Tiefbauämtern und Verkehrsbehörden als Betonsperren zum Einsatz kommen. Hier abgebildet: Hutpoller. (vgl. G. Angress, E. Niggemeyer, W. J. Siedler, Die verordnete Gemütlichkeit, Berlin 1985).

Karl Horst Hödicke, Gobi, 1977 (oben)
Werner Heldt, Berlin am Meer, Tusche auf Papier, 1947

fehlende „Stadtform" zu charakterisieren (Das neue Frankfurt, H. 1, 1932–33). Die Nationalsozialisten sahen in dieser „Landschaft, die erst Stadt werden will", die Möglichkeit, von hier aus auf ganz andere Weise als die Desurbanisten der 20er Jahre den Gegensatz von Stadt und Land aufzulösen in einen zeit- und geschichtslosen „Großraum des Volkes". Ganz Deutschland sollte, nach einer Äußerung Adolf Hitlers, ein großer Garten werden als Ausdruck des konfliktfreien, statischen Zustandes ewiger Herrschaft. Albert Speers Achsenkreuz werde der ungeformten „Landschaft Berlin" das „Rückgrat" geben und „den Sinn der Stadt als Zentrum Europas, als die Stelle, an der sich die Ost-West- und die Nord-Süd-Richtungen des europäischen Lebens am stärksten überschneiden", zum Ausdruck bringen. Hier planten die Nazis in der „Überschneidung von riesenhafter Natur und riesenhafter Technik, von Landschaft der Stadt und endloser Landschaft des fernen Draußen" die Auslöschung urbaner Vielfalt, Unübersichtlichkeit und Widersprüchlichkeit (Paul Fechter, Die Landschaft, in: Das Berlin-Buch, hg. von Wolfgang Weyrauch, Leipzig 1941). Nicht die Häuser als „Bereich des Individuellen", sondern die großen, leeren Zwischenräume als Aufmarschgelände verordneter Gemeinschaft sollten die zukünftige Physiognomie der „Mutterstadt" des zu kolonisierenden Europas bestimmen.

Für das eroberte Kolonialland in Osteuropa plante ein landespflegerischer Arbeitsstab unter dem Reichsführer SS, Heinrich Himmler, der 1939 zum „Reichskommissar für die Festigung deutschen Volkstums" ernannt worden war, die Umformung in eine „germanisch-deutsche Kulturlandschaft". Dazu gehörte u. a. auch der Abriß alter Städte in Polen als „Zeugen polnischer Wirtschaft" und ihr völliger Neuaufbau (Ewald Liedecke, Der neue deutsche Osten als Planungsraum, 1940).

Nach der „gewaltsamen Sanierung" (Walter Gropius) des Bombenkrieges, sahen die aus dem Exil heimgekehrten Visionäre einer durchgrünten und gut durchlüfteten Stadtlandschaft endlich ihre Zeit gekommen. Denn, „nichts stand mehr im Zentrum der Stadt" (Hans Scharoun, vgl. S. 302 ff.). Die antiurbane Auflösung der Stadt in ihre Funktionsbereiche Wohnen, Arbeiten, Erholung, wurde nach 1945 zur verbindlichen Grundlage des Städtebaus auch in West-Berlin. Die im Siedlungsbau der 20er Jahre praktizierte und dort sinnvolle, aufgelockerte Zeilenbauweise führte, ins Stadtzentrum übertragen, zur Verödung des öffentlichen Lebens. Die linken Utopisten, die mit Licht, Luft und Sonne, mit der ‚guten Natur', das durch kapitalistisches Verwertungsinteresse von Grund und Boden verunstaltete „steinerne Berlin" sanieren wollten, wurden bald entmachtet und zurückgedrängt durch Technokraten, Ingenieure und Baubürokraten, die zum Teil aus dem von Speer 1943/44 zusammengestellten „Arbeitsstab zum Wiederaufbau bombenzerstörter Städte" kamen. Sie proklamierten den Totalabriß für den Wiederaufbau (vgl. S. 318 ff.) und die autogerechte Stadt (vgl. S. 306 ff.). Ihre Parole hieß Platz schaffen, ihre Tätigkeit war räumen. Walter Benjamin analysierte visionär den „destruktiven Charakter" dieses stets innerlich dienstbereiten Technokraten: Er „ist jung und heiter. Denn Zerstören verjüngt, weil es die Spuren unseres eignen Alterns aus dem Weg räumt." Ihm „schwebt kein Bild vor. Er hat wenig Bedürfnisse, und das wäre sein geringstes: zu wissen, was an Stelle des Zerstörten tritt". Wo andere Hindernisse sehen, „da sieht er einen Weg." Deshalb hat er auch überall „aus dem Weg zu räumen." Er „verwischt sogar die Spuren der Zerstörung" (Frankfurter Zeitung 20. 11. 1931). Man kann, wenn man will, hier ein Porträt von Albert Speer oder Rolf Schwedler sehen, gemeinsam ist ihnen ihre feste Überzeugung, in einem geschichtlichen Auftrag oder im Sinne des Zeitgeistes so handeln zu müssen.

Die inzwischen begonnene, hilflos nachbessernde Reparatur der „gemordeten Stadt" (Wolf Jobst Siedler) verwechselt auf bornierteste Weise Urbanität mit provinzieller Gemütlichkeit (vgl. S. 360 ff. und Abb. S. 10/11).

Die einstige Kulturmetropole war nach dem politischen und kulturellen Kahlschlag der Nazis 1945 wie gelähmt. „Einen kulturellen Aufbruch und Ausbruch hat es in Berlin ebensowenig gegeben wie sonstwo in Deutschland" (Erich Kuby). Der November 1918 wiederholte sich nicht. Die bescheidenen Ansätze dazu verhinderten die Siegermächte. Die Sowjetunion fürchtete eine Wiederholung der Räterepublik wie der Teufel das Weihwasser, die westlichen Alliierten unterdrückten alle antikapitalistischen Reformen.

Bezeichnend für diese Nachkriegsstimmung sind die Gemälde und Tuschezeichnungen von Werner Heldt mit dem Titel „Berlin am Meer". Sie sind Sinnbilder tiefer Resignation nach vielen Jahren der Vereinsamung in der inneren Emigration. Das zeitlose Bild vom „Sieg der Natur über das Menschenwerk" (W. Heldt) ist Ausdruck eines Abschieds von der Geschichte. Auch Karl Horst Hödicke, der eine seiner letzten Ausstellungen in Anspielung auf Werner Heldt „Berlin & Mehr" genannt hat, malte immer wieder die zerklüftete Ödnis in der Umgebung seines Ateliers zwischen Mauer, Kulturforum und Südlicher Friedrichstadt im heute wiederentdeckten „Zentralen Bereich" der westlichen Halb-Stadt. Die Brache im Umfeld des Potsdamer Platzes, einst der verkehrsreichste Platz Europas, benennt er nach der mongolischen Wüste „Gobi". Das Scharounsche Felsenkliff der Staatsbibliothek leuchtet aus der Ferne wie eine Fata Morgana.

Nach jahrzehntelangem provinziellen Dauerschlaf ist auch in West-Berlin die Sehnsucht nach der Wiederkehr der Metropole als Ort der Vielfalt, Verdichtung und Urbanität ausgebrochen. Bereits 1955 stellte Gottfried Benn in einem Diskussionsbeitrag während der Berliner Festspielwochen den schmerzhaften Verlust der Metropolenfunktion Berlins fest: „Westdeutschland geht kulturell daran zugrunde, daß es Berlin nicht mehr gibt... Wir sehen jetzt drüben Provinzmetropolen mit Lokalgrößen... — es fehlt der Blick auf ein Regulativ, und das war Berlin." Daran hat sich bis heute nichts geändert. Keine der westdeutschen Kultur- und Wirtschaftszentren konnte sich im föderativen System als unumstrittene Metropole der Bundesrepublik durchsetzen. Die entscheidende Frage für die Zukunft West-Berlins ist nicht, ob es Metropole werden will, sondern mit welchen Konzepten und Zukunftsentwürfen es seinen Status als Metropole vertreten wird. Als eine vom Steuerzahler der Bundesrepublik ausgehaltene Stadt, steht sie mehr als jede andere ‚parasitäre' Metropole in Europa unter einem ständigen Legitimationsdruck. Karl Schwarz erinnert in einem Beitrag für die Zeitschrift Ästhetik und Kommunikation mit dem Schwerpunktthema „Urbanität" (H. 61/62, 1986) an ihre Vergangenheit als Industriemetropole par excellence: „Berlin wurde wie keine andere der großen Metropolen geprägt von der Entwicklung der Industrie... Das Potential dieser inneren Vielfalt, die Traditionen Berlins als Arbeitsstadt erscheinen als das eigentliche, das unersetzliche Potential der Stadt auch zur Erfüllung ihrer kulturellen Aufgaben als gesellschaftliches Zukunftslabor. Berlin muß Ansätze zu einer Reindustrialisierung nutzen, wo immer sie sich bieten. Berlin hat seine Zukunft als Kulturmetropole nur, wenn es sich zugleich entwickelt als Industriemetropole neuen Typs." In diesem Sinne könnte aus der „Menschenwerkstatt" eine Zukunftswerkstatt für Überlebenstechniken im Zeitalter der postindustriellen Gesellschaft werden und „das hohle Berlin" zum „Gespenst einer besseren Zukunft".

Für die Herausgeber
Eckhart Gillen

Wir machen Epoche

Berlin präsentiert sich der Welt

Die Berliner Gewerbeausstellung 1896 in Treptow

Denn was das Auge sieht, daran wird das Herz erinnert. Überdies läßt die Geschichte keiner anderen Stadt der Welt den Einfluß der Fürsten auf die Entwicklung und Förderung einer Stadt in so interessanter Weise erkennen, wie die Berlins. (Wilhelm II. am 3. Februar 1895 vor einer Abordnung des Magistrats und der Stadtverordnetenversammlung).

Als der „Reichs-Anzeiger" vom 13. August 1892 die lakonische Mitteilung des Reichskanzlers publizierte, der Kaiser habe entschieden, dem Plan einer Weltausstellung in Berlin von Reichs wegen nicht näherzutreten, weil die erfolgreiche Durchführung des Unternehmens nicht zu garantieren sei,

1 *Die „Traumbilder von der Berliner Weltausstellung" aus der Bierzeitung des Berliner Architektenvereins wetteifern mit amerikanischer Gigantomanie (amerikanisches Haus) und mit Paris als Metropole der Weltausstellung (dreifacher Eiffelturm). Ein weiteres Projekt imaginiert Ausstellungspaläste als rollenden Dampfzug. Eine Riesen-Schlangen-Rutschbahn sollte Berlin mit Potsdam verbinden.*

waren viele Patrioten enttäuscht und vor den Kopf gestoßen. Auch der Verein Berliner Kaufleute und Industrieller, von dem die ersten Anregungen dazu ausgegangen waren, sowie das Ältestenkollegium der Kooperation der Kaufmannschaft von Berlin (Vorläufer der 1902 gegründeten Handelskammer), der Verein zur Förderung des Gewerbefleißes, der Verein der 79er (eine Gruppe von Interessenten, die auf der Berliner Gewerbeausstellung von 1879 eine Weltausstellung anläßlich der Säkularfeier im Jahr 1900 propagierten) und der Verein für deutsches Kunstgewerbe fühlten sich, wie es in zeitgenössischen Quellen formuliert wurde, in ein Klima der rauhen Winterstürme zurückversetzt. Selbst die Bierzeitung des Berliner Architektenvereins reimte in Anspielung auf die vorausgegangenen Standortdiskussionen und -spekulationen dazu:

Schon hob sich an der Oberspree,
Im Grunewald, am Lietzensee,
Der Weltausstellung Luftschloßpracht –
Da fiel ein Reif in der Frühlingsnacht.
Der Fiscus läßt den Vorhang nieder,
Der Spekulant erhebt sich wieder.
Gar traurig sind die Interessenten,
Die viel dabei verdienen könnten[1].

Allen Betroffenen fiel es schwer, die Entscheidung Wilhelm II. zu verstehen. Warum sollte nun plötzlich auf die historische Chance verzichtet werden, die erfolgreichen Anstrengungen der Industrie, des preußisch-deutschen Gewerbefleißes durch eine Weltausstellung zu krönen? Warum sollten nun plötzlich nicht die führenden Industrienationen durch ihren Gang nach Berlin veranlaßt werden, Deutschland die Reverenz zu erweisen? Daß Wilhelm II. und die ihn stützenden Gruppierungen hier weiträumiger dachten als der liberale Flügel der Bourgeoisie sollte sich erst später zeigen und ‚auszahlen'. Oder hatte sich die Reichsregierung der allgemeinen Weltausstellungsmüdigkeit am Ausgang des 19. Jahrhunderts angeschlossen, war etwa die deutsche Industrie bereits von der Wirkungslosigkeit derartiger Vorhaben für die Steigerung ihrer Profitraten überzeugt, hatte sich „. . . das deutsche Unternehmerthum . . . in Gemeinschaft mit der Regierung selbst eine schwere Niederlage zugefügt, indem es gezeigt hat, daß es zur Förderung großer Kulturarbeiten unfähig ist . . .", wie die zeitgenössische Arbeiterpresse vermutete?[2] Das Scheitern dieses Projektes bedeutete auch eine schwere Schädigung für die Berliner Bauindustrie und die von ihr beschäftigten Arbeitskräfte, denn beide Seiten hatten sich davon eine Belebung der Konjunktur, eine Beseitigung der bis Mitte der 90er Jahre grassierenden Arbeitslosigkeit versprochen.

Auf einer Versammlung der an einer großen Berliner Ausstellung Interessierten am 12. November 1892 im großen Saal des Hotels ‚Kaiserhof' erläuterte der Geheime Kommerzienrat Ludwig Max Goldberger[3] vor über 600 Teilnehmern die neue Strategie der kommenden Ausstellung als Selbstdarstellung einer neuen Industriemetropole: „Berlin hat als Hauptstadt des Deutschen Reiches einen Aufschwung ohne Gleichen genommen, und es mag Berlin wohl anstehen, öffentlich und übersichtlich zu zeigen, was es im Reiche und durch das Reich geworden. Mustergiltige Einrichtungen für alle Städte des Kontinents hinsichtlich des Verkehrs, der Hygiene, des Schulwesens, großartige Veranstaltungen auf dem Gebiete der Electricität u. s. w. haben von Berlin ihren Ausgang genommen, zum Teil hier erst ihre erste Erprobung erfahren. Berlins Kunstgewerbe, vordem auf ein kleines Gebiet eingeschränkt, hat seit und dank dem glanzvollen Gelingen der Berliner Gewerbeausstellung im Jahre 1879 eine immer mächtigere Ausgestaltung genommen. Mit einem Worte: *Berlin hat, was es der Welt zeigen darf.*" (Hervorh. d. Vf.)[4]

Der Berliner Bär hatte die anderen Länder wie z. B. Italien, Frankreich, Rußland, England, aber auch die übrigen deutschen Bundesstaaten wie etwa Baden, Württemberg, Hessen, Sachsen sowie die Freien Städte Bremen und Hamburg ins Schlepptau genommen und legte sie dem Preußischen Adler – zumindest auf einer Vignette des Zeichners W. Pape in einem Aufsatz über die Berliner Gewerbeausstellung – zu Füßen. Das neue kaiserlich-imperialistische Berlin erschütterte die Welt mit seinem selbstherrlichen Anspruch: Urbi et orbi! "Was verjährt und morsch war, wurde niedergerissen und erstand glanzvoll aufs neue, das bisherige, alte, etwas enge und fadenscheinige Berlin verschwand mehr und mehr und machte dem neuen, glänzenden Platz, das bald mit seinen viel älteren Schwestern an Seine, Themse, der Donau den Wettkampf aufnahm und sie hierbei binnen kurzem in vieler Beziehung schlug".[5] Der Kaiser wollte Berlin zur schönsten Stadt der Welt machen und dadurch den Führungsanspruch des Deut-schen Reiches in der Welt sichtbar werden lassen: "... zu Großem sind wir bestimmt, und herrlichen Tagen führe ich euch noch entgegen" (am 24. 2. 1892 vor dem Brandenburgischen Provinzial-Landtag).[6]

Stolz zitierten die Herausgeber des offiziellen Kataloges, "Berlin und seine Arbeit", den ehemaligen Botschafter der Vereinigten Staaten von Amerika in Preußen, White: "Die Deutschen sind kein gehendes, sondern ein kommendes Volk!"[7] "Auf dem Wege zur Weltgeltung" (so der Titel eines damals erschienenen Buches von Paul Rohrbach) sollte Berlin sich nach dem Willen des Kaisers der Welt präsentieren. Der Parvenü unter den Weltstädten war sich selbst genug. Die große Jahrhundertausstellung fand in Paris statt.

Fünf Gewerbeausstellungen von unterschiedlicher, jedoch wachsender Bedeutung hatte Berlin bereits im Laufe des 19. Jahrhunderts in seinen Mauern beherbergt: 1822 wurden im Gewerbehaus in der Klosterstraße noch überwiegend Erzeugnisse der Textilindustrie ausgestellt (176 Aussteller), die auch 1827 in acht Sälen der Akademie Unter den Linden (257 Aussteller) dominierten. Auf der "Allgemeinen Ausstellung deutscher Gewerbeerzeugnisse" 1844 im Berliner Zeughaus zeigten unter den 3000 Ausstellern mit ihren 3500 Exponaten bereits die jungen Berliner Maschinenbaufirmen Borsig, Egells, Lindner und Hoppe (vgl. Bd. I, S. 142, 156ff.) ihre bahnbrechenden Produkte. Allerdings hatte es im Vorfeld der Ausstellung noch Restriktionen gerade gegen diese modernen Vertreter des Gewerbefleißes gegeben, denn wie anders soll man die Auffassung der Preußischen Regierung verstehen, zunächst nur Exponate unter 40 Pfund (!) kostenlos nach Berlin

2 *Georgenstraße in Alt-Berlin, ein historisierendes Disneyland, gestaltet von K. Hoffacker. "Die Imitation der altertümlichen Bauwerke" geht bis zur "eigenartigen Form der alten märkischen Backsteine, die in täuschender Richtigkeit nachgebildet ist".*

3 *Berliner Gewerbeausstellung 1896 im Treptower Park: Sonderschau Alt-Berlin (1); Deutsche Kolonialausstellung (2); Karpfen-Teich (3); Riesenfernrohr (4); Marineschauspiele (5); Hauptrestaurant und Wasserturm (6); Neuer See (7); Ausstellungsbahnhof (8); Sonderschau Kairo (9); Gebäude für Gesundheitspflege und Unterricht (10); Große Industriehalle (11); Pavillon des ,,Berliner Lokal-Anzeigers" (12); Gebäude für Chemie, Optik, Mechanik und Photographie (13); Deutsche Fischereiausstellung, Nahrungs- und Genußmittel, Sport (14); Pavillon der Stadt Berlin (15); Alpenpanorama (16); Großer Restaurationsplatz (17); Gartenbau (18). ,,Es scheint, als ob der moderne Mensch für die Einseitigkeit und Einförmigkeit seiner arbeitsteiligen Leistung sich nach der Seite des Aufnehmens und Genießens hin durch die wachsende Zusammendrängung heterogener Eindrükke, durch immer rascheren und bunteren Wechsel der Erregungen entschädigen wolle . . . Keine Erscheinung des modernen Lebens kommt diesem Bedürfnis so unbedingt entgegen, wie die großen Ausstellungen, nirgends sonst ist eine große Fülle hetero-*

genster Eindrücke in eine äußere Einheit so zusammengebracht . . . Vielleicht ist es noch niemals so anschaulich gemacht worden, wie sehr die Form der modernen Kultur gestattet, sie an einem Platze zu verdichten und zwar nicht, wie die Weltausstellung
es tut, durch mechanisches Zusammentragen, sondern durch eigene Produktion, mit der die eine Stadt sich als Abbild und Auszug der gewerblichen Kräfte der Kulturwelt überhaupt darbietet . . . In dieser Ausstellung (ist) das Bestreben sichtbar . . ., die ästhetischen Chancen auszubauen, die das ,Ausstellen‘ der Waren ihrer Anziehungskraft hinzufügen kann. Gewiß sind gerade die
Geschmacksqualitäten die mangelhaftesten an den Einzelheiten dieser Ausstellung. Allein von der ,praktischen Vernunft‘ Berlins, die sich in dieser Ausstellung objektiviert und verkörpert hat, ist zu hoffen, daß sie wenigstens jene ästhetischen Impulse
weiterentwickeln wird, die aus der Ausstellung als solcher, als einer besonderen Form der Darbietung von Arbeitsprodukten quellen.“ (Georg Simmel, Berliner Gewerbe-Ausstellung, Die Zeit, Nr. 95, Wien, 25. Juli 1896)

4 *Des Kaiser's Abfahrt von der „Bremen", eine Nachbildung der neuen Doppelschraubendampfer des Norddeutschen Lloyd. Das 88 Meter lange Ausstellungsschiff ragt 55 Meter in die Spree, sein Rumpf wird durch ein Schleusentor abgeschlossen, als ob es gerade auslaufen würde. Im Inneren u. a. eine Ausstellung über die Entwicklung des Norddeutschen Lloyd mit Modellen von Schiffen, Werften und Hafenanlagen.*

transportieren zu lassen. Mit dieser ersten, Firmen aus allen deutschen Bundes- und Zollvereinsstaaten umfassenden deutschen Industrieausstellung konnte sich Berlin Dank der Initiative Peter Christian Beuths als kommendes industrielles Zentrum Deutschlands profilieren. Abgesehen von einer unbedeutenden Gewerbeausstellung der Polytechnischen Gesellschaft 1849 in Krolls Etablissement, die auf Grund der gescheiterten bürgerlichen Revolution zur ökonomischen und industriellen Bedeutungslosigkeit verurteilt war, sollte es nach diesem verheißungsvollen Anfang 35 Jahre dauern, bis 1879 im neugeschaffenen Landesausstellungspark neben dem gerade fertiggestellten Lehrter Bahnhof vor den Toren der Stadt wieder eine große Gewerbeausstellung (1800 Aussteller) in Berlin ihre Pforten öffnete. Nach der „schweren Niederlage" der deutschen Industrie auf der Weltausstellung 1876 in Philadelphia (Franz Reuleaux brachte das Ergebnis auf die Formel: „billig und schlecht", vgl. Bd. I, S. 324) konnte diese Ausstellung „die industriellen und gewerblichen Leistungen Berlins" zeigen, „mancherlei Vorurteile" bekämpfen und „die Bedeutung Berlins als Industrie- und Handelsstadt" dokumentieren. Neben dem Maschinenbau trat vor allem die beginnende chemische Großindustrie und die Elektroindustrie mit ihren Produkten hervor. Die Firma Siemens & Halske betrieb auf dem Ausstellungsgelände die erste elektrische Kleinbahn der Welt. Im Vergleich zu dem schmalen, dreieckigen Terrain des Landesausstellungsparks in Moabit, konnte sich die Berliner Gewerbeausstellung 1896 im 1888 fertiggestellten Treptower Park auf einer Fläche von über 900 000 m² ausbreiten. Alle bisherigen Weltausstellungen sollten damit überboten werden.

„Allein die Industrieschau fiel fast dreißigmal so umfangreich aus wie bei der letzten Gewerbeausstellung 1879 ... Der Garantiefonds von 4½ Millionen Mark, in Anteilen zu 1000 Mark, war von der Kaufmannschaft schnell aufgebracht ... Für 2½ Millionen Mark erweiterte die Eisenbahndirektion den Stadt- und Ringbahnverkehr und baute einen Sonderbahnhof (der sogenannte Bahnhof „Ausstellung", nach Ende der Gewerbeschau wieder aufgehoben, d. Vf.). Oberbürgermeister Zelle bewilligte notgedrungen 6 Millionen aus dem Stadtsäckel, um die Zufahrtsstraßen angesichts des zu erwartenden Verkehrs pflastern und die Brücken verbreitern zu lassen. Mit ungeheurem Aufwand wurde die Oberbaumbrücke ... mit Bogengängen, Zinnen und pompösen ‚Wehrtürmen' erbaut" (vgl. Bd. I, Abb. 127).[8]

Die Ausstellung verstand sich im Sinne des wirtschafts-liberalistischen Ideals als freie Konkurrenz gleichberechtigter handwerklicher, industrieller und kaufmännischer Betriebe. Hinter den dekorativen Kulissen der einzelnen Ausstellungshallen und Pavillons verbarg sich jedoch der beginnende Konzentrationsprozeß, die Bildung von Großkonzernen und Aktiengesellschaften unter maßgeblicher Beteiligung der jeweiligen ‚Hausbanken'. „Seit der letzten Gewerbezählung (1882) war die Gesamtzahl aller Berliner Produktionsstätten um 14 Prozent angewachsen (von 132 357 auf 150 179), aber die Zahl der Großbetriebe mit über 50 Beschäftigten hatte sich bis 1895 schon fast verdoppelt (von 551 auf 1006 Betriebe). Einschließlich der Betriebe aus den Randgebieten, die die obige Statistik nicht erfaßte, und einigen aus dem Reich waren insgesamt 3780 Aussteller zugelassen worden. Nicht ausschließlich Groß-

5 *Kampf der Panzerschiffe, Holzschnitt von R. Bong nach einer Tuschzeichnung von Kaiser Wilhelm II., gestiftet „für die Nothleidenden in Sicilien und Calabrien", 1895*

betriebe also; denn das Handwerk sollte ja stark vertreten sein. Doch, abgesehen von der hochgeschraubten Pacht, vermochten außer Luxusgeschäften mittlere und Kleinunternehmer mit dem Aufwand des modernen Großbetriebs für maschinelle Ausrüstung, technische Neuerungen und Reklame nicht Schritt zu halten. Betriebe unter 20 Beschäftigten war es fast unmöglich gemacht worden, sich überhaupt zu beteiligen."[9]

Die Hauptakteure der jetzt einsetzenden monopolkapitalistischen Entwicklung, die Berliner Großbanken, blieben auf der Ausstellung unsichtbar, ebenso wie die folgenreichen Kontakte der preußisch-deutschen Bourgeoisie in Industrie und Hochfinanz mit den Spitzen des Beamtentums und der höheren Verwaltungsbürokratie in dem am 8. Oktober 1864 gegründeten Club von Berlin, dem sogenannten ‚Millionenclub‘. Es war „... gewiß kein Zufall, daß der Club von Berlin 1864 gegründet wurde, in dem Jahre, da Bismarck die ersten Erfolge seiner Politik erntete und dadurch den mächtigen Aufstieg des deutschen Bürgerstandes, des deutschen Handels und der Industrie inaugurierte; noch weniger ist es ein Zufall, daß mit dem Beginn der wilhelminischen Ära der Club seine bescheidenen gemieteten Räume mit einem stattlichen eigenen Heim (ab 1893 in der Jägerstraße 2–3, d. Vf.) vertauschte. Die Tage der altpreußischen Einfachheit waren vorüber, und der unerhörte Aufstieg und schnell wachsende Reichtum Deutschlands berechtigten zu einem Luxus und Lebensbehagen, das der älteren Generation fremd war."[10]

In der Wahl des neuen Vorsitzenden – Wilhelm von Siemens, der zweite Sohn des Firmengründers Werner von Siemens –

für die Jahre 1901–1910 wurde aber der neuen Tendenz zur Herausbildung globaler Monopole und Monopolverbände Rechnung getragen. In dieser Phase politischer und ökonomischer Expansion auf den Weltmärkten stellte sich nach der Nichtverlängerung des „Sozialistengesetzes" am 25. 1. 1890 durch den Reichstag und dem Sturz Bismarcks die soziale Frage erneut in aller Schärfe. Die Erlasse vom Februar 1890 (Ausbau des Versicherungsschutzes, Arbeitszeitverkürzung usw.) sollten einen ‚neuen‘ sozialreformerischen Kurs einleiten, der allerdings angesichts des Selbstbewußtseins und der Wahlerfolge der Sozialdemokratie bereits 1893 wieder zurückgenommen wurde.

Dr. Hans Freiherr von Berlepsch, 1890–96 preußischer Minister für Handel und Gewerbe, dem das Ehrenpräsidium über die Berliner Gewerbeausstellung in Treptow übertragen worden war, gehörte zu den überzeugten Verfechtern eines liberalen Kurses, mit denen der Kaiser für kurze Zeit sympathisierte. Berlepsch stand offensichtlich unter dem Eindruck des machtvollen Bergarbeiterstreiks im Ruhrgebiet, wo im Jahre 1889 während seiner Amtszeit als Oberpräsident der Rheinprovinz 70 000 Kumpel die Arbeit niedergelegt hatten. Ihm „... war durch die unmittelbare Berührung mit der Arbeiterbewegung... mit zwingender Gewalt klar geworden, daß es sich bei ihr um eine jener historischen Bewegungen handelt, die nicht mit Gewalt zu unterdrücken sind, die in ihrem immanenten Kern eine starke Berechtigung haben, so daß die Aufgabe des Staatsmannes ihr gegenüber nur in sorgfältigster Untersuchung der Gründe ihrer Entstehung und im Aufsuchen der Wege besteht, sie nicht zum reißenden Strom werden zu lassen, der auch das zerstört, was die Vergangenheit uns an kostbaren Gütern überliefert hat, und in dem Bestreben, die Arbeiterschaft einzuordnen in den Organismus des Staates und der Gesellschaft als ein für das Gemeinwohl fruchtbares Glied."[11]

Die reaktionären Ratgeber am Hofe, die dem Kaiser einzureden versuchten, endlich den Kampf „gegen die Kräfte der Revolution" aufzunehmen für „Religion, für Moral und Ordnung", gewannen schließlich die Oberhand. Wilhelm II. war, trotz seiner anfänglichen Sympathie für Berlepschs Reformpläne „zugunsten des Arbeiterstandes", auf eine enge Zusammenarbeit mit dem rechten Flügel des Großkapitals orientiert. Davon zeugt auch die Stellung, die der saarländische Hüttenbesitzer Baron Carl von Stumm-Halberg, ein erklärter Gegner von Berlepsch und fanatischer Sozialistenfresser, als enger Vertrauter Wilhelm II. genoß. Stumm hatte in seinem Betrieb (um 1900 beschäftigte er über 8000 Arbeiter) eine nahezu militärische Arbeitsorganisation geschaffen, die offensichtlich ganz nach dem Geschmack seines hohen Gönners war. Stumm selbst äußerte sich über seine Art der Unternehmensführung wie folgt: „Wenn ein Fabrikunternehmen gedeihen soll, so muß es militärisch, nicht parlamentarisch organisiert sein ... Wie der Soldatenstand alle Angehörigen des Heeres vom Feldmarschall bis zum jüngsten Rekruten umfaßt und alle gemeinsam gegen den Feind ziehen, wenn ihr König sie ruft, so stehen die Angehörigen des Neunkirchener Werkes wie ein Mann zusammen, wenn es gilt, die Konkurrenz sowohl wie auch die finsteren Mächte des Umsturzes zu bekämpfen."[12] Diese Politik der ‚Kriegserklärung' gegenüber dem inneren und äußeren Feind, also gegen die Sozialdemokratie und die inländische wie ausländische Konkurrenz gleichermaßen, ist charakteristisch für die zweite Hälfte der 90er Jahre, die ‚Ära Stumm', in denen sich der deutsche Imperialismus formierte.

„Wenn man allzu vorsichtig ist und den Gendarm zu einem Popanz macht, der nicht eingreifen darf, so geht aus allzugroßer Philanthropie schließlich der Staat zu Grunde ... Ja, meine Herren, wenn man sich auf den Standpunkt stellt, man darf den Feind nicht reizen und angreifen, damit der nicht wieder schießt, dann kommt man eben zu der Auffassung, daß die Vorsicht der beste Theil der Tapferkeit ist", erklärte ‚König' Stumm, von Beifall unterbrochen, auf einer Sitzung des Preußischen Herrenhauses am 24. Juni 1897, und er fuhr fort: „Dann darf man auch keinen Krieg anfangen, dann muß man auch seine Truppen vor der Schlacht zurückziehen, damit sie nicht totgeschossen werden. Das ist aber ein Grundsatz, der im praktischen Leben ebensowenig maßgebend sein darf, wie im Kriege."[13]

Eine Politik der Konfrontation ließ sich schwerlich mit den liberalen Grundsätzen von Berlepschs vereinen, der bereits im Jahre 1894 anläßlich der Umsturzvorlage um seine Entlassung nachgesucht hatte, die ihm nun, wenige Wochen nach Eröffnung der Gewerbeausstellung, am 26. Juni 1896 folgerichtig gewährt wurde. Diese Politik des Säbelrasselns, welche ihre Krönung in der berüchtigten „Hunnenrede" des Obersten Kriegsherrn am 27. Juni 1900 vor den nach Ostasien abgehenden Truppen in Bremerhaven erfahren sollte, wurde in Treptow sinnfällig vor Augen geführt.

Wer die Welt neu aufteilen wollte, weil er zu spät gekommen

war, der brauchte Schiffe, mehr Schiffe als die anderen, und die Zustimmung der Steuerzahler. Im Vorfeld der ersten Flottenvorlage (6. Dezember 1897), die im März 1898 vom Reichstag bewilligt wurde und der Gründung des „Deutschen Flottenvereins" im gleichen Jahr, verlieh man der Gewerbeausstellung mit Bedacht einen „hervorragend maritimen Charakter", denn nur mit den gepanzerten Kriegsschiffen „beherrschen die Riesenweltreiche, insbesondere England, die Völker des Erdenrundes und vor allen Dingen die großen maritimen Heerstraßen des Welthandels."[14]

Unter dem Motto, „was das Auge sieht, daran wird das Herz erinnert", begann in Treptow der große Propagandafeldzug für die „Eroberung der Weltgeltung zur See", die den Steuerzahler als erste Rate 400 Millionen Reichsmark kostete. Allen voran machte Wilhelm II. „Deutschlands Zukunft ... auf dem Wasser" zu seinem höchstpersönlichen Anliegen. Bereits als Kronprinz hatte er unter Anleitung seines Mal- und Zeichenlehrers Paul Seidel am liebsten Seestücke und Schiffsschlachten gemalt (vgl. Abb. 5). Die Stadt Berlin war offensichtlich gut beraten, ihm zum Regierungsantritt einen Neptunbrunnen zu schenken, der – vor dem Schloß aufgestellt – einen wichtigen Teil seiner Regierungspolitik verkündete: „Der Dreizack gehört in unsere Faust!"[15]

Zur Eröffnung der Ausstellung erschien der Kaiser daher programmatisch auf dem Wasserweg: „Was war das für ein Jubel, als das schlanke Schiff auf der Oberspree erschien, an seinem Mast die purpurne Kaiserstandarte führend, während am Bug die Kriegsfahne wehte! Zahllose zierliche Ruderboote mit ihrer farbig costumirten Bemannung, flotte Segler, kleine und grössere buntbewimpelte Dampfer, bis auf das letzte Plätzchen menschenüberfüllt, belebten die Wasserfläche, und immer neue Hochs und Hurrahs erschollen von ihnen aus und fanden ihr Echo an den Ufern, wo gleichfalls tausende von Menschen standen und mit jubelnden Zurufen das Kaiserpaar begrüssten, das auf dem Vorderdeck des schneeigen Schiffes stehend, freundlich nach allen Seiten hin dankte und von diesen begeisterten Huldigungen sichtlich überrascht schien. Überall von den Ufern her erscholl Musik, überall wehten Fahnen, in ein einziges Flaggengewand schienen die Bootshäuser der Ruder- und Segler-Klubs gehüllt, vor denen in langen Reihen die Vierer- und Achter-Boote lagen, welche auf ein gegebenes Zeichen an der ‚Alexandria' vorüberschossen.

Kurz nach dreiviertel elf Uhr landete das kaiserliche Schiff, für das nahe dem gewaltigen Lloyddampfer ‚Bremen' ein langer, bekränzter Steg in die Spree gebaut war, in Treptow, von dem Lloyddampfer her erdröhnten einundzwanzig Salutschüsse, in welche sich das ‚Heil dir im Siegerkranz' der Militaircapelle und der stürmische Jubel der Anwesenden mischte, die auch mit Tücher- und Hüteschwenken ihrer freudigen Erregung Ausdruck gaben. Vor einem weissen, innen goldene Adler ausweisenden Festzelte, vor welchem ein Marine-Doppelposten die Ehrenwache hielt, wurde das Kaiserpaar, dem Prinz Friedrich Leopold als Protector und Handelsminister von Berlepsch als Ehrenpräsident der Ausstellung entgegengeschritten war, von den Herren des Ausstellungsausschusses empfangen und von ihnen sodann nach dem Hauptpalaste geleitet, auf dem ganzen Wege mit donnernden Hochs begrüsst."[16]

Dieser Augenzeugenbericht läßt den Aufwand für die Eröff-

6   *Präsentation der Deutsch-Österreichischen Mannesmannröhren-Werke in der Haupthalle des Industriegebäudes. Zu sehen sind Riesenröhren für Telegraphenmasten und repräsentative Straßenleuchten.*

nung, aber auch das exakte Zusammenspiel zwischen Protokoll und Ausstellungsregie ahnen. Die notwendigen Sicherheitsbeamten traten als lustige Segler auf, das Volk jubelte in ornamentaler Bekränzung des jenseitigen Ufers: Die Spree ersetzte die Absperrungsmaßnahmen. So fügte sich pomphafte Inszenierung mit nüchterner Berechnung zu einem bombastischen Schauspiel, wie der Kaiser es liebte.

Wohin sein Auge schweifte, er konnte überall Schiffe sehen: Schiffe in allen Größen, Schiffe als Kulisse, Schiffe als Modell, Schiffe auf Großfotos, Schiffe auf der Spree, Schiffe im Hauptindustriegebäude, Schiffe in den Pavillons für Sanitär- und Sicherheitswesen, Schiffe für Sport, Freizeit und Wohlfahrt, Schiffe für den Handel, Schiffe für den Krieg. Auch das Fischereigebäude der Gewerbeausstellung und die damit verbundene Sportabteilung, auf der Wilhelm II. selbst als Aussteller vertreten war, diente propagandistischen Zwecken. So versprach sich der Kaiser vom Aufblühen des Segelsports „... das Interesse für alles, was unsere wirtschaftlichen Beziehungen nach außen betrifft, zu entwickeln, die Lust zu Unternehmungen im Auslande zu stärken und die Ausbildung tüchtiger Yachtmatrosen zu fördern.“[17] Auf der ‚Bremen‘ wurden täglich sämtliche Schiffsbewegungen der Handelsflotte des Norddeutschen Lloyd auf einer Weltkarte verzeichnet.

Eine besondere Attraktion waren die „Marine-Schauspiele“: In einem künstlich angelegten Bassin mit einer Flächenausdehnung von 10 000 m² umgeben von einem „brilliant gemalten Prospekt“ mit Felsenküste, Forts und vorgelagerter Insel inszenierte der Torpedooffizier von Leps sechsmal täglich eine Seeschlacht mit Geschützdonner und Schiffeversenken, ein wilhelminisches Disneyland in Berlin-Treptow: „Die Lebhaftigkeit dieser Bewegungen und dieses Kampfes der Feuerschlünde ist wirklich geeignet, Kennern wie Laien das Blut fiebernd gegen die Schläfe zu treiben, umsomehr, wenn man mit einem Glas bewaffnet, die exakte Ausführung der Signalgebung mittels der verschiedenen Flaggen verfolgt, zu deren Deutung uns ein ausführlicher, kolorierter Katechismus zur Verfügung gestellt wird. Das Schauspiel hat gleichsam drei Akte. Zuerst nach dem Manöver, Seegefecht mit einigen hochdramatischen Ereignissen. Rückzug der Verteidigungsflotte, nochmaliges Hervorbrechen, Hissung der weißen Flagge und Gefangennehmung der sich ergebenden Schiffe, Triumphmarsch und Bergung im Hafen; zweiter Akt, Beschießung des Felsenforts, Torpedokampf, Auffliegen der submarinen Minen, Vernichtung einer Fregatte, Ergebung des Forts und Einzug in den Hafen. Dritter Akt, Flottenparade und Salut der Kaiseryacht, große Fanfare und Siegesmarsch.“[18]

„Pro Patria est, dum ludere videmur" stand im gedruckten Programmheft der Marine-Schauspiele: Wir scheinen zu spielen und arbeiten fürs Vaterland. Ein zeitgenössischer Kommentar ergänzte: „Hier gilt es den im Grunde genommen weltscheuen mitteleuropäischen Schollenmenschen ein Schauspiel zu geben, damit sie ein Bild dessen gewinnen, wie heutzutage die Welt beherrscht oder auch erschlossen wird. Diese riesigen Monitors (im damaligen Sprachgebrauch gleichbedeutend mit Panzerschiff, d. Vf.) sind der Schlüssel der nationalen Macht und Freiheit. Ein Volk, das sie zu handhaben verschmäht, wird eingesperrt und muß auf die guten Dinge verzichten, die die Mutter Erde ihren Kindern doch so reichlich beut. Mag der geborene Quietist, wie der auf seinen Schätzen schlafende Drache Fafner, darüber schimpfen, daß es so ist und daß einem die gebratenen Tauben nicht ins Maul fliegen, daß sie erobert und verteidigt sein wollen, ändern werden sie es nicht."[19]

Hinter diesen patriotischen Spielen standen die handfesten Interessen der Schwerindustrie und Elektroindustrie. Die Schiffs- und Maschinenbau A. G., ‚Germania', aus Berlin-Tegel, die seit Anfang der 70er Jahre als erste deutsche Firma für die Kriegsmarine produzierte, eine Tochtergesellschaft von Krupp, in der seinerzeit die Egells'sche Fabrik aufgegangen war, zeigte auf der Ausstellung ihren 4000 PS starken Compound-Dampfmaschinen und torpedoarmierte Beiboote. Auch Borsig und Schwartzkopff profitierten von den neuen Staatsaufträgen. Siemens besaß bereits ein Monopol auf die Lieferung der elektrischen Schiffsausrüstungen.

Auf seinem Protokollweg betrat der Kaiser das Hauptausstellungsgebäude des Architekten Bruno Schmitz, der sich als Schöpfer der großen Kaiserdenkmäler auf dem Kyffhäuser (Kaiser-Wilhelm-Nationaldenkmal 1890–96), an der Porta Westfalica (Denkmal Kaiser Wilhelm I. 1896) und auf dem Deutschen Eck bei Koblenz (1897) empfohlen hatte. Die maurisch-orientalische Märchenschloßfassade aus 1001 Nacht konnte nicht über das rational-industrielle Konstruktionsprinzip der Ausstellungshallen hinwegtäuschen. Nur der östliche Teil des Hauptausstellungsgebäudes, die repräsentative Wandelhalle sowie die Vor- und Repräsentationsräume wurden wirklich für Treptow neu gebaut. Die eigentlichen Hallen des Hauptgebäudes stammten von der Industrieausstellung in Antwerpen aus dem Jahre 1894 und waren nur nach Berlin ausgeliehen worden.

Die Kuppel des Hauptgebäudes sowie die beiden seitlichen Turmhauben und das gegenüberliegende Haupterfrischungsgebäude, das gleichzeitig die Wasserversorgung kaschierte, waren mit Aluminium gedeckt, dem modernsten Baustoff der Zeit, der vom Aufschwung eines ganz jungen Industriezweiges, der Elektroindustrie, kündete, wie er sich besonders stürmisch nach 1891 abzeichnete. Die aluminiumgedeckten Kuppeln waren das fernhinleuchtende Symbol einer neuen Zeit. Hatte die Weltproduktion an Aluminium zwischen 1857 und 1866 erst 2000–3000 Kilogramm jährlich betragen, bei einem Preis von etwa 100,– Mark pro Kilogramm, so konnte sie durch die industriemäßige Beherrschung des dazu notwendigen Elektrolyseverfahrens allein bei der Aluminium-Industrie A. G. Neuhausen (Schweiz) 1896 unter Verwendung von Turbinen auf ca. 645 000 Kilogramm gesteigert und der Preis pro Kilogramm auf 3,– Reichsmark gesenkt werden.

Der neue Werkstoff wurde auch in Deutschland nicht nur als Ersatzstoff für andere Metalle, für Horn oder Holz (z. B.: Schlüssel, Kämme, Tisch- und Tafelgerät, Schmuckwaren) genutzt, sondern er bot sich auch und vor allem für den militärischen Bereich an: Aluminium wurde zunehmend eingesetzt für die Produktion von Feldflaschen, Feldkesseln, Zeltbeschlägen, Steigbügeln, Kochgeschirren usw. Selbst die Beschläge der Helme waren jetzt aus Aluminium. Vor allem aber zeigte es seine nützlichen Eigenschaften beim Bau von Rettungs- und Torpedobooten, für die Herstellung von Gerüsten für starre Luftschiffe, für Feldstecher, Feldtelegraphen und Telephondrähte. Das Aluminium war zu einem Metall von strategischer Bedeutung geworden, dessen Glanz man in Treptow zwar präsentierte, dessen Produktion man aber streng geheimhielt. Das dazu erforderliche Elektrolyseverfahren, die Elektrometallurgie, wurde nicht, bzw. nur in ihren Endprodukten, ausgestellt. Solche ‚verdeckten' Exponate gab es auch in anderen Bereichen, wie z. B. in der Gruppe der Textilindustrie, die Militärtuche und Uniformstoffe in nicht weniger als 70 verschiedenen Farbnuancen ausstellte, zu denen auch die neuen Uniformen der Kaiserlichen Schutztruppe in Afrika gehörten: Graue Velours de chasse.

So war der Eingeweihte informiert und der ‚Normalverbraucher' durfte sich auf den Ausdruck des Staunens beschränken, ganz so, wie der Text des nach der Ausstellung erschienenen Abschluß-Katalogs „Berlin und seine Arbeit" es formulierte: „Von der unscheinbaren Kreuzwölbung des (im Ausstellungs-Komplex ‚Alt-Berlin' gezeigten, d. Vf.) Spandauer Thores bis zur monumentalen Pracht der Kuppelwölbung im Industriepalaste, welch ein Abstand!"[20]

Nach der Besichtigung des Hauptindustriegebäudes wandte sich Wilhelm II. und seine Begleitung „Kairo in Berlin" zu, wo man ihm und seiner Orientpolitik mit arabischen Reiterspielen huldigte. Das 1867 gegründete „Reise-Bureau Carl Stangen" Unter den Linden hatte 1878 durch die Organisation der ersten deutschen Gesellschaftsreise um die Erde Ägypten als Reiseziel ins Bewußtsein gehoben. Reiseberichte des Berliner Journalisten und Illustrators Ludwig Pietsch förderten die Ägyptenmode. „Nun war man entzückt, in Treptow für 20 Pf. bequem per Lift die aus Eisengerüsten und Zementplatten nachgebildete Cheopspyramide besteigen, Grabkammern mit echten Mumien (aus den Berliner Museen) besichtigen, unter vertrockneten Palmen der Janitscharenmusik der Leibkapelle des Khediven von Ägypten lauschen ... zu können ..."[21]

Den weitaus größten Teil seiner kostbaren Zeit, nämlich anderthalb Stunden verbrachte der Kaiser auf dem Protokollweg in der Kolonialausstellung, wo er durch alle Räume und Anlagen ging. Anschließend ließ er sich einen Kriegstanz der Massai vorführen und verfolgte den Bau eines Hauses aus Kamerun durch ‚eingeborene' Kräfte. Die Länge des protokollarischen Aufenthaltes ist auch hier Indiz für die innen- und außenpolitische Bedeutung, die der Kaiser dem Kolonialgedanken beimaß.

Am 28. November 1894 hatte sich der Reichskanzler, Fürst Chlodwig zu Hohenlohe-Schillingsfürst, vorbereitend auf die Treptower Gewerbeausstellung mit folgendem Runderlaß an die Kaiserlichen Gouverneure der einzelnen Schutzgebiete gewandt: „Die Verständlichkeit der kolonialen Ausstellung (als Teil der Treptower Gesamtausstellung, d. Vf.) würde erheb-

7   Die Kaiserlichen Majestäten in der Kairo-Ausstellung vor der Nachbildung der Cheopspyramide. Handkoloriertes Glasste-
reobild aus dem „Kaiserpanorama" (vgl. S. 28 f.). „Den märkischen Sand benutzend, haben . . . die Herren Baumeister Wohl-
gemuth und Direktor Willy Möller unter Mithilfe des Architektur-Malers Moritz Lehmann . . . eine ganze fremde Stadt erstehen lassen und mit Eingeborenen bevölkert . . . Den Hintergrund der hier am dichtesten mit echten Söhnen des Nillandes bevöl-
kerten, hochinteressanten Landschaft bildet die Pyramide des Cheops . . . Mit Hilfe einer gewaltigen Eisenkonstruktion vermochten die Unternehmer hier doch wenigstens auf der einen, der Ausstellung zugekehrten Seite eine getreue Nachbildung . . .
zu schaffen. Zur Bekleidung der unteren Stufen wurden Cementplatten genau in Größe der Quadern, die zu den echten Pyrami-
den verwandt worden sind, genommen . . . Weiter oben hat man durch Malerei künstlich ersetzt, was nicht in Wirklichkeit zu be-
schaffen war . . . Den Erkletterern der Berliner Cheops-Pyramide haben es die Herren Unternehmer äußerst bequem gemacht.
Man bezahlt an der Kasse 20 Pf. und begibt sich einfach nach dem auf der Rückseite angebrachten Fahrstuhl. Auf diesem erreicht man in kürzester Zeit die etwa 36 Meter hoch gelegene Plattform . . . Man kann auch in das Innere der Pyramide gehen.
Es befinden sich dort Grabkammern mit echten Mumien . . ." (Carl Stangen, Kairo in Berlin, in: Groß-Berlin. Bilder von der
Ausstellungsstadt, hrsg. von Albert Kühnemann, Berlin 1896/97, S. 130–139)

lich gewinnen, wenn in der Kolonialausstellung zugleich mit den Behausungen, Geräthen usw. auch einzelne Gruppen von Eingeborenen der verschiedenen Schutzgebiete den Besuchern vorgeführt werden können. Ich würde deshalb bitten, sich auch über die Möglichkeit der Anwerbung einer solchen Gruppe und die daraus entstehenden Kosten unterrichten zu wollen."[22]

Am 31. Oktober 1895 konnte nach Eingang der Antwortschreiben aus den einzelnen Kolonien die jeweiligen zur Verfügung stehenden Summen festgelegt werden.[23] Aufschlußreich ist ein aus finanziellen und klimatischen Gründen nicht realisierter Vorschlag des kaiserlichen Kommissars für die Marschallinseln, von Puttkamer, unter dem Datum vom 1. April 1895, den schon in San Francisco ,ausgestellten' Häuptling Litowka nach Berlin zu schicken, denn es „... würde ... von nicht zu unterschätzendem Werthe für die Verwaltung des Schutzgebietes sein, wenn dieser einflußreiche Mann bei seiner Anwesenheit in Berlin von der Macht und Größe

des deutschen Volkes einen noch höheren Begriff erhielte, als derjenige war, den er über die Amerikaner von San Francisco mitgenommen hat..."[24]

Am 9. März 1896 traten dann die für Berlin bestimmten menschlichen ,Exponate' mit dem Reichspostdamper ,Admiral' ihre Reise an. Es waren 24 Männer, 10 Frauen sowie 6 Kinder, wie die in Potsdam erhaltenen Impflisten belegen.[25] „Die Suaheli, Massai und Neuguinealeute kamen hier (d. h.: in Berlin, d. Vf.) sehr erkältet an. Alle mit Ausnahme der Kinder husteten stark, fieberten jedoch nicht. Gleich in den ersten Tagen erkrankte ein Massaimädchen an fieberhaftem Lungenkatarrh", hieß es in einem ersten Bericht über ihren Gesundheitszustand.[26] Zwei von ihnen verstarben in der Charité, so der Suaheli Salim in der Nacht vom 29. zum 30. Juli 1896 an Gehirnhautentzündung, und – kurz darauf –, in der Nacht vom 5. zum 6. August d. J., der Suaheli Juma an Lungenkatarrh.

Der als Oberaufseher über die Afrikaner und die aus Neugui-

8 *Ehrenraum für Hermann von Wissmann (1853–1905) im „wissenschaftlich-kommerziellen Teil" der Kolonialausstellung, der, getrennt von der „eigentlichen Ausstellung der Eingeborenen mit den Nachbildungen ihrer Dörfer und Behausungen" am Karpfenteich, die „Araberstadt" jenseits der Parkallee neben dem Vergnügungspark bildete. Wissmann gehörte zum Typus des forschenden Afrikareisenden (1887 z. B. durchquerte er Afrika von West nach Ost), der zugleich als militärische Vorhut diente. 1888 warf er im Auftrag der Reichsregierung den Araberaufstand in Deutsch-Ostafrika nieder. Im November 1890 „befriedete" er die Gebiete zwischen den Masailändern und Tanga. 1895/96 fungierte er als Gouverneur von Deutsch-Ostafrika. „Mancher ... unverbesserlicher Zweifler ... wird in dieser Ausstellung vielleicht andern Sinnes werden ..., nachdem er durch die Betrachtung der segensreichen Einrichtungen ... zu der Überzeugung gelangt ist, daß es eine wahrhaft edle und gute Sache ist, für die unsre ,Afrikaner', die Pioniere deutscher Kultur in jenen Ländern, ihr Leben aufs Spiel setzen". Alles in allem „eine Ausstellung, die ... der Popularisierung des kolonialen Gedankens vielleicht mehr Nutzen bringen wird, als tausend Bücher, Reden und Zeitschriftenartikel" (Richard Schott, Die Deutsche Kolonial-Ausstellung, in: Groß-Berlin, Berlin 1896/97, S. 253–263).*

nea nach Berlin transportierten Menschen eingesetzte R. Franke, über den es schon Anfang Juni zu massiven Beschwerden gekommen war, versuchte diese Todesfälle vor einer sanitär-polizeilichen Untersuchungskommission zu bagatellisieren und zu verbergen, indem er am 11. August offiziell erklärte, „... daß er nicht in der Lage sei, die Neger vorführen zu lassen, da sie freie Leute seien und sich nicht durch die erschiene-ne Revisionskommission untersuchen lassen wollten ...".[27] Dieser kleine Aufseher verhielt sich im Prinzip und im Detail nicht anders als die Angehörigen der Kaiserlichen ‚Schutztruppe' selbst oder als der zu jenem Zeitpunkt 43jährige Major Hermann Wissmann, der die blutigen Kolonialkriege für seinen Kaiser in Afrika führte und deshalb stellvertretend für so viele andere seines Schlages auf der Treptower Gewerbeausstellung mit einem eigenen Raum geehrt und damit zum nationalen Vorbild erklärt wurde. Hier auf der Kolonialausstellung im Treptower Gesamtkomplex stand die von zwei riesigen Elefanten-stoßzähnen umrahmte Porträtbüste dieses auch als Volks- und Jugendschriftsteller in Erscheinung getretenen und emp-fohlenen „Pioniers deutscher Kraft und deutschen Könnens" auf einem Sockel. Hier konnte er von den für diesen Teil der Ausstellung von Eintrittsgeldern befreiten Schulklassen be-wundert werden, um baldige Nachahmer zu finden.

Insgesamt zwanzig Afrikaner blieben nach Abschluß der ver-regneten Ausstellung zurück, wie z. B. der Kameruner Jacob, der anschließend bei dem Schlossermeister Reinhold Engel-hardt in der Berliner Linienstraße 30 wohnte, oder der eben-falls aus Kamerun stammende Rudolf Joss, der bei dem Foto-grafen C. Seegert, Große Frankfurterstraße 71, in die Lehre ging, aber arbeitslos wurde, weil er bei Seegert nichts lernen konnte und deshalb die Kolonialabteilung des Auswärtigen Amtes um eine neue Lehrstelle bitten mußte.[28]

Europäische, d. h. preußisch-deutsche Erziehung genossen je-doch vor allem die Mitglieder der einzelnen Häuptlingsfami-lien, die man dadurch als potentiell wohlgesinnte Kader für die wilhelminische Afrikapolitik gewinnen wollte.

So wurde auch der Kameruner Duala-Oberhäuptling Rudolf Manga Bell, welcher später „... für die Widerstandsbewegung (seines Volkes, d. Vf.) ... gegen Enteignung, Rechtlosigkeit und Rassendiskriminierung am Vorabend des Ersten Welt-krieges"[29] große Bedeutung erlangen sollte, vor seiner Amts-übernahme in Deutschland ausgebildet und ‚erzogen'.

Rudolf Manga Bell, dessen Verwandter Bismarck Bell seiner-zeit in Treptow ausgestellt worden war, arbeitete zunächst als Handwerker bei der Baufirma F. H. Schmidt in Altona und kam danach in die Reparaturwerkstatt des Norddeutschen Lloyd nach Bremerhaven. Im Mai 1889 schickte man den jun-gen Mann von dort nach Berlin in die Hauptwerkstatt der Kö-niglichen Eisenbahndirektion. Am 31. Mai 1890 trat er die Heimreise an und war zunächst als Hilfsmaschinist auf dem Flußdampfer ‚Soden' tätig, wo ihm ein Teil der seit seiner Ab-fahrt aus Bremerhaven verauslagten Gelder regelmäßig vom Lohn abgezogen wurde. Danach eröffnete Bell eine Handels-firma, die Waren aus Deutschland bezog und in Kamerun ver-kaufte. Wegen „revolutionärer Umtriebe" wurde er (wahr-scheinlich 1891) auf ein Jahr nach Togo verbannt.

Als sein Onkel King Bell am 23. Dezember 1897 verstarb, wur-de Manga Bell zum Oberhäuptling gewählt und von Berlin be-stätigt. Im Sommer des Jahres 1902 war Rudolf Manga Bell in Berlin, um mit Wilhelm II. zusammenzutreffen und um eine Reihe von Beschwerden vorzubringen, die gemeinsam mit ähnlichen Aktivitäten des Jahres 1905 als „Petitionen aus Dua-la" in die Geschichte eingegangen sind.

Als man seine Anwesenheit zunächst ignorierte, wandte sich Bell in einem eigenhändigen Brief mit Datum vom 30. Juli 1902 an das Auswärtige Amt und schrieb: „Unterzeichneter er-laubt sich das Auswärtige Amt von meiner und meiner Fami-lie Ankunft in Berlin in Kenntniß zu setzen. Es würde mir sehr angenehm sein, wenn ich den Herren meinen Besuch machen könnte."[30] Da sich die Kolonialabteilung (sicher auf höhere Weisung) nicht rührte, wurde Bell energischer, drängte in einem weiteren Brief vom 13. August d. J. auf eine Zusammen-kunft und führte eine Reihe von Beschwerden über Mißhand-lungen und Demütigungen seiner Landsleute seitens der wil-helminischen Kolonialherren mit Namen und Adresse an.

In diesen Briefen äußert sich eine selbstbewußte und mutige Haltung, noch dazu in perfektestem Amtsdeutsch, wie sie die kaiserlichen Beamten wohl nicht oft zu hören bekamen. Das waren keineswegs unterwürfige Töne der ‚sanften Wilden', die man 1896 in Treptow in originalgetreuem Milieu ausgestellt und vorgeführt hatte und zu denen der bereits erwähnte Ver-wandte Manga Bells, „... der mit der Führung der Kamerun-leute beauftragte" Bismarck Bell gehörte, der in zeitgenössi-schen Aufsätzen über die Gewerbeausstellung zum einfältigen schwarzen Trottel gemacht worden war.[31]

Erst nach einer provozierenden Wartezeit von einem Monat ‚empfing' Wilhelm II. den selbst nach damaligem Protokoll etwa ranggleichen Kameruner Politiker: Er bestellte ihn auf das Tempelhofer Feld, wo er Manga Bell unmittelbar nach Abschluß einer Militär-Parade am 30. August d. J. eine Audienz gewährte.

Der für das Protokoll zuständige Offizier, ein Oberleutnant von Kramsta, vergaß übrigens, dem Gast aus Kamerun die beiden dazu vom Tattersall am Brandenburger Tor bereit-gestellten Droschken in Rechnung zu stellen. Und weil die Muse der Geschichte in ihren Kuriosa manchmal ebenso typisch handelt wie in anderen Fällen, so mußte besagter Protokollof-fizier, dem man anheimstellte, sich die fragliche Summe in Höhe von 86,– Mark von Manga Bell selbst zurückzufordern, schließlich doch in die eigene Tasche greifen und wenigstens die Hälfte berappen, denn Ordnung muß sein. Wutschnau-bend kam der Oberleutnant dieser Anordnung nach, aller-dings erst mit großer Verspätung, denn der Einzahlungsbeleg datiert vom 22. März des nächsten Jahres. Den zweiten Wagen übernahm dann doch noch der Staat.

Nimmt es da wunder, daß „... der Besuch der Häuptlinge in Deutschland ... von den unheilvollsten Folgen gewesen" ist, wie der kaiserliche Gouverneur nach erfolgter Rückkehr Manga Bells und seiner Begleitung mit Brief vom 24. Oktober 1902 denunzierend schrieb? Denn „... Frechheit und Unbot-mäßigkeit machen sich in allen Kreisen des Stammes immer breiter ... Manga Bell selbst ist z. Zt. halb verrückt. Er hält sich einige Hofmarschälle, läßt Niemand vor, bleibt vor europä-ischem Besuch bedeckten Hauptes sitzen, hält fortwährend Pa-raden über seine Leute ab und hat vor seinem Hause eine ‚Hauptwache' eingerichtet, die ‚Herein' ruft und präsentiert, sobald Manga sich zeigt ..."[32]

Paul Thiel

Das kostümierte Imperium

Bildsequenz aus dem Kaiser-Panorama

Als das Kaiser-Panorama 1883 in der ‚Passage‘ seine Pforten öffnete, hatte das eben erst zwölf Jahre junge Deutsche Reich bereits seine erste Wirtschaftskrise, den Gründerkrach, hinter sich. Die Kaisergalerie, so ihre offizielle Bezeichnung, zwischen den Linden und der Ecke Friedrich-/Behrenstraße im Herzen der aufstrebenden Metropole ließ zu dieser Zeit als neuartiges Einkaufs- und Vergnügungszentrum und als Treff der modernen Gesellschaft nichts dergleichen mehr erkennen. Hier etablierte der herzoglich-sächsische Hoflieferant August Fuhrmann, von Hause aus Physiker, Erfinder und Stereo-Fotograf in der 1. Etage sein ‚Kunst-Institut ersten Ranges‘, und meinte damit die Präsentation handkolorierter, ‚polychromer‘, stereoskopischer Dia-Serien in einem selbst entwickelten rotundenförmigen Betrachtungsgerät, vor dem 25 Personen einen festen Sitzplatz fanden und in dem hinter je zwei Okularen Sequenzen von 50 thematisch zusammenhängenden Bildpaaren wie vor einem Fenster in 3D raumbildlich vorüberzogen.

Während ihres über 50jährigen Bestehens entwickelte sich die Firma schon bald zum kontinentalen Stereobild-Verlagszentrum. Im letzten Jahrzehnt des vorigen Jahrhunderts begann die Glanzzeit. Bis zum Ausbruch des Ersten Weltkrieges waren etwas über 1000 Bilderzyklen aufgelegt, bei Umwandlung in die Weltpanorama-Zentrale, zu Beginn der 20er Jahre, befanden sich 160 000 Motive im Archiv. 250 Filialen, oft mit mindestens zwei Geräten ausgestattet, unterstanden direkt der Berliner Zentrale. Sie bezogen das Bildmaterial für ihre wöchentlich wechselnden Programme auf Bestellung ausschließlich von ihr, Fremdfirmen konnten es von Fall zu Fall anfordern. Die Betrachtungsgeräte mußten gekauft werden, die Bilder standen mietweise zur Verfügung. Ersatzteilbeschaffung für die Geräte, pünktlicher und bruchsicherer Transport der Glasstereos im Format 9 × 18 cm als Ringleihe von Filiale zu Filiale sowie eine einheitlich über Jahrzehnte wirksame Werbung beweisen die

kaufmännischen und organisatorischen Talente des Unternehmers Fuhrmann. Für die Bildbeschaffung hatte das Kaiser-Panorama ständig Reporter unterwegs. Entweder reisten sie fest angestellt mit firmeneigener Ausrüstung durch die Lande oft auch im Zuge offizieller Expeditionen und Staatsbesuche, oder sie boten als freiberufliche Fotografen eigene Aufnahmen an. Bildmaterial aus Regionen außerhalb deutscher Einflußsphären kaufte man in Frankreich, England oder Amerika.

Der stets aktive Kaiser-Panorama-Direktor war jedoch nicht nur ein cleverer Kulturmanager, die optische Qualität seiner mehrfach patentierten ‚Wandelpanoramen‘ wie auch seiner Bildserien erfüllten alle Grundforderungen des für

9–10 Betrachtungsgerät und Kaiser-Galerie (Passage); in der I. Etage das Fuhrmann’sche Kaiser-Panorama

die Stereoskopie notwendigen beidäugigen Sehens. Unter fachlichem Beistand des weltbekannten Berliner Physikers Hermann von Helmholtz war Fuhrmann vom bisher führenden Prinzip des Brewster’schen Prismensterеoskops abgegangen, dessen halbierte oder gar geviertelte Linsen oft störende Farbsäume und zudem raumbildliche Tiefenverzerrungen ergaben. Davon blieben die sphärischen (kugelförmigen) Okulare des Kaiser-Panoramas frei und wurden in der Folgezeit Vorbild für augenfreundlichere Stereoskope bis zu den heutigen Ausführungen. Gleichermaßen legte Fuhrmann Wert auf größtmögliche technische Qualität seiner Dias, was für die mitunter an Effekthascherei und Massenkonsum orientierte zeitgenössische Konkurrenz keineswegs immer zutraf. Besondere Sorgfalt verwendete er auf die Entwicklung seines Farbverfahrens, der ‚indirekt durchschimmernden Polychromierung‘, bei dem auf der rückwärtigen, zur Lichtquelle gewandten Seite der Mattscheibe der Dias Lasurfarben nach eigener Rezeptur aufgetragen wurden.

Für August Fuhrmann war die Stereoskopie die ‚Königin der Photographie‘ und ‚die Krone der Photographie ist das Stereoskop‘. In seinem ‚wissenschaftlichen Institut für ideale naturwahre Länder- und Völkerkunde, Kunst- und Zeitereignisse etc.‘ bildeten sie in Synthese mit dem raumbildlichen Sehen in den bereits seit hundert Jahren existierenden Rundgemälden und der soeben als Volkssport entdeckten Fotografie eine neue medienpolitische Variante, den organisierten stereoskopischen Bildjournalismus. Das Programm des Kaiser-Panoramas umfaßte kommentierte optische Reiseberichte aus der gesamten damals bekannten Welt und aktuelle Bildreportagen über Staatsbesuche, Krönungsfeiern, Staatsbegräbnisse, Kolonialkriege, Überschwemmungen, Erdbeben, Übersee-Expeditionen, Weltausstellungen, Olympiaden usw. Es sollte „Die Welt mit der Welt bekannt machen“. Bei einer quantitativen Analyse des Bildbestandes erscheint der kosmopolitische Anspruch der Selbstdarstellung allerdings übertrie-

ben: Die Aktivitäten des Unternehmens
konzentrierten sich mehr auf die
deutschsprachigen Gebiete des Reiches
und Österreich-Ungarns, 46 % der Aufnahmen stammten aus diesen Regionen, und ca. 90 % der Filialen waren
hier angesiedelt.

In diesem geopolitischen Raum war
auch der Bildungsanspruch des Kaiser-
Panoramas zu suchen, eine Mischung
aus unterhaltsamer Massenbelehrung,
schulischer Unterweisung und staats-
bürgerlicher Erziehung. Schon die Na-
mensgebung zeigt den patriotischen
Zeitgeist. Zitat aus einem Prospekt:
„Unter all den Namen, die in Betracht
kamen, wurde von zahlreichen Paten
die Bezeichnung Kaiser-Panorama gewählt, weil ich als Kombattant von Feld-
zügen zur Eröffnung in Breslau Momente und Episoden vom Kriege 1870/71
vorgeführt habe, die eine vorzügliche
patriotische Stimmung und schöne Erinnerungen wachriefen." Fuhrmann wurde nicht müde, auf Programmzetteln, in
Prospekten und Katalogen und im ‚Goldenen Buch der Zentrale für Kaiser-Pan-
oramen', in dem er ca. 1909 alle jahrelang mit Akribie gesammelten Referen-
zen veröffentlichte, aufzuzählen, welche Bilder-Serien er ‚auf allerhöchsten
Befehl' anfertigte, wann und zu welchem Anlaß die ‚Kaiserlichen Majestäten' sich diese anschauten und welche
Könige, Prinzen und Prinzessinnen seine Filialen besuchten. Unterhaltsame
Massenbelehrung und schulische Unterweisung ließen sich medienpolitisch
kaum trennen. Die Motivgruppen einer
durchschnittlichen Reise-Bildserie, wo
auch immer in Europa (das waren ca.
60 % des gesamten Archivbestands), gaben Aufschluß über geografische und
biologische Gegebenheiten, über den
Lebensstil der Bevölkerung, über profa-
ne und sakrale Baukunst, nicht selten
auch über landwirtschaftliche und industrielle Produktionstechniken. Bei dem
seinerzeit begrenzten touristischen Ak-
tionsradius ließ sich damit ein solides
Stammpublikum aufbauen. Die Ver-
lags-Stereoskopie wurde in den 20er
Jahren von den qualitativ immer besseren Farbdrucken und vom Kino verdrängt. Das Kaiser-Panorama, für das
zahlende Publikum immer weniger attraktiv, wurde zum Relikt einer vergangenen Epoche.

Erhard Senf

11–12 *25-Jahrfeier der Reichsgründung 1896 auf dem Tempelhofer Feld. Oben:
Geistliche beim Feldgottesdienst; unten: Kriegervereine nach der Parade*

13–18 *Sedantag 1914. Abrücken der Salutbatterien Unter den Linden; Hundertjahrfeier 1913. Der Kaiser verliest den Armeebefehl; Arbeiter beim Bau des Nationaldenkmals Kaiser Wilhelm I.; Fallen der Hüllen: Ein Hurrah der Festgäste; das zum 25jährigen Reichsjubiläum dekorierte Brandenburger Tor; Aufstellung der Garde zur Denkmalseinweihung am 22. März 1897*

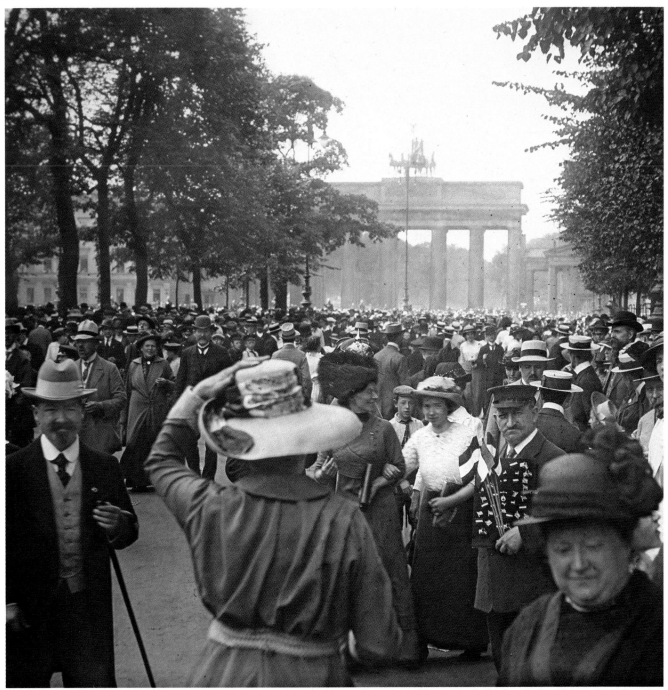

19 *Sedantag (2. September) 1914. Schaulustige am Brandenburger Tor einen Monat nach Ausbruch des Krieges bei einer Parade mit erbeuteten französischen und russischen Geschützen*

Rhythmus der Großstadt

Die neue Zeit

Dem Gründungsfieber folgte der Kollaps, doch den gewaltigen industriellen Aufschwung, der Berlin zu einer europäischen Großstadt machte, beeinträchtigte das nur vorübergehend. Die eher bescheidene Hohenzollernmetropole gewann Weltläufigkeit, wuchs sich zur Reichshauptstadt aus. In ihr kristallisierte sich die gesellschaftliche Entwicklung, in ihr war man am ‚Puls der Zeit'. Der Lebensrhythmus veränderte sich, die Zeit lief schneller, die Stunde hatte, wie es schien, keine 60 Minuten, der Tag keine 24 Stunden mehr. Der Warenumsatz beschleunigte sich, das Leben intensivierte sich. Die Zeiträume wurden zusammengepreßt und immer dichter ausgefüllt. Es war eine Akzeleration aller Bewegungen zu verspüren, der Verkehr zirkulierte schneller und lückenloser: Nach der Eisenbahn wurden Elektrische und Automobil zum Hauptträger des Verkehrslebens, sie lösten die Verkehrsmittel ab, die auf organischer Energieverausgabung basierten, emanzipierten Transport und Beförderung von Tier- und Menschenkraft. Doch der Verkehr setzte sich unter der Erde, schließlich in der Luft fort, die Beschleunigung des Lebensrhythmus drang in die einzelnen Häuser, in Behörden, Geschäfte, Büros ein. Der Fließbandtakt begann, die Produktion zu bestimmen, und griff bald über die Fabrikhallen hinaus. Technologische Maßstäbe prägten das gesamte Gesellschaftsleben, vermittelten die Kommunikation. Das Tagleben verlängerte sich immer tiefer in die Nacht hinein, Kabarett und Varieté, Café und Lunapark bildeten die Ausgleichsorte und Zerstreuungsinstitutionen, die den Verlust von Naturnähe aufwiegen, die dem konzentrierten Berufsalltag Abspannung und Erholung gegenüberstellen sollten.

Es ist darum kein Zufall, daß um die Jahrhundertwende eine Reihe von rückblickenden Texten, ja, beinahe von Nachrufen geschrieben wird, die sehnsüchtig an das verlorene, sich verlierende Alt-Berlin (vgl. Abb. 2) erinnern als eine Zeit festgefügter Ordnung, vertrauter Straßenbilder, als einen Ort, an dem jeder und jedes seinen festen Platz hatte, als einen gesellschaftlichen Horizont, den zu überschreiten oder zu verrücken niemandem in den Sinn kam. Weichgestimmt und wehmütig ist der Tenor dieser Rücksichten auf die Vergangenheit.

Die alte Zeit, sie war nach der Einschätzung Felix Phillippis geprägt von einsichtsvoller Selbstbescheidung: „Und diese auf echtester Solidität fußende Bescheidenheit, dieses nicht über seine Verhältnisse leben, dieses nicht den Leuten Sand in die Augen streuen, herrschte auch in den Berliner Wohnungen."[1]

Die neue Zeit, sie wird in den Strudel einer industriellen Entwicklung ins Maßlose gerissen: „Man kann in unserm Berlin nicht mehr sein Leben friedlich verbringen, wie einst, als man noch in ruhigen Spezialgeschäften, in aller Gemütlichkeit, seine Bedürfnisse befriedigte! Sondern brandend wogen zahlreiche Ströme wild durcheinander und aneinander vorbei, wie das Gedränge und Hasten in einem großen Warenhause. Liebe und Glück, Reichtum und Ruhe, Zufriedenheit, Naturgenüsse, Kunst und Kultur, alles wird nicht mehr im stillen Behagen gewählt und genossen! Sondern man kauft drauflos, wie der geschickte Zufall gerade die einzelnen Möglichkeiten gut aufgeputzt in den Weg stellt…"[2] Dies sind Worte, die Erich Köhrer 1909 der Hauptfigur seines ‚Warenhaus Berlin', eines – wie der Untertitel annonciert – ‚Romans aus der Weltstadt', in den Mund legt.

Die bessere Gesellschaft hielt per Kooptation die Reihen geschlossen, um so dichter, je stärker ihr die Gesellschaftspyramide, vor allem auch die inneren Maßstäbe, die diese Pyramide vormals abstützten, ins Wanken zu geraten droht. Noch bis zum Ersten Weltkrieg erscheinen die ‚Gothaischen Genealogischen Taschenbücher' in den 5 Abteilungen: 1. Hofkalender (seit 1763), 2. Taschenbuch der gräflichen Häuser (seit 1827), 3. Taschenbuch der freiherrlichen Häuser (seit 1848), 4. Taschenbuch der (ur)adligen Häuser (seit 1900), 5. Taschenbuch der briefadligen Häuser (seit 1907)[3], wobei besonders die neueingerichteten Untergliederungen Aufschluß über die ‚Verfassung'

der besseren Gesellschaft geben: je stärker der Wunsch ist, sie zu bestätigen, desto mehr muß sie erweitert werden. Das Nachdrängen der Generäle und Millionäre in den erlauchten Kreis des Adels ist keineswegs dazu angetan, die alte Gesellschaftsordnung zu festigen und zu bewahren, sie weicht sie auf, führt zu einer Inflation des Adelstitels. „Kaiser Wilhelm II. hat der Hochfinanz die Türen zum Weißen Saale im alten Schlosse an der Spree weiter geöffnet als seine Vorgänger auf dem Throne. Und ohne den Sturz der Monarchie würde sich die Zahl der von ihm nobilitierten Bank- und Industriemagnaten noch alljährlich vergrößert haben. Die Nobilitierungsgesuche, auch von Generalen und Beamten (denen vom Rat erster Klasse aufwärts der Adel prinzipiell nicht abgeschlagen wurde), hatten sich im Heroldsamt, einer Abteilung des Ministeriums des königlichen Hauses, zu Haufen gestapelt. Der verstorbene Chef des Heroldsamtes, von Borwitz, sagte mir gelegentlich, man hätte sich zu einer Art von ‚Kontingentierung' entschließen müssen, indem in jedem Jahr nur eine bestimmte Anzahl von Nobilitierungen bewilligt wurde. Es dauerte mitunter jahrelang, ehe ein Gesuch an die Reihe kam."[4] Die Flucht der Bürger in die Nobilitierung wird zum Anzeichen des Niedergangs der alten Ordnung. Zwar wurde ab 1889 den genealogischen Taschenbüchern des Adels ein ‚Deutsches Geschlechterbuch. Genealogisches Handbuch bürgerlicher Familien' an die Seite gestellt, doch in Fedor von Zobeltitz' ‚Chronik der Gesellschaft unter dem Kaiserreich 1894–1914'[5] wird noch in erster Linie dem Hof und den Bällen (und den Skandalen) der adligen Gesellschaft Beachtung geschenkt. Einen beliebten Gesprächsstoff scheinen Alter und Gewicht des Adelstitels gebildet zu haben. „Vor hundert Jahren galt noch der Großadel für ‚unadlig'; vor fünfundzwanzig Jahren aber plädierte ein durchaus feudalen Interessen dienendes Blatt dafür, daß unserer ärmerer Adel sich doch auch der Bankkarriere widmen möge. Die Zeiten haben sich eben geändert; adlige Kaufleute gibt es heute genug".[6]

Industriebarone und Handelsadlige dringen in die Kreise der ‚Gesellschaft' ein. Künstlern und Bürgern, die in der Lage sind, den Adelstitel in Kapital aufzuwiegen, werden die Türen der Salons und des Offizierskorps geöffnet, doch auch das traditionsbewußte und geldgeadelte Bürgertum fühlt sich schon bald von neuen Verkehrsformen (und von der aufbrandenen ‚roten Flut') bedroht. Und ab 1918 erscheint der 'Gotha' nur noch einbändig.

Hinter den gesellschaftlichen Umschichtungsprozessen, die begrüßt und beklagt werden, steckt der rücksichtslose Sturmlauf der industriellen Entwicklung, demgegenüber die ‚Alt-Berliner' Bilder und Szenen die geruhsame und stationäre Qualität der Vergangenheit zu beschwören suchen. Geborgenheit und unverwechselbare Identität, ‚Originalität', so scheint es, hafteten der überholten Existenzweise des 19. Jahrhunderts an, bevor die Menschen in die namenlose Massengesellschaft der neuen Zeit gestürzt werden. „Dampfbetrieb, Elektrizität und Massenfabrikation haben auch eine Menge kleiner Existenzen weggeschwemmt, die in früheren Zeiten zu jedem Berliner Haushalt, ja recht eigentlich zu jeder Berliner Familie gehörten, und die sich durch lange, treue Dienste diese Gunst erworben hatten: die Waschfrauen, die Schneiderinnen, die Putzmacherinnen und die Plätterinnen. Eine jede von ihnen hatte ihren bestimmten Tag in der Woche, dann wuschen, schneiderten und plätteten sie für ‚zehn jute Groschen' was das Zeug halten wollte."[7] Zwar liest es sich in Felix Philippis Erinnerungen euphemistischerweise so, als hätten diese der Familie assoziierten Berufsvertreterinnen ihre Arbeit aus lauter Freude getan, und doch klingt in der ‚Gunst' des Familienanschlusses die noch nicht restlos aufgelöste Struktur des ‚Ganzen Hauses' an, das Relikt einer auf persönlichen Beziehungen basierenden Großfamilie. Und auch der konkrete Umriß der Haustätigkeiten war noch nicht durch maschinelle Gleichförmigkeit zerstört worden. „Diese Kleinexistenzen, die sich wacker durchs Leben schlugen, hat die lieblose neue Zeit unter die Räder geworfen, und ebenso sind die echten Berliner Volkstypen verschwunden, die recht eigentlich die geheimen Mitarbeiter der Witzblätter und Coupletdich-

ter waren: die lustigen Eckensteher, die ruppigen kleinen Schusterjungen, die großen Droschkenkutscher. Das waren junge Leute, die in den Materialwarengeschäften' mit rotblauen Händen und märchenhaft schöngeölter Frisur die einkaufenden Mädchen bedienten, und zu deren erster vertraglicher Pflicht es gehörte, den ‚Meechens' in die Backen zu kneifen!"[8]

‚Dampfbetrieb, Elektrizität und Massenfabrikation' vernichten nicht nur diese farbigen ‚Kleinexistenzen' mit der Auflösung der Hauswirtschaft und der Überführung ihrer Arbeitsverrichtungen und -produkte in die industrielle Herstellung, verdrängen nicht nur die Originale und ‚Volkstypen' aus Straßenbild und Einzelhandel, sie verändern ganze Berufsbilder, nehmen ihnen die traditionelle Prägung und degradieren ihre Repräsentanten zu blassen Funktionsträgern. Bis zur Verwechselbarkeit wird das Profil der Persönlichkeit abgeschliffen, werden die Arbeitsgänge mechanisch geformt.

Hinzu kommt, daß sich in die Räume, die der Geldverkehr zwischen den einzelnen ökonomischen Funktionen aufreißt, neue Berufe einnisten, die ohne eigenes Berufsethos ganz von den Bewegungen und Anforderungen des Geldverkehrs bestimmt werden. „In den modernen Großstädten gibt es eine große Anzahl von Berufen, die keine objektive Form und Entschiedenheit der Betätigung aufweisen: gewisse Kategorien von Agenten, Kommissionäre, all die unbestimmten Existenzen der Großstädte, die von den verschiedenartigsten, zufällig sich bietenden Gelegenheiten, etwas zu verdienen leben. Bei diesen hat das ökonomische Leben, das Gewebe ihrer teleologischen Reihen überhaupt keinen sicher anzugebenden Inhalt, außer dem Geldverdienen, das Geld, das absolut Unfixierte, ist ihnen der feste Punkt, um den ihre Tätigkeit mit unbegrenzter Latitüde schwingt."[9] Wie eine Illustration der Simmelschen Analyse liest sich Kafkas kleine Erzählung ‚Der Nachbar', in der die Konkurrenzangst einer dieser ‚unbestimmten Existenzen der Großstädte' thematisiert wird. Der ‚Nachbar' wird zur heimlichen, unheimlichen Konkurrenz, gerade weil es ihm im gleichen Maße wie dem Ich-Erzähler an der ‚objektiven Form und Entschiedenheit der Betäti-

gung' mangelt: „Was er dort eigentlich macht, weiß ich nicht. Auf der Tür steht: ‚Harras Bureau'. Ich habe Erkundigungen eingezogen, man hat mir mitgeteilt, es sei ein Geschäft ähnlich dem meinigen."[10]

Der Geist der neuen Zeit wirkt nivellierend. Georg Simmel stellt eine ‚eigentümliche Abflachung des Gefühlslebens' fest und verweist auf die Leichtigkeit intellektueller Verständigung' selbst zwischen Menschen divergentester Natur und Position'. Es scheint, als ob der hohe Abstraktionsgrad einer neuen Vergesellschaftungsqualität seinen geistigen Niederschlag findet, weniger allerdings als Verwirklichung des kosmopolitischen Traums der Aufklärung, mehr als Durchsetzung neutraler Wertschätzung, rationaler Kommunikationsformen, als Vorherrschaft von Gleichgülltigkeit gegen alle persönlichen Besonderheiten.

Auch auf die ästhetischen Ausdrucksformen wirkt sich der ‚Rhythmus der Großstadt' aus. Neue Genres und Motive dringen in die Kunst, in die Literatur ein, verändern Mal- und Schreibformen. Der behäbige, traditionsverbundene Realismus, die Darstellung in die Tiefe und Breite wird obsolet; sozialkritisch, grell und engagiert werden die Schattenseiten der Großstadtexistenz ausgeleuchtet. Je mehr die Einheit von beruflicher und gesellschaftlicher Stellung zerfällt, desto stärker fehlt dem Ich die innere Kohärenz. Es wird allseitig von neuen Eindrücken geformt, die Stadtdynamik dringt in die Poren der Existenz und löst die Identität von der naturbezogenen Lebensweise ab. Dadurch zersetzt sich für den ästhetischen Blick die vertraute Umgebung; der schöne Schein vergeht, die Negativkonturen werden ins Überdeutliche vergrößert.

Die konkretistische Darstellungsweise des Naturalismus imprägniert Bilder und Sprachbilder mit Mitleidsideologie, zeichnet die Anklage dem kleinsten Detail ein, versucht im Sekundenstil auch die winzigsten Wirklichkeitspartikel zu erfassen. Fremdheit und Kälte senken sich in die städtische Umwelt, senken sich in die Beschreibung der Umwelt. Sie wird aus Beobachtungssplittern und Einzelszenen rekonstruiert. Geräusch- und Lichtmetaphorik unterstützen die naturalistische Wiedergabe der abweisenden, häßlichen Stadtwirklichkeit, in

20 *Durch die Rationalisierung der Verwaltungsapparate entstehen die ersten Großraumbüros (hier: die Korrespondenzabteilung der Berliner Handelsgesellschaft in der Charlottenstraße 1920).*

der die Menschen als Opfer und Gezeichnete leben.

In der symbolischen Tradition ist das Licht ‚immer die Ordnung, die die große Unordnung des Dunkels beseitigt'[11], und mit der Aufstellung von Straßenlaternen versucht die Ordnungsmacht auch die Nacht unter ihre Herrschaft zu bringen, doch diese künstliche Beleuchtung der Stadtwirklichkeit ist zwielichtig, sie rückt zugleich das Elend in den Blick. Die Nacht bleibt von resignativen oder aufrührerischen Gegenkräften bestimmt.

Je weiter aber die Abstraktion in die Lebensformen der Großstadt vordringt, desto weniger kann noch die sichtbare Oberfläche den Gegenstand identifizieren: Die Darstellung greift unter die Oberfläche, zeigt ‚Röntgenbilder‘ der Realität, gibt die abstrakten Prämissen und Bewegungslinien der Stadtmotorik wieder. Die im Industrialisierungspro-

zeß geballte Kraft hat sich verselbständigt und die Stadtmenschen in ihre Abhängigkeit gerissen, zu Schattenexistenzen verkümmert. ‚Kraft‘ wird ein magisches Wort.

Das Wort[12]

Die langen, öden, flackernden Vorstadtstraßen! – Die Winterstraßen!
Einen Hag'ren, Dunklen, Tiefäugigen
    seh ich.
Zitternd im schlechten Kleid drückt er
    sich durch das treibende Gewühl.
Durch Frost und wirbelndes
    Flockenspiel
Durch das Gewühl der Vorstadtstraßen,
durch das Rauschen und Brausen der
    Kraft.
Einen Hag'ren, Dunklen, Tiefäugigen,
    einen Suchenden seh ich,

Durchschüttert vom Strom der Kraft,
Liebend, beschleichend die Kraft! –

Und ich sah das werdende Wort!
Das Wort der Kraft!
Das neue Wort!

Der von Johannes Schlaf besungene abstrakte Begriff der ‚Kraft‘ wird mythisch verklärt, in ihn wird die Erwartung eines Neuen hineingelegt, und in ihm ist eine zwiespältige Anfälligkeit für das Neue zum Ausdruck gebracht.

Rationalisierung

Der Antrieb der Stadtmaschinerie liegt in den Fabriken; von ihnen geht der mechanische, zeitökonomisch strukturierte Rhythmus aus, der das städtische Leben bestimmt. Sie sind die Taktgeber für die gleichförmigen Bewegungsabläufe, und dies um so beherrschender, je umfassender das tayloristische System eingeführt wird, je mehr unproduktive Bewegungen und Pausen aus dem Arbeitsprozeß eliminiert werden. Mit fo-

21 *Wertheim am Leipziger Platz (Alfred Messel, 1896/97) wurde das größte und berühmteste Warenhaus Europas. „Wenn man heute in einer Familie hört: Wir gehen zu Wertheim, so heißt das nicht in erster Linie, wir brauchen irgendetwas besonders notwendig für unsere Wirtschaft, sondern man spricht wie von einem Ausfluge, den man etwa nach irgend einem schönen Orte der Umgebung macht" (Gustav Stresemann).*

tografischer Abbildgenauigkeit wird alles Überflüssige ausgemerzt, werden Idealbewegungen zugrunde gelegt, mit der Stoppuhr werden Durchschnittszeiten errechnet und vorgegeben, bis der Arbeiter sich ganz der Maschine angepaßt, untergeordnet hat (vgl. Bd. I, S. 310–321).

Kurt Eisner ist einer der Ersten, die die in alle Bereiche vordringende ‚Taylorisierung' – den Inbegriff der Mechanisierung der Arbeitskraft – einer scharfen Kritik unterziehen. „Im Taylorsystem vereinigt sich die fruchtbare Wissenschaft von der höchsten Produktivität der Handarbeit mit der gaukelnden Lehre von der Technik höchster Ausbeutung. Demgemäß gesellen sich in der Person Taylors die Seele des spürenden und regelnden Ingenieurs mit der alten Leidenschaft eines Propheten des Kapitalismus."[13] Und er fährt dann fort: „Die Technik hat sich seither nur um

die Vervollkommnung der Maschine gesorgt. Die Bemühungen Taylors sind seit einem Menschenalter darauf gerichtet, die Technik der menschlichen Hand-, Muskel- und auch Hirnarbeit zu höchster maschineller Leistungsfähigkeit zu entwickeln."[14]

Taylorsystem und Fließbandmaschinerie greifen ineinander, schließlich ist der Arbeiter derart zum Maschinenteil verkümmert, in den maschinellen Prozeß eingepaßt worden, daß er wie eine Maschine behandelt und zuguterletzt wie eine Maschine ersetzt werden kann. „Der zur Maschine erstarrte Mensch wird eben auch nach den normalen Abnutzungsquoten der stählernen Maschinen rasch – amortisiert. Und ist er amortisiert, wird eine neue Menschmaschine eingestellt, ohne daß sich jemand darum kümmert, was aus den amortisierten Menschen wird."[15]

Der Prozeß der Mechanisierung und

Maschinisierung dringt auch in die Verwaltungs- und Verteilungsapparate vor; er vollzieht sich dort für die Öffentlichkeit weitgehend unsichtbar. Denn während das Taylorsystem mit seinen sichtbar inhumanen Auswirkungen schnell heftige Kritik hervorruft, geht die Rationalisierung der Bürowelt nahezu unbemerkt vor sich (und wird eigentlich erst heute in ihrem aktuellsten Entwicklungsstand richtig wahrgenommen: durch die Gefahren des Computerwesens und der elektronischen Datenverarbeitung). Doch bereits in den 80er Jahren des 19. Jahrhunderts war in den Vereinigten Staaten die Verwaltungstechnologie erfunden worden, die die bürokratischen Strukturen des 20. Jahrhunderts maßgeblich ermöglichte und perfektionierte. Hermann Hollerith entwickelte die Lochkarte zur Verbesserung und Beschleunigung von Volkszählungen: „Vor allem aber beschäftigte ihn die unbefriedigende Art, wie die zurückliegende Volkszählung (die 10. Volkszählung, die zwischen 1880 und 1882 durchgeführt wurde, d. Vf.) ausgewertet worden war. Das langsame, unzuverlässige, geisttötende und kostspielige Auszählen der Fragebogen veranlaßte ihn, nach einem besseren, selbsttätigen Verfahren zu suchen. Er entwickelte zuerst die ‚Zählblättchen‘ einheitlichen Formats, in denen alle Fragen an bestimmter Stelle durch Ankreuzen und Durchlochen zu beantworten waren. Nach langen Versuchen erreichte er auch die brauchbare Form für die zugehörigen Lochstanzen und Auswertungsmaschinen. Am 8. 1. 1889 erhielt er das Patent 395 782 auf die erste ‚Hollerith-Maschine‘. Sie wurde bei Statistiken der Stadtverwaltungen Baltimore, New Jersey und New York erprobt und in großem Umfang 1890 zur 11. Volkszählung eingesetzt.“[16]

Hatte das Fließbandsystem die der Maschine innewohnende Tendenz zur Automatisierung und damit zur Ersetzung der Arbeitskraft vorangetrieben, hatte das Taylorsystem die Arbeiter selbst mechanisiert, so bietet das Hollerith-Verfahren die Möglichkeit der Vervollkommnung des modernen Staatsapparates, seiner Verwaltungs-, Registrierungs-, Kontrollfunktionen.

Mit der Lochkartentechnik wird der bürgerliche Zähl- und Sammelzwang zu einem integralen Bestandteil der gesellschaftlichen Reproduktion. Die Lochkarte ist Symptom einer Philosophie grenzenloser Speicherlust, der systematischen Verknüpfung und Auflistung einzelner, zufälliger, für sich belangloser Daten und Fakten. Nicht mehr das Besondere interessiert, sondern das Vergleichbare und damit Auswertbare.

„Bei einer Betrachtung des gesamten Bereichs der Lochkartentechnik ist es unerläßlich, auf das Grundelement des Verfahrens, die Lochkarte selbst, näher einzugehen. Über den interessanten Maschinen vergißt man leicht die unscheinbare gelochte Karte und hält sie vielleicht für etwas, was schnell zurechtgemacht wird, damit die Maschinen laufen können. Man kann die Lochkarte gewiß als ein Steuerelement für einzelne Maschinen auffassen, sogar als ein Element – ein Organ dieser Maschinen selbst. Aber das ist eine rein technische Auffassung und eine sehr einseitige, welche die Gefahr in sich birgt, daß die Lochkarte als etwas Sekundäres angesehen wird. Es ist nicht so, daß die Lochkarte für die Maschine da ist, sondern umgekehrt, die Maschinen sind für die Lochkarte da. Die Lochkarte erschuf die Maschinen; sie war die Keimzelle, die einen riesigen Komplex bereits bei ihrer Schaffung in sich trug, und alles was wir heute an technischen und organisatorischen Einzelheiten im Lochkartenverfahren haben, entwickelte sich organisch aus dieser Zelle.“[17]

Während es im Maschinenwesen auf die bestmögliche Ersetzung der Handarbeit ankommt, erscheint die Lochkarte als ‚Keimzelle‘, als Hirn, für das die sie umgebende Maschinerie die Zuarbeit leistet. In der Lochkarte ist Wissen gespeichert, das Herrschafts- und Kontrollfunktionen abstützt, das konvertiert, ergänzt und jederzeit wieder abgerufen werden kann. So wie Taylors Ausarbeitung des ‚scientific management‘ die industrielle Produktion auf eine neue Grundlage stellte, gelingt es Hollerith mit seiner Lochkarte die Basistechnik für neue Kommunikations- und Verwaltungsformen bereitzustellen, Statistik und Buchhaltung zu reformieren. Dabei spielt der Begriff des Speichers die zentrale Rolle. „Der Begriff des Speichers, technisch genommen, umfaßte bisher Vorrichtungen, denen Energie in irgendeiner Form zugeführt wurde, und aus denen diese Energie im Augenblick des Gebrauchs wieder abgeleitet wurde. In der letzten Zeit hat man aber den Begriff des Speichers erweitert und wendet ihn auch für Apparaturen an, die nicht ‚Energien‘, sondern ‚Vorgänge‘ allgemein technischer Art sammeln und festhalten können, um sie im gegebenen Moment wieder zu reproduzieren. Es handelt sich hierbei zwar auch um Energien, aber sie sind so klein, daß ihr Speicher als Kraftquelle nicht mehr in Frage kommt. Der Begriff der gesammelten Energie tritt in den Hintergrund, der eines fixierbaren und reproduktionsfähigen Vorganges in den Vordergrund“.[18]

Das neue Lochkartenverfahren findet schnelle Verbreitung, auch in Deutschland. In Berlin wird 1912 die Deutsche Hollerith-Maschinen-Gesellschaft gegründet, schon 1910 bei Einführung der ersten Hollerith-Maschinen aus den Vereinigten Staaten hatte sich das Kaiserliche Statistische Reichsamt dafür interessiert. Und nach und nach wurde die gesamte Reichsverwaltung, von der Deutschen Reichspost über die Sozialversicherung bis zur Reichsbank damit ausgestattet,[19] schließlich erfährt die Lochkartentechnik im nationalsozialistischen Staatsapparat ihre ‚optimale‘ Anwendung (bis hin zur Regelung und Überwachung der Judenvernichtung), da sie ohne Berücksichtigung der Inhalte jeden Vorgang formalisiert, Menschen zur abstrakten Quantität werden läßt (vgl. S. 262 ff.). Es war „nicht die Ideologie von Blut und Boden, auch nicht das bis Ende durchgehaltene Prinzip von Kanonen und Butter, mit denen die Nationalsozialisten ihre Macht festigten und ihre Verbrechen bewerkstelligten – es waren nackte Zahlen, Lochkarten, statistische Expertisen und Kennkarten.“[20] Sosehr die mechanische Lochkartenregistrierung, die später die Voraussetzung für die elektronische Datenverarbeitung bilden sollte, eine wirkliche Erleichterung des Verwaltungsaufwandes mit sich bringt, Vorgänge verflüssigt und Handreichungen automatisiert, so sehr trägt sie zugleich zur Entpersönlichung des Lebens bei: Lebensläufe werden auf winzige Stanzlöcher reduziert, Lochreihen bilden schließlich das abstrakte Gerippe einer verwalteten Person, ein formalisiertes Persönlichkeitsprofil, in dem der konkrete Mensch sich verflüchtigt hat, nur noch Partikel, Nummer, Eigenschaftsträger ist. „Die Seele des Apparates ist die Verfügung. Und hier wirds ernst. Der Deutsche hat tatsächlich in jahrhundertelanger Lehrzeit bei den Büromenschen gelernt, erst die Verfügung, die Bestimmung, den Apparat zu sehen und dann das Resultat.“[21]

Tucholskys Satire auf die Eigenmächtigkeit des Apparates im deutschen Leben ist gemünzt auf das undurchdringliche Gefilz ideeller und materieller Beziehungs- und Unterordnungsverzahnungen, auf das Dickicht von Behörden und Bestimmungen, dem technisch immer effizientere Wirklichkeit gegeben wird. Die Verselbständigung der zu Technik kristallisierten Arbeit unter den Händen, aus den Köpfen der Subjekte zu seelenlos-selbsttätigen Apparaten, zu anonym funktionierenden Labyrinthen wird mit jedem Rationalisierungsschritt verstärkt, der mechanische

Arbeitsgänge an die Stelle von Finger-fertigkeit und geistiger Aufnahmefähig-keit setzt.

Die Angestellten

Eine völlig neue Klasse, die sich durch diese Umwälzungsprozesse herausbil-dete, waren die Angestellten, zwischen Arbeiterschaft und Staatsbeamtentum angesiedelt. Ihre Zahl wuchs schnell; mit der Ausdehnung der staatlichen und der privaten Verwaltungsapparate, mit der Ausdehnung von Handel und Ver-kehr, entstand ein neuer Berufstypus, der gewaltige Menschenmassen absor-bierte. Eine Art ,Privatbeamtentum' und eine Art ,Stehkragenproletariat', ohne soziale Sicherung, dafür mit einem ,sauberen' Arbeitsplatz und der – meist nur fiktiven – Aussicht auf Karriere-möglichkeiten. Untereinander zersplit-tert, ohne Gemeinsamkeitsgefühl und adäquate Berufsvertretung. Doch be-sonders für Frauen bot eine Tätigkeit als Angestellte einen Einstieg in die für sie noch weitgehend verschlossene Ar-beitswelt (vgl. S. 162–171). „Für die un-verheiratet gebliebenen Frauen, die sich erst in fortgeschrittenem Alter veranlaßt sahen, das Elternhaus zugunsten einer einträglichen Verdienstmöglichkeit zu verlassen, entsprach die Arbeit im Kontor am ehesten den individuellen Ansprüchen und Qualifikationen. Im Gegensatz zur Verkaufstätigkeit, die die Angestellten der ,Öffentlichkeit' preis-gab, schirmte das Büro alle neugierigen Blicke ab; oft genug konnte eine solche Berufstätigkeit sogar verheimlicht wer-den. Auch das junge Mädchen, das auf-grund der familialen Vermögensverhält-nisse gezwungen war, vor ihrer Verhei-ratung einem Erwerb nachzugehen, be-vorzugte den Arbeitsplatz im Büro: er galt allgemein als feiner, vornehmer und wurde überdies besser bezahlt."[22]
Die Angestellten zerfielen also in eine Hierarchie unterschiedlich angesehener Tätigkeitsbereiche, die je nach sozialer Herkunft verschieden stark besetzt wa-ren. Während für Arbeitertöchter der Beruf der Verkäuferin als anstrebens-wert galt und einen gewissen Aufstieg gegenüber der sonst für sie nur in Frage kommenden Fabriktätigkeit darstellte, versuchten Mädchen aus bürgerlichem Hause diesen sozialen ,Abstieg' wenn möglich zu vermeiden und bemühten sich eher um eine Stelle als Kontoristin.[23]

Noch waren die höheren Töchter wenig daran gewöhnt, einem eigenen Broter-werb nachzugehen, doch die sozialen Differenzen – im Trivialroman noch ablesbar an Haltung und Kleidung – werden auch hier bald eingeebnet.
„,Ich – ich weiß es wirklich nicht; ich war noch nie in – in einem Geschäft. Angestellt, meine ich, natürlich.' Die Wangen der Sprecherin hatten sich rot gefärbt; sie schien fürchterlich verlegen und stotterte ihre Worte.
,O weh! – Das ist bös!' sagte die andere, und ehrliches Mitgefühl klang aus ihren Worten. Sie mochte sich sagen, daß die-ses Mädchen da, gerade dieses Mäd-chen nicht so ohne weiteres hierherge-kommen sei, um eine Stellung zu su-chen. Daß schwerwiegende Gründe sie getrieben haben mußten. Und sie wußte aus Erfahrung, welcher Art solche Gründe gewöhnlich waren.
,O weh!' sagte sie noch einmal. ,Wo soll ich Sie denn da aber hinsenden, zu – mein Fräulein' – fast hätte sie ,gnädiges Fräulein' gesagt –.'"[24]
Elsa Bodenstedt, Tochter aus ehemals begütertem Hause, muß nach dem Zu-sammenbruch der Spekulationen ihres Vaters, die ihn zum Selbstmord trieben, für sich und ihre gebrochene Mutter sorgen, so will es Oskar T. Schweriner in seinem Warenhaus-Roman ,Arbeit' aus dem Jahr 1912. Wie Köhrers Roman spielt auch dieser Roman in Berlin, dem Industrie- und Handelszentrum, der deutschen Hauptstadt der Warenhäuser, und wirft Streiflichter auf den sozialen Wandel. „Während 1898 fast die Hälfte der weiblichen Kontoristinnen aus mit-telbürgerlichen Kreisen stammte (hö-here Beamte, Ärzte, Fabrikanten, Kauf-leute), waren es nur gut ein Viertel der Verkäuferinnen. In den folgenden Jah-ren stieg in beiden Berufsgruppen der Anteil der Arbeitertöchter erheblich an, wenn er auch bei den Kontoristinnen ge-genüber den Verkäuferinnen immer ge-ringer blieb. Waren nach der Statistik des Kaufmännischen Verbandes für weibliche Angestellte im Jahr 1898 nur 4,4 % der (stellensuchenden) Mitglieder Arbeitertöchter, so stammte 1903 schon jede zehnte Kontorangestellte aus der Arbeiterklasse."[25] Und diese Entwick-lungstendenz setzt sich fort: „Nach einer empirischen Erhebung an den Mädchenhandelsschulen der Korpora-tion der Berliner Kaufmannschaft re-

krutierten sich 1913 11,7 % der Schüle-rinnen aus dem Arbeitermilieu, dage-gen 22 % aus bürgerlichen (Kaufleute, Fabrikanten etc.) und 30,5 % aus Hand-werkerfamilien. Auch die Gruppe der öffentlichen Beamten war unter den Vä-tern stark vertreten: sie stellten insge-samt 22,3 % der Kontoristinnen."[26]
Bald kann der Bedarf an weiblichen Bü-roangestellten aus bürgerlichen Kreisen nicht mehr gedeckt werden, so sehr stei-gen die ,Bedürfnisse' der Verwaltungs- und Verteilungsapparate an, so sehr auch werden Arbeitskräfte im Einzel-handel benötigt. Selbst die konserva-tiven Beobachter der neuen Zeit ver-suchen trotz ihrer melancholischen Grundstimmung und trotz ihrer Vorbe-halte gegenüber der sich überschlagen-den Entwicklung auch jene Momente zu registrieren, denen sie einen Fort-schritt beimessen. „Aber wie jedes Ding seine zwei Seiten hat, so hat auch unter vielen anderen unsere Zeit gegen lange verklungene Tage einen Vorzug, den ich nicht laut genug preisen kann, und der des höchsten Lobes würdig ist. Das ist die Freiheit, die man dem weiblichen Geschlecht eingeräumt hat, das ist der früher so beengte, nunmehr so ungeheu-re Wirkungskreis, den man der Frau und dem Mädchen eröffnet, die günsti-gen Lebensbedingungen, die man ihr ge-schaffen, die ernste und ehrenvolle Selb-ständigkeit, die man ihr gegeben hat."[27]
Was Philippi hier aufgespürt hat, das ist ganz zweifellos eine der großen Um-wälzungen des gesellschaftlichen Le-bens, auch wenn die Notwendigkeit zu dieser Freiheit treibt und diese Freiheit mit einer harten Disziplin erkauft wer-den muß. Immer stärker wird die Frau in den ,Rhythmus der Großstadt' hin-eingezogen. „Man nehme sich nur ein-mal die Mühe, in der Morgenfrühe die aus den Vororten einlaufenden Züge zu beobachten und sehe dann diese Legio-nen geschmackvoll gekleideter Mäd-chen, die zur Arbeit eilen. Donnerwet-ter! Dann muß man den Hut tief zur Erde ziehen vor diesen kleinen Heldin-nen. Das sind Regimenter, mit deren Mut, deren Tapferkeit, deren Pflichtbe-wußtsein und deren Herzensfröhlich-keit wir Staat machen können. Ver-käuferinnen hat's früher auch gegeben, naturgemäß viel weniger als bei der heu-tigen enormen Ausdehnung des Han-dels; aber wer kannte in meiner Jugend-

zeit die Telephonistinnen und Billetver-
käuferinnen, die Maschinenschreiberin-
nen und Stenographistinnen, die Emp-
fangsdamen bei den Ärzten und Photographen, die Kassiererinnen und Buch-
halterinnen in den großen Warenhäusern, die Mitarbeiterinnen an den Zeitungen, die Ärztin, die Rechtsanwältin,
wer kannte all die Tapferen, die heute erhobenen Hauptes durchs Leben schrei-
ten, geachtet und geehrt von jedermann."[28]
Es ist Verwunderung über Individualität
und Selbständigkeit, über das mode-
und selbstbewußte Auftreten des weiblichen Angestelltenheeres, die aus Philippis Beobachtungen spricht, dem er Respekt zollt. Das hatte es zuvor nur bei
den Frauen der höheren Stände gegeben. Befreit von den Fesseln der Familie und der Tradition ersteht in den berufstätigen Frauen ein neuer Typus von
‚Heldinnen'. Nicht mehr als dienende
und sorgende ‚Kraft', sondern zum ersten Mal als selbstbewußtes Individuum, bei dem sich Leistung und Anerkennung zu entsprechen beginnen. Doch
hinter der Außenfassende liegt die ein-
ebnende, mechanische Grundstruktur
jener Freiheit zur Individualität verborgen, liegt die Mühsal immer gleicher
Handgriffe, unsinnlich-unsinniger Au-
tomatik. „Im Geschäft dachte man unter dem Druck von dreizehn Arbeits-
stunden kaum an zärtliche Beziehungen
zwischen Verkäufern und Verkäuferinnen. Hätte der fortwährende Kampf um
das Geld nicht die Geschlechtsunter-
schiede verwischt, so würde die unaus-
gesetzte Hetzjagd, die den Kopf völlig
beanspruchte und die Glieder wie zerschlagen machte, dazu genügt haben, jedes Begehren zu töten... Alle waren
nichts weiter als Räder im Getriebe,
wurden mitgerissen vom Schwung der
Maschine, gaben in dieser alltäglichen
und mächtigen Gesamtheit einer Pha-
lanstère ihre Persönlichkeit auf und vereinigten einfach ihre Kräfte. Nur draußen begann wieder das individuelle Leben mit dem jähen Aufflammen der
wiedererwachenden Leidenschaften."[29]
Hinter dem ungetrübten Bild von
Emanzipation, das Philippi an den
weiblichen Angestellten wahrnimmt,
sieht Emile Zola in seinem großen Vorbild aller Warenhausromane die harten
Bedingungen der gewaltigen Maschinerie, der sie einverleibt werden. Ja, die

Einpassung ins Getriebe geht so weit,
daß sich ihre Funktion bis ins Äußere,
bis in die Mode, bis in die Physiognomie durchzuzeichnen scheint. „Und
alle sahen sie ganz merkwürdig gleich
aus. Flache Filzhütchen, eine schmächti-
ge, dunkelbraune Pelzboa um den Hals
gewunden, ein langer, dunkelgraukar-
rierter Paletot, Herrenschnitt; manchmal mit Samtkragen. Und dadurch bekamen auch ihre Gesichter ein merkwürdig gleichmäßiges Aussehen. Ob
groß oder klein, blond oder brünett,
dick oder hager, – alle schienen sie auf
den ersten Blick dasselbe runde, stumpf-
näsige Gesicht zu haben."[30]

Das Warenhaus
Das Warenhaus ist eine der Geburts-
stätten der neuen Berufskategorie.
Nehmen wir zur Illustration die beiden
Existenzhälften einer Verkäuferin, um
den Zwiespalt aufzuzeigen, und greifen

wir dazu noch einmal auf Köhrers
Roman zurück. „Wie sie so dastand
im fussfreien schwarzen Rock, dem
schmiegsamen Astrachanjacket und
dem nickenden, lachenden Federhut
auf dem keck zurückgeworfenen Kopf,
die Fäuste kampflustig geballt, schien
sie ein Bild voll jugendlichen Liebreizes
und sieghaften Temperaments."[31]
Das kecke, selbstbewußte Äußere ist
indes nur ein Teil ihrer Selbst, im anderen Teil ist sie von der Verkaufsmaschinerie geprägt und gefordert, wird sie Ge-
fangene des Warenhausbetriebs. Die
mechanische Betriebsamkeit ihrer Ver-
käuferinnenrolle läßt ihr nur wenig
Raum für subjektive Entfaltung. Das
Warenhaus wird vom Zeiger der Uhr dirigiert: „Das Haus wurde morgens um
$^1\!/_2$ 9 Uhr dem Publikum geöffnet. Fünf
Minuten vorher mußte das Personal bereits die Garderobe verlassen haben.
Die Kontrolle darüber wurde sehr

22–24 *Tietz am Alexanderplatz (Cremer und Wolffenstein, 1904–1911) bildete den Gegenpol zum großen Wertheim-Gebäude. Es stand ihm an Größe und Ausstattung kaum nach. Die Erdkugel auf dem Dach symbolisierte den umfassenden Anspruch dieser ‚Welt im Kleinen' und demonstrierte das Selbstbewußtsein der großen Warenhauskonzerne. Auch hier war der überwältigende Lichthof Sinnbild des universellen Anspruchs der Warenhauskonzerne. Mit großzügiger Raumaufteilung und prächtiger Ausstattung wurden die dunklen engen und überladenen Läden und Kaufhallen des 19. Jahrhunderts vergessen gemacht (unten). Das Teppichlager entfaltet geradezu orientalischen Prunk und versetzt den Käufer in eine Märchenszene (linke Seite).*

genau durchgeführt. In der Garderobe hingen mehrere Bretter, die mit numerierten Nägeln versehen waren, an deren jedem eine Marke hing. Jede Verkäuferin hatte nach ihrer Ankunft ihre Marke abzunehmen und in eines der bereitstehenden Kästchen zu werfen. Pünktlich zur festgesetzten Zeit wurden diese Kästchen von der Garderobieren mitgenommen. Jeder, der in den nächsten 5 Minuten kam, mußte seine Marke auf ein dafür bereitstehendes Brett legen. Dieses wurde alle 5 Minuten abgeholt, so daß stets genau festgestellt werden konnte, wann jeder einzelne gekommen war. Auf Grund eines Personalverzeichnisses notierte die Garderobiere alle mit Namen, die zu spät kamen, und zwar stets in der Rubrik für die in Frage kommende Fünf-Minuten-Periode. Um jedem Unfug mit den Marken vorzubeugen, waren alle Abteilungschefs verpflichtet, ihr fehlendes Personal bis 9 Uhr früh in der Garderobe zu melden. Die Garderobiere verglich diese Meldungen mit den etwa noch hängenden Marken, machte unter der Rubrik ‚fehlendes Personal‘ die nötigen Eintragungen und gab das Buch dann an die Personalleitung. Schwindeleien der Garderobieren zugunsten des Personals konnten kaum vorkommen, da fast immer ein Herr oder eine Dame aus der Personalleitung persönlich kontrollierte.“[32]
Aus dieser Beschreibung wird deutlich, daß das Warenhaus ein streng durchrationalisierter Apparat ist, in dem jede Minute Zeitverlust Sanktionen nach sich zieht, in dem jede persönliche Unzulänglichkeit ausgeschaltet wird, in dem ein auf Gegenseitigkeit basierendes Überwachungssystem die individuelle Freiheit in engen Grenzen hält. Zwar kann es bei dem gigantischen Angestelltenheer eines Warenhauses ohne Ordnungssysteme nicht abgehen, doch wird in der Ersetzung persönlicher Beziehungen durch die Herrschaft der Uhr, bald der Stechuhr, auch hier die Tendenz zur Maschinisierung der Arbeitskraft deutlich, die jede Identifikation mit der Arbeit unterbindet. „Wer im Monat mehr als 25 Minuten zu spät zur Arbeit kommt, wird mit je 25 Pfennig Strafe belegt. Selbst Einkäufer werden an ihren Tantiemen gekürzt, wenn sie sich im Verkehr mit den Lieferanten bemerkenswerter Vernachlässigung schuldig machen. Über alle werden,

genau wie beim Militär, Führungslisten angelegt und weitergeführt; mit Tadel wird wenig, mit Lob dagegen sehr gespart. Von Zeit zu Zeit werden die Disziplinarvorschriften dem Personal während des Essens in den Pausen vorgelesen und im Gedächtnis aufgefrischt. Besonders scharf ausgebildet scheinen allerhand Kontrollvorschriften zu sein. Solche Kontrollen bestehen, und zwar mittelst der auch sonst üblichen Blechmarken, beim Ein- und Auspassieren des Personals zu und von der Arbeit; aber noch viel genauer dann, wenn während der Arbeitszeit ein Angestellter das Haus verläßt.“[33] Fabrikdisziplin hält Einzug auch in die Arbeitsstätten des Konsumbereichs, nur wer sie einhält, erkauft sich damit die kleinen Freiheiten der Feierabendvergnügungen.
Das Warenhaus ist eine der neuen Großrauminstitutionen, die den Alltag des Verbrauchens und Einkaufens neu strukturieren und dabei die Entpersönlichung des öffentlichen Lebens ein Stück vorantreiben. In den Warenhäusern wird die Beziehung des Kunden zum Verkäufer, die Beziehung des Verkäufers, auch des Käufers, zu den Waren, wird die Beziehung des Personals untereinander entpersönlicht, wie die Analyse Sombarts plastisch vor Augen führt: „Entpersönlicht wird das Verhältnis des Verkäufers zur Kundschaft. Oder anders ausgedrückt: aus der Kundschaft im alten Laden ist das Publikum geworden. Der Chef erscheint überhaupt nicht mehr im Geschäft. Höchstens bekommt man in besonders bevorzugter Stellung einen Abteilungsvorsteher zu Gesicht. Meist auch diesen nicht, sondern einen auswechselbaren Verkäufer oder (meist) eine ebensolche Verkäuferin. Jede persönliche Beziehung ist entfallen. Man kauft heute bei dieser, morgen bei jener Nummer des Personals und ist selbst nur eine Nummer von Tausenden, die im Laufe eines Tages an dem Verkaufsstande vorüberströmen.“[34]
Dies als eine exemplarische Facette des Entpersönlichungsprozesses in der gigantischen Verkaufsmaschinerie, die dem Konsum neue Akzente setzt: Barverkauf und feste Preise, hoher Umsatz bei kleiner Gewinnspanne. Es kommt auf die Masse an; darum wird die Umschlaggeschwindigkeit der Waren erhöht. Und dafür wiederum wird die

neueste Technik benötigt: Registrierkassen, Rohrpostsysteme, Aufzüge, Rolltreppen, Auslieferungsfahrzeuge. Diese Technik gibt den Menschenströmen, die durch das Warenhaus geschleust werden, den neuen Rhythmus vor.
Das Warenhaus leitet die ‚Demokratisierung des Konsums‘ ein, es öffnet ehemals wenigen vorbehaltene Produkte breiten Bevölkerungsschichten, läßt ohne Unterschied jeden Käufer zu und schafft Massennachfrage. Es lockt die Käuferschaft durch luxuriöse Selbstrepräsentation an. Es ist schließlich einer der modernen labyrinthischen Gebäudekomplexe, die das Stadtbild bestimmen und den Verkehr dirigieren, es schafft neue Zentren. So wurden in Berlin der Leipziger Platz und der Alexanderplatz (vgl. S. 134 ff.) zu überregionalen Anziehungspunkten für Käufer, die vorher in ihrem Bewegungsradius auf ihre Wohnviertel beschränkt blieben.[35]
Das Warenhaus ist eine der ‚Produktionsstätten‘ des bzw. der ‚kleinen Angestellten‘, jenes Berufstyps, der die Zirkulationssphäre bevölkert. Die einzelnen Glieder dieses neuen Massenberufs werden ganz ihrer Verwaltungs- und Verteilungsfunktion angeglichen: Grau und unscheinbar, höflich und zurückhaltend, korrekt und genau, so lautet die Charakteristik des ihnen oktroyierten Ideals. Es wird ein Menschenschlag ohne emotionale Basis mit einem sachgebunden dienenden Ich gewünscht und geformt, der sich umstands- und widerspruchslos in eine Hierarchie allerfeinster, sozialer Abstufungen eingliedern läßt. Eng überwacht und in einen schmalen Funktionskreis gebannt, bleibt sein individueller Spielraum gering, wird sein Leben von seiner Berufsidentität überschattet.
Da sie der mechanische Rhythmus auf bewußtloses Funktionieren konditioniert, können sich die Sinne allererst mit dem Feierabend entschädigen.

Abendschluß[36]

Die Uhren schlagen sieben. Nun gehen
    überall in der Stadt die Geschäfte
    aus.
Aus schon umdunkelten Hausfluren,
    durch enge Winkelhöfe aus
    protzigen Hallen drängen sich
    die Verkäuferinnen heraus.

Noch ein wenig blind und wie betäubt
    vom langen Eingeschlossensein
Treten sie, leise erregt, in die wollüstige
    Helle und die sanfte Offenheit
    des Sommerabends ein.
Griesgrämige Straßenzüge leuchten auf
    und schlagen mit einem Male
    helleren Takt.
Alle Trottoirs sind eng mit bunten
    Blusen und Mädchengelächter
    vollgepackt.

Erst mit dem Geschäftsschluß kommt
im Stadtgetriebe das sinnliche Erleben
wieder zu seinem Recht, wenngleich
auch nur kurz und reduziert, wie Ernst
Stadler in seinem Gedicht zeigt (von
dem hier nur ein Ausschnitt zitiert wird).
Das Warenhaus ist eine typische Stadt-
institution: Es bietet einer breiten Bevölkerung alles, was sie zum Leben
braucht, billig und unter einem Dach
konzentriert. Es offeriert einen universellen Warenkosmos und verdrängt
einen Teil der kleinen Bedarfsartikelge-
schäfte. Die Befürchtung, daß es sie
ganz verdrängen könne, erweist sich jedoch als unbegründet. Vor allem schafft
es eine neue Konsummentalität, bricht
sowohl mit den Geboten von Sparsam-
keit und Selbstbescheidung als auch mit
der traditionellen Kaufmannsmoral. Es
ist eine ganze ‚Welt im kleinen‘, bunt
und vielfältig, konkret in ihren Erscheinungsformen, abstrakt in ihrer inneren
Struktur.

Die Welt im kleinen[37]

Verschluckt von des Prachtbaus
    steinernem Schlunde
von eisernen Gitterzähnen sorglich
    bewacht
vor der hereingebrochenen Winter-
    nacht,
ruhn Schätze, wie in verzaubertem
    Grunde,
ererbt und errafft und geschäftig
    bereichert,
hochaufgespeichert –
draußen kauern die Bettler und Hunde.

Das Warenhaus trägt mit seinen großen
Schaufenstern, mit Lichtreklame und
Nachtbeleuchtung (vgl. S. 184 ff.) maßgeblich auch zu einer Veränderung des
Straßenbildes bei. Nicht mehr das ge-
mächliche Promenieren ist die vorherrschende Gangart, sondern der schnelle,
von Außenreizen gelenkte Schritt; eine

multifunktionale Wahrnehmung ist gefordert, die zugleich gespannte Aufmerksamkeit und sich zerstreuende
Augenlust freisetzt.
„Die Bemühungen der ‚Werbekunst‘
machten sich bemerkbar. Seit 1909 wurden jährliche Schaufensterwettbewerbe
veranstaltet. Auch das künstlerische Plakat begann zu einem Bestandteil des öffentlichen Lebens zu werden. Schrittmacher der Reklame waren hauptsächlich
die Warenhäuser gewesen. Vor wenigen
Jahren noch angestaunt oder als ‚Schäd-
linge‘ betrachtet, hatten sich die Wertheim, Tietz, Jandorf mit ihren Filialen
Berlin und die Vorstädte erobert".[38]
Paul Göhres anschauliche Beschreibung
des größten und luxuriösesten Warenhauses der Zeit – ‚Wertheim‘ am Leipziger Platz – illustriert die neuen Schaurei-
ze: „Die Leipziger Straße ist eng, und
ein Warenhaus braucht Licht, viel
Licht: hier nun, durch diese Glasfenster, die schon fast Glaswände sind,
strömt Licht in ungehaltener Fülle ein.
Zugleich erfüllen diese Riesenfenster
die höchsten Anforderungen wieder
einer scheinbar ungewollten Reklame:
sie gewähren überall Einblick in die Wa-
renlager des Hauses. Nicht bloß durch
die Schaufenster zu ebner Erde, von denen sich eines ans andre reiht, sondern
ebenso sehr in den oberen Etagen, die
wie geöffnet vor dem Beschauer auf der
Straße sich aufeinander türmen: das
ganze Innere des Hauses mit seinen Wa-
renmassen, seinen Käufermassen, seinen Verkäuferscharen liegt ganz enthüllt vor jedem Passanten: das Wesen
des Schaufensters ist hierdurch ins Gigantische übersteigert, so daß es nun keiner Übersteigerung mehr fähig erscheint".[39]

Die Reklame
Um 1900 beginnt überhaupt erst die
eigentliche Geschichte des Schaufensters; es ist nun nicht mehr bloße Wa-
renauslage, Ausweis der drinnen bereit-
gehaltenen Produkte, es wandelt sich zu
einem Stück Repräsentationsfassade,
ist werbestrategischer ‚Illusionsraum‘.
Es übernimmt auf seriöse Weise die
Funktion des ‚billigen Jakob‘, der Kauf-
rufe, lockt unmerklich an, weckt Interesse und Neugier, zieht hinein. „Das
Schaufenster wurde anziehend. Unter
dem Druck der starken Konkurrenz begann es um 1900, sein Gesicht zur Stra-

ße zu wenden, um Käufer hineinzulok-
ken. Bisher vollgestopft und schmal,
weitete es sich zur blickfangenden Aus-
lage. Der Aufwand für Reklame stieg,
ja teure Geschäfte leisteten sich bereits
einen eigenen Dekorateur – ein neuer,
hochbezahlter Beruf!"[40]
Die Anstrengungen der Werbung werden darauf gerichtet, das Interesse der
Kauf- und Schaulustigen mit ästhetischen Mitteln zu fesseln, geschmacks-
bildende, geschmackvolle Dekorationen
an die Stelle wahlloser Quantität zu setzen. In dem herausragenden Beispiel
des Zigarrenladens der ‚Habana Company‘ bezog Henry van de Velde 1898
den ganzen Geschäftsraum in die Werbung mit ein, Möbel, Tresen, Regale,
Anordnung der gelagerten Waren und
zuletzt die Raumbemalung: Stilisierte
bunte Rauchwolken kräuseln sich im Ju-
gendstildekor an der Decke entlang.
Nicht erdrückende Überfülle, nicht
schreiende Aufmachung dominiert
hier, sondern dezente, wohlakzentuier-
te Warenpräsentation. Auch für die Rolle des Schaufensters soll gelten: „Dem
Kaufmann, der seine Ware verkaufen
will, kann es nicht gleichgültig sein, ob
der defilierende Menschenstrom sich
nur an der Atmosphäre von Glanz und
Licht berauscht. Er will ihn fesseln, lok-
ken, in Hemmung versetzen; die Ware
soll für ihn Bedeutung gewinnen, soll
sich durchsetzen, den ganzen berau-
schenden Glanz vergessen machen und
allein sein mit jedermann. So allein,
daß die magische Suggestion ihre Fäden spinnt und der Gebannte nicht los-
kommt von dem Gedanken: Dich muß
ich besitzen."[41]
Doch sei es, daß die Warenpräsentation
noch zu sehr den traditionellen Maßstäben folgt, nach denen ein Geschäft
zuerst und vor allem zeigt, was es anzubieten hat, sei es, daß sie schon zu sehr
den Gesetzen der Massenproduktion
unterliegt, die Forderungen der Wer-
beexperten nach geschmackvoller Dekoration scheint 1913 nur teilweise Ge-
hör zu finden. „Wie man weder im guten noch im schlechten Sinne generali-
sieren soll, ebensowenig kann man sagen, daß die Schaufensterreklamen –
um nun einmal von Berlin zu sprechen
– allgemein den ästhetischen und den
praktischen Anforderungen entsprechen. Neben überladenen Schaufenstern für Schuhwaren, die den Eindruck

eines wilden Durcheinanders machen und in gräßlicher Lackschrift und metergroßen Zahlen die angebliche Güte und Solidität bekanntgeben sollen (hinter denen sich jedoch sehr oft Unreellität verbirgt), findet man dezent beleuchtete Schaufenster mit wenigen eleganten Schuhformen in symmetrischer Reihenfolge angeordnet."[42]

Die Straßen- und Streckenreklame läßt mit ihrer grellen Deutlichkeit am mei-

Spott und Hohn durch gräßliche Figuren herausfordern – den Touristen belästigen – den Sommerfrischler verdrießen – den Naturfreund verärgern und ganze Verbände, Verwaltungen, Heimatschutz-Vereinigungen zum Kampfe herausfordern."[43]

Das Café als literarischer Ort
Die Großstadt scheint zwei verschiedenen Bewegungstakten zu folgen, einem

Nachtregen hüllt den Platz in eine Höhle,
Wo Fledermäuse, weiß mit Flügeln schlagen
Und lila Quallen liegen – bunte Öle;
Die mehren sich, zerschnitten von den Wagen. –
Aufspritzt Berlin, des Tages glitzernd Nest,
Vom Rauch der Nacht wie Eiter einer Pest.

Paul Boldts Sonett aus dem Jahre 1912 ist aus der Perspektive des müßiggehenden Caféhausbesuchers geschrieben. Das Café als ein Zentrum des nächtlichen Großstadtlebens ist Ort der Be-Sinnung, nicht Ruhepunkt, zugleich Beobachtungsposten. Das vergletschernde Verkehrsgetriebe degradiert die Menschen zu Fließteilchen ohne autonome Bewegung. Nur in der ‚Höhle' der Nacht erwacht die Sinnlichkeit. Das lyrische Ich berauscht sich an den Verwesungsfarben des Tages, die Sinnlichkeit erlebt im Schatten der Tagesrationalität nur eine Scheinblüte, ist mit den Attributen des Abfällig-Krankhaften ausgestattet.

Erinnern wir uns mit Fedor von Zobeltitz: „Josty war die Konditorei der alten Offiziere; sie fühlten sich wohl in den verräucherten Räumen mit den großen Bildern der preußischen Könige, die dann mit nach dem neuen Lokal am Potsdamerplatz genommen wurden, wo sie aber nüchtern und langweilig aussehen, weil sie nicht in die Räumlichkeit passen . . ."[45]

An dem Umzug läßt sich ein Wandel in der Funktion des Cafés markieren. Die Caféhäuser entwickeln sich von Institutionen der ‚besseren Gesellschaft', von Orten für Spiel und Trinklust, zu Treffpunkten der Boheme, einer neuen Subkultur, einer von Intensität und Geschwindigkeit geprägten Lebens- und Provokationslust. „Hier vor allem findet der Bohemien die Öffentlichkeit, die ihm ebenso wie die Separation Bedürfnis ist (ein Bedürfnis teils nach auffälliger Provokation, teils auch nur nach Präsentation). Das Café gibt eine Bühne ab für Rollen, die man teils vor seinesgleichen spielt, teils vor ‚Bürgern'."[46]

Das Café als Ort des Gedichts bezeichnet die Nahtstelle zwischen erlebter Stadtrealität und kultureller Kreativität,

25 *Nach Annoncen- und Plakatwerbung, Schaufenster- und Lichtreklame werden schon früh (hier: „Walfisch-Blitzblank mit Desinfection das Scheuerwunder", um 1913) Fahrzeuge als Werbeträger benutzt; Ausdruck der Schnellebigkeit der Großstadt.*

sten zu wünschen übrig, doch hier ist es mit seriöser Zurückhaltung auch nicht getan. Im Getümmel der Straße müssen von der Werbung, um die Aufmerksamkeit auf ein neues Produkt zu ziehen viel kräftigere Signale gesetzt werden. Das Straßenbild wird nicht zuletzt durch die neuen Reklameformen nachhaltig gewandelt. Die Werbewirkung muß sich gegen den schnellen, flüchtigen Verkehrsfluß behaupten, muß sich ihm in den Weg stellen, muß im Gedächtnis haften bleiben. „Was verlangen wir denn eigentlich von der Streckenreklame? Sie soll eine ‚dauernde Erinnerungs-Reklame' sein. Sie soll den Reisenden im hastigen Auto oder in der Eisenbahn aufmerksam machen auf dieses oder jenes Produkt, selbst gegen seinen Willen, aber sie soll nicht landschaftlich besonders schöne Gegenden verunzieren – durch schreckliche Farbenbilder das Auge beleidigen – zum

technologischen am Tage und einem triebhaft-sinnlichen zur Nachtzeit. Einem anorganischen, rationalen und rationellen, und einem organischen der emotionalen Bedürfnisse und Begierden. Der inneren Aufspaltung des Stadtsubjekts korrespondieren zwei getrennte gesellschaftliche Realitätssphären.

Auf der Terrasse des Café Josty[44]

Der Potsdamer Platz in ewigem Gebrüll
Vergletschert alle hallenden Lawinen
Der Straßentrakte: Trams auf Eisenschienen.
Automobile und den Menschenmüll.

Die Menschen rinnen über den Asphalt,
Ameisenemsig, wie Eidechsen flink.
Stirne und Hände, von Gedanken blink,
Schwimmen wie Sonnenlicht durch dunklen Wald.

ist die Nahtstelle ästhetischer Wahrnehmung. Der Großstadtrhythmus greift in Boldts Gedicht hinein und zerstört die Naturmetaphern zu Antimetaphern. Die Großstadt ist angefüllt von Dissonanzen und kurzen Gegenrhythmen, die jede Vorstellung eines organischen Naturverbundes zerreißen und zugleich der literarischen Form neue Impulse geben. Der Großstadtschock, der aus den expressionistischen Gedichten herausklingt, wird als neue Erfahrung auch positiv besetzt und genossen. „Außen umfriedete das ,Romanische' die wohl schönste Kaffeehausterrasse Berlins. Da saß man, ruhevoll abgeschirmt, dicht am Trubel zwischen Gedächtniskirche und Tauentzienstraße, trank behaglich seinen Schwarzen, während draußen die Räder der Autos knirschten und die Zeitungshändler die Tagessensationen ausschrien."[47]
Wie die heutige New Wave Kultur sich in Künstlichkeit und ästhetischer Fassade in Neon und Straß einrichtet, kokettieren schon die Expressionisten mit dem technologischen Bewegungstakt des Subjekts Stadt. Anders als die Naturalisten lassen sie sich nicht von der steinernen Asozialität der Großstadt paralysieren, verharren nicht in der Distanz der Fremdheit zu den hier gelebten Verkehrsformen, sondern schwingen im allgemeinen Rhythmus mit, suchen neue Selbstdarstellungsformen, um sich dem neuen Lebensgefühl einzuschreiben. Sie sind dabei nicht vorbehaltlos einverständig mit der technomorphen Entseelungsmaschinerie, doch sie verweigern sich dem schnelleren Zeitverlauf nicht mit moralischen Vorbehalten. Sie spüren, daß mit traditionellen Maßstäben und Ausdrucksformen die selbstbewegte Maschinerie der Stadt nicht aufzuhalten, geschweige denn zu bewältigen ist. Sie beklagen den Substanzverlust der humanistischen Ideale, doch sie bleiben nicht – wie die Naturalisten – im Bannkreis des Selbstmitleids. Sie registrieren sehr sensibel die Abstraktion vom Konkreten, vom Menschlichen, im vorgegebenen Lauf des Alltags, versuchen die Utopie vor der sozialen Anklage zu retten.

Der Wandel des Straßenbilds
Infolge der beschriebenen Veränderungen wandelt auch die Straße ihr Erscheinungsbild. Immer weniger kann sie Er-

satz für die zurückgelassene Dorfheimat bieten. Sie verliert mit der Geruhsamkeit Identifikationsqualität, wird zum steinernen Kanal, durch den die Verkehrsströme geschleust werden, sie wird zur Bühne von Massenornamenten. Ein zunehmender Teil des Lebens verlagert sich aus dem Innern der Häuser heraus, spielt sich in der Öffentlichkeit der Straße ab. Es siedeln sich auf den Straßen neue Institutionen an, Verkehrszeichen, Haltestellen, Kioske, Uh-

26 *Auf der Terrasse des Café Josty saß man inmitten des Getriebes des Potsdamer Platzes mit dem Blick auf die Leipziger Straße und den Leipziger Platz.*

ren usw., denen das Tempo der neuen Zeit innewohnt, entsprechend rationell müssen sie ausgerichtet werden. „Der Verkehr, der heute durch die vielen Winkel aufgehalten wird, die die Straßen bilden, verlangt natürliche, gradlinige Verbindungen zwischen wichtigen Punkten. Weil der Verkehr leidet, leidet heute vielfach die geschäftliche Entwicklung. Der Mieter leidet, weil man ihn in einem Sammelsurium von Verkehrslärm, Enge, Geschäftsbetrieb und schlechter Luft unterbringen muß."[48]
Der Verkehr ist das wirkliche Subjekt, seinen Anforderungen sind die menschlichen Bedürfnisse untergeordnet, ihre Interessen werden nur ins Feld geführt, wenn seine ,Interessen' argumentativ verstärkt werden müssen: Zuerst ,leidet' der Verkehr, dann leidet auch der Mieter. Hauptsache, das Bewegungssystem der Stadt bleibt im Fluß. Daraus folgt: Je höher die Umlauf-

geschwindigkeit, desto auffälliger müssen die Blickfänge, desto ausgeklügelter müssen die Straßeneinrichtungen für die vorbeihastende, vorbeirasende Lauf- und Fahrkundschaft sein. Und das Straßenleben hört mit dem Verdämmern des Tageslichts, mit dem Anbruch der Nacht nicht auf, eine ganze Milchstraße von Beleuchtungskörpern hellt die Großstadtnacht künstlich auf und verlängert das Tagesgetriebe.
Vor allem mit der stetigen Ausbreitung, mit der anwachsenden Dichte der automobilen Fahrzeuge nimmt der Straßenverkehr so ungeheuer zu, daß er sich schon bald nicht mehr von alleine regelt, sondern schnell erlassenen Verkehrsordnungen unterworfen werden muß (vgl. S. 138–143). So veröffentlicht der Berliner Polizeipräsident von Stubenrauch 1909 eine Bekanntmachung, in der er die Bevölkerung erneut bittet, „durch entsprechendes Verhalten die Sicherheit des öffentlichen Verkehrs auf den Straßen zu erhöhen": „Eine zweckmäßige Gestaltung des Verkehrs in den Straßen ist nur dann möglich, wenn alle Beteiligten die durch den großstädtischen Verkehr gezogenen Grenzen und Richtlinien respektieren und die mit der Regelung des Verkehrs beauftragten Exekutivbeamten in willigem Zusammenwirken unterstützen. Der ständig zunehmende Verkehr verlangt Gewöhnung und Erziehung des

einzelnen zur Befolgung gewisser Grundsätze, ohne welche eine leichte Abwicklung des Verkehrs und die Sicherheit des einzelnen in verkehrsreichen Straßen von der Polizei nie erreicht werden kann."[49] Neben dem Verhalten der Fußgänger und Pferdeführer gilt die Bitte besonders den ‚Kraftwagen'. (Sie bilden, wie es scheint, eine derart geschlossene Verkehrseinheit, daß hier die Fahrer nicht mehr angesprochen werden.): „3. Die gefahrdrohende Geschwindigkeit der Kraftwagen muß in belebten Straßen durchweg gemäßigt werden. Ganz besonders ist ein langsameres Fahren erforderlich beim Kreuzen der Straßen und beim Umbiegen um Ecken. Das schnelle Fahren der leeren Automobile, die aus den Außenbezirken der Stadt in das Innere zurückkehren, wie dies ganz besonders im Westen der Stadt zu beobachten ist, muß unbedingt unterbleiben."[50]

Schon im Jahre 1902 mußte der erste Polizist zur Verkehrsregelung auf den ‚Linden' abgeordnet werden, das war der ‚Geburtstag der Verkehrsregelung'. Im Oktober 1906 dann ist der Beginn der ersten ‚koordinierten' Verkehrsregelung mit Schutzmännern zu verzeichnen, die – wie es nach einer kurzen Zusammenstellung der Anfänge der Verkehrsregelung in den Aktenordnern des Polizeimuseums in Berlin heißt – „auf das Hupensignal eines leitenden Wachtmeisters den Fahrzeugverkehr am Potsdamer Platz abwechselnd zum Halten und wieder in Fluß brachten."[51] „Erst 1907 setzten sich auf Deutschlands Straßen Zeichen und Symbole durch."[52] 1910 wurde auf dem Potsdamer Platz die erste Verkehrskanzel errichtet, auf der ein Polizist mit Hornsignal den Verkehr regulierte. Die Entwicklung über einen ‚eisernen Schutzmann', über bewegliche Signalständer bis zu den ersten Lichtsignalen, automatischen Len-

27 *Die Friedrichsstraße war eine der Hauptverkehrsstraßen Berlins, tagsüber vom Geschäftsleben dominiert, nachts die Flanierstraße der Nachtschwärmer und Kokotten.*
„... Autos, eine Herde von Blitzen, schrein/Und suchen einander in den Straßen.
Lichter wie Fahnen, helle Menschenmassen: Die Stadtbahnzüge ziehen ein ..." (Paul Boldt)

kungssystemen in den zwanziger Jahren folgte (1924 Verkehrsturm auf dem Potsdamer Platz, vgl. S. 142). Eine Beschreibung des Regelungsvorganges in den ersten Jahren hörte sich – nach einer Darstellung in der Zeitschrift ‚Die Polizei‘ – folgendermaßen an: „Die Regelung begann. Ein langer Pfiff, mit der Schutzmannsnotpfeife von dem dienstleistenden Polizeioffizier abgegeben, bedeutete ‚Achtung, es tritt Wechsel sein!‘ Zwei kurze Pfiffe folgten. Die Beamten, deren Straßenzug bisher freigegeben war, hielten Fußgänger und Fuhrwerke an, die Kreuzungen wurden frei und gleichzeitig den bisher angehaltenen Wagen und Fußgängern der Weg freigegeben. Den Beamten machte die Neuerung Freude, sie paßten gut auf, so daß es tadellos klappte.“[53]

An den Unfallstatistiken ist die Negativbilanz der Entwicklung Berlins zur Großstadt ablesbar: Mit 2174 von 4864 ‚vorkommenden schädigenden Ereignissen‘ beim Verkehr von Kraftfahrzeugen (zwischen dem 1. Oktober 1906 und dem 30. September 1907) im Deutschen Reich (Vergleichszahl für den Zeitraum 1. Oktober 1907 bis 30. September 1908: 2213 von 5069) passieren in Berlin fast die Hälfte aller Unfälle.[54]

Dieser Ausschnitt aus Geschichte und Statistik der Verkehrsentwicklung zeigt, wie stark Berlin bei der Durchsetzung des Autos eine Vorrangstellung einnimmt. Doch das Auto prägte auch den eigenen Reiz, die Ästhetik der modernen Großstadt mit, war nicht nur notwendig gewordenes Verkehrsmittel, sondern auch Hauptbewegungsträger, Blickfang, Schnelligkeitssymbol. „Wenn Einheimische und Fremde von Berlin sprachen, dann schwärmten sie vor allem vom Straßenverkehr, der ‚Tag und Nacht wie ein reißender Strom‘ flute. Um 1900 war das ‚Verkehrsproblem‘ in aller Munde“.[55] Und zwar für ‚groß und klein‘: „Der Kaiser ließ sich in Potsdam sämtliche Daimler-Wagen der letzten Jahre vorführen (er besaß bald eine Kolonne von 12 stets einsatzfähigen Mercedes-Wagen, die mit ihrem Tempo und gellendem ‚Tatütata‘ (‚Für un-ser Geld‘, sagten die Berliner) die ‚Linden‘ und die Kronprinzenallee nach Potsdam unsicher machten).“[56]

Dem Technik-Schock, der den Großstädter am intensivsten trifft, ist ein gut Teil Lust an der Technik beigemischt, die zu einem Rausch verführt. Man genießt, selbst mit in der ‚vordersten Reihe' der Entwicklung zu stehen, die neuesten Errungenschaften auszuprobieren, am Fortschritt teilzuhaben. Die Zeit der Wettrennen und der Gier nach Superlativen beginnt. Das ‚Schneller', ‚Schneller' verheißt ein Mehr an Leben und stumpft doch zugleich die hervorgerufenen Gefühlsqualitäten zu flachen, flüchtigen, auswechselbaren Eindrücken ab.

Schnellebigkeit

Der hektische Bewegungstakt der Straße überträgt sich auf alle Bedürfnisse und Verrichtungen des Alltags, überträgt sich auch auf den sinnlichen Genuß. Sogar die Eß- und Trinkgewohnheiten werden von der Schnellebigkeit erfaßt: „Für eilige und mit Glücksgütern nicht reich gesegnete Leute existiert in Berlin eine außerordentlich bequeme Einrichtung, die Aschinger-Restaurants, mehr oder weniger große, mit weiß und blauen Fayancekacheln ausgestattete Räume, die sich in sämtlichen Stadtteilen vorfinden, und wo man für zehn bis fünfzehn Pfennige mit Schinken, geräucherten Fischen, Eiern, Fleisch, Käse usw. belegte Brote, warme Würstchen mit sauren Kartoffeln und Bier bekommen kann. Die Gäste essen stehend und holen sich ihre Portionen selbst bei den jungen Mädchen, die frisch und appetitlich wie unsere charcutières und cremières neben den mit Glas gedeckten Schaukästen stehen … Aber die Moden wechseln in Berlin nicht weniger rasch als in Neu-York. Vor fünfzehn Jahren galt es für schick, ein Sandwich oder eine Wurst bei Aschinger zu verzehren. Heute sieht man nur noch Angestellte dort oder Leute, die es zu eilig haben und vorziehen, sich nicht erst an einen Tisch setzen zu müssen."[57]

Auch die leiblichen Bedürfnisse werden unter Zeitdruck abgefertigt, en passant gestillt. Die Nahrungsaufnahme wird stromlinienförmig. Auch beim Essen und Trinken muß es schnellgehen, darf es nur so lange wie die dafür vorgesehene Pause dauern. „Wir stürzen rasch zu Aschinger herein, um ganz schnell einen Happen Frühstück herunterzujagen, ehe wir weiterdrängenden Geschäften nachgehen. Wir haben keine Minute Zeit, aber alle Tische sind besetzt, auch das Bord, welcher rings an der Wand des Lokals herumläuft, ist dicht von Menschen umstanden. Nun stehen wir da mit unseren Würstchen mit Salat – von dem eventuellen Glase Bier ganz zu schweigen – und könnens absolut nicht verwerten."[58] So die Beschreibung der Ausgangssituation, an die sich eine ironisch-satirische Betrachtung anschließt, ‚wie mangelhaft die Ausbildung unser oberen Extremitäten ist', da wir nur über zwei Arme und zwei Hände verfügen, und wie notwendig unter solchen Umständen ein dritter Arm wäre. Bitterer Gehalt der Humoreske: So perfekt und automatisch das Leben des Großstädters dirigiert wird, fordert es neue Fähigkeiten heraus, führt zu Überlastungen. Die allseitige Mechanisierung entwickelt eine Eigendynamik, der Kopf und Hand nicht mehr gewachsen sind, selbst die genußvollsten Verrichtungen werden zur öden Monotonie verzerrt, werden zur gehetzten Tätigkeit. Der Großstadtmensch muß lernen, mit den neuen Einrichtungen umzugehen, seine Fähigkeiten neu zu koordinieren und zu kombinieren.

Es gibt Genüsse, die für die schnellbewegte Straßenöffentlichkeit überhaupt erst geschaffen werden bzw. in ihr erst ihre eigentliche Bedeutung entfalten: Die Zigarette ist solch ein typisches Produkt der Schnellebigkeit der modernen Großstadt. Sie bietet leicht konsumierbare Sinnlichkeit, ist geschaffen, kurzen – und immer wieder verlängerbaren – Genuß zu gewähren. Sie wird Inbegriff der ‚Zigarettenpause', symbolisches Accessoire der Caféhausatmosphäre, hilft Zeit zu überbrücken und Nervosität zu binden. Bekannt ist sie zwar schon seit der Mitte des 19. Jahrhunderts, doch erst der Großstadtrhythmus wird ihr wahrhaftes Zeitmaß.

Rauchen, früher eine Feierabendbeschäftigung, wird ein lückenfüllender Alltagsgenuß. Die Zigarette löst die ‚langatmige' Zigarre ab, wird zum symbolischen Ersatz längerwährender, zeitraubender Genußformen. Sie wird zum Symbol des neuen Lebensgefühls, repräsentiert Freiheit und Emanzipation, weil ihr Gebrauch herrschende Konventionen durchbricht. Und sie dokumentiert – wie das Warenhaus – den Prozeß der ‚Demokratisierung des Konsums'. War sie zuerst noch ein aus dem Orient importiertes Luxusprodukt für höhere Kreise, wird sie um die Jahr-

hundertwende zu einem Massengenußmittel, das in allen Bereichen vorzufinden ist: in der Fabrikpause, an der Haltestelle, während der Autofahrt, überall, wo die Zeit fliegt und nur ein kurzes Verschnaufen gestattet ist.

Vor allem wird das Zigarettenrauchen ein Phänomen der Straße, mit dem der Raucher seine Ungeduld, seine Unabhängigkeit, seine Unbekümmertheit demonstriert. Die Zigarettenwerbung beginnt das Straßenbild zu beherrschen, sie verhilft neuen Reklameformen zum Durchbruch, zugleich wird die Packung zum Werbemittel, ist die Zigarette sich selbst Werbeträger. „Trotzdem die Zigaretten-Industrie eines der jüngsten Glieder in unserer Industrie und der Deutschen Volkswirtschaft ist, hat sich die Zigaretten-Industrie und der Verbrauch von Zigaretten in steigender Linie bewegt. So wurden zum Beispiel im Jahre 1897 rund 1,1 Milliarden Zigaretten hergestellt und im Jahre 1911 stieg die Produktion auf 12 Milliarden 403 Millionen, also mehr als das Zehnfache wie 1897. Nimmt man dazu an, daß in Deutschland 20 Millionen Menschen als Zigarettenraucher in Betracht kommen, so ergibt sich auf den Kopf ein Konsum von 620 Stück pro Jahr, insgesamt dürften die deutschen Raucher im Jahre reichlich 250 Millionen Mark für Zigaretten ausgeben. Im Verhältnis zu dieser Summe sind also die Reklame-Etats der Zigarettenfabriken gar nicht einmal besonders hoch. Die Reklame hat diesem jungen Industriezweig zweifellos die Wege geebnet, und man kann wohl ohne Übertreibung sagen, daß von der Art und Weise, wie die Propaganda und Reklame in der Zigaretten-Industrie gehandhabt wird, viele andere Industriezweige lernen können."[59]

Auch an den Motiven der Zigarettenwerbung zeigt sich, wie sehr die Zigarette ein Ingredienz des Großstadtlebens ist: Ob in das Flair der Boheme oder der ‚oberen Zehntausend' oder in den Motivkreis der Emanzipation der Frau gerückt, die Zigarette kündigt die neue Zeit an, bricht mit moralischen Tabus der Vergangenheit. Gerade im Umkreis technischer Neuheiten wird die Zigarette angeboten, ob in der Fahrrad-Werbung oder in der Automobilwerbung, überall dort, wo ein neuer Rhythmus, wo ein neuer Lebensstil angezeigt und demonstriert werden soll. Und bald finden auch – wie in der Kunst – Abstraktionselemente Eingang in die Werbung: Da gehört das Stäbchen zwischen den Lippen schon ganz zum Mund, wächst aus dem eckig stilisierten Kopf des Massenmenschen heraus, als sei sie ein Teil des Gesichts.

Abstrakte Kommunikation

Ein wichtiges Medium, das die Entpersönlichung und Unverbindlichkeit in den menschlichen Beziehungen verstärkt, während es die Verbesserung und Ausweitung der Kommunikationsmöglichkeiten vorantreibt, ist das Telefon (vgl. Bd. I, S. 366–368), es demonstriert einen der Technik inhärenten, sich in jedem Fortschritt wiederholenden Widerspruch. Es erweitert und untergräbt die Geselligkeit, verlängert und entpersönlicht das Gespräch. Nachdem es 1881 in Berlin eingeführt wurde, zuerst noch postintern zur Unterstützung der Telegraphie, breitete sich das Telefonnetz in Windeseile aus, fügte das Stadtbürgertum zu einer Gesellschaft von Fernsprechteilnehmern zusammen. „Der Telefonschwindel ist jetzt in Deutschland in voller Blüte, und ich kann sagen, ich werde die Geister, die wir gerufen haben, nicht mehr los! Heute sind ca. 100 Briefe, welche Lieferung von Telefonen verlangen, eingegangen, und so geht es täglich. Dazu die Berliner, die unser Geschäft vollständig belagern und alle guten Freunde, – wenn auch nur ad hoc – welche es bei uns sehen und darüber schwatzen wollen! Es ist eine wahre Kalamität! ich habe leider den Preis zu niedrig normiert, 5 M. das Stück. Wir verdienen dabei zwar noch 50 %, und ich wollte durch billigen Preis die Dinger in der Hand behalten. Einen solchen Sturm hatte ich aber doch nicht vorausgesehen. Ich denke nämlich, daß das Telephon die Telegraphierung allgemein machen wird, und dann werden wir durch Kabelleitungen und magnetelektrische Wecker ein gutes Geschäft machen können.“[60] Das schreibt Werner Siemens in einem Brief am 19. 11. 1877, also in der Einführungsphase des Telefons, an seinen Bruder Wilhelm.

Im Bilde des Fernsprechnetzes hat man ein Funktionsmodell der kapitalistischen Gesellschaft: Die vereinzelten aus der Tradition gerissenen Individuen werden abstrakt miteinander verbunden. Die in der technologischen Vermittlung liegende Abstraktion von konkret gelebter Gemeinschaftsbeziehung, von persönlichem Kontakt und persönlichem Gespräch, ist Trennung und neue Verbindung zugleich.

„Man findet hier eine ganze Menge automatischer Fernsprechzellen, die jedermann zur Verfügung stehen. Man nimmt das Hörrohr zur Hand, und ein Beamter gibt einem, ohne daß geklingelt werden muß, Bescheid. Man nennt die gewünschte Nummer, und sobald die Verbindung hergestellt ist, genügt es, ein Zehnpfennigstück in den Spalt gleiten zu lassen, um eine 2 – 3 Minuten lange Unterredung führen zu können. Eine Sanduhr zeigt an, wann die Zeit abgelaufen ist, sobald dies der Fall ist, wird die Verbindung wieder auf automatischem Wege abgebrochen.“[61] Aus den Berlin-Beobachtungen des französischen Journalisten Jules Huret, die er im Jahre 1909 machte, ist das Erstaunen über die Selbsttätigkeit dieser neuen Einrichtung herauszuhören. Jener unsichtbare Beamte, von dem dort die Rede ist, ist zu einem Teil des Apparates, zu einem Teil des Vorgangs geworden. Und der Vorgang als ganzer eröffnet eine neue Mythologie, eröffnet phantastische Vorstellungsbilder und Verhaltensformen, die irrational den Umgang mit dem noch Unbekannten umspielen. Das Subjekt macht sich mit einem neuen Medium vertraut, das ihm einen weiteren Teil der stationären Geruhsamkeit raubt, macht das neue Medium zu seinem ständigen Begleiter. Das Telefon wird zum Symbol der abstrakten Existenzform. „Es mag am Bau der Apparate oder an der Erinnerung liegen – gewiß ist, daß im Nachhall die Geräusche der ersten Telefongespräche mir sehr anders in den Ohren liegen als die heutigen. Es waren Nachtgeräusche. Keine Muse vermeldet sie. Die Nacht, aus der sie kamen, war die gleiche, die jeder wahren Neugeburt vorhergeht. Und eine neugeborene war die Stimme, die in den Apparaten schlummerte.“[62] Walter Benjamins Erinnerungen an die ersten Erfahrungen mit dem Telefon sind erfüllt zuerst vom Zurücktreten aller ästhetischen Vermittlung, die Begegnung der synthetischen Stimmen ist eher mystischer Natur. Die Stimmen kamen aus der technologischen Leere: ‚es waren Nachtgeräusche‘. Doch mit der ersten Gewöhnung kristallisiert sich um das fremde Instrument eine neue, eigene Ästhetik. „Auf Tag und Stunde war das Telefon mein Zwillingbruder. Und so durfte ich erleben, wie es die Erniedrigung der Frühzeit in seiner stolzen Laufbahn überwand. Denn als Kronleuchter, Ofenschirm und Zimmerpalme, Konsole, Gueridon und Erkerbrüstung, die damals in den Vorderzimmern prangten, schon längst verdorben und gestorben waren, hielt, einem sagenhaften Helden gleich, der in der Bergschlucht ausgesetzt gewesen, den dunklen Korridor im Rücken lassend, der Apparat den königlichen Einzug in die gelichteten und helleren, nun von einem jüngeren Geschlecht bewohnten Räume. Ihm wurde er der Trost der Einsamkeit. Den Hoffnungslosen, die diese schlechte Welt verlassen wollten, blinkte er mit dem Licht der letzten Hoffnung. Mit den Verlassenen teilte er ihr Bett. Auch stand er im Begriff, die schrille Stimme, die er aus dem Exil behalten hatte, zu einem warmen Summen abzudämpfen.“[63]

Die verlorene personale Wärme wird durch Dingsurrogate ersetzt, und wo das nicht gelingt, werden die zwischen die Personen getretenen Dinge mit einer personalen Aura ins Vertrauen gezogen. Doch letzten Endes bleibt in diesem Prozeß der Abstraktifizierung der Verlust an emotionaler Qualität unersetzbar. Höflichkeit und Freundlichkeit, die Gefühlswerte in den Beziehungen bleiben auf der Strecke. Auch die Erfindung der Ansichtspostkarte trägt zu dieser Entwicklung bei. Die Ansichtskarte reduziert und verknappt den Schriftverkehr auf Kurzformeln und Floskeln und visualisiert die Kommunikation zu einer mehr symbolischen Bedeutung.

Der gesellschaftliche Verkehr wird von einer Bilderflut überdeckt, wird von technischen Elementen durchsetzt, das Leben erhält eine passive Organisationsform, unter deren Anforderungen die sozialen Beziehungen sich verändern: Einerseits werden sie vervielfältigt, anderseits drohen sie emotional zu verkümmern. Der gesellschaftliche Verkehr wird von technischen Elementen durchsetzt, das Leben erhält eine passive Organisationsform, unter deren Anforderungen er emotional zu verkümmern droht.

Trotz dieser Auswirkungen steigt die

Erwartung an die technische Entwicklung; ihr wird die Erfüllung aller Erkenntnisdesiderate zugetraut. Das geht bis zu den skurrilsten Anmutungen, z.B. berichtet die ‚Berliner Illustrirte‘ 1904 von den Experimenten eines Professors Blackberry mit einem sogenannten ‚Traumographen‘: „Prof. Blackberry versuchte nämlich von den Traumbildern, die er auf der Netzhaut vermutete, mittelst einer sehr sinnreich erdachten optischen Vorrichtung photographische Bilder zu erhalten".[64] Bezeichnendes Licht auf den Antrieb dieses Erkenntnisinteresses wirft dabei folgender Satz

sammenspiel, werden in Versuchsanordnungen instrumentell nachgebaut, bis sich die flüchtige biologische Organisation des Menschen auch naturwissenschaftlich dokumentieren läßt. So werden organische Funktionsprinzipien durch technische Ersatzsysteme verdrängt, werden gewachsene Lebensformen in technische Raster eingehegt.

Zur Physiognomik des Großstädters

Die bürgerliche Welt ist aus ihrer alten Geruhsamkeit gestoßen, das Individuum wird in seiner Autonomie bedroht, paradoxerweise von den Medien und

Gesellschaftsstufen herauskristallisiert, eine Folge der beschriebenen Umwälzungsprozesse, der Auswirkungen des technischen Fortschritts. Schnelligkeit wird ein Charakterzug des Großstädters, wird insbesondere ein Charakterzug des Berliners. Schnelles Begreifen und schnelles Reagieren, auch und besonders mit dem Mund, werden zu Überlebenstechniken im Großstadtgetümmel. „Der Berliner ist ein Großmaul: Er ist nicht aufs Maul gefallen; der Berliner ist frech: Er hat keinen Respekt vor Autoritäten. Die Berliner Schnauze wirkt aggressiv: Es paart sich berechtigte Unzufriedenheit mit aktiver Auflehnung. Sie wirkt schnoddrig: Es verbindet sich vorlaute Respektlosigkeit mit schlagfertigem Witz. Und deshalb ... ist die Berliner Schnauze berühmt, berüchtigt und gefürchtet zugleich."[66] Ob diese ‚berechtigte Unzufriedenheit‘ aus der Hetze oder den Großstadt-(über)lebensbedingungen im allgemeinen herrührt, zentrales Charakteristikum des Berlinischen scheint die ‚Schlagfertigkeit‘, jenes offensive Reaktionsvermögen, das sich mit Witz zur Wehr setzt. Egal, ob das Berlinische Dialekt oder Jargon ist, ob es sich auf der Grundlage des Mittelniederdeutschen ausgebildet hat, ob es schließlich stärker in der Unterschicht beheimatet ist, entscheidendes Element ist sein schnoddriger Sprachwitz. Jeder muß sich in der großen Stadt auf eigene Rechnung durchsetzen, kann sich ohne Ellenbogenkraft nicht behaupten. Zufriedenheit mit dem eigenen Durchsetzungsvermögen, gepaart mit Arroganz, die Zurschaustellung des Erfolgs untermauern das Selbstbewußtsein. Und wer es noch nicht geschafft hat, befindet sich permanent auf dem Weg nach oben oder sucht zumindest seine Chance.

28 *Schon in den 60er Jahren des letzten Jahrhunderts wurde damit begonnen, die ersten Automaten aufzustellen. Automatenrestaurants, die für die eiligen Städter quasi im Vorübergehen Essen und Trinken – ganz im Rhythmus der neuen Zeit anboten, wurden zu einer typischen Einrichtung der modernen Großstadt.*

des Artikels: „Das letze vor wenigen Jahren erschienene Werk des Professors Freud in Wien über Traumerscheinungen hat zwar viel Aufsehen erregt, aber desto fühlbarer den Mangel hervortreten lassen, daß die Erinnerung an stattgehabte Träume höchst unzuverlässig ist, wodurch die Wissenschaft gezwungen wird, vor den wichtigen Problemen des Daseins Halt zu machen."[65] Technologisch nicht gesicherte Empirie erscheint als zu schwaches Fundament, um dem Anspruch positivistischer Wissenschaft zu genügen. Nur die fotografische Fixierung auch der Traumbilder scheint wahrhafte Rückschlüsse auf die menschliche Psyche zuzulassen Je mehr die Technik das Leben bestimmt, desto stärker werden technische Maßstäbe auch an sie selbst angelegt. Die Sinne und Organe, ihr kommunikatives Zu-

Techniken, die der Produktivitätssteigerung der eigenen Arbeitsleistung dienen. Im Gegensatz zur Arbeiterschaft nicht von physischer Not bedrängt, weder der Fabrikdisziplin noch einer Verwaltungshierarchie unterworfen, machen sich für die Kaufleute und Ärzte, für die Beamten und Hausfrauen die persönlichen Auswirkungen der Industrialisierung erst um die Jahrhundertwende bemerkbar, sobald sie Handel und Verkehr, Verwaltung und Konsum erfassen. Materiell gesichert, doch psychisch eingekreist und umstellt von maschinellen Abläufen, wird das Bürgertum aus seiner idealistischen Tradition gestoßen, in Abhängigkeiten getrieben, sozial degradiert. Es entsteht ein ganz eigener Typus des Großstädters, der sich – mit Modifikationen – quer durch die verschiedenen

‚Herz mit Schnauze‘, das heißt ‚rauhe Schale, weicher Kern‘, das heißt aggressive Kommunikationsbereitschaft, das heißt mürrisch bis widerwillig geleistete Hilfe, denn Zeit ist kostbar, und Vorsicht ist allemal angebracht, da jeder jedem fremd ist. Die Bevölkerung ist zusammengewürfelt, hat einen hohen Anteil von aus allen Himmelsrichtungen Zugewanderten, so daß ein Aphorismus lauten kann: Der echte Berliner ist nicht in Berlin geboren.

„Die Berliner sind einander spinnefremd. Wenn sie sich nicht irgendwo

29 *Gegen Ende des 19. Jahrhunderts rollte eine erste Welle von Rollschuhbegeisterten durch die Berliner Straßen. Rollschuh-*
laufen wurde nicht nur als Sport betrieben, sondern war als ,amerikanische' Mode Indiz einer Akzeleration der Bewegungen.

vorgestellt sind, knurren sie sich in der Straße und in den Bahnen an, denn sie haben miteinander nicht viel Gemeinsames. Sie wollen voneinander nichts wissen, und jeder lebt ganz für sich."[67] In seiner Satire ,Berlin, Berlin' faßt Kurt Tucholsky die typischen Eigenschaften der Berliner zusammen; natürlich überspitzt, doch an vielen Beobachtungen abgestützt, entwirft er ihr reales Zerr-Bild als eines von maschinenmäßiger Ruhelosigkeit angetriebener Menschen: „Der Berliner hat keine Zeit. Der Berliner ist meist aus Posen oder Breslau und hat keine Zeit. Er hat immer etwas vor, er telephoniert und verabredet sich, kommt abgehetzt zu einer Verabredung und etwas zu spät – und hat sehr viel zu tun.

In dieser Stadt wird nicht gearbeitet –, hier wird geschuftet. (Auch das Vergnügen ist hier eine Arbeit, zu der man sich

vorher in die Hände spuckt, und von der man etwas haben will.) Der Berliner ist nicht fleißig, er ist immer aufgezogen. Er hat leider ganz vergessen, wozu wir eigentlich auf der Welt sind. Er würde auch noch im Himmel – vorausgesetzt, daß der Berliner in den Himmel kommt – um viere ,was vorhaben'."[68]

Es kann nicht ausbleiben, daß sich unter den Anforderungen der städtischen Umwelt der Seelenrückhalt des bürgerlichen Subjekts zersetzt. Die Individuen werden einer – wie Georg Simmel es formuliert – ,Steigerung des Seelenlebens' unterzogen. Die Akzeleration des Lebensrhythmus greift in die Psyche und erschüttert die bürgerliche Identität, den Bestand des autonomen Ich. Die Zunahme nervöser Erkrankungen wird direkt oder indirekt auf den Sog der technischen Zivilisation zurückgeführt. „... die Religionslosigkeit, die Unzu-

friedenheit und Begehrlichkeit haben in weiten Volkskreisen zugenommen; durch den ins Ungemessene gesteigerten Verkehr, durch die weltumspannenden Drahtnetze des Telegraphen und Telephons haben sich die Verhältnisse in Handel und Wandel total verändert: alles geht in Hast und Aufregung vor sich, die Nacht wird zum Reisen, der Tag für die Geschäfte benützt, selbst die ,Erholungsreisen' werden zu Strapazen für das Nervensystem; große politische, industrielle, finanzielle Krisen tragen ihre Aufregung in viel weitere Bevölkerungskreise als früher; ganz allgemein ist die Anteilnahme am politischen Leben geworden: politische, religiöse, soziale Kämpfe, das Parteitreiben, die Wahlagitationen, das ins Maßlose gesteigerte Vereinswesen erhitzen die Köpfe und zwingen die Geister zu immer neuen Anstrengungen und rauben die Zeit zur Erholung, Schlaf und Ruhe; das Leben in den großen Städten ist immer raffinierter und unruhiger geworden. Die erschlafften Nerven suchen ihre Erholung in gesteigerten Reizen, in stark gewürzten Genüssen, um dadurch noch mehr zu ermüden …"[69]

Die Nervosität wird die spezifische Krankheit des Großstädters, wenngleich über ihren Befund, besonders über ihre Ursachen verschiedene Einschätzungen bestehen. Gegenüber den eher soziologisch orientierten Analysen, die dem Phänomen äußerlich und unmittelbar die Diagnose stellen, verweist Sigmund Freud auf die gesundheitsschädigende Wirkung einer sich verengenden Sexualmoral, die die Nervosität zu den neurotischen Erkrankungsformen verschärft. Dabei mißt er der Sexualerziehung eine bedeutende Rolle zu. Jedoch unterhalb eines Krankheitsbefunds ist Nervosität ein Reiz- und Erregungszustand, eben das Resultat ‚gesteigerten Nervenlebens', ein Ergebnis psychischer Angespanntheit bis psychischer Zerrüttung, hervorgetrieben durch permanente Überforderungen, hervorgetrieben durch den monotonen Gleichtakt des täglichen Stadtbetriebes, hervorgetrieben durch die unorganische Geschwindigkeit, in der das Großstadtleben sich abspielt und den einzelnen mit Geist und Seele, ohne ihn zur Besinnung kommen zu lassen, verbraucht. In den frühen Beschreibungen des Krankheitsbildes der Nervosität werden Beobachtungen als symptomatisch aufgeboten, die schon kurze Zeit später zum Normalverhalten des Großstädters zu rechnen sind. „Der Nervöse arbeitet nämlich automatisch wie eine Maschine. Man weiß so ziemlich ganz genau, was er im nächsten Augenblicke tun, wie er auf gewisse Dinge reagieren wird. Er hat eben starre Leitlinien. Und er ist, wie wir noch ausführlich zeigen werden, immer von einer tiefen Selbstgeringschätzung erfüllt, die zu seinen hochgespannten Zielen in schreiendem Mißverhältnis steht."[70]

Dieses Charakteristikum ‚Nervöser Leute' von Eugen Loewenstein klingt wie die idealtypische Beschreibung des Angestelltenberufs. Die Symptome entpuppen sich als Profil der Arbeitsplatzanforderungen, sie enthüllen sich ganz von selbst, sieht man sich die Eigendynamik beispielsweise der Tätigkeit eines

Straßenbahnführers an. „Dem Wind und Wetter ist der Führer vollkommen preisgegeben. Selbst bei strömendem Gewitterregen darf er seinen Posten nicht verlassen. Trotzdem er oft bis auf die Haut durchnäßt ist, muß er, zitternd vor Kälte, bis in die tiefe Nacht hinein seinen Dienst versehen."[71] Eine andere, nicht weniger leicht rückführbare und entschlüsselbare Charakteristik des Nervösen von Loewenstein lautet so: „Der Nervöse sucht immerwährend Aufregungen, er bedarf immer eines neuen Stachels. Mit der Zeit wird ihm aber diese Aufregung so unentbehrlich, wie manchen Menschen ein scharfes Gewürz. Die Ruhe ist solchen Leuten unheimlich und sie schaffen sich künstlich Unruhe. Solche Menschen sind unglücklich, wenn sie an einem Tag keinen Brief bekommen, denn ein Brief bedeutet für sie immer, daß sich jemand zu ihnen in irgendeine Beziehung setzt, etwas von ihnen erwartet, fürchtet oder hofft. Das ist immerhin, wenn auch in einem kaum sichtbaren Maße, die Form einer Herrschaft und Beeinflussung."[72]

In Loewensteins Krankheitsreport sind die zivilisatorischen Konturen, die solche Phänomene hervorbringen, so deutlich mit eingezeichnet, daß sich die Frage stellt, wer von dieser Krankheit mit ihren epidemischen Ausmaßen verschont bleibt, bzw. ob nicht die Krankheit der Allgemeinzustand ist. Sowohl die Mechanisierung des Arbeitsverhaltens, der starre Automatismus in den Arbeitsbewegungen, als auch die Sucht nach Abwechslung und Kontakten sind unter den Lebensverhältnissen der Großstädte gleichsam ‚natürliche' Verhaltensformen geworden.

Besonders im Straßenverkehr fügen sich die verschiedenen Bewegungsmedien, die den beschleunigten Rhythmus der Stadt bestimmen, zu einem beinahe ‚geschlossenen' System zusammen. Doch das Verkehrswesen umfaßt keineswegs nur die Transport- und Beförderungsmittel der Straße: „Indessen, der Verkehr erschöpft sich eben überhaupt nicht auf Stadtbahnen und Elektrischen. Der ganze Umfang seiner kolossalen Entfaltung wird nur dem Bürgertum, und vor allem dem höheren, bewußt, weil ihm allein ausnutzbar: der Brief, der Eilbrief, der Rohrpostbrief, die Depesche, die dringende Depesche,

die Depesche mit bezahlter Antwort, das Kabeltelegramm, der telegraphische Kursbericht, die Postanweisung, der Postauftrag, das Klingeln des Telephons, das Warten auf telephonische Verbindung, die drei- oder viermal täglich erscheinende Zeitung, die Droschke, die Autodroschke, der Omnibus, die Elektrische, die Hoch- und Untergrundbahn, der Zug, der Schnellzug, der Luxuszug, der beste Anschluß, die postlagernde Sendung, die Depesche vom Zug und in den Zug hinein, der Schnelldampfer, die drahtlose Depesche vom Dampfer und auf den Dampfer, das Fahrrad, das Motorrad, das Automobil, die Variationen des Bankverkehrs – ich glaube, ich kann aufhören. Mitten in diesem Chaos, das doch in Wahrheit als ein wundervoller Kosmos uns entgegentritt, lebt die Bourgeoisie, nicht bloß davon umgeben, sondern hineinverstrickt, unlösbar, unrettbar – jetzt dies und dann jenes Verkehrsmittel auswählend, jetzt mit dieser und dann mit jener Verkehrsmöglichkeit rechnend, auf sie Pläne bauend – und nun das Verhängnis: jede in dem Augenblick, da sie in Wirksamkeit tritt, als zu langsam befindend, sich über ihre Unzulänglichkeit ärgernd – und selber wieder überschüttet von Objekten, die dem Verkehr anvertraut waren – und ewig das Zusammenwirken erwägend, ob es ‚klappt', fürs Geschäft wie fürs Vergnügen: ob der Rohrpostbrief um die berechnete Minute eintrifft, ob dann das Telephon frei ist und die bestellte Droschke pünktlich zur Stelle sein kann, und ob der Zug noch erreicht wird, der gerade wieder zur rechten Minute auf der und der Station hält – schließlich ist alles mangelhaft, alles rückständig, man kann sich auf nichts verlassen …"[73]

Bei aller Anstrengung des Verfassers, die kritische Absicht mit einer möglichst lückenlosen Sammlung aller Nervosität erzeugenden Elemente des täglichen Lebens unter Beweis zu stellen, es klingt auch Faszination aus der Auflistung der technischen Möglichkeiten. Man muß schon auf der ‚Höhe' der Zeit sein, um die aus diesen Verkehrsformen erwachsenen Anforderungen zu bewältigen, doch ohne schädliche Auswirkungen ist diese permanente Anspannung nicht zu ertragen, die für immer breiter werdende Bevölkerungskreise daraus hervorgeht. „Das sind nun nicht bloß Weltstadtbilder; wer, als Unternehmender, fern von den Zentren des Kapitalismus lebt, der ist desto mehr auf das Ineinandergreifen der Nachrichtenverkehrsmittel angewiesen; und für die Großstadt potenziert sich die Nervenschädlichkeit des Ganzen wesentlich nur dadurch, dass hier der Unternehmende nun auch noch passiv in diesem Gewirr steht und den Attacken der äußeren Verkehrsabwicklung auf Auge, Ohr, Tastsinn und durch sie hindurch auf Ärger, Verdruss, Zorn ausgesetzt ist. Darum erreicht die nervöse Alteration im modernen ‚Weltstadtbürgertum ihren Gipfel – ‚american nervousness!' – aber ihr roter Faden zieht sich durch hundert Abstufungen des skizzierten Lebensbildes hindurch bis in jedes Drecksnest, wo im modernen Sinne ‚unternehmend' gelebt wird."[74]

Die schnelle, fast atemlose Aufzählung einer Reihe von Akzelerationselementen im alltäglichen Leben, die der Psychiater Willy Hellpach seinen Ausführungen über „Nervenleben und Weltanschauung. Ihre Wechselbeziehungen im deutschen Leben von heute", d. h. im Jahre 1906, zugrunde legt, läßt an Dichte kaum zu wünschen übrig, ja sie unterstützt indirekt den Mythos selbstläufiger Technik. Denn letztlich rührt die Faszination von Geschwindigkeit und Technik um die Jahrhundertwende aus der zeitökonomischen Verzahnung der einzelnen Verkehrselemente und aus der – optischen – Unverhältnismäßigkeit von Aufwand und Wirkung. Die Antriebskräfte sind unsichtbar geworden: Kleine verborgene Motoren verursachen ein – gemessen an organischer Kraftverausgabung – Vielfaches der Leistung, und sie entziehen diese zugleich der ‚Einsicht'. Eine Mythologie des Unsichtbaren entsteht so beinahe parallel zur Psychologie des Unbewußten. Ganze Lebensstränge, die hinter die Fassaden, die unter die Erdoberfläche abgesenkt werden, wie im Falle der überall entstehenden Untergrundbahnen, lassen die staunenden Betrachter auf mythisch-ästhetische Beschreibungsfor-

men zurückgreifen. „Man staunt zunächst, auf welche Weise eine so große Arbeitswelt in diese Versenkung gerät. Eine ungeheure Anzahl Transportwagen auf intermistischen Schienen, ein ganzer Rennstall von Pferden in dauernder Bewegung, Ameisenhaufen von Arbeitern, pfeifend, singend, Absinth trinkend. Tausende von elektrischen Glühlampen, die von Zeit zu Zeit, wie um zu necken, ihre Leuchtkraft versagen – das Mühlrad steht still – nur der wißbegierige Beschauer mit seinem brennenden Wachsstock forscht tappend weiter im Layrinth. Immer schwärzer wird's – hier hätte auch der Held Siegfrieds das Fürchten gelernt – in dieser Danteschen Höllennacht! Da – wie ein Blitz – erscheint Frau Elektra, die launenhafte wieder – es glitzert wie ein dichtbesäter Sternenhimmel, es sprüht wie Kristallregen: ein Bahnhof ist's. Das Riesengewölbe mit Porzellan und Glasmosaik ausgelegt, eine scenische Metamorphose, die an's Märchenhafte grenzt."[75]

Dem Mythos Maschine wird nicht nur auf Plakaten und Bildern, wird auch in Sprachbildern gehuldigt, wie hier von einem Benutzer der neuen, noch im Bau befindlichen Pariser Metro, die – 1900 – zwei Jahre vor Berlins Untergrundbahn eröffnet wurde. Der Sprachgestus verrät den Reisenden, den Neugierigen, dem die U-Bahnfahrt noch nicht zur Gewohnheit geworden ist. Wie von selbst scheinen sich mythische Bilder, Märchenszenen einzustellen, um das phantastische Neuland der Technik zu schildern. Der Nimbus unpersönlicher Selbsttätigkeit liegt auf dem Erlebnis, und es steckt Stolz auf Teilhabe an dieser zivilisatorischen Errungenschaft in den Worten. In der Begeisterung über die technische Beherrschung und Ersetzung der Natur wird die naturwissenschaftliche Transparenz mythisch verblendet und damit wie unbeabsichtigt die Aufklärungsqualität technischer Zivilisationsleistungen in Zweifel gezogen. Aus den Metaphern für diese synthetische Utopie sprechen die verlorenen primären Naturbindun-

gen, wird schon erledigt Geglaubtes neu belebt.

Bahnhöfe[76]

Wenn in den Gewölben abendlich die blauen Kugelschalen
Aufdämmern, glänzt ihr Licht in die Nacht hinüber gleich dem
Feuer von Signalen.
Wie Lichtoasen ruhen in der stählernen Hut die geschwungenen Hallen
Und warten. Und dann sind sie mit einem Mal von Abenteuer überfallen,
Und alle erzne Kraft ist in ihren riesigen Leib verstaut,
Und der wilde Atem der Maschine, die wie ein Tier auf der Flucht stille
steht und um sich schaut,
Und es ist, als ob sich das Schicksal vieler hundert Menschen in ihr
erzitterndes Bett ergossen hätte,
Und die Luft ist kriegerisch erfüllt von den Balladen südlicher Meere und
grüner Küsten und der großen Städte.
Und dann zieht das Wunder weiter.
Und schon ist wieder Stille und Licht wie ein Sternenhimmel
aufgegangen,
Aber noch lange halten die aufgeschreckten Wände, wie Muscheln
Meergetön, die verklingende Musik eines wilden Abenteuers
gefangen.

Tarnkappe, Wunschhütlein, Siebenmeilenstiefel sind in technischer Gestalt Wirklichkeit geworden, uralte Wunschträume lassen sich jetzt realisieren, und so kommt es, daß die in sich nüchtern konstruierten und kalkulierten Maschinen und Institutionen der Industriekultur einen Abglanz der alten Mythen und magischen Formeln mit sich schleppen, daß in der Lokomotive das ungebändigte Tier mitläuft, daß in den Gaslampen Feuersignale der phylogenetischen Vergangenheit aufscheinen, daß der technischen Abstraktion konkrete Erinnerungen eingeschrieben sind, trotz des Kulturschocks, trotz der Obsessionen und Schädigungen, die die Maschinenzivilisation verbreitet. *Klaus Strohmeyer*

Kunst im Widerspruch

Das neue Berlin, der Emporkömmling, dessen kalter Glanz die Lichter der alten Metropolen – Rom, Wien, Paris, London – nun zeitweilig zu überstrahlen versuchte, wurde von den Ausländern mit einer Mischung aus Bewunderung und Unbehagen beobachtet. Dieses Berlin war eine Hauptstadt des inneren Widerspruches. Der Widerspruch, die Überschneidung und Zusammenfügung geistiger, weltanschaulicher und gesellschaftlicher Unvereinbarkeiten zu einem heterogenen Ganzen, einem in sich unstimmigen und dennoch verkehrstechnisch funktionierenden Mischgebilde, eine Eigenschaft, die den Zentren der hochtechnifizierten Industriezivilisation überhaupt zugehört, trat in den Charakterzügen der neu entstandenen Weltstadt Berlin besonders kraß und deutlich zutage. Jener Widerspruch, der die besondere Atmosphäre der Reichshauptstadt bestimmte, war aber zugleich auch die Quelle der Faszination, die von Berlin ausging. Die Beobachter aus der Distanz empfanden ein eigenartiges Gemisch unterschiedlichster Gefühle, das zu einem genüßlichen Gruseln führt, wie in einer Geisterbahn. Das ständige Leben mit dem inneren Widerspruch führte in der spezifischen Berliner Metropolenkultur zur stilisierten Haltung, und schließlich ist Berlin die Stadt, aus der zur Zeit der Berliner Dada-Bewegung nach dem Ende des Ersten Weltkrieges als eigener Beitrag zur Kunst unseres Jahrhunderts die Technik der Photomontage hervorgegangen ist, jenes künstlerischen Verfahrens mithin, das seine Wirkung aus der Zusammenfügung des Unvereinbaren überhaupt erst aufbaut.

Die Ursache des inneren Widerspruchs war, kurz gesagt, die unüberbrückbare Zwiespältigkeit zwischen dem eifrigen Bekenntnis einerseits zum technisch-wissenschaftlichen Fortschritt und andererseits einem weit bis ins Kleinbürgertum hineinreichenden politischen Konservatismus, der in der unkritischen Anerkennung hohenzollernkaiserlichen Gottesgnadentums geradezu atavistische Züge zeigte.

Die Berliner Gesellschaft gliederte sich gemäß einer Hierarchie, an deren Spitze

30 *Max Koner, Kaiser Wilhem II., 1890 (Gemälde verschollen)*

31 *Wilhelm II. in fridericianischer Tracht auf einem Kostümfest, 1892*

die Hofgesellschaft stand. Diese war in all ihrem Gehabe und deshalb auch in ihren künstlerischen, literarischen, modischen und geschmacklichen Anschauungen stockkonservativ. Hofadel und Offizierskorps bildeten gemeinsam eine geschlossene Gesellschaft, die zum Bürgertum betonten Abstand hielt. Die Hofsitten ebenso wie die gesellschaftlichen Umgangsformen innerhalb des Offizierskorps waren zum Ritual erstarrt.

Die Angehörigen der Berliner Bourgeoisie erhielten keinen Zugang in die Hofkreise, es sei denn durch Geldheiraten, die der Adel als Mesalliancen verstand. Der Hofadel wehrte sich gegen das Eindringen des „Geldadels" in seine Kreise, konnte dies aber trotz aller Abneigung nicht auf die Dauer verhindern. Für die Bourgeoisie gab es indes kein erstrebenswerteres Ziel als die wenigstens scheinbare Feudalisierung, und deshalb war es der sehnlichste Wunsch eines kaisertreuen Bourgeois, ein Reserveoffizierspatent zu erlangen. Nach zeitgenössischen Schätzungen[1] bestand die Berliner Bevölkerung um 1900 zu 1 % aus Adligen, zu 42 Prozent aus Bürgern und zu 57 % aus Arbeitern. Nach Aufhebung der Sozialistengesetze im Jahre 1890 und nachdem die Sozialdemokraten als stärkste Partei in den Reichstag eingezogen waren, konnte sich die Sozialdemokratische Partei diese Errungenschaften als einen Sieg anrechnen. Doch wäre es falsch, daraus zu schließen, daß das Berliner Industrieproletariat einen einheitlichen politisch-weltanschaulichen Meinungsblock gebildet hätte. In der Vielfalt der Spielarten fand sich der kaisertreue und obrigkeitsgläubige Arbeiter ebenso wie der sozialistisch orientierte. Nicht selten vereinten sich die widersprüchlichen Auffassungen sogar im Denken der einzelnen Personen. So staute sich der innere Widerspruch zum geistigen Konfliktpotential. Immerhin hatte die Arbeiterschaft unter sozialdemokratischer Führung um die Jahrhundertwende entschieden an Selbstvertrauen und Selbstbewußtsein gewonnen. Sie kämpfte weiter um die Verbesserung ihrer wirtschaftlichen Lage; das aber, was sie vor allem entbehrte, war der weitgehende Ausschluß von den Bildungschancen, denn damit wurde dem Arbeiter eine konstitutionelle Unmündigkeit unterstellt, und den geistigen Hochmut, den er hinter dieser Haltung erkannte, empfand er zu Recht als Entwürdigung.

Im Bereich zwischen Bourgeoisie und Arbeiterschaft entwickelte sich, zumeist aus dem Kleinbürgertum hervorgegangen, eine liberal eingestellte Bildungs-

32 *Anton von Werner, Die Enthüllung des Richard Wagner-Denkmals, 1908, Öl/Lwd., 230 × 280 cm*
Das Gemälde der Enthüllungszeremonie wurde vom Stifter und Besteller des Denkmals, dem Kosmetikfabrikanten und passionierten Bariton J. L. Leichner in Auftrag gegeben. Im Zentrum wird Leichner von Prinz Eitel Friedrich in Parade-Uniform begrüßt; links neben Leichner befindet sich der Bildhauer Gustav Eberlein, der Schöpfer des Denkmals. Hinter ihm eine Gruppe Berliner Künstler, u. a. P. Breuer, H. Ende, L. Knaus, W. Pape und F. Possart. Im Vordergrund rechts auf einem Postament steht Menzel, einer der Festredner.

schicht, deren Angehörige ihre Kritik gegenüber den festgefahrenen gesellschaftlichen Verhaltensweisen offen zu erkennen gaben. Es waren ausgeprägte Individualisten, die in diesen Kreisen zusammentrafen, Schriftsteller, Journalisten, Poeten, Regisseure, Redakteure, Intendanten, Musiker, Maler, Illustratoren und Karikaturisten. Gerade wegen ihres betonten Individualismus verkörpern sie in allen Varianten denjenigen

schaft, aus der beide Parteien immer wieder neue Kräfte zogen, denn in der Person des Kaisers hatte der innere Widerspruch auf tragikomische Weise exemplarisch Gestalt gewonnen. Wilhelm II. war, wie bekannt, ein Opfer seiner Erziehung. Die aus dem rigorosen Einbläuen der aufeinander abgestimmten Wechselmaximen des „Du sollst!" und „Du darfst nicht" abgeleitete Prinzenerziehung glich einer Essenz, die

die Höhe! Den Blick nach oben! Das Knie gebeugt vor dem großen Alliierten, der noch nie die Deutschen verlassen hat!"[2] Das wirkt unsäglich komisch, und es ist zugleich erschreckend. Von der Natur hatte Wilhelm II. gute musische Begabungen verliehen bekommen, doch infolge der brisanten Mischung von anerzogener Neurose und verliehener Macht gediehen ihm all seine Talente regelmäßig zur Katastrophe. Seine theatralischen Posen, seine Lust an der Maskerade ließen das neue Kaiserreich im In- und Ausland als kostümiertes Imperium erscheinen. 1906 veröffentlichte die „Illustrirte Zeitung", Leipzig-Berlin anläßlich der silbernen Hochzeit des Kaiserpaares zwölf Photographien des Kaisers in zwölf verschiedenen Uniformen[3]. Er war ein Redner und Schreiber, der sich drastisch und bildhaft auszudrücken wußte. Doch gerade die Drastik gab ihm jene Sentenzen ein, die ohne daß er das gewollt hätte, – nichts lag ihm ferner – zu geflügelten Worten deutscher Katastrophenpolitik geworden sind. Er hatte ein passables Zeichen- und Maltalent, das er für die Herstellung allegorischer Entwürfe und für Gemälde mit der Darstellung von Seeschlachten nutzte (vgl. Abb. 5). Doch eben dieses Talent verleitete ihn zu der Auffassung, er verstehe etwas von bildender Kunst, und zwar allerhöchstselbst ein für allemal. Deshalb maßte er sich ehrlichen Glaubens ein absolutes Kunsturteil an, das er in Anordnungen umsetzte. Indes verband sich sein Maltalent mit einem höchst unoriginellen dynastisch unterfütterten konventionellen Kunstverständnis, vereint mit einem gesunden Sinn für Kitsch. Mit solchem Rüstzeug versehen, begab er sich in die offene Feldschlacht gegen die Protagonisten der zeitgenössischen Kunst. Im Jahre 1890 ließ sich Wilhelm II. vom Hofmaler Max Koner (Abb. 30) so porträtieren, wie er sich selbst gern sehen wollte; im Stil des Hohenzollern-Neubarock von unten her gesehen in großer Pose in der Uniform des Garde du Corps mit schwarzem Küraß und Purpurmantel, die rechte Hand auf einen gewaltigen Feldherrnstab gestützt, den Blick über den Kopf des Betrachters hinweg in irgendeine unbestimmte Ferne gerichtet, sozusagen ins Unendliche. Das Bild schenkte er ausgerechnet der Pariser Botschaft. Der französische Ge-

33 *Die 750 Meter lange Siegesallee (1900), die vom Königsplatz aus in südlicher Richtung zum Kemperplatz führte, durchschnitten von der Charlottenburger Chaussee (Foto: Waldemar Titzenthaler).*

gesellschaftlichen Charaktertyp, der für die geistige Lebendigkeit der Weltstadt in unserem Jahrhundert entscheidend geworden ist, den des großstädtischen Intellektuellen. In ihren offenen und temperamentvollen Auseinandersetzungen und in ihren gemeinsamen Stellungnahmen, in Pamphleten, Essays und Satiren haben sie es übernommen, den inneren Widerspruch der Großstadtgesellschaft beim Namen zu nennen, zu analysieren und offen auszutragen. Das, was dabei herausgekommen ist, das ist Kunst. Denn die Kunst ist ein zeitgeschichtlicher Indikator, an dem sich die Konfliktentladungen im geistigen Spannungsfeld der Gesellschaft auch nachträglich noch ablesen lassen.

Wilhelminismus
Eines ihrer liebsten Angriffsziele war Kaiser Wilhelm II. Sie lebten mit ihm in einer herzlichen gegenseitigen Feind-

sämtliche Fehler deutscher Volkspädagogik im 19. Jahrhundert potenziert enthielt. Infolgedessen waren bei Wilhelm II. durchaus neurotische Symptome zu erkennen. Von dem ihm kraft Königs- und Kaiserwürde vererbten Gottesgnadentum war er fest überzeugt. Er ging davon aus, daß all seinen Reden und Taten dadurch eine konstitutionelle Unfehlbarkeit verliehen sei. Er glaubte ehrlich an die Richtigkeit all dessen, was er sich selbst vormachte. Deshalb benahm er sich in seinen Reden und Anordnungen gleich einem präceptor mundi, und er erwartete gewiß, daß das, was er forderte, vom Gehorsam des Daseins auch in Erfüllung gebracht werden müsse. Diese militarisierte Theokratie ist es auch, die ihn bald darauf beim Festmahl in Hamburg mit schmetternder Stimme den geschockten Damen und erschreckten Herren kommandieren läßt: „Die Augen auf! Den Kopf in neral Gallifet sagte, als er davorstand: „Pour vous dire la verité, se portrait là, c'est une déclaration de guerre!" („Das ist in Wahrheit kein Porträt, sondern eine Kriegserklärung".)

Welche Vorstellung sich der Kaiser von der bildenden Kunst machte, verrät das von ihm entworfene Blatt „Völker Europas, wahrt eure heiligsten Güter". Die gepanzerte Gestalt des Erzengels Michael steht, das Flammenschwert in der Rechten, auf einem Felsvorsprung und dreht sich halb zu einer Gruppe ebenfalls gepanzerter junger Damen um. Sie verkörpern die Genien der europäischen Völker, allen voran Germania, daneben das ungläubig spähende Frankreich, das wiederversöhnte Rußland, Österreich, das zögernde Britannien. Über der Gruppe schwebt in der Luft ein strahlendes Kreuz, von dem man befürchtet, daß es jeden Augenblick herunterfallen könnte. Alle blicken der weisenden Hand des Erzengels folgend über eine Ebene hinweg in die Ferne, dort schwebt eine molochartige Buddhagestalt in finsteren Wolken, die „Gelbe Gefahr". Hofmaler Professor Hermann Knackfuß wurde beauftragt, die naive Allegorie im Stile eines süßlich-kitschigen Traktätchen-Realismus in eine Heliogravüre zu übertragen, damit das Motiv auch unters Volk gebracht werden könne. 1895 schickte der Kaiser das Blatt seinem Vetter Nicki, dem russischen Zaren, mit einen Anschreiben: „Ich zeichnete diese Skizze in der Weihnachtswoche unter dem Glanz der Lichter des Christbaums."[4] Der Zar ließ ihm daraufhin durch den deutschen Botschafter lakonisch mitteilen, das Blatt sei sorgfältig gerahmt worden.

Sentimentalität, dynastisches Sendungsbewußtsein und die naive Überzeugung von der eigenen Unfehlbarkeit, sowohl in politischen Angelegenheiten wie auch in Sachen der Kunst, diese unheilige Allianz gefährlicher Eigenheiten wurde Wilhelm II. von Schönrednern aus seinem Gefolge bestätigt, entweder, weil sie den gleichen Geschmack hatten, oder weil sie es aus anerzogener Unterwürfigkeit nicht über sich brachten, dem Kaiser zu widersprechen. Daraus ging jener Stil der offiziellen Hohenzollernkunst hervor, dessen kalte Pracht alsbald die Plätze und Avenuen der Stadt überwucherte.

Der Baustil der Zeit war, wie überall in Europa, historisch. Die Bauherren und die Architekten griffen je nachdem, wie sie es für den Ausdruck von Repräsentation für das beste hielten, auf die Stilmuster der klassischen Epochen der Baukunst zurück. Der Reichstag, von Paul Wallot in wuchtiger, schwerer Renaissance-Architektur errichtet, wurde 1894 eingeweiht. Der Kaiser ignorierte den Bau so weit als möglich. Er konnte

34 *Die Kaiser-Wilhelm-Gedächtniskirche (Luftaufnahme 1913)*

ihn nicht leiden, weil er das Parlament als Institution nicht mochte. Die schlichte Klarheit des Schinkelschen Klassizismus, die der Stadt in der ersten Jahrhunderthälfte ihr charakteristisches Aussehen gegeben hatte, wurde nun durch den neuen Pomp und Prunk verdrängt. Der dynastische Anspruch wird nicht nur in den Profanbauten, sondern auch in der Sakralarchitektur zur Schau gestellt. 1894 wurde der Bau des Berliner Doms nach den Entwürfen Julius Raschdorffs und seines Sohnes Otto im Stil der italienischen Hochrenaissance begonnen. Daß diese preußische Hofkirche bis heute und auch nach ihrem Wiederaufbau noch so kalt und seelenlos wirkt, liegt daran, daß Auftraggeber und Architekten, die Äußerlichkeiten des Renaissancestils um des theatralischen Effekts willen erbarmungslos übertrieben und übereinanderhäuften, daß es ihnen aber nicht gegeben war,

das innere Wesen der Renaissance aus deren eigenen Entstehungsbedingungen zu erfassen. Das einzige, was dieser Katafalk christlich motivierter Herzlosigkeit deutlich sichtbar verkörpert, ist der parvenühafte Machtanspruch eines selbstgerechten Pharisäertums, der damals bei den führenden Schichten des preußisch-deutschen Protestantismus weit verbreitet war. Kaiserin Auguste Viktoria, die sich in die politischen An-gelegenheiten nicht einmischte, hatte sich der Förderung des Kirchenbaus angenommen. „Sie forderte wohlhabende Bürger zu Kontributionen auf, und viele von ihnen stifteten ein Bleiglasfenster gegen die Verleihung eines Ordens oder eines Titels."[5] Solcher Förderung verdankt jener Zentralbau auf kreuzförmigem Grundriß seine Verwirklichung, der weder nach Christus, noch nach der Trinität, einem Apostel, einem Propheten oder einem Heiligen benannt ist, sondern den bei Licht besehenen sonderbaren Namen Kaiser-Wilhelm-Gedächtniskirche (Abb. 34) trägt. Die Berliner haben sich daran gewöhnt, Gedächtniskirche zu sagen; eine Abkürzung von unfreiwilliger Komik. Die Kirche wurde von Franz Schwechten im neuromanischen Stil gebaut. Die Neuromanik, die um die Jahrhundertwende als nationaler Baustil gefördert wurde, griff auf die wuchtigen

35 *Walter Leistikow, Abendstimmung am Schlachtensee, Öl/Lwd., 73 × 93 cm*

36 *Käthe Kollwitz, Aufruhr, 1899, Radierung, 30 × 32 cm*

Bauformen der deutschen Kaiserdome (Worms, Speyer, Mainz) zurück. Sowohl vom Baustil wie vom Namen her repräsentiert die Kirche also die Idee eines protestantischen Kaiserdoms. Die weltanschauliche Grundlage für die Wahl der romanischen Stilform ist der mit der Reichsgründung von 1871 beginnende Barbarossakult, da mit der legendären Gestalt des Kaisers Friedrich Barbarossa, der nach der Sage im Kyffhäuser sitzt, die Idee einer Wiedergeburt des deutschen Kaisertums verbunden ist, auf die sich die Anhänger des neuen Hohenzollernkaisertums beriefen. 1895 war der Bau vollendet. Auch er erhielt eine reichhaltige Innenausstattung, in deren Bildprogramm Jesus Christus, die Erzengel, die Propheten, die zwölf Apostel, Petrus und Paulus noch einmal extra, die Kirchenväter, Martin Luther und Philipp Melanchton und schließ-

lich Kaiser Wilhelm I. als Erfüller der christlichen Botschaft vorkamen. Für die pomphafte Fassadengestaltung und Innenausgestaltung ebenso wie für die zahlreichen Denkmäler, wurde eine große Anzahl von Künstlern, insbesondere Bildhauern benötigt. Der Aufgabe gehorchend bildeten sich innerhalb der Künstlerschaft versierte Spezialisten heraus, die alsbald zu offiziellen Auftragskünstlern avancierten. Fritz Schaper, Ernst Wenck, Adolf Brütt und Gustav Eberlein gehören dazu, hervorragende Könner, die ihr gestalterisches Handwerk glänzend beherrschten. Der bedeutendste dieser Richtung ist der Bildhauer Reinhold Begas. Den Intentionen Wihelms II. folgend, die durch die Denkmalskommission des Reichstags gestützt und vermittelt wurden, schuf er das Nationaldenkmal Kaiser Wilhelms des Großen, das am 22. März 1897 anläßlich des hundersten Geburtstages Wilhelms I. enthüllt wurde. Das Reiterstandbild selbst wurde von einer wuchtigen, weit ausladenden halbkreisförmigen Säulenhalle eingefaßt. Die Denkmalsanlage wurde an der Spree gegenüber dem Hauptportal des Schlosses errichtet (vgl. Abb. 15, 16, 18). Der Raum für die Anlage wurde durch Abbruch der Schloßfreiheit gewonnen. Die Kosten betrugen 4 Millionen Mark.

In ihrer imperialen Großspurigkeit indes wurde die Anlage erst Jahrzehnte später durch solche Bauten wie beispielsweise das Monumento Vittorio Emanuele in Rom übertroffen. Es gibt keine Übertreibung, die nicht noch einmal übertrieben werden könnte. Unser Jahrhundert hat auf diesem Gebiet wahrhaft Schauriges zustandegebracht. Im Anspruch an Repräsentation wurde die Wilhelm I. gewidmete Denkmalsanlage durch ein weiteres Unternehmen übertroffen, das von Wilhelm II. durchgesetzt worden war, eine Denkmalsorgie, große Hohenzollernoper in carrarischem Marmor: Die Siegesallee (Abb. 33).

Unter der Anleitung von Reinhold Begas wurde eine Gruppe von 26 Berliner Bildhauern zusammengerufen. Sie stellten insgesamt 32 überlebensgroße Figurengruppen mit Darstellungen der Hohenzollernfürsten her, die, nach der Generationenfolge geordnet, in Reihen zu jeweils 16 an beiden Seiten der Siegesallee aufgestellt wurden. Die Qualität

37 *Adolph von Menzel, Abreise König Wilhelms I. zur Armee am 31. Juli 1870, 1871, Öl/Lwd., 63 × 78 cm. Im Mittelpunkt steht nicht der Monarch, sondern das winkende Bürgertum, unter das sich der Maler (im Vordergrund links) gemischt hat.*

war sehr unterschiedlich; das Pathos wirkte hohl. Die Berliner, die sehr wohl spürten, daß die Prachtentfaltung wegen des gar zu offensichtlichen Mißverhältnisses zwischen Geist und Masse und damit zwischen Anpruch und Erfüllung ins Lächerliche umschlug, tauften das Denkmalsarrangement „die Puppenallee".

In seiner Ansprache zur Eröffnung der Siegesallee am 18. Dezember 1900 sagte Wilhelm II. u. a. folgendes: „Wie ist es mit der Kunst überhaupt in der Welt? Sie nimmt ihre Vorbilder, schöpft aus den großen Quellen der Mutter Natur, und diese, die Natur, trotz ihrer großen, scheinbar ungebundenen, grenzenlosen Freiheit, bewegt sich doch nach den ewigen Gesetzen, die der Schöpfer sich selbst gesetzt hat, und die nie ohne Gefahr für die Entwicklung der Welt überschritten und durchbrochen werden können. Ebenso ist's in der Kunst, und

38 *Kaiser Wilhelm II. empfängt in „der Maske des Majors Lentulus, Adjutanten des großen Königs, Menzel persönlich am Eingang" des Schlosses Sanssouci zu einem Kostümfest.*

beim Anblick der herrlichen Überreste aus der alten klassischen Zeit überkommt einen auch wieder das Gefühl, hier herrscht das Gesetz der Schönheit und Harmonie, der Ästhetik. Eine Kunst, die sich über die von Mir bezeichneten Gesetzte und Schranken hinwegsetzt, ist keine Kunst mehr, sie ist Fabrikarbeit, ist Gewerbe, und das darf die Kunst nie werden. Mit dem viel mißbrauchten Wort ,Freiheit' und unter seiner Flagge verfällt man gar oft in Grenzenlosigkeit, Schrankenlosigkeit, Selbstüberhebung... Wenn nun die Kunst, wie es jetzt vielfach geschieht, weiter nichts tut, als das Elend noch scheußlicher hinzustellen, wie es schon ist, dann versündigt sie sich damit am deutschen Volke. Die Pflege der Ideale ist zugleich die größte Kulturarbeit, und wenn wir hierin den anderen Völkern kein Muster sein und bleiben wollen, so muß das ganze Volk daran mitarbeiten, und soll die Kultur ihre Aufgabe voll erfüllen, dann muß sie bis in die untersten Schichten des Volkes hindurchgedrungen sein. Das kann sie nur, wenn die Kunst die Hand dazu bietet, wenn sie erhebt, statt daß sie in den Rinnstein niedersteigt."[6]

Rinnsteinkunst

Aus jener Kaiserrede stammt also das berüchtigte Wort „Rinnsteinkunst" (vgl. Abb. 39). Die Betroffenen, nämlich diejenigen Künstler, die sich sowohl inhaltlich wie stilistisch nicht mit der Verklärung einer dynastisch verherrlichten Vergangenheit, sondern mit den Problemen der eigenen Lebensgegenwart auseinandersetzten, empfanden die Ansprache als einen Affront.

Die Opposition gegen die Hegemonie des Hohenzollernstils und der damit als notwendig erkannte Zusammenschluß in Vereinigungen zur Durchsetzung der eigenen künstlerischen Interessen und Ziele war aber nicht von den bildenden Künstlern, sondern von den Literaten und Theaterleuten begonnen worden. Das geschah bereits in den Jahren 1889/90. In Friedrichshagen bei Berlin, am Rande des Müggelsees, hatte sich in den achtziger Jahren ein Kreis von Schriftstellern, Zivilisationsaussteigern und Sozialreformern zusammengefunden, denen es um eine Erneuerung der Gesellschaft und damit auch der gesellschaftlichen Funktion der Kunst ging. Das weltanschauliche Spektrum der Beteiligten reichte vom bürgerlichen Liberalismus bis zu einem oft romantisch verklärten Radikalsozialismus und zu einem anarchistisch formulierten utopischen Idealismus. Angesichts der ziemlich trostlosen Theaterspielpläne und der mangelhaften Aufführungsqualität an den Berliner Bühnen dachten die Literaten über die Möglichkeit der Gründung einer Bühne nach, die sich um eine zugkräftige Durchsetzung des naturalistischen Theaters der Zeit, vor allem der Stücke Henrik Ibsens kümmern könne. Ein im Jahre 1887 veranstaltetes Berliner Gastspiel des „Théâtre Libre", geleitet von dem Franzosen Antoine, gab den ersten Anstoß zur Idee der Gründung einer „Freien Bühne". Im Frühjahr 1889 wurde Julius Hart, der führende Kopf der Friedrichshagener, im Zuschauerraum des „Neuen Theaters" am Schiffbauerdamm vom Jüngsten unter den Berliner Theaterkritikern, Theodor Wolff, dazu aufgefordert, mit ihm und Maximilian Harden eine Freie Theatergemeinde zu gründen. Zur „Stiftung einer Freien Bühne" traf man sich an einem Märzsonntag des Jahres 1889 im Weinrestaurant Kempinski. Teilnehmer waren Theodor Wolff, Maximilian Harden, die Brüder Hart, der Humorist Stettenheim, die Theaterkritiker Otto Brahm

39 *Thomas Theodor Heine, Plakat 1905, Eine Anspielung auf Wilhelm II. Verdikt über die „Rinnsteinkunst".*

und Paul Schlenther und der Schriftsteller Ludwig Fulda sowie als Jurist der Rechtsanwalt Jonas und als Finanzexperte der bekannte Verleger Samuel Fischer. Um von der Polizeizensur unabhängig zu sein, mußte die Form eines Vereins zur Veranstaltung geschlossener Vorführungen gewählt werden.

Auf Vorschlag Julius Harts wurde Otto Brahm zum Leiter des Theatervereins gewählt. Die Mitgliederzahl wuchs rasch. Als erstes Stück wurde Ibsens „Gespenster" gespielt. Die zweite Vorstellung war dem unbekannten Drama eines unbekannten Autors gewidmet, „Vor Sonnenaufgang" von Gerhart Hauptmann. Die Uraufführung fand am 20. Oktober 1889 vormittags 12 Uhr im Lessingtheater statt. Die in schlesischer Mundart gesprochene, auf dem Lande spielende Tragödie mit der drastischen Schilderung menschlicher Vorurteile und Gemeinheiten löste einen Theaterskandal aus. Der Dichter Richard Dehmel erinnert sich: „Die Spannung entlud sich in einer Weise, die in den Annalen selbst der radauseligsten Vorstadtschmiere nicht ihresgleichen finden dürfte." Nach dem ersten Akt jubelten die Jüngstdeutschen den Autor so oft hervor, bis der Widerspruch der Gegner laut wurde. „Und nun gab sich Alt und Jung und Rechts und Links dem jungenhaften Vergnügen hin, mit Radauflöten und Stiefelabsätzen den neuen Mann zu empfangen, wenn er auf der Bühne erschien." Von Akt zu Akt wuchs der Lärm. „Als aber auf der Bühne nach einer Hebamme gerufen wurden, da ging für kurze Zeit die Dichtung in einem Skandal überhaupt unter – Dr. Kastan zog eine Geburtszange aus der Tasche und warf sie auf die Bühne". „Rasender Tumult", so erzählte Adalbert von Hanstein, „erhob sich".[7]

„Im preußischen Abgeordnetenhaus nannte im April 1890 eine Abgeordneter der Konservativen das moderne Theater ein intellektuelles Bordell, und vom Berliner Polizeipräsidenten, dem Freiherrn von Richthofen, wußte man die Äußerung zu verbreiten: ‚Es muß mit der ganzen Richtung aufgeräumt werden' ".[8]

Trotz oder gerade wegen dieses Skandals setzte sich die Freie Bühne durch, die Mitgliedschaft stieg rapide, und es begann der Siegeszug des zeitgemäßen Theaters. Nichtsdestoweniger fand noch im Jahre 1890 die Gründung eines weiteren Theatervereins statt, der auf der Idee einer Arbeiterbildungsbühne beruhte (vgl. Bd. I, S. 294 ff.). Initiator war der Dichter Bruno Wille, Mitgründer waren der Schriftsteller und Naturphilosoph Wilhelm Bölsche und der Schauspieler Julius Türk. Heinrich Hart berichtete über die Gründungssitzung: „Da sitzen sie alle, die jungen Stürmer und Dränger, die Naturalisten und Halbnaturalisten, die Apostel und Propheten, und zwischen ihnen hier und da ein blasiertes Weltkind, ein adrettes Herrchen, das von den Roten und Grünen irgendeine nervenprickelnde Sensation erhofft. Da sitzt Bruno Wille, der behäbigste aller Philosophen, der immer Gläubige, immer Überzeugte, neben Otto Brahm, ... John Mackay, der Individualist, Anarchist und Aristokrat, neben Julius Türk, dem Demokraten und Sozialisten, der kaum noch anders als genossenschaftlich zu denken vermag. Wilhelm Bölsche neben Otto Erich Hartleben, zwei wackere Zecher, die auch diesen Abend epikureisch zu genießen zu verstehen. Und mit all den Literaten innig gesellt die Führenden unter den Berliner Sozialdemokraten, neben Paul Kampfmeyer, wenn ich mich recht erinnere, die Genossen Werner und Wildberger".[9]

Die Roten und die Grünen gab es also damals schon. Beide Bühnengenossenschaften, die „Freie Bühne" wie die „Freie Volksbühne" wuchsen im Laufe der Jahre zu mitgliedsstarken Vereinigungen an. Der „Verein Freie Volksbühne" ist heute noch aktiv. Das Beispiel der beiden Bühnenvereine ermutigte auch die anderen Theater zu größerer Kühnheit in der Wahl der Stücke. Als aber die Freie Bühne im Deutschen Theater Hauptmanns „Weber" aufführte, kündigte der Kaiser die Hofloge, denn auf dieses Stück trifft zu, was Wilhelm II. unter „Rinnsteinkunst" verstand.

An der Uraufführung der „Weber" 1893 hatte die damals 25jährige Malerin und Graphikerin Käthe Kollwitz teilgenommen, die aus Königsberg nach Berlin gezogen war. Sie war mit dem Arzt Dr. Hans Kollwitz verheiratet, der im Norden Berlins eine Kassenpraxis hatte. Dort lernte sie die Not und das Leid der Armen kennen. Gerhart Hauptmanns Stück beeindruckte sie tief. Sie begann ihre Arbeit an dem Zyklus „Ein Weberaufstand" (Abb. 36), einer Folge von Lithographien und Radierungen, an dem sie zwei Jahre arbeitete. Die Darstellungen, zart und kraftvoll zugleich in Schwarzweiß gestaltet, vermitteln dem Betrachter die Intensität des menschlichen Mitgefühls heute ebenso unmittelbar wie zur Zeit ihrer Entstehung. Der Zyklus gehört zu den bedeutendsten deutschen Kunstwerken unseres Jahrhunderts; er setzt der Menschlichkeit ein Denkmal, das – im Gegensatz zu allen offiziellen Hohenzollerndenkmälern – seine Gültigkeit nicht verloren hat. 1898 wurde die Folge „Ein Weberaufstand" in der Großen Berliner Kunstausstellung gezeigt. Der Vorstand der Ausstellung, dem auch Adolph von Menzel angehört, schlug Käthe Kollwitz für die kleine goldene Medaille vor. Der Kaiser lehnte ab, denn für ihn ge-

hörte Käthe Kollwitz zu den „Rinnsteinkünstlern". Zu dieser Gruppe zählen nach des Kaisers Definitionen alle die Künstler, die „weiter nichts tun, als das Elend noch scheußlicher hinzustellen, als es schon ist", damit sind diejenigen gemeint, die sich in ihrer Arbeit kritisch mit dem Motiv der durch Entwicklungsvorgänge der Industriezivilisation geschaffenen Armut und des sozialen Elends in den Großstadtslums und auf dem Lande auseinandersetzen. Käthe Kollwitz' Kunst des sozialen Mitleids ist mit den Ausdrucksmitteln eines expressiven Realismus gestaltet und gewinnt daraus ihr eigentümliches Pathos. Einleuchtenderweise verdichtet sich der sozialkritische Realismus in der bildenden Kunst um die Jahrhundertwende gerade in der schnell gewachsenen Weltstadt Berlin zu einer eigenen künstlerischen Richtung von ernstzunehmendem Schwergewicht. Ihre bedeutendsten Vertreter neben Käthe Kollwitz sind Heinrich Zille (Abb. 285, Bd. I, Abb. 304, 311) und Hans Baluschek. Zille, der Autodidakt, der erst 1907 nach dreißigjähriger Beschäftigung seine Stellung als Lithograph bei der photographischen Gesellschaft aufgab, – seine Karriere als freier Künstler begann mit einem Hinauswurf aus seinem Betrieb wegen seiner Beteiligung an einem Streik – wurde jahrzehntelang von den Kunstfachleuten nicht für voll genommen, er galt als Witzzeichner. Die Erkenntnis, daß Zilles Kunst authentisches Zeugnis nicht nur der Lebenssituation, sondern auch über Empfindungen und den Lebenswillen der Leute aus den Hinterhäusern von Berlin Wedding gibt, hat sich nun endlich durchgesetzt. Hans Baluschek, Sohn eines Landvermessers, setzte sich nicht nur in seiner Kunst, sondern auch in praktischer Tätigkeit für die Arbeiter und vor allem für die Arbeiterbildung ein. In der Weimarer Republik wurde er Bürgerdeputierter und Sachverständiger für das Kunst- und Bildungswesen in der Stadt Berlin. Seine Gemälde und Pastelle, in denen er mittels eines drastischen, zuweilen auch derb-komischen Realismus die Welt der Industriearbeit aus der Sicht der Arbeiter schilderte, brachten ihm, wie sich denken läßt, um die Jahrhundertwende kaum Käufer, dafür aber die Anerkennung der Schriftsteller ein. Georg Hermann, der Romanschriftsteller, und Franz Servaes, der

Kunst-und Literaturkritiker, haben ihm schon damals Würdigungen geschrieben. Baluschek selbst war von den Werken Emile Zolas, den Schriften von Arno Holz und Gerhart Hauptmanns „Vor Sonnenaufgang" beeindruckt. Darin zeigt sich der Beginn einer Entwicklung die für die Berliner Großstadtkunst unseres Jahrhunderts kennzeichnend ist: Die gegenseitige Beeinflussung und das stilistische und motivische Zusammengehen von bildender Kunst und Literatur.

Secession
Hans Baluschek gehörte 1898 zu den Mitgründern der „Berliner Secession", Käthe Kollwitz trat im Jahr darauf der Secession bei, und Heinrich Zille wurde 1903 als Mitglied aufgenommen. Die Konsolidierung der bildenden Künstler zu einer Gruppe, die aus dem Wunsch, mit den stilistischen und motivischen Bedürfnissen der neuen Epoche zu gehen, den Kampf mit dem Akademismus der staatsoffiziellen Kunst aufnahm, geschah also ein knappes Jahrzehnt nach dem Zusammenschluß der Schriftsteller, Kritiker und Theaterleute in den Bühnenvereinen. Der Kampf der Secessionisten richtete sich gegen die Kunstpolitik des Kaisers. Ihr großer Gegenspieler aber war der Hofmaler Anton von Werner (Abb. 32). 1843 in Frankfurt an der Oder geboren, studierte er an der Berliner Akademie und ging dann nach Karlsruhe. Auf seine Bewerbung hin durfte er im deutsch-französischen Krieg den Winter 1870–1871 im deutschen Hauptquartier verbringen und betätigte sich mit seinen Zeichnungen als Bildberichterstatter vom Kriegsschauplatz. Auf diesen Studien, die er im Laufe der folgenden Jahrzehnte seinen kriegerisch-sentimentalen Gemälden mit Darstellungen von Schlachten und Rührszenen aus dem Siebziger Krieg zugrundelegte, beruhte seine Berühmtheit als Hofmaler und künstlerischer Berater des Kaiserhauses. Seine Ämter und Ehrenämter – er war gegen Ende des Jahrhunderts u. a. Direktor der Königlichen Akademischen Hochschule für die Bildenden Künste und Vorsitzender des Vereins Berliner Künstler – sicherten ihm eine Macht- und Einflußfülle, die er, in redlicher Entrüstung über die ihm so erscheinende Anarchie und Maßstabslosigkeit, die

da in der Kunst hochkam, weidlich aus-
nutzte. Sein eigener Stil war ein bravou-
röser aber trockener Bildrealismus in
der klassischen akademischen Manier
der historischen Geschichtenerzählerei,
und alles, was dem künstlerisch entge-
gengerichtet war, erschien ihm verdam-
menswert. So traf sich sein eigener
künstlerischer Geschmack mit dem des
Kaisers und beide bildeten gemeinsam
ein wirksames Verhindererpaar. Doch
ist dabei hervorzuheben, daß sie mit ihrer Ansicht nicht allein standen, sondern lediglich die Exponenten einer im
Bürgertum weit verbreiteten Meinung
waren, die auch von einem großen Teil
der Kunstkritik geteilt wurde, denn
es handelte sich vor allem um das Un-
verständnis und die mangelnde Auf-
nahmebereitschaft gegenüber einem
neuen Stil: dem Impressionismus, der
einfache Bildmotive bevorzugt, nicht
das Schlachtenbild, den Königsmord

40–41 *Max Liebermann, Simson und
Delila, um 1902, Öl/Lwd. F. Jüttner's
Karikatur (u.) spielt an auf das Aus-
scheiden von 16 Mitgliedern der Secession 1902. Delila überreicht die Liebermann abgeschnittenen Namenszüge
der Abtrünnigen dem ‚Häuptling der
Philister und Moabiter', A. von Werner. Lustige Blätter, H. 22, 1902*

und den Triumphzug, sondern das Ge-
müsestilleben, die Wiesenlandschaft
und Menschen bei ihrer täglichen Arbeit. Die Impressionisten versuchen die
Umwelt so wiederzugeben, wie das
Auge sie sieht, und nicht so, wie unsere
Vorstellung sie in Erinnerung behält
und gedanklich korrigiert. Jener Mangel
an Verständnisbereitschaft gegenüber
dem neuen Stil erscheint uns heute
kaum noch begreiflich, doch das ist ein
Phänomen, das sich ständig von neuem
wiederholt.
Am 5. Februar 1892 hatten sich elf an-
tiakademisch eingestellte Maler zur
„Vereinigung der XI" zusammenge-
schlossen – Max Liebermann, Walter
Leistikow und Franz Skarbina gehörten
dazu. Vorläufig blieben sie noch Mitglieder des „Vereins Berliner Künstler",
doch noch im Herbst des gleichen Jahres
kam es zum Krach. Auf Empfehlung des
Münchner Malers Fritz von Uhde hatte

der Verein den Norweger Edvard Munch zu einer Ausstellung eingeladen, die am 5. November im Architektenhaus eröffnet wurde. Munchs künstlerischer Erfindergeist war dem der Berliner Impressionisten schon ein Stück voraus; er nahm bereits Elemente eines psychologisierenden Expressionismus in seine Malerei auf, und seine Bilder mußten deshalb den Berlinern als der Gipfel künstlerischer Radikalität erscheinen. Der Kritiker Adolf Rosenberg schrieb von „Exzessen des Naturalismus" und von „grotesken Phantasiestücken, die in der liederlichsten Art dahingeschmiert sind." Unter den Mitgliedern des „Vereins Berliner Künstler" erhob sich ein Sturm der Entrüstung, und für den 12. November wurde eine außerordentliche Generalversammlung einberufen. Nach stürmischen Verlauf wurde mit 120 gegen 105 Stimmen die sofortige Schließung der Ausstellung beschlossen.

Die Ausstellungskommission legte ihr Amt nieder. 70 Mitglieder verließen aus Protest das Vereinslokal.[10]

Am 18. November protestierten die Akademieprofessoren August von Heyden, Hugo Vogel und Franz Skarbina – alle drei Mitglieder der Gruppe der „XI" – gegen die Schließung der Munch-Ausstellung, da diese „eine dem üblichen Anstand zuwider laufende Maßnahme" sei. Der Skandal um Munch führte zu einer tiefen Spaltung innerhalb der Berliner Künstlerschaft, die den „Verein Berliner Künstler" beinahe zugrunde gerichtet hätte. Im Jahr darauf berichtete die „Illustrirte Zeitung": „Die gelegentlich der Munch-Ausstellung offen zutage getretenen Parteiungen der Berliner Künstlerschaft haben sich soweit zugespitzt, daß zwischen dem Direktor der akademischen Hochschule, Anton von Werner, und verschiedenen Mitgliedern des Lehrkör-

42 *(oben) Max Liebermann als Tyrann der Berliner Secession. Karikatur von F. Jüttner, Lustige Blätter, Bd. 17, Heft 9, 1902*
43 *Ludwig Meidner, Mond über Berliner Stadtbrücke, 1913, Tuschpinselzeichnung*

pers offene Fehde ausgebrochen ist und Hugo Vogel, Franz von Skarbina und August von Heyden ihre Entlassung eingereicht haben." Diejenigen Kunsthändler, die sich der jungen und unakademischen Künstler annahmen, waren Fritz Gurlitt und Paul Cassirer. Anläßlich einer Ausstellung von Werken des Berliner Impressionisten Lesser Ury bei Gurlitt schrieb der Kritiker Rosenberg in der Kunstchronik von „Straßenbil-

unter dem Daumen", und zu Hugo von Tschudi, dem neuen Direktor der Nationalgalerie, der ihm eine Grunewaldlandschaft von Leistikow zeigen wollte, bemerkte er mißbilligend: „Ich kenne den Grunewald; ich bin selbst Jäger."
So nimmt es nicht Wunder, daß ein großes Landschaftsgemälde, „Sonnenuntergang am Grunewaldsee", das Leistikow für die „Große Berliner Kunstausstellung" 1898 eingereicht hatte, auf Ein-

zur Seite standen wohlhabende Berliner Bürger, die, was Wilhelm II. noch mehr ärgerte, meist jüdischer Abstammung waren. Ihnen verdankt die Nationalgalerie die Schenkungen jener Werke französischer Impressionisten, die, heute unbezahlbar, eine weltberühmte Zierde des Museums bilden. Im Jahre 1908 wollte Tschudi von einem holländischen Kunsthändler, dem er schon eine verbindliche Zusage gegeben hatte, einige wichtige Bilder der französischen Moderne kaufen. Alles war geregelt, nur der Kaiser mußte noch seine Zustimmung geben. Als Wilhelm II. die Bilder zu Gesicht bekam, erklärte er, Delacroix habe weder zeichnen noch malen können, und all die französischen Bilder seien für ihn nicht zumutbar. Tschudi erwiderte, sie seien die besten der ganzen Sammlung. Damit hatte sich der Kaiser zwar vor der Nachwelt blamiert, dem tapferen Tschudi indes blieb keine Wahl, als Urlaub „aus Gesundheitsrücksichten" zu nehmen. Er ging nach München. Zwei Jahre später hatte sich die Secession, inzwischen von Erfolg zu Erfolg geschritten, selbst schon zum etablierten Club entwickelt (vgl. Abb. 42), dessen Mitglieder sich nun ihrerseits gegen die Aufnahme der Jungen wehrten. Die Folge war ein neuer Krach, der dazu führte, daß die zurückgewiesenen jungen Expressionisten im Jahre 1910 die „Neue Secession" gründeten. Es bleibt aber das Verdienst der „Berliner Secession", im Kampf gegen die etablierte Offizialkultur des kaisertreuen Akademismus den Weg für die Durchsetzung des Neuen erschlossen zu haben.

44 *Max Pechstein, Plakat zur ersten Ausstellung der Neuen Secession, 1910, Lithographie, 71 × 95 cm*

dern, die so roh zusammengeschmiert waren, daß man nur schwarze, rote und gelbe Flecken unterscheiden konnte."
Als Anton von Werner 1898 als Vorsitzender des „Vereins Berliner Künstler" wiedergewählt wurde, schlug er dem Kaiser vor, die Leitung der „Großen Berliner Kunstausstellung" aufgrund des Falles Munch und, „um die Auswüchse des Naturalismus zu bekämpfen", zwischen Mitgliedern des Vereins und Mitgliedern der Akademie aufzuteilen. Er traute seinem eigenen Verein nicht mehr. Dem Kaiser war das nur recht. Anläßlich eines Empfangs für die Vertretung der Deutschen im Schloß am 27. April 1893 hatte Wilhelm II. zu Professor Gerhard, der ihn mit dem Hinweis auf „unsere denkmalschaffende Gegenwart" zur Stiftung weiterer nationaler Denkmäler anzuregen suchte, gesagt: „Bei mir in Berlin haben es die Freilichtmaler nicht gut, ich halte sie da

spruch des Kaisers von der Jury refüsiert wurde. Diese Zurückweisung war der Anlaß zur Gründung der „Berliner Secession" am 2. Mai 1898. Ihr Vorsitzender wurde Max Liebermann. Im folgenden Jahrzehnt wurde die Secession zur bedeutendsten und wirksamsten Künstlervereinigung in Berlin, sie setzte die Kunst der Gegenwart durch. Die Gegnerschaft von seiten Wilhelm II. hat ihr nicht geschadet, sondern die Aufmerksamkeit für die Secession geschärft und die Vitalität und Durchsetzungskraft des Künstlerverbandes gestärkt. Die Sache hatte noch ein Nachspiel. Der Kunstsammler Richard Israel erwarb das refüsierte Bild von Leistikow und schenkte es der Nationalgalerie – wie die Berliner zu sagen pflegen: „aus Daffke". Tschudi, der Nationalgalerie-Direktor, hatte sich als Parteigänger der Impressionisten ohnehin bald beim Kaiser mißliebig gemacht. Ihm

Großstadtexpressionismus
Die Jahre 1910/11 waren für die kulturelle Entwicklung in Berlin ein signifikanter Zeitpunkt. Es waren Jahre des Umbruchs. Die Herausbildung der Berliner Großstadtkunst erreichte eine neue Intensitätsstufe und wird von nun an für die neue Metropolenkunst der Industriezivilisation in unserem Jahrhundert vorbildlich und maßgebend. Die großen künstlerischen Ereignisse des 20. Jahrhunderts haben sich in den Weltstädten abgespielt: in Wien, Paris, Moskau, Rom, Berlin und New York.
Stimmungen färben unsere bewußte Wahrnehmung; sie geben der Bewußtseinshaltung einer Epoche das Kolorit.

45   *Edvard Munch, Walther Rathenau, 1907, Öl/Lwd.*

Dieser Umstand wird von den Historikern üblicherweise viel zu wenig in Betracht gezogen. Aber auch Stimmungen sind Fakten, denn es ist offenkundig zu beobachten, wie stark Stimmungen und Stimmungsschwünge, auch solche, deren Herkunft schwerlich rational zu erfassen ist, in die Wirklichkeit des menschlichen und gesellschaftlichen Handelns eingreifen können. Gerade die Kunst ist der Indikator, an dem sich

46 *Otto Dix, Bei Langemarck – Februar 1918, Radierung aus dem Mappenwerk „Der Krieg", Mappe I/Nr. 7, 1923/24*

Stimmungsgehalt und Stimmungswechsel innerhalb des Epochenbewußtseins ablesen lassen.

In ihrer Gestimmtheit unterschieden sich die Jahre 1910 bis 1914 drastisch von denen der voraufgegangenen Dekade. Ein Wandel hatte stattgefunden. Sie können als die Vorkriegsjahre bezeichnet werden. Denn die jungen Künstler und Kunstpromoter, die damals angetreten sind, die Väter vom Thron zu stoßen, gehörten der Vorkriegsgeneration an, die dann auch die Kriegsgeneration sein wird, diejenige nämlich, die in ihrer Lebenskraft am stärksten vom Krieg betroffen sein wird, die vor allem die Folgen des Krieges auszubaden hatte und aus der manche Künstler hervorgingen, die schließlich den Stil der Nachkriegsgeneration mitprägen sollten.
Es ist so, als wollte die Kunst der Vorkriegsjahre die Wirklichkeit des Daseins am erfüllten Ende eines langen Frie-

dens im Spiegel des Bewußtseins noch einmal besonders festlich, feierlich und in einer bis zum Schmerzhaften gesteigerten Intensität der Formen und Farben aufleuchten lassen. Aber die künstlerische Ernte aus der Erfüllung eines satten Sommers war bereits vom bitteren Geruch schwarzer Ahnungen durchzogen. So war die Schicksalskurve des deutschen Expressionismus durch die ihm eigentümlichen Charakterzüge des Welt- und Selbsterlebens bestimmt.

In den Jahren 1910/11 siedelten die Künstler der „Brücke", der bedeutendsten Gruppe des protestantisch geprägten mittel- und norddeutschen Expressionismus, Max Pechstein, Ernst Ludwig Kirchner, Erich Heckel und Karl Schmidt-Rottluff von Dresden nach Berlin über. Auch Emil Nolde, der den Brücke-Künstlern nahestand, lebte damals einige Jahre lang in Berlin. In seinem Atelier an der Tauentzienstraße malte er seine inbrünstig-brünstigen biblischen Visionen. Vor allem Ernst Ludwig Kirchner war es, der sich den Rhythmus der Großstadt mit Sinnen und Nerven aneignete, und dem es in seinen großfigurigen Straßenbildern mit der Darstellung der Flaneure und der Kokotten mittels nervös ausfahrender hektischer Pinselzüge gelang, das Stakkato und die Motorik der großstädti-

schen Straßenlebens kongenial gleichnishaft im Bild zu erfassen. Seine Gemälde waren nicht Abbild, sondern Inbild der Großstadt (vgl. Abb. 68).
1910 gründete Herwarth Walden, neben Daniel Henry Kahnweiler zweifellos der bedeutendste europäische Kunstvermittler unseres Jahrhunderts, die Zeitschrift „Der Sturm" und schaffte damit eine Plattform, auf der die Expressionisten der bildenden Kunst denen der Literatur begegneten. Unter anderen veröffentlichten Else Lasker-Schüler, Alfred Döblin, der Kulturkritiker, Kunstschriftsteller und Dichter Carl Einstein und der Philosoph und zeitkritische Satiriker Salomon Friedländer (Mynona) im „Sturm" zum erstenmal ihre Texte. Die Zeitschrift wirkte – um einen Vergleich aus heutiger Zeit zu gebrauchen – wie ein Schneller Brüter. Literatur und bildende Kunst beeinflußten einander und gingen eine brisante Verbindung ein, die dazu beitrug, die Entwicklung der Großstadtkunst und die Vermittlung des spezifischen Großstadtbewußtseins zu beschleunigen. In seiner Galerie „Der Sturm" stellte Walden zum erstenmal die italienischen Futuristen in Deutschland vor. Er holte Oskar Kokoschka aus Wien nach Berlin, der das vibrierende Erscheinungsbild der Person Waldens, Inbegriff des hochnervösen Großstädtertyps, in einem von psycho-elektrischen Entladungen durchwitterten Porträt von fast gespenstisch intuitiver Eindringlichkeit festzuhalten verstand. 1913 veranstaltete Walden den „Ersten deutschen Herbstsalon", eine Ausstellung, in der er instinktsicher die Kunst der neuen europäischen Avantgarde, vor allem der Russen, der Deutschen, der Italiener und der Franzosen, zusammenfaßte. Das bis zur Überhitzung gesteigerte Lebensgefühl des Expressionismus, das in der Dichtung in Werfels „O, Mensch!"-Pathos gipfelte, bewirkte in den Ekstasen der temperamentvoll ausfahrenden Pinselstriche, daß in den Werken der Maler die Fassaden der Straßen und ihrer Häuser zu wanken und zu bersten beginnen, so in den Großstadtbildern Ludwig Meidners (Abb. 43, 71), des „Pathetikers", der schon seit 1912 brennende Städte und seit 1913 „apokalyptische Landschaften" gemalt hat. Der Vision der brennenden Stadt in der Malerei entspricht in

der Dichtung die Erscheinung eines dunklen Kriegsgottes, der, in Georg Heyms angstvoll-lustvollem Gedicht „Der Krieg" aus dem Jahr 1911 beschworen, mit unerbittlicher Gewalt alles rings vernichtet und die Städte in Rauch und Flammen aufgehen läßt. Auch in der Lyrik Heyms geht die in gewaltigen Metaphern beschworene Kriegsahnung nahtlos und eindringlich verfolgbar aus dem übersteigerten Großstadtempfinden hervor. „Dem Bürger fliegt vom spitzen Kopf der Hut", so lautet die erste Zeile des Gedichts „Weltende" aus dem Jahre 1912, mit dem der junge Jacob van Hoddis berühmt geworden ist. Die Kriegs- und Untergangsvisionen der jungen Künstler sollen nicht etwa nur eine Warnung sein, sondern, aus den irrationalen Bereichen des Unterbewußten steigend, verbinden sich damit durchaus auch Komponenten der Lust am Untergang, oder genauer gesagt, der ästhetischen Lust an der Vorstellung vom Aussehen des Untergangs. Die Künstler sehnten sich nach Erlösung von der saturierten Langeweile ihrer bourgeoisen Umwelt. Die Möglichkeiten einer innergesellschaftlichen Lösung ihres Konflikts erkannten sie, als Kinder der wilhelminischen Gesellschaft meist selbst in bourgeoisen Traditionen und Denkkategorien erzogen, als Bürger eines Landes der auf halbem Wege steckengebliebenen Revolutionen, der versäumten Demokratie und der verpaßten natürlichen Entwicklung des nationalen Selbstverständnisses nicht. So verfielen sie, trotz ihrer oppositionellen Haltung gegen die Väter, dem Trug der Möglichkeit einer äußeren Erlösung von ihren inneren Konflikten. Im August 1914 und in den Monaten darauf zogen sie, als begeisterte Freiwillige in den Krieg. Zu den wenigen, die sich von der irrationalen Euphorie nicht mitreißen ließen, sondern ihr von vornherein skeptisch gegenüberstanden, gehörte Franz Pfemfert, der Herausgeber der „Aktion", einer Zeitschrift für Kultur, Politik und politische Kultur, Gegenstück zu Herwarth Waldens „Sturm". Das erste Heft erschien 1911. Bereits 1912 schrieb Pfemfert in einer Glosse „Ich schneide die Zeit aus": „Er scheint unheilbar, Europas Wahnsinn. Was gibt uns das Recht, von dem Fortschritt einer

47 *Ernst Ludwig Kirchner, Selbstbildnis als Soldat, 1915, Öl/Lwd., 69,2 × 61 cm*

Menschheit zu reden, die ihre erbärmlichsten Instinkte mit Enthusiasmus zur Schau trägt? Die so verbrecherisch ist, das Morden auf Kommando als ‚Pflicht der nationalen Ehre' auszuschreien. Die als Mut bejauchzt, was fanatische Unwissenheit ist? Was gibt uns das Recht, einem Zeitalter Kultur zuzugestehen, das von Gespenstern aus grauer Vorzeit auf den Knien liegt? Europas Wahnsinn ist unheilbar." Seinen radikalen Pazifismus hielt der wackere Pfemfert während der Kriegs- und Nachkriegsjahre aufrecht. Die „Aktion" bot ihm dafür das Forum.

Durch die Erschütterungen der Fronterlebnisse verwandelt, kamen die jungen Künstler, die überlebt hatten, aus den Materialschlachten des Weltkrieges nach Hause zurück. Von den in das Innerste ihrer persönlichen Existenz eingreifenden seelischen Verletzungen,

von den Verstörungen ihres Selbstbewußtseins geben zahlreiche Kunstwerke Zeugnis, die in den Kriegs- und Nachkriegsjahren entstanden sind. Dazu gehört Max Beckmanns „Selbstbildnis mit rotem Schal" von 1916, dessen Gesichtsausdruck die traumatische Erschütterungen erkennen läßt, die das Kriegserlebnis hinterlassen hat. Beckmann hat als Sanitätssoldat an der Front einen Nervenzusammenbruch erlitten und war aus dem Wehrdienst entlassen worden. Dazu gehört Ernst Ludwig Kirchners ergreifend psychosymbolisches Selbstbildnis als Soldat mit abgehauener Hand von 1915. Dazu gehören die Zeichnungen und graphischen Blätter von George Grosz, Otto Dix, Gert Wollheim und vielen andern. So begann in Deutschland die Kunst der 20er Jahre.

Eberhard Roters

Stadtbild-Baumeister

Hier ist von einer Anzahl von Architekten die Rede, die untereinander dieses eine verbindet: daß es ihnen gelang, in einer genau zu bestimmenden historischen Epoche das Paradox einer modernen Stadtbaukunst zu verwirklichen. Es gibt für diesen Versuch, zumindest in dieser Bewußtheit und noch heute zu erfahrenden Deutlichkeit, außerhalb Berlins keinen Konkurrenzfall. Der Versuch konnte vermutlich auch nur in einer Stadt unternommen werden, die architektonisch so wenig ihrer selbst gewiß war, wie das wilhelminische Berlin, das es hin und her riß zwischen vergangener staatlich geordneter Stadtbaukunst und der anarchischen Zurschaustellung frisch akkumulierter Geldmassen durch Spekulation und Geschäftshausbau. Die Stadtbild-Baumeister versuchten, der Stadt wiederzugeben, was sie mit der Gründerzeit verloren hatte: eine würdige, wenn nicht monumentale Öffentlichkeit. Dieser Versuch begann mit dem Stadtbaumeister Hermann Blankenstein, und er endete mit dem Architekten der Gehag, Bruno Taut. Bei Blankenstein überwiegt noch ein „noch nicht", über das erst sein Nachfolger Ludwig Hoffmann hinwegschritt, bei Taut bereits ein „nicht mehr", das im Scheitern des NS-Architekten Albert Speer seine anschließende historische Beglaubigung erhielt.

Zur Begriffswahl sei noch eine weitere Vorbemerkung gestattet. Stadtbaumeister im Sinne des Architekten einer neuen Stadt konnten gerade noch die Oberbaudirektoren der absolutistischen Territorialstaaten sein. Bereits im 19. Jahrhundert, ob Haussmann oder Schinkel und Lenné, ging es nur noch um Regulierung, um punktuelle Eingriffe. In der Gründerzeit schien die Funktion des Stadtbauens endgültig an die Spekulanten und Kapitalgesellschaften übergegangen zu sein. Die Epoche der Stadtbauräte – Hoffmann in Berlin, Th. Fischer in München, Schumacher in Hamburg, Oelsner in Altona, usw. – hatte diese Resignation zur Voraussetzung. Sie verdankte sich allerdings keinem architektonischen Willensakt, sondern einschneidenden sozialen Veränderungen und neuen Bauherren. Die

Stadtgemeinden waren, auf der Basis hochschnellender Steuereinkommen, nur eine davon. Ein anderer waren die kurz vor 1900 entstehenden Baugenossenschaften (vgl. S. 120 ff. und Bd. I, S. 224 ff.), ein weiterer die eine völlig neue Stufenleiter erreichenden Betriebe der Versorgung: Elektrizität, Post, Eisenbahnen, ein weiterer die in der Stadt liegenden Großbetriebe (AEG, Siemens; Continental in Hannover usw.); also alles in allem: die lange Phase des Überganges zum „organisierten" Kapitalismus. Mit dem Erreichen des Ziels verschwanden auch sämtliche architektonischen Anstrengungen. Speers Glaube (auch Hitlers), der Staat könne das alles auffangen und nun erst recht seine Stadt bauen, erwies sich in mehrfacher Hinsicht als ganz und gar hinfällig.

Die Architekten, um die es hier geht, werden also nicht als Stadtbaumeister, also als städtische Beamte, vorgestellt, sondern als Architekten einer Stadtbildvorstellung. Damit ist die Ebene benannt, auf der ihr Eingriff lag und auf der allein ein Eingriff überhaupt einen sichtbaren Erfolg haben konnte. Es ging um die strategische Besetzung wichtiger Punkte des Stadtbildes, d. i., der alltäglich wie touristisch erfahrenen öffentlichen Stadt, mit einer ihrerseits Öffentlichkeitsgeltung beanspruchenden Architektur, nicht mit Fassaden, sondern mit Baukörpern, nicht mit Massen, sondern mit Monumenten, nicht mit Funktionsbauten, sondern mit Bauten, die in ihrer Emblematik von Staat, Geschichte, städtischem Gemeinwesen, von Würde und Geschichte, von Schicksal und Vergangenheit redeten.

Da die gemeinten Bauten nicht nur wirklich entstanden, sondern dank ihrer konstruktiven Solidität oder Modernität größtenteils noch heute stehen und erst heute in die Zone der Gefährdung geraten (siehe AEG), ist das abstrakt hier Vorausgesagte in Berlin noch für jeden Stadtläufer nachvollziehbar.

Hermann Blankenstein und Ludwig Hoffmann

Von allen Berliner Stadtbauräten (es gab sie, als moderne städtische Beamte, von 1808 bis 1933) sind nur die drei letz-

ten überhaupt in der Erinnerung lebendig geblieben. Blankenstein ist der erste, er leitete das städtische Hochbauamt von 1872 bis 1896. Sein Amtsantritt fiel zusammen mit der Expansion Berlins zur Millionenstadt. Jährlich wuchs die Bevölkerung um rund 50 000 Menschen. Entsprechende Infrastrukturen gab es nicht, sie mußten, und zwar in noch nicht ausprobierten Dimensionen, unter Zeitdruck und mit geringsten Mitteln erst erstellt werden: Krankenhäuser, Markthallen und immer wieder neue Schulen. Aus einem Verwaltungsposten, der das Stadtbauratsamt bis dahin gewesen war, wurde eine ständig überlastete Entwurfs- und Durchführungsfunktion. Eine Tradition städtischer Selbstdarstellung durch pointiert angelegte städtische Bauten gab es nicht, die bisherigen Stadtbaumeister hatten sich im wesentlichen an der Durchführung staatlicher Bebauungspläne verschlissen.

Blankenstein (1829–1910) war mit Haut und Haaren Verwaltungsarchitekt – was nicht psychologisch gemeint ist, sondern seine Architektur charakterisieren soll, genauer: das, was seine Architektur zum Ausdruck bringen wollte und sollte. Die „freie" Architektur hat Blankenstein nie akzeptiert, eben deshalb. Sie hatte ja auch eine andere soziale Basis: die spekulative Investition und den Sektor staatlichen Bauens, der auf Entfaltung von Protz abzielte. Diesen Sektor gab es beim städtischen Auftraggeber nicht, mit der einen Ausnahme von Waesemanns Rathausbau. Blankenstein baute von Amts wegen so sparsam wie möglich, so solide wie möglich, so würdig wie möglich. In der späteren Wahrnehmung gab es dafür kein Verständnis. Das Urteil über Blankenstein stammt vom wilhelminischen Historismus. Den gerade hatte Blankenstein bis zum Schluß bekämpft, da konnte es nur wechselseitige Ablehnung geben. Das Urteil des Wilhelminismus war aber das historisch siegreiche, und es besteht als Vorurteil noch heute. Dabei ist es von der Wurzel her falsch. Wie bedeutend Blankenstein als Architekt nun wirklich war, darüber mag man durchaus streiten. Aber das war gar nicht der Punkt.

Der Historismus hatten den Ansatzpunkt der Blankensteinschen Architektur nicht begriffen und verwechselte dabei in seiner Ablehnung – und das tut man bis heute – Subjekt und Prädikat.

Was Blankenstein bis heute vorgeworfen wird, mit einem auf den Abriß dieser „roten Schulen" (die meisten sind bezeichnenderweise gelb) schielenden Blick, ist das Bürokratisierte, Schematische seiner Bauten. So kann aber nur urteilen, wer sich diese Bauten nie bewußt angesehen hat. Was „bürokratisch" ist, ist ihr Geist: Sie sind Amtsarchitektur, und wollen es sein. Das pejorativ Bürokratische dagegen, die Enge im Detail, Schematismus, Einfallslosigkeit, subalterne Unfähigkeit, sich auf Situationen einzustellen – das alles wird man an Blankensteins Bauten vergeblich suchen. Bis ins kleinste Detail gleicht kein Bau dem anderen, mit allen technischen und finanziellen Konsequenzen. Keine Markthalle, keine Schule ist wie die andere. Jedes Bauwerk ist von seinem Bauplatz nicht zu trennen und hinterläßt nach Abriß nicht mehr zu schließende Löcher im städtebaulichen Gefüge (vgl. die Markthalle VII am Legiendamm). Für jedes Gebäude wurden neue ornamentale Formen entworfen, Aufgliederungsschemata der Backsteinwände, Farbziegel und Terrakotten. Aufwand und Formen variierten nach Ort und Zweck, je nachdem, wie sichtbar das Gebäude im Sinne städtischer Öffentlichkeit war und wie hoch es seinem sozialen Rang nach stand (Gymnasium, Realschule, Gemeindeschule).

Um Blankensteins Thema zu erfassen, muß man sich die wenigen erhaltenen Schulgebäude anschauen, die kurz vor seiner Amtszeit entstanden, z. B. die Gemeindeschulen Oranienstr. 26/Naunynstr. 63 oder Lausitzer Platz 9. Vom Typ her sind das gleichsam noch zu Schulen umgebaute Bürgerhäuser. Blankenstein hatte für jährlich rund 5000 neue Schüler Raum zu bauen, mußte also schon typologisch neue Wege gehen. Nicht mehr das in der Mittelachse gelegene Treppenhaus, sondern der Schulflur wurde zum organisierenden Prinzip des Schulhauses. Wie die jeweilige Schule dann organisiert wurde, wo die Zugänge, Treppenhäuser, wo Aula, Zeichen- und Musiksaal lagen, folgte den jeweiligen Grundstückbedingungen, die oft denkbar verquer waren. Gerade an den Gemeindeschulen ist aber auch – was man an Blankensteins frühen Gymnasialbauten leicht übersieht – die Erscheinungsdifferenz deutlich. Diese Schulbauten sind sich gleichsam dessen bewußt, daß sie gesehen werden. In der ärgsten Expansionsphase, den achtziger Jahren, standen Blankenstein aus finanziellen Gründen fast nur Grundstücke im Blockinneren zur Verfügung (Abb. 48). Diese Gebäude waren also von vornherein von städtischer Sichtbarkeit ausgeschlossen. Trotzdem sind sie auf das Minimum öffentlicher Sichtbarkeit hin zugespitzt, auf die Zugangssituation. Im Unterschied zu den Vorgängerbauten sind sie darin gerade nicht mehr einfach Behördenbauten, sondern sie transportieren ein Programm, ein Selbstbewußtsein städtischer Verwaltung, einen öffentlichen Anspruch. Dieser war in den älteren Bauten nur als Hoheitszeichen da, als Wappen, Giebel usw. Blankenstein drückt ihn in der Gesamtarchitektur aus, und so unterscheidet sich erst seit ihm die Schularchitektur Berlins von der staatlichen Behördenarchitektur etwa der Kasernenbauten der Ministerial-Militär- und Baukommission.

Das hier thetisch Gesagte ist als Anstoß zum Selbersehen gemeint. Aus den siebziger Jahren gibt es noch die umfangreiche Doppelanlage des Falk-Gymnasiums und der Charlottentöchterschule Lützowstr. 82–86 und Pohlstr. 29. Sie ist, noch heute, tief im Blockinneren vergraben. Ein anderes Werk dieser Zeit ist die Irrenanstalt in Wittenau. Die wichtigste Schaffensperiode Blankensteins sind die achtziger Jahre: Hier trat er in den öffentlichen Stadtraum hinein, mit ganz neuen, großzügigen Bauaufgaben. 1883 begann das Markthallenprogramm, das die Lebensmittelversorgung der Stadt neu organisierte (vgl. Bd. I, S. 109 ff., S.167 ff.). Nachdem im Krieg die Markthallen zerstört wurden, und die Zentralmarkthalle, bzw. das, was der Krieg davon übriggelassen hatte, dem Ostberliner Fernsehturmkahlschlag weichen mußte, haben wir heute nur noch wenige Exemplare. Die Markthalle VI in der Ackerstraße (Bezirk Mitte) ist immerhin im Außenbau erhalten (eröffnet 1888). Vollständig erhalten ist die Markthalle IX zwischen Eisenbahn- und Pücklerstraße, 1891 eröffnet, in ihrer Fassadengestaltung (Mischung von Haustein-, Putz- und Backsteinflächen) wenig blankensteinisch, die kreuzförmige Halle in Eisenkonstruktion im Inneren getreu erhalten. Die schönste dieser Hallen war und ist die Markthalle X an der Bremer Straße Ecke Arminiusstraße. Als Situation, mit eingebauten Resten, ist immerhin die Halle XI auf dem Marheinickeplatz erhalten (vgl. Bd. I, Abb. 191 bis 192), nicht nur, wie die Arminiushalle, ringsum freistehend, sondern als einzige der Hallen ganz ins Offene gerückt, platzbeherrschend.

Am Marheinickeplatz liegt auch eine der wenigen Schulanlagen dieser Zeit, die städtebaulich prägend wirken, die Gemeindeschule Bergmannstr. 26–29. Sie ist gleichsam als Dreiflügelanlage konzipiert und öffnet sich mit dem – den Cour d'honneur vertretenden – Schulhof breit auf den unbebauten Teil des Marheinickeplatzes. Dieser ganz auf Öffnung gestimmten Schauseite zum Platz entspricht umgekehrt eine Straßenfront in der Arndtstraße, die noch heute in beklemmender Weise die obrigkeitliche Strenge spüren läßt, die diese Schulen damals im Arbeiterviertel repräsentierten. Genau zur gleichen Zeit entstand das Lessing-Gymnasium in der Pankstraße.

Ab Mitte der achtziger Jahre hatte Blankenstein aber auch eine ganze Reihe weiterer Kommunalbauten zu bewältigen, die der Sozialpflege dienten. Ab 1886 entstanden im Norden in der Fröbelstraße das Obdachlosenasyl, die sogenannte Palme, ein repressiver Zweckbau (vg. Bd. I, Abb. 327), und wenige Meter weiter das Hospital- und Siechenhaus (ersteres heute Krankenhaus, letzteres statt dessen heute teils Rathaus des Bezirks Prenzlauer Berg, teils Stasi).

Architektonisch war Blankenstein zu dieser Zeit bereits ein Fossil. Man muß sich neben seinen Bauten nur den Reichstag vorstellen, um das zu empfinden. Das lag nicht einfach an der Treue zum preußischen Backsteinbau. Es war überhaupt das Schinkelsche Erbe, die Tradition der Bauakademie, was damals über Bord geworfen wurde: die Organisation von Bauaufgaben als eine Folge kubischer Körper. Der Anhalter Bahnhof von Schwechten (1875–80) war das letzte Beispiel dieser Linie im Felde der repräsentativen Architektur (vgl. Bd. I, Abb. 98–102, 111), aber

48 *Hermann Blankenstein, 10. Realschule in der Auguststraße, Foto: Wilcken*

Schwechten, 13 Jahre jünger, konnte und mußte sich anpassen, bis hin zu jenem Tiefstpunkt, den die Kaiser-Wilhelm-Gedächtniskirche markiert (Abb. 34). Blankenstein beharrte, was je auffälliger wird, je mehr gestiegener Geltungsdrang der Stadtgemeinde ihm repräsentative Bauplätze zur Verfügung stellte. Das Polizeipräsidium am Alexanderplatz ist spurlos weggefegt, ihm trauert auch keiner nach. Aber gleichzeitig mit ihm (und dem Anhalter Bahnhof) entstand das Urban-Krankenhaus: eine anti-monumentalere Architektur läßt sich gar nicht denken. Was als Koloß hätte auftreten können, ist hier auf schlanke einzelne Gebäude verteilt, die noch dazu so gestellt sind, daß sie im Stadtraum nicht als Masse wirken, sondern nur als Pavillons, zwischen denen Verbindungsmauern laufen, ein Stück romantischer Anmut aus den Zeiten von Persius und Stüler. Und ähnlich ging Blankenstein vor, als er im Wed-

ding an der Müllerstraße eine prominente Straßenecke mit den Gebäuden einer Gemeindeschule besetzen konnte. Diese altpreußische Zurückhaltung, diese bewußt geübte Verweigerung war es, was seine Feinde ihm verdachten.

1896 trat Ludwig Hoffmann (1852 bis 1932) für die nächsten dreißig Jahre an Blankensteins Stelle. Man hatte mit dem Erbauer des Leipziger Reichsgerichtsgebäudes das, was man wollte, jedoch noch einiges mehr. Denn Hoffmann war zwar der Berliner Bautradition fremd, aber auch nicht einfach ein Vertreter des modischen Eklektizismus. Er vertrat das Programm einer neuen Einfachheit und Monumentalität. Nicht das Ornament, sondern der Hauskörper sollte der Prüfstein der neuen Architektur sein. Unter diesem Hauskörper verstand Hoffmann allerdings etwas ganz anderes als die Schinkelschule: Es war die sehnsuchtsvoll erinnerte historische Körperlichkeit der ständestaatlichen Architek-

tur. Sein Historismus – und darin war er sich einig mit seinem Freunde Messel – war keinesfalls mehr das Beschichten eines klassizistischen Baukörpers mit historischem Ornament. War Blankenstein in seiner Amtszeit von dieser historischen Welle – besonders der zwischen 1880 und 1890 waltenden Orgie in Neorenaissance – überholt worden, so stand Hoffmann bereits an ihrem anderen Ende. Er baute fast so viele Schulen wie Blankenstein, aber wo bei Blankenstein jede Schule ein neues räumliches Verteilungsschema bedeutete und ein eigenes ornamentales System, stellt jede der Hoffmannschen Schulen – und überhaupt jedes Hoffmannsche Gebäude – eine eigene stilistische Welt dar.

Dieses Darstellen muß man wörtlich nehmen. Daß Hoffmann nicht einfach seinen Bauten historische Kostüme anzieht, heißt, daß diese Bauten durch und durch schauspielern. Sie fingieren ständestaatliche Kanzlei- und Schulbauten, antike Tempel, florentinische und römische Palazzi, und das in einer solchen Präzision des Details, daß sie in längst ausgekämpften Kämpfen Partei zu ergreifen scheinen – mit der stets bewußt mitgelieferten Distanz, alles scheine nur so – die Dimensionen sind modern, modern ist auch der Wirkungsraum, auf den jeder dieser Bauten spekuliert, nie gibt sich Hoffmann die Blöße, die Erfindung des Elektromotors oder des Automobils abzuleugnen. Das eben macht den Bühnenaspekt aus. Es wird etwas dargestellt hinein in eine Situation, in der dergleichen Herrliches nie war. Eine monumentenlose Stadt wird mit den Darstellern jener glänzenden Baugeschichte Europas versorgt, die an dieser Stadt so fern vorbeiging. Nirgendwo war Hoffmann in die Architektur versunken, überall ist die Pointierung ganz vorne an. Ein ganz am Rand liegendes Beispiel: Das kleine Lehrerwohnhaus der Gemeindeschule in der Waldemarstraße hat mit seiner holländischen Renaissance (in absolut stilgerechter Mischung von Haustein und Backstein) nicht nur die Straße, in der es liegt, zum Wirkungsraum, nicht nur die weit älteren Nachbarhäuser, sondern es ist als Point de vue entwickelt, auf den, von der Köpenicker Straße aus betrachtet, die Pücklerstraße trifft. In größerem Maßstab wird man das überall finden, wo Hoffmann gebaut hat.

Zu Hoffmanns ersten großen Bauten gehörte das Märkische Museum, 1898 entworfen. Vergleicht man seine Gotik mit der der letzten Bauten der Blankenstein-Ära – den Schulen am Stephanplatz und in der Ravenéstraße –, so ist der Umschwung mit Händen zu greifen. Bei den vorangehenden Schulbauten ist das Gotische, so sicher und flüssig es eingesetzt ist, doch nur Flächendekor im klassizistischen Rahmenschema. Hoffmann dagegen baut lehrmäßig wiedererkennbare Typen märkischer Gotik auf, einschließlich der zu erwartenden stilistischen Schichtungen, also den Anbau eines umfangreichen Renaissanceflügels. Auch der Ort ist für diese Typik wichtig: Hoffmann baute hier an der Spree, dem alten Cölln gegenüber, die gotische Stadtburg, die es nicht mehr gab. Im übrigen hütete er sich, wahllos irgendwo Stilformen zu verstreuen. Das zentralste seiner Gebäude – das 1900 bis 1914 entstandene Stadthaus, eine Rathausverdoppelung – verzichtete auf das historische Maskenspiel und stellte sich einfach als wilhelminischer Verwaltungsbau dar. In seinem stocknüchternen bürokratischen Kraftmeiertum ist es noch heute nicht nur eine stadträumliche Katastrophe (nämlich die genaue Vorstufe des Fernsehturms, dem der letzte Rest der Berliner Altstadt zum Opfer fiel), sondern auch als Architekturkörper so mißraten wie Blankensteins Polizeipräsidium.

Auf der Höhe war Hoffmann dagegen in den Arbeitervierteln und Vororten. Dort deponierte er seine zahlreichen Klosteranlagen, Jagdschlösser, Residenzkanzleien und manieristischen Palazzi, ja gar Residenzstädte, zu denen er die riesigen städtischen Bauaufgaben modellierte, das Virchowkrankenhaus (1897–1906) im Wedding (vgl. Bd. I, Abb. 181–185) und das Irrenhaus in Buch, die Stadtbadbauten in der Baerwaldstraße (ab 1897) oder die (neuerdings dezimierten) Erweiterungsbauten des Krankenhauses Moabit und nicht zuletzt die zahlreichen Gemeindeschulbauten. Es sind ganz andere Dimensionen, in denen Hoffmann baute, in der Massigkeit der Baukörper wie in ihrer städtebaulichen Exponiertheit wie im Aufwand zur inneren Erschließung. Statt der geschlossenen Treppenkästen Blankensteins baute Hoffmann noch in

49 *Ludwig Hoffmann, Direktorenhaus der 20. Gemeindeschule in der Waldemarstraße, heute Zilleschule. Foto: Udo Hesse*

die Gemeindeschulen die hellen freistehenden gewölbten Treppenhäuser der barocken Klöster, von denen, um Innenhöfe herumführend, Stockwerkhallen und Flure in fließendem Übergang ausgingen. Hoffmann hatte dafür keineswegs immer spektakuläre Grundstückssituationen zur Verfügung (allein vier seiner fünf Kreuzberger Gemeindeschulen liegen in Blockinnengrundstücken). Die Gemeindeschulen in der Rigaer Straße (Friedrichshain) oder in der Bergmannstraße sind fluchtend in bestehende Mietshausreihen hineingesetzt. Die Schule in der Bergmannstraße ist da besonders eindrucksvoll: Die Glätte der bloßen Ausfüllung der Baufluchtlinie wird zu einer wahrhaft monumentalen Flächigkeit gesteigert, in der die wenigen ornamentalen Hausteinglieder nur den großen Rhythmus dieser holländisch stilisierten Backsteinarchitektur betonen. Die Gemeindeschule in der

Grenzstraße Ecke Hussitenstraße, ähnlich der in der Pankstraße, argumentiert dagegen umgekehrt, angesichts der exponierten Lage im offenen Stadtraum, mit äußerst straffen, sparsamst mit Beiwerk pointierten Würfeln, denen ein flaches weit überstehendes toskanisches Sparrendach aber jede klassizistische Geläufigkeit nimmt. In diesen Schulbauten gelangte Hoffmann weit über die Ebene seiner größeren Staatsbauten hinaus zu einer Formklarheit, die deutlich ins 20. Jahrhundert gehört und an Themen rührt, die mit historischen Mitteln nicht mehr recht zu bewältigen waren.

Das Schicksal Blankensteins, auf verlorenem Posten mit einer überholten Architekturauffassung zu verharren, blieb auch Hoffmann nicht erspart. Um 1914, mit Kriegsausbruch, war seine Arbeit abgeschlossen. Von jetzt an fehlten die ökonomischen Grundlagen, um seine

Linie weiterzuführen, und nach 1918 fehlten darüber hinaus auch die politischen Grundlagen seines Monumentalstils. Zum Mangel an Geld und Material traten neue soziale Bauaufgaben, die ganz woanders ansetzten als Hoffmanns Staatsarchitektur: beim Existenzminimum an Wohnung für die Arbeiterbevölkerung und bei der Frage, wie in der Krise überhaupt noch soziales Bauen finanzierbar sei. Als 1926 Martin Wagner den alten Hoffmann ablöste, empfand das die junge Architektenschaft, die das „Neue Bauen" wollte, wie das verspätete Beiseiteschieben eines archaisch gewordenen Bremsklotzes. Das Britzer Hufeisen (Bd. I, Abb. 285), die Rote Mauer und ähnliche Bauten markierten die ganz andere soziale Monumentalität, um die es Martin Wagner in den verbleibenden Krisenjahren der Weimarer Republik ging (vgl. S. 120–133).

Paul Mebes und die Reform des Wohnungsbaus

Paul Mebes (1872–1938) war nicht ganz der erste, aber fast, und er war auf jeden Fall der letzte. Der Berliner Wohnungsbau ist von 1900 bis 1939 mit seinem Namen unlösbar verknüpft, und kein anderer Architekt hat auch nur annähernd über so lange Zeit und in solcher flächendeckenden Ausführlichkeit Wohnungen gebaut. Dazu kommt hinzu, daß Mebes immerhin bis 1921 an der Spitze der Bewegung stand, dann den Anschluß an das Neue Bauen fand und schließlich noch im NS-Reich die letzte moderne Wohnanlage baute.

Bereits vor 1900 regte es sich im Miethausbau: Die modernen gemeinnützigen Wohnungsbaugenossenschaften wie der Berliner Spar- und Bauverein entstanden; die wohnungspolitische so gut wie die ästhetische Kritik der Spekulationsarchitektur drängten zu einer Reform der Mietblockbebauung, auch die Terraingesellschaften konnten daran nicht vorbei und mußten sich um neue Formen des Miethauses kümmern. Diese Reformbewegung war naturgemäß höchst uneinheitlich. Ästhetische Reform, Lebensreform und soziale Reform gingen z.T. durcheinander. Man kann aber getrost erst einmal die zu erwartenden Unterscheidungen auch wirklich vornehmen: auf der einen Seite die neue bürgerliche Miethausarchitektur der Terraingesellschaften und bür-

gerlichen Bauherren, auf der anderen die Genossenschaften, (vgl. S. 120 ff. und Bd. I, S. 224 ff.). Für wen die einzelnen Architekten entwarfen, war durchaus nicht willkürlich.

Auf der ersten Seite findet man Architekten, deren Bestreben auf die Individualität des Häuserbildes gerichtet war, auf einen modernen Eindrucksreichtum. Die Miethausgruppen und Einzelhäuser Albert Gessners sind dafür das Schulbeispiel, besonders das wohlerhaltene Haus Mommsenstr. 5: Das Miethaus wird mit tausend kleinen Kunstgriffen subjektiviert, es soll einmalig, gewachsen aussehen, halb mittelalterliches Laubenganghaus, halb modernes Landhaus für eine Familie, dem man die Funktion, Typenwohnungen zu stapeln, nicht mehr ansehen mag. Die Kombination solcher Häuser konnte, wie Gessner an der zerstörten Eckbebauung Bismarckstraße Ecke Grolmannstraße gezeigt hatte, für alle denkbaren Stadtbildeffekte im Sinne Camillo Sittes genutzt werden, aber auch zur Anlegung von vergrößerten Innenhöfen und auf die Straße sich öffnenden Höfen, was es seit den adligen Palaisbauten der Wilhelmstraße in Berlin nicht mehr gegeben hatte.

Ein anderer Höhepunkt einer ästhetischen Reformarchitektur war die „Gartenterrassenstadt" von Paul Jatzow, 1910–14 im Auftrag der größten Berliner Terraingesellschaft, der Berlinischen Bodengesellschaft von Georg Haberland gebaut – ein ganzes Stadtviertel aus einem Guß, mit dem Zentrum des Rüdesheimer Platzes (vgl. Bd. I, S. 232–239). Der Wohnungstyp war hier erst recht der Haberlandsche Normtyp, jedes Haus hatte dadurch mindestens einen Seitenflügel. Trotzdem liegt der Reiz dieses Viertels nicht einfach in der ästhetischen Erscheinung der Fassaden. Der Kunstgriff der „Terrassen" genannten Gartenböschungen ist weit mehr, ein Stück realisierten, sich zeitlich dehnenden Scheins. (Von hohem Reiz für heutiges Verständnis sind aber auch die seinerzeit gelästerten anarchischen Rückfronten.) Der Abwechslungsreichtum hat allemal Gebrauchswert, z. B. pro Wohnung zur Straße zu ein Balkon, und nicht nur sorgfältige Landhausstilelemente, sondern schon an der Straßenfront Fassadenbegrünung.

Neben dieser spekulativen Linie inner-

städtischer Wohnbaureform stand die gemeinnützige und genossenschaftliche: Für sie bauten Architekten, die eher auf die Staatsarchitektur des Barock als auf das Spätmittelalter zurückblickten. Der Architekt des Berliner Spar- und Bauvereins war Alfred Messel (vgl. Bd. I, S. 224–231, Abb. 276–278). Er baute Wohnanlagen im Norden und Osten Berlins, in den Arbeitervierteln (Prenzlauer Berg: Stargarder Straße, Moabit: Sickingenstraße, Friedrichshain: Proskauer Straße und – für den Verein zur Verbesserung der kleinen Wohnungen AG – Weisbachstraße); jede dieser Anlagen war ein Schritt weg von der Hofbebauung zugunsten großer, offener, begrünter Innenhöfe; Endpunkt dieser Entwicklung ist die mehrheitlich erhaltene Anlage an der Weisbacher Straße, bei der Messel erstmals den gesamten Block planen konnte: Es handelt sich um die erste reine Blockrandbebauung in der Berliner Reformarchitektur. Die Wohnungen waren allemal Kleinwohnungen, aber oberhalb des für eine normale Arbeiterfamilie Erschwinglichen: Zimmer, Stube, Küche und WC; in ihrer ästhetischen Erscheinungsweise schließlich ist hier nichts von Landhausatmosphäre zu spüren, es herrscht, bei allem romantisch malerischen Detail, ein Gestus großformiger Öffentlichkeit, der stilistisch sich an der öffentlichen Baukunst der Reformationszeit orientiert (besonders prägnant: Proskauer Straße).

1900 wurde der Beamtenwohnungsverein gegründet, als Selbsthilfeorganisation einer Bevölkerungsschicht, die es nicht nötig hatte, sich von Wohnungsreformern wohlwollend unter die Arme greifen zu lassen. Ihr erster Architekt (nebenamtlich, wie auch Messel beim Spar- und Bauverein) war Erich Köhn, der zwischen 1900 und 1906 mehrere große Wohnanlagen in Friedrichshain, Neukölln, Prenzlauer Berg, Charlottenburg, Wilmersdorf und Steglitz errichtete. Durch Köhn schon wurde die Wohnstraße zum Leitmotiv des Beamtenwohnungsvereins. Trotz der Tendenz, keine geschlossenen Höfe mehr zu bilden, waren diese Anlagen doch wesentlich kompakter als die von Messel gebauten, weit entfernt von Blockrandbebauung. Die Wohnungsgrößen lagen deutlich über denen des Spar- und Bauvereins, die Vorderhauswohnungen standen den spekulativen Mietshausbauten nicht nach, die Seitenflügelwohnungen – zwei Zimmer und Küche – besaßen noch durchgehend ein Bad. Stilistisch waren sie weit trockener und strenger als Messels Fassaden; die Helenenhofanlage im Friedrichshain unterscheidet sich von außen von einem Polizeipräsidium eigentlich nur durch die Erker und Balkone. 1906 schrieb der Beamtenwohnungsverein eine hauptamtliche Stelle zur Leitung seines Entwurfsbüros aus und besetzte sie mit Paul Mebes. In seiner ersten Arbeitsphase beim Beamtenwohnungsverein gelang es Mebes – und das ist unstreitbar auch der beste Teil seines Lebenswerkes –, die angesponnenen Fäden zusammenzubringen und dem Reformwohnungsbau eine bis heute weiterwirkende städtebautechnische Prägnanz zu geben. Er plante in diesem ersten Arbeitsabschnitt acht Häusergruppen mit insgesamt 1300 Wohnungen. Diese Anlagen sind, wie die der Vorgänger, keine Siedlungsunternehmen, sondern ein Versuch, die Mietskasernenstadt – damals kam dieser generalisierende und historisch keineswegs zutreffende Begriff überhaupt erst zu seiner verhängnisvollen polemischen Geltung – in moderner, sozial verträglicherer Weise weiterzubauen. Man ging nicht hinaus ins Grüne, sondern setzte zwar auf billigeren, günstig zu erwerbenden Terrains an (z. B. solchen, die der Fiskus besaß und zu günstigen Bedingungen weitergeben konnte und wollte), aber so stadtnah wie immer möglich und in der Regel jeweils hart an den Bebauungskanten des 19. Jahrhunderts. Ein neuer Typ Stadt war nicht intendiert, bereitete sich auch nur hinterrücks vor, über die programmatische Entmischung von Wohnen und Arbeiten und die Bereitstellung der dazu dienlichen städtebaulichen Formel, der Blockrandbebauung.

Mebes' Erfolg liegt darin, daß er für die Aufgabe eine ästhetische Formel fand, die von vornherein nicht darauf beschränkt war, sich einfach nur als absolute Architektur auszudrücken, wie das Messels Bauten ganz deutlich noch beanspruchten, die andererseits aber auch nicht an dem Bühnenbildnerischen der Stadtbaukunst der Terrainspekulation (und sei es auf der Höhe Gessners oder Jatzows) hängenblieb. Mebes' ästhetisches Ideal war von vornherein über-

greifend, nicht rein ästhetisch. Wenn man die beiden Bände seines programmatischen Werkes „Um 1800" (erschienen 1908) durchsieht, dann tritt dieses Ideal allein aus der Wahl der Abbildungen mit aller gewünschten Deutlichkeit entgegen (Mebes schrieb auch keinen Begleittext, nur jeweils eine kurze Einleitung). Es ist die Residenzstadt des 18. Jahrhunderts. Schinkel steht für Mebes schon auf verlorenem Posten: Es ist die handwerkliche Architektur des Frühklassizismus in Berlin, Kopenhagen, Dresden, Ansbach usw., in der er die Modelle des modernen Wohnungsbaus sieht: das Modell einer stilistischen Integration des Einzelhauses, in seiner noch vorindustriellen Körperlichkeit, in einen öffentlichen, sozialen Zusammenhang. Nicht umsonst berief sich Mebes dabei ausdrücklich auf Ludwig Hoffmann als Bahnbrecher. In der Tat, was Hoffmann von Messel unterscheidet, ist genau der Verzicht auf absolute Architektur zugunsten des Ideals einer öffentlichen Architektur, der Ästhetik des Staatsbaus.

Stilistisch war Mebes historisierender Eklektiker, er nahm die Elemente einer versöhnenden Gefälligkeit, wo er sie bekommen konnte, im Arsenal um 1800. Daß die fünfgeschossigen bürgerlichen Mietshäuser am Horstweg (1907–10) diese Gefälligkeit auch wirklich „verkaufen", liegt am Gesamtgestus der Bauten, die ihre Höfe nicht als sanitäre Einschnitte, sondern als halböffentliche Räume, gleichsam als cour d'honneur, zur Straße zu auftun und die dieses Sichöffnen noch in jedem Fensterdetail oder Balkongitter wiederholen. Es ist kein Widerspruch, daß natürlich doch Mebes dort auf dem Höhepunkt ist, wo der Bebauungsplan die Geschoßhöhe auf drei Geschosse begrenzte: in seinen beiden Wohnstraßenanlagen in Steglitz und in Niederschönhausen (P.-Francke-Straße). Beidemal sind die Wohnstraßen so gelegt, daß sich in der Mitte der Anlage ein quadratischer Platz ergibt, von dem aus die beiden Straßenflügel versetzt zur öffentlichen Straße führen, so daß der Blick nirgendwo gleich wieder auf der anderen Seite der Anlage hinausfällt (vgl. Bd. I, Abb. 284). In Niederschönhausen gibt es außerdem noch vier unterschiedliche Formen der bereits beschriebenen offenen Höfe. Die historische Zusammenge-

suchtheit der einzelnen Motive ist, sowie man ihr nachgeht, beträchtlich, aber zu diesem Nachgehen fordert der Gesamteindruck keineswegs auf: Jedes Detail ist sorgfältig gewählt und ausgeführt, aber es wird nicht als wichtig angeboten, sondern als vernachlässigbare Annehmlichkeit. Was trägt, ist der Gestus der Gesamtanlage. Das gilt übrigens auch noch dort, wo Mebes in der Auflockerung noch einen Schritt weiterging: an der Clayallee in Zehlendorf. Dort sind die Einzelhäuser, in korrektem „Um 1800-Stil" entworfen, wiederum nur als Teile einer Gesamtanlage wahrnehmbar, sie verweigern sich als Einzelobjekte.

1911 assoziierte sich Mebes mit seinem Schwager Paul Emmerich; alles weitere läuft nun unter dem Bürosignum Mebes & Emmerich. 1911 begann auch die Beschäftigung mit der Reihenhaussiedlung und dem typisierten Eigenheim, es ist sozusagen Mebes' Gartenstadtphase. Hier hatte Mebes zum ersten Male in ein anderes kulturelles Terrain überzuwechseln, von ihm zunächst fremden Überzeugungen bereits vorgeprägt, in Deutschland um diese Zeit vor allem durch die Arbeit Riemerschmids in Hellerau (1906–10). Parallel mit Mebes erstem Bauabschnitt in Zehlendorf Süd (Dallwitzstraße) errichtete Schmitthenner in Berlin die Gartenstadt Staaken. Die Hauptmasse dieser gartenstadtartigen Siedlungen entstand erst nach dem Ersten Weltkrieg zwischen 1919 und 1925, so die benachbarten Anlagen Spanische Allee und Heidehof (an der Potsdamer Chaussee, 1923–25; Abb. 50–53). An Prägnanz können sie sich mit dem, was davor, daneben (z. B. auch Bruno Tauts erste Siedlung, die Gartenstadt Falkenberg der Gemeinnützigen Genossenschaft Gartenvorstadt Groß-Berlin in Treptow, 1913/14) oder danach (Tessenows Häuser Fischerhüttenstraße und Am Fischtal) keineswegs messen, man sieht sie Jahr um Jahr, aber sie prägen sich nicht ein.

Ab 1924 läuft eine dritte Phase: Mebes & Emmerich treten zur neuen Architektur über. Auch das geschieht nicht einfach als Formwechsel, vielmehr verläßt Mebes das Gartenstadtterrain und wendet sich wieder dem Thema des stadtnahen Massenwohnungsbaus zu. Aus der Gartenstadtbewegung war um diese Zeit die Siedlungspolitik der großen öf-

50 *Paul Mebes und Paul Emmerich, Siedlung „Am Heidehof", Zehlendorf West, der Wohnstättengesellschaft M. B. H., 1923–25, Einfamilienhaus. Foto: U. Hesse*

fentlichen und halböffentlichen Bauträger geworden, der Gehag, Gagfah, Heimat, Primus, Degewo usw. (vgl. S. 120–125). Die Ziele dieser gemeinnützigen Aktiengesellschaften und Genossenschaften hinsichtlich des anzubietenden Bebauungstyps waren um 1924 noch keineswegs geklärt, und Magistrat, Bezirksämter und bezirkliche Bauaufsichtsämter hingen damals durchaus noch an den alten Stadterweiterungsmodellen des Reformwohnungsbaus vor 1914 – nicht nur das flache Dach der Avantgardisten war ihnen ein Greuel, sondern auch der frei im Gelände placierte Zeilenbau. Hier wurde Mebes zu einer Art Vermittler zwischen moderner Bauform und am Bebauungsplan und Fluchtlinienplan orientierter Stadtbaukunst. Er paßte sich nicht nur den vorgezeichneten Planungen an, sondern er verwendete die neue Form auch immer wieder in alter Absicht. Anders als bei

Bruno Taut, wiederum anders auch als bei Salvisberg, Gropius, Scharoun oder Mies, sind seine Wohnbauten aus dieser Zeit noch ein Stück öffentlich auftretendes bürgerliches Bewußtsein, sie zeigen sich, bilden und beanspruchen öffentlichen Raum. Ihnen fehlt die spezifische Unruhe der Avantgardisten, Tauts soziale Utopie oder der funktionalistische Nutzungsoptimismus oder Maschinentraum.
Der Wohnblock an der Werrastraße in Neukölln, gleichzeitig mit Tauts erster Nachkriegsanlage am Schillerpark im Wedding, zeigt noch expressionistische Backsteinformeln (er ist m. E. übrigens das Schönste, was Mebes in der Nachkriegszeit, in der zweiten Hälfte seines Schaffens, überhaupt gebaut hat). Die moderne Form tritt erstmals voll in den Bauten an der Rubensstraße in Schöneberg hervor (im Unterschied zu dem gegenüberliegenden Komplex von Las-

sen, dem damaligen Schöneberger Stadtbaurat) und dann mit volltönendem Anspruch in den DeGeWo-Bauten am Innsbrucker Platz.
Ab 1928 kamen Versuchsbauten hinzu wie das Steglitzer Laubenganghaus, Mebes experimentierte mit Minimalgrundrissen und Stahlkonstruktionen, einem „wachsenden" Kleinhaus, um der Krise zu begegnen. Zugleich fielen in diese Zeit die umfangreichsten Realisierungen überhaupt: die Planung für die Friedrich-Ebert-Siedlung an der Afrikanischen Straße und die Rauchlose Stadt in Steglitz. Die für die Gemeinnützige Wohnungsbau AG „Eintracht" entworfene Ebert-Siedlung ist in den von Mebes und Emmerich geplanten Teilen beidseits der Afrikanischen Straße m. E. der konsequenteste Berliner Versuch, mit einem kompromißlos straffen Zeilenbauschema, unter Verzicht auf alle malerischen Mittel wie Straßenüberbauungen, Durchgänge etc., einen städtischen Zusammenhang zu schaffen. Die viergeschossigen Zeilenbauten sind lediglich durch energische Erkervorbauten gegliedert, wobei immer zwei Wohnungen (wie schon in Neukölln) sich den Erker teilen. Ähnlich wie bei Mays Frankfurter Römerstadt, bildet ein gerundeter Kopfbau zur Müllerstraße hin eine pointierte Eingangssituation aus. Die Rauchlose Stadt dagegen, zusammen mit Heinrich Straumer für die Gemeinnützige Bau- und Siedlungs-AG „Heimat" und im zweiten Bauabschnitt für die Gehag geplant, 1930–34, ist aufgrund der ungünstigen Geländelage, soweit das Mebes und Emmerich betrifft, eine bloße Reihung von Zeilenbauten.
Diese Siedlungsvorhaben waren bereits Spätlinge und Einzelfälle. Für eine Fortführung des sozialen Siedlungsbaus auf breiter Ebene waren schon 1930 die finanziellen Voraussetzungen entfallen. Was die Weltwirtschaftskrise nicht abtötete, das fand dann durch den NS sein Ende. Eine einzige Siedlung in der Tradition der 20er Jahre wurde, unter nicht verallgemeinerbaren Bedingungen, im Nazireich noch gebaut – und auch sie von Mebes und Emmerich: die Siedlung an der Großen Leegestraße in Hohenschönhausen im Bezirk Weißensee. Mebes war damit nicht nur der erste, sondern auch der letzte in der großen Geschichte des modernen Berliner

51 *Mebes & Emmerich, Siedlung „Am Heidehof", Geschoßhaus. Der steile Dreiecksgiebel und die Verwendung von Verblend-*
stein sind beeinflußt von der zeitgenössischen expressionistischen Architektur. Foto: U. Hesse

Wohnungsbaus. Was sonst nach 1933 entstand, ist minimal. Das Geschäftshaus der I.G. Farben am Pariser Platz wurde nie fertig, daß die DDR es, zusätzlich kriegsgeschädigt, abriß, wird niemand beklagen. Mebes hatte schon 1932 in Rudow den Rückzug auf einstöckige Flachbauten vollzogen, die Ankunft der Nazis beantwortete er sofort mit einer Verkleinerung des Büros. 1938 starb er, Paul Emmerich führte das Büro allein weiter.

Hans Müller und andere

Hans Müller (1879–1951) gehört zu den unbekanntesten Architekten Berlins, bis vor kurzem war er nahezu vergessen. Trotzdem bietet es nicht die geringsten Schwierigkeiten, ihn in die Reihe derjenigen Architekten einzureihen, die mit ihrer Architektur bewußt das Bild der Stadt mitgebaut haben. Mit seinen 30 BEWAG-Bauten allein schon, von de-

nen noch dazu nicht wenige in städtebaulich beherrschenden Lagen postiert sind, hat er das in der Tat auch erreicht. Daß er so unbekannt ist, heißt auch nicht, daß seine Bauten nicht gesehen würden – es steht ja inzwischen genug gleichsam unsichtbare Architektur in Berlin herum. Vielmehr verhält es sich so: Es werden die Bauten gesehen, nicht der Architekt. Warum der vergessen wird, ist also gerade von den Bauten zu erfahren und hängt unmittelbar mit ihrer Stadtbild-Funktion zusammen.
Denn jeder halbwegs mit der Stadt Vertraute kennt sie. Sie fallen auf und beschäftigen die Phantasie, aber auf eine ganz unspektakuläre Weise. Man sieht sie, geht mit ihnen um, entwickelt Phantasien, aber auf merkwürdige Art treibt nichts dabei weiter zu der Frage, wer denn der Architekt sei. Gerade die städtebaulich für den Westberliner heute spektakulärsten Stromverteilungs-

bauten – Mommsenstraße Ecke Niebuhrstraße, Ohlauer Brücke, Osloer Straße Ecke Wollankstraße – stehen da, als hätte es sie immer schon gegeben und als sei jede Nachfrage müßig: Sie sind einfach im Stadtbild festgewachsen, so fest, daß man nach ihrer Autorschaft so wenig fragt wie nach der von Straßen, Brücken und Schornsteinen.
Eine glaubhaftere Bewahrheitung der These von der Stadtbildarchitektur läßt sich nicht denken, um so mehr, als von jenen Stadtbild-Baumeistern, die bisher besprochen wurden, allein seine Bauten auch herausgenommen aus dem Stadtbezug, die Ebene großer Architektur erreichen. In der Tat ist Müllers Werk seiner Qualität nach mit dem von Peter Behrens zu vergleichen. Es liegt am Treffenden der Bildlichkeit aller Müllerschen Bauten, daß darüber die reine architektonische Leistung, der persönliche Architekturbeitrag, der ästheti-

schen Aufmerksamkeit – und damit
auch der Architekturgeschichte – entzogen wurden.

Schon der größeren Deutlichkeit halber
ist aber von Müller ohne Seitenblick auf
die anderen schwer zu reden – der Vergleich macht das Besondere erst sichtbar. Das hängt nicht zuletzt bis ins
kleinste mit der Karrierestruktur zusammen. Als Peter Behrens (1868 bis
1940), freier Architekt, 1909 in der
Huttenstraße für die AEG die Turbinenhalle baute (und damit den Höhepunkt seines Werkes), absolvierte Müller noch die unterste Stufe der Amtslauf-
bahn (aber auch der gewöhnlichen frei-
beruflichen Karriere), die fünfjährige
Tätigkeit als Regierungsbauführer, um
dann im selben Jahr Leiter des Steglitzer Hochbauamtes zu werden. Den
Stadtbild hin zugespitzt, im Gegenteil,
sie verweisen – auch die Turbinenhalle
Bauten auf das Thema der Arbeit am
Stadtbild hin zugespitzt, im Gegenteil,
sie verweisen – auch die Turbinenhalle
in ihrer pointierten Ecklage – allein auf
sich selber und zeigen, was Lage und
Umgebung angeht, die alleinige Sorge,
als die Form, die sie vorstellen, auch ausreichend zur Geltung zu kommen und
sich dabei durch die Bedingungen der
Stadt – Straßen, Baufluchten, Traufhöhen, Grundstückmaße – nicht behin-
dern zu lassen. Erst Behrens hat den
AEG-Block zwischen Voltastraße und
Humboldthain zu einer autonomen
Stadt in der Stadt gemacht, zu einer – obwohl allein an der Hussitenstraße auf
ansteigendem Terrain gelagerten, im übrigen flächig-berlinisch liegenden – industriellen Akropolis (vgl. Bd. I,
S. 322–323). Das zentrale Stück der Anlage – halb mesopotamischer Tempel,
halb Palast – liegt innen: die Starkstrom-
fabrik. Die sakralen Elemente gehen bis
ins einzelne und unterlegen der praktischen Anordnung der Maschinenhallen
eine archaische Topographie, die hoch
über der umgebenden profanen Wohn-
stadtstruktur angesiedelt ist. Gleiches
gilt schon für die Turbinenhalle: Sie
steht da wie ein Tempel, den die moderne Besiedlung mit ihren respektlosen
Brandwandanschlüssen einfach eingeholt hat.

Städtisch bezogen sind aber auch die
späteren Bauten von Behrens nicht,
auch wenn sie mitten in der Stadt stehen.
Das Wohnhaus an der Bolivarallee trägt

52 *Mebes & Emmerich, Siedlung „Am Heidehof", Geschoßhaus als abschließen-
der Riegel zur Potsdamer Chaussee. Foto: U. Hesse*

dort einen Monumentalismus hin, der
damals im Charakter der Gegend keineswegs verankert war – um Neu-
Westend ging es Behrens auch gar nicht,
sondern um die Monumentalität der
Architektur. Gleiches gilt sogar für seine
Flügelbauten am Alexanderplatz (vgl.
Abb. 99). Ihrem Eigenbild nach sind sie
Solitäre, die sich zwar, was Grundstück-
ausnutzung und Lokalisierung angeht,
dem Massenplan von Martin Wagner
einfügen, aber das Scheitern der geplanten Rundumbebauung nur dazu benutzen, um sich als auf sich selbst beharren-
de Architekturblöcke der stadtbildli-
chen Intention zu entziehen. Im Ergebnis kam das damals durchaus dem Platz
und kommt es noch heute ihrer Architektur zugute. Wagners naive Toridee
ist vergessen, statt dessen nutzte Behrens die Gelegenheit, mit Schinkels Wa-
renhausentwurf für die Linden zu lieb-
äugeln, und der Konservatismus der

steinernen Fassadenverkleidung dient
der Verwahrung gegen das Platzgetüm-
mel, wo von der Anlage her gerade an
eine simple Parallelität von Bauform
und Verkehrsform gedacht war (vgl.
Abb. 101/102 und S. 142 f.).

Anders steht es mit Hans Hertlein
(1881–1963). Auch für ihn war das
Bauen an der vorhandenen Stadtgestalt
kein Thema. Mit ganz anderer Ausschließlichkeit noch als Behrens hat er
nur für einen großindustriellen Auftraggeber gebaut: Siemens. Im Unterschied
zu Behrens – und das ist nicht nur eine
Folge des ungleich größeren Bauvolumens – hat sich Hertlein aber zum Thema des Verhältnisses von Stadt und Industrie offensiv verhalten. Nicht umsonst arbeitete Behrens für die AEG –
als eine Art Design-Direktor – immer
von außen, Hertlein dagegen – als Chefarchitekt des größten Berliner Indu-
striekonzerns mit eigener Bauabteilung

53 *Mebes & Emmerich, Siedlung „Am Heidehof". Spitzbogiger Durchgang als Verbindung zwischen zwei Geschoßhäusern an der Potsdamer Chaussee. Einfamilien- und Geschoßhäuser sind formal (Satteldach, Backstein, Fensteranstrich) einander angeglichen und in langen Reihen um einen großen Platz mit Bäumen angeordnet. Foto: U. Hesse*

– von innen. Hertlein begriff die Industriearchitekturen, die er plante, weder als Stadt in der Stadt noch als semantische Akropolis im bürgerlichen Chaos. Gegen die andere, die vorhandene Stadt baute er die Industrie selber als Stadt. Liegen die Gartenfelder Werksanlagen von Siemens & Schuckert (1917–25) noch völlig abseits jeder städtischen Artikulationsmöglichkeit, in einer eher für Oberhausen typischen Zuordnung von Werk und Siedlung (nördlich des Hohenzollernkanals), so ist in Siemensstadt das Thema unmißverständlich die Entfaltung der Industrie zur eigenen, autonomen Stadt, von weitem schon wie die frühneuzeitliche Bürgerstadt an der Stadtkrone ihrer Türme erkennbar.

Das ist um so deutlicher ablesbar, als Siemensstadt zunächst eher konventionell angelegt war, im Nebeneinander von Wohn- und Industriebauten der

Planungsphase vor 1914 (vgl. Bd. I, S. 148–155, Abb.165) – die Synthese der Industriestadt hat allein Hertlein mit seinen Monumentalkomplexen der Jahre 1926–30 geschaffen. Die Abwesenheit von ornamentalen Details am Wernerwerk-Verwaltungshochhaus wie am Siemens-Schuckert-Schaltwerk ist dafür bezeichnend: Alle Aufmerksamkeit ist auf die großen Kuben gerichtet, die ihrerseits ihre Lesbarkeit in der Fernsicht entfalten. Das Motiv des Längstraktes mit beigestelltem Turm wird im einzelnen Komplex in mehreren Niveaustufen angewendet, ein Wirkungsmittel, das aber die Distanz von Komplex zu Komplex und die Sichtbeziehung über die Dächer der Wohnstadt hinweg voraussetzt – die einzelnen Komplexe bilden, heißt das, keine geschlossenen autonomen Formblöcke, sondern beziehen sich aufeinander, bilden dank ihrer Offenheit nach außen

hin eine Gesamtform der Industriestadt. Das ist gedacht wie eine barocke Stadtbildproduktion, und als Oberbaudirektor des Siemensstaates, unbekümmert um den Rest der Welt, hat Hertlein offensichtlich auch gehandelt. Denn ähnliche Züge zeigen sich, wenn man seine Siedlungsbauten nördlich der (Siemens-eigenen) Gartenfelder S-Bahn- linie hinzunimmt. Die spätere Siedlung an Schuckertdamm und Goebelstraße, 1930/31 und 1936 entstanden, kann man nicht umhin, als gewollten Kontrast zur zeitlich leicht früheren Großsiedlung Siemensstadt zu lesen. Es herrscht die ziemlich dumpfe Atmosphäre einer im Heimatstil erbauten kleinen Residenzstadt mit viel zu großen Häusern. Gesellschaftseinrichtungen (Kirchen, Kindergarten) sind an klassischen Sichtpunkten aufgestellt, alles aus einer Hand, Straße und Wohnbereich scharf gegeneinander abgesetzt, und zur

54–55 *Hans Müller, 30/6 kV-Abspannwerk Humboldt, 1926, in der Sonnenbur-gerstraße Ecke Kopenhagenerstraße (Bezirk Prenzlauer Berg, heute Ost-Berlin). Spitzbogiges Doppeltor mit Blick auf das ovalförmige Wartengebäude mit vorge-setzten runden Treppenanbau (unten). Fotos: Georg von Wilcken*

Großsiedlung hin bilden die Bauteile von 1936 geradezu eine Stadtmauer mit riesigen Torbögen über den durchlaufenden Straßen. Mit der räumlichen Offenheit der Siedlung hat das so wenig zu tun wie Hertleins Walmdächer mit den gegenüberliegenden Dachterrassen von Gropius.

Anders gesagt, die wesentliche Qualität der Hertleinschen Architektur liegt durchaus in ihrer Stadtbildlichkeit, aber Hertlein kam eben gar nicht in die Lage, die Qualität zugunsten der vorhandenen Stadt Berlin – oder, allgemeiner gesagt, überhaupt der Stadt – einzusetzen. Noch sein städtebaulich wirkungsvollstes Werk im eigentlichen Stadtgebiet, der Erweiterungsbau am Salzufer, markiert Siemens-Territorium und reagiert im übrigen auf die ästhetischen Vorgaben eines – inzwischen abgerissenen und ersetzten – Vorgängerbaus.

Einen dritten Vergleichspunkt bietet das Werk Alfred Grenanders (1863–1931). Als bevorzugter Architekt der Berliner Hoch- und Untergrundbahngesellschaften kommt er der städtischen Servicefunktion nach Müller am nächsten, doch ist er zugleich wie Behrens freier Architekt geblieben, und wie Behrens und Hertlein hat er für die Industrie entworfen (überhaupt weist sein Werkkatalog eine erstaunliche Spannweite auf: von der Jugendstilvilla über den Hochbahnviadukt und Untergrundbahnhof (Bd. I, Abb. 145/146) bis zum Fabrikgebäude, zum Straßenkiosk (Wittenbergplatz, Bd. I, Abb. 144) und Theaterbau – Umbau der Komischen Oper – war alles dabei). Bei alledem war Grenander weder Industrie- noch Technikarchitekt, sondern ein das Funktionale präzisierender, die Genreunterschiede aber ausgleichender Gestalter. Seine Bauten stehen mit ihrem selbstverständlich großstädtischen Dialekt in der Stadt, reden aber nicht von der Stadt. Was an ihnen beschäftigt, ist neben dem besonderen Zweck das stilistische Moment: in den frühen Hochbahntrakten der Übergang vom Jugendstil (Bülowstraße, 1900) zu einer eher klassizistischen Haltung (Schönhauser Allee), bei den Fabrikbauten die Eindeutigkeit, mit der Mebes' Forderung, wieder ein Haus zu bauen, erfüllt wird (das Verwaltungsgebäude für Loewe in Moabit, Hutten-, Ecke Reuchlinstraße von 1907/08, das Fabrik- und Verwaltungsgebäude der Knorr-Bremse AG. in der Neuen Bahnhofstraße in Friedrichshain, 1913–16 gebaut, aber ganz nahe am Loewe-Bau von 1907, der (rein spekulativ geplante) Industriebau am Schleusenufer in SO 36, ferner die mit monumentalen Türmen versehenen Fabrikbauten für die Knorr-Bremse in Rummelsburg am Bahnhof Ostkreuz von 1913–16 und die fast gleichzeitigen Erweiterungsbauten für Loewe nach der Wiebestraße zu). Der Vorrang der Gestaltung tritt in den Arbeiten der 20er Jahre noch deutlicher hervor, soweit sie in der Innenstadt entstanden. Es handelt sich da ausschließlich um Bauten im Auftrag der Nordsüdbahn AG und die Hochbahngesellschaft. Abgesehen davon, daß naturgemäß vieles davon unter der Erde liegt, also einem so konservativen Konzept wie der Stadtbildvorstellung noch gar nicht zugänglich ist, macht das vorherrschende Gestaltungsinteresse doch auch bei städtebaulich ungeheuer prominenten Bauten

wie dem Hochbahnhof Kottbusser Tor dem Passanten klar, daß es allein ums Einzelobjekt geht und insbesondere um jene unvergleichliche sachliche Eleganz der Details, die Grenander nicht nur seinen U-Bahnwagen (Bd. I, Abb. 124), sondern auch den U-Bahneingängen, dem einzelnen Pfeilerprofil mitzugeben wußte. Eine Rhetorik der Stadt fehlt dabei, und wie völlig unrhetorisch ist erst – in so pointierter Lage! – das Umformwerk am Hermannplatz gedacht, dessen flächige Backsteinformen sich eher zurückziehen wollen gegenüber dem Karstadt-Koloß (dem 1945 von der SS gesprengten, nicht dem Wiederaufbau), und eine geradezu antihistorische Sachlichkeit strahlt noch heute das Hochbahnverwaltungsgebäude in der Dircksenstraße (Ecke Rosa-Luxemburg-Straße) von 1929/30 aus.

Nach diesen Bögen durch die Berliner Technikarchitektur zwischen 1900 und 1930 fällt es immerhin leichter, einen trotz der ausstehenden ausführlichen

Aufarbeitung vom Begriff bestimmten Blick auf Hans Müller zu werfen. Auf die Steglitzer Hochbautätigkeit – wie mittelbar oder unmittelbar, weiß man nicht – gehen zwei seiner schönsten Bauten zurück. Das eine ist das Elektrizitätswerk der Stadt Steglitz, um 1914 erbaut, das andere der Wasserturm mitten auf dem Steglitzer Friedhof Bergstraße. An beiden fällt schon das für Müller Typische auf: eine präzise Auseinandersetzung mit der Architekturgeschichte (der Wasserturm handelt z. B. das Problem der Kuppeltamboure von Michelangelo bis Wren als Ornamentierung des Hochbehälters ab), und zugleich eine Freiheit der Vorstellung, die überhaupt nicht epigonal ist. Die Engpässe im Bezug auf Schinkel, die bei Behrens immer wieder vorkommen, sucht man bei Müller deshalb vergeblich. Schon im Steglitzer Kraftwerk zeigt sich der für Müllers ganzes weitere Werk grundlegende Palladianismus nicht als Detailproblem, sondern als Organisations-

56 *Hans Müller, 30/6 kV-Abspannwerk Humboldt, 1926, Schalthaus von Südwesten gesehen. Foto: E. Gillen*

prinzip: also als eine Methode der Vielfalt stereometrischer Körper, des Neuansetzens, der lockeren Gelenke, so daß Kraftakte nicht nötig sind (auch da haperte es oft beim großen Behrens). Der Hauptbau des Steglitzer Kraftwerks tritt völlig klar heraus und läßt jedem anderen Bauteil seine eigene, weniger anspruchsvolle Dimension. Er ist seinen Erscheinungsformen nach sowohl Fabrikhalle wie in Mebes' Sinne archetypisches Haus wie auch, ob man nun an Behrens oder Tessenow (die nur wenig frühere Hellerauer Bildungsanstalt) denkt, neoklassizistischer Tempel. Das verträgt sich, weil es für Müller eben nicht um Ausdruck geht. Es geht um Bildlichkeit. So überanstrengt sich das Dekorative nirgends, und man wird in Berlin aus dieser Zeit keinen zweiten Backsteinbau finden, der so entschieden in Backstein gebaut ist und doch sich so gelassen auf die bloße Backsteinwand verläßt (ästhetisch wohlgemerkt, nicht – in diesen Dimensionen – konstruktiv): Es steckt so eine Art etruskischer, oder orientalischer, Geduld in diesen Backsteinflächen, so daß das Giebelmotiv ganz selbstverständlich wirkt. Schaut man sich dann in Zehlendorf das Haus Nordstraße 19 an (Julius Posener führte mich dorthin), ein in Kalksandstein gemauerter Hausblock mit hohem Walmdach, dann sieht man, daß dieses Vertrauen keine Frage der Dimension ist: Auch da wirkt alles knapp und groß, aber auch warm, ganz ohne Bekenntniszwang.

1921–24 war Müller, liest man, Stadtbaurat in Neukölln. Zur Tätigkeit ist bislang nichts bekannt. Mebes' Tätigkeit in Neukölln begann ein Jahr später. 1924 ging Müller dann – man denke, daß zur gleichen Zeit die Nachfolge Ludwig Hoffmanns offen war – zur BEWAG, deren Chefarchitekt er bis 1930 war. Das waren die entscheidenden Modernisierungsjahre dieses Unternehmens. 1923 hatte die städtische BEW die Außenbezirke mit ihren kleineren Elektrowerken übernommen, 1923 war sie angesichts der neuen Aufgaben in eine Aktiengesellschaft umgewandelt worden. 1924 war mit dem Bau des Großkraftwerkes Klingenberg in Oberschöneweide begonnen worden (W. Klingenberg und Issel, es heißt aber nach Georg Klingenberg, dem Erbauer des Kraftwerkes Charlottenburg, vgl.

Bd. I, Abb. 204 und 205), es folgte das Großkraftwerk West (heute Reuter). Öffentlicher (elektrifizierter Schienennahverkehr) und privater (1927 war bereits die Hälfte aller Berliner Haushalte ans Stromnetz angeschlossen) Verbrauch nahmen sprunghaft zu. Die Verteilung war neu zu organisieren. Ein übergeordnetes Netz mit einer Spannung von 30 000 V wurde geschaffen, die in die Stadtspannung mit 6000 V zu überführen entsprechende Umformwerke erforderlich machten. Hierfür war eine ähnliche Typisierung von Bauteilen und architektonischen Charakteren naheliegend, wie sie Blankenstein einst für den Schulbau durchgeführt hatte, zumal es galt, die rund dreißig benötigten Umspannwerke und Stützpunkte in kürzester Zeit und demnach größtenteils gleichzeitig zu planen und zu errichten.

Die Vorgehensweise läßt sich an den großen Umspannwerken verfolgen. Diese vereinen fünf betriebliche Funktionen: Schalter, Transformatoren, Phasenschieber, Meßwarte und Wohnhaus. Die in zwei Etagen angeordneten Schalter brauchen am meisten Platz und ergeben eine rund 25 m hohe Gebäudescheibe, die als Stahlskelettkonstruktion errichtet wurde. Die einzelnen Funktionen wurden von Müller – was schon aus Sicherheitsgründen sinnvoll war – als unabhängige Gebäude ausgebildet, die zwischen sich Höfe bilden. Die anderen Funktionen stellen geringere Anforderungen und sind dementsprechend in Mauerwerkstechnik errichtet. Am variabelsten ist dabei die Lage der Warte. In den Umspannwerken Wilhelmsruh (Kopenhagener Straße, Bezirk Pankow), Humboldt (Kopenhagener Straße, Prenzlauer Berg), ist sie als freistehendes elliptisches Gebäude in den Hof gesetzt, in der Mauerstraße ist daraus ein halbkreisförmiger Anbau geworden, am Paul-Lincke-Ufer bildet sie das Eckgebäude zur Ohlauer Brücke, da hier der schmale Hof, der Grundstückform entsprechend, keinen Platz ließ. Die besonderen architektonischen Charaktere sind davon unabhängig. Die Gestaltung der wiederkehrenden technischen Elemente ist immer gleich, z. B. die der Schalter-Außenöffnungen oder der wunderschönen Treppenhäuser der Schaltergebäude, die einschließlich der knappen, eleganten Treppenläufe in gelben Verblendsteinen ge-

mauert sind, oder die der Fahrstühle. Das Motiv der schichtenförmig aufgebauten und in einer Art Kehle stufenlos ins Traufgesims übergehenden Pfeilerfassade findet sich unabhängig von der Größe des Baukörpers angewendet: einerseits an der winzigen Station in der Stauffenbergstraße, andererseits am sechsgeschossigen Stützpunkt Osloer Straße, – aber schon die Fassade des Stützpunktes in der Richardstraße in Neukölln ist, schaut man genauer hin, in all ihrer schneidenden Glätte nur eine klassizistische Variante dieses rätselvollen Motivs.

Diese Beweglichkeit gibt zu denken. Es werden keine orthodoxen geometrischen Körper vorgeführt, und doch ist die jeweils gewählte Form der Verselbständigung von Warte, Transformatorenhalle usw. natürlich ästhetisch begründet. Man sucht auch vergeblich nach dem klassizistischen Apparat, nach irgend etwas direkt als Konvention Greifbarem (wie es bei Behrens z. B. das Tormotiv an der südlichen Stirnseite der Montagehalle der AEG an der Hussitenstraße ist) – ebenso vergeblich nach wiedererkennbaren expressionistischen Floskeln, obwohl man die Sache spürt. Der ästhetische Vorgang liegt auf einer anderen Ebene, als wir das, entlang der Entwicklung des Berliner industriellen Backsteinbaus und von Behrens oder Grenander kommend, vermuten. Diese Körpervielfalt – aber auch: dieser geometrische Baukörper – ist nicht vordringlich stillstehende Form, die Ausdruck transportiert, sondern eine widerspruchsvoll strenge Bildlichkeit, die vor allem erzählt. Das Wartengebäude an der Ohlauer Brücke z. B. erzählt von etruskischen Tempeln, von der Gründung Roms, aber es ist kein Tempel, und es ist ganz einfach der Berliner Bär, der im Giebel steht, während der kleine Balkon darunter dann am schönsten war, wenn einst der E-Werker aus der Schaltpulthalle zu einer Zigarettenpause heraustrat: Wer weiß, wie viele Berliner Jungen seitdem davon träumten, dort einmal selber zu stehen. Und das ist es, was auch den Unterschied zu Ludwig Hoffmann ausmacht. Hoffmann baute auch nicht gerade das barocke Rathaus selbst, aber barocke Bilder, die bis ins kleinste wiedererkennbar sind. Bei Müller ist es dies und zugleich auch etwas ganz anderes. Jedes

Fenster sitzt, als könnte es um keinen Zentimeter verschoben werden, aber die mitgebauten Phantasien lassen sich nicht festhalten.

Genauso erzählt die Meßwarte des Umspannwerkes in der Kopenhagener Straße von lombardischen Taufkirchen und ähnlichen Rundbauten, ist aber nicht einmal rund, sondern wird als rund wahrgenommen in der geplanten Ansicht von der Sonnenburger Straße aus und durch zwei spitzbogige Öffnungen hindurch, die nur gotisch aussehen, aber nicht sind. Was an der Osloer Straße gotisch scheint, ist im Detail ebenso gut parthisch oder frühislamisch. Es fehlt bei Müller nämlich genau das Element, das die Sache festnageln ließe, das Ornament. Noch das, was an ornamentalen Wirkungen da ist, z. B. die Fenster- umrandungen in der Leibnizstraße oder in der Kopenhagener Straße, ist mit demselben Verblendstein gemacht wie die ganze Fassade.

So wirken Müllers Bauten in der Stadt allgemeinverständlich und esoterisch zugleich. Sie sitzen im Berliner Miethausteig wie Palladios Bauten im Stadtbild Venedigs, ein Gliederungsanspruch, der im Miethausmassenschema keine Chance hat. Zugleich erzählen sie in die Stadt hinein und geben ihr die unauffälligen architektonischen Alltagsmythen, an denen Berlin so arm ist. Hoffmann wollte der Stadt Denkmäler geben. Das versteht natürlich jeder. Bei Müller kommen die Bilder unter dem Vorwand ihrer Unverständlichkeit und werden um so nachhaltiger verstanden. Sie sind auch offen auf Bilder, die Müller gar nicht gewollt hat. Das nur halb gebaute Umspannwerk Leibnizstraße Ecke Niebuhrstraße ist gerade deshalb, und um fünfzig Jahre gealtert, heute wie ein

Hommage an Guarinis rätselhafte dunkle Backsteinpaläste in Turin. Man vergißt das Jahr 1928 und den Namen Müller und sieht etwas, was es sonst nirgendwo in Berlin gibt (und, nach dem oben Gesagten, natürlich auch dort an der Leibnizstraße nicht). Es wäre angesichts dessen aber auch vergeblich, nach einer Entwicklung in Müllers BEWAG-Bauten zu suchen. Das expressive Bauwerk in der Sellerstraße („Scharnhorst") gehört dem gleichen Jahr an wie das lapidare in der Leibnizstraße. Nach den sechs BEWAG-Jahren bricht die Linie ab. Was hat Müller nach 1930 gebaut? Einstweilen weiß man es nicht. Sein eigenes Haus in Lichterfelde – sehr bescheiden, fein, mit viel geschlossenen Backsteinflächen – könnte aus dieser Zeit danach stammen. Nach dem Zweiten Weltkrieg war Müller (er hatte auch Maschinenbau studiert – Behrens kam von der Malerei), Technischer Angestellter im Steglitzer Bezirksamt.

Ende der Sache
Daß Ludwig Hoffmann für seine Arbeit keinen Nachfolger fand, daß Hertlein für Siemens und Müller für die BEWAG ihre Stadtbilder bauten, das spricht bereits schon vom Ende der Epoche baubarer Stadtbildlichkeit. Martin Wagner, der dann Hoffmanns Stelle übernahm, übernahm sie nur stellvertretend, eigentlich wollte er etwas ganz anderes sein. Er wollte nicht städtische Bauten entwerfen – dazu gab es genug andere Architekten –, noch interessierte er sich im mindesten für Stadtbildbau. Was er wollte, war dies: den Wohnungsbau als industrielle Massenproduktion reorganisieren und die alte Stadt in eine moderne technische

schnellebige Großstadt umbauen. Das erste bedeutete Siedlungsbau, das andere Abriß und Straßenbau in damals noch nicht durchführbaren Ausmaßen. Das, was Wagner und die, die ihn unterstützten, damals, seit 1926 von Stadt wegen, wollten, das haben wir heute als Märkisches Viertel, als Stadtautobahn und Flächensanierung in der westlichen, als Bezirk Marzahn und als Magistralenbau in der östlichen Teilausgabe der Stadt Berlin (vgl. S. 126–133).

Inzwischen wissen wir auch, daß Speer keine Alternative gewesen wäre. Nicht nur, daß seine Architektur zu Stadtbildlichkeit nicht fähig, ja unter diesem Blickwinkel von vornherein unfruchtbar war, er hat genauso weggerissen wie Wagner und hätte, teils an ähnlichen Stellen wie von Wagner geplant und heute durch die DDR oder den westberliner Senat realisiert, noch sehr viel mehr weggerissen, wenn er Zeit gehabt hätte. Deutlicher als darin, daß man die vorhandene Stadt abreißen muß, um sein Bild der Stadt zu verwirklichen, konnte das Ende der Stadtbildlichkeit nicht bezeichnet werden.

Heute leben wir die Collage-City. Die Bauten der Stadtbild-Baumeister gehen als ausgerissene Fetzen in diese Collage ein. Wie stadträumlich wirksam ist das Werk Hans Müllers geworden: Allein vier seiner Umspannwerke liegen so dicht an der Mauer, daß man sie schon deshalb nicht in Ruhe fotografieren kann, und unter ihnen sind Wilhelmsruh und Mauerstraße von der Westseite jenes neuesten Stadtbildbauwerks am vorteilhaftesten zu sehen. Es sind nicht mehr die Architekten, sondern die katastrophalen Schnitte der deutschen Geschichte, die das Stadtbild machen.

Dieter Hoffmann-Axthelm

Vororte

Man spricht viel von der Stadt, aber man erwähnt die Vororte nicht. Das ist eine alte Gewohnheit. Schon Camillo Sitte hat es abgelehnt, sich mit diesen Gebieten der Stadt zu beschäftigen, weil man in ihnen städtische Räume nicht finden könne. Für ihn war die Stadt als Raumfolge das Wesentliche und das, was er neu zu gestalten hoffte. Darum ließ er die Vororte links liegen. Aber auch die Vororte sind Teile der Stadt, auch Gartenvororte: wo sonst sollte diese Art der Ansiedlung entstehen? Das vergessen die, welche zur Stadt nur solche Quartiere rechnen, die „städtisch" sind: mit hohen Häusern, dicht bebaut, mit brausendem Verkehr. *Sie* sind heute noch das Thema der Berlin-Bücher. Neuerdings sind zwar einige Bücher er-

schienen, die das grüne Berlin zum Thema haben: Parke, Seeufer, Wälder; auch in ihnen aber findet man die Vororte nicht. Dabei gibt es in Europa keine Stadt mit einer so großen Fläche offener Bebauung wie in Berlin. Noch in den 20er Jahren gab es recht eigentlich zwei Arten der Stadt innerhalb Berlins; getrennt durch die „Stadtmauer", die Ringbahn. Blickte der Reisende nach Innen, so sah er in die Höfe der Mietskasernen hinein, sah er nach dem Außen, so erblickte er zuerst den breiten Gürtel der Laubenkolonien. Hinter ihnen begannen die Vororte: Innerhalb der Ringbahn lag das steinerne Berlin, die größte Mietskasernenstadt der Welt[1], außerhalb das grüne Berlin der Vororte. Sie haben eine lange Geschichte.

Der wichtigste Vorortgründer war Carstenn. Er hat Halensee am Ende der Kurfürstendamms gegründet, Friedenau an der Straße nach Potsdam und an der anderen Straße, die im Westen Berlins, vom Zoo nach Steglitz führt, der heutigen Bundesallee. An dieser Straße hat er auch die „Kolonie Wilmersdorf" gegründet, deren Hauptplätze zu beiden Seiten der Bundesallee liegen: der Prager und der Nikolsburgerplatz. Carstenns wichtigste Gründung aber war Lichterfelde, Ost und West, zu beiden Seiten des Teltowkanals.

Carstenn war ein Boden- und Bauspekulant. Er hatte, bevor er nach Berlin kam, bei Hamburg die Ansiedlung Marienthal (bei Wandsbeck) gegründet

57 *Haus Freudenberg, Architekt Hermann Muthesius, Eingangssituation. Aufnahme um 1910*

und sogar erreicht, daß die Eisenbahn
Hamburg-Lübeck an seiner „Kolonie"
einen Bahnhof anlegte. In England hatte Carstenn Städte kennengelernt, welche zum größten Teil aus Reihenhäu-
sern mit ihren Gärten bestanden. Diese
Wohnform ließ sich in Berlin nicht
durchsetzen. So versuchte er etwas anderes, die „Villenkolonien", wie man diese Gründungen nannte: Orte außerhalb
der Stadt, auf billigem Boden, in denen
auch solche Leute ihr eigenes Haus würden bauen können, die nicht gerade
wohlhabend waren. Man findet Carstenns kleine Grundstücke und die bescheidenen Häuser aus gelbem Backstein noch in Friedenau und nahe dem
Bahnhof Lichterfelde Ost. Dort gibt es
sogar noch eine Straße mit Reihenhäu-
sern nach englischem Vorbild. An der
Bahnhofstraße kann man auch sehen,
wie Carstenn seine Straßen geplant hat:
er hat die Häuser bis beinahe an die

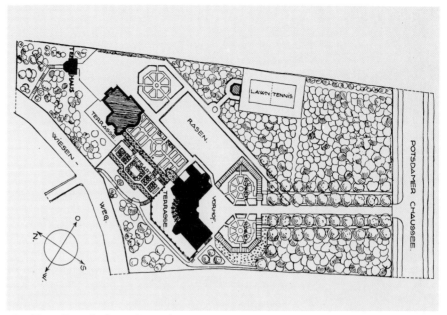

58   *Haus Freudenberg, Lageplan. Das zweite Haus nördlich des ersten ist nicht gebaut worden.*

59   *Die Häuser Freudenberg und Muthesius an der Rehwiese in Nikolassee (Berlin). Aufnahme um 1910*

60   *Haus von Velsen in Zehlendorf West, Architekt Hermann Muthesius, Ansicht von der Klopstockstraße. Foto: Udo Hesse*

rückwärtige Grenze des Grundstücks zurückgenommen, so daß der Raum der Straße durch tiefe Vorgärten erweitert ist.

Die Grundlage für seinen Erfolg in Lichterfelde bildete seine gute Beziehung zum Kriegsminister Albrecht Graf von Roon: Carstenn hat dem Militär ein großes Gelände in Lichterfelde West für eine Kadettenanstalt eingeräumt. Das Militär hat ihm das am Ende nicht gedankt: an seinen Forderungen ist Carstenn gescheitert. Er starb 1896 in der „Maison de Santé" in Schöneberg: das war ein Heim für Geistesgestörte (!). Sein Vorort aber, Lichterfelde, gedieh. Es war, als habe man auf etwas wie Lichterfelde gewartet. Als Carstenn 1868 den König einlud, die neue Gründung zu besichtigen, sagte er: „Majestät, nach den Errungenschaften des Jahres 1866 (das war der siegreiche Krieg gegen Österreich und den Deut-

schen Bund) ist Berlin zur ersten Stadt des Kontinents berufen, und was seine räumliche Ausdehnung anbelangt, so muß Berlin und Potsdam *eine* Stadt werden, verbunden durch den Grunewald als Park."[2]

Er hat dann 1892 – da war er schon bankrott – einen Plan von Berlin veröffentlicht, auf dem man drei Vorortzungen erkennen kann: die im Südwesten, die bis Potsdam reicht, eine im Südosten bis nach Grünau und den Dahmeseen und eine im Norden bis Tegel. Die Gebiete dazwischen wollte er freilassen, weil sie landschaftlich nicht reizvoll seien. Bis auf seine Bebauung des Haveluferts, welche, man kann nur sagen gottlob, unterblieben ist, hat Carstenn in diesem Plan recht genau die Entwicklung vorausgesehen, die seit der Gründung der ersten „Kolonien" um Berlin herum statt gefunden hat. Nur war das eine rein spekulative Entwicklung; und

Carstenn, obwohl selbst ein Spekulant, hatte einen Sinn für das, was Berlin nottat. Wie viele Leute damals sah er ein schnelles Wachstum der Großstadt Berlin voraus mit allen Nachteilen, welche das mit sich bringen mußte. Diesen Nachteilen wollte er dadurch steuern, daß er einen Exodus des Mittelstandes aus Berlin in die Vororte ins Werk setzte: durch ihn würden die Wohnbedingungen auch der armen Bevölkerung in der Stadt verbessert werden.

Carstenn hat seinen Plan von 1892 mit einem Aufsatz begleitet, der zu lesen sich lohnt. Darin heißt es: „Ich hielt mich in Preisen, welche es jedem einigermaßen vermögenden Manne möglich machten, in meinen Colonien sich anzusiedeln denn der von mir geforderte Höchstbetrag betrug nur 75 Mark für die Quadratruthe, so daß sich ein genügend umfangreiches Villengrundstück von 850 qm auf 4500 Mark stellte. Ich

hatte aber auch die Preise der Bauunter-
nehmer und Handwerker angemessen
nivelliert, hatte für die Einrichtung
einer Eisenbahnstation, von Post und
Telegraph... gesorgt, hatte Arzt und
Apotheker an den Ort gezogen und die
Einrichtung höherer Knaben- und Mäd-
chenschulen veranlaßt, kurz, man konnte sich in meiner Villenkolonie ein gesundes eigenes Heim für ein Kapital
gründen, dessen Zinsen bei Weitem
nicht an die Miethen der Großstadt mit
ungesunder schlechter Luft heranreich-
ten. Man brauchte dabei das großstädtische Leben nicht entbehren, fand aber
andererseits auch am Ort alles, was man
für das Leben bedarf... Dadurch aber,
daß mich das Vorgehen der Bauverwaltung des Kriegsministerium für die Verfolgung dieses Planes und Zieles *insol-
vent* machte, fiel das Publikum Specu-
lanten in die Hände und mußte für die
Quadratruthe bis zu 500 Mark ... bezahlen ...“[3]
Wie recht Carstenn hatte, habe ich selbst
als Kind erlebt: man brauchte wirklich
nicht in die Stadt zu fahren. Man fand
am Ort nicht nur Arzt und Apotheke –
und die höheren Schulen –, man konnte
auch die besten Orchester und größten
Virtuosen in der Aula dieser Schulen
hören. Lichterfelde war ein Ort für sich.
Eben dies unterschied es von vielen der
späteren Vororte, welche auf den von
Carstenn vorgezeichneten Vorortzungen
entstanden. Natürlich wurde Lichterfelde von der Spekulation nicht ausgelassen. Carstenn selbst hatte bedeutende
Bodenanteile anderen Unternehmen
überlassen, welche erheblich größere
Grundstücke ausweisen. Man kann heute noch sehen, daß viele Berliner Vororte im Ortskern Straßen mit kleinen
Grundstücken haben; Schlachtensee ist
ein Beispiel. Während andere Vororte –
Wannsee, Grunewald – von vornehe-
rein für eine recht wohlhabende Kundschaft angelegt waren. So wurden hier
viele Vororte nicht als vollständige Orte
geplant wie Lichterfelde einer war, sondern als Ansiedlungen für reiche Leute,
nicht selten ohne Ortskern. Carstenn
hatte am Bahnhof Lichterfelde Ost
einen „Bazar“ erbauen lassen, – wir
würden sagen ein shoppping center –,
der etwas später am Bahnhof West gebaute steht noch. Am Bahnhof Grunewald gibt es nichts dergleichen. Was in
diesen neuen Vororten zählt, ist das

61 *Haus von Velsen, Eingangsansicht. Die Hinzufügungen der 20er Jahre hat der
Architekt Jan Bassenge Anfang der 80er Jahre beseitigt. Foto: U. Hesse*

Haus selbst, meist recht groß und mit
einem großen Garten.
Aber der Exodus der Stadt, „aufs Land“
war in Gang gekommen und sein Mo-
mentum wuchs ständig bis zum Ausbruch des Ersten Weltkriegs. Das Haus
der Familie war zu einer Art Ideologie
geworden, der Landeshausideologie, als
deren Urheber man den Architekten
Hermann Muthesius betrachtet. Das
Wort Urheber ist allerdings ungenau:
Muthesius hat die Landhausideologie
nicht erfunden. Er hat Vorbilder einer
neuen Art des Einfamilienhauses in
England gesehen, wo er in den Jahren
um die Jahrhundertwende als „Technischer Attaché“ an der Kaiserlichen Botschaft in London tätig war. Er hat aber
diese Häuser, welche häufig in der weiteren Umgebung von London liegen, in
Kent oder Surrey, für Berliner Vorortbe-
dingungen umgemodelt. Eine Landhaus*ideologie* hätte er in England kaum

finden können. Dort lebte man ohnehin
im eigenen Hause, ebenso wie in Belgien und in einigen Gegenden West-
deutschlands, wie dem Ruhrgebiet. Die
Landhausideologie gedieh in Berlin,
der Mietskasernenstadt: man kehrte der
Stadt den Rücken, man suchte Heilung
im Hause im Garten. Die Landhausideologie war eine der Reformgedan-
ken, die um 1900 so weit verbreitet waren: Wandervogel, die Lehre vom natürlichen Leben; auch den Werkbund
könnte man zu diesen Bewegungen
rechnen. Sie waren Reaktionen gegen
die Unnatur, den Zwang, die schlechte
Luft, den Angriff auf die Nerven in der
Großstadt. Die Landhausideologie war
die am wenigsten radikale unter ihnen,
weil zum Bau eines Hauses immerhin
einiges Kapital gehörte. Die Bauherren
aber solcher Architekten wie Muthesius
nahmen den Auszug der Familie ins
eigene Haus und „aufs Land“ sehr

62 *Miethaus auf dem Grundstück des Hauses von Velsen, Architekt Jan Bassenge. Zwei bis drei Stockwerke des großen Daches enthalten Wohnungen. Foto: U. Hesse*

ernst: nicht wenige dieser Häuser hatten Werkräume und immer hatten die Kinder eigene Beete im Garten, für die sie zu sorgen hatten. Ob sie auf diese Anregungen zu einem handwerklich-gärtnerischen Leben mit großer Begeisterung eingegangen sind, vermag ich nicht zu sagen. Meine eigenen Erinnerungen an Landhaus und Garten waren nicht so: wir haben den Turn- und Spielplatz genossen, sind mit dem Fahrrad im Garten herumgepeeßt und haben „Eisenbahn" gespielt. Wir sind auch auf die Obstbäume geklettert und haben die gelben Knupperkirschen gleich da oben verzehrt; aber die Pflege des Gartens haben wir dem Gärtner überlassen. Soviel ist richtig, daß ich diese Kindheit im Garten und in den hellen Räumen eines „modernen" Hauses nicht mit einer Kindheit in einer Stadtwohnung vertauschen möchte. Sie hat mich geprägt.

Nun änderte sich auch der Plan der Vororte: Carstenn hatte in geometrischen Figuren geplant: die beiden runden Plätze in gleichem Abstand von der Bundesallee in Wilmersdorf sind ein Beispiel, ein zweites an der gleichen Bundesallee der Friedrich-Wilhelm-Platz in Friedenau und die ihn in einem ovalen Ring umgebende Stubenrauchstraße. Die neuen Vororte wurden „landschaftlich" geplant, mit leicht geschwungenen Straßen. Gab eine Mulde im Gelände oder gar ein Tal wie die Rehwiese in Nikolassee dazu Anlaß, so ließ man die Straße den Höhenlinien folgen; gab es keinen solcher Anlässe, so spielte man wohl auch „Kontur". Die Art, wie die Straßen in Nikolassee alle auf die Rehwiese bezogen sind, ist bewundernswert. Ebenso bewundernswert finde ich die Stellung der Kirche und den kleinen Grünplatz vor ihr oberhalb der Wiese, und wie die Häuser, welche

die Wiese umgeben in ihrer Stellung auf dem Grundstück und in der Blickbeziehung der Räume die Wiese in Betracht ziehen. Eine Reihe dieser Häuser stammt von Muthesius, darunter sein eigenes Haus und sein bekanntestes, das Haus Freudenberg. Dieses Haus ist im Winkel gebaut, einem englischen Vorbilde folgend. Hier antwortet der Winkel auf einen Knick in der Rehwiese und macht gleichzeitig den Zugang zum Hause von der Potsdamer Chaussee her zu einem Erlebnis besonderer Art: einem Übergang vom Offiziellen zum Intimen. Wie der Garten des Hauses zum Teil in den Hang des Tals eingetieft ist, wie ein anderer, höher gelegener Teil die Wiese begleitet, wie nahe beim Hause das mittlere, dreieckige Gartenstück als Aussichtsgarten über die Wiese vorstößt: das ist schön überlegt und gut ausgeführt (Abb. 57–59). Überhaupt sollte man den Gärten in diesen neuen Vororten ebenso große Aufmerksamkeit widmen wie den Häusern. Was das Landhaus von der Villa unterscheidet ist eben seine engere Beziehung zum Garten. Man tritt ebenerdig von den Wohnräumen in die Räume des Gartens hinaus. Da ferner dem Dach große Bedeutung verliehen wurde, erhält das Haus etwas breit gelagert Bergendes: das Haus beherrrscht nicht die Natur, es nimmt an ihr teil. Bei den besten der Häuser und Gärten aus der Zeit zwischen 1904 und 1914 – länger hat das nicht gedauert – ist diese nahe Beziehung erreicht worden. Diese Häuser sind es heute noch wert, angesehen zu werden. Darum sind sie auch wert, erhalten zu werden.

Das klingt allerdings leichter als es ist. Die Familien, die ein solches Haus allein bewohnen könnten, gibt es nicht mehr: dazu gehörte der Gärtner, dazu gehörten die Dienstboten: Köchin, Hausmädchen, Kinderfräulein. Zur großen Wäsche kamen die Waschfrau, die Plätterin, die Flickschneiderin. In nicht wenigen Familien wurden sogar die Schuhe vom Hausschuster angemessen und die Anzüge vom Hausschneider genäht: man kaufte nicht gern von der Stange. (Dafür vererbten sich alledings diese schier unzerstörbaren Anzüge von den älteren auf die jüngeren Geschwister.) Es klingt wie ein Märchen aus uralten Zeiten. Aber ich habe es noch erlebt.

Solche Familien gibt es nicht mehr. Selbst wenn sich heute eine Familie ein solches Haus leisten könnte, wo fände sie die notwendigen Hilfen, wo fände sie die Landhausideologie? Man kann nicht mehr so leben, wie man vor 1918 gelebt hat. Also teilt man die alten Häuser auf: wo eine Familie mit ihrem Anhang gelebt hatte, gibt es jetzt acht Mietparteien. Und wenn es unter diesen Umständen gelingt, die äußere Schale des Hauses zu erhalten, – und das ist nicht ganz leicht, – die Räume gehen zum Teufel. Rettet also der Denkmalschutz die Gestalt des Hauses, so rettet er recht eigentlich eine Attrappe. Gelingt es aber einmal, auch die Räume zu retten – dann etwa, wenn eine Wohngemeinschaft sich im Hause einrichtet – macht eine andere Schwierigkeit sich geltend: diese Räume sind anspruchsvoll. Ich schreibe dies in der Bibliothek des Herrn Alexander Amersdorfer, Sekretär der Preußischen Akademie der Kün-

63 *Miethaus auf dem Grundstück des Hauses von Velsen, Giebelfront. An der Spitze des Giebels eine Loggia – unter Dachsparren. Foto: U. Hesse*

ste, einem bis ins Einzelne für ihn entworfenen Raum aus dem Jahre 1914; der alte Herr schaut mir immerfort über die Schulter, ich höre ihn sagen: „in meiner Bibliothek!" Mehr sagt er nicht; aber das genügt. Wie kann man diesem Anspruch gegenüber sein eigenes tägliches Leben vertreten? Und diese Vororte selbst, von denen einige immer noch keinen Mittelpunkt haben, sondern Versammlungen sind von lauter in sich geschlossenen Einzelhäusern, soll man sie erhalten wie sie sind? Muß man sich nicht verändern? Muthesius fragte das schon 1919; aber die Veränderungen, die er damals vorgeschlagen hat, sind überholt.

Und noch eins: man empfindet für die Orte – und für ihre Häuser – neuerdings eine Art von Heimweh. Es ist das erstemal, daß man wieder von ihnen Notiz nimmt. Das sollte mich freuen. Aber ich frage mich, ob es den Vororten gut tut,

daß man jetzt Miethäuser dort baut, die so aussehen sollen, als wären sie Landhäuser mit tief heruntergezogenem Dach, mit Erkern und Sprossenfenstern. Die Dächer werden in drei Geschossen zerstört, man kann gar nicht sagen, was sich da alles drängt an Gauben, kleinen Giebeln, Loggien und jenen großen Dachfenstern, die jede Dachfläche vernichten. Auch die Erker wirken nicht echt; und die Sprossenfenster *sind* oft unecht, mit Kunststoffsprossen zwischen der äußeren und der inneren Scheibe. –

Bewahren heißt verändern. Wie das so geschehen kann, daß die Straßen, die Gärten, die Häuser, die Räume bewahrt bleiben, und daß Menschen von heute bequem dort leben können, ohne auf Schritt und Tritt dem Anspruch von 1910 zu begegnen, das werden wir wohl noch zu lernen haben. Ich meine, es sei eine lohnende Aufgabe. *Julius Posener*

Zwischen Belgien und Baltikum

Interessenpolitik und Kriegsziele in der Berliner Elektro-Großindustrie 1914–1918

Es war spät in den Nachmittagsstunden des 9. November 1918. In Berlin beherrschten zu dieser Zeit, wie in allen deutschen Großstädten, Soldaten, Matrosen und Arbeiter das Straßenbild. Sie trugen zumeist rote Armbinden und hatten schon am Morgen am Kaiserstander des Stadtschlosses die rote Fahne aufgezogen. Einige der Kolonnen, in denen die Arbeiter der Industriewerke der Vororte ins Stadtzentrum gezogen waren, hatten das Reichstagsgelände erreicht und hörten dort gegen 14 Uhr eine Ansprache von Philipp Scheidemann. Scheidemann, der offensichtlich improvisierte, ließ seine Rede mit einem „Hoch" auf die „deutsche Republik" ausklingen.[1]

Die Zuhörer wußten, wer da zu ihnen sprach. Scheidemann hatte noch gestern als Staatssekretär für die Mehrheitssozialdemokratie dem kaiserlichen Reichskabinett angehört. Nun, wenige Stunden später, stand er offensichtlich ganz unter dem Eindruck der Demonstrationszüge, ihrer Losungen und Rufe und hatte mit seinem „Hoch" nur vorweg genommen, was den meisten Demonstrierenden ohnehin inzwischen selbstverständlich zu sein schien: das Ende des Kaiserreiches und der Übergang zur Republik. Unbekannt war der Menge freilich, daß Scheidemann hier im Alleingang gehandelt hatte; unbekannt auch, daß Friedrich Ebert, der in diesen Nachmittagsstunden bereits dank einer staatsrechtlich fragwürdigen „Einsetzung" durch den scheidenden Reichskanzler Max von Baden als Nachfolgekanzler amtierte, Scheidemanns Eigenmächtigkeit scharf mißbilligte und noch immer glaubte, es lasse sich, etwa über den Weg einer „Reichsverweserschaft", mehr vom untergehenden Kaiserreich retten, als dann faktisch politisch durchsetzbar war.[2]

Zu diesem Zeitpunkt, am späten Nachmittag, erhielten, fernab vom unruhigen Berliner Zentrum, zwei der bekanntesten industriellen Verbandsführer des Kaiserreichs dringliche und für sie unerfreuliche Post.[3] Durch zwei Eilbriefe, die sich in Tenor und Stil zum Verwechseln ähnelten, erfuhren der ehemalige Krupp-Direktor und Landrat a. D. Max Roetger im Wohnquartier Grunewald, und Heinrich Friedrichs, Kommerzienrat und Seidenindustrieller im benachbarten Potsdam, daß die Partner einer höchst ungleichen industriepolitischen Koalition, in der sich als Sprecher der westlichen Schwerindustrie Hugo Stinnes und als Repräsentant der großen elektrotechnischen Unternehmen Hans von Raumer[4] gefunden hatten, ihr Verhalten während der letzten Tage scharf mißbilligten.

In der von Hugo Stinnes gezeichneten Depesche hieß es dazu lakonisch, daß eine Erklärung, die Roetger am heutigen Tage gegenüber dem Reichswirtschaftsamt abgegeben habe, keineswegs den Anforderungen entspräche, die dafür von Stinnes formuliert worden seien. Und Stinnes erklärte weiter: „Ich sehe mich daher gezwungen, für mich und die mir nahestehenden Unternehmen die Konsequenzen ... zu ziehen".[5] Der zweite Eilbrief griff diese Wendung auf und kündigte durch Hans von Raumer für den „Zentralverband der deutschen elektrotechnischen Industrie" an, daß nun auch die ihm „nahe stehenden Herren" zu bestimmten Folgerungen genötigt seien.[6]

Roetger und Friedrichs, in der industriellen Verbandspolitik keine Neulinge, wußten, was ihnen hier eröffnet wurde. Roetger war seit fast einem Jahrzehnt Vorsitzender des der Schwerindustrie nahestehenden „Centralverbands deutscher Industrieller" (CDI); Friedrichs hatte die gleiche Funktion bei dem jüngeren und vor allem der Export- und Leichtindustrie verpflichteten „Bund der Industriellen" (BDI) inne.

In Wahrheit aber war ihre Position in der industriellen Verbandspolitik noch stärker, wenn auch ungleich auf BDI und CDI aufgeteilt. Im Zeichen eines seit dem August 1914 auch in der Verbandspolitik der Regierung und den Industriellen erwünschten „inneren Burgfriedens" hatten sich nämlich beide, zuvor häufig rivalisierende Spitzenverbände schon bald nach Kriegsausbruch zum „Kriegsausschuß der deutschen Industrie" zusammengefunden und formten dann ab 1916 zusammen mit dem Branchenverband der deutschen Chemischen Industrie den sogenannten „Deutschen Industrierat". Der Rat, der u. a. die „Geschlossenheit der deutschen Industrie gegenüber den Parlamenten (und) ... den Regierungen zum Ausdruck bringen sollte" war freilich nicht in der Lage, die wichtigsten kriegswirtschaftlichen Tagesaufgaben zu lösen: es waren in der Regel die älteren Fach- und Branchenverbände, die neben dem Rat dazu berufen wurden, im Sinne eines binnenindustriellen Interessenabgleichs die kriegswirtschaftlichen Maßnahmen der Planung, Lenkung und Produktionssteigerung in die Hand zu nehmen.

Darüber war, neben dem fortbestehenden Kriegsausschuß auch bald der Industrierat, der satzungsgemäß von CDI und BDI paritätisch zu führen war, zu einem, wenn auch nicht sehr ausschlaggebenden Werkzeug des organisatorisch, finanziell und personell dem BDI weit überlegenen „Centralverbands deutscher Industrieller" geworden. Kommerzienrat Friedrichs, zu wirkungsvoller Opposition kaum in der Lage, hatte diese Entwicklung hingenommen, die der deutschen Schwerindustrie mit geringem Aufwand zu einem weiteren Sprachrohr zur Vertretung ihrer Interessen in den Kriegsjahren verholfen hatte.[7] Der Vorteil, den ihr das Organ „Industrierat" bot, lag in dessen – scheinbar – „gesamtindustrieller" Legitimierung.

Einer solchen Indienstnahme des Industrierates hatten die eiligen Protestschreiben gegolten, die Roetger und Friedrichs spät am 9. November in Händen hielten. Sie bezogen sich auf Vorgänge der beiden letzten Tage. Im Namen des Industrierates hatte das Zwiegespann Roetger–Friedrichs nämlich während der vergangenen 48 Stunden verzweifelt versucht, eine Initiative abzufangen, mit der in Berlin Unternehmer der Elektro-Großindustrie und des Maschinenbaus einerseits, und Vertreter der westdeutschen Schwerindustrie auf der anderen Seite nach längeren

Vorgesprächen ein Abkommen mit den drei großen deutschen Richtungsgewerkschaften, den „freien", den „christlichen" und den liberalen „Hirsch–Duncker'schen" Verbänden erreicht hatten. Dieser Pakt zwischen Arbeitgebern und Gewerkschaften hatte, wie Roetger und Friedrichs erfahren mußten, bereits am 6. November in der Reichskanzlei zur Billigung vorgelegen.[8] Kern der Abmachungen war ein gewerkschaftliches Ja zu industriellen Vorschlägen für die Organisation der wirtschaftlichen Demobilmachung in Deutschland.[9] Die Gewerkschaften tauschten dafür u. a. die Anerkennung als gleichberechtigte Verhandlungspartner ein. Die Verhandlungen waren ohne Beteiligung von CDI und BDI geführt und angesichts der herannahenden Revolution rasch beendet worden. Ihr Ergebnis, das nach dem 9. November noch um einige Konzessionen an die Gewerkschaften erweitert wurde, war im wesentlichen bereits identisch mit den gewerkschaftlich-industriellen Abreden, die, nach der Billigung durch den „Rat der Volksbeauftragten" am 18. November in Gestalt eines 12-Punkte-Programmes veröffentlich wurden, das die Grundlage für die Errichtung der „Zentralarbeitsgemeinschaft der industriellen und gewerblichen Arbeitgeber und Arbeitnehmer Deutschlands" = (ZAG.) bildete. Zuvor, am 12. November 1918, hatten die Initiatoren der gewerkschaftlich-industriellen Kooperation bereits erreicht, daß der Rat der Volksbeauftragten die von ihnen empfohlene Errichtung eines „Reichsamtes für wirtschaftliche Demobilmachung" sanktionierte und auch die Leitung der neuen obersten Reichsbehörde dem „Wunschkandidaten" dieser Seite anvertraute: Oberstleutnant Koeth, seither Leiter der Kriegs-Rohstoff-Abteilung beim Kriegsministerium, trat am 12. November an die Spitze des Demobilmachungsamtes.[10]
Der Deutsche Industrierat, der vor dem 9. November über die Organisation und Ordnung der „Übergangswirtschaft" in Deutschland eigene und andere Vorstellungen hatte, sah sich von der Mitwirkung an dieser, für die Wirtschafts- und Sozialpolitik der Nachkriegszeit entscheidenden Weichenstellung seit dem 6. November ausgegrenzt und reagierte darauf eher panisch als überlegt.[11]

Reichskanzler, Reichswirtschaftsamt, einzelne Industrielle und Verbandssprecher wurden telegraphisch, brieflich und telefonisch mit warnenden Botschaften überschüttet.[12] Man betonte hier, das Berliner Abkommen sei nur von „einem kleinen Kreis von Personen" ausgehandelt worden, der „von seiten der Industrie nicht als berufene Vertreter der Gesamtinteressen" anerkannt werden könne.[13] Insbesondere aber sei die eifrig betriebene Planung zum Aufbau „eines besonderen Demobilisationsamtes mit diktatorischen Vollmachten" wegen der „ungeheuren Tragweite" eines solchen Schrittes doch solange abzulehnen, als sich dazu nicht „zum mindesten" die derzeit in Berlin erreichbaren Mitglieder der „berufenen Vertretungen" von Industrie und Landwirtschaft gutachtlich geäußert hätten.[14]
Der Industrierat lief damit, wie angedeutet, vergeblich, gegen eine gemeinsame gewerkschaftlich-industrielle Strategie an, die man mit einiger Berechtigung als das wohlüberlegte Mittel einer umsichtigen „Gegenrevolution vor der (eigentlichen) Revolution" hat bezeichnen können.[15] Stinnes und von Raumer, die diese Dimension der ZAG-Abreden zielstrebig verfolgten, konnten daher im revolutionär erregten Berlin solche Verbandsproteste nur als borniert und töricht empfinden. Die hinter dem Abschluß des kommenden „ZAG-Paktes" stehenden Industriefraktionen waren es müde, sich fernerhin ihren wirtschafts- und sozialpolitischen Spielraum von der Wahrnehmungsblindheit unbeweglicher Verbandsfunktionäre einengen zu lassen. Wenn Hugo Stinnes mit den ihm „nahe stehenden Unternehmen" der westlichen Schwerindustrie[16] dem von Roetger verkörperten alten „Centralverband deutscher Industrieller" die Gefolgschaft aufsagte, und wenn er sich dabei auch auf die oberschlesische Montan-, die Berliner Elektro- und Maschinenbauindustrie zu stützen vermochte,[17] dann war abzusehen, daß die Tage des CDI, der so lange als dominant schwerindustrieller Verband gegolten hatte, und daß andererseits auch die Tage des „gesamtindustriellen" Industrierates gezählt waren. Neben der in den Herbstmonaten 1918 herannahenden politischen stand damit offenbar in Deutschland auch eine Revo-

lutionierung des industriellen Verbandslebens bevor.
Dieser von der Bildung der „ZAG" markierte Umbruch war in Berlin von Vertretern der großen Elektro-Konzerne Siemens und AEG, sowie Sprechern des Maschinenbaus wie Ernst von Borsig teils akzeptiert, teils aktiv mit vorangetrieben worden, und er schien bereits zur industriellen Tageslosung geworden zu sein, als am Spätnachmittag des 9. November Hans von Raumer und Hugo Stinnes unter das Fazit eines hektischen Informations- und Protestaustausches mit Roetger und Friedrichs einen ärgerlichen und deutlichen Schlußstrich zogen.

Der lange Weg zum „Stinnes-Legien-Abkommen" (ZAG)
Nach ihren markantesten Beförderern, dem Industriellen Hugo Stinnes[18] und dem Gewerkschaftsführer Carl Legien, dem langjährigen Vorsitzenden des Spitzenorgans der „freien" Gewerkschaften, der „Generalcommission der Gewerkschaften Deutschlands", hat man den ZAG-Pakt bisweilen als „Stinnes-Legien-Abkommen" umschrieben.[19] Ob man statt dessen nicht andere, vielleicht wichtigere und weitere Initiatoren dabei hätte nennen können, mag hier unerörtert bleiben. Einig ist man sich jedenfalls darin, daß das Abkommen grundlegend die Innenpolitik der ersten Nachkriegsjahre in Deutschland bestimmt hat. Roetger und Friedrichs hatten 1918 insoweit völlig recht, als sie von der „ungeheuren Tragweite" der ihrer Einwirkung entzogenen Vorgänge sprachen.
In der Tat band die „Zentralarbeitsgemeinschaft" die Gewerkschaften mit den Regelungen für die Ordnung der Übergangswirtschaft in eine Politik ein, die den privatwirtschaftlichen Aufbau des deutschen Wirtschaftslebens auch über eine mögliche politische Revolution hinweg zu stützen versprach.[20] Diese Bedeutung der „ZAG" war ihren industriellen Geburtshelfern klar und folglich auch einen, für sie hohen Einsatz wert. Daher rührte auch, was den weniger unterrichteten Zeitgenossen an dem Vorgang als besonders frappierend auffiel: eine Paarung höchst unterschiedlicher Bundesgenossen.
Bei einem Bündnis, das den Gewerkschafter Carl Legien an die Seite von

Hugo Stinnes führte, war das Staunen zunächst auf seiten der organisierten und unorganisierten Arbeiter. Stinnes, der beim Brückenschlag zwischen Industrie und Gewerkschaften zugleich für das Verbandsspektrum der deutschen Bergbau-, der Eisen- und Stahlindustrie stand, vertrat Industriebranchen, die vor und nach 1914 den Ruf hatten, im Kampf gegen die Gewerkschaften den härtesten Kern zu bilden. Ihre Hinwendung zu den Gewerkschaften war im November 1918 erst einige Wochen alt, und die Öffentlichkeit von einem Sinneswandel bei den Unternehmern an Rhein und Ruhr erst seit Mitte Oktober 1918 – eher beiläufig – informiert.[21] Neben dem für die Arbeitnehmer denkwürdigen Zusammenspiel zwischen Gewerkschaften und deren schwerindustriellen Hauptgegnern von gestern, war es aber auch für unterrichtete Beobachter in der Industrie erstaunlich festzustellen, welche Unternehmer und Unternehmensbereiche bei der ZAG-Politik zu Verbündeten geworden waren. Denn hier fanden sich, Hand in Hand, oberschlesische und westdeutsche Montan- und Schwerindustrie, Berliner Elektro-Konzerne und Berliner Maschinenbau. Carl Friedrich von Siemens, Walther Rathenau, Ernst v. Borsig einerseits, und Hugo Stinnes, Kurt Sorge und Ewald Hilger, andererseits[22] – das waren Namen, die wohl zeitweilig, im November 1918, eine gemeinsame industrielle Politik andeuten mochten, die aber keineswegs für eine weitgehende Harmonie und Einigkeit in der industriellen Interessenpolitik vor und nach 1914 standen.

In dieser Interessenpolitik hatte es vielmehr häufig Spannungen, offene und latente Konflikte und überhaupt ungleiche Voraussetzungen und Startbedingungen gegeben. Darüber wurde auch, nicht zuletzt noch bei der Vorbereitung der ZAG-Politik, offen gesprochen. So teilte Hans von Raumer, der Geschäftsführer des „Zentralverbands der deutschen elektrotechnischen Industrie" noch am 5. Oktober dem Berliner Industriellen Ernst von Borsig mit, daß sich die Berliner Initiatoren des Brückenschlages zwischen Unternehmern und Gewerkschaften zweifellos in einer besseren Position als die westlichen Schwerindustriellen befänden. Die Gewerkschaften wüßten nämlich, daß man bei

den Berliner Industriellen die Kontakte nicht erst wegen und während der „gewandelten Zeitumstände" gesucht habe; gegenüber ähnlichen Initiativen, die z. Zt. im Westen zwischen Bergarbeiterverbänden und Hugo Stinnes anliefen, verfüge man daher in Berlin „durch das rechtzeitige Ausstrecken der Hand" jedenfalls über erhebliche Vorteile. Er, Raumer, halte es darum für erwünscht, „wenn wir, die wir auf weit günstigerer Basis verhandeln können, unsere Verhandlungen beenden, bevor zwischen Schwerindustrie und Gewerkschaften Schwierigkeiten eingetreten sind."[23]

Die Formulierungen Raumers belegen, daß die Berliner Industrien, namentlich aber die von ihm vertretene Berliner Elektro-Großindustrie, hier den Kurs bestimmten; daß sie sich im Verhältnis zur „schweren" Industrie inzwischen sogar in der Position eines unbestrittenen Verhandlungs- und Stimmführers befanden. Diesen Sachverhalt, der den Berlinern auch einen erheblichen Anteil bei der bevorstehenden Reformierung des gesamten industriellen Verbandswesens sichern konnte, faßte von Raumer dann noch einmal abschließend in einem Brief zusammen, den er Mitte November 1918 an den bayerischen Industriellen Anton von Rieppel schickte. Von Raumer schrieb ihm: „Wir alle sind nicht gewillt, uns weiter der Führung des Herrn Roetger (d. h. des CDI.) anzuvertrauen ... Die Arbeitgeberhälfte der (Zentral-) Arbeitsgemeinschaft ist m. E. der zukünftige Zentralverband der deutschen Industrie."[24] Beachtet man die Voraussetzungen, die diese kleine von v. Raumer geleitete Berliner Industriellengruppe für die Einleitung eines solchen Wechsels mitbrachte, dann wird aus dem hier kommentierten Vorgang eine erstaunliche und fast paradoxe Entwicklung.

In der Tat waren die Ausgangsbedingungen dieser Gruppe ungünstig genug: die deutsche elektrotechnische Industrie – und mit ihr die Großunternehmen Siemens und AEG – verfügte bis in das letzte Weltkriegsjahr hinein über keinen einzigen schlagkräftigen Fachverband, der ihre Belange nach innen und außen hätte wirkungsvoll und repräsentativ vertreten können.[25] Im Vergleich zu den älteren Industrien des Bergbaus, der Eisen- und Stahlgewinnung- und Bear-

beitung lag darin eine ihrer Hauptschwächen in der industriellen Interessenpolitik. Persönlich und organisatorisch fehlte ihr weiterhin auch das Erfahrungswissen, das ältere Fach- und Spitzenverbände jener Industriebranchen dem langen Umgang mit der öffentlichen Meinung, der Presse, den Parlamenten und Parteien verdankten.[26] Selbstkritisch hieß es in diesem Zusammenhang u. a. noch 1912 beim Siemens-Konzern, man habe sich bisher „um die Presse nicht genug und nicht in der richtigen Weise gekümmert."[27] Was auf die Pressearbeit zutraf, galt auch für die Präsenz und Mitarbeit in industriellen Spitzenverbänden vor und nach 1914: andere als die Elektro-Konzerne hatten dort mehr und entscheidenderes beizutragen und bestimmten dergestalt auch überwiegend das allgemeine Erscheinungsbild industrieller Politik in der deutschen Öffentlichkeit.[28] Daran änderte wenig, daß der Siemens-Konzern z. B. selbst schon 1907 dem „Centralverband deutscher Industrieller" (CDI) beigetreten, und daß Wilhelm von Siemens 1911 in das Direktorium des CDI gewählt worden war.[29] Eine Initiative Walther Rathenaus, der 1915 auf einen alternativen Zusammenschluß industrieller Branchen drängte, beschied Wilhelm von Siemens im zweiten Weltkriegsjahr daher noch recht resignativ. Er meinte, die Elektroindustrie habe vorläufig dem beim CDI vereinten Potential an „bekannten, einflußreichen, selbständigen und erfahrenen Persönlichkeiten" für die Arbeit mit Regierungsstellen und Parlamenten nichts Gleichwertiges entgegenzustellen. Der Gefahr, daß „die Vertreter der Schwerindustrie ... als Repräsentanten der Gesamtindustrie" aufträten, sei nicht durch eine bunte Zweckallianz anderer Industriezweige zu begegnen. „Hier wird nur ein allmähliches Herauswachsen zu einem Resultat führen. Es will alles gelernt sein. Auch die fruchtbare Beschäftigung mit öffentlichen Angelegenheiten."[30]

Daß und wie die Berliner Industriellen in der Folge von den „bekannten, einflußreichen und erfahrenen" Männern der deutschen Schwerindustrie lernten, ob und wie sie dabei dem Vorbild nahe blieben oder Distanz wahrten, läßt sich in den Jahren 1914–1918 auf mehr als einem „Lernfeld" beobachten. Zunächst

bei der Verbandspolitik. Über mehrere Gründungsstufen hinweg schuf sich die elektrotechnische Industrie hier bis zum Frühjahr 1918 endlich mit dem von Kurt von Raumer geführten „Zentralverband der deutschen elektrotechnischen Industrie" (Zendei) eine stärkere, repräsentative Verbandshausmacht.[31]
Durch die Lenkungs- und Bewirtschaftungsmodelle, die Walther Rathenau und Wichard von Moellendorff zuvor für die deutsche Kriegswirtschaft entworfen und in der Konzeption und Arbeit der sogenannten „Kriegsrohstoff-Abteilung" (KRA) beim preußischen Kriegsministerium seit August 1914 erprobt hatten, waren zudem auch für eine breitere Öffentlichkeit Führungskräfte der Elektro-Industrie hervorgetreten, deren planerische und organisatorische Leistungen als vorläufig kriegs- und rüstungsentscheidend anerkannt wurden.[32]
Weniger spektakulär, aber darum nicht weniger politisch bedeutsam waren schließlich die Beiträge, mit denen sich Sprecher der Elektro-Industrie und ihnen nahe stehende Unternehmer zwischen 1914 und 1918 in Diskussionen einschalteten, die in Deutschland wie in den alliierten Staaten, teils verdeckt, teils offen um die Friedens- und Kriegsziele des Ersten Weltkrieges geführt wurden.
In Darstellungen zur Geschichte der deutschen Industrie, ihrer Interessenpolitik und Meinungsbildung während der Weltkriegsjahre hat man der deutschen Elektro-Großindustrie häufig etwas pauschal die Rolle eines Gegenspielers der deutschen Schwerindustrie zugesprochen.[33] Dafür gibt es erwägenswerte Gründe: Vertreter der Berliner großen Elektro-Häuser haben sich beispielsweise bei zahlreichen Anlässen und Fragen der Jahre 1914–1918 anders, oder doch zumindest verhaltener geäußert als Sprecher der Montan-, der Eisen- und Stahlindustrie; auch wichen sie insoweit von deren Kurs ab, als sie sich gegenüber dem bei der Schwerindustrie bald mißliebigen Kriegskanzler Bethmann Hollweg loyaler zeigten als die Mehrzahl der Unternehmen an Rhein und Ruhr, die eifrig auf den Sturz des Kanzlers hinarbeiteten und diesen Wechsel schließlich auch im Rahmen eines weiteren politischen Zweckbündnisses im Juli 1917 erreichten.[34]

Stellungnahmen der Elektro-Großindustrie zur deutschen Innen- und Außenpolitik der Kriegsjahre wurden darum bisweilen als die Haltung eines „etatistischen" Flügels im Meinungsspektrum deutscher Industriefraktionen beschrieben. Kritisch wird dazu freilich angemerkt, daß diese Mäßigung an sich nur der Ausdruck einer klügeren taktischen Verhaltenslinie gewesen sei. Die Elektro-Industrie habe sich mit ihren Zielen und Beiträgen zur deutschen Kriegspolitik insoweit „wendiger" und „parlamentarischer" gegeben als ihre rauher und maßloser auftretenden Kollegen der Montan- und Schwerindustrie. Ein merklicher und nicht nur gradueller Unterschied bleibt bei dieser, vor allem in der Geschichtsschreibung der DDR zeitweilig sehr betonten Einordnung und Deutung des politischen Verhaltens zwischen den beiden industriellen Lagern dennoch bestehen.
Diesem Einteilungs- und Erklärungsmuster begegnete, nicht nur in der Bundesrepublik, Kritik. Man machte geltend, daß hier ein Schema gezimmert sei, das u. a. deshalb mehr etikettiere als interpretiere, weil ein zur Ableitung industriellen Handelns bemühter Hintergrund von bewegenden materiellen Interessen nicht immer überzeugend „vermittelt" werde. Man verallgemeinere vielfach zu rasch, arbeite ohne genügend breite dokumentarische Quellenbasis und verfehle daher nicht selten die anders zu deutende Wirklichkeit.[35]
Unter den so kritisierten Darstellungen beziehen sich viele für den Fall der Elektro-Industrie auf das beeindruckende Exempel Walther Rathenaus und der AEG. Dabei werden, häufig genug, Mann und Konzeptionen mit den Verhältnissen innerhalb des gesamten Bereichs der Elektro-Industrie gleichgesetzt. Es mag sich daher lohnen, einige der Annahmen zum Verhalten der „wendigen" und „etatistischen" Industriefraktionen Deutschlands an einem anderen Beispiel zu überprüfen.
Die Verhältnisse beim Berliner Siemens-Konzern bieten durchaus die Möglichkeit, alternative Belege zum Verhalten der „parlamentarisch-wendigen" Industriefraktion und ihrer politischen Verbündeten auf Problemfeldern wie der industriellen Diskussion um Kriegs- und Friedensziele zu durchmustern.

Kriegszielpolitik

Der Erste Weltkrieg zählte noch nach Monaten, als sich, im Herbst 1914, der eben erst gebildete „Kriegsausschuß der deutschen Industrie" (KAdI), bereits in einem besonderen Unterausschuß die Aufgabe stellte, für den nach den ersten militärischen Erfolgen im Westen absehbar erscheinenden deutschen Sieg ein Kriegszielprogramm zu entwerfen.[36]
Es war, was bei den Vertretungs- und Stärkeverhältnissen im KAdI nicht verwundern konnte, stark von Zielvorstellungen der deutschen Schwerindustrie bestimmt und suchte, wie noch viele der künftigen industriellen und nichtindustriellen Programme und Denkschriften für die Nachkriegswirklichkeit in Westeuropa vor allem die Frage zu entscheiden, ob und in welcher Weise eine künftige deutsche Präsenz in dem seit Kriegsbeginn von deutschen Truppen überfluteten Belgien in Wirtschaft, Militär und Politik wünschenswert und zu gewährleisten sei.[37] Das Votum der Vertreter der deutschen Schwerindustrie war bei diesen Beratungen eindeutig: man favorisierte die Angliederung Belgiens nach einem erfolgreichen Kriegsende an das deutsche Reich. Zur überstimmten Minderheit zählte Wilhelm von Siemens.
Siemens, der damals bereits seit langen Jahren faktisch an der Spitze des Siemens-Konzerns stand und diese Führungsstellung nur mit seinem jüngeren Bruder Carl Friedrich von Siemens teilte,[38] gehörte, wie schon erwähnt, seit 1911 dem Direktorium des „Centralverbands deutscher Industrieller" (CDI) an und war aufgrund dieser Position in den „Kriegsziel-Unterausschuß" des KAdI gewählt worden. Seinen Widerspruch gegen industrielle Annexionsforderungen im Westen hatte er u. a. damit begründet, daß man doch „davon abgehen müsse, fremde Völkerschaften in das eigene Grenzgebiet hineinzunehmen."[39] Diese Ablehnung wiederholte sich im Frühjahr 1915, als es Wilhelm von Siemens verweigerte, sich einer großen Gruppe von deutschen Hochschullehrern anzuschließen, die mit einer sogenannten „Intellektuellen-Eingabe" für umfangreiche Annexionen zu plädieren suchte.[40] Das Nein zur Propagierung solcher Ziele war in diesem Falle aber nicht absolut, es verband sich vielmehr mit einer bejahenden Absichtser-

klärung, die Siemens einer späten Antwort an einen der beiden Hauptinitiato-
ren der Eingabe, den nationalliberalen preußischen Landtagsabgeordneten
Paul Fuhrmann anvertraut hat. Siemens, so las Fuhrmann in dem Brief
vom Juli 1915, begrüße es, daß man der
Regierung Wünsche „in energischer
Weise" vortrage, „wie es in ähnlicher
Weise von seiten der wichtigsten wirtschaftlichen Verbände ebenfalls geschehen ist."[41]
Gemeint war damit der ausgreifende
Forderungskatalog, mit dem sich im
März und Mai 1915 sechs der einfluß-
reichsten wirtschaftlichen Organisationen des Kaiserreichs an die Spitze einer
Petitionswelle gestellt hatten, in der sich,
teils einzeln, teils schon planvoll abgestimmt, Politiker, Publizisten, Wirt-
schaftsführer und Gelehrte mit – zumeist
nicht erbetenen – Beiträgen in der von
der Regierung zeitweilig nur mühsam
unterdrückten Diskussion um deutsche
Kriegsziele zu Worte meldeten.[42]
Im Falle der sechs Verbände waren der
„Centralverband deutscher Industrieller", der „Bund der Industriellen", die
„Reichsdeutsche Mittelstandsvereini-
gung" und der von Großgrundbesitzern
geführte „Bund der Landwirte", samt
seinen klein- und mittelbäuerlich, bzw.
konfessionell bestimmten Konkurrenz-
organisationen – „Deutscher Bauern-
bund" und „Christliche Bauernvereine"
in dieser Rolle hervorgetreten. Zweimal,
wie erwähnt im März und Mai 1915,
hatten sie zunächst dem Reichstag, dann
dem Reichskanzler Bethmann Hollweg
schriftlich ihre Wünsche vorgelegt. Es
waren, gemessen und beurteilt in der
Distanz von 70 Jahren, Wunschprojek-
tionen von geradezu barocker, imperia-
ler Weitläufigkeit. Da wurde für ein größeres und mächtigeres Nachkriegsdeutschland nicht nur die militärische
und wirtschaftliche Kontrolle Belgiens
angemeldet; in dieser Einflußzone sollte auch die belgische Bevölkerung fortwährend politisch diskriminiert bleiben; sodann war die Inbesitznahme großer Bereiche der belgischen und französischen Kanalküste vorgesehen; sollte
Frankreich seine Kohlenlager in den
Départements „Nord" und „Pas de Ca-
lais" verlieren, und war zudem durch
die Wegnahme des Erzbeckens von
Longwy-Briey zu schwächen. Im Osten
entsprach dem die „kompensatorische"

Angliederung von Siedlungsgebieten
im Bereich der russischen Ostsee-Pro-
vinzen, wie insgesamt an eine Vorverle-
gung der deutschen Grenzen im Osten
in östlicher und südöstlicher Richtung
gedacht war; Begründung für diese Ab-
rundung der Territorien Schlesiens,
West- und Ostpreußens steuerte man in
strategischen, siedlungs- und wirt-
schaftspolitischen Überlegungen bei.
Im Hinblick auf den deutschen Kolo-
nialbesitz wurden endlich umfangreiche Erweiterungen auf afrikanischem
Boden vorgeschlagen.[43]
Was den petitionierenden Verbänden
damals entging und was sie späterhin
nicht wahr haben wollten, war die Tatsache, daß ihr Programm, wenn auch
nicht in der gewählten Form des Herr-
schaftserwerbs durch einfache Annek-
tierungen, in vielen Punkten den Vorstellungen des Kriegskanzlers Bethmann Hollweg nahe kam. Die in der
Folge ansteigende Opposition gegen
den Kanzler glich insoweit dem Gebrauch von Brechstangen an weit geöff-
neten Türen.[44]
Wilhelm von Siemens, der sich dank
zahlreicher geselliger und gesellschaftlicher Kontakte in Berlin der Kriegsjahre
hinlänglich dicht und genau über die
Kriegszielpolitik des Kanzlers zu informieren vermochte, war im Auftreten
und Äußerungen nicht der Mann der
Brechstangenargumentation, wenn er
sich auch in dem, was ihm in der Kriegszielpolitik geboten erschien, nicht weit
von dem Kurs jener Unternehmer entfernte, die auf das radikalere Argument
und die radikalere Position setzten.[45]
Entsprechend verhielt er sich auch, als
er um die Unterstützung der „Intellektuellen-Eingabe" gebeten wurde, in der
viele der Forderungen der „6 Verbände" erneut auftauchten: Er versagte
sich dem Vorstoß, weil, wie er Paul
Fuhrmann erklärt, für ihn „die Schwierigkeit mit den Bevölkerungen der an-
nektierten Länder" noch nicht gelöst
sei. Dem folgte aber die kennzeichnen-
de Einschränkung: „Bezüglich der belgischen Frage habe ich mich im übrigen
ausgesprochen: ich könnte nicht die
Verantwortung für eine militärische
Räumung übernehmen, solange militä-
rischerseits (nicht) der überzeugende –
was mir jedoch nicht möglich erscheint
– Nachweis erbracht ist, daß der dauernde militärische Besitz lediglich sekundä-

re Bedeutung ... hat. ... Meine gegenwärtige Befürchtung ist, daß man sich
von Amerika in Verhandlungen verstrik-
ken lassen wird."[46]
Das Veto, das Siemens noch im Vorjahr
zu den „belgischen Plänen" der
Schwerindustrie im KAdI verfochten
hatte, war damit der Sache nach aufgehoben, und ein „Nein" zum Westexpan-
sionismus, das häufig zu den deutlichen
Belegen für eine besondere Position
„der" Elektro-Industrie gerechnet
wird, in kaum verdeckte Zustimmung
abgewandelt.[47] Bei dieser Haltung, die
zwar gelegentlich Übertreibungen und
Entgleisungen rügt, faktisch jedoch
weitgehenden Kriegszielen zustimmt
oder sie selbst formuliert, ist Wilhelm
von Siemens in der Folge bis zum
Herbst 1918 geblieben. Im politischen
Berlin der Weltkriegsjahre schließt das
viele jener Widersprüchlichkeiten mit
ein, die die Einstellung führender
Schichten des deutschen Bürgertums
insgesamt geprägt haben, als man sich
um eine Sinnstiftung und die Benen-
nung materieller Ziele des Krieges bemühte. So findet sich Wilhelm von Siemens wohl zu den abendlichen Sitzungen des für die Politik Bethmann Hollwegs agitierenden Diskussionskreises
um den Berliner Historiker Hans Delbrück ein, ist Gast im sogenannten „Delbrück'schen Mittwochabend", aber er
verweigert dort kennzeichnenderweise
die Mitarbeit, als es dem Kreis darum
ging, den Hauptakteuren der annexionistischen „Intellektuellen-Eingabe" ent-
gegenzutreten. Von der entscheidenden
Sitzung des Delbrück-Kreises am
19. Juli 1915 notierte er sich enttäuscht:
„Die Mehrzahl will unter keinen Umständen Belgien ... Man kann Belgien
nicht militärisch aufgeben, wenn nicht
... nachgewiesen ist, daß die Besetzung
für uns in einem künftigen Krieg ohne
erhebliche Bedeutung ist. Es müßte
ebenso nachgewiesen werden, daß wir
auch ohne die belgischen Küsten gegen
Englands Flotte und Macht nicht wesentlich schlechter da stehen, und mit
ebenso guter Aussicht den Wirtschafts-
verkehr Englands lahm legen können."[48]
Die verstimmte Distanz zu den, – ohnehin nicht sehr erfolgreichen – Abwehr-
bemühungen des Delbrück'schen Kreises ist kein Zufall. Wilhelm von Siemens hatte bereits vor 1914 seine politi-

sche Heimat bei den preußischen Nationalliberalen gefunden;[49] er war im wohlhabenden Ortsverein Charlottenburg der Partei eingeschrieben und derart in die Meinungsbildung einer politischen Gruppierung eingebunden, die sich im Ersten Weltkrieg sehr rasch und nachhaltig für einen „starken" Frieden ausgesprochen hatte, wobei gelegentlich Spannungen zwischen der preußischen Landtagsfraktion und der bisweilen gemäßigteren Reichstagsfraktion auftraten.[50] Wie zu zeigen sein wird, profilierte sich Siemens durchaus als „preußischer" Nationalliberaler.

Aus der gleichen Zeit datierte die Mitgliedschaft des Industriellen beim „Deutschen Ostmarkenverein" und dem „Deutschen Flottenverein", beides Organisationen, die nach 1914 zu den beständigsten und charakteristischsten Rufern nach einem deutschen „Machtfrieden" zählten.[51] In diesen Kontext gehört nun auch der schon zitierte ausführliche Brief an Paul Fuhrmann. Er war keine beliebig adressierte Mitteilung, sondern die gezielte Information eines preußischen Parlamentariers, der sich seit Jahresbeginn 1915 als aktiver Organisator und Berater in der „Kriegsziel-Bewegung" besonders hervorgetan hat.

Fuhrmann galt – zu Recht – im preußischen Landtag als sehr „industrienah", arbeitete innerhalb und außerhalb des Parlaments eng mit den schon vorgestellten petitionsfleißigen „wirtschaftlichen Verbänden" zusammen und hatte es im Frühjahr und Sommer 1915 verstanden, die führenden Köpfe der „Intellektuellen-Eingabe" mit anderen Befürwortern extremer Kriegsziele zu einem Agitationskern zu verschmelzen, aus dem sich bald eine Art permanentes Führungs- und Koordinierungsorgan für die kommenden Kampagnen und Zusammenschlüsse der Anhänger extremer deutscher Kriegsziele entwickelte.

Fuhrmann und seine politischen Freunde, die den Beistand von Militärs suchten und fanden, von Parlamentariern der bürgerlichen Mitte und Rechten Hilfe erhielten und die Verbindung zu Hochschullehrern, Publizisten und Verlegern pflegten, schufen sich mit Hilfe solcher „Multiplikatoren" ein Netz von Vertrauensleuten. Bald verfügten sie auch über einen Verbund von

Medien sowie Arbeits- und Agitationsgruppen, die in der „Kriegsziel-Bewegung" seit 1915 immer kontinuierlicher gegen unerwünschte „Flauheiten" in der Innen- und Außenpolitik der Kanzler und Kabinette auftraten.[52] So im Kampf um die Lockerung der Kriegszensur zugunsten einer freieren Erörterung der Kriegsziele in Presse und Versammlungen, eine Auseinandersetzung, die im Herbst 1916 durch die Liberalisierung der Zensur entschieden war. Sodann erneut 1916/17, als die Forderung, den unbegrenzten U-Boot-Krieg gegen die alliierte und neutrale Schiffahrt zu eröffnen, Verhandlungen mit den USA unter Druck brachte und deren Kriegseintritt beschleunigte.[53] Endlich erhielt 1917 die umfassendste organisatorische Bemühung der „Kriegsziel-Bewegung", die Gründung und Etablierung einer eigenständigen politischen Partei – die der „Deutschen Vaterlandspartei" – aus diesem Reservoir ihre ersten Kader, ihre Agitationsmuster und Vereinsstrukturen, kurz eine Grundausstattung, die es der neuen Partei erlauben sollte, mit einer starken Massenbasis gegen innenpolitische Reformansätze und die Bemühungen um einen Kompromißfrieden anzutreten, den die „Vaterlandspartei" als „Verzichts"- und „Scheidemann-Frieden" denunzierte.[54]

Das Vorgehen der Anhänger eines „starken" Friedens war geschickt und lieferte u. a. den Beweis dafür, daß sich in Deutschland inzwischen selbst für ein äußerst rechtsprofiliertes Programm noch jenseits der Bandbreite bürgerlicher Schichten und Mentalitäten mit Erfolg werben ließ.[55] Es dokumentierte zugleich die Schlagkraft der hier bevorzugten quasi-plebiszitären Kampfformen; denn, solange das Kriegszustandsrecht noch eine freiere Öffentlichkeitsarbeit und insbesondere die Presse- und Versammlungsagitation einengte, nutzte die Kriegsziel-Propaganda virtuos das auch im Krieg noch von der Verfassung gedeckte Mittel des Petitionsrechts als ihre schärfste Waffe: gezeichnete Einzel-, Verbands- und Masseneingaben fanden den Weg zum Reichstag, zum Kanzler und den Militärs und erinnern in ihrem Kampagnecharakter und ihren teils offenen, teils verdeckten Unterschriftssammlungen an das Auftreten moderner Bürgerinitiativen. Hier

richteten sie sich, bewußt, gegen die Autorität der angegriffenen Regierung und bisweilen auch die konstitutionellen Rechte des deutschen Kaisers in der militärischen Kommandostruktur.[56]

Neben den Eingaben begleiteten gezielte, halbprivate Korrespondenzen, Denkschriften, Gespräche und Kontakte den gesamten Weg der Kriegszielagitation, und es ist schwer, inhaltlich dabei zwischen den von Paul Fuhrmann und seinem Kreis inspirierten oder selbst verfaßten Briefschaften und Memoranden und denjenigen Äußerungen, mit denen sich der Berliner Unternehmer Wilhelm von Siemens zwischen 1915 und 1918 zum Thema Krieg und Frieden zu Wort meldete, erhebliche Abweichungen festzustellen.

Unbegrenzter U-Boot-Krieg

In den ersten Monaten des Jahres 1916 betraf das u. a. das die deutsche Öffentlichkeit inzwischen polarisierende Thema des unbegrenzten U-Boot-Krieges. Während sich damals zahlreiche Vertreter der „wendigen Strömung des Monopolkapitals" wie Walther Rathenau, Robert Bosch und Albert Ballin, ja sogar einige Exponenten der Schwerindustrie wie Krupp und Hugo Stinnes regierungsloyal verhielten, befand sich Wilhelm von Siemens offensichtlich im Gegenlager.[57] Er war, wie ein Brief vom März dieses Jahres belegt, an der Formierung des inner- und außerparlamentarischen Widerstands gegen die in der U-Boot-Frage vorläufig abwartende Politik Bethmann Hollwegs und Wilhelms II. beteiligt.[58] Hinter der Opposition dieser U-Boot-Frondeure stand der Admiralstab und Tirpitz, Großadmiral und Staatssekretär des Reichsmarineamtes, mit leitenden Offizieren der Nachrichtenabteilung des Amtes, die die ihnen genehmen Protesteingaben bei Unternehmern und Parlamentariern faktisch in Auftrag gaben.[59] Vor und nach der dann folgerichtig von Wilhelm II. am 15. März 1916 verfügten Entlassung von Tirpitz führte diese gelenkte Protesttaktik zu parlamentarischen Entschließungen für die Linie des Großadmirals und gegen den vom Kaiser gedeckten Kanzler, dem einer der eingeworbenen Petenten aus dem Umkreis der rheinisch-westfälischen Montanindustrie, der nationalliberale Parlamentarier Wilhelm Hirsch, direkt unterstellte, er betreibe eine „glatte Täuschung für unser Volk."[60] Siemens hatte in diesem Kontext, keine zwei Wochen nach der Entlassung von Tirpitz, empfohlen, man solle „aus privaten Kreisen in der U-Boot-Frage" die Agitation ruhen lassen, bis „die *eingeleitete Aktion* der Reichstagsfraktionen zu einem gewissen Abschluß gekommen ist."[61] Die „Reichsleitung" müsse „mit der öffentlichen Meinung wieder in bessere Übereinstimmung" gebracht werden. Das zielte auf eine von den vier Rechtsparteien des Reichstags vorbereitete Entschließung, für die sich bis Anfang April 1916 auch tatsächlich eine beeindruckend breite Reichstagsmehrheit bis hin zur Sozialdemokratie fand, die dabei in der Sache die Tirpitz'sche Politik gut hieß.[62]

Die Übereinstimmung mit dem frondieren Großadmiral zeigt sich besonders deutlich als dieser im August 1917 in Königsberg an die Spitze der sich konstituierenden „Deutschen Vaterlandspartei" (DVLP) tritt und wenige Wochen später programmatisch erklärt, der Weltkrieg müsse „Entschädigungen handfester Art" zum Ziel haben, er müsse die „richtige Lösung der belgischen Frage" angehen und darüber hinaus „strategische Sicherheit ... bei unseren überall offenen Grenzen" schaffen und die „deutsche Weltgeltung" sichern.[63] Im Gewand einschlägiger Formeln – und darum für alle Unterrichtete kaum verschleiert – nur Altbekanntes aus der Annexionsliste der Machtfriedensanhänger.

Diesem Programm und dieser Partei schloß sich Wilhelm von Siemens rasch an. Er übernahm ein Mandat im Reichsausschuß der Gesamtpartei, rückte im Herbst in die Position eines zweiten Vorsitzenden des Berliner Landesverbandes auf und war in den zentralen Beratungsgremien der DVLP bis über die Novemberrevolution hinaus ein sehr beständiger Mitarbeiter.[64] In einem Zustimmungsschreiben an Tirpitz betonte er, er habe die Ziele der Partei „vom ersten Tage an" unterstützt.[65] Der Blick auf weitere Aktionen, Veröffentlichungen und Memoranden der Jahre 1916–1918 bestätigt das vollauf. Bereits im Juni 1917 war u. a. Tirpitz und dem Staatssekretär im Reichskolonialamt, Solf, ein Siemens'scher Beitrag zugegangen, der den kennzeichnenden Titel „Die Freiheit der Meere" trug: eine von

der Kriegszielbewegung popularisierte Formel, die bei Siemens und anderen das Plädoyer für den Verbleib Belgiens beim Reich und ein weites, für einen „Machtfrieden" erforderliches Stützpunktsystem und Kolonialreich abdeckte.[66]

Zwei weitere Publikationen in Zeitungen und Zeitschriften variieren unter dem Titel: „Belgien und die Abrüstungsfrage", bzw. „Seerecht und Sicherung der Volkswirtschaft" das gleiche Thema,[67] das im September 1917 auch Gegenstand einer ausführlicheren Denkschrift an den Nachfolger Bethmann Hollwegs, den von der Obersten Heeresleitung gestützten „Verlegenheitskanzler" Michaelis wird. Siemens gab seiner Niederschrift den Titel „Sicherungsmittel der deutschen Zukunft gegen die englische Suprematie" und sorgte dafür, daß Kopien auch die Führungsränge der Armee, der Flotte und der Luftwaffe erreichten; auch die Fraktionsvorsitzenden der Nationalliberalen und Konservativen im Reichstag waren nicht ausgelassen.

Die Denkschrift betonte, der bleibende Besitz der belgischen Flandernküste sei u. a. für den U-Boot-, den Lenkwaffen- und den Luftkrieg gegen England unverzichtbar; er schaffe Groß-Britannien gegenüber erst die schlechthin kriegsentscheidende Position der „Freiheit der Waffen" und halte die Großmachtkonkurrenz Englands in Schach.[68] Von den zahlreichen Adressaten des Memorandums antwortete Ludendorff beifällig mit der Bemerkung: „Was würde, wenn Belgien Basis für feindliche Flieger ist, aus unserer rheinisch-westfälischen Industrie?"[69] Wie eindeutig Siemens die hier angeführten und andere Forderungen eines „Deutschen Siegfriedens" auch öffentlich – und dabei in engem Schulterschluß mit einschlägigen Richtungsgruppen des deutschen Kriegszielstreites – vertreten hat, dokumentiert anschaulich ein Aufruf, den der Unternehmer ein Vierteljahr zuvor schon, im Juli 1917, gestützt und unterzeichnet hatte. Dieser Appell war an etwas entlegener Stelle, im „Archiv für Innere Kolonisation" erschienen.[70] Er verurteilte scharf alle in der deutschen Innen- und Außenpolitik seit der Jahreswende 1916/17 aufscheinenden Ansätze zur Anbahnung eines Verhandlungs- und Vermittlungsfriedens

und rechnete besonders zornig mit der bei den entsprechenden Initiativen nie ernstlich erprobten Formel des „Friedens ohne Entschädigungen und Annexionen" ab.[71]

Auf „vaterländisch gesinnte Kreise", erfährt man, wirke dergleichen „niederdrückend, lähmend und beschämend"; überhaupt sei angesichts solcher Parolen zweifelhaft, „ob wir in Zukunft durchhalten können", eine Gefahr, die die Autoren des Aufrufs mit der formelhaften Wiederholung von Hauptanliegen extremer Trägergruppen der „Kriegszielbewegung" zu bannen suchen. Gesprochen wird in diesem Zusammenhang von „Entschädigungen" als verdientem Ausgleich „für die ungeheuren Opfer unseres Volkes", von Erleichterungen der Folgelasten bei den „Hinterbliebenen unserer gefallenen Helden"; schließlich, und genauer, davon, daß es gälte, „... unsere Grenzen besser zu schützen, unsere Seegeltung zu stärken; durch Erweiterung unserer Rohstoffgewinnung unsere Industrie zu fördern ... Wir brauchen Siedlungsland für die Kräftigung unseres Volkes und für die Mehrerzeugung von Nahrungsmitteln." Wer sich solchen substantiellen Forderungen verschließe, gefährde noch über den Krieg hinaus „für unser Volk" Wirtschaft und Ernährung. Und als Schlußlosung wird betont: „Nur ein Frieden mit Entschädigung, mit *Machtzuwachs und Landerwerb* kann unserem Volke sein nationales Dasein, seine Stellung in der Welt und seine wirtschaftliche Entwicklungsfreiheit dauernd sicher stellen. Den Weg zu diesem *Deutschen Frieden* öffnet uns allein der Sieg."

Dem Inhalt des Appells entspricht die Zusammensetzung seiner Zeichner. Angeführt von der an dieser Stelle nur gering modifizierten Gruppe industrieller, landwirtschaftlicher und mittelständischer Interessenverbände, die sich bereits 1915 mit einschlägigen Eingaben (Eingabe der „6 großen Wirtschaftsverbände") bekannt gemacht hatten, erscheinen hier nicht weniger als 16 jener Propaganda- und Gesinnungszirkel, die seit dem Spätsommer 1914 direkt oder mittelbar Initiativen der entschiedensten Richtungen der deutschen „Kriegszielbewegung" vorbereitet, getragen oder nachhaltig gebilligt hatten.[72] Darunter der notorisch aktive „Alldeutsche Verband" und die ihm politisch verwandten Organisationen des „Deutschen Flottenvereins", des „Ostmarkenvereins" und des „Deutschen Wehrvereins", sowie der in Fragen deutscher Eroberungs- und Expansionsziele im Osten speziell rege „Baltische Vertrauensrat"[73]; endlich die der Hugenbergschen Agitations-, Presse- und Siedlungspolitik zentral verbundene und zur Stützung expansiver Kriegsziele in Ost und West vielfach herangezogene „Gesellschaft zur Förderung der Inneren Kolonisation", die von zuverlässigen Freunden und Vertrauensleuten Alfred Hugenberg geleitet wurde und das „Archiv für Innere Kolonisation" als Verbands- und Mitteilungsblatt herausgab.[74] Der gleichfalls im Auftrage und Sinne Hugenbergs vielgeschäftige preußische Landtagsabgeordnete Paul Fuhrmann durfte da nicht fehlen und hatte zusammen mit dem Berliner Historiker Dietrich Schäfer unterzeichnet.[75] Schäfer war als führende Kraft im „Unabhängigen Ausschuß für einen Deutschen Frieden" tätig, eine weitere Zentrale extremer Kriegszielagitation schlechthin, die im Ruf stand, bis zum Sommer 1917 in ihrer regionalen und lokalen Arbeit über annähernd 2000 Vertrauensleute zu verfügen.[76]

In solche, durchaus nicht „gemäßigten" Nachbarschaften war der Berliner Großindustrielle Wilhelm von Siemens nicht zufällig geraten. Mit Agitationsverbänden wie dem „Flottenverein" und dem „Ostmarkverein" verband ihn bereits ein Vorkriegsengagement, während die Nähe zu den mitunterzeichneten wirtschaftlichen Interessenverbänden für 1917 nur offen belegt, was Siemens schon 1915 brieflich erklärt hatte: daß er dem Auftreten und den Forderungen der „6 großen Wirtschaftsverbände" an sich zustimme. Die Verzahnung mit schwerindustriell beeinflußten Ausgangs-, Rahmen- und Vorfeldorganisationen geht aber auch deutlich aus Begleit- und Folgekorrespondenzen hervor, die Siemens einigen seiner Kriegspublikationen mitgegeben hat. Die entsprechenden Kommunikationskreise lassen sich z. T. gut überblicken. So etwa am Beispiel der im April 1917 veröffentlichten Ausarbeitung zum Thema der „Freiheit der Meere".[77] Siemens selbst hat diese Schrift wohl als seine bedeutendste Kriegszielveröffent-

lichung angesehen. In späteren Arbeiten und Eingaben kommt er inhaltlich meist auf sie zurück.[78] Zwischen Frühjahr und Spätherbst 1917 wird sie beeindruckend breit gestreut. Eine Aufstellung von Adressaten und Korrespondenzpartnern führt 75 Einzelpositionen auf,[79] wobei Namens- und Organisationszuweisungen die dichte Einspeisung in industrielle, technisch-wissenschaftliche, militärische und militär-technische Kontakt- und Diskussionsgruppen der Kriegszielagitation festhalten.

Bedacht und kontaktiert wurden so nachweislich neben dem oben schon charakterisierten Feld alldeutscher Organisationen und Verbandsverwandten[80] Industrie-, Handels-, Bank- und Schiffahrtsadressen, die 20% des Gesamtverteilers ausmachen und u. a. Vertreter des Maschinenbaus (M. A. N.), der Groß-Chemie (B. A. S. F.), profiliertere Rüstungswerke (F. Krupp-A. G., Rheinische Metallwarenfabrik, Köln-Rottweiler Pulverfabriken) und mit der „Dortmunder Union" und oberschlesischen Bergbau- und Hüttenbetrieben[81] auch Branchenvertreter der Montan- und Schwerindustrie ausweisen. Schiffahrt und Handel sind u. a. mit dem Norddeutschen Lloyd, der Hamburger „Hapag", dem „Deutschen Handelstag" und der Lübecker Handelskammer präsent.[82] Zivile und militärische Verwaltungs- und Ministerialbürokratie sowie Stabs- und Kommandostellen einzelner Waffengattungen vereint eine dritte Zielgruppe. Sie umfaßt: das preußische Ressort der „öffentlichen Arbeiten", die Reichsämter der Kolonien, der Kriegsmarine und der Reichseisenbahnen, das für die deutsche Kriegswirtschaft seit 1916/17 rüstungs- und arbeitsmarktlenkende „Kriegsamt", die Reichsbank, sowie die militärische Verwaltungsspitze des deutsch besetzten Belgiens, das Oberkommando der Luftstreitkräfte und, mittelbar, den kaiserlichen Admiralstab.[83] Eine besondere Leistung und Bemühung verraten schließlich noch die Adressen aus Naturwissenschaften und Technik: Auf dem Verteiler erscheinen Wissenschaftler aus der freien, der Hochschul- und der industriell bestimmten Forschung; daneben Erfinder, Konstrukteure und technisch versierte Unternehmer, die dem wissenschaftlich

ambitionierten Unternehmer Wilhelm von Siemens[84] teils in ihrer industriellen Karriere, teils in der fachlichen Kompetenz und Hochschulnähe von Forschungs- und Berufspraxis verbunden waren.[85]

Zu Max Planck und sieben weiteren Senatoren und Mitgliedern der damals noch jungen „Kaiser Wilhelm-Gesellschaft zur Förderung der (vornehmlich: Natur-)Wissenschaften"[86] konnte sich dergestalt auch ein unternehmender Organisator, Wissenschaftler und „Halbmilitär" gesellen, wie es der verdienstvolle und zeitweilig für die deutsche Militärluftfahrt wichtige Ballonkonstrukteur und Hochschulprofessor August von Parseval gewesen ist.[87]

Die Weite und Zusammensetzung des gesamten hier vorgestellten Agitations- und Kontaktfeldes zeigt, daß Wilhelm von Siemens der Arbeit der deutschen „Kriegszielbewegung" bis zum Sommer 1917 vor allem nach drei Richtungen hin besonders förderlich sein konnte: Die Siemens'sche Agitationsvariante überschreitet verbindend Grenzen einzelner „Kriegsziel-Lager"; nicht alle der angesprochenen Instanzen, Unternehmer und Gruppen sind etwa „alldeutsch" orientiert, bzw. auf „Machtzuwachs und Landerwerb" im Sinne eines eng militärischen Denkens festgelegt, das bei Teilen der deutschen Schwerindustrie weit verbreitet war;[88] alle aber werden in ein durchaus „alldeutsch" und „schwerindustriell" akzentuiertes Werbungsschema einbezogen.

Der Brückenschlag zu Naturwissenschaften und Technik greift auf Berufsprestige und Funktionsautorität von Wissenschaftlern und Wissenschaften zurück, um Anliegen der „Kriegszielbewegung" gleichsam aus zweiter Hand zu legitimieren. Siemens ergänzt damit ansatzweise den „Kriegseinsatz" der Geisteswissenschaften, den Professor als Instanz der „Kriegsmoral", wie man ihn auf diesem Gebiet in Deutschland und bei den Alliierten schon seit Weltkriegsbeginn kennen gelernt hatte.[89] Die Siemens'sche Agitation ist dem Programm schwerindustrieller Kriegszielwerbungen zumeist nah verschwistert, verdeckt diesen Sachverhalt aber in der Regel geschickt und vermag daher – die Öffentlichkeit kennt keine internen Korrespondenzen – auch in „gemäßigteren" Milieus und „Lagern" geschickter und akzeptierbarer – weil glaubwürdiger – zu werben.

Diesen bergenden Schein einer gemäßigten Position suchte Siemens selbst möglichst lange und umsichtig zu wahren. Bisweilen noch dort, wo sich ein offeneres Bekenntnis nicht vermeiden ließ, wie im Falle des erörterten Aufrufes vom Juli 1917 im „Archiv für Innere Kolonisation". Die Unterschrift ist dort ein „von Siemens" ohne weiteres Prädikat, verliert sich – zwischen Rabattsparvereinen und konfessionellen Arbeiterverbänden – im Feld mittelständischer Zeichner und wird lediglich als Auftragshandlung für Dritte, für den nicht näher vorgestellten Verein „Recht und Wirtschaft" charakterisiert.[90]

Diese gelungene Halbverschleierung eines öffentlichen Plazets zu radikalen Kriegszielen verweist sehr flüchtig auf einen letzten Schauplatz Siemens'scher Werbungen, auf sein Engagement im juristisch bestimmten Rekrutierungs-, Ausbildungs- und Aufstiegsfeld wissenschaftlicher, administrativer und politischer Führungskader der Wilhelminischen Kriegs- und Vorkriegsgesellschaft. Der in dieser Hinsicht belangvolle Organisationskürzel „Recht und Wirtschaft" erschließt sich nicht ohne Mühe. Den Mitunterzeichnern des Appells von 1917 war aber wohl geläufig, daß die 1911 als „Verein zur Förderung zeitgemäßer Rechtspflege und Verwaltung" begründete Organisation „Recht und Wirtschaft", deren Zentral- und Berliner Bezirksvorstand Wilhelm von Siemens zwischen 1913, bzw. 1915 und 1919 in führender Stellung angehört hat,[91] für ihre industriellen Mitglieder ein wichtiges Sprungbrett in der zeitgenössischen Interessenpolitik abgab.[92] Insbesondere für bestimmte Durchdringungsstrategien, die sich von dieser Seite her auf die wirtschaftsrelevante Rechtsprechung, die juristische Nachwuchsschulung und, insgesamt, auf die einschlägige, Recht setzende bzw. auslegende Gesetzgebungs- und Verwaltungstätigkeit richteten.[93]

Mit annähernd 4000 in Bezirksverbänden organisierten Mitgliedern war der Verein schon zur Jahreswende 1914/15 u. a. an wichtigen Industrie- und Universitätsstandorten wie Berlin, Jena, Breslau, Frankfurt, Nürnberg, Magdeburg und Hannover präsent,[94] versuchte sich auch „vor Ort" in eigener Pressearbeit, einem, oft sehr industrienah konzipierten Bildungs-, Vortrags- und Exkursionsprogramm[95] und trug seine Informations- und Öffentlichkeitsarbeit im übrigen zentral über die Schriftenreihe des Vereins und ein, z. T. anspruchsvoll aufgemachtes und auch für Nicht-Juristen offenes Monatsorgan, die Zeitschrift „Recht und Wirtschaft", wirkungsvoll voran.[96]

Von dem die Gründungszeit des Vereins stärker prägenden Engagement im innerjuristischen Richtungskampf zwischen Anhängern des damals noch vorherrschenden „Rechtspositivismus", der viel geschmähten „Begriffsjuristerei" der Jahrhundertwende, und der von „Recht und Wirtschaft" im Namen der Welt- und Wirklichkeitsnähe unterstützten „Interessenjurisprudenz" hatte sich die Tätigkeit von „Recht und Wirtschaft" bald gelöst, wenn auch Autoren der hier am heftigsten agierenden jungen „Freirechtsschule" und der eben erst aufsteigenden „soziologischen Jurisprudenz" in der Vereinszeitschrift weiterhin zu Wort kamen.[97] Die Organisation strebte, je länger je mehr, nur noch nach einem „maßvollen und verständigen Fortschritt" im Recht und glaubte dem vor allem durch die „unmittelbare, persönliche Fühlung mit Männern ... des Erwerbslebens" zu dienen. Darüber war ihre Arbeit, wie man aus dem Tätigkeitsbericht zu 1914 bereits erfährt, „immer mehr positiv geworden", hatte sich darauf konzentriert, „Einfluß auf Rechtsprechung, Verwaltung und Gesetzgebung zu erlangen." Man war stolz darauf, nun schon mit 15 Vereinsmitgliedern beim „Reichsgericht" in Leipzig und auch bei „allen Oberlandesgerichten" und „in jeder Juristenfakultät" Deutschlands vertreten zu sein.[98]

Die Kriegsjahre erwiesen, daß das Mitgliederspektrum der Organisation – wenn auch ungleich verteilt – die gesamte Bandbreite industriell-politischer „Lager" des Kriegszielstreites umfaßte, und darum eine weitere Plattform bot, um auch in dieser Frage weit in Hochschule, Anwaltschaft, Richterstand und Industrie vorstoßen zu können; eine Plattform damit auch für die Siemens'sche Agitation: im Vereinsorgan erscheint bereits im Sommer 1916 neben zahlreichen anderen entsprechenden Veröffentlichungen der frühe Siemens'-sche Beitrag „Seerecht und Sicherung der Volkswirtschaft", der, weil die Zensur noch recht scharf ist, die wichtigsten Aussagen der späteren zentralen Schrift über die „Freiheit der Meere" zunächst erst vorsichtig vorwegnimmt.[99]

Aufschlußreicher noch ist die Korrespondenz, die mit einzelnen Freunden und Förderern der Organisation geführt wurde. Im Juli 1917 dankt Siemens dem Berliner Rechtshistoriker Otto von Gierke und dem Bonner Staatsrechtler Ernst Zitelmann, beide in ihrem Fach Autorität und im annexionistischen Flügel der Hochschullehrerschaft zu Hause, für die Mitteilung des Nachweises, daß die – für die Einbehaltung deutscher Eroberungen in Ost und West wichtige – „Schaffung von Schutzstaaten ohne unlösbare Schwierigkeiten durchführbar ist."[100] Dem Kieler Volkswirtschaftler Bernhard Harms, bei dem Vereinsorgan „Recht und Wirtschaft" ständiger Mitarbeiter, und Leiter des Kieler „Instituts für Seehandel und Weltverkehr"[101] vertraut Siemens gar im Sommer 1917 die Summe der Erwartungen, Ängste und Hoffnungen an, mit denen er als Anhänger der sich eben formierenden „Deutschen Vaterlandspartei" die krisenhafte Zuspitzung der deutschen Innenpolitik vor und nach dem Sturz von Bethmann Hollweg begleitet hat.

Harms, einer der vielen Empfänger der Siemens'schen Aprilbroschüre („Freiheit der Meere"), meldete sich Mitte Juli 1917 recht kritisch zurück, wollte angesichts der Friedenssehnsucht bei der Parteienmehrheit des Reichstags kaum mehr Chancen für weit gesteckte Kriegsziele sehen und urteilte pessimistisch: „Die Lösung ist und bleibt nunmehr der Scheidemann'sche Friede!" Gewiß sei „jeder Zweifel daran ausgeschlossen", daß der U-Boot-Krieg, lange genug betrieben, zum Erfolg führen werde. Er, Harms, zweifele aber daran, ob die Bevölkerung noch das dazu erforderliche weitere Kriegsjahr werde „durchhalten" können.[102] Ein Fazit, dem Harms die für Wilhelm von Siemens besonders schmerzliche Schlußwendung gibt, es sei jetzt Hauptaufgabe, „die Dinge so zu betrachten, wie sie sind, – nicht wie sie sein sollten! Damit verträgt sich z. B. nicht die Forderung, daß wir Belgien dauernd zur deutschen militärischen Basis machen sollen."[103]

In der Replik – man schrieb unterdessen Ende August 1917 und die Konstituierung der „Deutschen Vaterlandspartei" stand unmittelbar bevor – ließ Siemens keine „pessimistischen Anwandlungen" gelten.[104] Ein Stimmungstief im Reichstag und der öffentlichen Meinung gibt zwar auch er zu, schreibt das aber in erster Linie dem Versagen der „führenden geistigen Kreise" in der „Aufklärungsarbeit" zu und sieht hier im übrigen das Schuldkonto einer von „Papsttum, Sozialdemokratie, demokratischer Weltverbrüderung (und) jüdischer und Kapital-Internationale" übermächtig beeinflußten Presse. Es habe im Lande eine „Organisation" gefehlt, „welche bezüglich der Hauptfragen" des Krieges „wirksam ist, und für die Bearbeitung der öffentlichen Meinung sorgt." Die Reichstagsresolution zur Friedensfrage vom Juli 1917 sei ebenso wie die inzwischen vorliegende päpstliche Friedenskundgebung von einem „geschickten Staatsmann" zu meistern. Diesem „zielbewußten Staatsmann" wird zugetraut, er werde die Führungskrise der deutschen Politik des Sommers 1917 auf einfachem Wege – und wohl gestützt auf die noch als fehlend vermerkte „Organisation" – überwinden. Der Siemens'sche Vorschlag: „Wenn die Stunde dafür gekommen ist, könnte der Reichstag auf Grund eines bereits gut vorbereiteten Friedensprogramms aufgelöst werden, und es ist wohl kaum zweifelhaft, wie das Resultat ausfallen wird. Der Moment ist wahrscheinlich nicht mehr allzu fern, so daß bis dahin die Stimmung auch noch ausharren dürfte..."

Dies waren schlichte – und gleichwohl im deutschen Bürgertum 1917 weit verbreitete Formeln: Der geniale Staatslenker, der Krisen und Konflikte durchschlägt oder manipulativ abdrängt – und innere Politik überhaupt reduziert auf vorhandene oder fehlende „Stimmung", „Organisation" und eine zu Propaganda erstarrte „Aufklärung".[105] Solche Formeln hatten nicht nur bei deutschen Unternehmern Kredit. Sie kursierten auch, anders als Siemens tadelnd annimmt, häufig und folgenreich bei den „geistig führenden Kreisen"; insbesondere bei der schon längst im Kriegszielstreit aufgebotenen deutschen Hochschullehrerschaft.[106] Hier wie dort waren sie zugleich Kampflosungen ge-

gen innenpolitische Neuerungen. Und wortgewaltiger als Wilhelm von Siemens wünschte mancher dieser Professoren Reichstag und Reichstagsparteien, die die deutsche Friedensresolution vom Juli 1917 zustande gebracht hatten, „zum Teufel" oder wandte sich leidenschaftlich gegen die als unzeitig oder unwürdig denunzierten Reformrufe nach dem Reichstagswahlrecht für Preußen und dem parlamentarischen Regime in Deutschland beim Zentrum („Papsttum"), der Sozialdemokratie und den Linksliberalen („Weltverbrüderung, jüdische und Kapital-Internationale").[107] Diese kämpferische Einheit von Bildung *und* Besitz gewann ihr zentrales Motiv aus der naiv oder interessiert geglaubten Parole: „Sind wir ein mächtiges Volk, so werden wir auch ein freies sein!"[108] – Womit eine expansionistische Außenpolitik – die Kriegsziele von „Machtzuwachs und Landerwerb" – gerechtfertigt und damit von inneren Spannungen und Konflikten abgelenkt wurde.

Bisweilen aber steuerten sich auch die Anhänger dieser Politik schon selbst aus der Wahrnehmung und Wahrnehmungsmöglichkeit der hier für Dritte zu verdrängenden Wirklichkeit heraus. Opfer der „Admiralsdemagogie" deutscher Flottenführer und der „kindlichen Geschichtskonstruktionen" patriotisch politisierender Gelehrter und Literaten (Max Weber), büßten sie schließlich in eigener Person viel an politisch nüchterner Kompetenz und realitätsbezogener Handlungsfähigkeit ein.[109] Die Entwicklung beim Berliner Siemens-Konzern ist dafür ein sprechendes Beispiel.

Gewiß, Wilhelm von Siemens fand im „eigenen Hause" und im Umkreis der Berliner und deutschen Unternehmerschaft gerade jetzt, in der Zeit der Konsolidierung der „Deutschen Vaterlandspartei" (DVLP), noch bemerkenswert starken Zuspruch. Unterstützt hat ihn u. a. Anton von Rieppel, der als Generaldirektor der MAN im Aufsichtsrat der „Siemens-Schuckert-Werke" (SSW) saß, sich wie Siemens in der DVLP betätigte und dem Berliner Elektro-Industriellen wohl vor allem in der Frage der äußeren Kriegsziele nahe stand – weniger in der Beurteilung der deutschen Innenpolitik.[110] In Süddeutschland galt Rieppel als Vertrauensmann Hugenbergs, dessen Presse- und

Propagandapolitik er in der Tat bemerkenswerte Pfadfinderdienste leistete. So auch im Sommer 1917, als er im August bei Berliner Unternehmern wie Ernst von Borsig mit einer detaillierten Ausarbeitung vorstellig wurde, die das Grundschema der Hugenberg'schen Arbeit zur dosierten Einflußnahme auf „Verlagsunternehmen" verriet: bei formeller Wahrung der ökonomischen und redaktionellen Selbständigkeit sollten Zeitungen und Zeitschriften über materielle „Unterstützung" in die Richtung der für die aktuelle Kriegszieldiskussion gerade jetzt erwünschten „starken deutschnationalen Politik" gedrängt werden.[111]

Ein Jahr später machte sich Rieppel erneut um die Pressepolitik der DVLP verdient. Von Hugenberg unmittelbar assistiert, beteiligte er sich im Sommer 1918 an dem Versuch, die der Partei lästige, weil profiliert liberale publizistische Ausstrahlungskraft der „Münchener Neuesten Nachrichten" auf die bayerisch-süddeutsche und österreichische Presselandschaft durch den Kauf der „MNN" zu beseitigen.[112] Das Projekt, an das Hugenberg zeitweilig „bis zu 2,5 Millionen" und Rieppel selbst über einen „Strohmann" 1 Million Mark zuzuwenden bereit waren, scheitert freilich Mitte Oktober 1918 vorläufig u. a. daran, daß sich Wilhelm von Siemens nun von der verabredeten, verdeckten Restfinanzierung vorsichtig zurückzieht.[113]

Die Verbindung: Hugenberg – Rieppel – Siemens wurde im Falle der „MNN" von einem anderen prominenten Mitglied des Aufsichtsrats der „SSW" aufrecht erhalten, dem mit Siemens eng befreundeten und gleichfalls in der DVLP aktiven Physiker, Privatdozenten und weitgereisten vormaligen Auslandskorrespondenten der „Kölnischen Zeitung", Prof. E. A. Budde.[114] Im Gegensatz zu von Rieppel, stimmte Budde wohl in der Beurteilung der Außen- *und* Innenpolitik mit Siemens völlig überein. Die Grundüberzeugung, daß eine Abkehr von der „Siegfriedenspolitik" im Inneren und Äußeren nur auf den „Ruin alles Bestehenden" hinauslaufen werde, hatte ihn, ähnlich wie Siemens, früh an die Denkschriftenfront der DVLP gestellt, bei deren Berliner Zentrale er sich im Frühjahr 1918 mit einem Memorandum kritisch zu Wort meldete.[115] Budde bemängelte scharf,

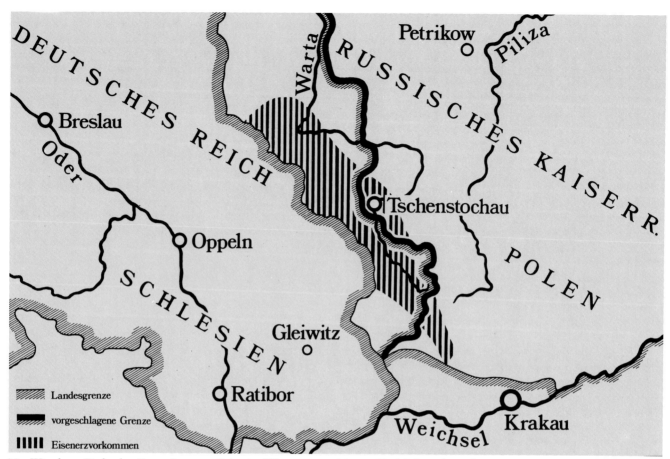

64 *Wie das „Erzbecken" von Longwy-Briey im Westen, so gehörten 1914/18 auch Erzlagerstätten eines „polnischen Grenz-*
streifens" in Oberschlesien zum Kernbestand wirtschaftlich oder „geopolitisch" argumentierender industrieller Kriegszielforde-
rungen im Osten. Im Kartenausschnitt: die bescheidenste Version von Angliederungswünschen der oberschlesischen Hüttenin-
dustrie im Oktober 1917 – man verzichtete auf Erzlager im Umkreis des polnischen Nationalheiligtums von Tschenstochau.

daß die Partei, wie er meinte, noch zu unklar und auch zu maßvoll auftrete. Unklar, weil man viel zu lange und zu ausschließlich „die belgischen Ziele" proklamiert, und damit der deutschen Öffentlichkeit die tatsächliche Weite und Vielfalt der Kriegsziele der Partei vorenthalten habe; zu maßvoll aber in der Hinnahme der zu schwachen „Friedensschlüsse" von Brest-Litowsk und Bukarest. Es sei jetzt, da „mit einem allgemeinen Frieden noch in Jahren nicht" zu rechnen sei, Aufgabe der Partei, spezifische Modelle für Sonderfriedensregelungen gegenüber jeder der einzelnen alliierten Mächte zu entwerfen.[116] Die Denkschrift, die sonst die allgemeinen und bekannten imperialen Kriegsziele Deutschlands wiederholt: Grenzerweiterungen, Kolonialexpansion und Flottenstützpunkte in der Welt, wird vor allem dort bunt und anschaulich, wo sich ihr weltgewandter Verfasser zu den gebotenen „Kriegsentschädigungen" erklärt.

So wollte Budde bei England und Frankreich auf massive Gold-, Rohstoff- und Nahrungsmittellieferungen, sowie die Gestellung von Schiffsraum drängen; Italien dagegen für die gesamte landwirtschaftliche Produktion in Pflicht nehmen und, gegebenenfalls, die italienischen Marmorwerke als „Faustpfänder" reservieren. Von den USA seien „nicht bloß Kupfer und Baumwolle, sondern auch Stahl in gewaltigen Mengen" zu fordern. Endlich bedürfe im besonderen Falle Frankreichs „das (Erz-)Becken von Longwy ... kaum der Erwägung." Für dieses Programm und die Entschädigung von Privaten, von „Industrie und Schiffahrtsfirmen" empfahl Budde, die Verbündeten des Deutschen Reiches „vielleicht, soweit es Not tut, moralisch zum Mitgehen" zu zwingen.

Daß Forderungen, wie sie hier vertreten wurden – im Grunde ein unpolitisches Alles oder Nichts gegenüber einer, trotz Brest-Litowsk und dem „Frieden" von Bukarest, immer noch soliden Weltkoalition – die Niederlage, die sie bannen sollten, schließlich mitheraufzuführen halfen, war eine Lektion, die Unternehmer wie Wilhelm von Siemens und E. A. Budde erst spät, oft erst nach dem tatsächlichen Eintritt des deutschen Zusammenbruchs im Spätsommer und Herbst 1918 annehmen – oder auch dann noch verdrängen konnten.

Wilhelm von Siemens hat, wie hier oft mühsam an einzelnen Beispielen belegt worden ist, und anders als es noch viele Darstellungen zur Geschichte des Ersten Weltkrieges formulieren, solche Forderungen und Positionen bis zum Kriegsende im November 1918 lange und hartnäckig verfochten. Auch wenn er dies in der Regel sehr umsichtig und bisweilen bis zur Unkenntlichkeit verdeckt tat und tun mußte, und schließlich, erkennbar am reichlich späten Rückzug von der mit Hugenberg gemeinsamen Aktion gegen die „Münchener Neuesten Nachrichten" innerhalb des Siemenskonzerns selbst einer anderen Politikvariante das Feld räumte.

Im Herbst 1918 gewann dort nun tatsächlich eine politisch „wendigere" und handlungsfähigere Verhaltenskomponente die Oberhand. Sie wurde in erster Linie von Carl Friedrich von Siemens verfochten, der im letzten Vorkriegsjahrzehnt in der Konzernleitung aufgestiegen war,[117] und in den Auseinandersetzungen um Kriegs-, Kriegsziel- und Friedenspolitik für „die" Elektro-Industrie und die eigenen Unternehmen vielfach andere Wertungen, Urteile und Vorschäge angemeldet und z. T. durchgesetzt hat. Dieser Gegensatz, das Nebeneinander von zwei unterschiedlichen Orientierungen innerhalb eines Konzerns, wo sich, wenn man die Sprache und Einteilungsschemata der angeführten Darstellungen zum Ersten Weltkrieg hier einmal übernimmt, die Haltung „der" Schwerindustrie mit der Einstellung „der" „wendigeren, liberalisierenden" Elektro- und Chemie-Industrie unter einem Dach keineswegs konfliktfrei vereinten, erklärt allerdings auch, weshalb Wilhelm von Siemens, der in Kriegszielfragen sich durchaus an den Fähigkeiten der „bekannten, einflußreichen ... und erfahrenen" Männer der Schwerindustrie messen lassen konnte, diese Leistungen so sorgfältig abzuschirmen bemüht war.

In seiner Industriekarriere hatte der um fast 20 Jahre jüngere Carl Friedrich von Siemens Erfahrungen in industrieller Leitungspraxis beim Aufbau eines Starkstromwerks im englischen Stafford gesammelt und zeigte in seinem Urteil zu Krieg, Kriegsführung und industrieller Interessenpolitik häufig einen Einschlag von englischem „common sense", eine zunächst keineswegs sonderliche „politische", aber nüchterne unternehmerische Alltagsklugheit.[118] Er stieß früh an dem gemachten Charakter der deutschen „Kriegszielbewegung" überhaupt und lehnte insbesondere im Hinblick auf Westeuropa die beim „Centralverband Deutscher Industrieller" (CDI) schon im Sommer und Herbst 1914 kursierenden schwerindu-

striellen Wunschvorstellungen ab.[119] Ganz und gar nichts hielt er von der überflüssigen Brutalisierung der englischen Zivilbevölkerung durch die militärisch wertlosen Demonstrationen zeitweiliger deutscher (Zeppelin-)„Luftüberlegenheit" über London und Süd-

65 *Ernst von Borsig (1869–1933), mit den Elektrokonzernen 1918 Fürsprecher der revolutionsvermeidenden Kooperation mit den Gewerkschaften, war im Weltkrieg zugleich Verfechter und Adressat von Kriegszielhoffnungen der oberschlesischen Schwerindustrie.*

england. Sie waren ihm, wie er es 1915 gegenüber einem Vorstandsmitglied ausdrückte, nichts anderes als „Zivilistenüberfälle" und eine „Art Kriegsführung", welche „unsere Sympathien im Ausland" erheblich minderten. Das Drängen auf die öffentliche Diskussion der Kriegsziele, deren „Freigabe" im Herbst 1916 erreicht wurde, hielt er zur gleichen Zeit schlicht „für verfehlt", merkt zur „belgischen Frage" kurz an: „Mir geht eine Annexion sehr gegen den Strich, da ich nicht an die Beständigkeit eines Landes glaube, welches nicht aus einer einheitlichen Bevölkerung besteht" und hält für besonders eifrige Rufer nach Landerwerb und „Diktatfrieden" im Westen den Rat bereit: Sie sollten „auch selbst einmal recht (draußen im Krieg) mittun ...‚ dann würde ihre Begehrlichkeit sehr schnell zusammenschrumpfen."[120]
Die Technik und Regieführung

schwerindustrieller Stimmungsmache im CDI wird zudem rasch erkannt. Und der jüngere Siemens verlangt, anders als Wilhelm von Siemens, hier auch nach konsequenter Opposition:

„Die führende Kraft ist Eisen und Kohle – wo so etwas zu finden ist, das muß deutsch werden ... ich habe Spiekker (ein Vorstandsmitglied der Siemens & Halske-AG.), der bei den Besprechungen (im „Kriegsausschuß der Deutschen Industrie") dabei ist, dringend geraten, sich mit den Gegnern (dieses Kurses), zusammenzusetzen und Roetger klipp und klar zu erklären, daß wir uns nicht ins Schlepptau nehmen ließen."
So ein Brief vom Januar 1915, in dem es kennzeichnend weiter heißt:

„Die Veröffentlichung dieser *maßlosen Wünsche* wäre ein herrlicher Beweis für Englands Behauptung, daß wir nicht bloß unseren Platz an der Sonne haben wollen, sondern tatsächlich die anderen Länder *unterjochen* möchten. Nun, vorläufig sind wir ja noch nicht soweit, daß wir den Frieden diktieren können, und so weit werden wir wohl auch nicht kommen ..."[121]
Dieser Protest blieb nicht bei internen Vorbehalten, Gelegenheitsspott oder unschädlichem Bekritteln im Kollegenkreis stehen, sondern suchte und fand Öffentlichkeit. Unter anderem bei meinungsbildenden Gruppen, die in der vom Zensurrecht eingeengten Diskussionsfreiheit der Jahre 1914–1918 den Auseinandersetzungen um Kriegs- und Friedensfragen Richtung und Ziel verliehen.

Carl Friedrich von Siemens gehörte daher neben Ernst von Borsig im Februar 1915 zu den, nicht sonderlich zahlreichen deutschen und Berliner Industriellen und Bankiers, die sich der „Freien Vaterländischen Vereinigung" („FVV") anschlossen und damit eine bürgerliche „Gesinnungsgemeinschaft" unterstützten, zu der sich vornehmlich liberal- und konservativ-regierungstreu geprägte Honoratioren aus dem Kreis um den Berliner Historiker Hans Delbrück zusammengetan hatten; man hoffte hier im Namen und kraft des „Geistes von 1914" den innen- und damit mittelbar auch den außenpolitischen Kurs des Kanzlers Bethmann Hollweg abzusichern. Und mehr als alles andere veranschaulicht es in diesem Zusammenhang die unterschiedlichen

Positionen der Brüder Siemens, daß Carl Friedrich von Siemens dann, knapp 4 Monate später, jene Protesteingabe namentlich mitträgt, die Hans Delbrück, der Kirchenhistoriker Adolf von Harnack und der Berliner Journalist Theodor Wolff („Berliner Tageblatt") als führende Köpfe der annexionistischen Propaganda der „6 Wirtschaftsverbände" und der ihr inhaltlich gleichen Botschaft der sog. „Intellektuelleneingabe" (vornehmlich deutscher Hochschullehrer) im Sommer 1915 entgegengesetzt haben.[122] Denn während Wilhelm von Siemens, zu dieser Zeit immerhin noch aktiv an den Delbrück'schen Diskussionsabenden beteiligt, das ihm übersandte Exemplar dieser Gegenschrift mit dem Vermerk: „Vertraulich, jed.(och) nicht unterzeichnet" zu den Akten nahm,[123] bekannte sich Carl Friedrich mit einem weiteren Siemens'schen Vorstandsmitglied per Unterschrift spektakulär zu diesem Aspekt der Delbrück'schen Politik.[124]

Gewiß hat man darin nicht eine Totalabsage an „Sicherungen" und Kriegsziele in Ost und West schlechthin zu sehen. Auf sie hat ja auch Delbrück selbst, weder 1915 noch später, je ganz verzichten wollen, und vor allem im Osten hat er, wie man weiß und übrigens ähnlich wie der jüngere Siemens, insbesondere nach der russischen Februarrevolution durchaus für einen „baltischen" Land- und Herrschaftserwerb plädiert.[125] Die – relative – Mäßigung im Hinblick auf den Westen reichte indessen schon seit 1915 aus, um das „patriotische Denunziantentum" (H. Delbrück) der Gegenseite zu wecken und wach zu halten,[126] was Anhänger der Delbrück'schen Politik noch häufig genug im Kriegsverlauf an dem Mißtrauen und der Feindschaft registrieren konnten, die ihnen bei zahlreichen Instanzen der Kriegszensur entgegenschlugen.[127]

Bei Unternehmern, die sich wie C. F. von Siemens an der „FVV" und dem Delbrück'schen Protest von 1915 beteiligt hatten, konnte dies Engagement auch auf die Politik innerhalb der Werktore ausstrahlen und läßt auch dort unterschiedliche Orientierungs- und Entscheidungslinien erkennen. Anders als Wilhelm von Siemens, der die Verbindung zum Dellbrück'schen Kreis eher zu einer gegen Delbrück selbst gerichteten agitativen Bearbeitung genutzt

hat, schuf sich Carl Friedrich von Siemens mit dem offenen Bekenntnis zu einigen Aktionen des Delbrück'schen Zirkels einen weitaus dichteren und bleibenderen Umgang und Austausch mit jenen Teilen der Ministerialbürokratie, der Hochschullehrerschaft, der Parlamentarier und Journalisten, die im schreibenden und diskutierenden Berlin der Kriegsjahre auf Gegenpositionen zum diskreditierenden Alldeutschtum und dessen politischen und industriellen Gesinnungsgenossen drängten.[128] Für den jüngeren Siemens bedeutete das u. a. ein dem Beispiel der „einflußreichen und erfahrenen Männer" der Schwerindustrie z. T. stark entgegengesetztes Lehr- und Lernverhältnis, das auch die Einstellung zur Politik und Kriegspolitik der Freien Gewerkschaften und der Mehrheitssozialdemokratie betraf.

Beide, Gewerkschaften und Sozialdemokratie hatten im Siemens-Konzern vor 1914 einen besonders schweren Stand; denn es war erklärte Politik des Unternehmens, die firmenloyal-„arbeitsfriedlichen" Mitglieder des seit 1905 im Konzern aktiven „gelben" Werkvereins umfassend zu fördern und Ergebnis dieser Politik, daß Siemens vor dem Ersten Weltkrieg zu einer kaum mehr umstrittenen Hochburg „gelb-organisierter" Arbeiter geworden war, in der erst der Krieg und mit ihm einige auf eine „neutralere" Gewerkschaftspolitik der Firma drängende Interventionen der Heeresverwaltung wieder andere Entwicklungen möglich machten.[129]

Als sich dann, im dritten Kriegsjahr, während des Frühjahrsstreiks der Berliner Metall- und Munitionsarbeiter von 1917 die Freien Gewerkschaften fähig und willens erklärten, den Protestdruck hungernder, unterversorgter und politisch erregter Arbeiter unter anderem durch die Übernahme der Streikleitung zu kanalisieren und abzudämpfen, zeigt sich noch über der Taktik der unternehmerischen Streikabwehr, wie tief und weit die Differenzen reichten, die die Brüder Siemens in der Bewertung und Beurteilung von Gewerkschaften und Sozialdemokratie trennten.[130]

Carl Friedrich von Siemens wollte streikende Arbeiter im April 1917 u. a. durch Flugblätter beeinflussen, die neben der Unterschrift von Unternehmern auch die von Carl Legien für die

Freien Gewerkschaften, von Philipp Scheidemann für die Mehrheitssozialdemokratie, von Erzberger für das Zentrum sowie von dem in der Berliner Arbeiterschaft populären Oberbürgermeister Wermuth tragen sollten. Wilhelm von Siemens widersprach hier schroff – nicht nur wegen der traditionell „gelben" Arbeiterpolitik des Konzerns.[131] Gemeinschaft mit Sozialdemokraten erschien ihm auch bei Maßnahmen zur Befriedung streikender Arbeiter im Frühjahr 1917 noch als ein Ding der Unmöglichkeit. Und er sperrte sich vollends gegen ein wie auch immer begründetes Paktieren mit Ph. Scheidemann, den er auch an dieser Stelle nur als den Repräsentanten eines „sieglosen" und „internationalistischen" Friedens wahrzunehmen vermochte.[132] Zudem wollte Wilhelm von Siemens wissen, daß die Sozialdemokratie den Ausstand nur instrumentalisiere, daß sie ihn auszunutzen suche, um die im Sinne der Vaterlandspartei „fragwürdigen" innenpolitischen Reformen im Deutschen Reich zu erzwingen. Carl Friedrich von Siemens unterstrich dagegen den „unpolitischen", weil „rein vaterländischen" Charakter seiner Aktion,[133] ließ keinerlei innenpolitische Aufrechnungen dagegen zu und betonte mit Nachdruck:

„... nur extreme Menschen, wie sie sich hauptsächlich in Rheinland und in Westfalen finden", seien auch jetzt noch, angesichts der Größe des Einsatzes unfähig, sich „über die Parteigegensätze hinweg (zu) setzen ... vielleicht weil sie darin eine Stärkung der Gegenpartei vermuten ..."

In diesem Zusammenhang wird auch die These von der Streiknutznießerschaft der Mehrheitssozialdemokratie zurückgewiesen und der Widerstand der Partei gegenüber der beim Ausstand als aktiv erkannten kleinen Spartakusgruppe herausgestrichen.[134]

Dieses Detail aus dem ersten, auch politisch bedeutsamen Massenstreik der Berliner und deutschen Rüstungsarbeiter läßt andeutungsweise erkennen, warum im Sommer und Herbst des Folgejahres der Name Wilhelm von Siemens nicht in der Gruppe der Industriellen enthalten ist, die sich in Berlin aktiv an der Vorbereitung des Abkommens über die Errichtung der „Zentralarbeitsgemeinschaft" mit den Freien Gewerkschaften beteiligt haben.

Neben Carl Friedrich von Siemens und Felix Deutsch von der AEG, Ernst von Borsig und dem hier zeitweilig mit engagierten süddeutschen Unternehmer und Verbandsrepräsentanten Anton von Rieppel fehlt der ältere Siemens, dessen politische Grundoptionen sich gegen eine „wendigere" Kontakt- und Wahrnehmungsfähigkeit auf dem Gebiet der Gewerkschaftsfrage und damit zugleich auch für die über die „ZAG" vermittelte Strategie einer „Revolution vor der Revolution" (D. Feldman) sperrten.

In dieser Hinsicht unterschied sich Wilhelm von Siemens von den mitgenannten Industriellen v. Borsig und v. Rieppel, die ihrem Berliner Berufskollegen sonst politisch durchaus nahestanden: beide waren ebenfalls in der „DVLP" aktiv, beide auch bewandert und engagiert in – nicht nur gemäßigten – Plänen und Denkschriften industrieller Kriegszielvorhaben in Ost und West. So war von Rieppel beispielsweise noch im Sommer 1918 führend an den Plänen zur Errichtung eines „Ostsyndikats" zur wirtschaftlichen Durchdringung der Ukraine und Rußlands beteiligt; und bei Borsig, der sich noch im April 1918 für die Annektierung der lothringischen Erzfelder von Longwy und Briey aussprach,[135] liefen zwischen 1915 und 1917 fast alle Denkschriften und Gutachten zusammen, mit denen die „oberschlesische Wirtschaft": die Handelskammer Oppeln, der Oberschlesische berg- und hüttenmännische Verein zu Kattowitz und Repräsentanten einzelner oberschlesischer Montanunternehmen die Angliederung eines sogenannten „polnischen Grenzstreifens" an das altpreußische oberschlesische Gebiet entweder selbst betrieben oder durch Dritte begründen ließen, die in ermüdenden Wiederholungen die „strategischen", „naturräumlichen" und insbesondere die wirtschaftlichen Argumente auflisteten, die für einen solchen Erwerb – vor allem der grenznahen Erz- und Kohlelager in „Russisch-Polen" –, sprechen sollten.[136]

Es waren Pläne und Vorhaben, die in ihrer bescheidensten Version, so in einem Memorandum vom Oktober 1917, immer noch auf die Annexion der polnisch-russischen Anrainerkreise von Olkusz, Bedzin, Tschenstochau und Wieluń hinausliefen und bisweilen deren „Dringlichkeit" auch ganz offen mit der Gebotenheit der deutschen Forderung nach Briey und Longwy verglichen.[137] Nicht immer wurde dabei, wie in der angeführten gutachtlichen Äußerung vom Oktober 1917 mit einer gewissen Pietät bedacht, daß dergestalt auch das Gebiet des polnischen Nationalheiligtums, die Stadt und das Kloster der „Schwarzen Madonna" von Tschenstochau auf die Annexionslisten der oberschlesischen Montanindustrie geraten konnten und darum Stadt und Heiligtum selbst auch sorgsam in der Planskizze künftiger Erwerbungen ausgegrenzt.[138]

Bei Borsig und Rieppel schloß diese lebhafte Anteilhabe an industriellen Kriegs- und Friedensplänen freilich nicht die Sensibilität für die auch politisch brisante Versorgungs- und Stimmungslage in der Arbeiterschaft aus. So bemerkte Borsig schon im Mai und Juni 1916 in einem umfangreicheren Briefwechsel mit Rieppel, die Industriearbeiterschaft leide „am meisten unter den gegenwärtigen Zuständen" in der Versorgungsnot, die bereits einen „bedrohlichen Charakter" angenommen habe. Mit Lohnerhöhungen sei den Arbeitern „wenigstens hier in Berlin nicht mehr zu helfen"; sie wollten „Lebensmittel und erhalten diese nicht in ausreichender Menge."[139] Rieppel, von Borsig um Rat gebeten, verweist hier auf die Nützlichkeit kurzgeschlossener Verbindungen zum „Bund der Landwirte" und macht zugleich – charakteristischerweise – auf den gebotenen Kontakt zu Carl Friedrich von Siemens aufmerksam.[140] Rieppel und Borsig waren sich zudem schon Ende 1916 darin einig, daß die, im übrigen von ihnen nicht sonderlich geschätzten[141] Freien Gewerkschaften angesichts des immer akuter gewordenen Ernährungsnotstandes die Kontrolle über ihre Mitglieder zu verlieren begannen.

Das waren andere, und realitätsnähere Beobachtungen als sie im Urteil des ihnen sonst nahestehenden Berliner Unternehmers Wilhelm von Siemens noch Monate später anläßlich des Massenstreiks vom April 1917 aufgetaucht waren. *Hans Martin Barth*

*Universum-Lichtspielhaus von Erich Mendelsohn
(1926–28): Das „Ufa-Schiff" schwimmt auf der Ladenzo-
ne. Darüber das Fensterband wie ein Filmstreifen um das
Kino gerollt. Über dem Eingang, wie das Etikett auf einer
Filmrolle: das Plakat des Programms. Die Vertikale des
Reklameturms verweist auf den vertikalen Filmdurchlauf
im Projektor. Die Horizontalen des Turms markieren die
Projektionsrichtung auf die als ‚Filmleinwand' hochgezo-
gene Wand gegenüber. „Also kein Rokokoschloß für Buster
Keaton. Keine Stucktorten für Potemkin . . ." (Mendel-
sohn)*
Theodor Böll

Metropolenkultur

Berlin als Hure Babylon

„Schaut mich nur an! schmetterte die deutsche Kapitale, prahlerisch noch in der Verzweiflung. ‚Ich bin Babel, die Sünderin, das Ungeheuer unter den Städten. Sodom und Gomorrha zusammen waren nicht halb so elend wie ich! Nur hereinspaziert, meine Herrschaften, bei mir geht es hoch her, oder vielmehr, es geht alles drunter und drüber. Das Berliner Nachtleben, Junge-Junge, so was hat die Welt noch nicht gesehen. Früher mal hatten wir eine prima Armee; jetzt haben wir prima Perversitäten! Laster noch und noch! Kolossale Auswahl! Es tut sich was meine Herrschaften! Das muß man gesehen haben!‘ “ (Klaus Mann, Der Wendepunkt)

„Und das Weib, das du gesehen hast, ist die große Stadt, die das Reich hat über die Könige auf Erden,"[1] verkündet der Engel in der apokalyptischen „Offenbarung" des Apostels Johannes, die vom Fall Babylon und vom Herniederfahren des Neuen Jerusalem handelt. Beide Stadtvisionen wurden durch Frauengestalten figuriert. Das „Weib", auf den der Engel verwies, war die biblische Hure Babylon auf dem siebenköpfigen und zehnfach gehörnten Ungeheuer und stellte die imperiale Weltstadt Rom dar. Als Abkehr von der göttlichen Ordnung wurde ihr mächtiges System der Verführung verurteilt. Profitgier, Kommerz, Geldhandel, Betrug und Veräußerlichung des städtischen Lebens verursachten den Untergang Babylons. Der Fall dieser mit Fetischen des Luxus behängten, eitlen „Mutter aller Hurerei und Greuel" war Voraussetzung für das Erscheinen des Neuen Jerusalem, das mit einer geschmückten Braut verglichen wurde.

Seither wurde in vielen Variationen und unterschiedlichen Wertungen der Mythos von der Hure Babylon mit dem Wachstum und der Kulmination der zivilisatorischen Probleme in den Großstädten verbunden – gerade in Krisenzeiten, wie sie seit dem Ende des 18. Jahrhunderts, seit dem Beginn der Industrialisierung für die europäischen Städte – zunächst für London, dann für Paris und im letzten Drittel des 19. Jahrhunderts auch für Berlin – auftraten. Im „Spleen von Paris" (1863) von Charles Baudelaire beispielsweise durchdringen Metaphern von Frau, Tod und Stadt sich wechselseitig. Dorés Darstellungen vom Moloch London in „London a Pilgrimage" (1872) enden visionär mit einem Ausblick auf ein gigantisches großstädtisches Ruinenmeer[2], und James Ensors Brüsseler Darstellungen am Ende des 19. Jahrhunderts stellen das eitle Treiben der Großstädter in der ikonografischen Tradition mittelalterlicher Totentänze dar.[3]

Im Aspekt Babylon vergegenwärtigten die Künstler und Schriftsteller der Avantgarde nicht nur die Last des Katastrophendrucks, unter dem die Städte zusammenzubrechen drohten, sondern viele von ihnen entlarvten auch das bürgerlich-kapitalistische System selbst als Katastrophe, als Erbe des 19. Jahrhunderts, das als Alptraum auf der Gegenwart der Städte lastete. Durch den Mythos verdeutlichten sie, wie seit dem 18. Jahrhundert die ehemals verschwenderisch sich gebende, nährende, beschützende und kultivierte Mutter Natur durch die städtische Ausbeutung und Profitgier zur Hure wurde. Die Stadt prostituierte ihren Körper, indem sie ihn abstrak-

ter Geldwirtschaft verschrieb, ihre Sinne und ihre Haut in der Reklame- und Kulturindustrie zu Markte trug und ihre Sprache als „Presshure" (W. Mehring) verkaufte. Der so der fruchtbaren Bedeutung beraubte Leib konnte nur noch als zerstückelter, toter, phantasmagorischer Torso begehrt werden. Insofern wirkte der Mythos entmystifizierend und leistete dem allegorischen Sehen Vorschub[4], das die Geschichte unter das Zeichen Saturns, des Planeten der Melancholiker, stellte und die Moderne in Bezug zum Tode – als Verlust von Heilserwartungen und naturkosmischen Zusammenhängen – setzte.

66 *Karl Hubbuch, Berlin und Abreise, 1922. Die Erwartungsängste des aus seiner vertrauten dörflichen Umgebung Abschiednehmenden verdichten sich zur Melancholie.*

In dem Aquarell „Hausvogteiplatz" (1926)[5] von Rudolf Schlichter entfalten anonyme Passantinnen ihr phantasmagorisches, hurenhaftes Auftreten vor der mythischen Folie des Unterganges, auf den ein Galgen im Hintergrund ebenso hindeutet wie der saturnische Unheil verkündende Himmelskörper, die Mondsichel und die zerberstende Sonne. Der Hausvogteiplatz, seit 1900 die Adresse, wo Berliner Mode florierte, wo Berliner „Chic" in Konfektionsgrößen produziert und Pariser „Haute Couture" zur Serienkleidung zugeschnitten wurde, bot sich mit seinem veräußerlichten eitlen Treiben besonders zur Mythisierung der babylonischen Hure Berlin an. Die Gefahren der Großstadt mit der Bedrohung zu verbinden, die von weiblicher Sexualität ausging, war ebenso im männlichen zeitgenössischen Weltbild verankert wie die seit der Industrialisierung entstandene Koppelung vernichtender Technik mit entfesselter weiblicher Sexualität.

Die Hure als Allegorie der modernen Metropole wurde jedoch auch ambivalent erfahren: Baudelaire schon sah sie auch als ‚Heroine'[6], weil sie sich der bürgerlichen Rollenbestimmung als Mutter widersetzte und die Innerlichkeit des Familienlebens verweigerte zugunsten von Lustgewinn, von städtischer Bindungslosigkeit und modischer Phantasmagorie. Sie schien die Weiblichkeit aus den Fesseln der bürgerlichen Moral zu befreien, und – als Komplement zu dieser – stellte sie ebenso eine erotische Projektion männlicher Wünsche und Ängste dar wie eine ungeheure Möglichkeit zur erotischen Emanzipation der Phantasie. Auch unter dieser libidinös-vitalistischen Sicht wurde der Mythos der Hure Babylon wahrgenommen. Die Mythen archaischer weiblicher Gottheiten[7] schienen durch die Prostituierten in den Metropolen wiederbelebt zu werden in der Bedeutung unzähmbarer, unsublimierter Mächte, die die Stadt in eine Urlandschaft zurückverwandeln konnten, in einen Asphaltdschungel von Tod und Eros. Als „himmlische Apachen"[8] traten die Asphaltsphingen in der Verbindung von archaischer Triebhaftigkeit und moderner Bindungsunfähigkeit für J. R. Becher auf.

Die Metropole Berlin wurde mit diesen ambivalenten Erscheinungsformen des Mythos seit Beginn des 20. Jahrhunderts in der avantgardistischen Literatur und Kunst immer wieder in Verbindung gebracht; vor allem wurde durch ihn das Gefühl der Künstler zum Ausdruck gebracht, in einer End- und Wendezeit zu leben. Es stellt sich heraus, daß der Mythos durch das Kriegsgeschehen zu chaotischen und exzessiven Stadtuntergängen herausforderte, während er nach dem Krieg, vor allem in der Weimarer Zeit, zu einem Bild der Vertotung, Versteinerung und permanenten Leere des schönen Scheins geriet. 1923 charakterisierte beispielsweise Paul Gurk das babylonische Antlitz der Metropole: „Ich bin Berlin, die große Stadt aller Laster und Lüste voll! In mir geht der Betrug als Schoßhund am blauen Band, die Lüge als verehrte Kokotte mit dem geschminkten Mund! Der Mord trägt den Orden der Heroen und die selige Rücksichtslosigkeit besitzt das Erdreich!"[9]

Der Mythos der Hure Babylon – eine Fiktion der Provinz?

Viele der avantgardistischen Künstler prägten den Mythos zunächst aus dem Kontrast Stadt–Land, weil sie meist selbst aus der Provinz stammten. Schon Nietzsche stellte fest: „Gewiß hat sich in abgelegeneren Gemeinwesen ein ehrwürdigeres Musterstück sehr viel älterer Empfindung leichter erhalten können und muß hier aufgespürt werden: während es zum Beispiel unwahrscheinlich ist, in Berlin, wo der Mensch ausgelaugt und abgebrüht zur Welt kommt, solche Entdeckungen zu machen..."[10] Im „Also sprach Zarathustra" wurde die Stadt als ein verruchter und lasterhafter Ort dargestellt. „Speie auf die Große Stadt der Aufdringlinge", rät der Narr Zarathustra, „der Unverschämten, der Schreib- und Schreihälse, der überheizten Ehrgeizigen: wo alles Abbrüchige, Anrüchige, Lüsterne, Düstere, Übermürbe, Geschwürige, Verschwörerische zusammenschwärt..."[11] Mit seiner Stadt- und Berlinkritik beeinflußte Nietzsche die deutschen Kulturpessimisten, vor allem Langbehn, der die Metropole als widernatürlichen und undeutschen Fremdkörper im Reich kritisierte, wohingegen er in der Provinz das „deutsche Wesen" verkörpert sah.[12]

Nietzsche jedoch ließ nur den Narren diese Stadtkritik aussprechen. Zarathustra selbst integrierte die Große Stadt als „Feuersäule", die der „Stunde des Mittags" vorangehen muß in seine tragisch-dionysische Bejahung des Schicksals: „Hier und dort ist nichts zu bessern, nichts zu bösern".[13] Daher konnte Nietzsche auch für jene Künstler und Literaten der Avantgarde noch bedeutsam sein, die sich auf den Mythos von der Hure Babylon einließen und in ihm Rausch, Faszination und Bedrohung, vor allem Untergang als Aufbruch zu Neuem sehen wollten. Denn dieser von der Provinz geschürte Mythos bedeutete für viele von ihnen, sich aus der Enge der provinziellen Moralität zu befreien und sich der Magie der städtischen ‚femme fatale' zu verschreiben, anstatt ewig am Busen der Provinz-Mutter Natur dahinzudämmern. Sexuelle Wünsche und

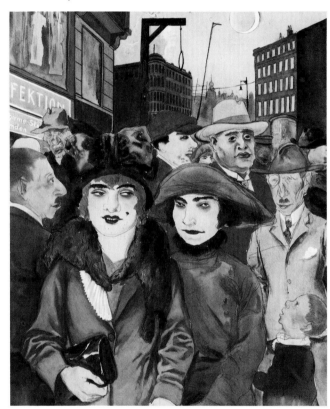

67 *Rudolf Schlichter, Hausvogteiplatz, 1925. Der Vamp erscheint als Vorbote des Untergangs.*

erstes Erlebnis der Metropole werden miteinander verwoben. Denn nicht eine christlich moralisierende Wertung gegenüber der Hure Babylon setzte sich bei den avantgardistischen Künstlern und Literaten zunächst durch, sondern eher ein dionysisches Bekenntnis zur sinnlich-realen Welt, der nietzscheanische Wille „zum Bilde alles Furchtbaren, Bösen, Rätselhaften, Vernichtenden, Verhängnisvollen auf dem Grunde des Daseins"[14], denn dieses erst bedeutete ihnen „die Steigerung und Bejahung des Lebens, antichristlich, dionysisch: Amor fati."[15]

Mit der in Angst gebundenen Lust des Provinzlers brachen viele von ihnen auf, um das Abenteuer Stadt zu erleben. „Vulkan, von Millionen Feuerbränden lodernd... / Ein Paradies, ein süßes Kanaan, – Ein Höllenreich und Schatten bleich vermodernd / ... Schau dort hinaus! – Es flammt die Luft und glüht / Horch, Geigenton zu Tanz und üpp'gem Reigen! / Schau dort hinaus, der fahle Nebel sprüht / Aus dem Gerippe nackt herniedersteigen ... / Zusammen liegt hier Tod und Lebenslust / Und Licht und Nebel in den langen Gassen – / Nun zeuch hinab, so stolz und selbstbewußt. – / Welch Spur willst du in diesen Fluten lassen?"[16] Wurde die städtische Wahrnehmung in überwältigenden katastrophischen Naturbildern gefaßt und mit Totentanzmotiven verwoben, so galt doch noch 1910 für Julius Hart in dieser zweideutigen Verbindung von Tod und Leben, seine individuelle Spur heroisch zu behaupten, wonach Wieland Herzfelde, 1914 in Berlin eintreffend, angesichts der hexenhaften Bannung der Stadt schon nicht mehr fragte.

Werde ich in dir geborgen sein
Reißende Stadt voll knatternder Eile
Durch die mein Blut in Funken flattert?
Meine Füße haben die keimende Erde verloren.

Sie hasten durch Schluchten zuckenden Lichts
Um meines Herzens Stottern zu verleugnen
Endlos bin ich müde und suche mich.
Oh, meine Glieder verlangen nach tauiger Stille.

Es brennen die Lider nach schlummerndem Schwarz
Doch du hältst sie gewaltsam offen!
Muß unverwandt schauen in dein Sphinx-Gesicht
hilflos und herrschend, der verwunschne Kalif.[17]

Auch Rudolf Schlichter aus Calw erfüllte der Besuch der großen Stadt Berlin um 1910 zunächst seinen Jugendtraum. Er sah in der Stadt eine finstere Kolportagelandschaft, die von Dreigroschenheften, Abenteuerromanen und Panoramen geprägt war: Die Stadt als katastrophisches, lebendiges Gegenteil zur den verhärteten und verkrusteten Traditionen der Provinz und ihren inquisitorischen moralischen Verfolgungen. In der Anonymität der Großstadt ließ es sich intensiver und abenteuerlicher leben. Schlichter sang nicht nur Dirnen- und Verbrecherlieder, um sich auf Berlin einzustimmen, sondern beim Anblick der Berliner Hinterhöfe glaubte er die Welt seiner Kolportage wiederzuentdecken: „Und gar die mit riesigen Reklameschildern und Schriften bedeckten Reihen von Hinterhofwänden, an denen sich zahllose Kamine, Balkone, Schuppen, Maschinenhäuser, Lagerplätze usw. emporreckten, anlehnten, oder – gleich üppigem Eisen-, Holz- und Stahlgeranke – schwarze fensterlose Fassaden überwucherten, versetzten mich in einen traumhaften Zustand. Ganz klein fühlte ich mich plötzlich, die Stadt drang mit Übermacht auf mich ein, erdrückte mich mit der Wucht der Größe und Ausdehnung. Was mochte es hier alles geben, welch ein Brodem von glänzendem Verbrechen und dunklen geheimnisvollen Lastern stieg aus diesen Höfen, Straßen und lichterfüllten Vergnügungsstätten empor."[18] In eine Hölle voller Katastrophen, Verführungen und Perversitäten glaubte Schlichter als Flaneur in die Vergnügungsstätte der Friedrichstraße, Kaiserpassage, Lindenallee, Leipziger Straße einzutauchen. Die pausenlose Abfolge von Angsterfahrungen, besonders durch die Gegenwart der Nutten, Schwulen und Kriminellen vor allem in der Kaiserpassage, löste bei ihm einen panikartigen ‚thrill' aus, der sein kleinstädtisches Erlebnis- und Erfahrungspotential

sprengte. Gleichsam als Schutzmaske trug er sein dandyhaftes Kostüm – weiß gepudertes Gesicht, weite Hosen und als Schuhfetischist Damenstiefel. Mit weißgepudertem Gesicht und dandyhafter Aufmachung konnte der Berliner Passant auch George Grosz – melancholisch-liebeskrank – um 1914 im Café des Westens wahrnehmen.
Die Berliner Kokotten erhielten das Flair höllischer Inkarnation des städtischen Babylon und verstrickten die Künstler in ein Netz von imaginären und symbolischen Vorstellungen des Weiblichen, darüber hinaus in jene käuflichen Bande, die sie als aufgetakeltes Objekt Ware knüpften. Denn die Prostituierten verkörperten leibhaftig die Erotik der Ware und ihre Verführungskünste, die das städtische Panorama durchdrangen, ihren Preis forderten und Verweigerung mit einkalkulierten. Durch die Prostituierte wurde die Ware ‚vermenschlicht', während die Frau zum Fetisch Ware wurde. Indem sie so als käufliches Halluzinogen wirkte, das die Stadt in einen Rausch ohne Befriedigung, in ein Laster ohne Sättigung verwandelte, lieferte sie den Städter immer wieder neuen Stimulantien aus, mit denen er seine ‚Liebeskrankheit', seine Melancholie und den Verlust von sozialen Verankerungen betäuben sollte. Als phantasmagorische Erscheinungen traten die Kokotten auf den Berlin-Gemälden von Ernst Ludwig Kirchner auf, der sich erst seit 1911 in der Metropole aufhielt und seit 1913 das Thema der Hure mit der Stadt verband – eine Thematik, die in der Berlin-Lyrik schon vorbereitet war und ihre Anregungen nicht zuletzt von Baudelaire erhielt, vor allem von seinem Paris-Gedicht „A une passante".[19] In dunkle, enge Mäntel mit weiten Pelzkragen und Boas gehüllt, mit federgeschmückten bizarren Hüten und Kappen stehen die Kokotten Kirchners[20] meist frontal dem Betrachter zugewandt, wohl sich des Blickes der kaufkräftigen Kundschaft im Hintergrund bewußt, denn diese erst mythisierte ihre Erscheinungen zu babylonischen Inszenierungs- und Projektionsobjekten – ja, verwandelte die Plätze und Straßen Berlins in ein babylonisches Labyrinth. „Die Prostitution kommt mit der Entstehung der großen Städte in den Besitz neuer Arkana. Deren eine ist zunächst der labyrinthische Charakter der Stadt selbst. Das Labyrinth, dessen Bild dem Flaneur in Fleisch und Blut eingegangen ist, erscheint durch die Prostitution gleichsam farbig gerändert."[21] Mit dem Auftreten der Kokotten wurde die Macht des Geldes mit der Herrschaft über die Entfesselung der Naturkräfte in der Stadt verbunden. Die Natur erschien mit den Kokotten als Natur der Stadt wiederzukehren – elementar und triebmächtig, Lust und Laster gleicherweise verkörpernd. Den „Vorwärtsmarsch" dieser Paradiesvögel der Straßen mythisierte J. R. Becher: „... wir kommen mit der Sonne Glanzes Flor bekleidet / wir tauchen Wildnis auf vor euch und jagender Schrecken Heer."[22] Ihr frontales Auftreten war beunruhigend und ließ spüren, daß sie nicht nur Opfer, ausgebeutete Natur waren, sondern Subjekte, die mächtig genug waren, die Unterdrückung der Natur zu rächen und Chaos und Zerstörung über die Stadt hereinbrechen zu lassen. Sie verkörperten unbekannte Triebmächte, die in der Stadt auf Befreiung drängten und alles Antivitale zerstören konnten. Das Archaische und Moderne verband sich mit ihrem Erscheinen zu einer neuen Form städtischer Inszenierung.
An Kirchners Aufreihung der Prostituierten in der Friedrichstraße beispielsweise läßt sich ablesen, daß die Prostituierten

68 *Ernst Ludwig Kirchner, Potsdamer Platz, 1914. Göttinnen gleich beherrschen die Kokotten die Unterweltsszene vor dem Tempel der Prostitution, dem Potsdamer Bahnhof. Indiz für die erotische Spannung zwischen ihnen und der schattengleichen Kundschaft ist der zwischen die Straßen keilförmig einbrechende Vorplatz.*

69–73 *James Ensor, Triumph des Todes, 1896. Sich moti-*
visch an spätmittelalterliche Triumphzüge des Todes anleh-
nend, bezieht Ensor seine Darstellung auf seine belgische
Heimatstadt. Die in Panik versetzte Menschenmenge, Kopf
an Kopf atomisiert, wird in der engen Straßenschlucht ge-
fangengesetzt (l. o.). George Grosz, Niederkunft, 1916. Die
Nacht offenbart das „erotische Elend" der Metropole. Der
Hurenkörper der Stadt, blutleer und ausgelaugt, gebiert
einen mißgestalteten, affenartigen Gnom (l. u.). Ludwig
Meidner, Apokalyptische Landschaft, 1913. Stadt, Natur,
Kosmos sind gleichermaßen durch ein detonierendes Ge-
samtgeschehen erfaßt, das ebenso Untergang wie vitale Er-
neuerung bedeuten konnte (Mitte). George Grosz, Widmung
an Oskar Panizza 1917/18. Nicht der Triumph Wilhelms II.,

sondern jener des Todes beherrscht die Untergangsszene, die
von Ensor inspiriert ist. Aus der chaotischen, rasenden Masse
schälen sich politische Karikaturen heraus: der Militarist, der
Bildungsbürger, der Deutschnationale, der Geistliche, der
Spießbürger (r. o.). George Grosz, Pandaemonium, 1915. Die
rasende Masse, als Beweggrund der deutschen Geschichte
erstmalig erfahren, entfesselt längst verdrängte Triebe. Ag-
gressionslust, Hysterie, Weltuntergangsbereitschaft entzünden und steigern sich an sich selbst (r. u.).

auch als ‚Massenartikel‘ zu den schnell einzulösenden Vergnügen am Straßenrand gehörten, die die Großstadt Berlin ebenso bereithielt wie den Schnellimbiß bei Aschinger, die Zigarettenpause im Straßencafé oder die Vergnügungsfahrt im Auto – ‚Amusements‘, die erst zu der Zeit eine gewisse Popularität im Straßenraum erlangten. Die anonyme Triebbefriedigung gehörte zu den Mechanismen der Metropole, die die sinnlichen Bedürfnisse kurzweilig gestaltete, um funktionsfähig zu bleiben. So hatte sich das Laster zu „einer positiven gesellschaftsfördernden Institution durchorganisiert“.[23] Im Prinzip der Reihung, das Kirchner des öfteren auf die Prostituierte und die Zylinderherren anwandte, griff er auf die rationale Sprache des Warenangebots zurück.

Die Kokotten Kirchners variierten so in einer Mischung aus modisch-großstädtischer Phantasmagorie und Berliner Sachlichkeit die Pariser Erscheinung der „Nana“ von Manet aus dem Jahre 1877[24], wie die Zylinderherren die Nachfolge jener kapitalistischen Hochstapler aus Paris antraten, die die „Partnerschaft von Fleisch und Gold“ suchten.[25] Daß sich ebenfalls hinter der großstädtischen Maskerade des ‚sündigen‘ Berlin-Babel nur zu oft kleine aus der Provinz eingereiste Mädchen verbargen, die das schnelle Geld in der Stadt suchten, entpuppte Döblin in seinem Roman „Berlin Alexanderplatz“ (1929). Mieze, neben Franz Biberkopf die Protagonistin des Romans, „eine Mischung aus Naivität und Illusionslosigkeit“, kam aus Bernau und verkaufte sich in Berlin. Den provinziellen Kern dieses lasterhaften Berlin-Schauspiels erkannte auch Schlichter am Ende seines ersten Berlin-Besuches 1910. So vehement er anfangs von Berlin als Höllenpflaster der Katastrophe und des Lasters erschüttert wurde, so ernüch-

74 *George Grosz, Sexmord in der Ackerstraße, 1916. Der ‚Eros‘ des Ortes ist geprägt vom städtischen sozialen Gefälle. Im Wedding entlädt sich die Aggressivität, die am Potsdamer Platz (s. Kirchner) noch als erotische Spannungen phantasmagorisch aufgeladen wurde.*

tert stellt er am Ende des Aufenthaltes fest, daß er hier nicht den Puls des Lebens getroffen hatte, sondern daß Berlin mit seinem „knalligen Weltstadtrummel“ nur „ein in Fieberkurven zur Metropole emporgeschossenes Provinznest war“: „Falsche Großzügigkeit, hinter der sich innere Dürftigkeit, aufgeregte Betriebsamkeit, hinter der sich gähnende Leere verbarg“, schienen ihm „die hervorstechendsten Merkmale des stolz aufgeplusterten Spree-Athen zu sein“.[26] Was Schlichter hier so deutlich wurde, war die Künstlichkeit der Stadt, die der Schriftsteller Bernhard Kellermann sich aus der kapitalistischen Spekulation erklärte. Für ihn war Berlin ein künstliches Produkt von Unternehmern, das unlebendig, sauber und nüchtern war: „... also die häßlichste aller Kokotten der Erde, aber am sorgfältigsten gewaschen, immerhin etwas . . .“[27]

Der babylonische Untergang der Metropole

In den babylonischen Stadtdarstellungen vor dem Krieg enthüllten die Künstler bereits, daß die hochherrschaftliche Fassade des wilhelminischen Berlin und das Flanieren in den Straßen nur die Tagseite der Stadt ausmachte, während die Nachtseite schon das Subversiv-Triebmächtige offenbarte, welches soziale und historische Umbrüche ahnen ließ. Die Künstler erfuhren die Stadt als brüchig gewordenes gesellschaftliches Terrain. Der Gang durch die Straßen wurde seismographisch von Signalen des Untergangs begleitet. Schon um 1900 – schrieb Benjamin – habe er als Kind den Freskenzyklus im Umgang der Siegessäule gemieden, weil er dort Schilderungen vermutete, die ihm Entsetzen einflößten wie die Stahlstiche Dorés zu Dantes „Hölle“.[28] Diese Unsicherheit löste Angst und Panik, aber auch Faszination aus. Der sich ankündigende Umbruch, die „Emotionen“ (Grosz) der Stadt wiesen auch auf ein anderes neues Berlin. Georg Heym deutete die Metropole in seinen Berlin-Gedichten, die er vor dem Krieg schrieb, als einen qualvollen, kranken, gepeinigten Leib – „ich bin der Leib voll ausgehöhlter Qual“[29] – der sich aber auch in einen furchterregenden, mächtigen, weiblichen Leib verwandeln konnte, „dessen Schoß ebenso eine blutige Wunde wie ein verschlingender Mund war“.[30] Ein Entrinnen aus diesem vitalen Kreislauf und Pulsieren schien unmöglich. Einen platzenden, gesprengten Stadtkörper stellte Ludwig Meidner in „Apokalyptische Landschaft“[31] 1913 als seine Berlin-Vision dar. Kometenhaft-kosmische Brände suchten die Stadt heim. Meidner spielte auf den Halleyschen Kometen an, der im Mai 1910 auf die Erde zuraste und seit altersher als Symbol einer kommenden Katastrophe galt. Die vor dem Ersten Weltkrieg wachsende Katastrophenangst wurde auf dieses Naturereignis projiziert. Als sadistische grausame Höllenvision beschrieb Schlichter eine Art Panorama, das er 1910 in der Kaiserpassage entdeckte – gleichsam auch als Vorahnung kommender ungeheuerlicher Ereignisse, die er nicht in politischen Vorstellungen fassen konnte: „Vor einem flammend rot beleuchteten Hintergrund sah man ein riesiges Rasiermesser von der Kante einer hohen Felswand in eine Talsohle hineinragen, auf dessen Schneide, von Teufeln getrieben nackte Männer und Frauen in Massen rittlings zur Hölle fuhren. In der Mitte der Klinge ungefähr wurden die Körper in zwei Teile geschnitten und landeten halbiert auf der rauchenden Talsohle, wo sich bereits ein ganzer Berg halbierter, im Blute schwimmender Leiber gebildet hatte. Ebenso troff die Rasierklinge von Blut . . .“[32]

Vom „Einbruch zerstörerischer Mächte in den überkommenen Raum"[33] sprach Jünger angesichts der sadistisch-aggressiven Zeichnungen Kubins, der wesentlich dazu beitrug, die städtische Katastrophenangst in Bildern des Unbewußten, des Triebhaften, des Übermächtig-weiblichen darzustellen, wovon besonders Grosz und Schlichter vor dem Krieg beeinflußt wurden. Das „Pandaemonium"[34], das Grosz 1914 zeichnete, zeigt die Aggressivität, die triebhafte Besessenheit, die noch vor dem Krieg in den Interieurs ausgetragen wurde, als Massenspektakel. Die Menschenmenge schien sich in eine Psychose von Weltuntergangsbereitschaft zu steigern. Sie wird als primitives Triebwesen planlos, destruktiv, chaotisch dargestellt. Die Großstadt, in der der Provinzler sich noch 1910 flanierend treiben lassen konnte, verwandelte sich zu einem massenhaften Triebgeschehen, in dem von der Zivilisation längst Verdrängtes sich befreite. Die Stadt war nicht der Ort, an dem die im Krieg entfesselten zerstörerischen Mächte gebannt werden konnten. Hier entzündeten und steigerten sich Aggressivität, Destruktion und Gewalt an sich selbst. Gleich einer „Feuersäule", die der „Stunde des Mittags" vorangeht, erschien 1916/17 das in starken Rottönen gemalte Berlin-Bild „Die Stadt"[35] von Grosz (vgl. Schutzumschlag). Der traditionellen wilhelminischen, die Achse des Bildes bestimmenden Gründerzeitfassade wird der Boden entzogen. Der Verkehr in den Straßen, die Passanten stellen schon eine andere Realität dar, als es noch die Fassade glauben machen will. Nicht individuelle Standfestigkeit, sondern der Sog der Stadt bestimmt das Leben der Passanten; ihre Konturen lösen sich auf und überschneiden sich, die Identität der Menschen und Objekte werden futuristisch zersetzt. Totengerippe- und Totenkopfdarstellungen kreuzen ihr hektisches Treiben. Ein Leichenwagen, auf dem der Tod die Pferde anspornt, reitet quer durchs Bild. Tod und Eros durchdringen das Chaos des Stadtdickichts. Rechts im Bild leuchtet ein Caféhaus, in das eine Hure im Begriff ist, einzutreten. Über der Stadt liest man weit entfernt „Amor" – nicht ersichtlich allerdings für denjenigen, der sich mühsam als Blinder durch das Verkehrschaos in der Mitte schlagen muß. Ist er der Sinnsucher, dem das Licht der Erkenntnis nicht mehr zu leuchten vermag? Über ihm schweben elektrische Straßenlaternen, die den Mond am Nachthimmel verdrängen und Zeichen setzen für einen neuen Kosmos aus Phantasmagorien von Lichtreklamen, Glühbirnen, Gaslaternen.

Die Vision vom Untergang der Stadt setzte sich vollends in „Widmung an Oskar Panizza"[36] durch, die Grosz 1917/18 malte. Rot durchdringt ebenfalls die Stadt – Rot, das schon in den Berlin-Gedichten von Georg Heym – „ein Feuer braust und wirft den Schein von Blut"[37] – sowohl in seiner Dynamik auf unheilvolle Zerstörung als auch auf vitalen Lebenspuls schließen ließ. In „Widmung an Oskar Panizza" wirkte das „Pandaemonium" nach, die Massenhysterie und die Verführbarkeit der Masse durch die Kriegspropaganda. Der Tod treibt die Masse Mensch in den Abgrund. Der Geistliche, der Bildungsbürger, das Militär laufen in ihre eigene apokalyptische Falle, in die sie mit ihrem Gesinnungsmilitarismus geraten waren. Als Weltgericht über die europäischen Länder auftretend, beabsichtigen sie ihre imperialen Interessen zu rechtfertigen und durch die Parole „Gott mit uns" ihre Machtpoli-

75 *Max Beckmann, Martyrium 1919. Der politischen Gewalt der Mörder, die auf Gestalten aus der Verspottung und Geiße-lung Christi zurückgehen, steht die geistige Macht der Passion der Rosa Luxemburg entgegen.*

tik metaphysisch zu überhöhen. Jedoch nicht der militärische Triumph der wilhelminischen Macht, der erhoffte Sieg über die europäischen Länder war das Resultat des Krieges, sondern der Triumph des Todes. Grosz verlegte das Todesspektakel in die Großstadt, denn dort war der Sitz der triumphalherrschenden Bürgerschicht, die das Gesicht der Stadt prägte. Nicht der Kaiser saß auf dem Thron des Weltgerichtes, sondern ein trunkener Tod. Grosz stellte das kranke Wahnsinnsgesicht der Kriegsgesellschaft dar – „eine Schnapsgasse grotesker Tode und Verrückter", „ein Höllenbild"[38], „ein Gewimmel besessener Menschtiere – darin, daß diese Epoche destruktiv nach unten segelt, bin ich in der Anschauung unverrückbar"[39], schrieb Grosz schon Ende 1917. In diese Darstellung gehen bedrückende Wahnsinnsbilder vom Kriegslazarett und der Nervenheilanstalt Görden ein, die Grosz während des Krieges (Januar/ April 1917) als „blanke Hölle" erfuhr. Von den Insassen schrieb er: „Längst wich Menschliches aus ihren Gesichtern, den gelben bösen und roten betuschten mit giftigen Seuchen."[40] Den Brief aus dem Lazarett an seinen Freund unterzeichnete Grosz mit „Ihr G. Gestorbener".[41] Er, der „Gestorbene" reitet in dem Gemälde als Tod auf dem Sarg, den Wahn der Gesellschaft als Präsenz des Todes deutend. Ikonografische Anklänge an spätmittelalterliche Totendarstellungen – Totentänze, die sieben Todsünden, Höllensturz der Verdammten, die apokalyptischen Reiter – vor allem aber an eine Zeichnung Ensors[42], auf der der Tod als Schnitter richtend über dem eitlen Leben der Großstädter in einer Häuserschlucht schwebt, beinhaltet der Berliner Untergang von Grosz.

Das Kriegsende 1918 brachte keinen Frieden für die Metropole, sondern hier entluden sich innerpolitische Widersprüche und Aggressionen, die durch die Niederlage und die unerwartete Brutalität der Kriegsmechanik zum Ausbruch gelangten. Die Bedrohung verlagerte sich von einer entfesselten Kriegsmaschinerie auf den zerstörerischen Stadtmoloch. In der Metropole waren die apokalyptischen Spuren, die der Krieg hinterließ, sichtbarer als anderswo, wovon beispielsweise die Mappen „Gott mit uns"[43] von Grosz, „Die Hölle"[44] und „Berliner Reise"[45] von Beckmann Zeugnis ablegen. Vor allem die ausgebeutete und deformierte Natur der Krüppel und Prostituierten prägte nun die babylonische Physiognomie der Stadt, die – gleich der mittelalterlichen Frau Welt – hinter ihrer aufpolierten Fassade die von Würmern zerfressene verstecken wollte. Gleich Aussätzigen und Verdammten hockten die Krüppel am Rinnstein, die das Bürgertum floh – beispielsweise in „Prager Straße"[46] von Dix. Die Metropole wurde zum Abbild der „morsch verwesenden Kultur Europas" (Grosz). Ihr geschundener, verbrauchter Leib stieß lebensunfähige, vertierte und verseuchte Mißgeburten aus (vgl. Abb. 70). Die alte Ordnung wurde durch den Krieg gesprengt. Versinnbildlichte Dix die zerstörerischen Mächte in einem detonierenden Gesamtgeschehen, das in „Das Grausen der Stadt"[47] Kosmos, Natur und Stadt in ein schwarzes Schattenreich verwandelt, individualisierte sie Beckmann in „Die Nacht"[48]. Hier drängen sie als finstere Gestalten in den engen Raum einer Dachstube, in den äußersten Winkel der Stadt, in der sich seit altersher ihr Gedächtnis verkroch oder ihre verdrängten Gefühle entluden, die die Tagseite der Stadt nicht preisgab. Bis in die kleinste Zelle der Gesellschaft sind die zerstörerischen

Mächte vorgedrungen. Figurieren sie auf der einen Seite Erinnerungen und Träume aus Beckmanns Lazarettzeit, so stellen sie andererseits auch soziale Typen dar – die revolutionären Kräfte der Zeit? In ihnen läßt Beckmann sein Unbewußtes mit den politischen Triebkräften der Zeit verschmelzen, die ihn in der Dunkelheit der Nacht heimsuchen. Sie zerren an seinem Selbstverständnis, seinem Bezug in Raum und Zeit, peinigen ihn, so daß er in der Strangulation einer hilflosen Gliederpuppe eher zu gleichen scheint als dem leidenden, vom Kreuz genommenen Christus. Bedenken wir, daß die Großstadt für Beckmann vor dem Krieg vitalistisch-dionysische Auseinandersetzung mit dem Leben bedeutete und im „Untergang der Titanic" (1912/13)[49] zu vermuten ist, daß er im Meer selbst eine Mimikry an die großstädtische Masse vollzog, in der die Grenzen zwischen Natur und Gesellschaft sich ebenso verwischten wie zwischen den Geschlechtern, dann stellte „Die Nacht" eine Absage an dieses Weltbild dar. Die Vitalität pervertierte im Krieg zu Gewalt, Rohheit, Mord und wurde für Beckmann zu einem „schaurigen zuckenden Monstrum", das Beckmann selbst „packen" wollte und in „glasklare Linien und Flächen" versuchte „einzusperren, niederzudrücken, zu erwürgen".[50] Denn gerade dies hinderte seinen „Willen, die unsagbaren Dinge des Lebens festzuhalten".[51] Den Blicken des Betrachters setzte er in „Die Nacht" vor allem die Frau mit ihren gespreizten Beinen aus. Stellte diese Haltung noch 1906 in der „Großen Sterbeszene"[52] eine Selbstbehauptung des Lebens angesichts des Todes dar, so wurde in „Die Nacht" die Natur der Frau – ihre Bedeutung als „Magna Mater", in der der Kreislauf des Lebens sich vollendet, als gebende und nehmende, als nährende und zerstörende Natur – zum Objekt, zum gefesselten Opfer, die die Assoziation zur Hure durch die Relikte städtischer Kleidung, dem modischen Schuh, dem Mieder, dem Haarkamm, zuläßt. Sie wird nicht wie die gefesselte „Andromeda" (1641), die Beckmann in dem Gemälde von Rubens in Berlin sehen konnte, befreit werden. Die städtischen Mächte verhindern ihre Entfesselung. Zurück bleibt eine grotesk anmutende Marionette.

In den Lustmorddarstellungen von Dix, Grosz, Schlichter und Davringhausen, die meist während und besonders nach dem Krieg entstanden, gewinnen die aggressiven männlichen Mächte der Stadt die Herrschaft wieder. Der Bedrohung der außer Kontrolle geratenen Maschinenwelt des Krieges korrespondierte die Furcht vor dem Chaotisch-Triebhaften des Großstädtischen, das sie mit der Sexualität des sich prostituierenden Vamps verknüpften. Männliche Selbstkontrolle und Affektbeherrschung sollten wieder „Ruhe und Ordnung" der Stadt garantieren. Die Lustmorde, die Berlin in und nach dem Krieg aufwies und Hans Magnus Hirschfeld in seiner „Sittengeschichte des Weltkrieges"[53] als Folge des Krieges aufzeigte, waren männliche aggressive Gewaltakte. Als „Jack the Ripper" trat der Täter auf, der die Gesellschaft rächte und von der Hure reinigte. Mit den Lustmorden schienen die Künstler auch einen zynischen Schlußstrich unter ihre einstmals dionysischen Vitalitätsvorstellungen von der Hure Babylon zu ziehen. Der Allegoriker setzte sich durch, der die Fiktionen destruktiv enthüllte – und der prostituierte Körper bot sich ihm als nächstes Deutungsmodell an, weil er als Metapher für die „Extreme Wunsch/ Tod, beseelt/unbeseelt, Leben/Verfall, Leiche . . ."[54] diente.

Grosz setzte den ‚Abgrund‘, auf den die Prostituierte verwies, darüber hinaus in bezug zur Kolportage. Im „Sexmord in der Ackerstraße"[55] spielten die Bildlegenden einmal auf ein bekanntes Dirnenlied an, dann in „Jack the murder" auf den Kolportageroman „Jack der geheimnisvolle Mädchenmörder", der sich im Nachlaß von Grosz fand, und in „Dr. William King Thomas" trat Grosz als ein bekannter amerikanischer Lustmörder des 19. Jahrhunderts auf – nicht zuletzt um das ‚Satanische‘, Verbrecherische schockierend herauszukehren.

Der Dämonisierung des Weiblichen entsprach seit der Jahrhundertwende auch der Haß auf das Weibliche in der Gesellschaft, die Misogynie, die durch die Emanzipation der Frau ausgelöst wurde. Am „Martyrium"[56], auf dem Max Beck-

76 *Mies van der Rohe, Bürogebäude, Friedrichstraße Berlin, 1921. „Die Große Stadt, das heilige Jerusalem ... hatte die Herrlichkeit Gottes und ihr Licht war gleich dem alleredelsten Stein, einem hellen Jaspis" (Off. Joh. 21).*

mann Rosa Luxemburg gekreuzigt darstellt, umgeben von ihren Mördern, verdeutlicht er an den Tätern, wie die Revolutionärin in der Metropole der patriarchalischen und militaristischen Repräsentation dem verachteten Bild vom Weiblichen ausgesetzt war – durch die sinnlose Schießerei auf den ohnehin gekreuzigten Körper, durch den lüsternen rechts im Bild stehenden bürgerlichen ‚Herrn‘. Die Revolutionärin schien Ängste zu wecken, die nicht nur aus ihrem emanzipierten, revolutionären Auftreten abzuleiten waren, sondern auch mit der Verbindung Frau – Revolution – Masse – Trieb zusammenhing. Diese Koppelung wurde 1927 in dem Film „Metropolis"

von Fritz Lang babylonisch mythisiert. Die Anführerin, die die Massen zum Aufstand ‚anstachelte‘ und durch die Zerstörung der Maschinen eine sintflutartige Katastrophe auslöste, war eine männliche Projektion aus Hexe, Hure Babylon, Venus und Robotervamp – ein böser Untergangsdämon, der in Gegensatz zur charismatischen Rolle der Maria als Braut-Mutter gesetzt wurde, die die Massen einem Neuen Jerusalem entgegenführen wollte, das in der Aussöhnung zwischen ihnen und den kapitalistischen Herrschern von Babylon bestehen sollte. Wie den beiden Frauenrollen im Film jeweils die bestialische, dämonische oder die dienende, mütterliche zugewiesen wurde, so wurde auch die Masse auf diese Rollen fixiert. In der Tötung von Rosa Luxemburg nun schien jener uralte Kampf der monotheistisch vaterzentrierten Religions- und Rechtsauffassung gegen die archaischen Muttergottheiten in säkularisierter Form wieder aufzuflammen. Nicolaus Sombart stellte zur Einschätzung der Revolution von den herrschenden Kreisen der Weimarer Republik fest[57]: „Die Angst vor sozialer Veränderung wird gespeist durch die Angst vor dem Weiblichen ... Diese Neurose würde die Unfähigkeit der Führungsschicht erklären können, die Probleme des gesellschaftlichen Wandels als gesellschaftliche Aufgabe zu perzipieren; der Blick für diese Probleme wird durch die nicht artikulierte Urangst vor dem Weiblichen verstellt."[58] Die Niederschlagung der Revolution geschah als sadistisches Gemetzel – so stellte es Grosz in seiner Mappe „Gott mit uns" dar und Döblin in „November 1918". Das Hotel mit dem paradiesischen Namen „Eden" wurde der höllische Ort, den die Phantasmagorie „Hure Babylon Berlin" für die Mörder von Rosa Luxemburg und Karl Liebknecht bereithielt. Der Soldat, der R. Luxemburg ermordete, wurde von Döblin als „der gefallene Engel des Hasses" gedeutet, „der in ihre Haare greift und sie zerrt ... Er schwingt den Kolben über sich und schmettert ihn über ihren Schädel mit solcher Wucht, daß es kracht und sie wie ein gefälltes Tier zugleich mit dem Kolben zu Boden geht. Wie ein Sack liegt sie da und bewegt sich nicht mehr. Er nimmt sein Gewehr wieder an sich, dreht es und prüft es, ob nicht das Holz gesprungen ist ... Die blutige Rosa, die rote Sau, jetzt liegt sie da, man kann sich freuen ... Scharen von Verdammten und Verruchten lockt der Lärm an. Sie hängen sich an den Wagen und hatten ihr ein Fest bereiten wollen. Sie drehen sich mit den Speichen, heulen, johlen und jauchzen in den Reifen ... Der Landwehrkanal ... Das alte Vieh will zu den Fischen in die Schule gehen. Raus aus dem Wagen mit dem Bündel. Übers Geländer, Schwung, eins-zwei-drei, da fliegt sie. Plumps, da fällt sie, und ward nicht mehr gesehn. Ein Prosit, Prosit der Gemütlichkeit ... Händeschütteln und Lachen. Aber nunmal einen ordentlichen Schluck. Sie feierten noch bis zum Morgen."[59]

Konzepte für ein neues Berlin-usalem

Auf die babylonische Herausforderung, auf die Untergangsvisionen Berlins reagierten viele avantgardistische Künstler und Literaten mit dem Modell eines Neuen Jerusalem, das sozialutopische Inhalte hatte und von Heilserwartungen geprägt war. Mit Entwürfen und Konzepten von Volkshäusern, Idealstädten, Welttempeln sollten Geist und ‚Körper‘ der Stadt wieder vereint werden.

Gleich dem biblischen Jerusalem, das herniederfuhr und Spiegel der göttlichen Autorität und Ordnung war – „und die Stadt liegt viereckig und ihre Länge ist so groß wie ihre Breite... Die Länge und die Breite und die Höhe der Stadt sind gleich..."[60] – so stellten die utopischen Projekte für ein neues Berlin, vor allem seit der babylonischen Niederlage des Ersten Weltkrieges, ein Gegenbild zur Metropole auf, ja sie reinigten das neue Berlin-usalem von den materiellen Spuren großstädtischen Lebens. Die „Stadtkrone" (1915/17)[61] von Bruno Taut, die eine paradiesische Entfaltung der Stadtbewohner ermöglichen sollte und die „Seele" der Stadt versinnbildlichte, glich einem ebensolchen Läuterungsritual wie die zahlreichen kristallinen alpinen Stadtprojekte und Volkshäuser der „Gläsernen Kette" oder sogar die gläsernen Hochhausentwürfe für ein anderes Berlin von Mies van der Rohe[62], die über Scheer-

77 George Grosz, Der Schuldige bleibt unerkannt, 1919. Das Labyrinth der Metropole und die anonyme Menschenmenge werden zur Zuflucht für Verbrecher, Schieber, Mörder und Zuhälter.

barts Anregungen hinaus den biblischen Kristall des Neuen Jerusalem aufleuchten ließen.[63] So scheinen die Entwürfe die ästhetische Ordnung des Neuen Jerusalem widerspiegeln zu wollen. Durchdringt nicht auch die Verbindung von Kunst und Technik des Bauhauses jene ordnende Utopie des göttlichen Jerusalem? Einer neuen Weltenschöpfung wollte schon Kandinsky vor dem Ersten Weltkrieg in seinen Werken Ausdruck verleihen. Das Neue Jerusalem war eine „geistige Pyramide, die bis zum Himmel reichen wird"[64] und an deren Spitze der Künstler stehen sollte. So sah Kandinsky das „Geistige in der

Kunst" als „dritte Offenbarung", die aus den Trümmern einer geistigen Stadt sichtbar wurde – „einer großen, fest nach allen architektonischen mathematischen Regeln gebauten Stadt, welche plötzlich von einer unermeßbaren Kraft geschüttelt wird".[65]

Indem die Konzepte als Läuterungsrituale erscheinen, die das Elementare durchsetzen und dieses selbst zum Kult erheben, verbindlich für die gesamte Stadtplanung, lassen sie eine Ordnung herniederfahren, in der der Künstler selbst zum ‚göttlichen' Weltenschöpfer erhöht wird. Wohin diese Abstraktion führte, vergegenwärtigt beispielsweise Ludwig Hilberseimers Stadt-Entwurf[66], der die Straßen vom Revolutions-Triebspektakel säuberte zugunsten einer funktionalen „Ruhe und Ordnung".

Ein anderes Konzept einer „neuen Kirche" entwickelten Max Beckmann und Kurt Schwitters. Da die Metropole Beckmann die Zerrissenheit und das Leiden der „armen getäuschten Menschen"[67] vorführte und er sich diesem Schicksal der Menschen stellen und ein Bild davon geben wollte, war sein Neues Jerusalem eine Auseinandersetzung mit dem Leben der Metropole, das er mit der Vision eines „Turmes" verband: „in dem die Menschen all ihre Wut und Verzweiflung, alle ihre arme Hoffnung, Freude und wilde Sehnsucht ausschreien können. Eine neue Kirche."[68]

Auch Schwitters „Kathedrale des erotischen Elends"[69], sein Merzbau, war ein konzeptuelles Projekt, das „aus den Scherben Neues bauen" wollte und im Gegensatz zu puristischen Konzepten das ‚Leben' der Stadt zu seinem Darstellungsmittel machte. Nicht ein Neues Jerusalem fuhr herab, sondern das Merzbau-Konzept entwickelte sich organisch in Zeit und Raum. Der Raum wurde zu einem Abbild menschlicher Erfahrung, das sich stetig veränderte. Im Merzbau fand das variierende, metamorphotische Subjekt seinen Raumkörper, der die Spuren des städtischen Gedächtnisses ebenso in sich aufnahm wie die subjektiven Sedimente der eigenen Geschichte. Aus diesem organisch wachsenden Architekturgebilde entwickelte Schwitters den „übergeordneten Rhythmus", mit dem er ‚Berlin vermerzen' wollte: „Durch das vorsichtige Niederreißen der allerstörendsten Teile, durch Einbeziehen der häßlichen und schönen Häuser in einen übergeordneten Rhythmus, durch richtiges Verteilen der Akzente könnte die Großstadt in ein gewaltiges Merzkunstwerk verwandelt werden. Schon durch das Anstreichen ganz Berlins nach dem Plan eines Merzarchitekten, der in großzügiger Weise ganze Stadtviertel wegstreichen und einige Zentren, die selbstverständlich mit den Verkehrszentren nicht zusammenfallen, durch Licht und Farbe hervorheben würde, wäre der Wille zu dokumentieren, selbst aus der Großstadt ein Merzkunstwerk zu machen."[70]

Die Phantasmagorie der Hure Babylon

Je mehr die Stadt nach dem Krieg wieder vom alltäglichen Leben eingenommen wurde, desto schneller löste sich die Polarität der Apokalypse zwischen Hure Babylon und Neuem Jerusalem. Der babylonische Mythos wurde jetzt vor allem vom Phantasmagorischen des Stadtkörpers erzeugt. Brecht stellte für die zwanziger Jahre fest: „Die Oberfläche hat eine große Zukunft."[71] Die Hure wurde das Abbild der Stadt, die in der Nachkriegszeit durch Vergnügen von den sozialen Problemen

ablenkte: Hierzu Klabund in seinem Gedicht „Berlin Weih-
nachten 1918":

Am Kurfürstendamm da hocken zusammen
die Leute von heute mit großem Tamtam.
Brillanten wie Tanten, ein Frack mit was drin,
Ein Nerzpelz, ein Steinherz, ein Doppelkinn.
Perlen perlen, es perlt der Champagner.
Kokotten spotten: Wer will, der kann ja
Fünf Braune für mich auf das Tischtuch zählen.
Na Schieber, mein Lieber? – Nee, uns kann's nicht fehlen.
Und wenn Millionen von Hunger krepieren:
Wir wolln uns mal wieder amüsieren.

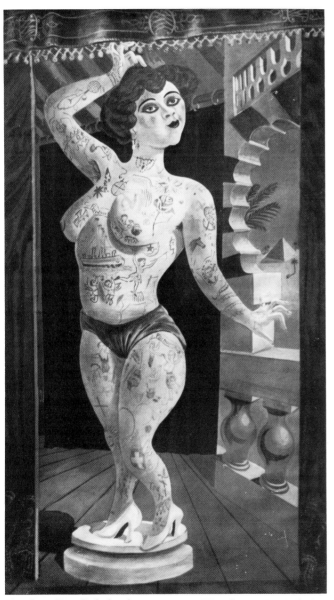

78 *Otto Dix, Suleika das tätowierte Wunder, 1920. Suleikas
Tätowierungen inszenieren einen Kosmos zeitgenössischer
Vorstellungen von Ruhm, Abenteuer, Spiel und Glück – ein
städtisches Kolportage-Paradies zum Ornament erstarrt.*

Am Wedding ist's totenstill und dunkel.
Keines Baumes Gefunkel, keines Traumes Gefunkel.
Keine Kohle, kein Licht. Im Zimmereck
liegt der Mann besoffen im Dreck
Kein Geld, keine Welt, kein Held zu Lieben ...
Von sieben Kindern sind zwei geblieben,
Ohne Hemd auf der Streu, rachitisch und böse.
Sie hungern – und fressen ihr eignes Gekröse.
Zwei magre Nutten im Haustor frieren:
Wir wolln uns mal wieder amüsieren.

Es schneit, es stürmt. Eine Stimme schreit: Halt ...
Über die Dächer türmt eine dunkle Gestalt
die Blicke brennen, mit letzter Kraft
Umspannt die Hand einen Fahnenschaft.
Die Fahne vom neunten November, bedreckt
Er ist der letzte, der sie noch reckt
Zivilisten ... Soldaten ... tachtachtach
Salvenfeuer ... Ein Fall vom Dach ...
Die deutsche Revolution ist tot ...
Der weiße Schnee färbt sich blutig rot ...
Die Gaslaternen flackern und stieren
Wir wolln uns mal wieder amüsieren ...[72]

Die Kokotte wurde das Pendant zum „protzigen, klotzigen
Nachkriegsverdiener" (W. Mehring), des rücksichtslosen
Emporkömmlings, der die Anonymität der Großstadt nutzte,
um in den unterschiedlichsten hochstapelnden Rollen seine
Schiebergeschäfte zu betreiben. „Der Schuldige bleibt unerkannt"[73] nannte Grosz detektivisch die Grafik eines Schiebers
und demaskierte die schiefen Ebenen der Gesellschaft, auf
denen die großen und kleinen Gauner unerkannt ihre Winkel-
züge trieben. Die Kokotte wurde der Inbegriff vom größtmög-
lichen Genuß, der aus dem inflationären Geld herauszupres-
sen war. „Für was sich bewahren? – für morgen? Wer weiß,
wie morgen der Dollar steht?"[74] Die seit 1920 schleichende Inflation führte zum verschwenderischen Vergnügungsleben unter den Nachkriegsgewinnern, zu großer Armut und Hungers-
not bei der arbeitenden Bevölkerung, für die Prostitution der
letzte Ausweg aus dem Elend war. Erst die Kenntnis vom sozialen Elend unterhöhlte das protzige Vergnügungsleben der
Nachkriegsschieberwelt. Nicht dionysischer Sinnenrausch,
sondern phantasielose Sinnenplumpheit und provinzielle Ver-
klemmtheit, deformierte Körper enthüllten die Künstler.
Verwesung und Tod sahen sie in dem Vergnügungsrausch und
in den Kokotten „bepinselte Lust, die nicht freier wird, weil
die Knie frei sind".[75] „Das ist nicht Trunkenheit, nicht Wild-
heit, kein Drang, Ketten zu brechen, sondern Fauligkeit auf
phosphoreszierendem Gebälk dieser Gesellschaft. Ich weiß
wohl, alle Städte faulen so, aber nur wenige so plump, so
anmaßend und sich so darbietend wie Berlin. Über furchtba-
rem Elend tanzen diese Halbmenschen, glucksen und girren
vorbei an bettelnden Stümpfen und leben Talmilust auf Kredit ...‘"[76]
Diese Talmiwelt stellte Dix 1927/28 in dem Triptychon
„Großstadt"[77] als ‚irdisches Paradies' dar. Auf blankpoliertem
Parkett – gleich einem Spiegelkabinett – bewegt sich zum
Charleston der Parvenü im Frack, umschwirrt von Paradies-
vögeln der Amüsierbetriebe. Eine Jazzkapelle verfremdet die
Szene exotisch-amerikanistisch. Die Krüppel bleiben apoka-

lyptische Figuren, die von der Talmiwelt ferngehalten werden und doch auf diese bezogen sind. Im Tanz gelangt die Zeit zu ihrem symbolischen Ausdruck: „Millionen von unterernährten, korrumpierten, verzweifelten geilen wütend vergnügungssüchtigen Männern und Frauen torkeln und taumeln dahin im Jazz-Delirium. Der Tanz wird zur Manie, zur idée fixe, zum Kult. Die Börse hüpft, die Minister wackeln, der Reichstag vollführt Kapriolen. Kriegskrüppel und Kriegsgewinnler, Filmstars und Prostituierte, pensionierte Monarchen (mit Fürstenabfindung) und pensionierte Studienräte (völlig unabgefunden) – alles wirft die Glieder in grausamer Euphorie" (Klaus Mann).[78] Der Tanz offenbarte die marionettenhafte Zurichtung der totentanzähnlichen Talmiwelt. Die Kokotten verkörperten die vom Geld inthronisierten Gottheiten, die verführerische Phantasmagorie dieses Höllentanzes.

Wie die Vergnügungspaläste, so stellten die Warenhäuser, die Kinos, Varietés, selbst die Straßen „Labyrinthe der Spiegel" dar, „Straßenzaubergärten! Wo Circe die Menschen in Säue abwandelt" – die „Emotionen der großen Städte".[79] Die Reklame und die glitzernden Vergnügungsorte waren den Tätowierungen „Suleikas"[80] vergleichbar, einem allegorischen Stadtporträt von Dix. Wie jene das Atavistische ihrer Hautkunst mit ihrer objekthaften Anpreisung als Schaustück verband, so trat die Metropole „mit Lichtreklame übergrell geschminkt" (J. R. Becher) ins Rampenlicht der Straßen. Aus diesen Erlebnissen des Fetisch Ware/Stadt leitete Baudelaire den religiösen Rauschzustand der großen Städte – die „ivresse religieuse des grandes villes" –[81] ab.

Als sich entgrenzender, zerstückelnder, ständig neu sich reproduzierender Körper wurde die Metropole in den dadaistischen Collagen und Montagen erlebt. Die ‚Tätowierungen‘ der Stadt, der Straßen, drangen in die Kunstwerke als Spuren des übervollen Gedächtnisses ihrer Zeit – einer Zeit, die sich vorwärtsstürmend inflationär reproduzierte, was sich besonders in den papiernen Dimensionen bemerkbar machte, um sich ebenso schnell wieder auszulöschen, und um von neuem zu dokumentieren, daß sie sich noch schneller und noch massenhafter vervielfältigen konnte.

In der Collage „Mz 222"[82] von Schwitters beispielsweise werden nur die Tribute gezeigt, die eingelöst wurden, um am inflationären Vergnügen, am kurzlebigen Rausch der Metropole teilhaben zu dürfen – Eintrittskarten vom Haus Vaterland, vom Admiralspalast, von der Sturm-Ausstellung, vom UFA-Palast, vom Omnibus sind pauperistische Spuren der „ivresse religieuse" der „Kathedrale" Stadt, auf das Schwitters sein „erotisches Elend" ironisch bezog, ein Teil des Titels von seinem Merzbau. Es liegt nahe, anzunehmen, daß Schwitters die Stadt wie ein großes Warenhaus erschien, weshalb auch beim abgekürzten Titel der „Kathedrale des erotischen Elends", KadeE, Assoziationen zum großen Kaufhaus des Westens, KaDeWe, entstehen. Die pauperistischen Tribute der Collage „Mz 222" vergegenwärtigten den Städter als Konsumenten: „Wie kaum eine Großstadt der Welt verkauft Berlin sein Vergnügen", klagte der Schriftsteller Alfons Goldschmidt, „Das Amusement ist kalkuliert bis zum Klosettgroschen. Aus allem spürst du Kalkulation. Jammerdunkles und kleinprotziges Illuminieren, Küchensauberkeit aus geizigem Schmutz, das ist die Sinfonie der Großstadt."[83]

Eine bedeutende Rolle spielte bei dem Illuminieren der Gro-

ßen Stadt der Einfluß der amerikanischen Kulturindustrie. In der Montage „Universal City um 12 Uhr 5 mittags"[84] schieben sich Zitate der glitzernden Film- und Werbeindustrie wie z. B. „Cheer boys cheer", „The Firefly", „The son of a gun", „The Kady" vor die Szene des Untergangs, die als Zeichnung in der Mitte der Montage liegt. Titel der amerikanischen und englischen Film- und Theaterzeitschrift und -illustrierten „The Play" und „The Photoplay" schwirren in der Montage bedeutungsvoll und beziehen sich auf das dadaistische Spiel mit den Fragmenten dieser Industrie. Im simultanen Erfassen von lichtstrukturierten, räumlichen, bewegten Beziehungsfeldern wird dynamische Bewegung wiedergegeben und verweist bereits auf zukünftige Bildüberlagerungen, Mehrfachbelichtungen, Belichtungsvariationen und Bildrhythmen im Film. Angespielt wird im Titel auf die amerikanische Filmgesellschaft „Universal", nicht zuletzt auch auf die „Universum Filmaktiengesellschaft" (UFA), die seit 1917 auf Veranlassung der Reichsregierung als Zusammenschluß von vielen kleineren Filmgesellschaften gegründet wurde. Zweck ihrer Gründung war eine gezieltere Durchgestaltung deutscher Propagandatätigkeit im Ausland. 1919 wurde der riesige Zoopalast von der Gesellschaft errichtet, und in den folgenden Jahren baute die Firma eine Kinokette und ein eigenes Vertriebsnetz aus. Grosz und Heartfield wurden selbst durch die Vermittlung von Harry Graf Keßler 1917 mit propagandistischen Filmprojekten beauftragt, für die sie bis zu RM 10 000 verdienen sollten. Für diese Filme beabsichtigten sie eine inhaltliche Mischung, die sich auf die Montage auswirkte: „Von dem kosmischen und exzentrischen Ton" des Expressionismus mit dem „grotesk-komischen" „wie er namentlich in Amerika in Gebrauch ist" (Heartfield). „Universal City" spielt also auf die Filmstadt Berlin an, in der besonders die amerikanische Film- und Kulturindustrie ihren Absatz zu sichern verstand (vgl. S. 156 ff.).

Die Bewegung der Wahrnehmung wird noch einmal im Rad selbst am unteren rechten Rand der Montage symbolisiert – einem ‚metamechanischen‘ dadaistischen Zeichen. Das Rad, Zeichen des Autos assoziiert eine Straße, die links ins Bild schießt, durch die Hochhäuser in der oberen Bildhälfte fortgeführt zu werden scheint. Seine Schwungkraft, die die Wirklichkeit dynamisch erfaßt, läßt die Bildszenerie der Reklame- und Filmfotos im Zerstreuungsmoment von Hektik, Reizüberflutung und Diskontinuität explodieren und vergegenwärtigt das von Grosz aufgezeichnete „psychologische und formale Erleben des in knallendem Stadtbahnzug Dahinrollenden".[85] Das aus dem Bild rollende ziellos eingesetzte Rad scheint gleichzeitig das verlorene Attribut einer überwältigten Fortuna zu sein, die ihres Steuerrades nicht mehr mächtig ist. Die Menschen sind der Zirkulationsmaschinerie, die sie in Gang setzten, hilflos ausgeliefert. In den verzerrten, aufgedunsenen oder verhärteten Gesichtern, in denen sich die Linien der Zeichnung unentwirrbar zu verdichten scheinen, ist der ‚panische Schrecken‘ ablesbar. Dieser stellte sich nach Aragons Aufzeichnungen des „Pariser Landlebens" dar als „eine Art Steuerrad, das sich dreht und nicht von Hand gelenkt wird"[86], als „moderne Tragik", die nach surrealistischer Auffassung mythische Erfahrungsdimensionen eröffnete. Allein die ironische Distanz der Dadaisten, ihre geistigen Balanceakte über dem „Abgrund des Mordes, der Gewalt und des Diebstahls"[87] bannte die Angst vor dem Untergang. „Hinein in den Schutt"[88] war

79 *Conrad Felixmüller, Der Tod des Dichters Walter Rheiner, 1925. Im Drogenrausch ver-
schmilzt der Süchtige mit dem Lichtmeer der Stadt, ohne zu bemerken, daß sie ihn tief fallen läßt.*

die dadaistische Version des nietzscheanischen „Amor fati". In den „Schutt" der Großstadt mischte sich der Dadaist gleich einem Detektiv; in der Mitte der Montage, im Stadtdickicht, ist das kantige Profil des Sherlock Holmes erkennbar. Dieser streift durch das großstädtische Chaos, distanziert beobachtend, teilhabend, nicht teilnehmend. Die Signale überfordern ihn nicht, sondern setzen Reflexionen frei, ermöglichen seine Spurensuche.

In sein Atelier ließ Grosz, der „Goldgräber"[89] die Phantasmagorie des großstädtischen Fetisch Ware in Form von Etiketten von Wein- und Portweinflaschen dringen, die er an die Wände wie zurechtgeschüttelte kleine Briefmarkenträume vom sonnigen Süden klebte.[90] Aufgereiht standen die leeren Weinflaschen wie Zeugen nicht eingelöster Wunschphantasien. Nicht anders erging es im Milieu der Berliner Cafés der großen ‚Liebeskranken' der Berliner Bohème, Else Lasker-Schüler. Verkleidet als Prinz von Theben, flüchtete sie sich in ihre Poesie. Auf ihren phantastischen Irrwegen durch Berlin vermischte sich das romantische Pathos der Einsamen mit der trostlosen Vereinzelung der Städterin.

Distanzlos allerdings wurde der vereinsamte Städter Biberkopf in das Stadtdickicht Berlin gezogen – wie es Döblin in „Berlin Alexanderplatz" darstellt: „Ein kleiner Berliner Lude und die Hure Babylon – AEG und Himmelsgeleitschutz – Schnapsschwemmen und Abraham-Tiefbauarbeiten und mythisch entfesselte Naturkräfte – Schlager der Saison, die Straßen beduschen und das ‚langsame Lied des Todes', das Biberkopfs Stupor durchschneidet. Die Frage liegt nahe, wie denn das X-Beliebige zum Bedeutsamen sich schicke, wie der rüde Gossenton zu einem Akkord mit dem hochgestimmten Pathos zu zwingen sei", schrieb Volker Klotz in seiner Untersuchung zu Döblins Roman.[91]

Wie das Lichtmeer der Stadt sich in einen glitzernden Schlund von sphinxartigen Kräften verwandelt, wie auch der Mythos der schwarzen Mutter hier wirksam wird, die ihre Kinder frißt, vergegenwärtigte Felixmüller in dem tragischen Pathos seiner Darstellung von Walter Rheiners Selbstmord (1925).[92] Der Schriftsteller Walter Rheiner, die Opiumspritze in der Hand, schwebt vom Fensterbrett einer kleinbürgerlichen, mit Geranien geschmückten Dachstube in den Abgrund des großstädtischen Lichtermeeres. Großstädtischer Rausch, noch potenziert durch die Opiumspritze, und großstädtische Melancholie bedingen sich gegenseitig und scheinen nur im Selbstmord aufgehoben werden zu können, den der Schriftsteller, ein langjähriger Freund Felixmüllers, tatsächlich zu der Zeit beging. Dieses Bild bedeutete für Felixmüller nicht nur ein tragischer Abschied vom Freund, sondern auch eine zynisch resignierte Absage an den expressionistischen Licht-Sucher, an „Zarathustra" als Visionär. Das Großstadtbild scheint eine desillusionierende Bild-Parodie zu dem Abschnitt „Vor Sonnenaufgang" im „Also sprach Zarathustra" zu sein: „... Oh Himmel über mir, du Reiner! Tiefer! Du Licht-Abgrund! ... in deine Höhe mich zu werfen, das ist meine Tiefe! In deine Reinheit mich zu bergen – das ist meine Unschuld! wolkenlos hinab lächelt aus lichten Augen und aus meilenweiter Ferne, wenn unter uns Zwang und Zweck und Schuld wie Regen dampfen ... Und stieg ich Berge, wen suchte ich, ja, wenn nicht dich? ... fliegen allein will mein ganzer Wille, in dich hinein fliegen?"[93]

Das Lichtmeer war nicht nur ein verführerisches Bild von Ber-

lin, sondern wurde realiter auch von der Elektroindustrie gefördert. Der Lunapark mit seinen Lichtgirlanden aus 40 000 Glühbirnen wurde zur Metapher der „goldenen" zwanziger Jahre. Als „neue Lichtstadt Europas" sollte Berlin 1928 in Ausstellungen, Autoparaden, Feuerwerken und Konzerten gefeiert werden. Während das Lichtmeer den Stadtkörper in ein funkelndes Diadem, einen modernen Luxusfetisch verwandelte, behauptete sich andererseits in der Gründerzeitfassade das eklektizistische Ornament als bürgerlich wilhelminisches Erbe.

So repräsentiert in den Darstellungen Hubbuchs (1924)[94] das animistisch belebte Ornament die Hochherrschaftlichkeit des bürgerlichen Neuen Westens der Stadt und seine ungleichzeitige Sehnsucht nach dem kostümierten Imperium der wilhelminischen Ära. Hubbuch lud die Fassaden mit der eitlen Rhetorik der ornamentalen Verschnörkelung auf, die bis in die Lebensführung des Bürgertums nachvollziehbar war. Die kaskadenartige Abstufung der sich zur Straße hin wölbenden Balkons, die „rund und schwer wie Bierbäuche aus der Front" quollen[95] und mit den heruntergezogenen Jalousien den Blick allein zum Interieur wendeten, bildete die Kulisse, vor der das Elend ignoriert wurde. Auch im Großstadt-Triptychon von Dix erstarrt die eklektizistische Mischung der barockisierenden Elemente zur Staffage. Wie die Kokotten den Krüppeln die kalte Schulter zeigen, so weisen auch die Häuser Armut und Bettelei ab, ja verbieten letztere sogar ebenso wie das Spielen auf dem Hofe.

Zur Illusion einer vermeintlich besseren Welt, wie sie die Filmstars suggerierten, verhalf auch die eklektizistische Ornamentik in den Lichtspielhäusern. Sie verwandelten sich zu Traum-Palästen, zu Kultstätten des Vergnügens. Der Gloria-Palast gab sich beispielsweise als Barockpalast. „Die Gemeinde, die nach Tausenden zählt, kann zufrieden sein, ihre Versammlungsorte sind ein würdiger Aufenthalt"[96], schrieb Kracauer zum Phänomen der eklektizistischen Ausstattung der Film-Paläste. Einzig in den Passagen, so stellte er fest, wurde dieser repräsentative Effekt der Prunkornamentik in Frage gestellt. Denn die Passagen, beispielsweise die Linden- oder Kaiserpassage (Abb. 10), waren die zwielichtigen Orte, in denen die bürgerliche Fassade desillusioniert wurde. Hier sammelten sich „Laster, Elend und Bettelei, Hunger, Betrug und Gift".[97] Hier offenbarte sich das Leben der Hure Babylon, die „Hölle" der Stadt (Fallada). Nicht nur Kokotten, Zuhälter, Transvestiten, Schwule, Matrosen hielten sich hier auf, an den Hauswänden hockten Bettler und Krüppel, es gab hier Läden, die die offiziellen Straßen nicht zeigten. Kitschige Sexplundergeschäfte, Krimskramsläden, auch Souvenir- und Postkartenverkäufer, Greuelpanoramen neben dem Kaiserpanorama, Cafés, Friseurläden verwandelten die Passage in eine zerklüftete Gefühlslandschaft. „Die Renaissancepracht, die sich so überlegen gebärdete, wurde in der Passage geprüft und verworfen. Während man noch durch sie hindurchging ... durchschaute man sie schon, und ihre Großspurigkeit trat unverhüllt an den Tag der Passage."[98]

Hubbuch drang auch unter jene Prunkfassade, unter die lichterfüllte glitzernde verführerische Oberfläche der Stadt. Die Baustelle der Untergrundbahn, die Hubbuch „Ecke Leipziger-/Friedrichstraße"[99] darstellte, wirkt wie eine Verletzung des alten Stadtkörpers und vermittelt nichts von der Technik-

80 *Rudolf Schlichter, Dada-Dachatelier, 1920. Ratio durchdringt die Stadt und schafft „Ruhe und Ordnung". Die sphinxarti-*
gen beunruhigenden Kräfte der städtischen Hure sind gebannt. Autismus und Totenstarre beherrscht die Stadt.

Utopie der zwanziger Jahre. Der unterhöhlte und aufgewühlte Boden, in den Stützen und Gerüste gerammt sind, klafft auf wie eine dunkle und kriminelle Falle. Es scheint, als ob sich hier das schlechte Gewissen der Hure Babylon verkrochen hat. Der Untergrund ist auch metaphorisch zu betrachten. Im Film „Metropolis" von Fritz Lang brechen die Kräfte des Proletariats aus ihrem unterirdischen Versammlungsort an den Tag der Stadt. Im unterirdischen Verlies wird auch der Engel der Massen zum Robotervamp verwandelt. Das Wasser quillt ebenfalls sintflutartig aus der Erde und zerstört Babylon-Metropolis. Der Blick in den ,Untergrund' der Stadt verunsichert den Fußgänger auf dem Trottoir, das im Bild von Hubbuch nur leicht provisorisch abgegrenzt ist mit einem Bretterzaun. Auch Biberkopf fühlte sich unsicher in dieser vom Abbruch und Neubau gehetzten Stadt, als die Dampframme symbolisch auf den alten Platz hämmerte: „O liebe Brüder und Schwestern, die ihr über den Alex wimmelt, gönnt euch diesen Augenblick, seht durch die Lücke neben der Arztwaage auf diesen Schuttplatz, wo einmal Jürgens florierte, und da steht das Kaufhaus Hahn, leergemacht, ausgeräumt und ausgeweidet, daß nur die roten Fetzen noch an den Schaufenstern kleben. Ein Müllhaufen liegt vor uns. Von Erde bist du gekommen, zur Erde sollst du wieder werden, wird gebauet ein herrliches Haus, nur geht hier kein Mensch weder rein noch raus. So

ist kaputt Rom, Babylon, Ninive, Hannibal, Cäsar alles kaputt, Tor denk daran. Erstens habe ich dazu zu bemerken, daß man diese Städte jetzt wieder ausgräbt, wie die Abbildungen in der letzten Sonntagsausgabe wieder zeigen, und zweitens haben diese Städte ihren Zweck erfüllt und man kann wieder neue Städte bauen. Du jammerst doch nicht über deine alten Hosen, wenn sie morsch und kaputt sind, du kaufst neue, davon lebt die Welt."[100]

Die Regeln von Verschleiß, Profit, Wettbewerb – so stellt Biberkopf lakonisch fest – sind die Lebensprinzipien der Großstadt Berlin. „In alle Dimensionen rührt sich die Stadt", schrieb Goldschmidt in den zwanziger Jahren, „Sie kraucht auf allen vieren, geht, fährt, fliegt und gräbt sich ein, sie ist die emsigste Stadt der Erde. Mit einer Emsigkeit macht sie sich unfruchtbarer jeden Tag."[101] Mit „Emsigkeit" wurde auch das Leben der Stadt in den Untergrund wegrationalisiert. Auf Hubbuchs Bild „Jannowitzbrücke"[102], auf dem sich Kanal, Brücke, Eisenbahn kreuzen, keimt das verdrängte Leben am Ufer des Kanals wieder auf. An der Brücke sammelt sich der Abschaum der Gesellschaft: Prostituierte, Verbrecher, Asylanten, Obdachlose, Zirkusleute – es ist Mitte der zwanziger Jahre. Hierzu Mehring: „Nachts lauert im Versteck von Fässern/ Gesindel längs der Uferkanten/ Mit blanken Messern/auf Passanten!/Ein Fischer, der stromabwärts fährt, stakt,/Zieht

81 *Erich Kettelhut, Der neue Turm von Babel (Metropolis, II. Fassung). Metropolis läßt sich historisch und exemplarisch deuten als Verknüpfung von Hure Babylon und verschlingendem Stadt- und Maschinenmoloch, von Maschinenkörper und weiblicher Sexualität, von rasender Menge und zerstörendem Vamp, von friedfertiger Braut/Jungfrau und Neuem Jerusalem.*

in der Früh mit blut'gen Krälen/ein Menschenbündel fest gehakt/Aus den Kanälen."[103]

Die Kanäle haben in der Stadt durch das dunkle, meist stehende Wasser unheimliche, weil spurenlose Wirkung. Huelsenbeck sprach vom „metallischen Wasser, in dem die Schreie mancher Wahnsinniger erstickt waren".[104] Besonders der Landwehrkanal hatte für die Geschichte der Stadt die Bedeutung von vernichtender Tilgung politischen Verbrechens. Auf die Verdrängung dieses Kapitels deutscher Geschichte, die Ermordung Rosa Luxemburgs und Karl Liebknechts bezieht sich Celan in den letzten Zeilen seines Gedichtes „Du liegst im großen Gelausche" (1967): „Der Mann ward zum Sieb, die Frau mußte schwimmen/ die Sau für sich, für keinen, für jeden/ der Landwehrkanal wird nicht rauschen/ Nichts/ stockt."[105]

Ebenso wie das Wasser erhielt der Mond über der Stadt, die meist himmellos gemalt wurde, apokalyptische Aussagekraft. Besonders in den Stadtdarstellungen Meidners und Grosz' triumphiert der Mond über einer grotesken Verfallswelt. Als „Henker" tritt er in den Berliner Gedichten von Georg Heym auf: „Schon hungert ihn nach Blut. In roter Tracht/ Steht er, ein Henker, vor der Wolken Block/ Und einer Pfauenfeder

blaue Tracht/ Trägt er am Dreispitz auf dem Nachtgelock."[106] In den Jahren der politischen Unruhen nach dem Ersten Weltkrieg fürchtete Dr. Billig, der Protagonist von Huelsenbecks Roman, „... er (der Mond) fällt herab, er fällt herab und zerschmettert die Straße. Es wird Feuerbrünste, Mord und plötzliche Todesfälle geben."[107]

Die Metropole – ein ‚steinerner Sarg'

Dem simultanen Rausch des Untergangs stand als Komplement das Bild der Monotonie und Langeweile der Stadt gegenüber. Die Stadtlandschaft versteinerte in dem Maße, in dem nach dem Kriegschaos das Immergleiche einer funktionierenden Gesellschaft offenkundig wurde, die an eine Wirtschaft „stehender Tatsachen und Gesetze" (Bloch)[108] angeschlossen war. Die Gleichzeitigkeit Berlins, sein Up-to-date war nicht Kennzeichen lebendiger Gegenwärtigkeit. Im Gegenteil, viele der avantgardistischen Künstler und Literaten sahen den Städter in seiner Berlin-spezifischen Nervosität und Hektik „als ein caput mortuum, nämlich im Produkt seiner Verdinglichung" – so die Erkenntnis Ernst Blochs in seinem Essay „Berlin. Funktionen im Hohlraum".[109] Berlin wurde als kubischer, leblos steinerner Stadtkörper dargestellt, der

Mensch darin eine gesichtslose Marionette, z. B. in „Ohne Titel" (1919) von Grosz[110], „Dada-Dachatelier" von Schlichter.[111] Auch die Stadtbilder von Grundig, Davringhausen, Nerlinger (Abb. 113), Wunderwald, spiegeln Leere, Einsamkeit, Monotonie und Langeweile in sparsamer, nüchterner Darstellungsweise. Gezeigt wurde das Immergleiche einer funktionierenden Gesellschaft. Der bedrohliche Moloch und das weibliche Zerstörungspotential scheinen durch die bürokratisierte und durchrationalisierte Verflechtung von Kapital, Wirtschaft und Politik gebändigt. Nicht nur die äußere Natur wird durch Technik und Wissenschaft beherrscht, sondern in zunehmendem Maße auch die innere Natur der Stadtmenschen, ihre Wünsche und Ängste. Die vollständige Mechanisierung der Natur der Stadt, d. h. auch des weiblichen Körpers wurde in den Revuen ebenso versinnbildlicht wie in der Erfindung des weiblichen Roboters im Film „Metropolis". Die männliche Herrschaft über das Chaotisch-Triebhafte, die Emotionen der Großen Stadt sollten gefestigt werden. In den monotonen Stadtdarstellungen scheint die männliche Herrschaft allein und eins mit sich selbst und ihren Erfindungen zu werden.

Schon Grosz hatte 1916/17 in seinen ersten Mappen die Stadt zu einem fassadenlosen Totengerippe skelettiert, in dem es zu Mord und Totschlag kam. Das städtische Häusermeer wurde zu einem ausweglosen Gefängnis. Die revolutionäre Bewegung, die in den Straßen 1919 auf gesellschaftliche Veränderung hinzielte, wurde im Gefängnis durch den kontrollierten Rundgang gefangener Arbeiter in Schach gehalten. Der Charakter des Unentrinnbaren wird in der Grafik „Licht und Luft dem Proletariat"[112] von Grosz überdeutlich. Sie vergegenwärtigt nicht nur eine Berlin-Erfahrung, sondern greift ikonografisch zurück auf Dorés Gefängnisdarstellung „Newgate-Excercise Yard"[113], die ja auch schon Van Gogh zur Vorlage diente. Ein Ausbruch aus diesem von der militärischen Staatsgewalt observierten Rundgang schien ebenso aussichtslos, wie aus der Zirkulationsmaschinerie auszuscheren, die durch das Rad symbolisiert wurde. 1933 überträgt Oskar Nerlinger das Bild des Gefängnisses auf einen Schulhof![114] Der kontrollierende, disziplinierende Blick von oben, der Kinder beim Rundgang und Lehrer gleichermaßen überwacht, demonstriert die Reduktion des Sehens auf eine gesellschaftliche Verfügungsgewalt. In den monotonen Stadtbildern Berlins herrschte das Zugleich von Raumenge und Unausmeßbarkeit, von Platzangst und Verlorenheit im unendlichen Steinmeer. Erstarrung verkörperte die bis zum Exzeß getriebene Akkumulation im Stadtbild, da sie gleichzeitig eine Entwertung und Nivellierung, eine ‚nihilistische' Verendung des Lebens beinhaltete, das zum bloßen Überleben entleert wurde. Der Untergang der Gesellschaft, den Grosz noch 1917/18 als großes Chaos darstellte, war seit 1920 ‚versteinert'. Die „Erstarrung" als „Reinzucht der zivilisierten Form"[115] war nach Spengler die letzte Stufe, die der „Untergang des Abendlandes" hervorbrachte. „Die steinerne Masse ist die absolute Stadt... Ihr Bild ... enthält die ganze erhabene Todessymbolik des endgültig ‚Gewordenen' ..." „Die Geburt der Stadt zieht ihren Tod nach sich."[116]

Wie Dynamik und Erstarrung zu einem Bild erstarrter Unruhe gelangen, vergegenwärtigen die Metropolismontagen von Paul Citroen.[117] 1923 montiert, versinnbildlichen sie das maß-

82 *Fritz Lang, Metropolis, 1927. Brigitte Helm als künstliches Geschöpf des Erfinders Rotwang.*

lose Wachstum der Großstädte und bilden mit Zitaten von internationalen Hochhausbauten eine gigantische Weltstadt. Die synthetische Verflechtung großer Stadtbauten zu einer analogen Großen Stadt assoziierte einen modernen Turmbau zu Babel – wie sie auch die gigantomanische Metropolis-Architektur in dem Film Fritz Langs als filmische Illusion vorführte. Die rapide Ausdehnung Berlins rief steinerne Vorstellungen wach: Hegemann sprach vom „steinernen Sarg"[118], Kellermann vom „steinernen Meer"[119], Armin T. Wegner verglich Berlin mit einer Sphinx, unter deren steinernen Brüsten die Menschen erdrückt werden.[120]

Dieses moderne, phantasmagorische, revolutionäre, babylonische Berlin blieb für die deutsche Provinz ein Fremdkörper, weshalb auch die Nationalsozialisten – aus dem Geist des provinziellen Deutschland hervorgegangen – sich schwer mit ihrer Hauptstadt taten (vgl. S. 230 ff.). „Hierher paßten sie nicht ganz. Hier nahm man sie nicht für voll. Deshalb haßte der Führer der Gewalt-Bewegung die Stadt, wo er dereinst zu residieren hoffte, ingrimmig", schrieb Axel Eggebrecht in „Volk ans Gewehr" und verglich die Werbung der Nationalsozialisten um Berlin mit der Bezwingung einer widerspenstigen Frau. Goebbels, „der kleine aus dem Rheinland stammende Doktor der Philosophie", „schmeichelte und drohte der Stadt, er warb um sie wie um eine Frau, die er in besessener Haßliebe endlich willenlos zu seinen Füßen sehen wollte".[121]   *Hanne Bergius*

Hochburg der Wohnreform

Die kleine Wohnung und die großen Architekten – Wohnreform vor 1914

„Die Hausbesitzer von Berlin
Die wollten es verhindern,
Daß Eltern in die Häuser ziehn
Mit einer Schar von Kindern.
Die Väter prüften ihre Kraft
Den Zustand abzustellen
Und schufen die Genossenschaft –
Die Sozis und Rebellen.“

So sangen sie – die Mitglieder der Arbeiterbaugenossenschaft Paradies (Berlin-Bohnsdorf, 1902 gegründet). Als Sozialisten – es war Berlins erste rein sozialdemokratische Gründung – hatten sie es besonders schwer, denn damals, noch „Staatsfeinde", wurden sie von jeder staatlichen Förderung ausgeschlossen und bauten ausgesprochen bescheiden. Anders die vielen staatstreuen Genossenschaften. Zwar mußten sich auch diese gegen die wahlrechtlich privilegierten Grund- und Hausbesitzerinteressen durchsetzen. Doch Bismarck und der preußische Staat hatten schon vor der Jahrhundertwende – gleichsam als „Versicherung gegen die Revolution" (v. Schmoller) – durch direkte und indirekte Förderung zur Blüte des gemeinnützig-genossenschaftlichen Wohnungsbaues beigetragen. Mit der gemeinnützigen Wohnungsbaugenossenschaft tritt historisch ein neuer Bauherrentypus auf – neben der spekulativen Terraingesellschaft, dem privaten „Mietsagrariertum" und den bürgerlichen Villenbesitzern. Dieser neue Bauherrentypus, der wie ein Magnet die besten Architekten anzog, sollte die Stadtentwicklung revolutionieren. Er wurde Pionier der Städtebau-, Wohnkultur- und Lebensreform. Auf die Architektur bezogen, hat Posener diesen Aufbruch auf die Formel gebracht: „Die gemeinnützige Miethausbauerei von Messel bis Mebes stellt einen Höhepunkt der Architektur und des Städtebaues in Berlin dar. Sie ist ohne Präzedenz: die einmalige Antwort fortschrittlich-kritischer Tendenzen auf die einmalige Ungeheuerlichkeit der Mietskasernenstadt".[1] Erst durch die baugenossenschaftliche Selbsthilfe erlangt die Arbeiterwohnung und ihre städtebauliche

Anordnung die Würde, ein kulturpolitisch relevantes Thema zu sein. Erstmalig nehmen sich die „großen" Architekten der kleinen Wohnung an; und sie bleibt zentrales Thema der Architektenavantgarde für Jahrzehnte („Wohnung zum Existenzminimum").

Doch mit dem gemeinnützigen Bauverein tritt nicht *ein* neuer Bautypus der Stadtlandschaft hinzu, sondern ein Trägertypus, der – weil mitgliederbezogen und sozialkulturell gebunden – selber wieder mehr Vielfalt garantiert. Nirgends war die Differenzierung in verschiedene Genossenschaftsrichtungen vielfältiger als in Berlin. Vor 1914 lassen sich in Berlin vier Richtungen genossenschaftlicher Selbstversorgung unterscheiden[2]:

wurden kaum unternommen. Berlins älteste Genossenschaft, die Berliner Baugenossenschaft (1896), zählt in ihrer frühen Zeit zu diesem Typ.

Die *Arbeitgeber- und Beamtenbaugenossenschaften* (Typ II) waren nicht eigentlich Selbsthilfeformen, sondern waren eher Versorgungseinrichtungen für die Beschäftigten. Besonders bei den Beamtenbauvereinen wurden Gründung, Förderung und Leitung von der Staatsverwaltung übernommen, doch bedeutet die genossenschaftliche Verfaßtheit einen bedeutenden Schritt zur Selbstverwaltung, die der spätfeudale preußische Staat wohl deshalb nicht zu fürchten brauchte, da er seine Beamten ohnehin stark arbeitsrechtlich und lebenskulturell eingebunden hatte. Der

83 *Genossenschaftssiedlung der Freien Scholle in Tegel. Luftaufnahme um 1930; Architekt der meisten Anlagen war Bruno Taut*

Die *mittelständisch-besitzindividualistische Richtung* (Typ I) propagierte das freistehende Erwerbshaus, das nach einer bestimmten Anzahlungszeit in das Privateigentum überging. Mit den Mitteln der reinen Selbsthilfe war dies allerdings nur Mittelstandsgruppen möglich. Bei diesen Genossenschaften stand die rein wirtschaftliche Besserstellung im Vordergrund; soziale oder architektonisch-städtebauliche Anstrengungen

erste von vielen Berliner Beamtenvereinen, der Beamten-Wohnungsverein zu Berlin (1900), organisierte allein bis 1906 mehr als 10 000 Mitglieder und entfaltete eine rege und spektakuläre Bautätigkeit (hauptsächlich mit dem Architekten P. Mebes; vgl. S. 70–73).

Die *paternalistisch-sozialreformerische Richtung* (Typ III), staatsfromm aber radikal reformerisch, hatte als Leitprinzipien: Gemeinschaftseigentum, umfas-

84–85 Die Genossenschaft Freie Scholle entspricht wahrscheinlich am besten den Idealen der freigewerkschaftlich-sozialistischen Wohnreformbewegung wie sie M. Wagner und B. Taut formuliert haben. Hier Kindergruppe und Genossenschaftschor beim jährlichen Schollenfest.

sende Gemeinschaftseinrichtungen, soziale Mischung der Mitglieder, Pflege der genossenschaftlichen Selbstverwaltung und des „Genossenschaftsgeistes". Der Spar- und Bauverein Berlin (1892) wird mit seinen großen Wohnanlagen und Gemeinschaftseinrichtungen (Architekt: Messel) zum Vorbild für Gründungen im ganzen Reichsgebiet. Doch zahlreiche andere Berliner Genossenschaften – wie etwa der christlich-ge-

werkschaftlich orientierte Vaterländische Bauverein (1902) und die eher bürgerliche Charlottenburger Baugenossenschaft (1907) zählen zu dieser in sich wieder bunt gemischten Gruppe.

Die *oppositionell-reformerischen Genossenschaften* (Typ IV) formierten sich umfassend gegen die wirtschaftlichen, politischen und kulturellen Rahmenbedingungen und waren deshalb – weil nicht „staatsfromm" – besonders

auf ihre eigene Kraft angewiesen. Ihre Namen schon waren das Programm: Eden (1893), Paradies (1902), Freie Scholle (1895), Ideal (1907); begriffene Utopien. Sie alle mußten eine mühsame Gratwanderung wagen zwischen dem utopischen Entwurf, der strukturellen Überforderung und den Zwängen der Suche nach Förderern.

Die bunte Differenzierung genossenschaftlicher Betätigung war nirgends so weit fortgeschritten wie in Berlin; Wien kam beispielsweise nicht annähernd an Berlin heran und kannte nur Genossenschaften des Typs I und II.[3] Diese Vielfalt lag in Berlin nicht zuletzt an der regen Agitationstätigkeit der drei großen Propagandagesellschaften, die wie auch die Genossenschaftsverbände ihren Sitz in Berlin hatten. So hatte der Deutsche Bund für Bodenreform sich an zahlreichen Gründungen beteiligt (z. B. Erbbauverein Moabit – 1904 – mit seinen berühmten palmenbegrünten Innenhöfen). Aus dem Deutschen Verein für Wohnungsreform gingen vor allem die Spar- und Bauvereine hervor; und die Deutsche Gartenstadtgesellschaft gründete eine Genossenschaft in Berlin-Falkenberg, die die Tuschkastensiedlung von B. Taut errichtete und damit die Farbrevolution im Berliner Städtebau einleitete.

Lindenhofsiedlung – Deutschlands erste Verwaltungsgenossenschaft – ein unbekanntes Denkmal der Wohnreform

Schon vor 1914 waren die Grenzen genossenschaftlicher Wohnreform sichtbar geworden. Zwar hatten die Genossenschaften qualitativ die Pionierrolle übernommen, doch quantitativ blieben ihre Bauten Inseln im Meer des steinernen Berlin. Erst der Zusammenbruch der privaten Bautätigkeit in und vor allem nach dem Ersten Weltkrieg im Gefolge der explodierenden Baupreise, des Kapital- und Baustoffmangels, der niedrig gehaltenen Mieten und sinkenden Realeinkommen erzwang den Reformwohnungsbau auf Massenbasis. Die alten und vielen neuen Genossenschaften und gemeinnützigen Gesellschaften wurden so – innerhalb von wenigen Jahren – zum Hauptträger des Wohnungsbaues. Der neue Bauherrntypus – nicht-gewinnwirtschaftlich, demokratisch kontrolliert, oft mitgliederbezo-

gen – mußte sich nun in der Breite bewähren.

Die meist noch ehrenamtlich geführten
Genossenschaften waren überfordert,
sollten sie zu dynamischen Trägern des
breiten reformierten Wohnungsbaus
werden.[4] Hatte es vor dem Kriege erste
Lösungsansätze gegeben für ein genos-
senschaftlich-kommunales Serviceunternehmen (GAG 1913), das den Genossenschaften die professionellen Pla-
nungs- und Bauaufgaben abnahm – so
wurden solche Ansätze der Professionalisierung der Hilfe zur Selbsthilfe vor allem gegen Ende des Weltkrieges – in Erwartung der dann ausbrechenden Wohnungsnot – diskutiert. Grundsätzlich
gab es ja zwei Möglichkeiten, professio-
nale Baubetreuungsorganisationen aufzubauen, entweder auf staatlich-kom-
munaler Ebene oder aber als politisch
richtungsgebundene freie gemeinnützige Träger. Martin Wagner (vgl. S. 126
bis 133), ab 1918 Schöneberger, ab 1924
gesamtberliner Stadtbaurat, sollte für
beide Varianten die Schlüsselfigur werden. Durch sein energisches Wirken
konnte noch vor Ende des Weltkriegs
mit dem Bau der Siedlung Lindenhof in
Schöneberg begonnen werden. Diese architektonisch und neuerdings alltagsge-
schichtlich[5] beachtete erste Großsiedlung Berlins stellt in Wirklichkeit einen
bislang überhaupt nicht erkannten Höhepunkt in der Geschichte der Wohnungsreform dar: sie ist die erste kom-
munal errichtete Bewohnergenossen-
schaft, noch heute lebendiger Beweis
für die Möglichkeit einer Synthese von
kommunaler Bautätigkeit und genossenschaftlicher Selbstverwaltung. Martin Wagner ließ die Siedlung vom Bezirk als Bauherrn errichten, ließ sie vom
Wohnungsamt entsprechend der Be-
dürftigkeit der Wohnungssuchenden belegen und überführte schließlich (1921)
die Siedlung in eine Verwaltungsgenossenschaft. Diese Siedlung, für die Bruno Taut ein Junggesellenheim mit Gemeinschaftseinrichtungen für alle Bewohner baute, entwickelte eine reges
Gemeinschaftsleben, zählte bald zu den
„roten Reformsiedlungen" und wurde
entsprechend hart von Nazi-Zugriffen
nach 1933 getroffen.

Zwar war hier die Trennung von professioneller Bauträgerschaft und Be-
wohnerselbstverwaltung vollzogen – ein
für Wagner und die Wohnungsreformer

86–88 *Anders als in Städten wie
Frankfurt und Hamburg, wo eine vergleichsweise einheitliche Baupolitik
verordnet wurde, entstand in Berlin
eine bunte Vielfalt von Architekturstil-
len, Ausdruck des gesellschaftspolitischen Pluralismus freigemeinnütziger
Wohnreformträger. Oben links: Siemensstadt, Gemeinnützige Baugesell-
schaft Heerstraße mbH, Bauteil Scha-
roun, Jungfernheideweg, der soge-
nannte „Panzerkreuzer", 1929–32.
Foto: U. Hesse. Oben rechts: Baublö-
ke an der Kreuzung Zeppelinstraße und
Falkenseer Chaussee, Gemeinnützige
Baugesellschaft mbH Adamstraße,
Architekten Richard Ermisch und
Adolf Seil, 1926–27. Foto: U. Hesse.
Unten: „Triumphtraum des modernen
Architekten", Karikatur auf das „Neue
Bauen" von Reinicke in der Zeitschrift
„Deutsche Bauhütte", 1930. Im Hintergrund Anspielung auf Scharouns
Panzerkreuzer-Architektur über die
Ernst Bloch schrieb: „Heute sehen die
Häuser vielerorts wie reisefertig
drein… Im Innern sind sie hell und
kahl wie Krankenzimmer, im Äußeren
wirken sie wie Schachteln auf bewegba-
ren Stangen, aber auch wie Schiffe. Haben flaches Deck, Bullaugen, Fallreep,
Reling, leuchten weiß und südlich, haben als Schiffe Lust, zu verschwinden… Der begonnene Grundzug der
neuen Baukunst war Offenheit: … sie
öffnete Blickfelder durch leichte Glas-*
*wände, doch dieser Ausgleichswille mit
der äußeren Welt war zweifelsohne ver-
früht. Die Entinnerlichung wurde Hohlheit, die südliche Lust zur Außenwelt
wurde, beim gegenwärtigen Anblick
der kapitalistischen Außenwelt, kein
Glück… die Glastüre bis zum Boden
setzt wirklich Sonnenschein voraus, der
hereinblickt und eindringt, keine Gestapo." (Die Bebauung des Hohlraums.
Neue Häuser und wirkliche Klarheit,
in: Das Prinzip Hoffnung, Ffm. 1978,
S. 858 f.)*

der zwanziger Jahre konstitutives Prinzip – doch erschien Wagner am Lindenhof-Modell zweierlei verbesserungsfähig. Weder die mittelständisch-handwerklichen Baubetriebe noch die bezirkliche Verwaltung eigneten sich zum Bau und zur Planung des erforderlichen großzügigen Reformwohnungsbaus. In Kooperation mit der freigewerkschaftlichen Sozialisierungsbewegung entwikkelte er die Idee genossenschaftlich-gemeinwirtschaftlicher Baubetriebe, Bauhütten genannt, und schritt in Berlin zur Gründung der Berliner Bauhütte von 1919. Bauhütten nach diesem Vorbild gab es bald im ganzen Reich, knapp 200 Stück an der Zahl mit zeitweise über 20 000 Beschäftigten. In Berlin gab es schließlich fünf solcher sozialen Baubetriebe, die bei den meisten, vor allem freigewerkschaftlichen Großsiedlungsprojekten die Träger eines verwissenschaftlichten Bauverfahrens wurden. Martin Wagner stand mehrere Jahre an der Spitze des Verbandes der Sozialen Baubetriebe (VsB).
Mit der Kommune als Bauherr hatte Wagner (und andere) schlechte Erfahrungen gemacht. Anstelle einer kommunalen Bauherrschaft drängten sich zwei andere Lösungen auf. Entweder errichteten die Kommunen selber freigemeinnützige Wohnungsgesellschaften, was in Berlin zwischen 1919 und 1924 von vielen Bezirken aus geschah. 1924 erfolgte auf gesamtberliner Ebene

die Gründung der Wohnungsfürsorgegesellschaft, eines staatlichen Betreuungs- und Finanzierungsinstruments. Oder die großen, organisierten gesellschaftlichen Gruppen gründeten ihrerseits „richtungsgebundene" Wohnungsunternehmen. Denn den konsequenten Wohnungsreformern, Wagner an der Spitze, waren die kulturell-sozialreformerischen Elemente zu wichtig, um den Siedlungsbau den staatlichen „neutralen" Trägern zu überlassen, bei denen es mangels gesicherter klarer Mehrheiten keine konsequenten Programme geben konnte. Auch sollten die neuen Träger nicht vom Staat herab, sondern von der genossenschaftlich organisierten Bewegung und den Wohnungssuchenden heraufwachsen. Auf der Basis dieser Ideen entwickelten die freien (sozialistischen) Gewerkschaften ab 1924 einen dreistufigen Verbund: aufbauend auf den örtlichen, der Arbeiterbewegung nahestehenden Genossenschaften entstanden genossenschaftlich-gewerkschaftliche Serviceunternehmen in der Rechtsform der Aktiengesellschaft, die sich auf Reichsebene in einer programmgebenden Muttergesellschaft organisierten. 1924 erfolgten in Berlin sowohl die Gründung der DEWOG als Muttergesellschaft, wie auch der GEHAG als berliner genossenschaftlich-gewerkschaftliches Betreuungsunternehmen.[6] Wagner wechselte an ihre Spitze, Bruno Taut wurde

Chefarchitekt des freigewerkschaftlichen Wohnungsverbundes. In diesem Verbund von sozialen Baubetrieben, gewerkschaftlichen Bauherrenorganisationen auf drei Stufen, von Arbeiterbank und Volksfürsorge und Konsumgenossenschaften – unterstützt durch Mittel der 1924 staatlicherseits eingeführten, die Inflationsgewinne der Hausbesitzer abschöpfenden Hauszinssteuer – entstanden Berlins lebendigste Siedlungen. Die GEHAG übernahm die Planung und Baudurchführung der Bauten für ihre Mitgliedergenossenschaften, Paradies, Freie Scholle, Ideal, Lichtenberger Gartenheim, Beamten-Wohnungsverein Neukölln, Spar- und Bauverein Berlin. Die GEHAG baute aber auch zahlreiche eigene Siedlungen (Hufeisen-Siedlung/ Britz, Waldsiedlung Zehlendorf, Carl-Legien-Siedlung, Afa-Hof), die sie einer eigenen, eigens gegründeten Organisation, der Einfa, zur genossenschaftsähnlichen Verwaltung übergab. So erklärt sich, daß die sensible, sozial gebundene Moderne der Tautschen Architektur synonym wurde für die Architektur der Berliner Arbeiterbewegung. Anders als in vielen anderen Beispielen avantgardistischer Architektur wurde sie hier nicht unvermittelt verordnet, was wie ein Schock auf die Bewohner wirken mußte, sondern sie wurde aufgrund des vielgliedrigen Organisationszusammenhangs weitgehend als symbolische Äußerung der Bewegung akzeptiert.

Vielfalt oder Einheitlichkeit – Berlins besonderer Weg im Städtevergleich
Es gab Städte, in denen der politische Wille für eine relativ einheitliche Bauphilosophie sorgte. Das Neue Bauen wurde vor allem in Städten mit sozialdemokratischem Baueinfluß (Frankfurt, Hamburg, Altona) durchgesetzt. Ob dem Neuen Bauen durch seine Verordnung – wie in Frankfurt – ein Dienst geleistet wurde, scheint mehr als fragwürdig. Hier mußte selbst die von dem konservativ-ständischen Deutschnationalen Handelsgehilfenverband (DNHV) dominierte GAGFAH entgegen aller Hausphilosophie das flache Dach und die anderen Frankfurter Normen übernehmen. Daß damit weder dem Ansehen des neuen Stils noch ihrer Promotoren gedient ist, scheint auf der Hand zu liegen. Doch auch die städte-

baulichen und lebenskulturellen Folgen scheinen problematisch. Jedenfalls verkörpert Berlin das interessanteste Gegenmodell. Auch hier nahm „natürlich" die Stadtverwaltung über die Vergabe der Hauszinssteuermittel Einfluß auf die Bautätigkeit, sie beschränkte sich jedoch auf Kostengrenzen, Flächen- und Belegungsbeschränkungen. Der Stil des Baus wurde den freigemeinnützigen Trägern überlassen. Da sich alle gesellschaftlichen Gruppierungen, vor allem aber die Berufsverbände der vier Gewerkschaftsrichtungen, Genossenschaften und Trägergesellschaften zulegten, drückte sich der politische und sozialkulturelle Pluralismus in einer Konkurrenz der Träger und der ihnen adäquat erscheinenden Stile aus. In Berlin ist auf unerhört reiche Weise die gesellschaftliche Vielfalt in konkurrierenden Baustilen sichtbar geworden. Stil- und Dach-„Kriege" entlang der zwei Seiten einer Straße beschränkten sich nicht auf die bekannten Beispiele von DEGEWO und GEHAG in Britz und GEHAG und GAGFAH in Zehlendorf. Das ganze Berlin der 20er Jahre zeichnete sich durch eine vorher und nachher nie wieder erreichte ästhetische und sozialkulturelle Vielfalt der Wohnungsangebote im Bereich des Kleinwohnungsbaus aus. Radikale Moderne, sozial-engagiertes Neues Bauen stehen expressionistischen, neobiedermeierlichen und neoklassizistischen Stilen oft direkt und gleichzeitig gebaut gegenüber. Anders als in den Siedlungen der bezirklichen Wohnungsgesellschaften (z. B. die Weiße Stadt der Gesellschaft Primus, die Siemensstadt der Gesellschaft Heerstraße) sorgten die richtungsgebundenen Trägergesellschaften und Genossenschaften für sozialkulturell homogene Siedlungsstrukturen, die oft für mehr Identifikation der Bewohner und eine ausgeprägte Identität der Siedlung nach außen sorgten. Sieht man von den bezirklichen Gesellschaften ab, die in der NS-Zeit zur GSW zwangsverschmolzen wurden, so stand hinter allen anderen gemeinnützigen Wohnungsunternehmen ein spezifisches sozialkulturelles Konzept, das sich in der Bewohnerzusammensetzung bis hin zur Architektur ausdrückte. Die Entdeckung und Würdigung dieser Vielfalt als Reichtum und

großstädtische Qualität hat kaum begonnen. Eher noch fixiert man sich allzu einseitig auf den architektonischen Fortschritt – in Gestalt der Durchsetzung des internationalen Stils. In Berlin konnte sich m. E. auf vergleichsweise optimale Weise die Chance des freigemeinnützigen Wohnungsbaus entfalten – die Ausbalancierung von Bewohnerinteressen, sozial-kulturell korrespondierender Bauträger und städtisch-staatlicher Rahmensetzungen und Förderung.

Weltwirtschaftskrise, NS-Zeit und das Ende der Vielfalt

Schon mit der Weltwirtschaftskrise brach der Großsiedlungsbau jäh zusammen und machte dem wilden oder organisierten Primitivsiedlungsbau Platz. Der Zusammenbruch wohnkultureller Normen war wohl nie so total wie in den Jahren 1931/32. Viele der in den richtungsgebundenen Siedlungen entstandenen Gemeinschaften bewährten sich in der Krise; zahlreiche solidarische Hilfseinrichtungen (z. B. Erwerbslosenküchen in der Freien Scholle oder im Lindenhof) zeugten von der Qualität dieser Lebensform.

Mit der Machtergreifung begann eine Serie von Eingriffen, deren Hauptfolge die Zerstörung der lebenskulturellen Vielfalt und Freiheiten und ihrer architektonischen Entsprechung war. In aller Offenheit wurde dieser Prozeß Gleichschaltung genannt: der gewaltvolle Ersatz aller freigewählten Kräfte durch Parteigenossen, Auflösung und Ersatz der Richtungsverbände durch den Einheitsverband, Verbandszwang, Bedürfnisprüfung, Zwangsverschmelzung vieler kleiner und bezirklicher gemeinnütziger Bauvereine, Beschlagnahme der Gewerkschaftsunternehmen aller Richtungen und Unterstellung unter die deutsche Arbeitsfront, Auflösung des dreistufigen Aufbaus, vor allem der Bewohnerorganisationen (Eingliederung der Einfa in die GEHAG), Auflösung der Bauhütten und Konsumgenossenschaften, Reduzierung der gemeinnützigen Wohnungsunternehmen auf die reine Wohnungsversorgung (Abschaffung der Spar-, Sozial- und Kultureinrichtungen). Die deutsche Arbeitsfront unter Robert Ley zog zunehmend wohnungs-

politische Kompetenzen an sich, bis sie 1940 durch Führererlaß die Zuständigkeit für einen reichseinheitlich normierten „Sozialen Wohnungsbau" erhielt. Ab 1938 hatte sie schon die vormaligen Gewerkschaftsunternehmen in Neue Heimat umbenannt und je eine in jedem Gau als Träger eingesetzt. In Berlin allerdings übernahm diese Rolle die GEHAG, das Musterunternehmen der deutschen Arbeitsfront.

Traditionen – Anknüpfungspunkte

Die Nachkriegszeit zeichnete sich nicht durch einen Rückgriff auf die Wohnungsreformideen vor 1933 aus. Der Wiederaufbau fußte im Gegenteil auf der Kontinuität der Unternehmen als Organisationseinheiten. Am schmerzlichsten wirkte sich der historische Verlust zweier, im Berlin der zwanziger Jahre ausgeprägter Wohnungsreformprinzipien aus: der Verlust der mehrstufigen Organisationen, an deren Basis eine Verwaltungsgenossenschaft oder -verein der Bewohner ist, und der Verlust der sozialkulturellen und architektonischen Vielfalt der Wohn- und Siedlungsformen. Zudem fehlten gänzlich – wie noch in der Weimarer Republik – die Organisationsangebote an Gruppen. An diesem dritten Punkt könnte eine Reaktivierung der Wohnungsreform heute anknüpfen: die Ermöglichung von kleinen Verwaltungsgenossenschaften in zu bürokratisch verwalteten Siedlungen oder spekulativ bedrohten Mietshäusern; die Schaffung einer leicht handhabbaren Rechtsform, die es Gruppen möglich macht, ihre neuen wohnkulturellen Anliegen umzusetzen, um somit für mehr Vielfalt zu sorgen. Überall wird doch ein „Erwerbermodell" für Nutzer gesucht, das Miethäuser für ihre Bewohner sichern kann oder die Reprivatisierung in Sanierungsgebieten sozial und fiskalpolitisch sinnvoll macht. Wenn Dänemark durch ein eigenes Gesetz für Genossenschaftsvereine Tausende von Hausgenossenschaften ermöglicht hat, warum sollte derselbe Vorschlag in Berlin – der Stadt mit der ersten Verwaltungsgenossenschaft (Lindenhof) – nicht auch möglich sein.[7]

Klaus Novy

89 *Erster Bau der ‚oppositionellen' Genossenschaft IDEAL 1907, die von der AOK unter sozialdemokratischem Einfluß ge-*
gründet wurde.

Abschreibungsmythos Alexanderplatz

Martin Wagner als Regisseur der Weltstadt Berlin

*„Von diesen Städten wird bleiben: der durch sie hindurchging. der Wind!"
(Bertolt Brecht, Vom armen B. B.)*

Die 20er Jahre zeigen besonders in Berlin einen Wendepunkt im Verständnis der Stadt. Es handelt sich nicht einfach nur um den Übergang von der antiquierten wilhelminischen Architektur zur „modernen", zum Neuen Bauen. Sondern der Bruch geht viel tiefer: An die Stelle einer gebäudeorientierten Stadtbaukunst tritt eine technische Stadtplanung, die die Stadt organisieren will wie Henry Ford seine Autofabrik. Die Wende macht sich in Berlin an den Personen der Stadtbauräte fest: vom Künstler Ludwig Hoffmann zum Manager Martin Wagner.

Der Ort, an dem diese Wende im Berlin der 20er Jahre deutlich wurde, war nicht etwa Britz, sondern allein der Alexanderplatz. Dieser ist deshalb zu Recht ein Mythos der modernen Großstadt geworden. Aber zu diesem Mythos wurde er nur, weil er für die kommunale Verwaltung, d. h. im wesentlichen Wagner, ein privilegierter Ort der neuen unternehmerischen Investitionspolitik war. Die Geschichte des Platzes charakterisiert sehr genau die Bedingungen und Möglichkeiten des von Martin Wagner angestrebten Managements der Stadt.

Die Aktivitäten, die Wagner als Stadtbaurat zwischen 1926 und 1933[1] in die Wege leitete, zielen auf die Überwindung der traditionellen Funktion der öffentlichen Verwaltung, ihrer ‚Nachtwächterrolle', wie sie Wagner einmal bezeichnete. Diese hatte vornehmlich in einer städtebaulichen Planung bestanden, die sich damit begnügte, die Rechte des Privateigentums gegebenenfalls einzuschränken, die Interessen der Gemeinschaft also auf passive Weise zu schützen und darauf zu hoffen, daß ein privates Bauherrentum für die Wahrnehmung der öffentlichen Interessen sorgen werde. Im radikalen Gegensatz dazu sucht Wagner die zeitliche Differenz zwischen der Aufsetzung eines Plans und seiner Verwirklichung optimal zu verkürzen, und zwar so weit, daß

sie zeitlich sogar zusammenfallen: Ein Plan, schreibt Wagner, könne einzig für den Zeitpunkt seiner Ausführung Gültigkeit beanspruchen.[2]

Vielleicht wird es verwundern, wenn derselbe Wagner, der die Umgestaltungsmaßnahmen am Alexanderplatz plant und organisiert, in diesem Zusammenhang die moderne Architektur des Platzes – also das, was uns heute an der Stadtplanung am meisten interessiert – als völlig „irrelevant" bezeichnet.[3] In welcher Beziehung steht nun diese von Wagner angestrebte Beschleunigung der Produktivität der Stadt zur Negation ihrer modernen Architektur?

Eine Antwort darauf läßt sich am Experiment des Alexanderplatzes – dem Musterbeispiel für die „moderne" Führung der Stadt – ebenso ablesen wie aus Wagners theoretischen Überlegungen zur Metropole, vom Beginn seiner Karriere an bis zur konsequenten Entfaltung seiner Ideen, wie sie in der 1951 entstandenen Schrift „Wissenschaftlicher Städtebau" dargelegt werden.

Bereits einen Monat bevor er zum Stadtbaurat nominiert wird, erläuterte Wagner das Problem, dem man sich bei der Verwirklichung der neuen Weltstadt gegenübersieht: „Wichtiger als die Architekten sind für Berlin die Bauherren"[4]. Bei den städtebaulichen Veränderungen am Alexanderplatz ist es nun die Stadt selbst, die als ihr eigener Bauherr auftritt. Angesichts des bedrohlichen Phänomens einer allgemeinen Verlagerung des Geschäftslebens und infolgedessen des Zentrums der Stadt beabsichtigen der Berliner Magistrat und insbesondere Martin Wagner, diesen „Zug nach Westen", der schon vor geraumer Zeit eingesetzt hatte, durch unternehmerische Interventionen im alten Stadtzentrum aufzuhalten und mit diesem Korrektiv sowohl eine wirtschaftliche Sanierung der Zone zu erreichen, als auch diese wieder für private Wirtschaftsunternehmen attraktiv werden zu lassen.

Daß die Stadt am Alexanderplatz zu ihrem eigenen Auftraggeber wird, liegt nicht nur daran, daß die privaten Bauherren „fehlen": Es ist ebenso eine neue Form der Stadtentwicklung, mit der hier experimentiert wird. Wagner er-

setzt die sonst übliche Erstellung von Generalbebauungsplänen durch eine neue Praxis, die sich auf Verhandlungen und auf die Zusammenarbeit mit der Privatwirtschaft stützt. Bezeichnenderweise wird auch dasjenige Amt, das für die Erstellung des Generalbebauungsplans zuständig ist – nämlich das von Martin Wagner geleitete Amt für Stadtplanung – nie damit fertig werden.

Es ist der Großgrundbesitzer Heinrich Mendelsohn, der erklärt, warum die Umgestaltung des Alexanderplatzes „notwendig" sei[5]. Der Platz solle jenes andere Zentrum, das sich im Westen spontan gebildet habe, ausgleichen; er müsse ein „Magnet" werden, der in der Lage wäre, Touristen aus dem Osten Deutschlands anzuziehen, Besucher, die nach Berlin kommen würden, um „Stadtluft zu atmen": Der Platz solle ein Geschäftszentrum von hohem Niveau werden. Die Stadt selbst, so heißt es weiter, werde bei dem Eingriff nur gewinnen können: Schon der Besitz des Grundstückes, das von der BVG angekauft und anschließend an Privatunternehmen vermietet werde, garantiere der Stadt eine ertragreiche Beteiligung an dem Geschäft. Die gesamte Operation, die zunächst durch den Hinweis auf die bestehenden Verkehrsprobleme gerechtfertigt worden war, dient also in Wirklichkeit dem Aufbau eines von der Stadt geplanten Geschäftszentrums, das den Weg zu einer allgemeinen Sanierung des alten Zentrums eröffnen soll. Der Artikel von Mendelsohn, der den Wert der Unternehmung am Alexanderplatz hervorhebt, erscheint nicht zufällig in der von Adolf Behne und Martin Wagner herausgegebenen Zeitschrift „Das neue Berlin".

Während am Alexanderplatz unter den Straßen die Arbeiten für den Bau der Untergrundbahn voranschreiten, kauft die Stadtverwaltung die Grundstücke rings um den Platz und in dessen Umgebung, um mit den Abrißarbeiten beginnen zu können. Im November 1928 entwirft Wagner einen Massenplan (vgl. Abb. 101), auf dessen Grundlage ein beschränkter Wettbewerb ausgeschrieben wird. Die Stadtverordnetenversammlung, die jene Lösung mehrheitlich befürwortet, läßt gleichwohl zwei Kernfragen des Vorhabens offen: Sie bezweifelt zum einen die Zweckdienlichkeit einer Sondergenehmigung zur Errichtung von Gebäuden, deren Höhe die von der Bauordnung vorgeschriebene überschreitet, und andererseits die Notwendigkeit, die Grundstücke am Alexanderplatz im Besitz der Stadt verbleiben zu lassen. Die für die Intervention notwendigen Grundstücksankäufe waren bereits durch die stadteigene (und eigens zu diesem Zweck von Ernst Reuter gegründete) Verkehr AG getätigt worden.[6] Das ganze Unternehmen verliert seinen Sinn, sobald jene Sonderbedingungen nicht berücksichtigt werden. Und tatsächlich ist der Vorschlag, eine Ausnahmegenehmigung für die Gebäude am Alexanderplatz zu erwirken, um somit abweichend von der allgemeinen Bauordnung die Anzahl der Stockwerke erhöhen zu können, überhaupt nur denkbar, weil die Stadt selbst Eigentümerin der Grundstücke ist, auf denen das neue Geschäftszentrum errichtet werden soll, und infolgedessen an dem Gewinn, den man sich von dem Unternehmen verspricht, teilhaben wird.

An dem Wettbewerb für den Alexanderplatz nehmen Mies van der Rohe, Peter Behrens, Mebes & Emmerich, Emil Schaudt, Müller-Erkelenz und die Gebrüder Luckhardt & Anker teil (vgl. Abb. 102–105).
Der prämiierte Vorschlag ist derjenige, der sich der von Wagner entworfenen Lösung am meisten annähert, nämlich der von den Gebrüdern Luckhardt & Anker. Im übrigen ist es allein das Projekt von Mies van der Rohe, das sich entschieden von Wagners Vorentwurf absetzt. Mies kritisiert daran insbesondere die Gleichsetzung von Verkehrsfluß und fortlaufender Bewegung der architektonischen Volumen.[7] Die Ergebnisse dieses beschränkten Wettbewerbs – die im übrigen für diejenigen, die effektiv am Alexanderplatz bauen wollen, keinesweg bindend sind – werden im Frühjahr 1929 bekannt gemacht. Bis einschließlich April findet sich kein einziger privater Bauherr, der am Alex investieren will.
Indem man die Anzahl der Stockwerke gegenüber dem in der Bauordnung vorgeschriebenen Höchstmaß heraufsetzt, versucht man zugleich, den Ausbau des Dienstleistungssektors im Zentrum

ganz allgemein für die private Unternehmerschaft attraktiv zu machen, insbesondere aber die Unternehmung am Alexanderplatz. Tatsächlich ist es gerade diese Entwicklung des tertiären Sektors, die man stimulieren will und um deretwillen das ganze Projekt in Angriff genommen worden ist.
Martin Wagner und der Berliner Magistrat suchen nun mühsam einen Bauherrn, der sich für die Bauvorhaben am Alexanderplatz interessieren könnte. Im Mai endlich findet sich ein vom amerikanischen Kapital gestützes Konsortium, das mit der Stadt einen Vertrag abschließt, nach welchem es die Grundstücke des Platzes mietet, sich verpflichtet, dort Bürohäuser zu bauen und diese seinerseits zu vermieten. In dem Vertrag mit der „Bürohaus am Alexanderplatz GmbH" sichert sich die Stadt eine 10 %ige Beteiligung an den Gewinnen, die bei der Vermietung der Geschäftsräume erzielt werden, sowie das Recht, den Vertrag zum 30. Juni 1955 zu kündigen und sodann die noch gar nicht errichteten Gebäude wieder abzureißen.
Das bedeutet, daß Wagner am Alexanderplatz die Realisierung des neuen Platzes schon im Zusammenhang mit der Möglichkeit konzipiert, in absehbarer Zukunft – nach kaum einer Generation – ihn wieder vollkommen zu verändern. Die architektonische Planung beinhaltet bereits ihre eigene Eliminierung, sie sieht in dem Augenblick, da man sich zu der Realisierung eines Gebäudes entschließt, gleichzeitig dessen Abriß vor. Sofern sich von neuem die Notwendigkeit ergeben werde, den Platz wegen jener „unvorhersehbaren Erfordernisse der zukünftigen Entwicklung" neu zu gestalten, müßte die Stadt laut Vertrag die Mieter bis Juni 1950 informieren. Nach 1955 wird die Stadt den Vertrag erst zum Jahre 1965 kündigen und den Abriß der Häuser planen können, danach wieder 1970 und schließlich 1975.
Die beiden Gebäude von Peter Behrens am Alexanderplatz stehen – sozusagen „irrtümlicherweise" – noch heute. Wagner hatte bis in die kleinsten Details vorgesehen, wie sich die Stadt den Anforderungen der kapitalistischen Entwicklung – der Beschleunigung des Konsums – hätte anpassen müssen; allein, in der gegenwärtigen ökonomischen Situation, die den Alexanderplatz

in Ost-Berlin umgibt, sind es offenkundig gerade jene vorhergesehenen Bedingungen und Erfordernisse der Entwicklung, die im Schwinden begriffen sind. Die Tatsache, daß die Gebäude von Behrens noch existieren, verdeutlicht im gewissen Sinne die historische Verschiebung zwischen der städtischen Realität und der Fachdisziplin Urbanistik. Sichtbar werden dabei gleichzeitig die Grenzen des Städtebaus der 20er Jahre: Die Urbanistik suchte ihre Wissenschaftlichkeit abzusichern, indem sie sich dazu zwang, den Gegenstand ihrer Untersuchung – die Stadt – den „Erfordernissen der Entwicklung" so weit anzupassen, daß sie schließlich auch das Verschwinden der Stadt planen mußte – und nichts anderes ist die Konsequenz aus Wagners Überlegung, daß „jede Generation ihre eigene Stadt" werde bauen müssen[8], ohne auch nur einen Augenblick lang die „Natürlichkeit" dieser Erfordernisse und die Unantastbarkeit der „Entwicklung" dem leisesten Zweifel zu unterziehen. Die Voraussetzungen, auf die sich der von Wagner und seinen Kollegen wissenschaftlich betriebene Städtebau gründet, sind so „natürlich", daß politische Veränderungen, die das Problem Produktion – Konsum grundsätzlich anders definieren, diese zum Verschwinden bringen können. Es handelt sich dabei um denselben Widerspruch, der zwischen 1917 und 1921 in der Sowjetunion zutage tritt: Wenn auch die Sozialisierungsmaßnahmen einerseits „der Planung unbekannte Räume" eröffnen, so werden auf der anderen Seite zugleich „die Türen zu jeglichem Anspruch auf eine fachliche Autonomie des Städtebaus" wieder geschlossen[9].
Doch man würde sich irren, wollte man Wagners Vorschläge für eine „kurzlebige" Architektur oder aber seine Auffassung von der Weltstadt einfach als „utopisch"[10] bezeichnen: Die theoretischen Ausführungen des Stadtbaurates im Berlin der 20er Jahre zeichnen sich im Gegenteil stets durch ihre Orientierung an der unmittelbaren Praxis aus und sind dementsprechend auch konjunkturell bedingt. Sie dienen vor allem dazu, den diversen Unternehmungen, die voranzutreiben er von Mal zu Mal während der verschiedenen Phasen seiner Tätigkeit für jeweils nützlich erachtet, eine ideologische Grundlage zu geben. Mar-

tin Wagners städtebauliche Vorstellungen als utopisch zu erklären, könnte allenfalls (sofern dies überhaupt noch notwendig ist) verdeutlichen, wie weit wir inzwischen – in den 80er Jahren – entfernt sind von dem unbedingten Vertrauen in den Fortschritt und seine treibende Kraft, den Verschleiß des städtischen Körpers. Die unaufhaltsame Fortentwicklung und der daraus resultierende Verschleiß hatten in den 20er Jahren die Idee der Architekten und Städtebauer von einer modernen Stadt inspiriert.

Die Epoche ist vorüber, in der man sich für die „Zukunft", für die „Entwicklung" begeisterte, für den Gedanken an eine Ära der Flugzeuge, der Geschwindigkeit, der Konsumgesellschaft etc.; so kann aber heute der Mythos der Abschreibung, zu dessen größten Anhängern Martin Wagner zu zählen ist, historisch analysiert werden. Der Traum, die städtische Bausubstanz flexibel – oder „dynamisch", wie Wagner schreibt – werden zu lassen, um sie immer wieder an die neuen Erfordernisse der Entwicklung anzupassen, erweckt von unserem heutigen Standpunkt aus gesehen den Eindruck, daß jemand, um sein Zimmer zu verlassen, die Wand einreißt, in der sich die Tür befindet, weil er letztere aus irgendeinem obskuren Grund für eine überflüssige Einrichtung hält.

Es ist Alfred Döblin, der den Sinn der städtischen Eingriffe am Alexanderplatz in seinem Roman auf prägnante Weise zusammenfaßt, indem er die Stadt mit einer alten Hose vergleicht: „O liebe Brüder und Schwestern, die ihr über den Alex wimmelt ... Ein Müllhaufen liegt vor uns. Von Erde bist du gekommen, zu Erde sollst du wieder werden, wir haben gebauet ein herrliches Haus, nun geht kein Mensch weder rein noch raus. So ist kaputt Rom, Babylon, Ninive, Hannibal, Cäsar, alles kaputt, oh, denkt daran. Erstens habe ich dazu zu bemerken, daß man diese Städte jetzt wieder ausgräbt, wie die Abbildungen in der letzten Sonntagsausgabe zeigen, und zweitens haben diese Städte ihren Zweck erfüllt, und man kann wieder neue Städte bauen. Du jammerst doch nicht über deine alten Hosen, wenn sie morsch und kaputt sind, du kaufst neue, davon lebt die Welt."[11]

Davon lebt die Welt: Die Welt lebt also vom Konsum, von einem Konsumismus, der in einer unmittelbaren Bezie-

hung zu den Bedingungen der Funktionalität steht, der sich die moderne Stadt beugen muß. Tatsächlich zielen die Bemühungen Wagners und seiner Mitarbeiter hinsichtlich des Alexanderplatzes darauf, den Verbrauch der Großstadt zu beschleunigen, wobei sie glauben, auf diese Weise positiv auf die erschöpfte wirtschaftliche Konjunktur Einfluß nehmen zu können.

Das Konsortium, das mit der Stadt wegen der Realisierung des Projektes am Alexanderplatz verhandelt, stützt sich auf amerikanisches Kapital. Zur gleichen Zeit werden Verhandlungen mit französischen Kapitalgebern (dem Kaufhaus Lafayette) wegen der geplanten Veränderung des Potsdamer Platzes geführt; und es sind ebenfalls amerikanische Kapitalien, auf deren Grundlage die Zusammenarbeit zwischen dem Karstadt-Konzern und der Stadt Berlin zur Umgestaltung des Hermannplatzes erfolgen kann. Dieses Projekt übrigens, das zwei Jahre zuvor und ebenfalls unter der Regie Martin Wagners realisiert worden war, ist eine Art Labor für das spätere Vorgehen am Alexanderplatz gewesen. Auch bei dem Chapman-Projekt, für das sich Wagner vergeblich eingesetzt hatte, waren amerikanische Kapitalien im Spiel. Diese unmittelbare Verhandlungspraxis ist die Antwort Wagners und des Berliner Magistrats insgesamt auf die antiurbane Finanzpolitik des Präsidenten der Reichsbank, Hjalmar Schacht, der seit 1927 eben diesen Zustrom von Auslandsanleihen in die deutschen Großstädte unterbindet. Bei der Konfrontation zwischen dem Reichsbankpräsidenten Schacht und den städtischen Verwaltungen treffen zwei diametral entgegengesetzte und sich gegenseitig ausschließende volkswirtschaftliche Prinzipien hinsichtlich ‚der' Stadt und ihrer Funktionen aufeinander. Schacht will unter allen Umständen zu einer Währung zurückkehren, die sich auf den „objektiven" Wert des Goldes gründet. Die Stadt hingegen sucht sich die Erfahrung der „Entscheidbarkeit" des Wertes nutzbar zu machen – jene Erfahrung, die im übrigen zu dem Erlaß der Rentenmark geführt hatte –, um sich bislang ungenutzte und unerschlossene Bereiche wirtschaftlicher Intervention (wie etwa die Schaffung von Geschäfts- und Freizeitzentren) anzueignen.

Ebenso sind es zwei vollkommen verschiedenartige Auffassungen von wirtschaftlicher „Produktivität", die sich innerhalb jener Diskussion abzeichnen. Der Reichsbankpräsident vermag nur diejenigen Investitionen als produktiv anzusehen, die zur Herstellung von Exportgütern verwendet werden; auf diese Weise, so Schacht, würden dem eigenen Lande hochwertige Devisen zugeführt. Dagegen hält Wagner auch Investitionen auf dem Konsum- und Freizeitsektor für produktiv, weil somit der Geldumlauf innerhalb der Metropole stimuliert und gleichzeitig den kommunalen Verwaltungen Mittel und Gelegenheit gegeben werde, den wirtschaftlichen Kreislauf in der Stadt zu kontrollieren und gerade auch in denjenigen Bereichen zu intervenieren, die nicht zu den traditionell produktiven gehören.

Auf einer Rede im März 1929 beschreibt Wagner die städtebaulichen Interventionen am Alexanderplatz und erläutert dabei, welche beiden Bedingungen notwendig seien, um die funktionale Großstadt einer zukunftweisenden Entwicklung zuführen zu können, die zu verwirklichen und zu steuern er sich von der Gemeinschaft autorisiert fühle: „Wir werden das, was einst Tugend war und heute Sünde ist, wir werden das Erbe unserer Väter, wir werden die Kleinstadt in der Großstadt, und die Großstadt in der Weltstadt so leicht nicht loswerden – es sei denn, daß wir zwei Voraussetzungen für erfüllt erhalten ...: Gemeineigentum des Grund und Bodens und zwangmäßige Abschreibung aller Bauwerte auf diesem Grund und Boden innerhalb der Zeit eines Menschenalters von sagen wir 25 Jahren."[12]

Die Erfüllung dieser beiden Voraussetzungen ist „in der Fortentwicklung der Privatwirtschaft zu immer größeren Wirtschaftseinheiten und Wirtschaftskomplexen zwangsläufig enthalten. Berlin steht dieser Erfüllung näher als jede andere Weltstadt."[13] Tatsächlich, so kalkuliert Wagner, sei bereits ungefähr ein Drittel aller Werte der Stadt im Besitz der öffentlichen Hand – in Form von Grundstücken, Gebäuden, Straßen, Kanälen, Anlagen etc. Die Erweiterung des Besitzes der öffentlichen Einrichtungen und Körperschaften, so fährt er fort, sei keine politische, sondern ganz

einfach eine *wirtschaftliche* Frage. „In dem Augenblick, wo sich das investierte Kapital auf größere Erträge und höhere Abschreibungen einstellt, ... ist die Bahn für *ständige Erneuerungen des Stadtkörpers* freigemacht."[14] „Jede Generation kann sich dann ihren Stadtkörper so gestalten, wie sie ihn braucht ... Versteinerte Ewigkeitswerte können wir in unserem Zeitalter nicht mehr brauchen".[15]
Wenn von verkehrstechnischen Gesichtspunkten aus der Platz so dimensioniert wird, daß er den Anforderungen der nächsten 25 Jahre genügen soll, so ist offenkundig, daß seine Architektur prinzipiell nur ‚kurzlebig' sein kann und die Gebäude, die ihn umgeben, „keinen dauerhaften architektonischen Wert"[16] werden haben dürfen. Andererseits aber sollten diese Gebäude die Aufgabe erfüllen, die „Konsumkraft der den Platz kreuzenden Menschenmassen" anzuziehen.[17] Der Alexanderplatz, erläutert Wagner, sei „Haltepunkt und Durchgangsschleuse in einer Form: Haltepunkt für die Konsumkraft und Durchgangsschleuse für den Fließverkehr".[18] Und es sei gerade der „Moloch Verkehr", so fährt er fort, der als „wirtschaftspolitischer Treiber" der Veränderungen fungiere.
Also der Verkehr. Wagner hütet sich in dieser Rede sehr wohl, den Sinn der Unternehmung am Alexanderplatz, welche stets mit dem Hinweis auf die anstehenden „Verkehrsprobleme" begründet worden war, wirklich zu erhellen. Martin Mächler hatte einmal den Verkehr als nichts weniger als den „Stoffwechsel" der Weltstadt definiert, wobei er offensichtlich auf seine treibende Kraft hinsichtlich der Entwicklung der Großstadt anspielt.
Die Verkehrsprobleme am Alexanderplatz jedoch werden durch die Umgestaltungsmaßnahmen, die weit davon entfernt sind, diese Probleme zu lösen, viel mehr in Szene gesetzt, sie werden reguliert und gelenkt und dabei vielleicht überhaupt erst sichtbar gemacht. Die Unterbrechung des Verkehrs an der Ampel ist es, die „erst dazu dient, eine Ansammlung hervorzurufen, die sonst nicht vorhanden wäre ... Die Berliner Presse ist dabei, dem Berliner eine neue fixe Idee einzutrommeln: den Verkehr ... kein Auto weit und breit – aber zwei Verkehrspolizisten. Ein Auto am Hori-

zont: und ein wildes Gewinke, Geblase, Gepfeife hebt an."[19]
Der einzige Architekt, der sich in den 20er Jahren dem Faszinosum des Verkehrs widersetzt, ist der nicht hinreichend bekannte Alexander Schwab, der zugleich Theoretiker und Publizist war und 1943 in einem Konzentrationslager umkam. „Das Problem des Städtebaus", so schreibt er 1929, „heißt nicht, wachsendem Verkehr möglichst glatte Bahn zu schaffen oder gar möglichst viel Verkehr zu erzeugen, sondern eher umgekehrt möglichst wenig Verkehr."[20] Somit wird das Vertrauen in die funktionale Zonenaufteilung der Stadt erheblichem Zweifel unterzogen. Und in der Tat, es geht bei den Interventionen am Alexanderplatz durchaus nicht darum, Verkehrsprobleme zu lösen. Die Transformation des Alexanderplatzes ist vielmehr der erste Schritt zu einem Generalbebauungsplan, der auf eine beschleunigte Entwicklung des Zentrums abzielt. Gemeinsam mit der BVG (der Gesellschaft der Berliner Verkehrsbetriebe) und dem sogenannten City-Ausschuß, einer Gruppe von Berliner Industriellen und Geschäftsleuten, die an dem Aufbau einer Berliner „City" nach amerikanischem Vorbild interessiert sind, versucht die Stadtverwaltung, einen solchen Plan in die Wirklichkeit umzusetzen, während die Öffentlichkeit in völliger Unkenntnis darüber gelassen wird. Wir wissen von den Einzelheiten dieses Projekts überhaupt nur aufgrund der von Ernst Reuter, dem damaligen Stadtrat für Verkehr, ausgeführten Begründungen und Rechtfertigungen hinsichtlich der Grundstücksankäufe der Stadt. Eine Rechtfertigung dieser Finanzaktionen war notwendig geworden, nachdem in der Öffentlichkeit wegen des Sklarek-Skandals die Aktivitäten des Magistrats insgesamt beargwöhnt wurden und dieser unter den Verdacht der Bestechlichkeit geraten war. Und somit verdanken wir einem Pelzmantel von Frau Böß, der Ehegattin des Berliner Oberbürgermeisters, der zu einem übertrieben vorteilhaften Preis gekauft worden war, die nicht weniger vorteilhafte Möglichkeit, von diesem geheimen Plan sprechen zu können.[21] 1930 also – im Zuge des Sklarek-Skandals – steht die Grundstückspolitik der Stadt Berlin und der BVG in dem Verdacht, Schiebungs- und Spekulationsge-

schäfte in größtem Ausmaße zu fördern, und dementsprechend im Kreuzfeuer der öffentlichen Kritik. Zum ersten und zum letzten Mal wird die Planungsstrategie der Stadt – im Hinblick auf die Entwicklung ihres Zentrums – durch die Rechtfertigungsrede Ernst Reuters offen ausgesprochen: „Der Erwerb der Grundstücke erfolgte zunächst im Interesse der Untergrundbahn, in zweiter Linie der Verbesserung der Verkehrsverhältnisse und schließlich, um die mit Hilfe des Bebauungsplanes gewollte wirtschaftliche Hebung einer Gegend durchzuführen ... Richtig ist vielmehr, das Eigentum sämtlicher in Frage kommender Grundstücke einer Gegend möglichst gleichmäßig zu erwerben, die Grundstücke umgehend der Bebauung zuzuführen, und damit auf einmal derartige Stadtgebiete *durch Heranziehung größerer ertragsreicher Gewerbebetriebe zu sanieren.* Auf diese Weise wird dann gleichzeitig erreicht, daß ein Stadtteil einer *schnelleren Entwicklung zugeführt* und damit das Steueraufkommen gehoben wird. Infolgedessen können dann aber auch nicht die errechneten Straßenlandkosten als allein dem Erwerb von Straßenland dienend gewertet werden. Sie werden vielmehr im wesentlichen aufgebracht zwecks *wirtschaftlicher Sanierung einer Gegend*"[22] (Hervorhebungen, d. Vf.).
Das komplexe Netz der Beziehungen, das sich zwischen U-Bahn-Bau, städtebaulicher Neustrukturierung (vgl. Bd. I, S. 232 ff.) und wirtschaftlicher Sanierung gebildet hat, beschränkt sich nicht auf einen Einzelfall wie etwa die Umgestaltung des Alexanderplatzes. Diese Verknüpfung ist von prinzipiellem und modellhaftem Charakter für die allgemeine Sanierung des Zentrums. Somit ist es auch kein Zufall, wenn der Alexanderplatz in den 20er Jahren zum Symbol der Weltstadt Berlin wird. Er ist der Ausgangspunkt einer umfassenden Strategie zur städtischen Erneuerung und zur Vorherrschaft des Dienstleistungssektors im alten Zentrum. Diese Erneuerung aber – und genau darum handelt es sich, wie Ernst Reuter hervorhebt – muß unter den Bedingungen einer beschleunigten Entwicklung erfolgen. Eben diese generelle Beschleunigung der Stadtentwicklung sucht man durch städtebauliche Interventionen zu errei-

chen. Der Städtebau verändert damit den wirtschaftlichen Mechanismus der Abschreibung: Aus einem reinen Finanzierungsinstrument ist so etwas wie ein kultureller Wert geworden, der die „moderne Stadt" zum Ausdruck zu bringen vermag.

Wiederum ist es Wagner, der wenige Monate nach seiner Ernennung zum Berliner Stadtbaurat über die Notwendigkeit eines „dynamischen Städtebaus"

90 *Martin Wagner (1885–1957) wollte nicht mehr ‚etwas in der Stadt', sondern ‚die Stadt' bauen lassen.*

theoretische Überlegungen anstellt. Schon in den ersten Jahren seiner beruflichen Aktivitäten vertritt Wagner die Auffassung, daß die Stadt wie ein privates Unternehmen funktionieren und wie dieses rentabel und produktiv sein müsse. Nach der Stabilisierung der Währung meint nun Wagner, daß die Stadt die Aufgabe habe, „der Berufserfüllung zu dienen"[23], und zwar auf möglichst rationale Weise und ohne Verschwendung von Energien. Die Stadt ist für ihn ein Unternehmen, das weitere Unternehmen umfaßt und dessen Produktivität, Rationalität und Funktionsfähigkeit die Bedingungen für die allgemeine Produktivität des Systems darstellen. Evident wird hierbei die Verantwortung für die generelle wirtschaftliche Situation, die Wagner der Führung und Verwaltung der Großstadt – und mithin auch der eigenen Rolle – zuschreibt. Indem er sich der Logik des Generalbe-

bauungsplans widersetzt, entfernt er sich von einem System – und zugleich einer Praxis –, die (wie jener „Nachtwächter") allein daran orientiert ist, die Freiheit der einzelnen Grundbesitzer einzuschränken, um durch eine derartige – rein defensive – Strategie die Rechte der Gemeinschaft zu sichern. Mit seiner Interpretation der Stadt als „Betrieb" schlägt Wagner praktisch vor, daß die Stadt selbst aktiv den Wohlstand der Gemeinschaft produzieren solle.

Martin Wagner verkörpert einen neuen Beamtentyp, der eher einem Manager der Privatindustrie gleicht als dem traditionellen Beamten der Vorkriegszeit.[24] Im Zusammenhang mit den vielfältigen unternehmerischen Verantwortlichkeiten, die er seiner Ansicht nach übernehmen muß, wird er ebenso unausgesetzt wie vergeblich die Forderung nach einer Verwaltungsreform stellen, derzufolge er zum „Regisseur" oder „Dirigenten" der zahlreichen Instanzen, die in die städtebauliche Leitung der Weltstadt einbezogen sind, aufsteigen würde. Damit aber zieht er sich die Kritik der staatlichen Bürokratie zu; man beschuldigt ihn, die Rolle eines „Baudiktators" anzustreben.[25] Gerade die für die Weimarer Republik charakteristische Notwendigkeit einer gegenseitigen Kontrolle der verschiedenen kommunalen und staatlichen Instanzen erschwert die Entscheidungsprozesse im Bereich des Städtebaus, und möglicherweise ist es die Lösung (oder vielmehr die Beseitigung) solcher Entscheidungs- und Kompetenzprobleme, die Wagner an der Tradition der Hohenzollern und für eine gewisse – allerdings auch nur recht kurze – Zeit auch an dem nationalsozialistischen Experiment fasziniert hat.[26]

Bedingt durch die Wirtschafts- aber auch durch die Vertrauenskrise, in die der Magistrat der Stadt Berlin nach dem Sklarek-Skandal geraten ist, nimmt Wagner Abstand von den Plänen zur Neustrukturierung des Zentrums und von der Idee einer Zusammenarbeit mit der Privatindustrie. Dagegen wird das Prinzip des dynamischen Städtebaus – weit davon entfernt, während der Krise zur Diskussion oder gar in Frage gestellt zu werden – in den theoretischen Ausführungen Wagners um einen weiteren und äußersten Moment der Beschleunigung ergänzt. Nachdem Wagner 1931

91–92 *Mit seinem Projekt für das „wachsende Haus" und mit dem von ihm initiierten Wettbewerb (1931) für fabrikmäßig produzierbare wachsende Häuser entwickelte Wagner eine Alternative zur Minimalwohnung für das „Existenzminimum". Sein optimistischer Fortschrittsglaube erlaubt ihm nicht, eine rigorose Begrenzung des Wohnraums als Folge der Wirtschaftskrise (1931/32/) zu akzeptieren. Das wachsende Haus entspricht seiner Idee des dynamischen Städtebaus: Es kann wachsen, schrumpfen, montiert, demontiert, konsumiert werden. Die von wachsenden Häusern gebildete Siedlung ist nie fertig und formal anpassungsfähig. Der minimale ‚Kern' des Hauses ist als provisorischer Zustand gesehen und erhebt, anders als bei der Wohnung für das Existenzminimum, keinen Anspruch darauf, kulturell anerkannt zu werden.*

aus der SPD ausgetreten ist, erblickt er nunmehr – völlig fasziniert von der Technokratie amerikanischer Provenienz – in der Politik nur noch ein Hindernis bei der Angleichung der Organisation des Lebens und der Stadt an die Entwicklung der Technik: „Die Politiker und Juristen sind in der Organisation der Wirtschaftsräume den Fortschritten der Technik nicht gefolgt … Die Durchbildung von Wirtschaftsräumen ist aber ganz unvermeidbar, und mit ihr werden wir auch ein *Sterben* und *Werden* im Städtebau erleben oder richtig gesagt: wir werden das Sterben und Werden im Städtebau, das wir aus der Geschichte nur zu genau kennen, in viel kürzeren Zeitspannen erleben, wir werden die Geschichte kurzatmiger leben sehen, wir werden in *einer* Generation das sehen, was sich früher in *zehn* Generationen abrollte. Kapital und Technik „dynamisieren" die Wirtschaft und mit ihr auch das Traggerüst, den Städtebau … Aus all diesen Gründen bin ich mir keinen Augenblick im Zweifel, daß der deutsche Städtebau in Zukunft viel dynamischer, viel wirtschaftlicher und vor allem viel volkswirtschaftlicher gestaltet werden muß. Dem Städtebauer und dem Bautechniker wird die Aufgabe gestellt sein, das Investitionskapital wanderungsfähiger zu machen und von der starren Ortsgebundenheit zu befreien, die für die Volkswirtschaft oft so verlustreich ist. Wie, wandernde Arbeitsstätten, wandernde Heimstätten und wandernde Konsumstätten sollten wir bauen? Die Vorstellung von wandernden Straßen, Stadtteilen und Städten mag uns ganz unausführbar erscheinen und ist es wohl auch noch für eine Reihe von Jahren."[27]

In Wagners theoretischen Formulierungen erscheint die Stadt weiterhin als ein Gebilde, das den Rhythmus seiner eigenen Entwicklung und damit seines Verbrauchs beschleunigt. Doch unter den Bedingungen und aufgrund der Erfahrungen der Weltwirtschaftskrise ist diese Vorstellung noch erweitert worden. Es handelt sich nicht mehr nur um eine Bewegung, die den Konsum der Stadt zeitlich beschleunigen soll, sondern die auch gleichzeitig den Raum erfaßt. Und doch befinden wir uns damit keineswegs den Zukunftsträumen einer technokratischen Utopie gegenüber; in demselben Jahr, da Wagner das Ergebnis jener Beschleunigung, die der dynamische Städtebau durch die Krise erfahren sollte, zu einem theoretischen Gebilde – man könnte es die „wandernde Stadt" nennen – zusammenfügt, setzt er sich ebenfalls für die Verwirklichung der „architektonischen" Parallele dieses Konzepts ein, nämlich für die industrielle und serienmäßige Produktion des „wachsenden Hauses".

Die übrigens keineswegs neue Idee eines veränderbaren Hauses, das mit der Zeit wächst, eröffnet einerseits eine Lösungsmöglichkeit für das Problem der Finanzierung von Einfamilienhäusern, da in der Regel das Grundkapital dazu fehlt; vor allem aber entspricht es der Unvorhersehbarkeit künftiger wirtschaftlicher Entwicklungen. Charakteristisch für dieses Behelfsheim ist der unmittelbare Bezug auf einen gegenwärtigen und nur für diesen Augenblick geltenden Bedarf an Wohnungen, der weder in seiner zeitlichen Dauer noch hinsichtlich einer endgültigen Lokalisierung vorherzusehen oder festzulegen ist. Zu der Notwendigkeit, eine Siedlung in kürzester Zeit zu planen und zu verwirklichen, gesellt sich die einer entsprechend kurzen Lebensdauer; jede Planung muß demzufolge so flexibel angelegt sein, daß sie – wie im übrigen beim Alexanderplatz – auch die Veränderung der bestehenden Erfordernisse einbezieht.

Infolge des wirtschaftlichen Erdbebens, das die Krise ausgelöst hat, stehen insbesondere die Fragen nach der Lokalisierung und der Dauer von Wohnsiedlungen zur Diskussion. Der Städtebau – als eine von der Wirtschaft abhängige Variable – kann im Falle einer Umwälzung der „normalen" wirtschaftlichen Verhältnisse keine gültigen Aussagen mehr treffen. Die wissenschaftliche Planung läßt einer immer nur vorläufigen Systematisierung den Vortritt.

Genau diese vorübergehende, vorläufige Architektur ist es, mit der sich die bedeutendsten deutschen Architekten – unter ihnen Bruno und Max Taut, Hugo Häring, Hans Poelzig, Ludwig Hilberseimer, Otto Bartning, Mebes & Emmerich, Erich Mendelsohn – zwischen 1931 und 1932 in ihren Entwürfen für „wachsende Häuser" im Rahmen eines von Martin Wagner organisierten Wettbewerbs befassen werden. Die Ergebnisse dieser theoretischen und praktischen

93–97 Der Architekt Otto Bartning entwickelte ein wachsendes Haus, das in wenigen Stunden aus Fertigteilen montiert werden konnte. Von oben nach unten: 9 Uhr früh; 11 Uhr; 2.30 Uhr; 4 Uhr, das fertige Haus

Auseinandersetzung werden im Sommer 1932 auf der Ausstellung „Sonne Luft und Haus für Alle" in den Räumen der Berliner Messe gezeigt. Bezeichnenderweise nimmt Wagner die Veröffentlichung eben dieser Resultate seines Wettbewerbs zum Anlaß, die Kurzlebigkeit der Architektur – ihr „Werden" – zu einem kulturellen Prinzip zu erheben: „Die Gestaltung einer stets unfertigen, stets werdenden und sich immer weiter bildenden Zeit steht in einem inneren Widerspruch zu der Form, die immer etwas Fertiges, Abgeschlossenes und Endgültiges sein will. Jede künstlerische Gestaltung strebt zu der großen Form, die sich nicht ändern *will* und nicht ändern *kann*. Wird es uns darum niemals gelingen, die Dynamik unserer Zeit auch *künstlerisch* zu gestalten und auf eine Form zu bringen, die sich mit den Baustilen anderer Zeiten in Vergleich stellen läßt?"[28]

Zwar spricht Wagner erst aufgrund der Erfahrungen der Wirtschaftskrise von der „Notwendigkeit", die Häuser ab- und an anderer Stelle wieder aufbauen zu können; doch bereits 1928 während eines Symposions, auf dem er gemeinsam mit Bruno Taut Stellung bezieht, vertritt er die Auffassung, daß man „kurzlebige" Wohnungen erstellen solle, also Häuser, deren Abriß nicht weniger präzise festzulegen sei wie das Datum des Baubeginns.[29]

Das „wachsende Haus" zieht die äußersten Konsequenzen aus der „Irrelevanz" der Architektur, von der Wagner mit Blick auf den Alexanderplatz gesprochen hat: Die Konsumierbarkeit der Architektur wird zu ihrer neuen Qualität. Jene Fertighäuser hätten in einer Fabrik hergestellt und auf der Baustelle von spezialisierten Monteuren zusammengesetzt werden sollen. Deutlich wird darin die Beziehung zwischen produktiver Rationalisierung und dem kurzlebigen Schicksal dessen, was derart rationell produziert wird. Das Fehlen eines Zentrums und überhaupt jeder räumlichen Hierarchie in dem Bebauungsplan für diese Art von Siedlungen aus „wachsenden Häusern" gibt sogleich zu erkennen, daß es sich um nichts anderes als um nebeneinander abgesteckte Parzellen handelt, denen die vorläufige Aufgabe zuteil geworden ist, Wohnungszwecken zu dienen. Mit der Krise sind die „Erfordernisse" der künftigen ökonomischen Entwicklung unvorhersehbar geworden: Die Siedlungen aus wachsenden Häusern tragen diesem Umstand auf vollkommene Weise Rechnung.

Im übrigen ist die einzige sichere – da der Logik der Entwicklung inhärente – Notwendigkeit die des Verbrauchs, der Konsumierbarkeit sowohl der Stadt als auch des Industrieprodukts ‚Haus‘. Beide, die Stadt und das Haus, haben somit jeglichen Wert an sich eingebüßt, außer einem einzigen: nämlich zu funktionieren. Was aber existiert – insofern es funktioniert –, wird notwendigerweise ersetzt werden, wie Wagner am Fall des Alexanderplatzes beweist, gemäß der Veränderungen der logischen Koordinaten, innerhalb derer das Existierende zu funktionieren vermag.

Vom Alexanderplatz führt also der Weg zum wachsenden Haus: Das Konzept selbst des sogenannten Funktionalismus birgt in sich die unerläßliche Bedingung einer Konsumierbarkeit der Bausubstanz, welche heute, da die historische Phase des Fortschrittsmythos abgeschlossen ist, geradezu als Charakteristikum der modernen Architektur gelten kann. Der Alexanderplatz und das wachsende Haus weiterhin als Beispiele des dynamischen Städtebaus: eines Städtebaus, dessen Planungsgegenstand – die funktionale Stadt – nur als etwas permanent zu Überwindendes geplant werden kann. Wagners Auffassung, daß ein Platz „keinen dauerhaften architektonischen Wert haben“ dürfe, ist Ausdruck des verinnerlichten Mythos der Abschreibung. Im Grunde genommen ist schon die Tatsache überaus bezeichnend, daß am Alexanderplatz eine vorläufige Systematisierung erreicht wird – das zentrale Oval – die weitergehende Veränderungsmaßnahmen ermöglicht als das rigorose Schema Martin Wagners.

Die Reklamearchitektur am Alexanderplatz – ein einziges Gitter, von dem aus Zahnpasta- oder Waschmittelreklame über den Platz leuchten und die

„Konsumkraft“ der Passanten anziehen sollten – präsentiert in Wirklichkeit eine oszillierende und durch die wechselnde Reklame, der sie dienen soll, immer schon veränderte Architektur. Es bedarf gar nicht der von Wagner berechneten 25 Jahre, um das Aussehen des Platzes erneut zu modifizieren: Die Architektur ist bereits verschwunden und ersetzt worden durch die Kulissen für eine moderne Stadtszene, durch eine Inszenierung im Dienste des wirtschaftlichen Fortschritts und des Konsums, all dies im naturgetreuen Maßstab.

Es ist kein Zufall, wenn Wagner bei dem Versuch, die Realität des „neuen Berlin“ zu beschreiben, nicht umhin kann, auf eine abstrakte Aneinanderreihung von Zahlen zurückzugreifen.[30] „Berlin ist größtenteils unsichtbar“ – so erläutert Alfred Döblin dieses Phänomen. „Sollten vielleicht sämtliche modernen Städte eigentlich unsichtbar sein …? Das wäre eine tolle Sache. Aber es wäre ein gutes Symbol für alles Geistige von heute. Denn mit unsern Vorstellungen und Gedanken steht es nicht anders, sie sind größtenteils von gestern und vorgestern, und unendlich langsam sickert das Heute in unsere Gedanken. Und so langsam bauen sich auch die Städte um, vielleicht in 50–100 Jahren wird man Berlin sehen können, natürlich – das von heute.“[31]

Tatsächlich lassen sich die Maßnahmen der 50er Jahre zur systematischen Auflösung der historisch gewachsenen städtischen Verflechtungen in Berlin als die letzte Phase einer verallgemeinerten Anwendung von Wagners Modell der „nützlichen“ Stadt auffassen – gleichsam zur Bestätigung dessen, was Döblin in dem zitierten Text andeutete. Das Schicksal der Berolina – jener Statue, die von ihrem angestammten Platz am Alex vor dem Kaufhaus Tietz (vgl. Abb. 23) weichen mußte und zu einem Preis verkauft wurde, der dem Wert der in ihr enthaltenen Bronze entsprach – ist ein Symbol für die Umkehrung der Werte, welche die Transformation des

Alexanderplatzes „notwendig“ gemacht hat. In dem Augenblick, da man dem Denkmal denselben Wert beimißt wie dem Material, aus dem es hergestellt worden ist, wird im Grunde die traditionelle Organisation von Werten und Dingen aufgelöst. Wenn der Wert einer Sache so unbedenklich seinem Materialwert gleichgesetzt werden kann, so wird daraus auch eine andere Erfahrung von „Werten“ deutlich, und es ist eben diese neue Erfahrung, aufgrund derer die dynamische und veränderbare Stadt Wagners – in permanenter Sorge um ihre Funktionalität – die Aufgabe der ihr zugehörigen historischen Stadt verliert, jenen Teil des Städtischen, der ihr „die Permanenz, die Einheit und die Kontinuität in Raum und Zeit zu versichern“ vermag[32] und der ihren Bewohnern ein Wiedererkennen und eine Orientierung in der Stadt ermöglichen kann.

Das von Wagner aufgestellte Prinzip, nach dem die Stadt wie ein Wirtschaftsunternehmen funktionieren müsse, läßt den überdauernden Wert jeglicher Architektur überflüssig werden. Das gegenwärtige Gefühl der Distanz gegenüber ähnlichen Theorien ist der Ausdruck der Veränderung, die sich während der letzten Jahre in den Vorstellungen und Theorien der Stadt abgezeichnet hat: in der Entwicklung von der „funktionalen“ Stadt zu einer Stadt als unersetzbares Gemeinschaftsgut.

Ist der Alexanderplatz noch ein Symbol? In den 20er Jahren, so sagte man, sei er nichts anderes als eine Verkehrsschleuse gewesen. Eine Art Staudamm, der den Verkehrsfluß reguliert, den heilsamen Verkehr, den Stoffwechsel der Weltstadt. In den 80er Jahren steht er noch immer, Ausdruck vielleicht einer Rebellion der städtischen Realität gegen die städtebauliche Planung, die sie verwirklicht hatte, und vielleicht das Symbol des Endes eines dynamischen Städtebaus, der immer nur dem Fortschrittsmythos nachgelaufen war.

Ludovica Scarpa
(Übersetzung: Heinz-Georg Held)

98–100 *Der unregelmäßig gewachsene Alexanderplatz (bis 1805 Ochsenplatz) war bis Ende des 19. Jahrhunderts Vieh- und Wollmarkt. Hier trafen jedoch auch die nach ihren Zielorten benannten Überlandstraßen auf das ehemalige Georgentor. Mit dem Bau der Stadtbahn (Eröffnung 1882), der Inbetriebnahme der elektrischen Straßenbahn (1896) und des U-Bahnbetriebes (1913–1915) vollzieht sich die Transformation des innerstädtischen Markt-* *und Handelsplatzes in einen Verkehrsknoten. Ausgelöst durch U-Bahnneubauten, die beginnende Automobilisierung beginnen Mitte der 20er Jahre die Vorarbeiten für eine verkehrsgerechte Umgestaltung des Platzes. Unter der Leitung des Stadtbaurates Martin Wagner entstand so nach einem städtebaulichen Wettbewerb ein moderner Verkehrsplatz mit nicht vollendeter Randbebauung (Architekt P. Behrens).*

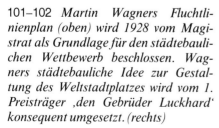

101–102 *Martin Wagners Fluchtlinienplan (oben) wird 1928 vom Magistrat als Grundlage für den städtebaulichen Wettbewerb beschlossen. Wagners städtebauliche Idee zur Gestaltung des Weltstadtplatzes wird vom 1. Preisträger ,den Gebrüder Luckhard' konsequent umgesetzt. (rechts)*

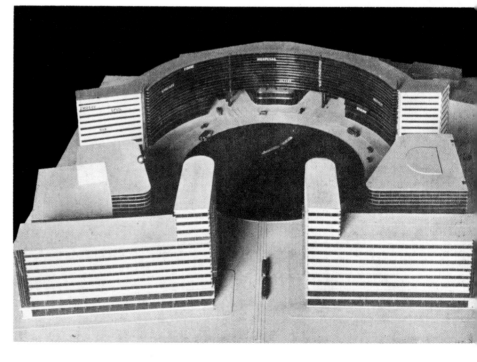

103–105 *Entwürfe von Mies van der Rohe zur Neugestaltung des Alexanderplatzes im Rahmen des städtebaulichen Wettbewerbs (1928). Er durchbricht als einziger Wettbewerbsteilnehmer die städtebaulichen Vorgaben Wagners, die straßenverkehrstechnisch bedingte Kreisform auf die Form der Platzwände zu übertragen und schlägt eine unabhängig von der Verkehrslösung entworfene Bebauung vor (unten).*

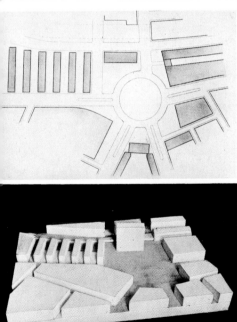

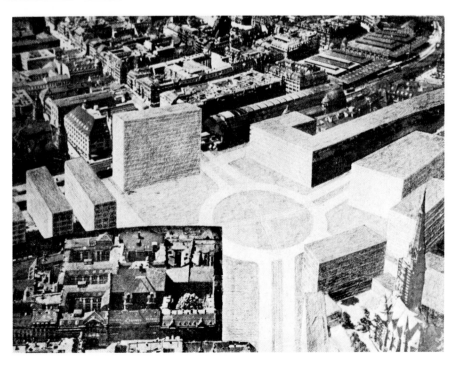

106–107 *Der Potsdamer Platz war bis Ende des Zweiten Weltkrieges Berlins Verkehrsplatz schlechthin. Ursprünglich „Platz vor dem Potsdamer Tore", begann nach 1880 der mehrfache Umbau nach den Ansprüchen des ständig wachsenden und sich in seiner Zusammensetzung ändernden Verkehrs – zunächst 1880 und 1897 zur verkehrstechnischen Bewältigung des ständig steigenden Straßenbahnverkehrs. Der*

Umbau von 1924 markiert inhaltlich und zeitlich die Bruchstelle unterschiedlicher verkehrstechnischer Anforderungen: zum letzten Mal wurde versucht ‚den Ansprüchen des Straßenbahnverkehrs u n d des zunehmenden Autoverkehrs' in einer Ebene gerecht zu werden. Wichtigste Neuerung war die ovale, begrünte aber nicht betretbare Mittelinsel mit der ersten Berliner Lichtsignalanlage (Verkehrsturm).

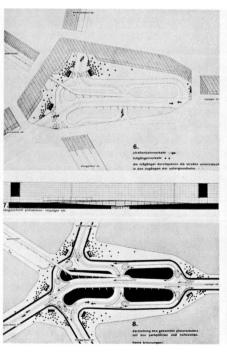

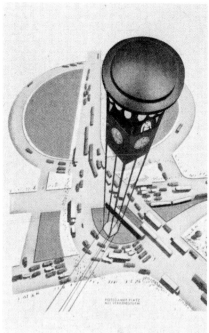

108–112 *Modell für die Neugestaltung des Potsdamer Platzes (Martin Wagner, Amt für Stadtplanung, 1929). Der Verkehr sollte kreuzungsfrei auf mehreren Ebenen abgewickelt werden. Im Bereich der mehrstöckigen Verkehrsplattform waren die gesamten Ein- und Umsteigevorgänge (Straßenbahn, U-Bahn, Bus) vorgesehen. (S. 136 u. l.). Daneben: Vorschlag für kreuzungsfreien Verkehr auf dem Potsdamer Platz von Marcel Breuer 1929. Vorschlag für ein kreuzungsfreies Autohochbahnnetz von Fr. Brömstrup. In der Mitte des zweistöckigen Verkehrskreisels waren Autoparkplätze vorgesehen. Autohochbahn in der Leipziger Straße (u. l.; u. r.). Otto Arpke, Potsdamer Platz mit Verkehrsturm, Illustration aus der Werbeschrift „Berlin", die 1929 zum Welt-Reklame-Kongreß von der Graphischen Anstalt Otto Elsner herausgegeben wurde (o. r.).*

Weltstadtplätze und Massenverkehr

Die späten 20er Jahre mit der sich ankündigenden Massenmotorisierung markieren einen Knickpunkt in der Geschichte der städtebaulichen Planung. Die stadtzerstörenden Auswirkungen dieses Bruchs mit den bis dahin angewendeten, aus der zweiten Hälte des 19. Jahrhunderts stammenden Prinzipien städtebaulicher Planung sind seit einigen Jahren Gegenstand diverser Rekonstruktionsversuche der öffentlichen Straßen- und Platzräume. Die derzeitige Renaissance des „künstlerischen Städtebaus" aus der autolosen Zeit, in deren Verlauf geschlossene Straßen- und Platzränder, betonte Ecken, Arkaden, Achsen und begehbare Plätze zum Repertoire eines ‚postmodernen Städtebaus' geworden sind, verdrängt allerdings nicht nur den inzwischen eingetretenen Wandel vormoderner Formen öffentlicher Kommunkation auf den Straßen und Plätzen etwa durch den Bau von Stadtautobahnen und Großsiedlungen, durch die Konzentrationsprozesse im Einzelhandel, durch Fernsehen, Video etc., sondern weicht vielfach den tatsächlichen Gestaltungsproblemen, die sich aus dem Zusammentreffen der Benutzung des Automobils zum individuellen Massentransport, den damit einhergehenden Lärm- und Luftbelastungen, den Unfallgefahren und einer aus einer autolosen Periode stammenden Stadtstruktur zumindestens teilweise aus. Die funktional, ästhetische und verkehrstechnische Bewältigung dieses Zusammentreffens, d. h. die Suche nach einer zeitgemäßen Gestalt moderner Verkehrsstraßen und Plätze gehörte in den 20er Jahren zu den hervorragenden Aufgaben für Architekten und Städtebauer.

Exemplarisch dafür sind die Platzgestaltungsvorschläge für den Alexanderplatz, den Potsdamer Platz und den benachbarten Leipziger Platz aus den späten 20er Jahren. An ihrem Beispiel werden die Möglichkeiten und die Irrtümer des vom technischen Optimismus und grenzenlosen Wachstumserwartungen geprägten autogerechten Gestaltungsvorstellungen erstmals sichtbar. Nach dem großzügigen Ausbau und der Modernisierung der traditionellen Verkehrsinfrastruktur (Wasserstraßen, Häfen, S-Bahn und U-Bahn), für die Belange der auf fast 4 Millionen Einwohner gewachsenen Metropole Berlin, beginnt das die Zeit- und Raumvorstellungen revolutionierende Automobilzeitalter. Genauer: Es beginnt der bis heute andauernde Umstrukturierungsprozeß des Güter- und Personentransports vom Wasser, von der Schiene, vom Fahrrad und von den eigenen zwei Beinen auf das Auto und damit auf das für die Bewältigung derartiger Verkehrsmengen nicht konzipierte vorhandene Straßen- und Platzsystem.

Der Beginn dieses Umbauprozesses, dessen zerstörerische Gestalt für das traditionelle Stadtgefüge in der Kombination von Schnellstraßenbau und Kahlschlagsanierung erst in den 60er und 70er Jahren voll zur Wirkung kommt (vgl. dazu S. 306–317), läßt sich in Berlin fast auf den Tag genau festmachen. Er fällt zusammen mit dem Amtsantritt zweier junger sozialdemokratischer Stadträte im Oktober 1926: des 40jährigen Martin Wagner als Stadtrat für Hochbau und des 37jährigen Ernst Reuter als Verkehrsstadtrat u. a. betraut mit der Aufgabe der administrativen Vereinheitlichung und dem Ausbau des öffentlichen Personennahverkehrs. Aus dem Zusammenwirken dieser beiden, dem modernen Großstadtleben aufgeschlossenen Politiker, und dem Zusammentreffen mehrerer objektiver Prozesse, wie der Citybildung bei gleichzeitigem ökonomischen, bevölkerungsmäßigen und räumlichen Wachstum der Stadt, dem Ausbau der U- und S-Bahn und schließlich den enormen jährlichen Zuwachsraten der Motorisierung, entwickelte sich ein besonderer Typus von autogerechter Straßendurchbruchs- und Verkehrsplatzplanung als Teil eines großangelegten Umbaus des alten Stadtzentrums zur weltstädtischen City. Die dabei zum Ausdruck kommende funktionale und ästhetische Radikalität sowie die bei den Realisierungsversuchen am „Alex" angewendete Methode der Verknüpfung öffentlicher Infrastrukturinvestitionen mit privater Bauspekulation (vgl. S. 126–133) bildet neben dem vielgerühmten 20er-Jahre-Siedlungen die Grundlage für den scheinbar unausrottbaren Mythos des weltstädtischen Groß-Berlin der Weimarer Republik.

Mythos Autoverkehr

Den ideellen und teilweise auch materiellen Hintergrund für Platzumbauten, Straßendurchbrüche, für die radikalen Umbau-(d. h. vor allem Abriß-)Pläne des gesamten historischen Zentrums und zuletzt für die Planungen selbständiger Autoschnellstraßensysteme bildet die wachsende Motorisierung des Individualverkehrs Berlins in den 20er Jahren und der daraus resultierende Veränderungsdruck auf die vorhandenen Straßen und Plätze. Exemplarisch sei hier Stadtbaurat Martin Wagner zitiert, der 1929 in der Auseinandersetzung über die Notwendigkeit von Durchbrüchen durch die Ministergärten u. a. ausführt: „Wir werden mit der Tatsache zu rechnen haben, daß das Berliner Verkehrsnetz durch den steigenden Automobilverkehr jährlich um etwa 40 % stärker belastet wird, und daß weder die Leipziger Straße noch die Straße unter den Linden diesen Verkehrszuwachs auf die Dauer aufnehmen können. Eine Entlastung dieser beiden Hauptverkehrsadern (durch eine Durchbruch durch die Ministergärten, d. Vf.) kann keine Macht der Welt verhindern."[1]

Abgesehen davon, daß Wagner den zunehmenden Autoverkehr als Naturereignis (er sprach wie andere Zeitgenossen gern vom Moloch Verkehr) und damit unplanbares Phänomen darstellt, erzeugen solche für die damalige Zeit typische Beschreibungen ‚chaotischer Straßenverkehrsverhältnisse' bei den an heutigen Verkehrsverhältnisse denkenden Leser falsche Vorstellungen über die tatsächlichen Verkehrsbelastungen auf den Straßen und Plätzen Berlins gegen Ende der 20er Jahre. Beeindruckt durch Schilderungen oder eigene Reiseeindrücke US-amerikanischer Straßenverkehrsverhältnisse (1929 hielten sich u. a. Stadtbaurat Martin Wagner und Stadtrat Ernst Reuter zu einer einmonatigen Studienreise in den USA auf) – wurden die eher ruhigen Berliner Verkehrsverhältnisse und hier insbesondere die

Automobilisierung so dargestellt, „wie wir uns die Amerikaner vorstellen" (Tucholsky). Die in dem o. g. Zitat Wagners zum Audruck kommende dramatisierende und damit falsche Sichtweise betrifft den Grad der Automobilisierung, die Bedeutung des Autoverkehrs für den Personentransport im Verhältnis zu den dominanten öffentlichen Transportsystemen (Straßenbahn, Bus, U- und S-Bahn) auch die Einschätzung der jährlichen Zuwachsraten.

Berlin befand sich, gemessen an heutigen Erfahrungen, während der gesamten 20er Jahre in einem autolosen Zustand. Auch zeitgenössische Fotos der am stärksten befahrenen Plätze und Kreuzungen Berlins wie des Alexanderplatzes oder des Potsdamer Platzes zeigen: Man ging zu Fuß, fuhr mit dem Fahrrad oder benutzte öffentliche Verkehrsmittel. Unter diesen dominierte von der Zahl der beförderten Personen, aber auch optisch, die Straßenbahn (mit einem Anteil von ca. 50 %) gefolgt von der U-Bahn, der S-Bahn und den Omnibussen. Die Zusammensetzung der Benutzer öffentlicher Transportsysteme umfaßte dabei, anders als heute, nicht nur die kleinen Beamten und Angestellten und die auch massenhaft das Fahrrad benutzenden Arbeiter, sondern auch die im Westen und Südwesten Berlin wohnenden leitenden Angestellten, die Beamten und die Unternehmer.

Ein paar Zahlen mögen das verdeutlichen: Am 1. Juli waren in Berlin 30 462 Kraftfahrzeuge zugelassen, darunter 19 361 PKW, davon wieder 2801 Benzindroschken und 352 behördeneigene PKW, so daß es also tatsächlich lediglich 16 208 „echte" Privat-PKW (bei etwa 4 Millionen Einwohnern) gab. Beeindruckender als die vergleichsweise bescheidenen Bestandszahlen waren die jährlichen Zuwachsraten, deren Höhe allerdings nur in wenigen Ausnahmejahren die von Wagner angegebenen jährlichen 40 % erreichten. Die durchschnittlichen Jahreszuwachsraten lagen, nur die Jahre der Weimarer Republik betrachtet, bei etwa 21 % (PKW etwa 17 %) und einschließlich der Zeit bis zum Beginn des Krieges im Jahre 1939 bei ca. 18 % (PKW etwa 17 %). In absoluten Zahlen ausgedrückt heißt das: Am 1. Juli 1929 waren in Berlin 95 463 Kraftfahrzeuge (darunter 42 844 PKW) zugelassen; 1934, nachdem die NS-Re-

gierung die Kfz-Steuer für PKW aufgehoben hatte, waren es 124 227 Kraftfahrzeuge (darunter 56 092 PKW) und 1939, auf dem Höhepunkt der Vorkriegsentwicklung, dann schließlich 228 719 Kfz, (darunter 122 326 PKW). Berlin hatte damit eine Motorisierungskennziffer von 1 : 19 erreicht, d. h., auf 19 Einwohner entfiel 1 Auto. Legt man nur die PKW zugrunde, errechnet sich gar nur eine Kennziffer von 1 : 35. Zum Vergleich: Heute sind allein in West-Berlin bei ca. 1,971 Millionen Einwohnern rund 674 000 Kfz, davon 589 000 PKW zugelassen. Dies entspricht einer Motorisierungskennziffer von 1 : 2,9 bzw. 1 : 3,4 (nur PKW).

Die Zahlen machen deutlich: Es waren nicht die absoluten Zahlen, sondern die von Wagner und anderen als Trend in die ferne Zukunft einfach fortgeschriebenen Zuwachsraten der Jahre der relativen Stabilität und die sich damit verbindende faszinierende Vorstellung von der Massenmotorisierung, die die Phantasie der Architekten, Stadt- und Verkehrsplaner beflügelte und die in der Folge davon die Gestaltvorstellungen öffentlicher Straßen und Plätze revolutionierte. Kritiker des die Physiognomie der Städte zerstörenden, scheinbar grenzenlos wachsenden Autoverkehrs wie z. B. Alexander Schwab, blieben eine rare Ausnahme.

Die Experten waren sich einig. Gegen eine solche Betrachtung des tatsächlichen Grades der Motorisierung aus heutiger Sicht mag man einwenden, daß die weitreichenden Vorschläge zur autogerechten Umgestaltung der Berliner Innenstadt ja vor allem aus einer intensiven Beobachtung der innerstädtischen Brennpunkte in der Leipziger Straße, am Potsdamer Platz oder am Alexanderplatz resultieren, und da herrschte nun wirklich bereits in den 20er Jahren ein „Verkehrschaos". Dieser Einwand ist jedoch nicht berechtigt, denn selbst an den hochbelasteten Kreuzungen der City ging es, gemessen an heutigen Verhältnissen, vergleichsweise gemütlich zu. Ein Blick auf zeitgenössische Fotos dieser Verkehrsbrennpunkte und ein paar Zahlen aus Straßenverkehrszählungen dieser Jahre mögen dies belegen.

In dem am höchsten belasteten Straßenabschnitt der Leipziger Straße zwischen Potsdamer Platz und Wilhelmstraße

wurden 1925 in der Spitzenstunde 599 Fahrzeuge und dazu 273 Fahrräder gezählt. Die 599 Fahrzeuge setzten sich zusammen aus 265 PKW, 177 Straßenbahnen, 71 Omnibussen, 36 LKW, 17 Motorrädern und 33 Pferdefuhrwerken. Die Zahlen bestätigen den optischen Eindruck zeitgenössischer Fotos: Den Hauptanteil bilden die öffentlichen Verkehrsmittel Straßenbahn und Omnibusse. Die Zahl von 265 PKW entspricht heute der Belastung einer städtischen Wohnstraße. Den höchsten Anteil der Fahrzeuge (nicht der beförderten Personen) stellen die Fahrräder, denen jedoch trotz oder wegen der enormen jährlichen Zuwachsraten (1928 fuhren genauso viele Fahrräder wie sonstige Fahrzeuge in dem Straßenabschnitt) mit Inkrafttreten der neuen Verkehrsordnung im Jahre 1929 das Befahren der Leipziger Straße (einer Verkehrsstraße 1. Ordnung) in der Zeit von 8 – 20 Uhr untersagt war. Dieselbe Regelung galt für LKW und Handwagen. Die relativ geringen Verkehrsstärken sowie der hohe Anteil des öffentlichen Personenverkehrs haben sich auch in den nächsten Jahren nicht so dramatisch verändert wie es Wagners Schilderungen vermuten lassen. Im Mai 1930 wurden in den Spitzenzeiten 498 PKW, aber 322 Straßenbahnen und Omnibusse gezählt[2]. Dieser hohe Anteil von Straßenbahnen und Omnibussen verweist auf das eigentliche Problem der 20er Jahre: die reibungslose Abwicklung des Straßenbahnverkehrs, der zusammen mit dem Omnibusverkehr bis Mitte der 20er Jahre als Synonym für den Straßenverkehr galt[3]. Die wichtigsten Platzumbauten dieser Jahre z. B. des Alexanderplatzes, des Kemperplatzes und des Potsdamer Platzes, des Spittelmarktes etc. dienten deswegen auch hauptsächlich der Verbesserung der Straßenbahnführung[4]. Auch bei einer 1934 durchgeführten Verkehrszählung hatte sich die Situation nicht wesentlich verändert[5]. Die stärkste Belastung ergab sich auf der zwischen der City und dem neuen Westen liegenden Herkulesbrücke über den Landwehrkanal in der Nähe des Lützowplatzes. In der Zeit zwischen 7 und 21 Uhr (also in 14 Stunden) wurden hier 25 445 Fahrzeuge, darunter 10 918 PKW, fast genauso viele Radfahrer, nämlich 8 436 und 2 749 sonstige Fahrzeuge (Straßenbahnen, LKW, Omnibusse) gezählt. In den Stunden höchster Verkehrsbelastung fuhren an der Zählstelle 530 (zwischen 19 und 20 Uhr) bzw. 626 (zwischen 16 und 17 Uhr) PKW vorbei.

Vergleicht man die Zahlen mit den heute in Spitzenstunden üblichen Verkehrsmengen auf Hauptverkehrsstraßen West-Berlins (bis zu 70 000 Kfz/24 Std), so zeigt sich, wie stark die zeitgenössischen Beschreibungen des Verkehrsgeschehens von dem Wunsch geprägt waren, wirklich Weltstadt zu sein: Und zur Weltstadt, das wußte man von Paris, London und vor allem den amerikanischen Städten wie New York, Chicago, Los Angeles, gehörte nun mal Autoverkehr, möglichst in mehreren Ebenen, gehörten die weißbehandschuhten Verkehrspolizisten oder moderner noch verkehrsampelgeregelten Kreuzungen. Dieses Mißverhältnis von Organisationsanstrengungen und tatsächlichem Verkehrsaufkommen, dieses Schielen nach Amerika veranlaßte Tucholsky 1926 zu den Sätzen „Und ist auch unser Wagenpark noch so klein: organisiert muß er sein" (in: „Berliner Verkehr"). Nicht nur, daß man amerikanisches Kapital zur Realisierung der weitreichenden Umbaupläne am Alexanderplatz nach Berlin holte, die USA waren mit ihrer ungeheuer dynamischen und weit fortgeschrittenen Motorisierung (die entsprechenden Kennziffern für die USA lauten 1917 1 : 22, 1919 1 : 16 und 1928 1 : 6), mit ihren Hochhäusern, mit den für europäische Verhältnisse unvorstellbar rücksichtslos praktizierten Durchbruchsplanungen (es sei hier auf den Durchbruch des Fairmont Parkway in Philadelphia hingewiesen)[6], wie überhaupt mit ihren modernen, d. h. auch geschichtslosen, funktional geplanten Großstädten beliebtes Studienreiseziel Berliner Stadtplanungsexperten[7]. Man reise nicht mehr in die europäischen Metropolen Paris und London, sondern „nach der neuen Welt", so der Amerikareisende Walter Curt Behrendt, Ministerialrat im preußischen Finanzministerium, „erfüllt von dem Wunsch und der neugierigen Erwartung einen Blick in die Zukunft zu tun"[8] (vgl. S. 282 ff.). Und: Man registrierte mit einer Mischung aus Bewunderung und leichtem Schaudern als „Kennzeichen für den draufgängerischen Unternehmergeist der Amerikaner" ... „die

rücksichtslose Entschlossenheit mit der zurzeit der Kern der amerikanischen Städte gleichsam durchpflügt wird"[9]. Die „Sorge um die kommende städtebauliche Entwicklung der Weltstadt Berlin" (M. Wagner) veranlaßte im Mai/Juni 1929 – also nach der Durchführung des Wettbewerbs um die Neugestaltung des Alexanderplatzes – auch eine Berliner Delegation von Planungs- und Verkehrsexperten, darunter Martin Wagner und Ernst Reuter, zu einer städtebaulichen Studienreise in den USA. Nach der einmonatigen Reise fühlten sich Wagner und Reuter in der von ihnen eingeschlagenen Strategie des auto- und kapitalorientierten Stadtumbaus bestätigt.

Die Reise fand eine breite publizistische Verbreitung. So berichtete Ernst Reuter über die u. a. nach New York, Detroit, Chicago, San Francisco und Los Angeles führende Reise in mehreren Fachzeitschriftenartikeln[10]. Martin Wagner verarbeitete seine Reiseeindrücke aus dem Besuch von 12 Großstädten in knapp 30 Tagen gar zu einem Buch mit dem anspruchsvollen Titel: „Städtebauliche Probleme in amerikanischen Städten und ihre Rückwirkungen auf den deutschen Städtebau", in dem an erster Stelle der Einfluß des Automobils als Massentransportmittel auf den Städtebau – Wagner spricht von der „amerikanischee Verkehrsrevolution" – behandelt wird. Die Dimensionen, in denen Wagner in bezug auf das Wachstum Berlins und das des Autoverkehrs dachte, klingen im Vorwort zu seinem Buch an, wo er davon spricht, daß sein Reisebericht zwar nicht den Anspruch erhebt „die städtebauliche Entwicklung der amerikanischen Städte auch nur in seinen Grundzügen erfassen zu wollen" ... aber dennoch ausreiche, „um Eindrücke von dem zu sammeln, was aus unseren Großstädten und was insbesondere aus der Weltstadt Berlin werden muß, wenn sie auf dem Wege der Entwicklung von 5 zu 10 Millionen Einwohnern genauso von dem Wachstum des Automobilverkehrs überrascht und überwältigt wird, wie das bei den amerikanischen Städten der Fall ist."[11] Seine Folgerungen aus der Beobachtung amerikanischer Verhältnisse für den autogerechten Umbau vor allem im Rahmen der „Sanierung der Altstadt" lauteten: Herausnahme des Durchgangsverkehrs

durch die Geschäftsstadt und Anlage neuer Umgehungsstraßen (hier deutet sich erstmals das Autobahnnetz an) oder durch den Bau von „Doppeldeckerstraßen", wie er sie in New York und Chicago gesehen hatte;

Erhöhung der Verkehrskapazität der vorhandenen Straßen durch Einbau niveaufreier Kreuzungen;

Anlage von kreuzungsfreien Ausfallstraßen, insbesondere zur Aufnahme des „Weekend-Verkehrs" und des Verkehrs zu den Erholungsstätten am Stadtrand;

Die Anlage von „Weltstadtplätzen" als Verkehrsplätze im Sinne einer Anlage, „die die drei Arten des Verkehrs ohne jede Kreuzung und Niveauschneidung über den Platz führt (Rundverkehr in verschiedener Höhenlage)" (vgl. Abb. 108–112).

Ähnliche Schlußfolgerungen zog Ernst Reuter, damals Aufsichtsratsvorsitzender der BVG, aus seinen „Amerikanischen Reiseeindrücken".[12] Auch bei ihm hinterließ „den weitaus stärksten Eindruck, den Amerika vermitteln kann", „die gewaltige Entwicklung des Kraftwagens" ... „keine Macht der Welt (wird uns) vor dem Anwachsen des Kraftwagenverkehrs und den damit zusammenhängenden Problemen bewahren können. Im Innern der Großstädte werden wir wohl oder übel mehr Straßenraum schaffen und Ausfallstraßen wie Querverbindungen in genügender Breite und richtiger Trennung des Verkehrs so anlegen müssen, daß straßenfreie Kreuzungen später bei weiterer Verkehrssteigerungen möglich sind"[13]. Die Umsetzung solcher weitreichenden verkehrstechnisch begründeten Umstrukturierungspläne nicht nur in der City, sondern in der gesamten Stadt, wie sie ähnlich bereits 1873 A. Orth – „der Seher in verkehrspolitischen Fragen" (Hegemann) – in seinem Plan einer „Gesamtregulierung der neuen Stadt" vorgeschlagen hatten[14], in entsprechende gesamtstädtische Planungen für ein übergeordnetes Autostraßensystem – heute sprechen wir von Stadtautobahnen – blieben während der Jahre der Weimarer Republik Fragment. Konsequent aufgenommen wurden Wagners Vorstellungen in einer Studie des Berliner Stadtbaumeisters Brömstrup über eine „Verkehrssanierung der Berliner City" aus dem Jahre 1931[15]. Brömstrup

113 *Oskar Nerlinger, Funkturm und Hochbahn, 1929, Kasein, Tempera, Spritz-technik auf Lwd., 150 × 80 cm*

schlägt den Bau eines kompletten „Autohochbahnnetzes" ausschließlich für schnellfahrende PKW und Schnell-

– Potsdamer Platz, Friedrichstraße, Hackescher Markt, Alexanderplatz, Jannowitzbrücke und Spittelmarkt – ringförmig zusammengefaßt werden sollten. Dieses innerstädtische ‚Auto-bahnstraßennetz' war dabei als Teil eines den gesamten Großraum Berlin umfassenden überörtlichen Autostra-ßennetzes konzipiert. Weiterentwickelt und teilweise realisiert wurden solche und ähnliche Radial-Ringstraßenkon-zepte (bereits 1928 hatte der damalige Stadtrat für Tiefbau, Hahn, ein ähn-liches Netz vorgeschlagen,[16] erst nach dem Zweiten Weltkrieg in der Form des Berliner Stadtautobahnsystems (vgl. S. 306 ff.).
In Wettbewerbsplanungen, städtebauli-

chen Studien und teilweise auch in kon-kreten Umbauten realisiert haben sich Wagners und Reuters Vorstellungen vom autogerechten Umbau der Berliner City lediglich im Zusammenhang mit den Planungen für die Doppelplatzanla-ge Potsdamer Platz/Leipziger Platz und für den Alexanderplatz.

Potsdamer Platz und Alexanderplatz[17]
Der Potsdamer Platz, heute Vorfahrt zu den Andenkenbuden des Mauertouris-mus, war bis Ende des Zweiten Welt-krieges Berlins Verkehrsplatz schlecht-hin. Ursprünglich „Platz vor dem Pots-damer Tore", von dem die Landstraßen abzweigten, begann nach 1880 der mehrfache Umbau des Platzes nach den Ansprüchen des ständig wachsenden Straßenbahnverkehrs. Der erste Umbau erfolgte 1880 durch die Anlage einer kreisrunden, dem Schinkelschen Ent-wurf von 1823 nahekommenden Mittel-

insel. Der nächste Umbau erfolgte 1897 zur verkehrstechnischen Bewältigung des weiter gestiegenen Straßenbahnver-kehrs in der Form sogenannter Inselper-rons[18]. Die dynamische Zunahme des Straßenbahnverkehrs nach der 1896 ein-setzenden Elektrifizierung machen fol-gende Zahlen deutlich: 1880 waren es vier Linien, 1890 neun Linien, 1897 be-reits 13 und 1902 18 Linien und schließ-lich 1908 35 Linien, die den Platz über-querten.
Der Potsdamer Platz war daher auch in den kommenden Jahren mehrfach Ge-genstand verschiedener verkehrspla-nerisch motivierter Umbauvorschläge (1906, 1910). Der nächste tatsächliche Umbau erfolgte dann jedoch erst 1924. Dieser Umbau markiert inhaltlich und zeitlich die Bruchstelle unterschiedlicher verkehrstechnischer Anforderungen. Zum letzten Mal wurde versucht, den Ansprüchen des Straßenbahnverkehrs und des zunehmenden Autoverkehrs in einer Ebene gerecht zu werden. Die Lö-sung bestand im wesentlichen darin, den Platz in eine gewöhnliche Kreu-zung des Nord-Süd-Verkehrs der Fried-rich-Ebert-Str. / Königgrätzer Str. mit dem Ost-West-Verkehr der Leipziger und Potsdamer Straße umzugestalten. Dazu wurden die verschiedenen Ver-kehrsarten „entflochten" und „kanali-siert", d. h., die Straßenbahnhaltestel-len wurden in die zuführenden Straßen zurückgesetzt, die neue ovale begrünte Mittelinsel mit dem 1924 errichteten Verkehrsturm (erste Lichtsignalanlage Berlins) abgezäunt und so für den Fuß-gänger unbetretbar gemacht. Sie hatte nun lediglich die Funktion, den Autoverkehr über die Kreuzung zu lei-ten. Die Fußgänger wurden buchstäb-lich an den Platzrand gedrängt. Sie durf-ten den Platz nun nicht mehr überque-ren, ja nicht einmal mehr betreten. Zu-widerhandlungen wurden polizeilich ge-ahndet! Man degradierte die Passanten zu Verkehrsteilnehmern und zwang sie, den Platz wie ein Fahrzeug zu umrun-den. Der Prototyp des ‚modernen' Ver-kehrsplatzes mit unbetretbarem Ab-standsgrün, Lichtsignalanlagen, Fuß-gängerüberwegen war geboren, wenn auch noch inkonsequent verwirklicht. Die nächsten theoretischen und prakti-schen Schritte bei der Weiterentwick-lung zum idealen großstädtischen Ver-kehrsplatz vollzogen sich nach 1927 bei

Berlin. Verkehrsturm am Potsdamer Platz

Nachtzauber in Berlin.
Der Potsdamer Platz

Berlin, Alexanderplatz mit neuem Verkehrsturm

114–117a *Der Verkehrsturm auf dem Potsdamer Platz, von dem aus erstmalig in Europa der Straßenverkehr mit Lichtzeichen geregelt wurde, war eines der populärsten ‚Wahrzeichen' des Vorkriegs-Berlin. 1924 hatten Vertreter der Betriebs-GmbH anläßlich einer Studienreise in die USA einen solchen Turm dort in Funktion gesehen und einen gleichartigen kurzerhand erworben. Doch der zerlegte Turm traf zunächst nicht in Berlin ein: Man hatte bei der Schiffsverladung die Bestimmungsanschrift vergessen, so daß er in Hamburg eingelagert werden mußte. Nachdem aber dies geklärt war, konnte der Turm von der Straßenbahn-Betriebs-GmbH der Berliner Verkehrspolizei übergeben werden, die ihn auf dem damals verkehrsreichsten Platz, dem Potsdamer Platz, aufstellen ließ und in Betrieb nahm. Er wurde 1925 sogar in der Mehrzahl als „Verkehrstürme, von denen aus Lichtzeichen zur Verkehrsregelung gegeben würden", in die ab 1. März 1925 gültige „Polizeiverordnung betreffs Neuregelung des Berliner Verkehrs" aufgenommen und ist der Urahn unserer heutigen Verkehrsampel (Hans D. Reichardt). Neben Karikaturen (z. B. „der Oberkieker", l. o.) gibt es als Fotomontage eine nicht realisierte Version für den Alexanderplatz (P. Mahlberg/H. Kosina, u. r.).*

der Umgestaltung des Alexanderplatzes. Ausgelöst durch den geplanten Neubau der U-Bahnlinien E (Alexanderplatz – Friedrichstraße) und D (Alexanderplatz – Neukölln) und der damit verbundenen Absicht zur Sanierung des gesamten alten Zentrums entstanden mehrere Pläne für eine großzügige Umgestaltung des Platzes, ehe Martin Wagner im Jahre 1928 selbst einen städtebaulichen Vorentwurf und einen Fluchtlinienplan vorlegte[19].

Zu den inhaltlichen Zielvorstellungen seines Umgestaltungsvorschlages, nach dessen Vorbild auch andere bedeutende Berliner Verkehrsknotenpunkte (Hallesches Tor, Knie, Spittelmarkt, Molkenmarkt, etc.) umgestaltet werden sollten, äußert sich Wagner anläßlich eines von der BVG durchgeführten beschränkten Wettbewerbs (Teilnehmer Gebr. Luckhardt, Mies, Behrens, Mebes, Schaudt und Müller-Erkelenz) in einem grundsätzlich angelegten Aufsatz mit dem Titel „Das Formproblem eines Weltstadtplatzes"[20]. Wagners in sieben Punkten zusammengefaßtes Programm ist dabei der Versuch, die Anforderungen der verschiedenen Transportsysteme (Straßenbahn, U-Bahn und Fußgänger) verkehrstechnisch zu berücksichtigen, ohne dabei die traditionellen Vorstellungen zur Platzgestaltung (Raumbildung) ganz aufzugeben. „Zweck und Form, Grundriß und Aufriß, Oberfläche und Straßenwand sollen zu einer organischen Einheit verschmelzen. Weltstadtplätze sind Organismen mit ausgeprägtem Gesicht".[21] Diese Mischung verkehrstechnischer, städtebaulicher und ökonomischer Anforderungen an die Platzgestaltung liest sich in den wichtigsten Forderungen so:

Die Dimensionierung eines Weltstadtplatzes sei in erster Linie Aufgabe des Verkehrstechnikers, der die verkehrstechnische Kapazität für die nächsten 25 Jahre errechnen müsse;

Die Lebensdauer des Platzes und der platzbildenden Gebäude sei auf 25 Jahre zu begrenzen;

Das Ideal eines Verkehrsplatzes sei eine Anlage, die die drei Arten des Oberflächenverkehrs (Straßenbahn, Auto und Fußgänger) ohne jede Kreuzung und Niveauschneidung über den Platz führt (Kreisverkehr in verschiedenen Höhenlagen);

Erreichung einer Differenzierung der

Verkehrsgeschwindigkeiten durch die Anlage von Untergrundbahnen und Schnellfahrbahnen über der Erde;

Die immensen öffentlichen Kosten für die Verkehrsbauten seien durch konzentrierte Platzrandbebauung mit Läden, Lokalen und Büros mindestens teilweise wieder aufzubringen;

Dies erfordere eine klare raumbildende Platzgestaltung mit künstlerischer Wirkung (Farbe, Form und Licht).

Dieses Programm wurde von Wagner in einem Generalplan (Fluchtlinienplan als Grundlage für den o. g. Wettbewerb; vgl. Abb. 101) weitgehend umgesetzt und vom Magistrat im September 1928 beschlossen. Die Grundlage seines Entwurfs bildet eine Straßenverkehrsregelung nach dem Kreissystem. Den Kern des Platzes bildet eine unbetretbare Kreisfläche (Durchmesser 100 m), über die die Straßenbahnen hinweggeführt werden, sich kreuzen bzw. verzweigen. Der Kreis ist umgeben von einer 12 m breiten Fahrbahn mit Einmündungen, mit Mittelinseln, in die fünf Hauptverkehrsstraßenzüge einfließen, dahinter ein Ring von 10 m Breite für die Bürgersteige. Entsprechend den von Wagner aufgestellten Grundsatz war also eine eindeutige Trennung der verschiedenen Verkehrsarten, wenn auch ohne die theoretisch vorgeschlagene Kreuzungsfreiheit, vorgegeben.

Auf der Grundlage des von Wagner aufgestellten Fluchtlinienplans wurde der o. g. beschränkte Wettbewerb durchgeführt und am 5. Februar 1929 zugunsten der Arbeitsgemeinschaft Gebrüder Luckhardt und Anker (Abb. 102) entschieden (2. Preis P. Behrens, 3. Preis P. Mebes). Mit Ausnahme von Mies van der Rohe (Abb. 103–105) hielten sich alle Teilnehmer an Wagners städtebauliche Vorgabe, die verkehrstechnisch bedingte Kreisform auf die Form der Platzwände zu übertragen, um so eine geschlossene Platzwirkung zu erzielen. Mies van der Rohes Entwurf durchbrach als einziger dieses Prinzip und versucht – ähnlich wie die nach dem Zweiten Weltkrieg realisierte Umbauung des Ernst-Reuter-Platzes in West-Berlin – die Bebauung unabhängig von der Verkehrslösung zu gestalten[22].

Die auf Wagners Fluchtlinienplan zurückgehende Ideallösung konnte sowohl in bezug auf die Form der kreisrunden Verkehrsführung als auch in bezug auf die von den Gebrüdern Luckhardt und Anker vorgeschlagene neungeschossige halbrunde Einrahmung der Ostseite des Platzes und die Betonung des Eingangs zur Königstraße durch zwei Hochhäuser u. a. nicht durchgeführt werden, weil der Fluchtlinienplan nicht in allen Teilen Zustimmung fand. Aus dem Idealentwurf mußte deswegen entsprechend dem genehmigten Teilfluchtlinienplan eine Zwischenlösung für die vorläufige Umgestaltung entwickelt werden. Bei der Form der Mittelinsel entschied man sich für ein langgestrecktes Oval von 97 m Länge und 63 m Breite. Ansonsten blieben die wesentlichen Entwurfselemente Wagners erhalten. Um das Betreten der Mittelinsel zu erschweren, wurde ein fußgängerabweisendes Bordschwellenprofil entwickelt.

Bei aller Radikalität der Wagnerschen Vorstellungen für die Gestaltung großstädtischer Verkehrsplätze war die verkehrstechnische Grundidee des Kreisverkehrs zur Abwicklung größerer Verkehrsmengen unterschiedlicher Transportsysteme (Straßenbahn und Auto) eine theoretische und an einigen Stellen auch eine bereits praktisch eingeführte Lösung aus der ,Vorautozeit'. Insbesondere der Franzose Eugene Henard hat diese Lösung nach 1903 (,Etudes sur les Transformation de Paris') untersucht und vorgeschlagen[23].

Einen weiteren theoretischen Schritt wagte im Jahre 1929 Marcel Breuer mit seinem Vorschlag zur Umgestaltung des Potsdamer Platzes[24] (Abb. 109). In einer einleitenden Begründung zu seinem Neugestaltungsvorschlag stellt Breuer zunächst die ästhetische, die ökonomische und die verkehrstechnische Funktionalität als Produkt „überholter Zeiten" dar und empfiehlt ihren Abriß. Die zur „Schaffung einer Grünanlage" angelegten Plätze, ihre „zufällige oder geometrische Achteck- oder Kreisform" „verträgt die heutige City nicht mehr: sie verlangt restlose Ausnutzung des Bodens, sei es durch Bebauung oder durch Verkehr". Bei der Neugestaltung

sollte man deswegen auf „formale und stilistische Gesichtspunkte" verzichten. Für seine Form und Größe sei allein sein Verkehr maßgebend. Unter dem Gesichtspunkt der verkehrstechnischen Leistungsfähigkeit hielt Breuer die bis dahin modernste verkehrstechnische Lösung in Form eines Kreisverkehrs zur Aufnahme der zu erwartenden Verkehrsmengen für „nicht zukunftsfähig". Er entwarf statt dessen nach amerikanischem Vorbild eine zweigeschossige, kreuzungslose Verkehrsmaschine, die „ohne Signale oder Verkehrsbeamte kontinuierlich mindestens drei Wagenreihen in jeder Richtung transportiert". Zur praktischen Umsetzung seines ingenieurmäßig nach verkehrstechnischen Gesichtspunkten konstruierten Entwurfs (der immerhin noch das Miteinander von Straßenbahn und Auto verkehrstechnisch zu bewältigen versuchte) kam es nicht. Immerhin wurde für den Potsdamer Platz im Jahre 1931 vom Amt für Stadtplanung noch mal eine (ebenfalls nicht realisierte) Studie zur Umgestaltung vorgelegt[25], in der Breuers Anregungen zur kreuzungslosen Verkehrsabwicklung mit der überkommenen Form des Kreisverkehrs kombiniert wurde. Die Lösung wurde in einer mehrstöckigen runden Verkehrsplattform gesehen, auf deren Mittelinsel die gesamten Ein- und Umsteigevorgänge (Straßenbahn/U-Bahn/Bus) abgewickelt werden sollten (Abb. 108). Die Realisierung solcher Verkehrsmaschinen unterblieb zunächst aus ökonomischen und später ideologischen Gründen. Während der NS-Zeit konzentrierte sich das Entwurfsinteresse auf die Planung repräsentativer Architekturplätze im Zuge der Ausgestaltung der Nord-Süd- bzw. Ost-West-Achse (vgl. S. 238 ff.). Praktisch ausprobiert wurden solche Vorschläge zur Umwandlung städtischer Plätze in Verkehrsmaschinen in Berlin erst nach dem Zweiten Weltkrieg im Zusammenhang mit dem Bau der Stadtautobahn (vgl. S. 318 ff.).

Hans Stimmann

Beschleunigte Wahrnehmung

Tempo, Tempo

„Vorbei, vorüber! Und ein greller Pfiff!
Weiß fliegt der Dampf ... Ein Knir-
schen an den Schienen!
Die Bremse stöhnt laut unter starkem
Griff ...
Langsamer nun! ... Es glänzt in allen
Mienen.
Glashallen über uns und lautes
Menschwirrn, ...
Halt! Und nun ‚Berlin!‘ Hinaus aus en-
gen Wagen!
‚Berlin!‘ ‚Berlin!‘ Nun hoch die junge
Stirn,
ins wilde Leben laß dich mächtig tra-
gen".

Berlin zog sie alle an, die Künstler, Literaten, Schauspieler, die Theaterbesessenen und später die Filmenthusiasten. Nicht nur Julius Hart, den Programmatiker des Naturalismus, der mit diesen Zeilen seine Ankunft aus dem kleinstädtischen Münster in der Großstadt Mitte der achtziger Jahre des vorigen Jahrhunderts so hymnisch besang, auch andere geraten in den Sog der entstehenden Metropole. Das quirlende Großstadtleben, Dynamik, das so sprichwörtliche Tempo dieser Stadt, die hier kraß zutage tretenden sozialen Gegensätze und vor allem die neuen kulturellen Möglichkeiten der zur Reichshauptstadt aufgestiegenen preußischen Residenzstadt standen für Generationen der kulturellen Elite Deutschlands als Zeichen eines neuen Aufbruchs, einer neuen Mobilität, für die beginnende Moderne.

Die rasch wachsende Bevölkerung der Stadt, die Entstehung neuer Mittelschichten, die veränderten Verkehrs-, Lebens- und Arbeitsformen führten zu neuen Wahrnehmungs- und Erfahrungsweisen und machten neue Unterhaltungsformen nötig. Eine wachsende Schaulust verlangte nach immer neuen visuellen Sensationen und Spektakel. Abnorme menschliche Gestalten, Riesen, Zwerge, Dickleibige, tierisch behaarte Damen und „Löwenmenschen" wurden auf Jahrmärkten ebenso bestaunt wie die reisenden Tiermenagerien mit ihren Dressurakten und die Hagenbeckschen „Völkerschauen". Der Zir-

kus, Inbegriff einer vorindustriellen Unterhaltungsform, hatte im Berliner Zirkus Renz vom Beginn der fünfziger Jahre bis zur Jahrhundertwende seinen großen deutschen Schwerpunkt in dieser Stadt. Akrobaten, Jongleure, Clowns, Kleinkünstler traten in Varietés auf, die

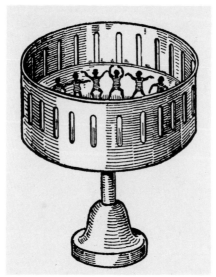

118 *Das Interesse an Bewegungsdarstellung erzeugt im Eisenbahnzeitalter viele optische Illusionsmaschinen wie diese Wundertrommel von 1833.*

sich nach den Gründerjahren vermehrt in Berlin etablierten. Der Berliner „Wintergarten" wurde zum Symbol einer neuen Kultur der Zerstreuung.

Zur Schaulust gehört das starke Interesse an Bewegung und ihrer Darstellung. Ins neue Wahrnehmungsinteresse ist das schon durch das Eisenbahnfahren vermittelte beschleunigte neue Raum- und Zeiterlebnis eingeschrieben. Die Eile gehört zur Physiognomie des ausgehenden 19. Jahrhunderts.[1] Das Vorüberfliegen von Bildern am Abteilfenster bei gleichzeitiger Bewegungslosigkeit des Reisenden, das Zusammenschrumpfen der Distanzen, das Verschwinden der Natur hinter der „Landschaft" und ihre Zusammenfassung in der panoramatischen Aneinanderreihung ständig wechselnder Szenen und Eindrücke – es sind dies Momente einer neuen ästhetischen Erfahrung, die in der Ballung und wechselseitigen Überlagerung des großstädtischen Verkehrs weiteres Ma-

terial findet. Mit der neuen ästhetischen Erfahrung verändern sich auch die Künste. Die Schaulust sucht in den Bildern die Bewegung: Augenblicke werden zum ästhetischen Problem, Anschnitte von Figuren im Bildrahmen, „snap shots", eingefrorene Bewegungen. Und umgekehrt häufen sich die Versuche, Bewegung selbst zu zeigen und ästhetisch zu gestalten, die Beschleunigung als ästhetischen Kitzel auf Achterbahnen, Karussell und anderswo zu erleben.

Die Illusionsbauten der Panoramen Mitte des Jahrhunderts, die den weiten schweifenden Blick noch von einem festen Platz in der Mitte, über Stadtansichten, historische Schlachtplätze und andere denkwürdige Orte gestatten, lassen rasch das Bedürfnis nach Bewegtheit der panoramatischen Totalgemälde entstehen. Das aus dem Panorama „naturwüchsig freigesetzte"[2] Diorama stimuliert Bewegung durch Doppeleffekte und Beleuchtungstechniken und steigert so die Illusionsbildung. Der Austausch der zunächst gemalten Bilder durch fotografische Projektionen forciert die Illusion weiter und befördert zugleich das durch das ganze 19. Jahrhundert hindurch fortgesetzte Bemühen um eine gelungene Verbindung fotografischer und kinetischer Abbildungsverfahren. Die Vielzahl der kinematografischen Vorformen, von den Lebensrädern, Wundertrommeln, Mutoskopen (in denen man Fotoserien mit einer Handkurbel abblättern konnte), bis hin zu den Nebelbildern, Kinetoskopen und Vitaskopen stehen für das anhaltende Interesse an bewegten Bildern.

Der panoramatische Blick aus dem Eisenbahnfenster ist jedoch nur vordergründiges Indiz dafür, wie die Strukturen und Ergebnisse der industriellen Produktion in den Alltag hineinragen, der zugleich auf noch vielfältigere und tiefergreifende Art durch sie verändert wird. Die beschleunigte Wahrnehmung, der neue großstädtische Rhythmus setzen eine uneingeschränkt gültige lineare Zeitauffassung voraus, die unter Zeit etwas gleichförmig Fließendes und immer weiter Teilbares versteht, in dessen Raster sich Handlungen und

Vorgänge fast beliebig komprimieren lassen. In der Ökonomisierung der Zeit findet gerade um die Jahrhundertwende durch die Übernahme amerikanischer Fertigungsmethoden ein Beschleunigungsschub durch die Arbeitszeitbewertung und andere Maßnahmen zur Intensivierung der Arbeit statt, die in den Alltag und in die kulturelle Produktion, wenn auch auf vielfach gebrochene Weise, hineinreichen.

Am ausgeprägtesten ist das vehemente Interesse an der Darstellung von Bewegung und Beschleunigung in den sogenannten „niederen Künsten", die auf Zerstreuung größerer Bevölkerungsschichten ausgerichtet sind: Die kinematografischen Vorformen sind zunächst Bestandteil der Varietés und Jahrmärkte. In den „höheren Künsten", vor allem auch im Theater, überdauern dagegen sehr viel länger die alten Konventionen und Zielsetzungen, orientieren sich doch gerade die dominierenden Hof- und Residenztheater in ihrer Stückauswahl, Spielweise und Ausstattung nicht an dem neuen urbanen Lebensgefühl. Erst nach der Gründerzeit, die als Folge der 1869 hergestellten Gewerbefreiheit auch für das Theater Gründerjahre und Jahre von Zusammenbrüchen und Krisen waren, setzt eine mehrstufige Entwicklung ein, die zu einer Intensivierung der Illusionsproduktion und zu einer Technisierung der Darstellenden Kunst führte.

Intensivierung der Illusionsproduktion im Theater

Ausgehend von der vor allem von Richard Wagner formulierten Auffassung vom Theater als Gesamtkunstwerk wird die Illusionssteigerung auf der Bühne auf zwei Ebenen vorangetrieben. Die Entwicklung der Bühnentechnik nutzte die neuen technischen Erfindungen des 19. Jahrhunderts auf der Bühne, schuf die Voraussetzungen für die Veränderung der szenischen Produktionsweise und die Illusionssteigerung im Spiel. Beide Entwicklungen haben ihre entscheidenden Impulse seit den siebziger Jahren im Hoftheater des Herzogs Georg II. von Meiningen gehabt, der in seiner Theaterarbeit Pariser und Londoner Theatererfahrungen aufgriff. Illusionssteigernde Bühnentechniken hat es natürlich auch vor den Meiningern gegeben, und die Bühnentechnik

bildet seit dem Maschinentheater des Barocks eine ganz eigenständige Disziplin. Kennzeichnend für das Theater Mitte des 19. Jahrhunderts ist das Spiel vor und zwischen flachen, gemalten Bühnenprospekten, auf denen nicht nur Landschaften, Gebäudeteile, sondern auch Innenräume und sogar Möbel perspektivisch mit Licht- und Schatten-Effekten aufgemalt waren. Der Herzog von Meiningen, der die Historienmalerei seiner Zeit schätzte und selbst erlernt hatte, strebte zunächst ein historisch möglichst genaues Bühnenbild an, zog für seine in der Geschichte angesiedelten Stücke (wie z. B. Shakespeares „Julius Cäsar") Kunstwissenschaftler und Archäologen zur Rate, um ein historisch genaues Bühnenbild malen zu lassen, das den gemalten Panoramen seiner Zeit in ihrem illusionistischen Effekt nicht nachstehen sollte. Die Perfektionierung der Kulissenmalerei war jedoch begrenzt, weil die perspektivische Malerei immer nur von ganz wenigen Zuschauerplätzen aus ‚richtig' aussah und vor allem der Übergang von gemalten Prospekt zur eigentlichen Spielfläche einen Illusionsbruch darstellte.[3]

Von den zunächst nur sparsam verwendeten plastischen Versatzstücken einzelner Säulen und Bögen war der Übergang zum plastischen Bühnenbild insgesamt fast zwangsläufig. Die plastische Bühnendekoration erforderte nicht nur einen größeren Bühnenraum (der Rundhorizont wurde erfunden), sondern auch eine ganz neue Organisation der Bühnentechnik, da nicht mehr Prospekte zerlegt und ausgewechselt wurden, sondern ganze, festgefügte Kulissen bei Szenenwechsel auszutauschen waren. Um die Jahrhundertwende werden deshalb Drehbühne, Schiebebühne und Versenkbühne entwickelt. Sie etablieren sich mit der allgemeinen Elektrifizierung des Theaters, da erst mit der Elektrizität eine problemlose Antriebskraft für den Betrieb der aufwendigen Theatermaschinerie zur Verfügung stand.[4] 1896 erprobte Karl Lautenschläger zum ersten Mal am Münchener Residenztheater die Drehscheibe auf der Bühne. Die Idee wurde bald von anderen aufgegriffen, und vor allem Max Reinhardt hat dann nach 1900 am Deutschen Theater in Berlin ihre künstlerische Handhabbarkeit bewiesen. „Bei Reinhardt dreht sich um halb zehn der Wald."[5]

Die Einführung der Dreh-, Schiebe- und Versenkbühnen verdankte sich dem Bedürfnis, die Umbaupausen als illusionsunterbrechende Phasen soweit wie möglich zu reduzieren. Der problemlose Szenenwechsel, wie ihn bald darauf der Film durch die Montage unterschiedlicher Orte vorführte, ließ die Schwerfälligkeit des Mediums Theater, die schon seit dem 19. Jahrhundert als größtes Problem der Illusionsbühne empfunden worden war, nun besonders auffällig hervortreten. Die Dynamisierung des Theaterspiels erfaßt so zuerst die Lücken in der illusionsbildenden Darstellung, bevor sie dann auch in die szenische Struktur des Spiels eingriff. Der durch die neue Bühnentechnik mögliche häufigere Szenenwechsel, nicht zufällig als „Filmstil" bezeichnet, setzte sich dann in den ersten Jahrzehnten des neuen Jahrhunderts durch. Friedrich Kranich schreibt 1932 in seinem Standardwerk zur Bühnentechnik: „Wie Kraftwagen und Flugzeug Raum und Zeit überbrücken, Wellen in Sekunden dem Menschen geistige Güter vermitteln, so hat der Film die eigentliche Mannigfaltigkeit der Szene erst ermöglicht."[6]

Die Elektrifizierung des Theaters hatte ihre sichtbarsten Folgen in der Einführung des elektrischen Lichts, das die bis dahin verwendete Gasbeleuchtung ablöste. Lautenschläger, der auf Anregung Ludwig II. 1881 nach Paris zur ersten Internationalen Elektrotechnischen Ausstellung gefahren war, hatte 1882 im Münchener Residenztheater eine erste elektrische Theaterbeleuchtung installiert, die von drei dampfbetriebenen Dynamomaschinen der Deutschen Edison-Gesellschaft betrieben wurden.[7] Ebenfalls 1882 hatte auch Fritz Brandt im Berliner Opernhaus erste Versuche mit einer elektrischen Bühnenbeleuchtung unternommen. Vor allem die geringere Feuergefährlichkeit (nach den Theaterbränden in Wien 1881 und in Berlin), aber auch die größere stimmungsändernde Regulierbarkeit von Lichtstärke und Farbkomposition führten zur raschen Durchsetzung des elektrischen Lichts im Theater. Durch die Einführung des Stellwerks ließ sich jetzt die gesamte Beleuchtung stufenlos bis in die feinsten Nuancen variieren. 1891 schrieb die preußische Polizeiverordnung bereits für alle Theaterum- und -neubauten die Installation des elektrischen Lichts vor.[8] Auf der Bühne konnten nun Licht und Schatten effektvoll direkt mit Scheinwerfern hergestellt und nach der Notwendigkeit des Spiels rasch verändert werden.

Neben der Veränderung der Bühnentechnik setzte mit den Meiningern auch eine Veränderung der szenischen Produktionsweise ein. Bestimmten bis in die siebziger und achtziger Jahre hinein einzelne Schauspieler-Stars mit einer ganz auf sich bezogenen Schauspielweise („Virtuosentum") die Aufführungen, so bemühten sich die Meininger um ein möglichst genau abgestimmtes Spiel aller Schauspieler auf der Bühne. Der Idee eines theatralen Gesamtkunstwerks entsprechend war jedes Detail der Inzenierung in den Gesamtzusammenhang richtig einzuordnen, weil nur dadurch Stimmigkeit, illusionsstiftender Zusammenklang möglich war. Das Ensemblespiel war neben dem möglichst getreuen Bühnendekor und der philologisch getreuen Wiedergabe des ursprünglichen (nicht durch die üblichen Bearbeitungen veränderten) Dramentextes wesentlicher Bestandteil des neuen Theaterkonzepts. Die Auflösung des traditionellen Virtuosen-Comparserie-Verhältnisses, die inszenatorische Aufwertung der Statistenrollen und die ersten Ansätze einer dramatischen Massendarstellung auf der Bühne setzten neben einer minuziösen Textbeherrschung auch eine ausgedehnte und bis dahin unübliche Probenarbeit voraus.

Diese neue theatralische Produktionsweise führte zur Aufwertung einer bis dahin wenig bedeutenden Position im Theater: der des Regisseurs. Er nämlich mußte alle Details der Inszenierung nach seiner Idee zu einer Einheit, zu einem Gesamtkunstwerk miteinander verschmelzen. Er, als der ‚ideale Zuschauer', organisierte jetzt von außen das Geschehen auf der Bühne. Nicht mehr die Darsteller bestimmten durch lockere Absprache, was auf der Bühne zu geschehen hatte, sie wurden zu Objekten in der Hand des Regisseurs, nach dessen genauen Anweisungen sie zu arbeiten hatten. „Ein Geist lenkte ausnahmslos alle Mimen: sie dienten dem Kunstwerk."[9] Die strukturelle Änderung der Theaterproduktion war zunächst durch die Figur des Herzogs von Meiningen verdeckt, der diesen Wechsel zugleich erst möglich gemacht hatte:

119 *Am Theater intensivieren neue Techniken die Schaukunst. Die illusionsunterbrechenden Pausen verkürzen sich durch elektrisch betriebene Schiebe-, Versenk- und Drehbühnen (hier ein Kranpodium mit verschieden absenkbaren Kulissen einer Rheingold-Inszenierung.*

Seine Autorität sicherte eine „eiserne Disziplin": „Beim Herzog klappte der Apparat militärisch",[10] erinnerte sich der ehemalige Meininger-Schauspieler Karl Grube.

Die Etablierung der Regieposition als bestimmender Instanz ist für die Weiterentwicklung des Theaters entscheidend und hat ihren ersten Höhepunkt im Theater Max Reinhardts. Mit ihren zwischen 1874 und 1890 durchge-
führten Gastspielreisen setzten die Meininger ihr Theaterideal in Deutschland und in anderen Ländern durch. Ihr erstes Gastspiel führte sie nach Berlin. 1874 zeigten sie im Friedrich-Wilhelmstädtischen Theater „Julius Cäsar", und das großstädtische Publikum war von den auch in der Folgezeit regelmäßig gezeigten Gastspielaufführungen fasziniert. 1878 führte die Aufführung der „Räuber" zu wahren Beifallsorkanen.

120–121 *Collage und Montage auf der Bühne: Beschleunigung durch simultan gezeigte Handlungen. „Die Verbrecher" von Ferdinand Bruckner, 1928 in einer Inszenierung von Heinz Hilpert im Deutschen Theater. Oben werden alle Segmente, unten nur eins bespielt.*

chen Erfolg hatte: das Unterspielen, das Zurücknehmen der Ausdrucksweise in einem stärker nach innen gewendeten Spielen. Oscar Sauer ist als Prototyp des naturalistischen Schauspielers wegen der „grenzenlosen Schlichtheit und Natürlichkeit" seiner Gebärden (Bab), wegen der Darstellung der „kleinen bescheidenen Züge des Lebens" (Jhering) berühmt geworden. Der Übergang vom Naturalismus zum Realismus waren hier fließend.[11]

Die Reproduktion von Natur auf der Bühne war nach Zola und Arno Holz erklärtes Ziel, aber das naturalistische Spielen war nur die Einführung eines neuen darstellerischen Codes, eines neuen ästhetischen Konzepts, das gerade in Berlin vor der Erfahrung einer gewachsenen Urbanität mit ihren sozialen Gegensätzen seine ästhetische Wahrheit behauptete. In den neuen Darstellungsweisen erkannte sich eine Generation wieder. Über Rudolf Rittner, einen anderen großen naturalistischen Schauspieler, schreibt Julius Bab, er sei mit Max Halbes Worten, ein „Embryo des modernen Stimmungsmenschen" gewesen: „In ihm gab es von Anfang an eine Spannung, eine Gereiztheit, eine Nervosität", die ihn „für viele Aufgaben der ‚Moderne' besonders geeignet machten". „Die stoßweiße Heftigkeit seiner Sprache, die sich nie vom schlesischen Tonfall trennte, seine ruckhaft-nervösen Bewegungen machten ihn für jede Art von getragenen Pathos völlig untauglich."[12]

Die psychologisierende Spielweise der Naturalisten wurde, bei aller sonstigen Abwehr des Naturalismus, in den antinaturalistischen Bewegungen um die Jahrhundertwende voll aufgegriffen und weiterentwickelt. In Max Reinhardts Theater findet die theatrale Illusionsproduktion ihren Höhepunkt. Und es ist nach historistischem Pathos und naturalistischem Milieu die „sinnliche Suggestion", die aus einem „dekorativen Kulissenzauber entsteht, bei dem das Inhaltliche nur noch von untergeordneter Bedeutung war".[13] Das präzise Zusammenspiel aller Bühnenelemente unter einer ästhetischen Idee, einer Vision interessierte. Eine der ersten Inszenierungen Reinhardts, Shakespeares „Sommernachtstraum" 1905, gilt als Beispiel einer neu erreichten Intensität der Illusionsbildung auf der

Mit der Unterordnung der gesamten Inszenierung unter eine einzige ästhetische Idee war überhaupt erst die Entfaltung von unterschiedlichen Aufführungskonzepten und -stilen ermöglicht worden, wie sie sich dann in der Folgezeit auch entwickelten. Das naturalistische Theater zu Beginn der neunziger Jahre, von Otto Brahm an der Freien Bühne in Berlin und dann ab 1894 am Deutschen Theater forciert vorangetrieben, stellte mit seinem angestrebten „Nachzeichnen der Natur", der Orientierung an Alltagsformen und sozialen Gegensätzen letztlich eine neue Stufe auch der illusionistischen Produktion. Dem darstellerischen Pathos trat die zurückgenommene, unterkühlte Spielweise entgegen. Das naturalistische Theater entwickelte ein Darstellungsprinzip, das dann erst im neuen Medium Film und dort auch erst später seinen eigentli-

Bühne. Dekoration, Bühne, Schauspieler, Musik erscheinen in einer bis dahin unerreichten Einheit miteinander verschmolzen, die Aufführung wirkt wie ein Traum, sie versetzt das Publikum in Rausch und Verzückung. Hermann Bahr beschreibt die Wirkung der Inszenierung und den Drehbühnen-Wald: „Die Leute schreien bewundernd: Nein, dieser Wald, einen so wahren Wald hat man auf keiner Bühne noch gesehen!

als ein bloßer Schauspieler mehr, alles ist verwandelt, das Brett in Erde, das Spiel zum Traum ...

Reinhardt hat das Stück durchaus musikalisch inszeniert. Kein Wort, das irgendeiner zu sagen hat, wird hier beim Wort genommen, als Zeichen einer Wirklichkeit, sondern jedes nur als Reiz der Sinne, als Wort der Stimmung. Und keine Gebärde der Schauspieler wirkt hier real, zur mimischen Verständigung,

Die Phantasiemaschine Kino

Gegen den Illusionsdruck des neuen Mediums, der Kinematographie, kam das Theater trotz allem nur schwer an. Noch wies zwar das Kino zu Beginn des Jahrhunderts allzu viele technische Unzulänglichkeiten auf, die Bildstreifen waren nur kurz und flimmerten, waren stumm, auch wenn das Kino selbst nicht stumm, sondern musikumflutet war. Doch das neue Medium entwickelte sich

122 *Max Reinhardt bei der Probe. In seinem Theater findet die theatrale Illusionsproduktion ihren Höhepunkt.*

123 *Max Reinhardt forcierte das präzise Zusammenspiel aller Bühnenelemente unter einer ästhetischen Idee, der des Regisseurs. Reinhardt (links) spielt auf einer Probe den Schauspielern den Gestus einer Figur vor.*

Das ist aber gar nicht richtig. Nicht der Wald wirkt so, der auf der Bühne ist, sondern daß die ganze Bühne Wald geworden ist, daß es keine Bühne mehr gibt (Reinhardt) hebt jene Teilung auf, er zieht den Wald bis an die Rampe vor, er treibt die Schauspieler tief in den Wald zurück: das Brett, das alte Brett, das schreckliche Brett ist weg.

Früher hat der Zuschauer immer erst langwierig mit dem Verstand nachhelfen müssen: Aha, die Elfen, die hier tanzen, Titania, die hier träumt, Oberon, der hier lauscht, dies alles gehört eigentlich dort in den Wald hinein. Jetzt lösen sich die Elfen aus den grauen Stämmen wie von der Rinde ab, auf steilen Pfaden geht das Spiel, Puck huscht über Moos, in den Wimpeln rauschts, von Würmchen glüht die Luft, ein Leuchten und ein tiefes Atmen ist, man glaubt im leisen Wind, im feuchten Dunst den Kuß der Nacht zu spüren ... und so wirkt keiner

sondern Reinhardt schafft sie zu Linien um, zu Ornamenten gleichsam aus geronnener Musik ...

Das Publikum schrie vor Lust. Und dann fängt nun dieser ganze Wald sich wie im Traume zu bewegen an."[14]

Das Reinhardttheater wird zum Inbegriff der Illusionsmaschinerie: Organisatorisch als Konzern mit immer mehr Spielstätten betrieben (z. B. Poelzigs „Großes Schauspielhaus", vgl. Bd. I, S. 8), immer wieder neue Raumkonzeptionen hervorbringend und bühnentechnische Entwicklungen integrierend, wird das ganze „Welttheater" zum Repertoire. Es gibt kaum einen bedeutenden Schauspieler, der nicht bei Reinhardt gespielt hätte. Aber Reinhardts Theater schien damit zugleich auch ein Endpunkt zu sein, von dem aus das Theater nur mit ganz neuen, antiillusionistischen Konzepten wieder neu beginnen konnte.

weiter und faszinierte schon in seinen Anfängen. Die Illusion eines ankommenden Zuges, vorbeiziehender Schiffe, des filmischen Blicks vom Eiffelturm war ungleich größer und qualitativ anders als jedes Dekor auf der Bühne. Der Film schien, obwohl nur schattenhafte Projektion, unmittelbarer, direkter Wirklichkeit und Welt wiederzugeben, und er entsprach zugleich sehr viel genauer dem neuen urbanen Lebensgefühl. Blieb das Theater in seiner Körperlichkeit und Raumauffassung trotz aller Bewegtheiten statisch, Ereignis des ‚Hier und Jetzt', so begann der Film den Raum dynamisch zu erschließen. Doch war nicht der sich drehende Reinhardtsche Wald eigentlich schon ein filmähnliches Phänomen? Wo das Theater die Zeit nur über Worte verlangsamen und beschleunigen konnte, hatte der Film über die Montage der Bilder ein unnachahmliches Instrument, „die Zeit (zu) verräumlichen" (Panofsky).[15] Und der Film machte über seine Reproduzierbarkeit zum ersten Mal in der Darstellungskunst die Zeit beherrschbar. Im Film konnte man Zeitabläufe in ganz neuer Weise rhythmisch gestalten und Rhythmus ständig gleich reproduzieren. Der Film bediente sich auch in neuer Weise der Technik: Er versteckte und verschwieg sie nicht, sondern der Film war von vornherein und ausschließlich ein technisches Medium, und er bezog seinen Reiz gerade aus der scheinbar nur technischen und damit ‚objektiven‘ Wiedergabe von Welt. Mit dem Film (aber nicht nur mit ihm) begann auf eine qualitativ neue Weise für die Kunst das „Zeitalter der technischen Reproduzierbarkeit".[16]

Das neue technische Medium brachte grundsätzlich andere Produktionsweisen mit sich. Was im Theater in der Probenarbeit als lästiges Durchgangsstadium bis zur Aufführung erscheint, ist in der entwickelteren Filmproduktion ab 1911/12 bestimmendes Kennzeichen: Die Montage eines Filmes aus einer Vielzahl verschiedener Einstellungen erlaubte es, die szenische Darstellung ganz nach betriebsökonomischen und fertigungstechnischen Bedingungen zu zerlegen und in Teilen herstellen zu lassen. Der Anfang eines Films mußte nicht unbedingt zu Beginn aufgenommen, das Filmende nicht unbedingt am Schluß gefilmt werden. Die achronologische und diskontinuierliche Produktionsweise wird im Film zum Prinzip. Für die Schauspieler bedeutet dies, eine Rolle nicht folgerichtig aufbauen zu können, sondern in einem Höchstmaß an Konzentration zu einem willkürlichen Zeitpunkt die für eine Aufnahme erforderte Ausdrucksintensität hervorzubringen. Sie produzieren damit zugleich in einer neuen Form der Entfremdung, weil ihre Arbeit nicht mehr in einem jederzeit einsehbaren Gesamtzusammenhang steht, sondern letztlich erst am Schneidetisch, nach Ablauf der Dreharbeiten, entsteht. Beim Film wird also das Darstellen, das Spiel des Schauspielers ablösbar, objektiviert sich allein in der Aufnahme, vergegenständlicht sich und tritt dem Schauspieler als von ihm unabhängiges Produkt, ja als Ware, gegenüber. „Es ist ein eigentümliches Gefühl, sich selbst agieren zu sehen", schreibt der Reinhardt-Schauspie-

ler Albert Bassermann, als er sich 1913 in seinem ersten Film „Der Andere" gesehen hatte.[17]

Henny Porten, die „Heroine des Kleine-Leute-Melodrams" (Schwab), die schon in der Frühzeit des deutschen Films in den Berliner Meßter-Studios spielte und zur beliebtesten deutschen Filmschauspielerin der zehner und zwanziger Jahre aufstieg, hielt es für „das Schwerste", „daß wir nie zusam-

124 *Verstärkung der Raumillusion bei Reinhardt durch gebaute, künstlich verkürzte Perspektiven im Gegensatz zur früheren Praxis der gemalten Bühnenprospekte. Bühnenbild zu „Aglavaine und Selysette" von Knina. Berlin 1903*

menhängend unsere Rolle spielen, sondern daß die Reihenfolge und Einteilung der Aufnahmen nach den technischen Erfordernissen erfolgt. Selbst wenn ein feinfühliger Regisseur auf den Gang und die Entwicklung der Handlung in Reihenfolge der Aufnahmen Rücksicht nimmt, – es kann doch nie vorkommen, daß die Aufnahmen in der gleichen Reihenfolge stattfinden, wie sie nachher im Film abfolgen. In dieser Beziehung ist die Arbeit am Film immer sehr schwer für mich. Mitten in der höchsten Ekstase, in einer Steigerung, muß abgebrochen werden, weil die nächste Szene in einer anderen Dekoration spielt."[18]

Nicht zufällig wird das Theater auch für viele Filmschauspieler trotz allen Glanzes und finanziellen Erfolgs im Kino zum Ideal des Darstellens, bleibt hier doch die Aufführung und mit ihr das Spiel ganzheitlich bewahrt, ist das Ge-

fühl, entfremdet zu arbeiten, weniger massiv, bleibt der Eindruck, mehr über sich selbst und was mit einem geschieht mitzubestimmen. All das schießt in einer neuen Stilisierung des direkten Kontakts zusammen, der zwischen Schauspieler und Publikum im Theater zustande komme, und wird zur wahren Bestimmung des Schauspielens überhöht.

Zur Erfahrung der Ablösung der Darstellungskunst im Film gehört die ganz neue Erfahrung der Reduktion und der von außen aufgezwungenen Spezialisierung, ein Phänomen, das in der industriellen Arbeitswelt seit der Einführung der arbeitsteiligen Produktion längst bekannt ist, in der Schauspielkunst aber Befremden auslöst. Der Schauspieler, der bisher mit seiner ganzen Körperlichkeit auf der Bühne die Zuschauer in Bann schlug, er ist jetzt nicht nur noch in der Projektion zu sehen und, mit der Entwicklung einer kamerabezogenen Ästhetik, oft nur noch ausschnittsweise und nur in einem genau berechneten Augenblick. Der Schauspieler muß jetzt die Bewegung so gestalten, daß sie in dem von der Kamera erfaßten Ausschnitt jene präzise Bedeutung stiftende Intensität entwickelt, während sein restlicher Körper in dieser Aufnahme nicht zählt. Er kann im Extrem nur noch als ein körperliches Detail erscheinen und weiß während

125–126 Der Film rückt dem Schauspieler mit Licht und Kamera näher und erfordert neue Spielweisen. Großaufnahme mit Fritz Rasp für ,Die Frau im Mond', 1929 (u.)

der Produktion nicht, in welchem Kontext dieses Detail erscheinen wird, welche Bedeutung es dadurch, jenseits seines Einflusses, bekommt. Vor allem die Großaufnahme (schon vor 1910 bekannt) löst die Einheit des dargestellten Menschen auf: Er erscheint als ebenso zerstückeltes wie überhöhtes Wesen.

Die Möglichkeit der Kamera, in wechselnden Einstellungen den Darsteller mal nah, mal entfernt zu zeigen und damit die Wahrnehmung des Zuschauers auf bestimmte Aspekte zu lenken, den Zuschauer damit zu emotionalisieren, ist trotz aller Erfahrung großstädtischer Beschleunigung und Disparatheit ein neues ästhetisches Moment. Daß die unterschiedlich großen und aus verschiedenen Perspektiven aufgenommenen Bilder eines Menschen einen einheitlichen Handlungsablauf darstellen können, ist erst das Ergebnis eines kulturellen Lernprozesses. So wie die Gewöh-

nung an eine aus der Bildmitte auf den entsetzten Zuschauer scheinbar zufahrende Lokomotive ein solcher Lernprozeß war. Über sein erstes filmisches Seherlebnis, Bassermanns Film „Der Andere", schreibt der Direktor des Königlichen Kupferstichkabinetts in Dresden, Prof. Max Lehrs, im Berliner Tageblatt 1913:

„Ich kann mir gar nichts Stilloseres und Kunstwidrigeres denken als dieses fortwährende Springen von Bild zu Bild, diesen durch nichts gerechtfertigten Wechsel des Maßstabs, auf den sich das Auge in aller Geschwindigkeit einstellen soll. Bassermann sitzt als Rechtsanwalt Hallers im Salon des Justizrats Arnoldy beim Tee, plötzlich erscheint nur sein Kopf in sechsfacher Lebensgröße aus derselben Szene geschnitten. Warum? Damit der Zuschauer das Mienenspiel des Künstlers noch einmal gewissermaßen unter dem Mikroskop beobachten

kann. Dann wieder wird dieser Kopf durch Schatten, die sich aus der Beleuchtung des Raumes keineswegs erklären lassen, in den eines Mohren verwandelt, um gleich darauf in greller Beleuchtung als Grimasse zu erscheinen. Dieser ewige Wechsel des Maßstabs, der Beleuchtung, der Bewegungstempi, versetzt den Beschauer allmählich in einen Zustand nervöser Überreizung."[19]

Natürlich kannte Lehrs die Stichworte der filmästhetischen Debatten, und seine von anderen Tageszeitungen mehrfach nachgedruckte Erlebnisbeschreibung diente dem vorgefaßten Ziel, dem Film den Kunstcharakter abzusprechen. Das Phänomen der filmspezifischen Veränderung der ästhetischen Wahrnehmung bleibt davon jedoch unberührt.

Zerteilung des Darstellungsvorgangs, Reduzierung des Dargestellten auf gezielt ausgewählte körpersprachliche Momente und die Spezialisierung des Spielens selbst auf die Kamera und ihre Technik hin, das Darstellen unter der permanenten Lenkung und Kontrolle des Regisseurs (wieder in der Rolle des ,idealen Zuschauers'), schließlich die Einbindung des Schauspielers in einen hochgradig arbeitsteilig organisierten Prozeß (der Begriff der ,Filmindustrie' bekommt hier eine zusätzliche metaphorische Bedeutung) – diese Aspekte filmischen Darstellens weisen erstaunliche Parallelen auf zu anderen Arbeitsprozessen. Das trancehafte Vergessen der Außenwelt, das selbstsuggestive Spiel im Moment der Aufnahme, das von zahlreichen Schauspielern vor der Kamera, von Henny Porten bis Werner Krauß, berichtet wird, wie weit ist es von der Bewußtseinsausschaltung von Arbeitern in der Produktion wirklich entfernt?

Der Erfolg des filmischen Darstellens setzt den erzeugten Schein von Natürlichkeit voraus, etwas was erst schrittweise in der Erfahrung der vielen vom Theater kommenden Schauspieler in ihrer filmspezifischen Ausprägung erarbeitet werden muß. Und selbst diejenigen Darsteller, die direkt den Weg zum Kino gefunden haben, wie z.B. Henny Porten, sie spielen zunächst mit großem theatralischen Gestus und lernen erst nach und nach, daß das auf der Leinwand vergrößerte und überdimensionierte Bild ihrer selbst eine konse-

quente Zurücknahme des darstellerischen Ausdrucks erfordert. Zwar weiß
auch Urban Gad, der Regisseur der
Asta-Nielsen-Serien ab 1911 schon, daß
es „beim Film schon genügt, wenn man
nur einen Finger bewegt oder eine
Bewegung mit dem Kopf macht", um
einen im Theater mit großer Geste erzeugten Ausdruck zu erhalten,[20] doch
das konsequente Unterspielen wird erst
in der zweiten Hälfte der zwanziger Jahre zum Prinzip. Henny Porten faszinierte noch in den frühen zwanziger Jahren
ihr kleinbürgerliches Publikum, gerade
weil sie die Gestik der großen Tragödin
des Theaters vorführte und damit im
neuen Medium eine zwar vertraute,
aber zugleich dem Medium inadäquate
Darstellungsweise zeigte.

Die Beschleunigung im Darstellen

Dabei setzt die Veränderung des
Schauspielens noch vor dem Kino im
Theater ein. Die Eile der Zeit, das
Tempo der neuen ‚fortschreitenden'
Welt, sie prägt, vom Theater kommend,
auch die Spielweise im Film. Nicht erst
in den zwanziger Jahren wird die Dynamik zum Faszinosum. Gegen den getragenen pathetischen „Monumentalstil"
(Kindermann) der siebziger und achtziger Jahre entsteht eine neue „impressio-
nistische" Spielweise. Josef Kainz, der
zuvor auf Provinzbühnen und auch bei
den Meiningern und Ludwig II. spielte,
verkörpert gegenüber den Helden mit
Embonpoint das „Geschmeidige, Ephe-
benhafte", wie der Kritiker Paul Schlenther schreibt, eine Jünglingsgestalt,
„poetisch und feurig, vornehm das Tri-
viale überfliegend".[21] In Berlin, am
Deutschen Theater, vor einem großstädtischen Publikum, hat er 1883 seinen
großen Durchbruch. Er fasziniert durch
eine neue Sprechweise auf der Bühne,
die als „Kainzeln" bald von vielen nachgeahmt wurde. Er beschleunigte das
Sprechen „um das Doppelte" (Martersteig), er kannte keine Interpunktion,
wie es spöttisch hieß. Er gliederte das
Sprechen rhythmisch, steigerte es ins
Rauschhafte, spielte mit einer „elektrischen Kraft" (Jhering). In seinem auf-
flatternden, ungeduldig bebenden Gesicht, in seiner nervösen Dynamik erkannte sich eine ganze Generation wieder: Kainz ist nicht nur der „Jugendstil-
spieler", sondern wird zum Ausdruck
einer ganzen Jugend (Hermann Bahr).[22]

127–128 *Oben: Der Regisseur Fritz Lang spielt Heinrich George vor, wie er Brigitte
Helm packen soll. Unten: Heinrich George spielt die Szene. In: ‚Metropolis', 1927*

Die Beschleunigung des Spielens und
Sprechens entsprach dem neuen Zeitgefühl. Das tradierte „Fett von Gebärden", die „aus dem Bauch hallenden
Töne", die „breite maskentragende Mie-
ne", wie Hermann Bahr ironisch an-
merkte, erschienen als zu langsam und
zu schwerfällig: Auch auf der Bühne
wurde „Tempo" verlangt. „Im Tempo
offenbart sich die innere Lebendigkeit
einer Aufführung", heißt es in einem
dramaturgischen Werk 1910: „Ohne
Zweifel sprechen heute alle Deutschen
im Leben schneller als vor fünfzig Jahren. Falls es Instrumente gäbe, um die
durchschnittliche Sprechgeschwindig-
keit exakt zu messen, sie würde dieses
Urteil bestätigen. Dieser Veränderung
und der Ursachen, durch welche sie hervorgerufen ist – Beschleunigung der Ge-
dankenfolge, größere Behendigkeit der
Sprechinnervation – kann sich auch das
Theater nicht entziehen. Es muß auch

sein Pathos beschleunigen, welches dadurch weniger pathetisch wird und sich
der Konversationssprache annähert."[23]
Beschleunigung heißt jedoch nicht einfach schneller sprechen, sondern hat
ihre Form bei der Darstellenden Kunst
in der Rhythmisierung von Abläufen,
Bewegungen, Sprechweisen. Kainz,
Rittner, dann auch der zunächst als
dilettierender Darsteller abgewertete
Frank Wedekind (dessen Darstellungsweise als „vorwärtsgepeitscht" – Ja-
kobsohn – und als ekstatisch und
krampfartig rhythmisiert beschrieben
wird) und dann Werner Krauß als
„Wedekind-Schauspieler" (Krauß über
Krauß).[24] Immer wieder sind es einzelne,
die dem rhythmischen Sprechen neue
Gestalt gegeben haben, ohne daß sich
zwischen ihnen eine direkte Traditions-
bildung hergestellt hat. Ist dies der Ausdruck eines für diese Zeit typischen Zeit-
gefühls?

Für den Film wurde die rhythmische Gestaltung des Spielens entscheidend, Krauß, für Günther Rühle der „Prototyp des neuen Schauspielers",[25] brachte mit Schauspielern wie Ernst Deutsch und Fritz Kortner das rhythmisierte Darstellen in den Film. Hatte im frühen Film, wie beispielsweise in den frühen Grotesken und auch noch in Bassermanns Darstellung im „Anderen", die Dynamisierung des Darstellens sich als eine Verdoppelung der Gesten ausgeprägt im eher hektischen Unterstreichen einer Bewegung, weil man offenbar nur so glaubte, dem Publikum die intendierte Bedeutung ohne Worte vermitteln zu können, so entwickelte sich im expressionistischen Film mit Kortner, Krauß, Deutsch und anderen eine neue schauspielerische Ausdrucksweise. Für Herbert Jhering hat erst die neue, von der Bühne kommende, rhythmisierte Schauspielkunst den Film als Kunst möglich gemacht. Er sieht diese neue Spielweise in der Konzentration, Gliederung und Spannung des Spielens. „Körperintensität", „gelockerte Präzision", „Energie" und immer wieder „Rhythmus" sind die Kategorien des neuen Spiels.[26] Das rhythmische Pointieren wird zum schauspielerischen Ideal für ihn, die Übersetzung einer Handlung in ein dynamisiertes Bewegungsgefüge, in „Bewegungsmelodien", wie bei Asta Nielsen beispielsweise: „ Sie spielt aus dem Körper, legt die Gesten wie auf Töne und Taktgruppen fest. Sie ist witzig, scharf, präzise. Sie gibt Variationen eines mimischen Themas. Sie formuliert die Gebärde und leitet sie weiter. Sie bleibt im Fluß. Sie schwingt aus. Und hebt in ihren guten Momenten den Film auf das Niveau, auf dem ihn die neue Schauspielkunst halten und fortentwickeln kann."[27] „Tempo" wird für Filmtheoretiker wie Bela Balázs zu einer entscheidenden filmischen Kategorie. Der Film, der Bewegung zeigen muß, benötigt dazu Raum und Zeit, wie Balázs in „Der sichtbare Mensch" (1924) einem der ersten filmtheoretischen Entwürfe, formuliert. Doch was den Film bestimmt, ist „nur die Bewegung der Seele", ist das „Originaltempo der ausgedrückten Gefühle".[28]

Montage

Gingen Balázs und Jhering, aber auch andere Filmkritiker und Filmtheoretiker

in der ersten Hälfte der zwanziger Jahre von der prägenden Kraft der Schauspielkunst auf die Filmentwicklung aus, so ist Mitte der zwanziger Jahre in der Auffassung, was Film als Kunst konstituiert, ein deutlicher Umbruch festzustellen. Nicht mehr in der durch den Film vermittelten „ersten internationalen Sprache: die der Mienen und Gebärden"[29] und damit in der Arbeit des Filmschauspielers wird das zentrale Mo-

129 *Das Pathos der Geste: Henny Porten als leidendes Weib in „Edelsteine", 1918*

ment gesehen, sondern in der Montage. Deutlich läßt sich gerade bei Balázs dieser Paradigmawechsel in seinem zweiten, sechs Jahre nach dem ersten Buch erschienenen filmtheoretischen Werk „Der Geist des Films" ablesen. Die Montage, zuvor nur als technisches Hilfsmittel verstanden, wird jetzt zum konstituierenden Faktor, umgekehrt gerät der Schauspieler zum bloßen Objekt der Kamera, ja, ihm wird der „Naturschauspieler", der Laiendarsteller, der nach seiner Typik, nach seiner „Klassenphysiognomie" ausgewählt wird, als Ideal gegenübergestellt.

Der Hintergrund für diesen filmtheoretischen Paradigmawechsel ist das Erlebnis der sowjetischen Filme, die ab 1926 auch in Deutschland zu sehen sind: Filme von Pudovkin, Vertov, Eisenstein, in denen die Montage in einer ganz neuen, ungeahnten Weise als produktives Mittel eingesetzt ist. Wirbelmon-

tagen, Assoziationsmontagen, kühne Ideogramme zeigen eine nicht nur neue politische Weltsicht, sondern vermitteln auch eine neue filmästhetische Kraft und neues filmisches Raum- und Zeitgefühl.

Die Montage verlegt die Beschleunigung in der Darstellung vom Darsteller weg in die Struktur des Films. In ihr erst gewann der Film seine Eigenständigkeit. Und nur durch diese Verlagerung in die

130 *Stummfilmheroine Henny Porten*

131 *Das festgelegte Gestenrepertoire des Stummfilms stammte zum großen Teil aus dem Theater. Emil Jannings und Henny Porten in: „Die Ehe der Luise Rohrbach", 1917*

Die Filmisierung des Theaters

Die Montage ergreift als Gestaltungsprinzip der Moderne alle Künste. Als Ausdruck der Eile der neuen Zeit verzichtet sie auf jeden vermittelnden Übergang. Wie der Blick auf der großstädtischen Straße das Verschiedenste neben- und miteinander erfaßte, zwingt auch die Montage das Verschiedenste zusammen und begreift das Zusammenfügen als einen technischen Vorgang (sie belegt ihn mit dem aus der Produktion entlehnten Begriff des Montierens). Der Begriff Montage findet sich wieder in der Collage ebenso wie in der Fotomontage, er findet sich in der Literatur ebenso wie in den Schaukünsten des Theaters.

Dabei hat das additive Strukturprinzip der Collage und Montage in den theatralen Veranstaltungsformen bereits Vorbilder und Traditionen: In der „niederen Unterhaltung" wurden aus dem Additionsprinzip disparater Formen wie im Varieté oder im Bunten Abend längst Unterhaltungseffekte gewonnen. In den zwanziger Jahren hatten sich gerade die großen Revuen und Cabarets als neue Form etabliert. Konnte also der Film überhaupt ein neues Strukturmodell für das Theater abgeben? Erwin Piscators Einsatz filmischer Mittel steht denn auch im Kontext der Einbeziehung vielfältiger „unterhaltsamer" Elemente aus dem Varieté und den Revuen. War das Theater durch den Film also zu modernisieren, wie bühnentechnische Ausführungen der Zeit wie die von Friedrich Kranich nahelegten?

Der Film konnte als Beschleunigungs- und Überbrückungselement eingesetzt werden, konnte Szenen, die bühnentechnisch besonders schwierig oder deren Ausführung zu teuer waren, als Projektion einbringen. Das plastische Beispiel dafür ist immer noch der Einsatz eines Films in der Revue „Rund um die Alster" 1911 in einem Hamburger Operettentheater. Während einer Umbauphase zeigte ein Film die Ankunft Neptuns im Unterseeboot an den Landungsbrücken, eine Fahrt durch Hamburg und die Flucht der beiden Hauptdarsteller durch die Stadt bis zum Theatereingang. Während der Film abblendete, sprangen die beiden Darsteller mit ihren Verfolgern aus dem Orchester auf die Bühne und das Spiel ging weiter.[31] Der einzige wirklich produktive Ansatz,

Struktur des darstellerischen Werks war die Beschleunigung überhaupt noch zu steigern. Die Beschleunigung im Spielen war mit der rhythmisierenden Intensivierung im expressionistischen Film an eine Grenze gestoßen. Sie war zugleich eine aus dem Inneren, aus der psychischen Situation der Figuren motivierte: Dagegen setzte ein Film wie Walter Ruttmanns „Symphonie einer Großstadt" (1927) ganz auf die Dynamisierung der äußeren Welt, der Straßen, Plätze, Maschinen, des Verkehrs. Eine Wahrnehmungskonstruktion, die die Dynamik im Zuschauer, nicht mehr im Darsteller zum Ziel hatte.

Die Montage ergreift den Zuschauer sehr viel direkter: Indem der Blick der Kamera als stellvertretender Blick des Zuschauers ständig wechselt, wird dieser selbst in den Wirbel der Welt einbezogen und von der Dynamisierung ergriffen. Die Steigerung des Montagerhythmus

in eine bis an die Grenze der Erkennbarkeit gesteigerte Geschwindigkeit der Einstellungsabfolgen erfordert wiederum vom Darstellenden Zurückhaltung. Das Unterspielen wird – auch in weniger schnell geschnittenen Filmen – zur neuen Darstellungsform: Die neue Sachlichkeit dominiert. Gegen die Melodramatik der frühen zwanziger Jahre steht die optimistische Nüchternheit der 1929/30 entstandenen „Menschen am Sonntag" von Robert Siodmak/Edgar G. Ulmer/ Billy Wilder. „Keine Schauspieler, junge Berufsmenschen; drei Mädels und zwei Jungs. Berlin am Sonnabend, Sonntag und Montagmorgen; baden, photographieren und Wasserrad. Dazwischen leeres Berlin. Fenster, Bänke, Siegesallee".[30] Gesucht wird der Darsteller, der nicht mehr spielt, sondern den Anschein erweckt, er stelle sich selbst nur dar. Die ganze Welt wird zum bearbeitbaren Rohstoff.

Film im Theater einzusetzen, entstand bei Piscator. Als kontrapunktisch eingesetztes „Dokument" zeigte Piscator in Gasbarras „Trotz alledem" 1925 im Großen Schauspielhaus einen Filmstreifen mit demonstrierenden Arbeitern. In „Sturmflut" in der Berliner Volksbühne war ein filmisch eingeblendetes Meer mit einem feuernden Kriegsschiff Bezugsebene des szenischen Spiels. Piscator schreibt über den Filmeinsatz bei „Trotz alledem": „Das Überraschungsmoment, das sich aus dem Wechsel von Film und Spielszene ergab, war allein schon von Wirkung. Aber noch stärker erwies sich die dramatische Spannung, die Film und Spielszene voneinander bezogen. Wechselwirkend steigerten sie sich, und so wurde an gewissen Punkten ein Furioso der Aktion erreicht, wie ich es im Theater nur selten erlebt habe."[32]

Auch wenn Piscator den Film noch in anderen Aufführungen als „lebenden Prospekt" einsetzte, auch wenn er mit Lichtbildern, Laufbändern und anderen bühnentechnischen Elementen arbeitete, der Filmeinsatz blieb für das Theater eine Ausnahme, die von einigen erhoffte „Filmisierung" des Theaters fand nicht statt. Auch andere Versuche, das moderne Zeiterleben auf der Bühne zu imaginieren, so z. B. in der Darstellung einer Wettfahrt zwischen einer Eisenbahn und einem Auto in einem Berliner Theater, oder der Darstellung von Eisenbahnkatastrophen[33] blieben vordergründige Effekte. Das Theater entwickelte im Gegenteil jetzt deutliche Gegenpositionen zur Dynamik, zum ‚Tempo der Zeit'. Gegenüber der technischen Beschleunigung, der Parzellierung, der Brüche, wurde Langsamkeit, Innerlichkeit, Versenkung ins dichterische Wort gesetzt, entstanden ‚klassizistisch' anmutende Theaterkonzepte wie die von Hilpert und Gründgens. Anders als mit der Kategorie Schnelligkeit, wird mit der Verlangsamung, die es zwischendurch natürlich phasenweise auch immer wieder gegeben hat, keine Programmatik entwickelt. Tempo, Beschleunigung sind eng mit einem bis in die siebziger Jahre unseres Jahrhunderts hochbesetzten Fortschrittsbegriff verknüpft. Erst mit dessen Erosion wird Langsamkeit über die essayistische und literarische Erörterung der kulturellen Paradoxien (Illich, Virilio, Nadolny) auch als Programm formuliert.

Das Radio

Montage und Addition disparater Teile findet als neue moderne Struktur in dem zu Beginn der zwanziger Jahre neu entstehenden Massenmedium, dem Rundfunk, seine besondere Steigerung. Denn die Struktur des Rundfunk-Programms hat Montage-Charakter: Die Aneinanderreihung unterschiedlichster Sendungen, die inhaltlich miteinander meist überhaupt nichts zu tun haben, macht

132 *Nationalsozialistische Massenmobilisierung durch den Volksempfänger*

das Spezifische des Programms aus. Auch wenn Arnold Zweig 1927 meinte, zum Radio gehöre auch die Pause,[34] das Radioprogramm verträgt sie prinzipiell nicht. Kommen keine akustischen Zeichen über den Sender, gibt es kein Programm. Das Programm drängt auf vollständige Ausfüllung der zur Verfügung stehenden Zeit, auf ein „permanentes Programm" (Schwitzke), ein Programm rund um die Uhr.

Diese Tendenz zeigt sich in den Anfängen der Programmentwicklung der Berliner „Funk-Stunde" bereits. Von einem Programm-Kern in den Abendstunden aus (das Vorbild der traditionellen Veranstaltungsformen ist offensichtlich), wächst das Programm.[35]

Die Beschleunigung erstreckt sich im Radio bereits auf zwei heterogene Größen: Die Programmübermittlung zwischem dem Programmveranstalter und Macher und dem Hörer hat mit der

Übertragungsgeschwindigkeit der Radiowellen eine völlig neue Qualität erreicht. Der Raum, den der Rundfunk überwindet, ist praktisch auf Null geschrumpft, der über den Rundfunk Sprechende ist damit akustisch im gesamten Sendegebiet zugleich hörbar. Umgekehrt hat der Hörende die Illusion, die ganze Welt bei sich zu Haus zu haben. Für den Hörenden kann das Wissen, daß Millionen andere in diesem Augenblick hören, was er auch hört, und daß es gerade in diesem Moment geschieht oder gesagt wird, einen stark suggestiven und illusionsverstärkenden Charakter haben. Auf der Ebene der Programmstruktur, in der zunächst soviel Zeit zur Verfügung zu stehen schien (die Angst der Programm-Macher, das Programm nicht ‚füllen' zu können, ist psychisches Korrelat zur erhöhten Beschleunigung des sich ‚versendenden' Programms), stellen sich bald Komprimierungszwänge ein. Die Welt, deren Totalität zu zeigen das Programm Anspruch erhebt, läßt sich nur in Ausschnitten präsentieren.

Selbstverständlich nutzt der Rundfunk die in Berlin zur Verfügung stehenden künstlerischen Ressourcen zur Herstellung seines Programms, nutzt auch die bereits vorhandenen Speichermöglichkeiten, wie die der Wachsmatrize und der Schellackplatte. Der Rundfunk wird auf weite Strecken seines Programms zum Abspielort und damit zur Einnahmequelle und Propagandisten für die entstehende Schallplattenindustrie, die ihre großen Erfolge erst im Zeitalter des Rundfunks erreichte. Daß die Berliner ‚Funk-Stunde' ihr erstes Domizil im Haus einer Schallplattenfirma findet, im Vox-Haus in der Potsdamer Straße, kann man sinnbildlich für diesen Zusammenhang verstehen.

Die Schallplatte hatte das Prinzip der Parzellierung und Komprimierung, das der Rundfunk dann in seiner Programmstruktur weiterentwickelt, selbst bereits vorbereitet. Weil die Aufnahmekapazität der Schallplatte zunächst sehr begrenzt war, löste man die populären Arien, Couplets, Lieder, einzelne Musikstücke aus den Opern und Operetten heraus und vermarktete sie zusammen mit der seit 1871 gerade in Berlin stark angewachsenen Tanzmusik- und Schlagerproduktion.[36] Gefragt waren kurze populäre Musikstücke von einfacher und eingängiger Struktur. Mit der um 1900 entstehenden Berliner Operette und mit den Revuen des ab 1901 am Berliner Metropol-Theater wirkenden Victor Hollaender und dem ab 1904 in Berlin tätigen Rudolf Nelson (zuerst am „Roland von Berlin", ab 1912 auch am „Metropol-Theater") entwickelte sich Berlin zum wichtigsten deutschen Vergnügungszentrum, das der Berliner „Funk-Stunde", aber auch anderen deutschen Sendern genügend Material für die ab 1923 entstehenden Radioprogramme bot.

War das Prinzip, kurze Musikstücke in beliebiger Kombination in einem Programm zusammenzubinden, in den Varietés, Singspielhallen, Ballhäusern und Tanzcafés schon vorgezeichnet, der Rundfunk perfektionierte es. Im Radioprogramm war alles mit allem kombinierbar, das Programm nicht nur in den so bezeichneten Sendungen, sondern immer ein „bunter Abend". Und diese Struktur wirkte auf die zeitgenössische Musikproduktion zurück: Nicht nur wurde speziell für den Funk geschrieben, auch in der sonstigen Unterhaltungsmusikproduktion, wie beispielsweise in der Operette, setzte sich die Nummernstruktur stärker gegenüber der Spielhandlung durch, wurden die szenisch-theatralen Momente immer stärker zugunsten der akustischen zurückgedrängt.[37]

Wie beim Stummfilm war für den Rundfunk die Parzellierung und Reduktion szenisch dargestellter Vorgänge kennzeichnend. Mußte sich der Stummfilm auf das Visuelle beschränken, hatte der Rundfunk nur das Akustische zur Verfügung, mußte alles Optische durch Töne versinnlicht werden. Für die Schauspieler, jetzt zu Sprechern geworden, bedeutet dies eine erneute, gegenüber dem Film jedoch ganz anders geartete Reduktion und Spezialisierung ihrer Darstellungskunst. In der Übertragung der eigenen Stimme durch

den Äther zu Millionen von Hörern verwirklichte sich der alte Traum vom problemlosen Durchgleiten von Raum und Zeit. Die Entkörperlichung des Schauspielers und seine Reduktion auf die Stimme waren der Preis.

Anders als beim Film, war beim Radio der Ablösungsprozeß der Darstellungskunst vom Schauspieler in den zwanziger und dreißiger Jahren, jedoch nur partiell möglich, eben über die noch umständliche Konservierung auf Schallplatte und Matrize. Erst mit der Erfindung des Tonbands Mitte der dreißiger Jahre, die dann zunächst für politische Zwecke (zur Ausstrahlung von Hitler-Reden im Krieg) reserviert blieb, setzte die Verdinglichung des Sprechens im Rundfunk massiv ein und ließ alle rundfunkbezogene Darstellung zum beliebig misch- und veränderbaren Sprachmaterial werden.

Schon Ende der zwanziger Jahre zeichnet sich aber auch eine andere, dem Film analoge Darstellungs-Tendenz ab: Wie der Film die Nähe und Distanz zwischen Zuschauer und Darstellung über die Kamera verändern kann und damit vor allem eine dem Theater unbekannte Illusion der Nähe zum Dargestellten schafft, so kann beim Radio das Mikrofon trotz aller räumlichen Distanz Nähe suggerieren. Aus diesem Phänomen entsteht die Vorstellung eines radiophonen „Zwiegesprächs über den Äther", einem „Begegnen der vereinsamten Stimmen auf der Durchreise durch Zeit und Raum" (Schwitzke), der Intimitätsschein in der massenmedialen Produktion. Aus ihm wiederum erwächst die Forderung nach dem Unterspielen im Rundfunk, weil das große Pathos zusammen mit der vom Radio vermittelten Nähe unglaubwürdig wirkte.[38] Zwar kennt die Anfangszeit des Radios durchaus die emphatische ‚Rede, die sich übersteigernde, mitreißende Reportage (etwa eines Sportereignisses), zwar wird auch das

politische Pathos im Rundfunk des Nationalsozialismus bis ins Unerträgliche gesteigert, doch es muß sich immer als Außergewöhnliches legitimieren, setzt den Rundfunkalltag, das eher zurückgenommene Sprechen, voraus. Besonders die fünfziger Jahre kultivieren dann vor dem Hintergrund einer vom Rundfunk auch selbst propagierten Innerlichkeit, das Unterspielen bis hin zum Flüstern.

Die Welt als Synthese

„Mit der aristotelischen Einheit des Ortes, der Zeit und der Handlung weiß das Zeitalter des Flugzeugs, Rundfunks und Tonfilms nichts mehr anzufangen", schrieb 1932 Friedrich Kranich.[39] Die neuen technischen Medien verändern durch ihre neue, technisch bestimmte Produktionsweise die Darstellung des Menschen. Sie zerlegen, montieren, rhythmisieren und synthetisieren auf ganz neue Weise das Bild des Menschen. Jedes neue Medium erregt eine neue Faszination: Der moderne Mensch gefällt sich darin, sein Spiegelbild in den unterschiedlichen Brechungen durch die verschiedenen Medien zu betrachten. Die Reduktion des Darstellens aufs bloß Visuelle, bloß Akustische, die die Illusionsbildung beim Zuschauer bzw. Zuhörer zugleich verstärkt in seiner Phantasietätigkeit herausfordert, sie wird im Tonfilm bereits zugunsten einer neuen, künstlichen, Synthese zurückgenommen und im Fernsehen, dessen Erfindung und erste Programme dann wieder von der Metropole Berlin ausgehen, weiter zurückgedrängt. Das problemlose Durcheilen, Überspringen oder Vergessen von Raum und Zeit durch den Funk, zunächst auf das Akustische beschränkt, wird im Fernsehen schon Mitte der dreißiger Jahre auch auf das Visuelle ausgedehnt. Die Technisierung des menschlichen Darstellens und Erfahrens ist nicht mehr zurückzunehmen.

Knut Hickethier

Denn das Kino ist Geschäft

Von der Bewegung ausgehend

Am Anfang der Kunst von den ‚lebenden Bildern' stand die Suche nach einem exakten Verfahren zur Erforschung und Wiedergabe von Bewegungsabläufen: sei es das Zucken eines elektrisierten Muskels, der Flügelschlag eines Vogels, der Sprung eines Mannes über ein Hindernis oder der Gang eines Pferdes. Allen Unternehmungen ist eigen, daß sie, veranstaltet von Wissenschaftlern und Erfindern, den Blick auf immer genauere Details lenken wollten – einmal mit Hilfe von hintereinander aufgestellten und seriell geschalteten Kameras, das andere Mal mit einer schnellschießenden Kameraflinte. Auf diese Weise entstanden Bilder, wie das menschliche Auge sie noch nie gesehen hatte. Ein kühner Traum, seit Jahrhunderten geträumt, begann sich zu erfüllen; und es nimmt nicht wunder, daß gerade in diesen letzten Jahren des 19. Jahrhunderts der noch viel ältere Traum vom Fliegen sich in der Luftschiffahrt zu verwirklichen begann. Beides, Kinematographie und Luftschiffahrt, ermöglichten eine bis dahin kaum geahnte Sehweise auf die Welt, hier für den Moment eines Lidschlages, dort als eine übersichtartige Schau – entstanden aus dem Erkenntnisdrang einer Wissenschaft, der Kinetik.

Das Verdienst der deutschen bzw. der Berliner Miterfinder und Mitgestalter sollte man, gemessen an den Erfolgen in Frankreich, England und Amerika, nicht zu hoch ansetzen. Insbesondere ist die Legendenbildung um die Errungenschaften der deutschen Filmindustrie und ihr Zentrum, die Ufa, wohl genauerer Untersuchung wert.

Ottomar Anschütz (1846–1907), u. a. Erfinder des Schlitzverschlusses, widmete sich seit 1882 ausschließlich der Augenblicksphotographie. Mit Hilfe elektrisch hintereinander geschalteter Kamerareihen – 14 bis 16 Kameras in einem Gehäuse – machte er Reihenaufnahmen von höchster Qualität[2], vorwiegend von Menschen und Tieren, die sich bewegten. Doch nicht so sehr die wissenschaftliche Erkenntnis über Bewegungsabläufe, sondern die alsbaldige Verwertung vor zahlendem Publi-

kum war der Antrieb seines Eifers. Mit dem von ihm erfundenen Schnellseher, der auf dem Prinzip der stroboskopischen Scheibe beruhte, konnte eine Bewegung, die in einer Sekunde stattfindet, in 16 einzelne, hintereinander gereihte Phasenbilder zerlegt und dann

135 *Aus einer Reihenaufnahme von Ottomar Anschütz.*

136 *Mit Hilfe eines Tachyskops konnte Anschütz 1887 eine Photosequenz in der Originalbewegung abbilden.*

dem menschlichen Auge vorgeführt werden. Da die einzelnen Bilder aber bei der Vorführung optisch voneinander zu trennen waren, bediente sich Anschütz eines intermittierenden Lichtes[3], das jedes einzelne Bild, also jede sechzehntel Sekunde, erleuchtete, hervorgerufen durch den Induktionsfunken einer Geißlerschen Röhre. Solche Elektrischen Schnellseher baute die Firma Siemens von 1892 bis 1895 in 78 Exemplaren. Nachdem Anschütz 1888 eine Filiale seines Geschäfts mit ständiger Ausstellung in Berlin gegründet hatte, veranstaltete er mit dem ausgereiften Elektrotachyskop am 25. November 1894 im Postgebäude zu Berlin auf einem Bildschirm von 6 × 8 Meter die erste Projektion für je einen Zuschauer. Über einen Doppelprojektor mit Bändern von je 8 Bildphasen pro Sekunde liefen damals beliebte Burlesken, beispielsweise das Einseifen eines Mannes durch einen Barbier, gegen ein Entgelt von 1 bis 1,50 Mark. Die Erfindung des Doppelprojektors erwies sich später als Sackgasse.

Die Brüder Max und Emil Skladanowsky waren zusammen mit ihrem Vater Schausteller und Varieté-Betreiber und führten zunächst jahrelang Nebelbilder (ähnlich den heutigen Überblendungen) vor; das waren übereinanderprojizierte und aneinander vorbeigezogene Glasbilder oder Filmstreifen, die dem Publikum die wunderschöne Illusion von der Bewegung z. B. eines Wagens durch eine Landschaft vermitteln konnten, wobei aber die Räder selbst sich nicht bewegten. Max Skladanowsky (1863 bis 1939), der eigentliche Erfinder, beschäftigte sich sehr bald mit Reihenaufnahmen, aufgenommen auf Eastman-Kodak-Zelluloidfilm, und entwickelte in den Jahren 1892 bis 1895 zum Zwecke der gewerblichen Auswertung den Projektor Bioskop, mit dem er und sein Bruder dann am 1. November 1895 im Berliner Wintergarten zum ersten Male vor zahlendem Publikum eigene Aufnahmen vorführte, die ruckweise mit 8 Bildern pro Sekunde auf Rollfilm aufgenommen wurden. Die Themen sprechen von der neuen Faszination der lebenden Bilder zwischen Licht und

Schatten: Bauerntanz zweier Kinder, zwei Reckturner, ein Känguruh-Boxkampf, eine Gymnastik treibende Familie usw. Allerdings konnten die Skladanowskys die Bilder auf dem Zelluloidfilm erst nach einem umfangreichen Kopierverfahren, das widerstandsfähige Positivtafeln ergab, die sodann zu zwei Bändern mit je 20 Bildern, jedes 3 × 4 cm, zusammengeklebt und mit handelsüblichen Schuhösen in der Mitte jedes Bildes perforiert wurden, mit dem Doppelprojektor vorführen. Ihr eigentliches Patent (Nr. 88599 von 1895) beruht auf der Konstruktion eines einfachen Schneckenradgetriebes, mit dem sie die intermittierende Fortbewegung des Filmbandes erreichten. Im Jahre 1897 bauten die Brüder einen Einbandprojektor, den Bioskop II, konnten sich aber nicht gegen die gewaltig gewachsene Konkurrenz, vor allem aus Frankreich und Amerika, behaupten, wogegen sie mit dem Taschenkinematograph (Daumenkino), einem Nebenprodukt der Filmherstellung, großen Erfolg hatten. Max Skladanowsky gab im gleichen Jahr seine Tätigkeit im Gewerbe des Wanderkinos, die ihn immerhin durch viele deutsche Städte, nach Schweden, Norwegen, Dänemark und Holland gebracht hatte, auf. Später gründete er die Berliner Camerawerke, eine kleine Fabrik für filmische wie fotografische Geräte. Noch bis in die ersten Jahre der Weimarer Republik betätigte er sich hier und da als Filmhersteller, doch ohne jeden Erfolg. Spätestens unter der Herrschaft der Nationalsozialisten konnte sich Max Skladanowsky, seinen Bruder und Mithelfer gänzlich vergessend, als den weltweit ersten Filmvorführer und -erfinder hochstilisieren, was mit wenigen Argumenten hätte widerlegt werden können: Vor ihm führten die Gebrüder Lumière in Paris Filme vor, wenn auch nicht vor zahlendem, sondern zu einer wissenschaftlichen Demonstration eingeladenem Publikum; außerdem sind die Skladanowskyschen Reihenbilder auf Ringfilm anders einzuordnen als die schon in jenem Jahr an anderem Ort üblichen Laufbilder oder ‚Films‘, wie sie damals genannt wurden, die u. a. mit dem Edisonschen Kinetoskop gezeigt wurden.

Die markanteste Gründerfigur aber ist jemand, der als junger Mann all diese Verfahren in Berlin rechtzeitig kennen-

gelernt und dann in Windeseile eigene Konsequenzen daraus gezogen hat: Oskar Messter (1866–1943), der nach 1933 von der NS-Geschichtsschreibung ebenfalls zu einer Galionsfigur aufgebaut wurde. Als Sohn eines Berliner Mechanikers hatte er sich mit neunzehn Jahren selbständig gemacht und zunächst optische Geräte für wissenschaftliche Forschung hergestellt, u. a. erhielt er ein Patent auf die noch heute

133–134 *Mit dem Schneckenradgetriebe gelang den Skladanowkys die Umsetzung einer gleichmäßigen in eine intermittierende Bewegung (oben). Die Malteserkreuzvorrichtung (vierteiliges Kreuz) zum ruckweisen Filmbandtransport (unten).*

gebräuchlichen Brillen mit halben Brillengläsern für Nah- und Fernsicht. Tatsächlich zeichnet es Messter aus, nicht nur verschiedene Mikroskope für Wissenschaft und Forschung, sondern eben auch Geräte für Bühnen- und Varietékünstler hergestellt zu haben – jeweils in Einzelanfertigung. Darüber hinaus richtete er sein Talent darauf, in Berlin bedeutende Erfindermechaniker in immer größeren und komplizierter zusammengefaßten Firmen und Gesellschaften zu organisieren: Messter verband sich 1898 mit den mechanischen Werkstätten Bauer & Betz und 1900 mit der Mechanikerfirma Gliewe & Kügler zu den Vereinigten Mechanikerwerkstätten GmbH und Messters Projektions GmbH, bis im Jahr 1917 die Ufa den

Konzern Messter & Co. in sich vereinnahmte. Bevor Messter am 15. Juni 1896 einem russischen Schausteller den ersten dauerhaft funktionierenden, selbständig konstruierten Projektor ‚Kinetograph‘ zum Preis von 1500 Mark verkaufen konnte, mußte er sich für die nötigen Experimente und eigenen Filmaufnahmen in Ermangelung heimischer Hersteller Edison-Filme bei der Firma Blair und Eastman Kodak in London und weiteren Rohfilm bei der Firma Lumière in Lyon kaufen. Natürlich waren seine Erfindungen nicht allein auf der Grundlage seiner Genialität und in den eigenen Werkstätten gewachsen: Zuvor hatte er unter vielen anderen einen englischen Projektor zur Reparatur erhalten, auch in Paris einen tiefen Blick in die von den Lumières gebrauchten Apparate geworfen; von dort brachte er auch die entscheidende Idee zur Weiterentwicklung der intermittierenden Filmbewegung mit. Doch bevor Messter einen eigenen Aufnahmeapparat entwickelte, gelang ihm ein beachtliches Experiment, bei dem er zur Herstellung von eigenen ‚Films‘ und mangels einer Kamera das Laufwerk seines Projektors zum Rollfilmtransport benutzte und sein ganzes Wohnzimmer in eine Camera obscura umgestaltete, indem er die Fenster mit braunem Packpapier verkleidete und in einem Fenster statt des Fensterflügels ein Brett mit zwei Öffnungen einsetzte, von denen er die eine mit dem Objektiv, die andere mit einer roten Glasscheibe verschloß. Die ersten Laufbilder entstanden, indem er durch die rote Scheibe beobachtete, wann ein Zug der Stadtbahn, seiner Wohnung gegenüber, vorbeikam, um dann das Laufwerk in Bewegung zu setzen. Mit Messters Namen ist bis heute die Weiterentwicklung und Perfektionierung des Malteserkreuzes, einem klassischen Sperrgetriebe, verbunden, das er zunächst im Lumièreschen Apparat vorfand, das aber noch nicht so ausgereift war, um einen stoßfreien Transport und damit eine Aufhebung des extremen Lichtflackerns bei der Projektion des Films zu ermöglichen. Deshalb ersetzte Messter 1896 das fünfteilige durch ein vierteiliges Malteserkreuz mit tangenialem Eingriff (DRP 127 913 vom 16.6.1900): in der außerordentlichen kurzen Zeiteinheit von dem Bruchteil einer Sekunde mußte der Film für jedes Bild einen

Augenblick zur Aufnahme bzw. Projektion stillstehen und dann wieder weiterschnellen. Eine große Zahl von Verbesserungen und Neufindungen gehen auf die Arbeiten und Patentzuschreibungen im Zusammenhang mit Messters Werkstätten zurück: so die Filmführung vor dem Bildfenster, zunächst mit Samt ausgestattet, der die Filme aber eher verkratzte, bis zu seitlich angeordneten Gleitschienen, die den Film nur am Rande führten und federnd befestigten; oder eine Andruckrolle, die den Film gegen die Zahntrommel preßte und, da sie nur an den Rändern auflag, mit dem Bildteil des Films nicht in Berührung kam, die er später durch Druckkufen ersetzte; auch eine Perforationsmaschine mit Motorantrieb usw. Von 1896 bis 1913 entwickelte Messter 17 Typen eines Projektors, von denen er jeweils nur höchstens 500 Exemplare verkaufen konnte, während die Firma Pathé in Frankreich mit lediglich drei entwickelten Typen auf eine Verkaufszahl von über 70 000 kam. So darf also Messter wohl als Begründer der deutschen Kino- und Filmindustrie angesehen werden, zumal es ihm über die Fabrikation von Apparaten hinaus auch gelang, die Führung des ersten großen Lichtspieltheaters, des Apollo-Theaters in der Friedrichstraße, zu übernehmen. Darüber hinaus war er in den ersten Unternehmungen zur Mechanisierung von Begleitmusik und Begleittext ebenso erfolgreich wie in der Präsentierung des ersten großen Stars in Berlin, Henny Porten (1890–1960). Vor dem Ersten Weltkrieg erschienen Messter-Filme in allen Ländern, die über entsprechende filmtechnische Möglichkeiten verfügten und außerdem auch zum erstenmal eine regelmäßige Wochenschau: die Messter-Woche.

Kriegsjahre – Zeiten der Wende

„Wie die Verhältnisse zur Zeit liegen, wo das moderne Fiebertempo des Wettbewerbs nirgend deutlicher als auf dem Gebiete der Filmbilder hervortritt, ist *dies* die Hauptfrage: wird es ziehen? ... Man schafft uns, was wir wünschen. Wir haben das Kino, das die Menge verdient – weil nur dies ‚verdient'. –"[4] Noch vor dem Krieg erlebte Berlin eine immense Ausdehnung und Verfeinerung neuer Absatzmärkte: ‚Films' werden nicht mehr nur in Schaubuden, Va-

rietés, Ladenkinos gezeigt, wo für ein kurzes, ins Dunkel gebrochene Lichtvergnügen jeder nur ein paar Groschen[5] mitzubringen hatte. Mit der Ausdehnung Berlins zur Großstadt wuchs auch das schaulustige Publikum. So entstanden gerade auf den Verkehrsachsen durch die Wohnviertel der mittleren und gehobenen Angestellten eigens für den Film gebaute Theater. Unter den 168 ‚Kientöppen' Berlins, die im Herbst 1913 gezählt wurden, hoben sich das Cines, der spätere Ufa-Pavillon am Nollendorfplatz (1912, Architekt Oskar Kaufmann), mit 656 Sitzplätzen, das mit charakteristischer Fassade versehene Marmorhaus auf dem Kurfürstendamm (1913, Jugo Pál), mit 626 Plätzen, und einige weitere in der Friedrichstraße und um den Alexanderplatz wohltuend ab von dem architektonischen Konglomerat, mittels dessen der Glanz des neuen Mediums im spätwilhelminischen Prunkgehabe präsentiert werden sollte.
Messter zog 1911 aus einem nach Süden gelegenen Glasatelier, Friedrichstraße 16, in dem er zum erstenmal mit Mischlicht arbeiten konnte, einer Kombination von Tageslicht und dem Licht von Bogenlampen der Firma Weinert, Berlin, bei denen der Lichtbogen schon von Glasglocken eingeschlossen war, in die 4. und 5. Etage der Häuser Blücherstraße 31 und 32. Zu den Räumen gehörte ein großräumiges Glasatelier mit 14 × 24 Meter Bodenfläche und 7,5 Meter Höhe. Gleichzeitig organisierte Guido Seeber (1879–1940), der Filmpionier, Stürmer und Dränger unter den Kameramännern des Stummfilms, Technikern, Erfindern, Fachschriftstellern und unter den Trick- und Avantgardefilmern, in den Jahren 1911/12 als Betriebsleiter der Deutschen Bioscop-Gesellschaft, Berlin, den Umbau einer ehemaligen Futtermittelfabrik in Neu-Babelsberg bei Potsdam zu einer Filmkopieranstalt mit dem ersten ebenerdigen Filmatelier, das an den alten Gebäudekomplex angebaut wurde. Parallel zu solchen Unternehmungen entstand ein ganz eigenes, sehr lukratives kaufmännisches Gewerbe: der Verleih – Organisator, Kapitalgeber und Bevormunder sowohl für die Filmtheaterbesitzer als auch für die Filmproduzenten selbst. Große Kapitalien flossen mit diesem neuen Strang in das Filmgeschäft, wäh-

rend „kleine Radler" die Filmtrommeln nach jeder Vorführung unter den zahlreichen Abspielstätten austauschten. Zwischen den Jahren 1910 und 1920 vergrößerte sich die Zahl der Verleihbetriebe um mehr als das Zehnfache von 30 auf 381 selbständige Unternehmen. Führend waren vor allem die Verleihorganisation Nordische Film-GmbH aus dem Nordisk-Konzern, die Hansa Film GmbH aus dem Messter-Konzern und die Internationale Film Vertriebs GmbH des Union-Konzerns.[6] „Der Jahresumsatz unserer Filmindustrie wird im Jahre 1912 auf rund 150 Millionen Mark beziffert ... Die 3000 Kinotheater in Deutschland werden täglich von 1,5 Millionen Menschen besucht. Die Einnahme beträgt etwa 150 Millionen Mark im Jahre. Das bedeutet, daß jeder Deutsche (vom zehnten Jahre ab gerechnet) etwa 4 Mark für Filmkunst ausgibt."[7] Doch wie wenig einheimische Kapitalinvestitionen, da hauptsächlich in der Schwerindustrie gebunden, noch in diesen Jahren in die Filmindustrie geführt wurden, macht schlagartig deutlich, daß 1912 von 233 141 m Neuerscheinungen an ‚Films' 93 % auf ausländische Erzeugnisse entfielen und eine stattliche Anzahl ausländischer Firmen in Berlin gegründet wurden: 1912 Gaumont, 1913 Pathés eigene Verleihgesellschaft, im gleichen Jahr mit amerikanischem Kapital die Deutsche Cines Theater A. G. durch die Societa Italiana Cines; es folgten die Gründungen der Deutschen Eclair-Film und Kinematographen GmbH und der Nordisk Interessengemeinschaft und Projektions-Aktien-Gesellschaft ‚Union' (Pagu) mit mehr als 50 eigenen Zweigfirmen. Erst mit dem Kriegsbeginn 1914 wurde der deutsche Kinopark für die eigene Produktion geöffnet.
Gegen den ausländischen Einfluß und gegen die ‚antideutschen Kriegs- und Hetzfilme', und um „überall im Auslande das Verständnis für deutsches Wirtschaftsleben und deutsche Kultur zu heben und zu fördern ... um den Irrglauben der Völker an die Überlegenheit der romanischen und englischen Kultur zu zerstören"[8], wurde im November 1916 die Deutsche Lichtbild-Gesellschaft e. V. (Deulig) auf Initiative und im Namen von Wohlfahrtsverbänden von Hugenberg (1865–1951), Direktor

der Krupp-Werke, als Wegbereiter für deutsche „Kultur, Wirtschaft und Fremdenverkehr im In- und Ausland" gegründet. Im April 1917 folgte die geheimgehaltene Gründung des staatlichen Bild- und Filmamts (Bufa), das mit den vielfältigsten Aufgaben versehen wurde: Versorgung des Inlands und der Front mit Filmen, Einrichtung von Feldkinos, Kriegsberichterstattung, der Heranziehung von Filmgesellschaften für Produktionen mit regierungsamtlichem Auftrag, der geheimen Überwachung der inländischen Filmproduktion und Filmunternehmen, Verteilung des Rohfilmmaterials von Agfa, Vertrieb von deutschen und neutralen Filmen im Ausland, Zensur aller ein- und auszuführenden Filme und der Anleitung aller Zensurstellen über die militärische Oberzensurbehörde. Beide politischen Institutionen bildeten den Boden zur Schaffung einer einheitlichen deutschen Filmproduktion. Im Juli 1917 legte Ludendorff (1865–1937), seit August 1916 Hindenburgs neuer Generalstabschef des Heeres, im besonderen verantwortlich für Propaganda und Film, in einem Brief an das Kaiserliche Kriegsministerium seine Vorstellungen von einer Zentrale der deutschen Filmindustrie vor: „Der Krieg hat die überragende Macht des Bildes und Films als Aufklärungs- und Beeinflussungsmittel gezeigt. Leider haben unsere Feinde den Vorsprung, den sie auf diesem Gebiet hatten, so gründlich ausgenutzt, daß schwerer Schaden für uns entstanden ist. Auch für die fernere Kriegsdauer wird der Film seine gewaltige Bedeutung als politisches und militärisches Beeinflussungsmittel nicht verlieren. Gerade aus diesem Grunde ist es für einen glücklichen Abschluß des Krieges unbedingt erforderlich, daß der Film überall da, wo die deutsche Einwirkung noch möglich ist, mit dem höchsten Nachdruck wirkt."[9] Ende Oktober 1917 trafen sich Vertreter des Auswärtigen Amts, des Reichsamts des Innern, des Reichsschatzamts, der Deutschen Bank, des Bufa und der Obersten Heeresleitung, die besonders zur Eile drängte, weil sie befürchtete, daß die Deulig und nicht die Reichsregierung, also die Schwerindustrie und nicht die Politiker, die Initiative übernehmen könnten, zu einer Sitzung im Kriegsministerium. Im Dezember 1917 wurde dann die Universum-Film A. G. (Ufa) mit einem Gesamtkapital von 25 Mio. Mark gegründet, das zu je einem Drittel der Nordisk Film Company, Kopenhagen, die über den größten Theaterpark in Deutschland verfügte, dem Deutschen Reich und einem Finanzkonsortium unter Führung der Deutschen Bank gehörte. Der erste Aufsichtsrat, der sich aus Vertretern der Deutschen und der Dresdner Bank, der Stahl- und Kohleindustrie, der Hamburg-Amerika-Linie und des Elektrokonzerns A. E. G. zusammensetzte, verwaltete die Aktiva der in Deutschland führenden und allesamt in Berlin ansässigen Film-Konzerne: Nordisk Film, Messter & Co. und Union (Projektions-AG-Union). Die Ufa fegte sämtliche Konkurrenten hinweg; natürlich konnte sie keinen wesentlichen Einfluß auf das Kriegsgeschehen ausüben, entpuppte sich um so mehr am Anfang der Republik als Erbe eines Filmkolosses, der bis zum Ende der NS-Herrschaft auf Deutschland lastete.

Standen 1914 noch 25 deutsche 47 ausländischen Unternehmen gegenüber, so waren es 1918 schon 130 gegen 10 Firmen mit ausländischer Beteiligung. Im gleichen Jahr zählte man in Groß-Berlin 251 Kinos mit 82 796 Plätzen. Als Konzern von Konzernen verfügte die Ufa nicht nur über den größten Theaterpark, die meisten Fabriken für Apparatebau, sondern gerade in Berlin auch über eine stattliche Anzahl an großräumigen und bestens ausgestatteten Aufnahmeräumen und Gelände: unter ihnen vor allem die Filmwerke Staaken mit 14 810 qm, die Glashaus GmbH und Union-Film A. G., Tempelhof, mit 1179 und 2640 qm, sowie das Großgelände in Neu-Babelsberg der Union-Film A. G. mit 5650 qm.

„Die Kino-Industrie hat ihren Weg durch alle Kulturstaaten gefunden. Sie beschäftigte eine Armee von Schriftstellern, Schauspielern, Artisten, Musikern, Bühnenarbeitern, Photographen, Büro- und kaufmännischem Personal; hierzu kommt die Masse der in der chemischen Industrie, in den Zelluloidfabriken, bei der Fabrikation von photographischen, chemischen und anderen Bedarfsartikeln, von optischen Instrumenten, Projektionsapparaten, Phonographen, Grammophonen, beschäftigten Elektrotechniker, Monteure, Operateure und sonstigen Arbeiter mannigfacher Art. Welche Bedeutung für die Elektro-Industrie besitzt allein die Herstellung der für den Betrieb von Kinomatograph-Theatern notwendigen Elektromotoren, Dynamos, Lichtanlagen usw.!"[10] Die erste Zählung aller Beschäftigten in der Filmindustrie wurde 1925 durchgeführt und ergab 47 600 mit fester Arbeit, davon 22 100 Personen in der Produktion, 3200 im Vertrieb und Verleih und 22 300 im Theatergewerbe. In Berlin waren es im gleichen Jahr 5000 Arbeiter und Angestellte, die jährlich 16 Mio. RM an Löhnen und Gehältern verdienten, allerdings unter einer Staffelung von 50 RM monatlich für einen Helfer in der Technik, über 80 bis 100 RM für einen Klavierspieler im Kino bis zu mehreren 100 000 RM an Projektgage für einige wenige Stars.

Die Weimarer Zeit

Nach dem Krieg verblieben nicht nur mehrere Militärs im Aufsichtsrat und im Leitungsgremium der Ufa, sondern diese zogen noch weitere ehemalige ‚Kameraden' nach sich. Das Reich gab seine Beteiligung auf (das Bufa wurde in den Tagen der November-Ereignisse liquidiert) und der Nordisk Film-Konzern wurde gezwungen, seine Aktien zu veräußern, wodurch sich das Gesamtkapital immer mehr in den Händen und Tresors der Deutschen Bank konzentrierte. Eine Neuorganisation und Expansion der Betriebe wie selbst die Schaffung eines verkaufsgünstigen eigenen Stils im Gefolge des Expressionismus konnten die finanziellen Schwierigkeiten im Anwachsen der Inflation der Jahre 1921/24 kaum verdecken: Zwar reichte die Verkaufssumme eines einzigen Films an eines der benachbarten Länder, begünstigt durch den täglich steigenden Wechselkurs, bereits zur Finanzierung einer Neuproduktion, doch war die Ufa gleichzeitig dem übermäßigen Druck der noch stummen Filme aus Amerika kaum gewachsen, was auch durch mehrere Initiativen zur Kontingentierung von Importen längerfristig nicht verhindert werden konnte. Durch mehrere Grundkapitalaufstockungen sollte die finanzielle Notlage beseitigt werden, doch waren diese Unternehmungen nur eine hilflose Reaktion auf die sich beschleunigende Inflation: Im März 1921 wurde das Grundkapital um

137–140 *Luftaufnahme des neuer-stellten Filmgeländes Neu-Babelsberg (oben). Die ehemalige Futtermittelfa-brik, umgebaut zu Umkleideräumen, für die Verwaltung, Requisiten, Dun-kelkammern und das angrenzende neuerstellte Glasatelier der Deutschen Bioskop GmbH (S. 161 unten). Das Innere des Glasateliers (oben). Rechts: Arbeitsfoto zu „Die freudlose Gasse" (1925). Links stehend der Regisseur Georg Wilhelm Pabst, in der Mitte drei Arbeiter des technischen Stabs, darüber an der Kamera Guido Seeber. „Eine Film- und besonders eine Tonfilmauf-nahme ... stellt einen Vorgang dar, dem kein einziger Standpunkt mehr zuzuordnen ist, von dem aus die, zu dem Spielvorgang als solchem nicht zugehörigen Aufnahmeapparatur, die Beleuchtungsmaschinerie, der Assi-stentenstab usw. nicht in das Blickfeld des Beschauers fiele" (W. Benjamin).*

75 auf 100 Mio. Mark, im November des gleichen Jahres um weitere 100 Mio. aufgestockt; eine dritte Kapitalerhöhung erfolgte schließlich im Oktober 1923 um nochmals 100 auf 300 Mio. Mark. 1924 wurde dann die Ufa durch die Umstellung auf Reichsmark auf eine neue finanzielle Basis gestellt. Das Aktienkapital von 300 Mio. Mark konnte günstigerweise auf 45 Mio. RM festgesetzt werden, obschon nach den geltenden Umrechnungstabellen der Goldwert des umzustellenden Aktienkapitals nur einen Wert von 26,5 Mio. RM darstellte.

In diese Phase fällt eine folgenschwere Mißachtung und Unterschätzung auf dem Gebiet der Entwicklung zum Ton-Film. Die bis dahin vor allem von Messter und Seeber entwickelten Techniken für einen Tonfilm, der Kombination von Filmband und Schallplatte, die aber nie so weit gedrungen war, um das Publikum den Stummfilm vergessen zu lassen, erlebten durch die Techniker Hans Vogt (1890–1979), Joseph Massolle (1899–1957) und Joseph Engl (1893–1942) in den Jahren zwischen 1919 und 1922 eine wahre Revolutionierung. Sie verwerteten die Erkenntnisse der modernen Elektrotechnik und Elektroakustik für ihre Arbeit und gelangten über die Umwandlung von elektrischen Schwingungen in Lichtschwankungen zur Konstruktion des Lichtton-Verfahrens, wobei dem eigentlichen Filmband während der Kopieherstellung eine korrespondierende Lichtspur beigegeben wurde. Die drei Erfinder nannten ihr Verfahren ‚Triergon‘. Am 26. Februar 1921 zeigten sie im eigenen Laboratorium für Kinematographie, untergebracht in einem ehemaligen Blumenladen in der Babelsberger Straße 49, ein erstes fertiges Produkt: Friedel Hintze, eine Berliner Rezitatorin, sprach in Großaufnahme Goethes Gedicht vom Knaben, der ein Röslein sah. Die wenigen Zuschauer müssen fasziniert und gleichzeitig verblüfft über den sprechenden Kopf auf der Leinwand gewesen sei. Über die Köpenicker Straße zogen die drei dann in den Schubertsaal am Nollendorfplatz, wo sie ein großräumiges und reguläres Tonfilmstudio einrichten konnten. Von da aus brachten sie am 17. September 1922 im Alhambra auf dem Kurfürstendamm ein Zwei-Stunden-Programm zur ersten öffentli-

141 *Universum am Kurfürstendamm. Ansicht des Haupteingangs in den Abendstunden kurz vor Beginn einer Vorstellung. Architekt Erich Mendelsohn, 1928*

chen Vorführung. Kurios jedoch ist die Geschichte ihrer Finanzierung: Die Firma C. Lorenz A. G. finanzierte sie zunächst mit 125 000 Mark, später im Laufe von drei Jahren mit mehreren Mio., die aber von der Inflation schneller entwertet als von den Erfindern gezählt werden konnten. Da die deutsche Filmindustrie keinerlei Interesse zeigte und eine profitable Verwertung noch in weiter Ferne lag, gab Lorenz seine Finanzierung auf. Hingegen stellte eine Schweizer Firmengruppe im Juni 1923 eine Mio. Schweizer Franken zur Verfügung, konnte dann im Jahre 1924 die Erfinder aber nur noch geringfügig für ihre eigene Erfindung durch Bezahlung der Monatsgehälter und eines 2%igen Aktienkapitals abfinden. Und selbst nach einem kurzen Zwischenengagement der Ufa, die über einen Lizenzvertrag mit der Schweizer Firma eine eigene Triergon-Abteilung einrichtete,

konnte die Erfindung nicht mehr am Ort ihrer Entstehung gehalten werden. Nach der verpatzten Premiere eines abendfüllenden Spielfilms am 20. Dezember 1925 im Mozartsaal am Nollendorfplatz kündigte die Ufa den Vertrag, weil sie eine weitere Investitionsrate von 100 000 RM nicht mehr riskieren wollte. Die amerikanische Fox-Filmgesellschaft kaufte das Patent aus der Schweiz und stellte mit diesem in der späteren Phase der Ton-Film-Einrichtung den Hauptnutznießer dar. Vogt, Masolle und Engl wurden mit 21 036 RM ausbezahlt und vergessen.

In ihrem Konzentrations- und Expansionsbestreben wagte die Ufa in der Mitte der 20er Jahre eine direkte Konkurrenz zur amerikanischen Industrie auf dem Gebiet der „Groß- und Prunkfilme mit reicher Ausstattung“. Während die amerikanischen Filmhersteller und -verleiher, die allein schon im eigenen Land einen gigantischen Filmmarkt beliefern konnten, zur Stummfilmzeit überdies der überlegene Hauptlieferant auf dem Weltfilmmarkt waren, und „die amerikanischen Filme auch meist besser als andere den Publikumsgeschmack zu treffen verstanden und oft hohe künstlerische Qualität und ein gutes Geschäft zu verbinden wußten"[11], konnten die Ufa-Filme, die bis zu 5 Mio. RM gekostet haben sollen, sich weder im Inland amortisieren noch im Ausland mit Erfolg vertrieben werden. So mußte die Ufa Ende 1926 trotz der mehrstöckigen Anleihen, wie zuletzt Anfang 1925 die 10%ige 15 Mio. Schuldverschreibung, die keine wirkliche Hilfe brachte, Verluste von 36,1 Mio. gegen 500 000 RM an liquiden Mitteln anmelden. Deshalb war sie zum Jahreswechsel 1925/26 gezwungen, bei den amerikanischen Firmen Lasky Famous Players (Paramount) und Metro-Goldwyn-Mayer Pictures Cooperation (M.G.M.) ein langfristiges Darlehen von umgerechnet 17 Mio. RM aufzunehmen. Verbunden mit der Verpflichtung aus dem allgemeinen Herstellungs- und Verleihvertrag vom 31. Dezember 1925 und nach der Gründung einer gemeinsamen Verleihorganisation am 6. Februar 1926, der Parufament, sollte die Ufa im Gegenzug zu 40 eingeführten amerikanischen Filmen aufgrund der bestehenden Kontingent-Verordnungen 40 deutsche Filme herstellen, und zwar 20 im Parufament-Verleih und 20 im eigenen Ufa-Verleih. Dann sollte die Parufament die besten amerikanischen wie deutschen Filme erhalten und außerdem wiederum der gesamte Ufa-Theaterpark den Parufament-Filmen 75 % der Spielzeit zur Verfügung stellen, was dazu führte, daß in den Ufa-Theatern 60 bis 70% amerikanische Filme gezeigt wurden. Immerhin kamen die Berliner so in den Genuß einiger Filme von Charles Spencer Chaplin (1889–1977).

Da auch dieser Vertrag keine Besserung der Lage im deutschen Filmgewerbe herbeiführte, entschloß sich die Ufa-Führung, inzwischen fast ausschließlich aus Vertretern der Deutschen Bank bestehend, zu einer radikalen Sanierung: Das Aktienkapital wurde durch Zusammenlegung im Verhältnis 3:1 auf 15 Mio. RM herab- und anschließend durch eine Zuzahlungstransaktion wieder auf 45 Mio. heraufgesetzt, wodurch

der Ufa 30 Mio. RM an neuen Mitteln zuflossen. Nachdem die Deutsche Bank, aus Steuerersparnisgründen und mit einer Staatsbürgschaft im Rücken, auf ihre Forderung in Höhe von 21,7 Mio. RM verzichtet hatte, dafür Hugenberg (vgl. Bd. I, S. 378), inzwischen Leiter des gleichnamigen Konzerns, der einen Großteil deutscher Verlage für Zeitungen, Zeitschriften, Nachrichtendienste unter sich führte und von 1928 bis 1933 Vorsitzender der Deutschnationalen Volkspartei war, durch den Ankauf von 13,5 Mio. RM in Aktien (darunter sämtliche Aktien mit 12fachem Stimmrecht) die Stimmenmajorität an sich brachte, sich außerdem der Otto Wolff-Konzern und die I. G. Farbenindustrie in die Ufa einkauften, konnte der Konzern gestärkt in den Kampf um die Einführung des Tonfilms treten. Repräsentativ für den Aufschwung der horizontal angegliederten Industriezweige waren die Erfolge der 1867 gegründeten Aktiengesellschaft für Anilinfabrikation (Agfa), ab 1925 Tochter der I. G. Farbenindustrie: Ihr Weg führte vom leicht entflammbaren Zelluloid, aus Schußbaumwolle (Trinitrocellulose) und Kampfer hergestellt, zum handhabbaren Azetatfilm sowie von der eigentlichen Kinefilm-Produktion ab 1903/4 über den ersten Kinepositivfilm (1908), den ersten Kinenegativfilm (1912) zur Entwicklung von 16-mm- (1917) und 8-mm-Filmen (1936). Die Agfa versorgte ab der Mitte der 20er Jahre die Ufa mit 80 % der Rohfilme und kämpfte auf der Basis einer diktatorischen Preispolitik um die Monopolstellung in Europa. War der Stummfilm vornehmlich eine internationale Sache gewesen, da Menschen aller Sprachen ihn verstehen konnten, so wurde der Tonfilm zunächst ein Geschäft der nationalen Märkte. Nach patentrechtlichen Konflikten mit den amerikanischen Firmen Western Electric Co. und General Electric manifestierten sich in Berlin in erster Linie die Elektrokonzerne Siemens & Halske und A. E. G. – über ihre gemeinsame Tochter Klangfilm GmbH – als führende Kapitalmacht im Filmgeschäft. Die gesamte Umrüstung von 3500 Kinos mit neuen Tonfilm-Apparaturen brachte den Konzernen, gemeinsam mit der Deutschen Bank, einen geschätzten Umsatz von 55 bis 60 Mio. RM. Im Aufsichtsrat der Ufa lösten die Vertreter Hu-

genbergs einen Paragraphen nach dem anderen aus dem Vertrag mit der Parufament, bis zu seiner endgültigen Auflösung Anfang 1932. Der Zweck dieser Politik war die Bereinigung des deutschen Filmmarktes durch die Ausschaltung der amerikanischen und übrigen ausländischen Konkurrenz. „In einem wilden (noch nicht von antisemitischer Hetze begleiteten) Kampf gegen Hollywood, unterstützt durch die strenge Zensur, vollzog sich lautlos der Übergang zum Nazifilm."[12]

Kritische Zeitgenossen der 20er Jahre konnten erkennen, daß die Wirtschaftspolitik der Ufa, wie die aller Zweige einer kapitalistischen Wirtschaft, ihr vorrangiges Ziel „in der Vergrößerung der Expansionsfähigkeit der Produktivkräfte und in der Vermittlung und Erleichterung des Austausches"[13] hatte. Aus diesem Grund erschien es logisch, daß sich Kapitalien aus den unterschiedlichsten Bereichen in einer großen Hand versammelten und daß ohne Rücksicht auf Verluste ungezählte Kredite, Schuldverschreibungen und andere Finanzierungstricks den Apparat dieser Groß-Industrie, die hinter der Rohstoff-, der Schwer- und Metallindustrie auf einem der vorderen Plätze rangierte, am ökonomischen Leben erhalten sollten. Zur immanenten Logik kapitalistischer Sachzwänge gehört es auch, daß die leitenden Gremien der Ufa sich blind und taub zeigten gegenüber einer periodisch auftauchenden Krisenbeschleunigung, die durch die eigene Politik hervorgerufen wurde. Das Ergebnis war eine ideologische und materielle Überproduktion bei tendenzieller Konsumtionsunfähigkeit in den Jahren hoher Arbeitslosigkeit. Im Schatten des Ufa-Konzerns, aber im Lichte aufkommender Hoffnung arbeiteten dagegen kleine Unternehmen wie die von Willi Münzenberg (1889–1940) geführte Prometheus-Filmverleih und Vertriebs GmbH, die außer dem Vertrieb von sowjetischen Filmen auch eigene Produktionen herstellen konnte, die durch große Spendenaufkommen sowie mit Unterstützung der Internationalen Arbeiterhilfe (I. A. H.) finanziert wurden. Trotz Zensur und Boykottmaßnahmen wurden diese Filme auf Werksgeländen und in den noch nicht von der Ufa kontrollierten Lichtspielhäusern gezeigt.

Christoph Arzt

Die vernünftige Nephertete

Die ‚Neue Frau‘ der 20er Jahre in Berlin

„... dann erinnerte sie sich, daß sie eine selbständige kleine Berlinerin war, verständig und auf niemanden angewiesen, ihr eigener Herr und gar nicht sentimental, und daß es keinen Sinn hat, in diesen so schon traurigen Zeiten sein Kopfkissen naßzuweinen, weil ein Liebster fortreist, und daß man sein Leben genießen muß und seine Arbeit tun.“[1]

Sie scheint die Verkörperung der Berlinerin in der Zeit der Weimarer Republik zu sein. So überliefern es viele Bilder, so beschreiben es die Zeitgenossen/-innen: in Romanen, Geschichten, Artikeln. Bei den Beschreibungen vermischt sich die Realität dieses Frauentyps mit der an sie geknüpften Phantasie der Verfasser/-innen. Was ist und was scheint, läßt sich – vor allem im nachhinein – nicht mehr säuberlich trennen, beeinflußt sich gegenseitig. Diese Mischformen von Wünschen und Wirklichkeit, untereinander und mit anderen Fakten kombiniert, zeigen Aspekte einer veränderten weiblichen Lebenssituation, die in ihrer Auswirkung auf die einzelne Frau ambivalent sind.

Das neu propagierte Frauenbild unterscheidet sich sowohl in der inneren Einstellung als auch in der äußeren Erscheinung von den Bildern der Vorkriegszeit (z. B. Backfisch, Hausmütterchen, Blaustrumpf, alte Jungfer, Kokotte), präsentiert Sachlichkeit, Tapferkeit, Jugendlichkeit, meist Erwerbstätigkeit, auf jeden Fall immer große Geschäftigkeit.

Besonders deutlich wird der Wandel, wenn zu bestimmten Tageszeiten nicht nur eine, sondern ganze Gruppen das Bild der neuen Frau in der Öffentlichkeit vertreten: „Im Ablauf des Lichtes zwischen Großstadtmauern gibt es bestimmte Uhrzeiten ihres Erscheinens und Verschwindens – sie kommen und gehen immer gleich scharenweis, viele einzeln, gewiß, und doch jede eingeordnet der großen Maschinerie, die alle ankurbelt – und auch uns, nur etwas unsichtbarer. Es ist ein großer Strom in der Frühe um 8, abends um 5 und 7 Uhr, seine Nebenflüsse mittags zwischen 12 und 4 Uhr, das Heimtröpfeln der Tischzeitmädchen, fallen weniger ins Auge, aber alles das gehört zusammen, umgrenzt das Dasein der Mädchen mit dem eiligen Gang: der Kontoristinnen und Verkäuferinnen. Stadtköfferchen und Aktentaschen sind ihr vertrautestes Requisit, und das tägliche Attribut der Dame und ihr sonntägliches, in Feinleder und Brokat, wird nur mit ins Geschäft genommen, wenn es seine Dienste bei nächtlichem Getanz und feiertägigem Kaffeetrinken zur Zufriedenheit erledigte, fleckig wurde und rissig.“[2]

Die sogenannte ‚Neue Frau‘ wirkt wie ein Produkt der Großstadt Berlin mit ihren Menschenmassen, der Konzentration von Industriebetrieben, Verwaltungsstellen, Banken, Kaufhäusern

142 *Illustrationen zur Wintermode 1929 in der Zeitschrift „Die neue Linie“*

(1925 gibt es ca. 300 000 Betriebe in Berlin), den Nachtlokalen, Kinos, Tanz- und Sportpalästen. Hier kann sie arbeiten (1927 sind in Berlin 41,8% der Frauen krankenkassenpflichtig, d. h. erwerbstätig. In ganz Deutschland sind es nur 35%), sich amüsieren, hier bewegt sie sich bzw. pendelt zwischen den Orten hin und her.[3]

Beweglichkeit macht einen Teil ihrer Faszination aus. Anpassung an unterschiedliche Situationen, eine schnelle Auffassungsgabe und eine sachliche Betrachtungsweise werden von einer Frau, besonders, wenn sie erwerbstätig ist, jetzt erwartet. Sie erleichtern ihr jedoch auch die Lebensorganisation in einer relativ neuen Welt, in der sie diszipliniert ihre Pflicht tun muß. „Das heißt, zuerst wird jeden Morgen der Wecker mit wütendem Grunzen empfangen und kummervoll die Bettdecke zurückgeschleudert. Die Augen werden heftig gerieben, ach und wozu? Zu einem Blick auf die Uhr. Du lieber Himmel, schon so spät! Ich stürze aus dem Bett, rase ins Badezimmer, wasche mich genau 10 Minuten, zieh mich genau 15 Minuten an, frühstücke genau 5 Minuten. Dann los in die Untergrund. Gottseidank, ich hab sie noch richtig gekriegt. Da steht man nun in dem gefüllten Kasten und döst, bis man da ist. Die Treppen zum Büro hinaufgerast, denn da muß ich mich in die Anwesenheitsliste eintragen, – und eine Minute zu spät kommen, das ist wohl für ein Tippmädchen dasselbe wie für die Männer beim Militär, wenn sie zum Appell ungeputzte Schuhe hatten.“[4]

Dies ist nicht nur bloße Pflichterfüllung. Aus dem Vergleich mit männlich-militärischer Zuverlässigkeit spricht auch Stolz auf ihre Leistungsfähigkeit, die sie schon während des Krieges gespürt hatte. Im Rahmen der Zunahme der Frauenerwerbstätigkeit übte eine Frau auch Tätigkeiten aus, die vorher nur Männern vorbehalten waren. Sie erfuhr, daß sie diese Arbeiten nicht nur ausführen durfte, sondern auch mußte und vor allem — konnte. Ihre einmal gemachten Erfahrungen lassen sich nicht mehr rückgängig machen, auch nicht, als nach Kriegsende die meisten Positionen wieder für die heimkehrenden Männer zu räumen sind. (Durch die Demobilmachungsverordnungen vom März 1919 und Januar 1920 sind verheiratete Frauen, deren Männer ein festes Einkommen hatten und alleinstehende Frauen, die in ihren Familien lebten oder nur ein oder zwei Personen mitzuversorgen hatten, gezwungen worden, ihre Arbeitsplätze aufzugeben.)

Im Vergleich zu 1907 vermindert sich bis

1925 z. B. der Anteil der ‚persönlich
Dienenden' von 16,1% auf 11,4% der
Arbeiterinnen in der Landwirtschaft
von 14,5% auf 9,2%, während er bei Angestellten und Beamtinnen von 6,5%
auf 12,6% steigt.[5] Am auffälligsten ist
die Zunahme der Zahl der weiblichen
Angestellten. Da ihr geballtes Auftreten
zeitlich mit dem der ‚Neuen Frau' zu-
sammenfällt, werden beide von der Öffentlichkeit quasi gleichgesetzt. Dabei
ist die Realität der Angestellten nur teilweise neu. Verändert hat sich der Bedarf, der an kaufmännisch ausgebildeten Frauen besteht. Durch Rationalisie-
rungen in Handel und Industrie ändert
sich die Arbeitsorganisation. Arbeiten
werden zergliedert, Teile davon mechanisiert. Neben anderen mechanisierten
und elektrifizierten Büromaschinen erhöht sich besonders die Zahl der
Schreibmaschinen. Zu ihrer Bedienung
reichen angelernte Kräfte aus, die wenig Lohn bekommen. Das sind Frauen,
vor allem junge, oft unverheiratete, die
den niedrigsten Tarifgruppen angehö-
ren – die billigsten. 95% der leitenden
Positionen sind nach wie vor von Männern besetzt.
Aber obwohl sogar gelernte Frauen weniger Geld verdienen als ungelernte
Männer, ist ‚das Geschäft', die ‚saubere' Arbeit für viele die erstrebte Tätigkeit. Sie ist auch gekennzeichnet durch
die andere auffallende Veränderung:
die äußere Erscheinung am Arbeitsplatz. Für eine Angestellte gehören ‚Ge-
pflegtheit', ‚angenehmes Wesen', ‚Jugendlichkeit' oder wenigstens ‚Apart-
heit' nicht nur, wie für andere Frauen,
zu den mehr oder weniger freiwillig ein-
gesetzten Mitteln im Kampf um das bessere Überleben. Diese Zuschreibungen
sind Teil der Qualifikationen für ihren
Beruf. „Sie hat die Stelle. Bei einem älteren Offizier, der anscheinend sein Vermögen geschickt durch die Inflation ba-
lanciert hat, um jetzt in Ruhe und Frieden seine Kriegserinnerungen zu schreiben. Ungefähr vier Wochen lang – jeden Abend von sieben bis neun wird er
ihr diktieren. Ein schöner Nebenver-
dienst. Zahlt anständig, der Mann. Stunde 1,50. Daß sie ihre eigene Maschine
mitbringen wird, hat sie über die anderen Bewerberinnen siegen lassen. Vielleicht auch, daß sie so ein bißchen
verheißungsvoll mit den Augen gekul-
lert hat. So niedliche Von-unten-nach-

143   *„Der Andrang zu den vielen Schönheitssalons entspringt auch Existenzsorgen,
der Gebrauch kosmetischer Erzeugnisse ist nicht immer ein Luxus."(S. Kracauer)*

oben-Blicke wirken bei Männern über
fünfzig fast immer. Ferner ist's gut, an
Beschützerinstinkte zu appellieren, im
richtigen Augenblick solides Selbstbewußtsein durch kleidsame Hilflosig-
keit zu ersetzen. Man muß das alles verstehen. Gilgi versteht es. Auf die Arbeitgeber ist man nun mal angewiesen, und
ganz ohne Mätzchen ist ihnen nicht beizukommen. Können allein entscheidet
nicht, Mätzchen allein entscheiden
nicht – beides zusammen entscheidet
meistens."[6]
Gerade, wenn sie weiter ‚aufsteigen'
will, kann der Einsatz der ‚Weiblichkeit
der Neuen Frau' neben Vor- und Ausbildung zur Erreichung dieses Ziels entscheidend beitragen. Da die überwie-
gende Mehrheit der Angestellten Volks-
schulbildung hat und viele sich ihre Be-
rufskenntnisse in einem kurzen Lehr-
gang auf einer kaufmännischen ‚Presse'
aneignen, wird oft genau dieses Verhal-

ten von ihnen auch erwartet. Viele
Chefs nützen die abhängige Position ihrer Untergebenen aus, die sich zwischen
Kündigung, Verbleib oder Aufstieg entscheiden muß. „‚Was soll bloß aus mir
werden?' flüsterte sie, als spreche sie zu
sich selber, und er sei gar nicht mehr da.
‚Was soll bloß aus mir werden?' ‚Eine
unglückliche Frau, der es gutgeht', sagte er viel zu laut. ‚Überrascht dich das?
Kamst du nicht deswegen nach Berlin?
Hier wird getauscht. Wer haben will,
muß hingeben, was er hat.' ...‚Du
kamst mit Absichten hierher, die sich ra-
scher erfüllt haben, als zu hoffen stand.
Du hast einen einflußreichen Menschen gefunden, der dich finanziert. Er
finanziert dich nicht nur, er gibt dir eine
berufliche Chance. Ich bezweifle nicht,
daß du Erfolg haben wirst. Dadurch verdient er das Geld zurück, das er gewissermaßen in dich hineingesteckt hat, dadurch wirst du auch selber Geld verdie-

nen und eines Tages sagen können: ,Mein Herr, wir sind quitt.' ...,Du wirst arbeiten, und dann bleibt von einer Frau nicht viel übrig. Der Erfolg wird sich steigern, der Ehrgeiz wird wachsen, die Absturzgefahr nimmt zu, je höher man steigt. Wahrscheinlich wird er nicht der einzige bleiben, dem du dich ausliefern wirst. Es findet sich immer wieder ein Mann, der einer Frau den Weg versperrt und mit dem sie sich langlegen muß, wenn sie über ihn hinwegwill. Du wirst dich daran gewöhnen, den Präzedenzfall hast du ja seit gestern hinter dir.'"[7]

Das ist kraß, – es geht hier um eine Filmkarriere. Aber – gut zu leben ist auch für eine Angestellte, bei einem Durchschnittseinkommen von brutto 146,— Mark (das errechnet der Zentralverband der Angestellten 1929, als Minimum nimmt er 175,— RM für Lebenshaltungskosten an) oft nur durch entsprechenden körperlichen Einsatz möglich. Auch in den meisten anderen Frauenberufen ist das Einkommen nicht höher. Nur wenige verdienen mehr, z. B. Privatsekretärinnen, denen zwischen 200 und 400 Mark gezahlt werden. Diese haben zum größten Teil eine höhere Schulbildung und kommen aus – wenigstens ehemals – ,besseren Kreisen'. Alle müssen ca. ein Viertel ihres Gehaltes für die Unterkunftskosten[8] rechnen, viele unterstützen noch dazu ihre Angehörigen.

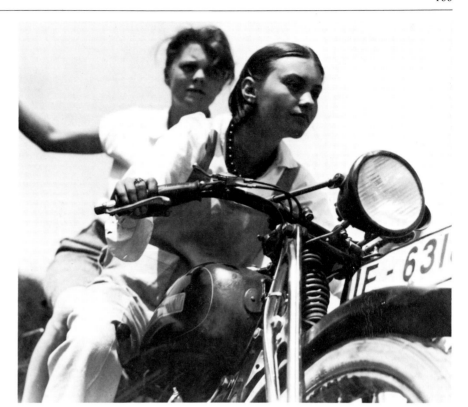

Sicher ist die Situation nicht mehr so wie kurz nach dem Krieg, in der ,sich sattessen' das Ziel der Wünsche darstellte und schon dafür alles in Kauf genommen wurde. „Die Deutschen hatten so lange gehungert, daß selbst anständige Mädchen ihren Körper für ein gutes Essen verkauften und sogar ihre Seele dafür verkauft hätten."[9]

Sobald der Hunger leichter befriedigt werden kann, fächert sich der Wunschkatalog stärker auf, er umfaßt Kleidung, Schminke, Haarschnitt, mit einem Wort: Komfort. Schminken z. B., vor dem Krieg eher Kennzeichen von ,anrüchigen' Frauen, bekommt mehr und mehr den Status einer Initiation in die Weiblichkeit, wird eines der äußeren Kennzeichen des neuen Frauentyps. Gleichzeitig sind diese Wünsche Transportmittel für einen anderen, viel umfassenderen: den nach einem besseren, geheimnisvolleren, aufregenderen Le-

ben, der bis zur Auflösung der eigenen Person gehen kann. Die Industrie greift ihn auf und suggeriert ihn gleichzeitig. Eine Pudermarke heißt „Mysticum compact", ein Parfüm „le Pirate", ein Werbespruch für Lippenstifte:
„Der Lippenstift von Leichner
Das ist der beste Zeichner.
Malt er dir deine Lippen rot,
so küßt dein Schatz dich mausetot."
Reklame findet mehr Raum als vorher in den expandierenden Massenmedien[10], die ihrerseits auch mit eigenen Mitteln Traumvorlagen schaffen und verbreiten. Vielfältigere Lebensmöglichkeiten scheinen vorhanden und auch in die Realität umsetzbar zu sein – besonders in einer Großstadt. Ob jedoch eine Frau ihr Leben mit der Vorstellung, die sie davon hat, in Einklang bringen kann, hängt vor allen Dingen vom Geld ab. Erst Geld kann die Erfüllung der meisten Wünsche und das damit suggerierte Glück möglich machen. „Geld braucht man dazu, Geld braucht man überall. Ich muß Geld verdienen. Natürlich, ich werde mich bald verbessern und mehr verdienen, viel, viel mehr..."[11]
Ist es nicht verdienbar, müssen die einspringen, die Geld haben bzw. mehr davon – und das sind meist Männer. Nicht nur Vorgesetzte – alle. „Gott, wenn ihr kein Geld habt, müßt ihr euch eben einen Kavalier nehmen. Tut doch nicht so."[12] Damit selbstbewußt und nüchtern umzugehen, steht im Gegensatz zur Vorstellung von schwacher, unselbständiger Weiblichkeit, prägt deshalb das Bild der sachlichen ‚Neuen Frau' mit.
Sie kann anscheinend ebenso unproblematisch auch – was selten genug vorkommt – umgekehrte Geldverteilungen bewältigen. „Aber in Weinstuben gingen die beiden nicht mehr. Denn Rolf II war nicht reich. Er hatte das Studium aufgeben müssen und schrieb Zahlen in

144–146 *Die motorisierte Frau wird zu einem Symbol für technisch-gesellschaftlichen Fortschritt, der ihr mehr Mobilität erlaubt. Viel Aufmerksamkeit gilt dem Äußeren von Fahrzeug und Fahrerin. Spezielle Utensilien, bis hin zur zweiteiligen Zigarettenspitze (gegen das Herumfliegen von Glut und Asche) sollen den Komfort steigern, Veranstaltungen wie „Autoschönheitswettbewerbe" die Attraktivität beider betonen.*

einer Bankfiliale. Sie, die selbständige verantwortliche Sekretärin des Chefs der Betongesellschaft m. b. H. war reicher als er, und manchmal brachte sie ihm Zigaretten mit. Und ihre Stelldicheine waren nicht Cafés oder Tanztees, sondern die alte Normaluhr am Potsdamer Platz, die schon so viele Liebende einander finden oder eins das andere vermissen gesehen hat, oder die brave Sphinx auf der Herkulesbrücke überm

147 Die Schauspielerin Lotte Lenya, fotografiert von Lotte Jacobi (ca. 1928)

Kanal oder der bärtige Spielplatzapollo im Tiergarten oder die vier bruchsteinernen Vorgartenmusen der Magdeburger Straße.“ ... „Ja, es war eine rechtschaffene Liebe ohne Bedingungen und Versprechungen. Und als Rolf II mitteilte, er müsse demnächst weg von Berlin, weil der Freund mit den vielen Beziehungen einen besseren Bankposten in Hamburg für ihn gefunden habe, da nahm man das eben hin und beschloß, die letzte Woche noch recht glücklich zu sein. Man war doch verständig und auf niemanden angewiesen, und wenn man auch bei den Eltern wohnte, sein eigener Herr und gar nicht sentimental, auch jung noch, und später würde man sich schon einmal wiedersehen; aber nur keine Treue schwören! Immer nur das bißchen Leben genießen und seine Arbeit tun, wie sich's für eine vernünftige kleine Berlinerin gehört.“[13] Das ist sicher schwer, paßt aber gut zu dem pro-

pagierten und angestrebten selbstbewußten, aktiven, selbständigen, sportlichen Typ, der natürlich auch in schwierigen Zeiten die Form wahrt. Auch die äußerliche, denn mit ihm verbunden sind die ,idealen‘ Körperformen (knabenhafte Schlankheit, kleine Brüste, schmale Hüften) ebenso wie die entsprechende Mode, die den Garçonne-Stil kreiert: gerade, die Taille überspielende, anstatt engsitzende Hemdblusen und Kleider, sportliche Jumper und Jacketts, den leicht zu pflegenden Bubikopf und den Topfhut (der schlechtsitzende Frisuren vollständig verdecken kann).

Diese praktischen Neuerungen haben jedoch nicht nur befreienden Charakter. Weibliche Körperformen sollen kaschiert, die den Rahmen sprengenden in Form gepreßt werden. Anstelle des Stäbchenkorsetts tritt der „Hautana“-Büstenhalter bzw. -Hüftgürtel aus Gummi. Der Kampf um die ,schlanke Linie‘ beginnt. Ein Druck bleibt also, er verlagert sich nur auf andere Körperteile.

Bei Seidenstrümpfen und der veränderten, den kürzeren Röcken angepaßten Unterwäsche werden helle Farben bevorzugt, die die Illusion der Nacktheit vermitteln. Beides wird jetzt auch aus der in Massenfabrikation hergestellten Kunstseide angefertigt. Die Produktion

in großen Mengen macht eine Popularisierung dieses und anderer Kunstmaterialien möglich und nötig. Strümpfe sind, wie Beine überhaupt, ein neues erotisches Symbol: gerne gesehen, erwähnt und abgebildet. Die Röcke wurden schon während des Ersten Weltkrieges aufgrund des Stoffmangels und der vielfältigen Anforderungen (Erwerbstätigkeit, kompliziertere Hausarbeit, z. B. durch zeitaufwendigere Beschaffung von Lebensmitteln) an die Bewegungsfreiheit von Frauen kürzer. Ab 1925 sind sie kniekurz.

Während das Interesse der Industrie an der Mode in der Schaffung eines großen Absatzmarktes liegt, ist sie für die Frau eine Möglichkeit, durch Äußerlichkeiten ihre Identität zu kennzeichnen und sich damit aus der Menge und dem Alltäglichen herauszuheben. Die Verlockung dieser Mode liegt einerseits in den Eigenschaften, die mit der Frau, die sie trägt, verbunden werden. Wichtig ist andererseits auch die im Vergleich zur Vorkriegszeit leichter erscheinende Handhabung von Kleidung und Frisur. Ganz zu schweigen von der erotischen Attraktion. Etwas ,Besonderes‘ zu sein, gelingt der Frau, egal ob sie vom Markt profitieren kann oder sich schon Vorhandenes ändern muß, jedoch nur im Rahmen der von den Medien vorgegebenen Schablonen (von damenhaft bis girlgemäß). Die Normierung des neuen Frauenbildes und die Installierung einer entsprechenden Konsumkultur beschränken die eigentlich vorhandenen Entfaltungsmöglichkeiten wieder. „Sie weiß, daß sie wieder arbeiten muß und lernen, denn sie steht allein und will nicht verschwinden, eine kleine Unbekannte, ein armes Mädchen aus der Provinz. Nein. Sie macht Licht, holt aus ihrem Koffer das Sonntagskleid und näht die ganze Nacht. Sie ändert und bessert aus. Sie muß ein schönes, modernes Kleid haben, das sie im Büro und auf der Straße tragen kann. Sie hat dann zwar kein Sonntagskleid mehr, aber das ist ihr jetzt gleichgültig. Beim Kramen fällt ihr eine altmodische Mantelkappe in die Hände, die hat sie im Koffer als Zwischenlage benutzt, damit sich ihre Sachen nicht zerstoßen. Was macht sie damit? Als sie zu schneiden anfängt, weiß sie selbst nicht genau, was dabei herauskommen soll. Sie trennt die Schnüre los und näht einige Falten zusammen und

148 *Keine der Traumfrauen aus Werbung und Kunst, aber eine perfekte ‚neue' Angestellte: die Stenotypistin auf dem Büro-Roolstuhl auf Schienen, 1931*

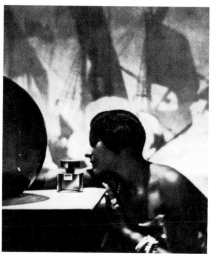

149 *Teures Parfüm als Ersatzangebot für noch unerfüllbarere Sehnsüchte: nach verlockender Ferne, nach dem romantischen Helden, nach dem zeitgemäßen Leben einer Dame. Anzeige aus: Die Dame, Oktober 1929*

probiert einmal im Spiegel und erschrickt. Da sieht ihr ein freches Gesicht entgegen, mit einer tollen Kappe, wie sie in den modernen Modezeitschriften abgebildet sind. Der Filz schmiegt sich eng an den Kopf und überschneidet schräg die Nase. Nur ein Auge schimmert hervor, ein Schleier liegt darum, ein verheißungsvoller Hauch... Auf der einen Seite des Hutes muß noch ein Stückchen abgeschnitten werden, damit ihre Haare hervorleuchten können. Wiegend auf den Zehenspitzen, die Hände in die schmale Taille gestützt, den Kopf ein Stück zur Seite, betrachtet sie sich kritisch im Spiegel. Und da kommt ihr ein toller Einfall. Sie setzt noch einmal die Kappe ab, kämmt sich das Haar vorn in die Stirn und schneidet kurz entschlossen mit der Schere eine Ponyfrisur. Unter dem Hut hervor wellt sich jetzt ihr flammender Schopf in die hohe Stirn, von den Sommer

sprossen ist nichts mehr zu sehen, die häßliche Erna verschwindet. Hurra! Dies ist der Donnerstag, der dritte Tag in Berlin."[14]

Ein Beobachter bemerkt dazu: „Ist es schon wahr, was man immer lauter und allgemeiner zu behaupten anfängt, die Berlinerin könne sich an Eleganz mit den besten Europäerinnen messen? Wir wollen nicht kleinlich nachprüfen, wie es sich genau damit verhält. Es soll uns genügen, diese Scharen von jungen und jüngsten Mädchen zu sehen, dieses Défilé von Jugend und Frische in den knappen, gut sitzenden Kleidern mit den Hütchen, denen eine Locke entquillt, die elastischen Schritte der langen Beine, um überzeugt zu sein, daß Berlin auf dem besten Wege ist, eine elegante Stadt zu werden."[15]

Anscheinend auch eine, in der Männer und Frauen gleichberechtigt sind. In den Abbildungen der Magazine und Reklamen, in den Filmen wenigstens hat die Frau männliche Insignien erobert. Sie wird an ihrem Arbeitsplatz, im Auto, beim Sport und beim Rauchen gezeigt. Ohne ‚männlichen Schutz', kann sie ins Kino, Café, Varieté und zu Tanzveranstaltungen gehen, etwas, das vorher nur der Frau möglich war, die ohnehin keinen ‚guten Ruf' zu verlieren hatte. Die Vergnügungsstätten und die ihr angebotenen Hilfsmittel bieten ihr jetzt außerdem die Möglichkeit, an anderen Orten auch eine andere zu sein, sich mit Schminke und Kleidung zu verwandeln. „Diese Vorbereitung, dies ‚Débarquement pour Cythère' ist ein bedeutender Augenblick und für uns Zuschauer manchmal lehrreicher als das Fest selbst. Man muß ihre ernsten Mienen vor dem Spiegel sehen, während sie Arme und Schultern bräunen, das Gesicht ‚machen', Turbane und Federkappen probieren. Sie eilen nicht, sie legen sorgsam letzte Hand an das Werk des einen Abends wie ein Künstler, der Dauerndes schaffen will. Sie erfinden wunderbare Übergangsgebilde vom Maskenkostüm zum Gesellschaftskleid, unschuldige Nacktheiten, lockende Verhüllungen und groteske Übertreibungen, hinter denen sie sich gut verbergen können. Da kann man in aller Ruhe ihre Gegenwart genießen, was sonst nicht leicht ist. Denn im allgemeinen haben sie das Tempo ihres Berlin, das unsereinen etwas atemlos macht. Es ist erstaunlich, wieviel Lokale und Menschen sie an einem Abend behandeln können, ohne zu ermüden."[16]

Das Bedürfnis nach einem ereignisreichen Leben mit intensiven Erlebnissen und einem Auskosten der Gefühle ist nicht nur aus den jetzt vorhandenen Gelegenheiten zu erklären, sondern ist auch eine Folge der Kriegs- und Nachkriegserfahrungen. Der Tod von Angehörigen und Freunden, der Zusammenbruch ‚absoluter' alter Werte, der Verlust an Vermögen oder Ersparten, läßt als Sicherheit nur das unmittelbar Vorhandene übrig. Alles muß schnell genossen werden, ehe es verschwinden kann. Dies gilt auch in bezug auf Männer, auf die Liebe überhaupt. „Tilli sagt: Männer sind nichts als sinnlich und wollen nur das. Aber ich sage: Tilli, Frauen sind auch manchmal sinnlich und wollen auch manchmal nur das. Und das kommt dann auf eins raus. Denn ich will manchmal einen, daß ich am Morgen ganz zerkracht und zerküßt und tot aufwache und keine Kraft mehr habe zu Gedanken und nur auf wunderbare Art müde bin und ausgeruht in einem. Und sonst geht er einen ja nichts an. Und es ist auch keine Schweinerei, weil man ja gleiche Gefühle hatte, und jeder will dasselbe vom andern."[17]

Der Versuch, Sexualität auszuleben, bringt alte Moralvorstellungen ins Wanken. Jungfräulichkeit bleibt immer weniger ein Wert an sich. Mehr und mehr verbreitet sich die Erkenntnis vom Vorhandensein einer aktiven weiblichen Sexualität. Die Thematisierung dieses Bedürfnisses in der Öffentlichkeit reicht von wissenschaftlichen Publikationen (z. B. Alice Rühle-Gerstel: Die weibliche Sexualität) bis zu Revueschlagern:

„Warum soll eine Frau kein Verhältnis haben,
kein Verhältnis haben, kein Verhältnis haben?
Ist sie hübsch, wird man sagen:
Na, die muß doch eins haben,
na, die muß doch eins haben, 's wär zu dumm!
Ja, und wenn man schon so redet und sie hat keins,
na, dann ist es doch viel besser gleich:
Sie hat eins!
Warum soll eine Frau kein Verhältnis haben?
Können sie mir sagen: Warum?
Man lacht diskret und maliziös

und so entsteht die ganze ‚Chronique scandaleuse!'"...[18]

oder:

„Mir ist heut so nach Tamerlan,
nach Tamerlan zu Mut!
Ein kleines bißchen Tamerlan,
ja Tamerlan wär gut.
Es wäre ja, geniert mich das,
geniert mich das, gelacht.
Ich glaube, es passiert noch was,
passiert noch was heut nacht."...[19]

150 *Anzeige eines Institutes für plastische Chirugie*

Manchmal wird in den Liedern auch Sexualität zwischen Frauen besungen. In „Wenn die beste Freundin" z. B. geht es um ein Dreiecksverhältnis zwischen Ehemann, Ehefrau und gemeinsamer ‚Hausfreundin', in „Meine Schwester liebt den Buster, liebt den Keaton", bedauert es der Bruder, daß seine Schwester, wenn sie schon keinen anderen Mann will, nicht wenigstens „einen, so'n ganz kleinen geheimen Hang, so nach der andern Seite..." hat.

Der lockere Ton dieser Texte läßt kaum Probleme vermuten, die Realität ist weniger einfach: „Sie sah ihn ernst an. ‚Ich bin kein Engel, mein Herr. Unsere Zeit ist mit den Engeln böse. Was wollen wir anfangen? Wenn wir einen Mann liebhaben, liefern wir uns ihm aus. Wir trennen uns von allem, was vorher war, und kommen zu ihm. ‚Da bin ich', sagen wir

freundlich lächelnd. ‚Ja', sagt er, ‚da bist du', und kratzt sich hinterm Ohr. Allmächtiger, denkt er, nun hab ich sie auf dem Hals. Leichten Herzens schenken wir ihm, was wir haben. Und er flucht. Die Geschenke sind ihm lästig. Erst flucht er leise, später flucht er laut. Und wir sind allein wie nie zuvor. Ich bin fünfundzwanzig Jahre alt, und von zwei Männern wurde ich stehengelassen. Stehengelassen wie ein Schirm, den man absichtlich irgendwo vergißt. Stört sie meine Offenheit?' ‚Es geht vielen Frauen so. Wir jungen Männer haben Sorgen. Und die Zeit, die übrigbleibt, reicht fürs Vergnügen, nicht für die Liebe. Die Familie liegt im Sterben. Zwei Möglichkeiten gibt es ja doch nur für uns, Verantwortung zu zeigen. Entweder der Mann verantwortet die Zukunft einer Frau, und wenn er in der nächsten Woche die Stellung verliert, wird er einsehen, daß er verantwortungslos handelte. Oder er wagt es, aus Verantwortungsgefühl, nicht, einem zweiten Menschen die Zukunft zu versauen, und wenn die Frau darüber ins Unglück gerät, wird er sehen, daß auch diese Entscheidung verantwortungslos war. Das ist eine Antinomie, die es früher nicht gab...' ‚Früher verschenkte man sich und wurde wie ein Geschenk bewahrt! Heute wird man bezahlt und eines Tages, wie jede bezahlte und benutzte Ware, weggetan. Barzahlung ist billiger, denkt der Mann.' ‚Früher war das Geschenk etwas ganz anderes als die Ware. Heute ist das Geschenk eine Ware, die null Mark kostet. Diese Billigkeit macht den Käufer mißtrauisch. Sicher ein faules Geschäft, denkt er. Und meist hat er recht. Denn später präsentiert ihm die Frau die Rechnung. Plötzlich soll er den moralischen Preis des Geschenks rückvergüten. In seelischer Valuta. Als Lebensrente zu zahlen.' ‚Genauso ist es', sagte sie. ‚Genauso denken die Männer.'... ‚Ich weiß, was euch zu eurem Glück noch fehlt. Wir sollen zwar kommen und gehen, wann ihr es wollt. Aber wir sollen weinen, wenn ihr uns fortschickt. Und wir sollen selig sein, wenn ihr uns winkt. Ihr wollt den Warencharakter der Liebe, aber die Ware soll verliebt sein. Ihr zu allem berechtigt und zu nichts verpflichtet, wir zu allem verpflichtet und zu nichts berechtigt, so sieht euer Paradies aus. Doch das geht zu weit. Oh, das geht zu weit!'"[20]

Ein Mann muß sich also damit abfinden, daß auch eine ‚neue Frau‘ sich nur
scheinbar für nichts ‚schenkt‘, längerfristig aber Sicherheit möchte, die er ihr dafür nicht automatisch geben kann bzw.
will. Eine Frau dagegen erfährt, daß ihr
Körper, je leichter er verfügbar ist, um
so weniger wertvoll wird, sie durch ‚Hin-
gabe‘ keine Zukunftsversorgung erwarten kann. Diese ist nicht nur aus emotionalen Gründen wichtig für sie. Auch
wenn sie einen neuen Typ verkörpert,
muß sie weiterhin mit dem Risiko einer
ungewollten Schwangerschaft leben.

Das geringere moralische Verpflich-
tungsgefühl der Männer hängt auch
mit der Zunahme ihrer Kenntnis von
‚Vorsichtsmaßnahmen‘ zusammen. Als
Verhütung sind neben Coitus interrup-
tus und Enthaltsamkeit Präventivmittel
im größeren Umfang bekannt als früher.
Seit Anfang des Krieges schon war die
Produktion von Kondomen (aus dem
seit Ende des 19. Jahrhunderts preiswer-
ter gewordenen Gummi) angestiegen,
und sie wurden billiger. Durch den
Krieg, in dem sie vor allem den Soldaten als Ansteckungsschutz gegen Ge-
schlechtskrankheiten dienten, bekamen
relativ viele Männer Kenntnis von dieser Art der Verhütung. In den 20er Jahren ist es jedoch verboten, Verhütungs-
mittel zum Verkauf anzubieten oder an-
zuzeigen (Verbot des Anpreisens von
‚Sachen zu unzüchtigem Gebrauch‘).
Außerdem bleibt eine Frau bei dieser
Art der Geburtenbeschränkung von der
wohlwollenden Mitarbeit des Mannes
abhängig. Muttermundkappen sind
zwar bekannt, aber wenig gebräuchlich.
Noch etwas kommt dazu: Für viele sind
diese Mittel nach wie vor unerschwinglich und die Alternative Abtreibung.
Dabei ist diese Verhütungsmethode in
jeder Beziehung gefährlich: Abtreibung
ist verboten (§ 218 StGB) und wird mit
bis zu 5 Jahren Zuchthaus (für die Ab-
treibende selbst und die Person, die sie
vornimmt), nach der ‚Liberalisierung‘
1926 mit Gefängnis bestraft. Für Ärzte
und ärztliche Helfer bleibt die Zucht-
hausstrafe bestehen. Nur die Abtreibung
aus medizinischen Gründen ist seit 1927
erlaubt. Trotz großangelegter Kampagnen ab 1928, besonders durch die KPD,
wird dieser Paragraph nicht abgeschafft.
Das Risiko ist auch in anderer Hinsicht
hoch: „‚Sag mal, hast du einen Eingriff
gemacht?‘ Und dann kommt alles

151 *Die Bedeutung des Aussehens beim Vorwärtskommen im Erwerbsleben besteht
weniger in der Demonstration von ‚Weiblichkeit‘, als in der Hervorhebung von ‚Ju-
gendlicher Frische‘ und ‚Beweglichkeit‘, weil sie Leistungsfähigkeit signalisieren.
Das Foto zeigt das zentrale Diktierzimmer eines Großbetriebes.*

heraus. Ja, Trude hat sich mit Lortzing
gekracht, weil der damit nichts zu tun
haben wollte. Sie weiß schon seit drei
Monaten Bescheid. Erst konnte sie es
nicht glauben, dann habe sie in ihrer
Angst verschiedenes versucht, Mixturen
und holländisches Öl und irgendwelches
ekelhaftes Zeug und dann Spritzen.
‚Lortzing hat mir das Geld dazu gegeben, aber ich habe keinen Arzt gefunden.‘ Erna sieht dieses einfältige zwan-
zigjährige Mädchen ernst an, sie weiß
hier besser Bescheid als jede andere.“[21]
Da die Abtreibungen von Kurpfu-
schern, Engelmacherinnen oder selbst
gemacht werden, haben sie oft gesundheitliche Schädigungen zur Folge oder
enden mit dem Tod. In Deutschland
sterben ca. 20 000 Frauen jährlich an
Eingriffen, deren Zahl auf 1 Million geschätzt wird. In Berlin ist das Verhältnis
von Abtreibungen und Todesfällen folgendermaßen (Todesfälle auf 1000 Ab-

treibungen): 1922 – 13,7; 1923 – 14,0;
1924 – 11,0; 1925 – 12,2.[22] Aus Angst
vor gesellschaftlichem Abstieg, d. h. finanzieller Notlage, zu wenig Wohn-
raum, sehen viele keinen anderen Ausweg. Bei einer ledigen Frau kommt die
Angst vor gesellschaftlicher Ächtung
und der Ablehnung der Familie dazu.
‚Absicherung‘ durch eine Ehe bleibt für
die meisten die Alternative. Diese Institution wird nicht grundsätzlich in Frage
gestellt, wenn auch die Zahl der Schei-
dungen zunimmt. Sie ist eher ein Indiz
für die veränderte Auffassung von der
Ehe. Unterschiedliche Realitäten während des Krieges, Front auf der einen,
‚Heimatfront‘ auf der anderen Seite,
machten eine ungebrochene Fortsetzung der alten Eheform (‚Herr im
Haus‘) für viele unmöglich. Einerseits
hatten die nur im Urlaub anwesenden
Männer – auch als ‚Kriegshelden‘ – keinen direkten praktischen Einfluß auf

die Lebensbedingungen der Frauen, konnten sie meist weder verstehen noch verbessern. Anderseits waren die Erwartungen aneinander, gerade weil Frauen und Männer sich kaum noch kannten, oft sehr hoch und im Zusammenleben nach dem Krieg nicht einlösbar. Nicht immer war dieser Bruch zu kitten.

Über den Sinn der Ehe wird jetzt häufig öffentlich diskutiert (z. B. in der Zeitschrift „Die schöne Frau": Stimmen Sie für oder gegen das Heiraten?). Neue Formen sollen sie beleben, ‚Kameradschaft'[23] soll in Liebe und Ehe gelten, und die ‚Probeehe'[24] ist im Gespräch.

In der Familie hat sich die Arbeit der Hausfrau scheinbar vermindert. Diese Annahme setzt das Aufziehen einer geringen Zahl von Kindern und die Vereinfachung der Hausarbeit durch technische Geräte und pflegeleichte Möbel (schnörkellos und sachlich) voraus. Tatsächlich haben jedoch Ehepaare teilweise noch nicht einmal eine eigene Wohnung. Durch die Wohnungsnot nach dem Krieg entsteht die ‚möblierte Ehe mit Küchenanteil', die wenig Raum für die eigene Entfaltung und ein ‚geordnetes Familienleben' bietet.

An die Organisation von Hausarbeit und Kindererziehung werden Normen von außen angelegt, an deren Erfüllung die Qualität der Frau als Hausfrau gemessen werden kann. Sie sind andere als früher, denn im Rahmen der allgemeinen Rationalisierungsbemühungen beschäftigen sich wissenschaftliche Untersuchungen auch mit diesen Arbeitsbereichen. Zur sogenannten ‚Taylorisierung der Hausarbeit'[25] kommt die wachsende Professionalisierung der Kindererziehung. Kinder befinden sich in Kindergärten oder -krippen, in denen die Erziehung in den Händen dafür bezahlter Kräfte liegt, die nach ihnen vorgegebenen Erziehungskonzepten arbeiten. Hausarbeit und Erziehung bleiben Domäne von Frauen. Die Kontrolle darüber entgleitet ihnen jedoch nach und nach, und ihre Entscheidungsspielräume verkleinern sich.

Trotzdem: Innerhalb des Heimes ist die Anforderung, sich Sachzwängen unterzuordnen, weniger groß als im Erwerbsleben. Besonders gegen Ende der 20er Jahre wird der ‚Arbeitskampf' immer härter. Den Arbeitsplatz zu behalten, ist in der Wirtschaftskrise eine ‚Kunst', die

immer weniger von eigenen Fähigkeiten abhängt. Eine ‚Karriere' ist noch unerreichbarer geworden. Träume von Sicherheit und emotionaler Wärme sind besonders verlockend, die Ehe scheint eine Möglichkeit, sie zu verwirklichen. „‚Ich kann so nicht weiterleben – und ein Mann mit einer gesicherten Existenz, der einen liebt und den man selber nicht zu sehr liebt, macht einem das Leben noch immer am wenigsten schwer, und es ist ja auch schön, mit sich Freude machen zu können.'" …„‚Es ist nämlich so schwer draußen.' Das kann man wohl sagen. Wie ich geh und die Tür zumache hinter mir, war ich wieder voll Traurigkeit. Natürlich ist es schwer. Da wollte nun so eine in dem Alter ein Glanz werden, und das konnte ja ich nicht mal bis jetzt. Und nun ist es wohl geordnet, und es brennen dann meine Kerzen – jetzt wird mir doch wieder so – ich – das Geld reicht noch – ich trinke noch einen Kognak – ach Gott."[26]

Es ist schwer, sich allein durchzuschlagen. Viele müssen es: Infolge des Krieges leben in Deutschland ca. 2 Mill. mehr Frauen als Männer. Nur knapp 60% der weiblichen Bevölkerung über 20 Jahre ist verheiratet. 75% der 1,03 Mill. Einpersonenhaushalte werden von alleinstehenden Frauen bewohnt.[27]

Für die meisten Frauen ist die Ehe durch die Erwerbstätigkeit als Lebensperspektive wahrscheinlich nicht ersetzt. Sie wollen möglichst beides: das (familiäre) Glück und die Erwerbstätigkeit. Gerade die verheiratete Frau ist aber von staatlichen Maßnahmen gegen ihre Erwerbstätigkeit betroffen, und immerhin sind 77,4% aller 1927 in Berlin heiratenden Frauen erwerbstätig.[28] Schon 1926 ergeht ein Aufruf des Reichsarbeitsministers an die Vereinigung der Deutschen Arbeitgeberverbände, bei notwendigen Entlassungen zuerst ‚Doppelverdiener' abzustoßen. Damit sind Personen gemeint, die eine ausreichende Rente oder Pension erhalten und eine andere Erwerbstätigkeit ausüben. In der öffentlichen Meinung wird dieser Begriff jedoch sofort mit verheirateten erwerbstätigen Frauen in Verbindung gebracht. Durch den im Aufruf enthaltenen Zusatz „…andere Personen, die an sich nicht auf Erwerbstätigkeit angewiesen sind", besteht die Möglichkeit, die Aufforderung hauptsäch-

lich so anzuwenden.[29] Er läßt auch die Entlassung von Frauen zu, die bei ihren Eltern leben oder angeblich durch andere Verwandte unterhalten werden können.

Die verschiedenen Strömungen der Frauenbewegung beschäftigen sich dagegen mit dem Bedürfnis, Glück und Erwerbstätigkeit nicht als Alternative zu verstehen. Sie diskutieren andere Modelle der Ehe, das Konzept der ‚geistigen Mütterlichkeit', die Gefahr einer ‚Enttabuisierung der Sexualität' für Frauen und die Nachteile der ‚Versachlichung von Beziehungen'. Weibliche Berufsverbände propagieren den ‚Beruf als Berufung', kritisieren die ‚Entfremdung durch die Lohnarbeit'.

Das durch die Frauenbewegung erkämpfte Wahlrecht und die im Gesetz verankerte formale Gleichberechtigung reichen nicht aus, die gesellschaftlichen Verhältnisse grundsätzlich zugunsten der Frau umzugestalten. Alle weibliche Vernunft richtet nichts aus bei einer ständig schlechter werdenden wirtschaftlichen Lage. Fortwährende aufreibende Bemühungen um die Sicherung der eigenen Existenz lassen die befreienden Momente der neuen Identität immer mehr in den Hintergrund treten und engen die Wahlmöglichkeiten ein, die sie bis 1933 trotz allem hat. Von der neuen ‚deutschen Frau' erwartet das Regime dann bedingungslose, freudige Pflichterfüllung als Glied der ‚Volksgemeinschaft'. Das nationalsozialistische Frauenbild reduziert sich auf das ungeschminkte, sportliche Mädel und die reife, mütterliche Frau: „Die deutsche Frau raucht nicht". Frauen sollen zwar grundsätzlich Haushalt und Kindererziehung als Berufung begreifen, aber gleichzeitig auch bereit sein, sich an jedem anderen ihnen zugewiesenen Arbeitsplatz einsetzen zu lassen. Während sie aus vielen höher qualifizierten Berufen herausgedrängt werden, propagiert man ihre angebliche ‚biologische Qualifikation' für monotone, untergeordnete Arbeiten, z. B. am Fließband u. a. ‚artgemäße' Tätigkeiten im Sozialbereich. Im Verlauf der forcierten Kriegswirtschaft und erst recht während des Krieges müssen die Frauen jedoch an allen Fronten, auch in den ‚unweiblichsten' Positionen, ihren ‚Mann' stehen.

Elke Kupschinsky

152 *Plakat für „Vogue-Parfüm", entworfen von Jupp Wiertz, um 1925*

Massensport

Der moderne Sport mit den Prinzipien der (formalen) Chancengleichheit, des Leistungsvergleichs (Konkurrenzorientierung) und des Rekordes (Überbietung) ist ein Kind der Industriegesellschaft. Er entwickelte sich zunächst im England des 18. Jahrhunderts parallel zur Industrialisierung. Sport und Industrie sind beide Folgen eines grundlegenden Wandels des Denkens, der Wertmuster und Verhaltensweisen sowie der sozialen und ökonomischen Strukturen. In Sport und Gesellschaft spielt jetzt die Zeit, die vorher in einem feudal und agrarisch organisierten System weitgehend vernachlässigt werden konnte, eine neue Rolle: sie wird jetzt eingeteilt, gemessen und verglichen. Parallel dazu wandelte sich die Einstellung zur Natur, zum Raum, deren Eroberung bzw. Beherrschung in Gesellschaft (Verkehrswesen) und im Sport (Alpinistik) angestrebt wurden.

In Deutschland entwickelte sich nicht nur die Industrialisierung, sondern auch der Sport wesentlich später als in England. Erst gegen Ende des 19. Jahrhunderts erwuchs er zu einer ernsthaften Konkurrenz des deutschen Turnens, das Jahn und andere zu Beginn des 19. Jahrhunderts im Kampf gegen die napoleonische Besatzungsmacht konzipiert hatten. Die Auseinandersetzungen zwischen Turnen und Sport zogen sich bis in die 20er Jahre hin, ohne daß die Turner die Ausbreitung des Sports und schließlich auch eine „Versportlichung" des Turnens hätten verhindern können. Trotz der politischen, sozialen und ökonomischen Krisen, der Inflation, der Arbeitslosigkeit und der politischen Richtungskämpfe, erlebte der Sport nach dem Ersten Weltkrieg einen ungeheuren Aufschwung, er wurde zur Weltreligion des 20. Jahrhunderts.[1] Das Angebot an sportlichen Wettkämpfen nahm ebenfalls sprunghaft zu. Nicht nur die Zahl der Teilnehmer, sondern auch die Verbesserung von Technik und Taktik sowie ein systematisches Training waren Ursachen eines explosiven Leistungsanstiegs.

Weit größer als der Kreis der sportlich Aktiven war die Zahl der rezeptiv am Sport Interessierten. Sport entwickelte sich immer mehr zu einem Zuschauermagneten, der Tausende, ja Hunderttausende faszinierte. Die Massenmedien (Zeitungen, ab 1923 der Rundfunk) griffen die Sportbegeisterung der Massen auf und fachten ihrerseits das Interesse am Sport und den Sportkonsum an. Sport war jetzt nicht mehr der Spleen weniger Außenseiter, er war zu einer Mode geworden. Auch Frauen hatten sich von vielen Zwängen der Schicklichkeit emanzipiert. Sie hatten Abschied genommen von der Wespentaille, den bodenlangen Röcken und dem Riechfläschchen. Modisches Attribut der Emanzipation war der Bubikopf. Die vielgerühmte Befreiung der Frau blieb aber an der Oberfläche, es war vor allem eine Freiheit zum Konsum (vgl. S. 164–173). Gegen viele Widerstände hatten die Frauen jetzt den Einzug in die Sportstadien begonnen: 1928 nahmen sie z. B. zum erstenmal an leichtathletischen Wettbewerben bei Olympischen Spielen teil. Das Sportgirl, ein gesundes, lebensfrohes, knackiges Menschenkind, wurde jetzt zum modischen Frauentyp propagiert, dem viele junge Frauen nacheiferten.

Der Aufschwung des Sports spiegelte sich ferner in den Medien wider: Sportberichterstattung, Werbung, Karikaturen, Schlagertexte und Romane suchten den Sport und die mit ihm verbundenen Assoziationen von Modernität, Leistungsfähigkeit, Sensation usw. zu nutzen. Dabei fehlte es nicht an kritischen Stimmen, die sich vor allem gegen die Auswüchse des Sports, das „Kanonentum", die Vergötzung des Körpers, die Verrohung der Massen wandte. Daneben gab es aber auch eine große Gruppe von Sportbefürwortern. Das waren nicht nur die Sportfunktionäre, sondern durchaus auch Parteien, Behörden und Industrie, die viele Erwartungen mit dem Sport verbanden: Er sollte den Heeresdienst, die „Schule der Nation" ersetzen, die Volksgesundheit und Volkskraft heben und die Arbeitswilligkeit steigern. Der Sport wurde als idealtypisches Modell der modernen Massengesellschaft empfunden, deren ständische Strukturen sich in der Weimarer Republik aufzulösen begannen. Seine Grundprinzipien entsprachen den Idealen der neuen Angestelltenkultur, die formale Gleichheit propagierte und Leistung als Grundlage für die Statuszuweisung deklarierte.

Rekordsport und Sportshows sind nur in Großstädten denkbar, denn sie benötigen deren technische Voraussetzungen: das Verkehrsnetz, die Verkehrsverbindungen in andere Länder und Städte, die Massenkommunikationsmittel, die Werbemöglichkeiten und die großen Hallen und Stadien, die optimale Bedingungen für sportliche Leistungen sowie die Präsentation und Vermarktung dieser Leistungen bieten. Weiter setzt Sportenthusiasmus Freizeit voraus. In der Weimarer Republik wurde zumindest auf dem Papier der Achtstundentag durchgesetzt, der für die Masse der Arbeitnehmer die Freizeit zu einem festen Bestandteil ihres Lebens werden ließ. Die zunehmende Entfremdung der Arbeit ließ die Freizeit als einzige Möglichkeit erscheinen, ein Image aufzubauen und Identität zu gewinnen. Die Freizeit wird damit auch zum Ort des demonstrativen Konsums. Da die Arbeit am Fließband nicht als sinnvoll erlebt werden konnte, wurde der Sinn des Lebens jetzt in der Freizeit gesucht. Freizeitaktivitäten boten außerdem ein soziales Netz, Gemeinschaft und Kameradschaft, d. h. Werte, die in der unpersönlichen Großstadt sonst nur schwer zu finden waren.

Eine weitere Voraussetzung für den Aufschwung des Sports waren die Errungenschaften der Technik und ihre Verbreitung. So lassen sich die Leistungsverbesserungen im Sport zum Teil als Folgen der technischen Perfektionierung der Sportgeräte, der Sportanlagen und der Meßvorrichtungen erklären. Die Faszination der Technik und der Wille zur Naturbeherrschung übertrugen sich auch auf den Sport, vor allem auf den sogenannten Maschinensport, auf Autorennen, Flugwettbewerbe, Motorradrennen. Verbreitet war in der Weimarer Zeit auch die Vorstellung vom Körper als Maschine: „He He He, He – the iron man, es kreist um ihn die Legende, daß seine Beine, Arme und Hände wären aus Schmiedeeisen gemacht...

Eine Spiralfeder aus Stahl sei das Herz, frei von Gefühlen und menschlichem Schmerz, das Gehirn eine einzige Schalterwand für des Dynamos Antrieb und Stillstand. Dicke Kabelstränge seine Nerven wären, hoch gespannt vom Volt-Kraft und Amperen…"[2] In der Wirtschaft hatte sich nach dem Vorbild Amerikas eine bis dahin nicht gekannte Arbeitsteilung und die Akkordarbeit durchgesetzt. Beides wurde als die beste Form der Arbeitsorganisation betrachtet. Im Sport wurden ebenfalls amerikanische Verhältnisse angestrebt und die Erkenntnisse der Industrie, die Spezialisierung, die Aufgliederung des Bewegungsprozesses in einzelne Sequenzen durchgesetzt. Für eine „Taylorisierung" des sportlichen Trainings, eine Verbesserung der sportlichen Techniken sowie eine gezielte Talentauswahl fehlten bis dahin grundlegende Informationen. Die Erfahrungswerte reichten nicht mehr aus, deshalb forderte Carl Diem 1919 den Deutschen Reichsausschuß für Leibesübungen „zur Erforschung der Gesetze … menschlicher Leistungsgrenzen" auf.[3] Das war die Geburtsstunde einer Wissenschaft der sportlichen Leistungen, die auf allen Gebieten Pionierarbeit leisten mußte und u. a. die physischen Voraussetzungen der Sportler, die Auswirkungen des sportlichen Trainings, den Einfluß von Umweltbedingungen auf sportliche Höchstleistungen zu untersuchen begann.
Wechselwirkungsprozesse sind auch zwischen dem Sport und den kulturellen Strömungen der Zeit, z. B. der „Neuen Sachlichkeit" nachzuweisen. Die dort geforderte Nüchternheit und Zweckgebundenheit zeichneten auch die sportlichen Handlungen aus, die nur noch den Gesetzen der Bewegungsökonomie gehorchten. Sport entsprach deshalb dem Geschmack der Zeit zumindest breiter Schichten, denen Kraft nicht mehr als roh, Kampf nicht mehr als unästhetisch und unwürdig galt. Alle waren gepackt von der Faszination der Geschwindigkeit, die jeder einzelne jetzt im Alltagsleben erfuhr und die im Sport bis an die Grenzen des technisch und menschlich Möglichen erhöht wurde. Geschwindigkeit und Kampf lockten die Zuschauer in die Arenen, versprachen Spannung und Sensationen und befriedigten so das Bedürfnis nach Ablenkung in einer unüberschaubar gewordenen Umwelt:

„Für die Berliner wurde das Sechstagerennen Oktoberfest, Karneval, Fasching, Heuriger in einem."[4]
Die politischen, sozialen und ökonomischen Veränderungen machten auch vor dem Körper nicht halt. Die Zwänge

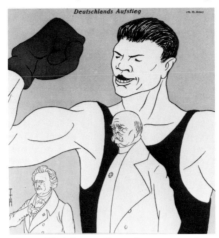

153 „Welch ein Fortschritt: von Goethe über Bismarck bis zu Schmeling!"- Karikatur von Th. Th. Heine, Simplicissimus, 35. Jg., Nr. 15, 7. Juli 1930

der Schicklichkeit lockerten sich, sportliche und funktionelle Kleidung setzte sich auch für Frauen durch, Gesundheit, verstanden als „Fitness", gewann einen enormen Stellenwert. In dieser neuen Körperkulturbewegung spielte der Sport eine zentrale Rolle, weil durch ihn die erwünschte körperliche Leistungsfähigkeit gleichzeitig gefördert und präsentiert werden konnte. Fraglich ist allerdings, ob es sich, wie Zeitgenossen meinen, um eine Befreiung des Körpers handelte oder ob nicht vielleicht die Zwänge internalisiert und der Körper auf bloßes Funktionieren abgerichtet, als Instrument gebraucht wurde. Sportleistungen konnten nun zur Ware werden. Kommerzialisierung erfaßte vor allem die publikumswirksamen Sportarten, in die große Geldsummen investiert wurden, z. B. Boxkämpfe oder Sechstagerennen. Zwar verhalf die Kommerzialisierung dem Sport zu großer Popularität, sie hatte aber auch zur Folge, daß sich der Sport den Gesetzen der Show und des Profits unterordnen mußte: „Leidenschaft! Das ist es. Das ist es. Das lohnt. Das lohnt den Griff – das bringt auf breitem Präsentierbrett den Gewinn geschichtet!"[5]
Berlin war als Großstadt, als kulturelles, politisches und wirtschaftliches Zen-

trum des deutschen Reiches zugleich ein Zentrum des bürgerlichen Sports und des Arbeitersports, vor allem aber ein Zentrum des Showsports. Der Sportpalast und die Ausstellungshallen am Kaiserdamm waren die bekanntesten und beliebtesten Stätten professioneller Sportveranstaltungen.
Aber auch die heute weitgehend vergessenen Arbeitersportorganisationen spielten in den 20er und 30er Jahren eine wichtige Rolle in der internationalen, deutschen und Berliner Arbeitersportbewegung. So wie die Arbeiterbewegung fiel auch der Arbeitersport ideologisch und organisatorisch in sozialdemokratische und kommunistische Richtungen auseinander. Diese Polarisierung spiegelte sich ganz besonders im Berliner Arbeitersport wider. Der 1980 gegründete ASV-Fichte Berlin nahm als größter und auch wohl berühmtester Arbeitersportverein (im Jahr 1928: 10 784 Mitglieder) eine führende Rolle in der kommunistisch orientierten Kampfgemeinschaft für Rote Sporteinheit ein. Dagegen stand die 1919 gegründete Freie Turnerschaft Groß-Berlin (FTGB im Jahr 1928: 5400 Mitglieder) der Sozialdemokratie nahe.[6] Diese beiden großen Zentralvereine, die in fast allen Stadtbezirken Abteilungen errichtet hatten, stellten eine Berliner Besonderheit dar. Der ASV-Fichte betrieb sogar in der Köpenickerstr. 108 ein vereinseigenes Sportgeschäft, dessen Angestellte gleichzeitig auch Funktionen im Verein übernahmen.
Die Arbeitersportorganisationen führten eine große Zahl regionaler, nationaler und internationaler Sportfeste durch. Sie veranstalteten die Arbeitersportolympiaden 1925 in Frankfurt, 1931 in Wien und 1937 in Antwerpen, an der die 1933/34 durch den Faschismus zerschlagenen Arbeitersportorganisationen von Deutschland und Österreich nicht mehr teilnehmen konnten. Für den Berliner Arbeitersport bildete der jährlich im Sommer durchgeführte Reichsarbeitersporttag (RAST) einen sportlichen und politischen Höhepunkt. Diese Sportfeste sollten vor allem durch die Darstellung der eigenen Stärke das Selbstwertgefühl der Arbeiter erhöhen und als Werbe- und Propagandamittel dienen. *Herbert Dierker, Gertrud Pfister, Gerd Steins*

154–157 *Die Berliner strömten in die Großstadtarenen, vor allem zum Boxen, Fußball, Sechstagerennen und Autorennen auf der Avus. Der Berliner Sportpalast an der Potsdamer Straße in Schöneberg bot Sportunterhaltung durch Boxkämpfe, Eissportveranstaltungen und Radrennen. Das Boxidol Max Schmeling siegte 1927 im Sportpalast über Charles (o. l.). Die Winter-Radrennsaison wurde natürlich im Sportpalast mit einem Punktfahren über 50 Runden eröffnet (o). Im Deutschen Stadion in Berlin-Grunewald trug man bereits 1914 das Fußballendspiel um den Kronprinzen-Pokal aus (u. l.). Autorennen auf der legendären Autoversuchsstrecke (AVUS) 1923 im Grunewald. Die Zeitnehmer zeigen den Fahrern die Runden und Kilometerzahlen an, die sie bisher zurückgelegt haben.*

158–160 *Seit Anfang des 20. Jahrhunderts war Berlin eine der Hochburgen der deutschen Leichtathletik. Besonders das Laufen fand begeisterte Aktive und unübersehbare Menschenmengen spielten Publikum bei den zahlreichen Staffelwettbewerben, die durch die Stadt Berlin zu Fuß, per Ruderboot oder schwimmend veranstaltet wurden. Der Berliner Oberbürgermeister Gustav Böß startete 1926 die Damenstaffel bei der ,,Großen Berliner Industrie-Staffel" (o.). Bei der Industriestaffel durch Berlin 1929 wird der Staffelstab von der Läuferin an die Schwimmerin weitergegeben (l.). Am ,Großen Fenster' übernahmen die wartenden Ruderer von den Läufern den Stab bei der Berliner Industriestaffel am 10. Juni 1929 (o. r.).*

161 Eines der größten Laufereignisse
in Berlin war der von Carl Diem initiier-
te Staffellauf Potsdam–Berlin mit 50
Läufern über 25 km. Diem war von
dem Marathonlauf bei den Olympischen Spielen 1906 in Athen begeistert
und wollte in Berlin „. . . auch einmal
die Bevölkerung der Stadt so aufregen,
ihnen ein sportliches Ereignis vor die
Nase setzen, wie dies die Athener vermocht hatten". Diem sah zwar die
Durchführung eines Marathons 1908
noch nicht als realistisch an, wollte
aber trotzdem einen großen Lauf wagen, aber dabei das Publikum „betrü-
gen, indem jedweder einen frischen
Mann sehen sollte." Dieser Großstaffel-
lauf wurde am 14. 6. 1908 am Potsdamer Stadtschloß gestartet und am Berliner Stadtschloß beendet. Das Foto
(r.) zeigt Robert Pasemann vom Berliner Sport-Club als Schlußläufer der
Siegermannschaft am 16. 6. 1912.

162–163 *Für die 1916 in Berlin ge-*
planten Olympischen Spiele wurde im
Grunewald auf dem Gelände des
Pferderennvereins Unionclub das
‚Deutsche Stadion' errichtet. Architekt
des Baues war Otto March, der in der
kurzen Bauzeit August 1912 bis Juni
1913 das Stadion mit 2208 Logenplät-
zen, 15 232 Sitzplätzen und 12 560
Stehplätzen erstehen ließ. Die Länge
des Innenraumes betrug 254 m, die
Breite war 82 m. Die 7,5 m breite
Laufbahn hatte eine Länge von 600 m!
Am 8. Juni 1913 wurde das Stadion mit
einer Massenveranstaltung, an der ca.
32 000 Turner(innen) und Sportler(in-
nen) teilnahmen, eingeweiht: Auf-
marsch der Abordnungen vor der
Kaiserloge (u.). Kursistinnen der Lan-
desturnanstalt Spandau beim Kaiser-
turnen am 6./8. Juni 1914 (r.).

164–166 *Berlins hervorragende Lage an Seen und Flüssen förderte den Bootssport und die Freizeitaktivitäten im, auf und am Wasser. Während der Segel- und Rudersport nur von einer bestimmten betuchten Gesellschaftsschicht betrieben werden konnte, blieben für den Normalberliner Wasserfreuden nur in Form von Schwimmen, Aalen am Wasser und seit den 20er Jahren Paddelfahrten im Faltboot übrig. Der Student Alfred Henrich entwickelte 1905 ein Faltboot, das von den Klepperwerken in Rosenheim in hohen Stückzahlen gefertigt wurde. Mit dem Faltboot wurde ein einfaches und preiswertes Wasserfahrzeug geschaffen, das von jedermann ohne Transport- und Abstellprobleme genutzt werden konnte. Mit dem zerlegbaren Paddelboot war es weiten Bevölkerungsschichten möglich gewesen, aus beengten Städten auf die freien, gesundheitverheißenden Gewässer zu fliehen. Das Wasser wurde als neuer Spielplatz und Tummelplatz für das ‚weekend‘ entdeckt. Transport eines Faltbootes 1922 (u.). Zusammenlegbare Paddelboote auf dem Wannsee 1924 (u. l.). Eine Gruppe Kanus an der Charlottenburger Brücke im April 1929 (o. l.).*

167–170 *Sportgelände des ASV Fichte am Baumschulenweg in Treptow, Frauenleichtathletikgruppe Fichte Süd-Ost vor der „Fichte-Diele" (l.). Festumzug des ASV-Fichte am 13. Juni 1920 anläßlich seines 30jährigen Bestehens vom Mariannenplatz nach Treptow (u.). Reichsarbeitersporttag am 29. Mai 1921 im Grunewaldstadion. Zieleinlauf im 100 m Lauf der Frauen. Siegerin: Grund, Freie Turnerschaft Wilmersdorf (o. r.). Reichsarbeitersporttag am 22. 6. 1924 im Grunewaldstadion. Einmarsch der Sportler(-innen) (u. r.), Stimmungsbericht in der Berliner Zeitschrift Arbeiterfußball: „Genau 20 Minuten dauerte der Einmarsch der in drei Säulen marschierenden Arbeitersportler. Das weite Rund ist besetzt mit den tausenden Arbeitersportlern. Mit dem Kampfliede ‚Brüder zur Sonne zur Freiheit' fand der Aufmarsch einen guten Abschluß."*

Reklamewelten

Über Reklame zu schreiben und dabei Berlin im Auge zu behalten, also eine Region auszugrenzen, ist schwierig. Zwar gibt es regionale Unterschiede, z. B. im zweiten Jahrzehnt unseres Jahrhunderts bei den führenden Köpfen der Werbung, dem mehr verspielt arbeitenden Ludwig Hohlwein in München und dem mehr sachlich funktional argumentierenden Lucian Bernhard in Berlin.

Damit wären auch Eigenarten dieser Städte bezeichnet. Doch das Wesen der Reklame ist es gerade, die Region zu überschreiten, ins weite Land zu gehen, möglichst weltweit zu wirken. Eine typische Anzeigenseite von 1903 ist dafür ein Beispiel (Abb. 173). Europa findet sich hier in drei Sprachen und in unüberbietbaren Superlativen, die sich eigentlich gegenseitig ausschließen: Die wir-

re Welt einer frühen Werbung in Berlin. Reklame ist die Verbildlichung einer neuen, umfassenden Ideologie aller Industriestaaten, vornehmlich der westlichen. Lang währte der Streit um die Reklame als Kunst. Das Unbehagen war verbreitet. Man spürte den Umbruch, der in den neuen Bildern wirksam wurde, den Verlust alter Orientierungen, bemerkte das Brüchige der Verbindung der alten (wahren) Kunst mit der neuen (Reklame-)Kunst, forderte, so man fortschrittlich war, für letztere eigene Maßstäbe, oder verteufelte die Reklame ganz und gar als große unwahre Verführerin, die gegen die alten Werte antrat.

Dabei hat es „Reklame" im großen Stil, Reklame, die das Zusammenleben ganzer Gemeinschaften bestimmen sollte, schon immer gegeben. Nur war die „Ware" meist immateriell.

Immer verfolgten „Bilder", ob gebaut, gemalt oder zur Skulptur geformt, den Zweck, einer Gesellschaft zur Bestimmung zu dienen, das Bild dessen zu formen, an das man glauben konnte und sollte und das einen beherrschte. Die Glaubensinhalte haben sich stets gewandelt, mit ihnen die Systeme, ebenso natürlich die Bilder.

Die Staatlichen Schlösser und Gärten zu Berlin besitzen ein Reklame-Bild von besonderem Wert, das „Ladenschild des Kunsthändlers Gersaint", gemalt von Watteau, 1721. Genau 14 Tage lang erfüllte es seinen eigentlichen Zweck, dann wurde es selbst gekauft. Dieser spielerische Umgang mit einer so wichtigen Sache, mehr Fingerübung für einen berühmten Meister, sollte im Verlauf des 19. Jahrhunderts zum bitteren Ernst, zu gesellschaftlicher Notwendigkeit werden. Victor Mataja zitiert in seinem 1909 erstmals erschienenen Standardwerk zur Reklame[1] Max Schlesinger, der in seinen „Wanderungen durch London" (Berlin 1852) in bezug auf die Reklame von einem Ankündigungsfieber, von einer Allgegenwart der Annoncen spricht.

Schon 1850 gab der englische Pillenfabrikant Holloway 10–20 000 Pfund für die Reklame aus. 1869 stiegen die Werbekosten des Drogisten Helmbold in New York auf 250 000 Dollar pro Jahr.

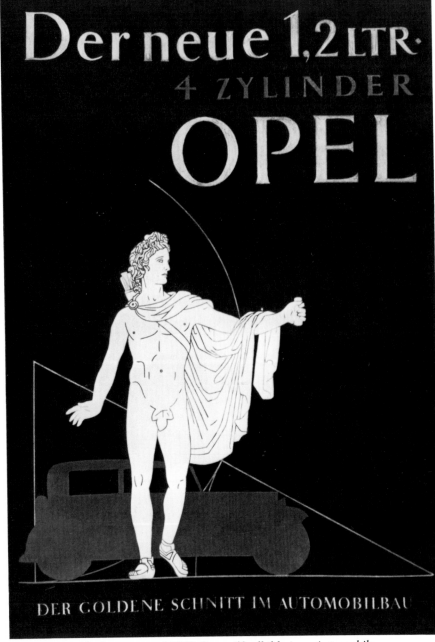

171 *Ernst Zoberbier entwarf 1932 dieses Idealbild eines Automobils.*

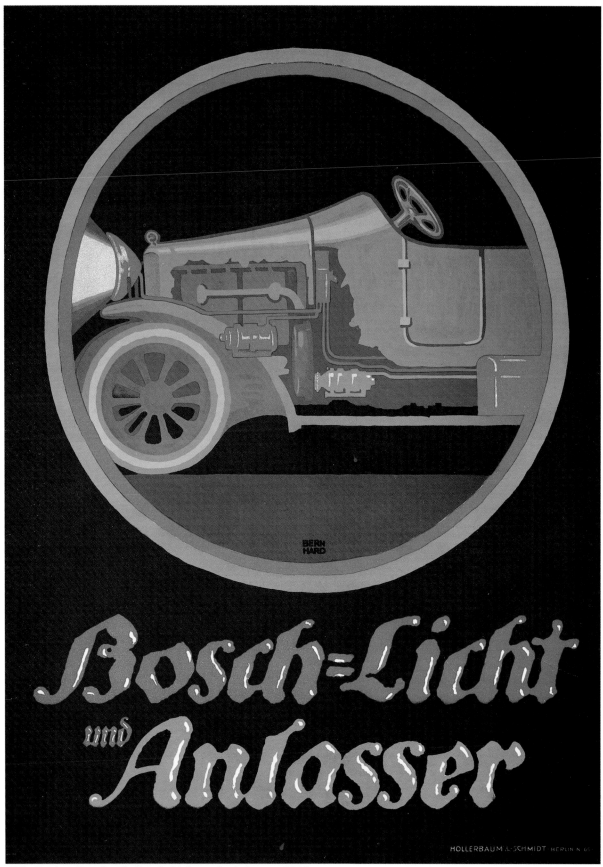

172 *Lucian Bernhard, Bosch-Licht und -Anlasser, 1913*

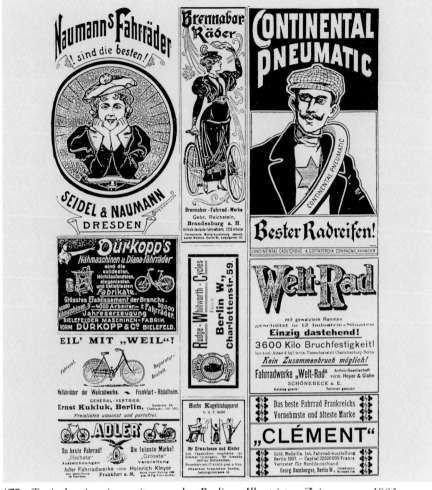

173 *Typische Anzeigenseite aus der Berliner Illustrirten Zeitung von 1903*

1916 wurde für die USA ein Anzeigenaufwand von 651 Millionen Dollar ermittelt. Aus Berechnungen der Anzeigensteuervorlage von 1908 ergab sich für das Deutsche Reich ein jährlicher Anzeigenertrag der Zeitungen und Zeitschriften von 412,3 Millionen Mark.[2]

Anläßlich der Berliner Gewerbeausstellung 1896 schrieb Georg Simmel: „Die Warenproduktion unter der Herrschaft der freien Concurrenz und mit dem durchschnittlichen Übergewichte des Angebots über die Nachfrage muß dazu führen, den Dingen über ihre Nützlichkeit hinaus noch eine verlockende Außenseite zu geben. Wo die Concurrenz inbezug auf Zweckmäßigkeit und innere Eigenschaften zuende ist – und oft genug schon vorher – muß man versuchen, durch den äußeren Reiz der Objekte, ja sogar durch die Art ihres Arrangements das Interesse der Käufer zu erregen. Dies ist der Punkt, an dem gerade aus der äußersten Steigerung des

materiellen Interesses und der bittersten Concurrenznoth noch eine Wendung in das ästhetische Ideal erwächst."[3]

Damit ist die Ideologie der Reklame entworfen und – nach vielen englischen Vorläufern – in deutscher Sprache gesetzt. Mataja formuliert die pragmatische Seite: „In unserer verkehrswirtschaftlich und arbeitsteilig organisierten Volkswirtschaft macht erst der *bewirkte* Austausch von Erzeugnissen den Verbrauch möglich, die Güterhervorbringung lohnend."[4] Und auf die Frage, was Reklame sei: „Antwort auf diese Frage ergibt sich aus der Betrachtung der Zwecke, denen sie dient. Ein Künstler, ein Schriftsteller mag sich mit der Steigerung seines Ansehens begnügen, ohne nach weiterem zu verlangen, die geschäftliche Reklame begehrt mehr. Sie will Geschäfte hervorrufen, also auf das Verhalten der Menschen Einfluß ausüben. Einem Zwange aber unterliegt

niemand, man kann nur Vorstellungen und Beweggründe erwecken, die dorthin leiten, wohin man will. Aus dieser psychologischen Grundlage heraus wächst die Reklame."

Wie diese Psychologie funktioniert, wußte man im englischen Sprachraum schon zu Beginn des Jahrhunderts. Da gab es in den USA eine Reklame für Kaffee-Ersatz, die Mäuse zeigte, an einem Kuchen knabbernd, verbunden mit dem Slogan „Kaffee knabbert Tag für Tag an Nerven und Gesundheit". Selbst in der besten Gesellschaft tat diese Anzeige Wirkung und verdarb den Leuten den Genuß am Kaffee.

In Deutschland war es die Dresdener Firma Lingner, die um die Jahrhundertwende Reklamegeschichte schrieb. Henriette Väth-Hinz beginnt ihre Monografie über das Markenprodukt dieser Firma: „Ein alltäglicher Gebrauchsartikel. Odol. Jeder kennt den Namen. Jeder weiß, welches Produkt damit gemeint ist. Nach über neunzig Jahren Anzeigenwerbung in Zeitungen, Fachzeitschriften und Illustrierten ist das Mundwasser in der Flasche mit dem Seitenhals so bekannt wie damals. Sie zitiert Julius Klinger, der 1912 selbstbewußt schrieb: „...eine unbescheidene Hoffnung hegen wir: daß unsere Arbeiten Kulturdokumente sein werden für die Art, wie der Kaufmann Anfang des 20. Jahrhunderts seine Waren anpries. Und vielleicht werden unsere Arbeiten dann interessanter sein, als die vielen, vielen Bilder, die in unseren Tagen zu Tausenden ohne Zweck, ohne Sinn gemalt wurden, und die nicht dazu beitragen, unserer Zeit einen nennenswerten Charakter zu geben."[5]

Eines dieser „Kulturdenkmäler" aus den fliegenden Blättern von 1904 haben wir abgebildet, die Odol-Flasche als zu errichtendes Denkmal (Abb. 176). Väth-Hinz beschreibt es im Vergleich mit einer weiteren Reklame, die das fertige Denkmal als dunkle Silhouette vor weiter Landschaft erhoben zeigt, so: „Beide Reklamemotive zeigen die Odol-Flasche auf einem Hügel, herausgehoben aus dem Getriebe der Stadt, sie werden Teil der Landschaft, der freien Natur. Von dort aus kann man sie zwar sehen, doch um sie näher betrachten zu können, muß man erst eine erhebliche Wegstrecke zurücklegen... Die besondere Lage spricht für die besondere Ab-

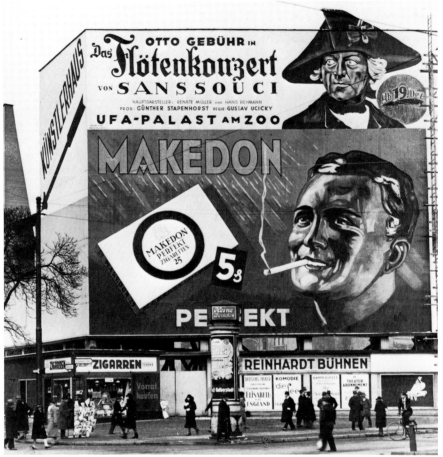

174 *Reklametafeln an der Baustelle für das Columbushaus am Potsdamer Platz, 1931. „. . . Dies ist keine Reklame-Ecke, sondern eine Kunstausstellung, wenn auch eine schlechte" (A. Behne, „Das neue Frankfurt", Nr. 3, 1926/27).*

175 *Leuchtreklame in der Tauentzienstraße Ecke Nürnberger Straße. „Der sonst in Schwarz getauchte Straßenzug, der finstere Platz existiert nicht mehr, die Reflexe der Apotheosen und Lichtquellen beseelen ihn". (Reinsch, Psychologie der Lichtreklame, 1929).*

sicht. Friedrich Gilly z. B. hatte sich eine solche besondere Lage für sein Friedrich-Denkmal erdacht. Das Denkmal sollte am Rande der Stadt liegen, um die ‚Sphäre eines solchen ‚Heiligtums' (den) profanen und skandalösen Auftritten' der Stadt zu entziehen. So erhält das Denkmal sakralen Charakter, wird zum Tempel und Heiligtum... Die Ware wird groß, der Mensch klein dargestellt, das Produkt fordert vom Betrachter Bewunderung, Gehorsam und Unterordnung."[6] In den Odol-Reklamen taucht das Produkt als Nischenfigur auf, als antike Gottheit, als Naturereignis aus groben Quadern, als Frauengesicht und Himmelszeichen. Alle Verführungskünste, zielstrebig aus der Kunst der Menschheitsgeschichte übernommen, werden der Ware zugeordnet, je nach Zielpublikum und Zweck. Der Katalog für alle zukünftige Werbung ist hier beispielhaft aufgeblättert. Klarer, scheinbar sachbezogener arbeitet Lucian Bernhard in seiner Bosch-Reklame von 1913 (Abb. 172). Gedruckt auf schwarzem Grund erscheinen eindeutige Symbole in Form und Farben: der Kreis als Zeichen der Vollkommenheit, das Rot für Dynamik und Kraft, das Grün als Spender, der dem Ganzen erst Leben gibt. Eine klassische Lösung, die in unendlich vielen Varianten Nachfolger gefunden hat, den symbolträchtigen Darstellungen des Mittelalters in nichts nachstehend.

Zu diesem Zeitpunkt war die Reklame-Welt auf die Zukunft hin disponiert, ihrer stürmischen Entwicklung war der Boden ideologisch und formal bereitet. „Die Reklame ist ja die Stätte des Frohsinns, der Zuversicht, sie kennt nur vorzügliche und unentbehrliche Dinge, sie kann von keinem Übel sprechen, ohne nicht sofort ein Mittel zur Behebung desselben aufzuweisen."[7]

Dieser Optimismus wurde durch den Ersten Weltkrieg und die katastrophalen Folgen gebrochen. Die wirtschaftliche Lage zwang zur Besinnung. Die Vielfalt der Handelseinrichtungen und die hohen Aufwendungen für Reklamezwecke machten die Waren zusätzlich teurer. So beschrieb Walther Rathenau mehrmals die Unwirtschaftlichkeit der Distribution und insbesondere der Kundenwerbung. Ebenso heftig begann erneut die Polemik gegen die Reklame. Sie sei eine unlautere Kunst geworden, die mehr

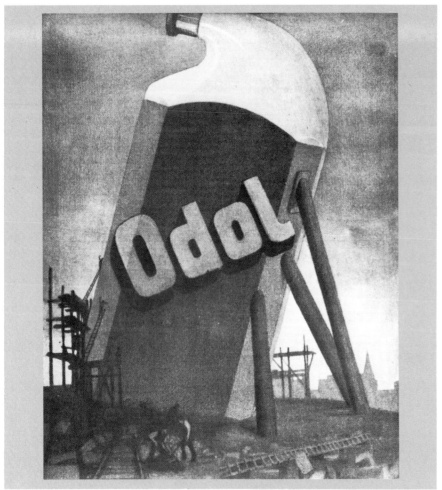

176 *Odol-Reklame aus den Fliegenden Blättern Nr. 3098 vom 9. 12. 1904. „Es do-*
kumentiert sich in dem Zurück- und Hineingreifen in die Ursprungsform das Su-
chen nach anderen Maßen, die elementar und unverrückbar sind. Die Technik, die
Architektur, Malerei und Musik sind gemeinsam auf dem Weg. Die Reklame er-
hebt sich in diesem Suchen als Flächengestaltung von einer alltäglichen in eine gei-
stige Atmosphäre" (Nelly Schwabacher, Reklame und Flächengestaltung, 1929).

auf Täuschung, Leichtgläubigkeit und
Dummheit als auf wahre Belehrung spe-
kuliere. 1920 wurde Matajas „Reklame" neu aufgelegt, verspätet und im Eil-
tempo begann, orientiert an den USA,
die Aufholjagd, die im zur Metropole
aufsteigenden Berlin der 20er Jahre ra-
send schnell gelang. Zwar wurde am Erscheinungsbild einzelner Reklamemaß-
nahmen noch erheblich kritisiert
(Abb. 174). Im Grunde wurde jedoch
für diese neue Kunst forsch gekämpft.
Adolf Behne schrieb 1926 unter dem Titel „Kultur, Kunst und Reklame":
„Kultur ist die Lieblingsphrase einer
Spezies Gebildeter, vor deren Seelengrö-
ße nichts nach Dante Alighieri zu bestehen vermag. – Also das ist Kultur. Und
nun Plakat und überhaupt Reklame!

Gibt es denn noch etwas gleich Verächt-
liches wie die Reklame?"
Am Beispiel der amerikanischen Reklame führte er aus: „Das nenne ich Kultur der Reklame! Weil es Reklame auf
eine menschlich reife und reine Art ist
und dies nicht durch geborgte Kunst,
sondern durch Lösung ihrer spezifischen Aufgaben vom Zentrum aus."[8]
Drei Jahre später, anläßlich der Weltre-
klameschau in Berlin 1929, bekannte
sich Behne euphorisch und vorbehaltlos zu dieser neuen und wahren Kunst.
Unter dem Motto „Kunstausstellung
Berlin" schrieb er: „Die schönste Kunstausstellung Berlins ist auch die billigste.
Sie ist umsonst geöffnet – Tag und
Nacht: Schaufenster und Giebelfronten
der Großen Kaufstraßen ... Soziolo-

gisch gesehen erfüllt das moderne
Schaufenster eine wichtige Funktion: es
holt die Masse an ein neues Kunstni-
veau hinan, gleicht die Kluft, die erst
meilenweit war, allmählich aus, hilft
einen neuen Vormarsch neuer Pioniere
vorbereiten ... Das Plakat hat gesiegt,
gesiegt über das Problem (der alten
Kunst, d. Vf.). Der komplizierte Bau
akademischer Komposition ist zerbrök-
kelt. Der Maler will einfach, durchsich-
tig, schick, dabei lieber vulgär als akademisch sein. Leicht sein, verständlich
sein ist keine Schande, ja selbst hübsch
sein keine Todsünde mehr. Ehrlicher
als der alte Tiefsinn ist das neue happy-
end auf jeden Fall ... Eine anti-bürgerli-
che Theorie füllte sich mit bürgerlichen
Inhalten, und das Resultat ist erstaunlich: Abbau der Monumentalität, zumindest der alten Monumentalität am
falschen Platze. Die neue Monumentalität ist Sache der Kalkulation, hängt direkt vom Umsatz ab ... Der Augenblick
siegte über die Ewigkeit. Mode über die
unsterbliche Renaissance, Konfektion
über Akademie, Werbung, Preisnotie-
rung über den goldenen Schnitt. Die
Front des Geschäftshauses ist keine Architektur mehr, sondern eine Schreibta-
fel. Und wäre die Tendenz zum Hochhaus noch ebenso stark, wenn unsere
Damen wieder lange Röcke trügen?
(Lange Röcke und Heimatschutz, lange
Beine und Hochhausfreude.) ... Die
Straße schafft – ein gewaltiges Kollektiv – den neuen Typ Mensch. Greta Gar-
bos Antlitz fasziniert von den Hauswänden herab die Passanten, seit der Antike
gab es nicht solche Götterbilder. Angeschlossen an die Passantenströme der
Straßen sind die Kinos. Ihre Reklame
beschäftigt ein Heer von Malern, die
nicht vor Campo-Santo-Dimensionen
zurückschrecken und die schnelle Vernichtung ihrer Werke nicht beweinen.
Hier wird den Menschen ihr geistig-see-
lisches Gewand von einem Riesenkon-
fektionstrust zugeschnitten und ver-
paßt, in rasender Eile. Was steht dem
homo sapiens 1929? Krieg? Pazifismus? Romantik? Neuer Erdteil? Groteske? Negertänze? Liebe? Schönheit?
– happy-end ... Größte permanente
Schönheitskonkurrenz der Welt – die
Straße der Großstadt. Das alles betrifft
das Niveau, die Serienherstellung des
neuen Menschen."[9]
Nichts könnte die Wichtigkeit und Wir-

kung der Reklame der 20er Jahre besser beschreiben als diese zeitgenössische Quelle. Vor diesem ‚Weltbild' würden auch die Zahlen zum Wirtschaftsfaktor „Werbung" verblassen. Berlin war Zentrum der Künste, vor allem der Reklamekunst in dieser Zeit. Die Opel-Werbung von 1932 (Abb. 171) läßt den von Behne totgesagten „Goldenen Schnitt" wieder aufleben. Die ideale Verbindung von Mensch und Technik, von Humanismus und moderner Welt suggeriert diese Reklame kurz vor dem Ausbruch der Barbarei, in der die Metropole Berlin zur braunen Provinz degenerieren sollte.

Weltbild und Reklamewelten

„Auf den Urkunden und Emblemen der Firmen regierten weiterhin die alten Götter, nur warben sie jetzt nicht mehr für Gerechtigkeit, Weisheit und Mäßigung, sondern für Eisenbahnen, Autos, Maschinen und Odol" (Väth-Hinz a.a.O.).

Über Berlin ist mit dem Bau des Europa-Centers an der Gedächtniskirche ein neuer Stern aufgegangen. Er dreht sich in alle Himmelsrichtungen: der Mercedes-Stern. Er kündet vom „Schaufenster der Freien Welt", ebenso wie das goldglänzende Springer-Hochhaus an der Mauer. Golden schimmert auch das Portal vom „Kaufhaus des Westens": Herrschaftszeichen unserer Welt, gebannt in Bildern, die unsere Straßen überschwemmen, Häuserfronten verdecken, mit den Medien in den letzten Winkel unserer Häuslichkeit vordringen.

Seit Urzeiten setzte der Mensch seine Welt in Bilder um. Grundsätzliche Funktion dieser Verbildlichungsprozesse, deren Ergebnisse wir für die Vergangenheit „Kunst" nennen, war und ist es, den Menschen zu befähigen, sich in seiner Umwelt planvoll und seinen Bedürfnissen entsprechend zu verhalten. Die Eigenart des „Bildes", als Ganzes zu erscheinen, durch eine überschaubare Gestalt „Welt" als überschaubare Einheit zu zeigen, macht dabei seine überregionale Wirkung aus.

Über lange Zeit ist der „Ort" des Bildes an feste Bereiche innerhalb der Gesellschaft gebunden, z. B. an Kirche und Palast. Heute ist der hierarchische Ort des Bildes durch die Allgegenwart der

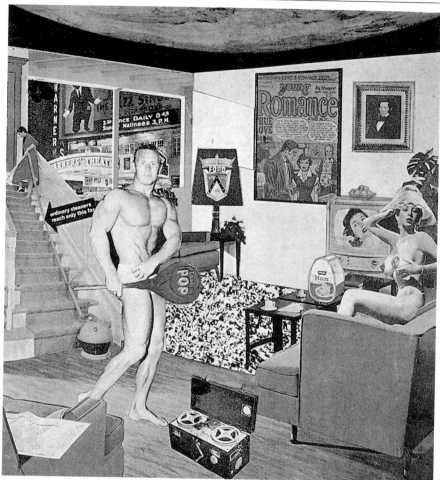

177 *Richard Hamilton, Just what it is that makes today's homes so different so appealing, 1956.*

neuen Bilder ersetzt worden. Anders als für die Vergangenheit ordnen wir den Bildern, die unsere Gegenwart bestimmen, nicht den Begriff „Kunst" zu (wie es noch A. Behne in den 20er Jahren tat) und verwischen damit deren Funktion.

Die Topologie von Begriffen, Bildgegenständen, Vorstellungsmustern aus der Menschheitsgeschichte ist zweckgerichtet verändert. An ihre Stelle ist der Konsumartikel, die Ware getreten. Unser visuelles Umfeld wird eindeutig von den Verbildlichungen der Konsumsphäre bestimmt. Sie gibt das „Bild" unserer Gesellschaft. Die Reklame formuliert das Weltbild. Die in der Geschichte vorgenommenen Verbildlichungen des Existenzraumes, die von uns den Begriff „Kunst" zugeordnet bekommen, unterscheiden sich in ihrer Funktion und Wirkung von den aktuellen Bildern nicht. Verbildlichungen beziehen sich in unserer Gesellschaft ebenso auf außerhalb der Kunst liegende Faktoren, wie das in der Geschichte der Fall war. Früher hießen sie „Thron" und „Altar", heute entsprechend „Kapital" und „Konsum". Nur nennen wir diese Bilder nicht Kunst, genau so wenig, wie vergangene Epochen ihre gültigen Verbildlichungen von Herrschaft und Religion mit dem Begriff „Kunst" versahen. Mit der Reklamekunst zeigt sich deutlich eine neue Epoche, die den Menschen nach ihrem Bilde schafft. Und da sich das Bild nicht auf die Identität des Menschen bezieht, sondern auf die Vielfalt der Waren, wird der einzelne extrem manipulierbar. Wenn ihm der Konsum verlorengeht, fällt er ins Bodenlose. Richard Hamiltons Collage von 1956 zeigt diese hohle Welt. Was ist aus dem Traum der 20er Jahre geworden? Ist das der „Neue Mensch", den Adolf Behne 1929 in der Reklamekunst für unser Jahrhundert geschaffen sah?

Jochen Boberg

Chicago und Moskau

Berlins moderne Kultur der 20er Jahre zwischen Inflation und Weltwirtschaftskrise

Im Jahre 1932 erscheint eine Broschüre mit dem Titel „Der Kampf gegen das rote Berlin oder Berlin – eine Unterweltsresidenz". Ihr Verfasser ist Heinrich Berl; die Broschüre erscheint in Karlsruhe. Die Art ihrer Argumentationsführung hat sicher wahnhafte Züge. Aber es sind Züge eines Phantombilds, das schon im 19. Jahrhundert von Schriftstellern, Sozialwissenschaftlern und Politikern in Tausenden von weltanschaulichen Broschüren über die Gefahren der Großstadt entworfen worden war. Die Viereinhalb-Millionen-Industriestadt erscheint jetzt als Schnittpunkt fremder Einflußsphären, als „Moskau und Chicago" zugleich:
„Chicago *oder* Moskau?
Chicago *und* Moskau! Berlin hat es fertiggebracht, diese scheinbaren Gegensätze in sich zu vereinigen.
Aber es sind ja nur scheinbare Gegensätze, wie wir gesehen haben. Es ist ja nicht zufällig, daß das tektonische Gesicht Berlins *amerikanisch-bolschewistisch* ist. Daß der neue Alexanderplatz ebenso in die Richtung Chicago wie Moskau weist.
Dieser neue Alexanderplatz ist *Symbol*.
Das Verbrecherzentrum erhält nach außen eine amerikanisch-bolschewistische Fassade. Dabei hat er seinen Namen von dem Zaren Alexander!
Die chicageske und moskowitische Invasion überschneiden sich sichtbar in der – *Unterwelt*."

Mythen und Phantombilder

Das Bild Berlins als Ort der Mischung fremder Einflußsphären hatte Tradition. Mark Twain erkannte in Berlin ein „europäisches Chicago". Voltaire fand eine Mischung von Sparta und Athen in Potsdam: „Sparta und Athen sage ich Euch: ein Lager des Mars und der Garten des Epikur." Für einen kurzen historischen Atemzug, in den zwanziger Jahren, wird Berlin die Metropole Europas, in der sich die Impulse aus der Sowjetunion mit den Impulsen aus den USA mischen: Alexander Tairows Moskauer Kammertheater mit Sam Woo-

ding und der Revue-Truppe Chocolate-Kiddies, russische und ungarische „Konstruktivisten" mit Elementen des „Fordismus", Pawlows und Bechterews „Reflexologie" mit Watsons „Behaviorismus", Chaplins „Goldrush" mit Eisensteins „Potemkin" oder Pudowkins „Sturm über Asien".[1] Hier wird in den Music-Hall-Balladen Walter Mehrings und den Mahagonny-Gesängen Bertolt Brechts ein von Amerikanismen geprägter Slang als Kunstsprache erfunden; hier konnte George Grosz schon während des Weltkrieges (1917) seinen „Gesang der Goldgräber" anstimmen:
„ . . . Schon treten die Ingenieure an,
Schwarzmagier in amerikanischem Sakkoanzug.
Amerika!!! Zukunft!!!"
Am 20. Januar 1931 erläutert der sowjetische Schriftsteller Sergej Tretjakow im „Russischen Hof", vor aufmerksamen Berliner Intellektuellen seine Thesen zum Problem „Der Schriftsteller und das russische Dorf". Mit Sarkasmus beobachtet Gottfried Benn, daß „das ganze literarische Berlin" zu Füßen des „russischen Agenten" sitzt und gebannt den Ausführungen Tretjakows über die Vernichtung der „Westeuropäischen Individualidiotismen" lauscht und beginnt, sich über die „Anlage einer Obstplantage in der Nähe der Fabrik" Sorgen zu machen.[2] 1922 war noch die russische Emigrantenbühne „Blauer Vogel" das „Entzücken des kunstverständigen Berlins" gewesen, dessen Akteure mit Schriftstellern und Malern des Sturm-Kreises verkehrten. Der „Blaue Vogel" residierte damals in der Goltz-Straße, Berlin-Schöneberg: „Der Vorhang hebt sich: Nischny-Nowgorods blaue Zwiebelkuppeln tauchen in glühendem Abendhimmel auf, wechseln mit dem verschneiten Petersburg für eine Szene, die Katharina die Große, Potemkin, Derschain und Suworow auftreten läßt."
Carl Zuckmayer erinnert sich: „Die Luft war immer frisch und gleichsam gepfeffert wie im New Yorker Spätherbst, man brauchte wenig Schlaf und war niemals müde." Und er konstatiert zugleich: „Es gab einen ohne Unterlaß

fluktuierenden Einfluß des östlichen russischen Wesens auf das geistige Leben Berlins, der produktiver, anregender war als das meiste, was damals aus dem Westen kam." Der russische Schriftsteller Ilja Ehrenburg bemerkte dagegen Mitte der zwanziger Jahre, daß Berlin ein Vorposten des „Amerikanismus" sei.
Mythen haben reale Macht, auch in den Köpfen ihrer Kritiker. Ernst Bloch entwirft in seinen 1935 gesammelten Skizzen, Essays und Kommentaren zur „Erbschaft dieser Zeit" ein Bild von Berlin als Ausnahmezustand im Deutschen Reich. Er erklärt diese Stadt zum „lehrreichsten Ort", an dem sich wie nirgends sonst der „Hohlraum" studieren läßt, der durch den „Einsturz" der Strukturen der alten Gesellschaft entstanden ist. Das ganze übrige Land, konstatiert er, ist „Front gegen Berlin"; Provinz, in der noch Bodenmythos, Haß gegen Rationalisierung und „panische Bindungen" überwiegen, die im Asphalt dieser Stadt nie haben Wurzeln schlagen können: „Das geheime Deutschland solcher Observanz (oder Anti-Berlin) hat zwar keine Kraft mehr zu Bauernmöbeln oder Votivbildern, doch auf dem Giebel seines Hauses kreuzen sich Pferdeköpfe, Mythos bewacht die gute Stube. Dies geheime Deutschland ist ein riesiger, ein kochender Behälter von Vergangenheit; er ergießt sich vom Land gegen die Stadt, gegen Proletariat und Bankkapital ‚zugleich', er ist tauglich zu jedem Terror, den das Bankkapital braucht."[3]
Berlin, umzingelt von dem *Rest* des Reiches, das in älteren Strukturen verharrt, während die Metropole mit einem Ruck in die Moderne gestoßen ist. Bis in die politischen Strategien beherrscht dieses Berlin-Bild die Köpfe, auch der Sozialisten, die davon ausgehen, daß diese Stadt eine „reine" Anschauung von der Industriegesellschaft vermittle, weil sie keine feudalen Reservate mehr zulasse. An keinem Ort meint Bloch, ist die „Navigation im Up-to-date-Meer" so günstig wie an diesem: „Dieser Ort zog zuerst wieder frische Luft ein. Arbeitete mit geliehenem Geld, füllte sich die geflickte Tasche. Berlin hat in Deutsch-

178 *Beliebter Treffpunkt: Die Normaluhr am Bahnhof Zoo. Foto: Friedrich Seidenstücker, 1935*

land den Krieg gewonnen, die Stadt liegt spätbürgerlich ganz vorn. Sie hat wenig ungleichzeitige Züge ... Berlin scheint vielmehr außerordentlich ‚gleichzeitig‘, eine stets neue Stadt, eine hohl gebaute, an der nicht einmal der Kalk recht fest wird oder ist."[4]

Bemerkenswert, daß die Berlin-Mythen um die vernichtende, um die Mahlstrom-Eigenschaft dieser Stadt kreisen. „Uns schien", schreibt der Kunsthistoriker Wilhelm Hausenstein 1929, „es gebe in Berlin, über Berlin, unter Berlin eine verhängnisvolle Kraft, die alles immer wieder zu annullieren vermöge: das Sein dem Nichtsein gleichsetzen, die Position der Negation – und so fort."[5] Und Richard Huelsenbeck, der zu Beginn der 20er Jahre noch den Berliner Dadaismus groß gemacht hat, klagt jetzt: „Berlin ist eine Bewegung ohne Mittelpunkt. Deswegen wird man bald ein wenig irrsinnig in Berlin. Lebst du

vom Verkehr allein? Du willst Substanz sehen."[6] Aber gerade das Versprechen Berlins, ein Ort der „Annullation" und der Mischung der Sphären zu sein, machte seine Anziehungskraft für die großen Architekten, Schriftsteller, Musiker und Theaterleute dieser Zeit aus. An keinem anderen Ort in Deutschland setzte sich der Strukturwandel zur „modernen Industriegesellschaft" so rapide durch wie in Berlin, der größten europäischen Industriestadt, die in den Jahren 1920 bis 1928 noch einmal 458 000 Zuwanderer aufnehmen mußte. Berlin wirkte auf die zeitgenössischen Beobachter wie eine Lupe, unter der sie neue Phänomene der „Massengesellschaft" und der „Massenkommunikation" (ein Begriff, der 1923 in Berlin geprägt wurde) erstmals beobachteten. Vom soziologischen Standpunkt ist es für René König das Kennzeichen der ‚Zwanziger Jahre‘, daß in diesem Zeit-

raum nicht bestürzend neue kulturelle Leistungen entstanden, sondern daß bestimmte Ideen, Haltungen und Formen, die in den verschiedenen Avantgardeströmungen seit der Jahrhundertwende experimentell und in relativ exklusiven Kreisen entwickelt worden waren, jetzt zum „Massengut" werden und sich gleichzeitig mit einer neuen Sozialstruktur sowie mit der besonderen politischen Wirklichkeit, die wir als Weimarer Republik bezeichnen, vereinen.[7] In seinen Erläuterungen zum Begriff der „Roaring Twenties" hat René König zu erklären versucht, warum ein so schmerzlicher Prozeß wie die Modernisierung, die Massen von Städtebewohnern aus ihrer traditionellen Bindungen riß, dennoch den Stoff für faszinierende Bilder bieten konnte: „ ‚Roaring‘ erweckt gleichzeitig die Assoziation vom lauten Brüllen der Leute, vom Heulen, Brausen und Donnern; es bezieht sich aber auch auf ein prasselndes Feuer, auf etwas Ungeheures und Außerordentliches, auf ein schallendes Gelächter, eine durchschwärmte Nacht, ein kapitales Geschäft. Manches bezieht sich gewiß auf die spezifische Situation der unmittelbaren Nachkriegszeit mit ihrem Dammbruch der Leidenschaften, die alle während des Krieges zurückgedrängt waren. Anderes betrifft die wirtschaftliche Hochkonjunktur der gleichen Periode vor und nach der Inflation in Deutschland. Wieder anderes weist allgemein auf die lauten, vielgestaltig brodelnden oder prasselnden Massen hin, womit sich zuerst der Begriff der ‚Massengesellschaft' ankündigt, wenn auch am Anfang nur blaß, um dann allerdings während der zwanziger Jahre sehr schnell an Profil zu gewinnen."[8]

Einig sind sich die Sozialwissenschaftler in der Annahme, daß die Herausbildung der „Massengesellschaft" mit dem plötzlichen Anwachsen der Masse der Angestellten zusammenhängt und daß Berlin der Ort war, an dem sich, wie schon Siegfried Kracauer im Jahre 1929 feststellte, die Lage der Angestellten am extremsten darstellte. Einige Zahlen können diese Annahme verdeutlichen: Lag um die Jahrhundertwende die Relation der Angestellten zu den Arbeitern im Deutschen Reich noch bei 1:13, so ist sie im Jahre 1925 auf die Relation 1:4 gestiegen. Berlin hat zu dieser Zeit 150 067 Niederlassungen von Handel und Verkehr. Die Stadt ist als Verwaltungszentrum des Deutschen Reiches Ort gewaltiger Bürokratien. Hier liegt das Zentrum des gesamten deutschen Wertpapiermarkts und der Börse; 37 Banken haben hier z. T. mehrere Niederlassungen. Man rechnet mit ca. 870 000 Angestellten und Beamten. In seinen Beobachtungen kommt Kracauer 1929 zu dem Schluß, daß Berlin die Stadt der „Angestelltenkultur" sei, das heißt einer „Kultur, die von Angestellten für Angestellte gemacht und von den meisten Angestellten für Kultur gehalten wird. Nur in Berlin, wo die Bindung an Herkunft und Scholle soweit zurückgedrängt ist, daß das ‚Weekend' große Mode werden kann, ist die Wirklichkeit der Angestellten zu erfassen."[9] Im Gegensatz zu den zeitgenössischen Beobachtern dieses neuen „grauen Heers" (Theodor Geiger), das sie als

ideales „Einzugsfeld falscher Ideologien" oder Nährboden des „autoritären Charakters" beschrieben, wird in der neuen Soziologie auch auf die „Modernität" dieser sozialen Gruppe hingewiesen. Hier erscheinen die Angestellten als traditionslose, d. h. besonders mobile, zukunftsoffene, technisch-industriell geprägtem Lebensstil zuneigende Sozialgruppe. Vom Konsumverhalten bis zur rationellen Familienplanung wird der Angestellte auch als „Agent der Modernisierung" entdeckt.[10] Das steht nicht in Widerspruch zu Kracauers Beobachtungen, löst sie aber von ihren kulturkritisch eingefärbten Wertungen. Es erklärt auch, warum viele der berühmten literarischen Berlin-Bilder von Alfred Döblin, Walter Mehring und Siegfried Kracauer Berlin als eine riesige *Zirkulationsmaschine* begreifen können, die die festgefrorenen Grenzen von Herkunft und Klasse aufmischt. Bei Kracauer heißt es: „Die vier Millionen sind nicht zu übersehen. Die Notwendigkeit ihrer Zirkulation allein verwandelt das Leben der Straße in die unentrinnbare Straße des Lebens, ruft Staffagen hervor, die bis in die vier Wände dringen ... Durch ihr Aufgehen in der Masse entsteht das homogene Weltstadtpublikum, das vom Bankdirektor bis zum Handlungsgehilfen, von der Diva bis zur Stenotypistin eines Sinnes ist."[11]

Großstadt und Wahrnehmung

Das Bild Berlins als „Metropole der Angestelltenkultur" läßt allzu leicht vergessen, daß Berlin zu dieser Zeit die größte Industriestadt des deutschen Reiches ist. Begünstigt durch die natürlichen Wasserstraßen und die Kanäle als billige Transportwege und den Westhafen, der 1927 eröffnet wird, konzentriert sich in Berlin ein Zwölftel aller deutschen Industriebetriebe mit insgesamt 297 771 Niederlassungen und 1 770 140 Beschäftigten, 2 341 Großbetrieben (mit über 50 Beschäftigten). In dieser Zusammenballung der Industrie dominierte die Elektroindustrie (Siemens, AEG) und die Maschinenbauindustrie (Borsig). Im Norden Berlins lag das Zentrum des Siemenskonzerns, in seinem Zentralwerk Siemensstadt arbeiteten 50 000 Menschen (vgl. Bd. I, S. 148 ff.). Der AEG-Konzern hatte seine Produktionsstätten vor allem im

Stadtteil Wedding (vgl. Bd. I, S. 324 ff.). Die OSRAM-GmbH wurde in den 20er Jahren zu einem der größten Glühlampenhersteller der Welt. In der chemischen Industrie erlebte der Schering-Konzern seit 1924 eine Hochkonjunktur, die erst 1931 unterbrochen wurde (vgl. Bd. I, S. 346 ff.) Von diesen Industrieanlagen wurde das Stadtbild unterschiedlich geprägt. Die größeren Fabrikanlagen waren meist ausgelagert. In Stadtvierteln wie Kreuzberg (380 000 Einwohner) war die Industrie in Tausende von Hinterhoffabriken zersplittert (vgl. Bd. I, S.198 ff.). Die Bekleidungsindustrie war ohnehin in unzähligen Kleinstbetrieben über Berlin zerstreut. Die Auslagerung der großen Fabrikanlagen war auch die Ursache für die Verkehrsströme dieser Stadt, für den Pendelverkehr, mit dem Millionen Werktätige bis zu 40 Kilometer in der Stadt zurücklegen mußten (vgl. Bd. I, S. 98 ff.). Der Großteil der viereinhalb Millionen Einwohner dieser Stadt ist einer Wohnform unterworfen, die „Mietskaserne" heißt. Werner Hegemann, der 1930 eine Untersuchung dieser „größten Mietskasernenstadt der Welt" veröffentlicht, kommt zu dem Ergebnis, daß diese Metropole als städtebaulicher Körper ein „steinerner Sarg" ist. Sein Vergleich mit anderen Großstädten erhellt diesen Begriff: „In der größten Stadt der Welt, in London, wohnen durchschnittlich 8 Menschen in jedem Haus; in Philadelphia wohnen 5, in Chicago 9, in der Insel- und Wolkenkratzerstadt New York 20, in der eingeklemmten alten Festungsstadt Paris 38 Menschen in jedem Haus. Aber in Berlin, das sich wie London, Chicago oder Philadelphia ungehemmt im flachen Land entwickeln konnte, wohnen durchschnittlich 78 Menschen in jedem Haus, und die meisten dieser Kasernen sind gartenlos." In ca. 600 000 Wohnungen ist jedes Zimmer mit mehr als 4 Personen besetzt. Für eine halbe Million Kinder fehlten Spielplätze. Nach der Berechnung des Reichsarbeitsministeriums fehlen 450 000 Wohnungen, und 300 000 Wohnungen sind abbruchreif. Diese Vergegenwärtigung des Grads der Zusammenballung der Menschen auf dem städtischen Areal soll hier Beobachtungen über die Form der Wahrnehmung in der Großstadt einleiten. Als Ansatzpunkt dient eine Reihe von Zeitungsberichten, die ein Jahr nach der Revolution in einer Zeitung des Berliner Ullstein-Konzerns erscheinen: Am 13. November 1919 kündigt die „Berliner Morgenpost" ein Preisausschreiben an. Das Konzept ist offensichtlich in Zusammenarbeit mit der Berliner Kriminalpolizei entwickelt worden. Alarmiert durch die hohe Zahl unaufgeklärter Verbrechen („In jeder Woche wird in Berlin mindestens ein Mord ver-

179 *3 Uhr morgens im Romanischen Café – die Kellner machen Endabrechnung. Foto: Felix H. Man, 1929*

übt"), sollen die Straßenpassanten aus ihrer „Gleichgültigkeit" gerissen werden und ihre Aufmerksamkeit auf die Identifikation der Gesuchten gerichtet werden: „Ein Redaktionsmitglied wird heute, Donnerstag, den 13. November 1919, in der Zeit von 8 Uhr früh bis 8 Uhr abends in den Straßen Groß-Berlins spazierengehen und fahren. Damit man ihn überall vor Augen hat, brachten wir seit gestern seine Photographie

an allen Litfaßsäulen Berlins. Wer unser Redaktionsmitglied als erster erkennt und mit dem Kennwort ‚Augen auf!' anspricht und verhaftet, hat die 2000 Mark gewonnen."[12]

Am 14. November meldet die Redaktion der Morgenpost, daß der Gesuchte nicht identifiziert wurde. Egon Jakobssohn, der Redakteur, dessen Fahndungsphotos an der Litfaßsäule prangten, berichtet am 16. November von seiner Odys-

see. Gegen 9 Uhr gibt er im Postamt Schöneberg I in der Hauptstraße einen Rohrpostbrief auf. Um 10 Uhr meldet er auf einer Ullstein-Filiale an der Potsdamer Brücke einen Diebstahl. Um 10.30 läßt er sich im Warenhaus Wertheim am Leipziger Platz photographieren. Er spaziert gegen Mittag ins Polizeipräsidium am Alexanderplatz und gibt eine Mitteilung im Vorzimmer der Kriminalpolizei ab, kauft sich am Nachmit-

tag im Warenhaus Jandorf in der Großen Frankfurter Straße eine Gurke, fährt mit der Untergrundbahn und der Straßenbahn nach Moabit, läßt sich im Friseurladen in der Paulstraße rasieren. Eine Woche später wird das Experiment wiederholt. Wieder sind der von Kriminalkommissar Vonberg verfaßte Steckbrief und seine Photographie in allen Ullstein-Filialen und an den Litfaßsäulen Großberlins zu sehen. Zur Erleichterung der Fahndung ist diesmal aber angegeben, zu welchem Zeitpunkt sich der Gesuchte in welchen Bezirken aufhalten wird. „Der Gesuchte ist 1,72 Meter groß, schlank, Mitte 20, hat bartloses frisches Gesicht, lange Nase, etwas abstehende Ohren und dunkles Haar. Er trägt vermutlich dunklen Ulster und steifen schwarzen oder auch weichen Hut." Das Signalement eines Städtebewohners!

Diesmal wird dem Redakteur um 10.50 Uhr das Kennwort entgegengerufen. Es ist der dreizehnjährige Gemeindeschüler Willi Czerwinski aus der Boeckhstraße 2, dessen Geistesgegenwart den Gesuchten identifiziert. Ein „heller Junge". Sohn einer armen Witwe. Eine, will mir scheinen, noch in ihrer Sentimentalität aufschlußreiche Pointe.

Das Experiment gibt – etwas gegen den Strich gelesen – Aufschlüsse über das Funktionieren der Aufmerksamkeit in der großen Stadt. Bei der Wiederholung der Fahndung haben sich quasi ‚professionelle', nur für diesen Tag auf die Suche abgerichtete Berliner gefunden. Sie bilden einen Ring um die Orte, an denen der Gesuchte zeitplangemäß aufkreuzen müßte, teilen „Absperrungskommandos" ein, schicken „Patrouillen" durch die Warenhäuser, bilden „Riesenaufläufe" im Umkreis um bestimmte Ullstein-Filialen, blockieren den Verkehr . . . : was vor allem den Effekt hat, daß sie beginnen, sich gegenseitig zu verdächtigen und „Doppelgänger" zu jagen.

Man sollte Schlußfolgerungen nicht übertreiben. Aber die „Gleichgültigkeit", von der die „Morgenpost" sprach und der die Städtebewohner entrissen werden sollten, ist die natürliche Voraussetzung für die Zirkulation von Menschenmassen in der Großstadt. Sie mag den Anlaß zur Klage der Kulturkritiker und Kriminalkommissare bilden,

180 *Automatenrestaurant in den 30er Jahren. Die zweite industrielle Revolution hat den Reproduktionsbereich erfaßt.*

aber sie hat eine lebenswichtige *Funktion.* Ohne sie würde das Zusammenleben in diesen Ballungsgebieten blokkiert. Die beste Tarnung des Redakteurs, mit der er sich aus brenzlichen Situationen retten konnte, war die zielstrebige Handlung, die ihn in einem Funktionszusammenhang zeigte: das Kaufen einer Zeitung, die Meldung des Diebstahls, die Rasur beim Friseur. Verdächtig macht er sich, wo er Regeln zu verletzen scheint: beim Schwarzfahren wäre er beinahe ertappt worden, – aber als Schwarzfahrer und nicht als der, auf dessen Ergreifung 2000 Mark ausgesetzt waren. Der Anreiz der Prämie konnte natürlich den emotionalen Druck bei der Fahndung nach z. B. „dem Kindesmörder" nicht ersetzen. Wo aber emotionaler Druck in der Jagd nach der Prämie entstand, führte er nur zur wilden Verfolgung von – Doppelgängern.

In der Asphaltstadt bin ich daheim
Der Tatbestand, der hier registriert wird, ist nicht neu. Das ganze 19. Jahrhundert ist in der Romanliteratur, in sozialwissenschaftlichen Abhandlungen und Gedichten erfüllt von der Klage über die „Kälte" der Großstadt, die „Gleichgültigkeit" der Städtebewohner und das Verkümmern ihrer Wahrnehmungsformen. Neu ist, daß sich in den 20er Jahren die Einstellung zu diesem Tatbestand zu wandeln beginnt. Dieser Prozeß, der sich um die Jahrhundertwende anbahnt, erfährt im Berlin der 20er Jahre eine unerhörte Beschleunigung. An die Stelle der fatalen Klage über Anonymität, Monadenleben und Indifferenz tritt das *Einverständnis* mit den urbanen Bedingungen.
Diese Wende ist in Berlin auch theoretisch vorbereitet. Im Jahre 1903 hatte der Berliner Soziologe Georg Simmel zum ersten Mal darauf aufmerksam gemacht,

daß man mit den Kategorien der romantischen Städteklage die Wirklichkeit der Stadt als eines Funktionskörpers nicht erfassen kann. Seine Analyse, niedergelegt in „Die Großstädte und das Geistesleben", blieb lange unbeachtet. Erst Mitte der 20er Jahre wurde sie durch Leute wie Siegfried Kracauer, bis 1933 Vertreter des Berliner Feuilleton der Frankfurter Zeitung, in seinen Beobachtungen zum „Ornament der Masse" wieder aufgenommen. Inzwischen war diese funktionalistische Blickweise auf die Stadt jedoch auch durch die russischen und ungarischen Konstruktivisten und die holländischen, französischen und Bauhaus-Architekten nach Berlin getragen worden. Simmel hatte zum ersten Mal auf die „physiologischen Quellen" von Haltungen in der Großstadt und ihre Funktion aufmerksam gemacht. Mit seinen Schlußfolgerungen setzte er sich in Widerspruch zu einer langen Tradition der Kulturkritik des „Schreckbilds Stadt": Die „Indifferenz" des Großstädters, seine Reserviertheit, Apathie und „Nervosität" sind notwendige Überlebenstechniken im Funktionskörper der Stadt. Die Reibung von Millionen Körpern auf einem begrenzten städtischen Areal würde ein brisantes Gemisch ergeben, wenn nicht durch den Geldverkehr ein Element der Distanz beigemischt würde, das die Verhältnisse durch das „eiskalte Wasser der Berechnung" (Marx) abkühlte. Die Getrenntheit der Lebenssphären, die typische „Dissoziation" des Lebens in der Großstadt ist eine „elementare" und notwendige Form der Sozialisation des Großstadtbewohners. Der einzelne in der Großstadt gewinnt erst durch seine Reserviertheit, Indifferenz und Einsamkeit den nötigen Bewegungsspielraum. Den Preis, den der Großstädter dafür zahlt, ist indes hoch: „Die Freiheit des Menschen braucht sich in seinem Gefühlsleben nicht als Wohlbefinden zu spiegeln." Es kommt darauf an, daß die „eigenen Schwimmbewegungen im Strom" der Zirkulation nicht verkümmern.

Analyse und Rat hatten zum Zeitpunkt der Jahrhundertwende noch keinen Nachhall. Die Elite der Sozialwissenschaften auf den Akademien war – wie die großen Strömungen der Kunst und Literatur – antiindustriell und antistädtisch ausgerichtet. Während aber die Gelehrten der Sozialwissenschaften vor dem Krieg von 1914 ihren Unmut über die Moderne noch in der Behäbigkeit der akademischen Provinz umständlich abreagieren konnten (da machte Berlin keine Ausnahme), finden sie sich plötzlich nach 1918 in „einen tobenden Hexenkessel versetzt, in dem es keine provinziellen Schutzzonen mehr gab, in dem die Inflation unaufhaltbar die letzten finanziellen Reserven wegfraß, während um sie herum eine fast tobsüchtige Lebenslust spontan zum Ausbruch kam". Die Erfahrung, überfallartig in die Moderne hineingestoßen zu sein, rief in der Regel aber nur wildere Überwältigungsängste vor dem Lauf der Zivilisation wach, der befürchten ließ, daß er die ganze Erde in ein „mit Landwirtschaft durchsetztes *Chicago*" (Ludwig Klages) verwandeln werde.

Die populären sozialwissenschaftlichen Bücher dieser Zeit (Tönnies' „Gemein-

181 *Zoo-Musikpavillon, 20er Jahre. Osram Fotodienst*

schaft und Gesellschaft", 1887 erschienen, erlebte in den Jahren 1919–1935 vier Neuauflagen; Walther Rathenau: „Zur Mechanik des Geistes" von 1917; Werner Sombart: „Der moderne Kapitalismus", 1928; Ludwig Klages: „Der Geist als Widersacher der Seele", 1929–1932) vertiefen mit den Kategorien des 19. Jahrhunderts nur die fatale Klage der „Selbstentfremdung" in den Großstädten.

Inzwischen hat sich aber in weiten Schichten der Großstadt bis in das Bildungsbürgertum hinein ein Prozeß des Einverständnisses mit den urbanen Bedingungen angebahnt. Seit der Jahrhundertwende hatte es immer wieder Versuche gegeben, die Wahrnehmungsformen der Künste aus dem romantisch-pessimistischen Komplex der Abwehr herauszulösen und zu einem Ausgleich der künstlerischen Ideenbilder mit der industriellen Pragmatik zu

kommen. Dieser Versuch der Synchronisierung der Künste mit der Modernisierung wird für einen historischen Moment, den man die „roaring twenties" nennt, zu einem Element der Massenkultur. Wobei man das Wort „Massenkultur" mit der größten Vorsicht verwenden sollte. Es betrifft ein in Berlin auffällig großes Publikum, in dem die traditionelle Einstellung der Abwehr plötzlich in eine neue Haltung umkippt. Sie kippt um in das:

Einverständnis mit der „*Anonymität*" der Großstadt; denn sie bietet Schutz vor Kontrolle und bedeutet Zuwachs an Bewegungsspielraum;

Einverständnis mit der „*Entwurzelung*"; denn sie bietet die Chance der Mobilität auf dem Arbeitsmarkt und des Unterlaufens historisch gewachsener Hierarchien;

Einverständnis mit der *Kulturindustrie*, denn sie kann die Kluft zwischen dem

182–184 *Die Massenverkehrsmittel im Nahbereich Berlins lassen eine „Weekend"-Zivilisation entstehen. Noch gewährleistet kein Arbeitsschutzgesetz, daß das Gros der Arbeitnehmer überhaupt in den Genuß des ,weekends' kommen kann. Die 48-Stunden-Woche ist 1928 faktisch noch nicht durchgesetzt. Dennoch wird das ,weekend' nach amerikanischem Vorbild ab 1926 in Berlin propagiert. Oben: Ausflugslokal Alte Fischerhütte am Schlachtensee, um 1932. Kassensturz vor der Weiterfahrt. Foto: Friedrich Seidenstücker, um 1930 (r. u.). Die Modernisierung der Freizeit beginnt: „Bei Anwendung eines geeigneten Heizwiderstandes . . . kann die Automobilbatterie benutzt werden." Originalbildunterschrift (r. o.): „Der Detektorapparat mit Kopfhörern ermöglicht selbst einen Black-Bottom vor dem Wochenendzelt", Foto 1926.*

Monopol der exklusiven Kultur und
den Massenbedürfnissen nach Zerstreuung einebnen und avantgardistische Formen an die neuesten technologischen Entwicklungen der „Massenkommunikation" binden.[13]
Plädoyers für diesen Einstellungswech-
sel findet man in den Produkten von
Kunst, Literatur und Architektur, die
man der „Neuen Sachlichkeit" zurech-
net. Man kann sich die merkwürdigen
Konsequenzen dieses plötzlichen Um-
kippens einer Abwehrhaltung zur Zivilisation mit Hilfe eines Polaritätssche-
mas vor Augen halten. Die hier aufgeführten Gegensatzpaare hatten schon
seit dem Zeitalter der Aufklärung die
Streitschriften über die „Modernisierung" geprägt. Und der romantische
Affekt gegen die „Zivilisation" hatte in
der Regel den Pol von Symbiose/
Wachstum/Wärme positiv, den Pol von
Trennung/Planung/Kälte negativ besetzt. Die Mode der Urbanität verkehrt
diese Einstellungen, wie folgendes
Schema verdeutlichen soll:

Verwurzelung	– Mobilität
Symbiose	– Trennung
Wärme	– Kälte
Undurchsichtigkeit	– Transparenz
Wachstum	– Planung
Erinnerung	– Vergessen
Sammlung	– Zerstreuung
Organismus	– Apparat
Individuum	– Typus
Original	– Reproduktion
natürlicher Zyklus	– mechanische Zeit
Dunkelheit	– Helligkeit

Nicht nur die neue „Asphaltliteratur"
der 20er Jahre, auch Bauhaus-Archi-
tektur, Revue und industrielles Design
besetzen jetzt den Pol von Mobilität/
Kälte/Vergessen positiv. Plötzlich wird
die vertraute Entfremdungsklage der
Lebensphilosophie in ihr Gegenteil
verkehrt. Das alte Stereotyp vom
„Wunschbild Land – Schreckbild
Stadt" wird umgepolt. 1929 schreibt
Wilhelm Hausenstein in seinen „Eindrücken über Berlin": „Es befriedigt,
diesen blankgewichsten Asphalt zu sehen. Das Benutzte ist erfreulich; es ist
eine Parabel der Aktualität".[14] Und Bertolt Brecht, der im September 1924 endgültig nach Berlin übergesiedelt ist,
schreibt:
„Warum sollten wir uns deiner schä-
men, schwarzer Bruder Asphalt?

Der du sorgst, daß die ungeteilte Menge
Leichter gehe und keiner
Versinke im Schlamm? Helfen wir doch
lieber
Daß diese unaufhörlich Gehenden
Auch zu leichterer Arbeit gehen und in
trockene Wohnungen!
Warum diese Schmähungen?
Warum verhöhnen sie noch denjenigen
Den sie treten?"
An die Stelle des Schreckens vor der
Standardisierung tritt die Entdeckung
der Schönheit des industriellen Serien-
produkts. Die Aufwertung der „Kälte"
findet man gleichzeitig bei neusachlichen Schriftstellern wie in den Schriften
zur modernen Architektur. In Manife-
sten des Architekten Bruno Taut oder
Alexander Schwab für die „Ausküh-
lung" der Wohnung; in den Plädoyers
für die „kalten" beweglichen Stahlrohr-
möbel von Marcel Breuer.[15] Es gibt viele Indizien dafür, daß plötzlich ein

ästhetischer Reiz von der Betonung
des Helligkeit/Kälte/Transparenz-Pols
ausgeht. Die „Kälte"-Freaks der
„Neuen Sachlichkeit" werden bald
zum Gegenstand der Karikatur. Vor allem werden aber die traditionellen Vorbehalte gegen „die Technik" abgebaut.
So überstürzt dieser Versuch der „ent-
schlossenen Bejahung der lebendigen
Umwelt der Maschinen und Fahrzeu-
ge" (Gropius) ist, so exaltiert fallen viele Manifeste dieser plötzlichen Bejahung aus: Gedichte über summende
Elektrizitätswerke und singende Steyr-
wagen, über das Kolbenherz des Diesel-
motors und die Phantastik der Automo-
bilrekorde. Der Kulturkritiker Friedrich Sieburg meint schon 1926 vor der
„Anbetung von Fahrstühlen" warnen
zu müssen: „Welche Weltfremdheit
spricht doch aus dieser Ingenieurs-Ro-
mantik, die nicht versteht, wie ein Verga-
ser arbeitet und deshalb aus dem Po-

185 *Strandbad Wannsee, 1929 erbaut von Martin Wagner und Richard Ermisch*

chen von sechs Zylindern den Atem unserer Zeit heraushört."[16]

Mitte der 20er Jahre hatte der Soziologe Werner Sombart in seiner Vorlesung in Berlin noch ausgerufen: „Das Motorrad aber ist des Teufels!", wobei das Motorrad wahrscheinlich für alle Symptome der Moderne stehen sollte.[17] Doch inzwischen liegt es den Schriftstellern einer jüngeren Generation am Herzen, sich in Motorrad-Ausrüstung auf ihrem Krad fotografieren zu lassen. Der „Gentleman-Schriftsteller" Arnolt Bronnen erhält für den Vorabdruck seines Buches „Film und Leben Barbara La Marr" in der Ullsteinzeitschrift „Die Dame" 12 000 Mark, kauft sich davon ein schnelles Auto, um „durch die Straßen Berlins, ein Tiger im Asphalt-Dschungel", zu sausen.[18] Am 1. April 1922 antwortet Alfred Döblin, der, 1878 geboren, schon als Junge von Stettin nach Berlin gezogen ist und Anfang der

20er Jahre im Berliner Osten als Spezialarzt praktiziert, auf die Frage, wie er als Künstler die Metropole Berlin erfährt, folgendermaßen: „Nichts verstehe ich von Mathematik und Maschinen, aber eine surrende Dynamomaschine in einem Keller, an dem ich vorbeigehe, wühlt mich auf... Berlin ist wundervoll. Die Pferdebahnen gingen ein, über die Straßen wurden elektrische Drähte gezogen, die Stadt lag unter einem schwingenden, geladenen Netz. Dann bohrte man sich in die Erde ein; am Spittelmarkt versoff eine Grube; unter der Spree ging man durch bei Treptow, der Alexanderplatz veränderte sich, der Wittenbergplatz wurde anders: das wuchs, wuchs! Am Leipzigerplatz der zauberhafte Wertheimbau, eine Straßenfront, wie belanglos ihr gegenüber das Herrenhaus, das Haus der ertrunkenen, schon längst begrabenen Herren. Am Schiffbauerdamm, in der Brunnen-

straße, die A.E.G.: eine Lust! und weiter draußen in Tegel Borsig, und in Oberschöneweide noch einmal die A.E.G...."[19] 1929 berichtet der Kunsthändler Paul Westheim von einem neuen Habitus des neusachlichen Dandys. Er setzt sich in Situationen der Anspannung und Nervosität zur Auffrischung seiner Energien eine Zeitlang an den Potsdamer Platz, den damals verkehrsreichsten Platz Europas, um sich „wie eine halbe Stunde am Strand, wie Ebbe und Flut" von den Verkehrsströmen die Nerven beruhigen zu lassen.[20] Ein Gestus – auffällig genug, um von Westheim berichtet zu werden –, der sich auf der Grundlage des Einverständnisses mit der Stadt erhebt.

1926 findet man in einem Artikel des Architekten Hannes Meyer, der ein Jahr später die Leitung des „Bauhaus" übernimmt, die ganze Skala der Umpolungen, in der die lange Zeit verfemten zivi-

lisatorischen Errungenschaften plötzlich positiv bewertet werden: „,,Ford'
und ‚Rolls-Royce' sprengen den Stadt-
kern und verwischen Entfernung und
Grenze von Stadt und Land. Im Luft-
raum gleiten Flugzeuge: ‚Fokker' und
‚Farman' vergrößern ˉunsere Bewe-
gungsmöglichkeiten und die Distanz
zur Erde; sie mißachten die Landes-
grenzen und verringern den Abstand von
Volk zu Volk. Lichtreklamen funken,
Lautsprecher kreischen, Claxons ras-
seln, Plakate werben, Schaufenster
leuchten auf: Die Gleichzeitigkeit der
Ereignisse erweitert maßlos unseren Begriff von ‚Zeit und Raum', sie berei-
chert unser Leben. Wir leben schneller
und daher länger. Unser Sinn für Geschwindigkeit ist geschärfter denn je,
und Schnelligkeitsrekorde sind mittelbar Gewinn für alle. Segelflug, Fall-
schirmversuche und Varietéakrobatik
verfeinern unser Gleichgewichtsstre-
ben. Die genaue Stundeneinteilung der
Betriebs- und Bürozeit und die Minuten-
regelung der Fahrpläne läßt uns bewuß-
ter leben. Mit Schwimmbad, Sanatori-
um und Bedürfnisanstalt bricht die Hygiene ins Ortsbild und schafft durch
Wassercloset, Fayence-Waschtisch und
-badewanne die neue Gattung der sani-
tären Töpferei. ... Bouroughs Rechenmaschine befreit unser Gehirn, der Par-
lograph unsere Hand, Fords Motor unsern ortsgebundenen Sinn und Hand-
ley-Page (ein Verkehrsflugzeug, d. Vf.),
unsern erdgebundenen Geist. Radio,
Marconigramm und Telephoto erlösen
uns aus völkischer Abgeschiedenheit.
Grammophon, Mikrophon, Orche-
strion und Pianola gewöhnen unser Ohr
an das Geräusch unpersönlich-mechani-
sierter Rhythmen: ‚His Masters Voice',
‚Vox', und ‚Brunswick' regulieren den
Musikbedarf von Millionen Volksgenossen. Die Psychoanalyse sprengt das
allzu enge Gebäude der Seele, und die
Graphologie legt das Wesen des Einzel-
wesens bloß. ... Die Tracht weicht der
Mode, und die äußerliche Vermännli-
chung der Frau zeigt die innere Gleichberechtigung der Geschlechter. ... Unsere Wohnung wird mobiler denn je:
Massenmietshaus, Sleeping-car, Wohn-
jacht und Transatlantique untergraben
den Lokalbegriff der ‚Heimat'. Das
Vaterland verfällt...“[21]
Alle diese Errungenschaften, von Bouroughs Rechenmaschine im Groß-

raumbüro bis zur Rundfunkstation in
der Masurenallee, dem Zentralflughafen
(vgl. Bd. I, Abb. 473) und den Experimenten mit Fernsehbildern (vgl. Bd. I,
Abb. 466–469), der Institution für Se-
xualforschung und dem Jazz –, sie traten in keiner Stadt so massiv in Erscheinung wie im Berlin der 20er Jahre.
Hier scheint die „neue Welt“, die sich
der Architekt für die „Halbnomaden
des Wirtschaftslebens“ erträumt, hier

Wannsee. Mit vielen, 1926 noch provo-
kativ gemeinten Forderungen hinkt der
Schweizer Architekt hinter dem Standard, der sich bereits in der Kulturindustrie Berlins durchgesetzt hat, her, wenn
er fordert:
Statt Waldhorn – das Saxophon;
statt Kopie der Lichtreflexe – Gestaltung
des Lichtes selbst (Licht-Bild, Licht-Or-
gel, Bild-Photographie);
statt plastischer Nachbildung einer

186 *Das neuartige Konzept des Wannseebades setzt prinzipiell keine Grenze für die
Benutzerzahl. Untereinander verbundene Umkleideräume und Aufbewahrungssy-
steme ersetzen die einzelnen Kabinen des vorherigen, von Ludwig Hoffmann entworfenen und abgebrannten Strandbades. Die Massenbenutzung des neuen Bades
sollte mit billigen Eintrittskarten in kurzer Zeit die Baukosten einbringen. Das Bad
als Element einer gezielten Freizeitpolitik der Stadt Berlin, die der Reproduktion der
Leistungsfähigkeit dient, ist zugleich ein Aspekt der Sozialpolitik (Ludovica Scarpa,
vgl. S. 126 ff.).*

scheint der Lebensraum, der sich um
den Pol von Mobilität/Transparenz
und mechanische Zeit lagert, bereits
vorfindbar. Berlin hat auf die provokati-
ven Devisen des Avantgarde-Architek-
ten bereits eine Antwort. Die *Avus* bedient das Bedürfnis nach Schnelligkeits-
rekorden. Und wenn der Künstler fordert: „Das Stadion besiegt das Kunst-
museum, und an die Stelle schöner Illusion tritt körperliche Wirklichkeit.
Sport eint den Einzelnen mit der Masse.
Sport wird zur hohen Schule des Kollek-
tivgefühls“ so antwortet Berlin mit seinen *Sechstagerennen im Sportpalast*,
mit dem modernsten *Strandbad im*

Bewegung – die Bewegung selber (als
Simultanfilm, Lichtreklame, Eurythmie);
statt Skulptur – die Konstruktion;
statt Karikatur – die Photoplastik;
statt Drama – den Sketch;
statt Oper – die Revue;
statt Freske – das Werbeplakat.
Die Berliner Schlager und Revue-Songs
haben inzwischen die Modernisierung
als Thema schon aufgenommen. In ihnen wird man jedoch eher ein skepti-
sches Einverständnis als die vorbehalt-
lose Zustimmung finden, wie sie aus
dem Artikel des modernen Architekten
spricht. In ihnen wird das Einverständ-

nis eher ironisch reserviert formuliert wie in dem Titelsong einer der berühmtesten Berliner Revuen von Schiffer/Spoliansky „Es liegt in der Luft", die 1929 mit Marlene Dietrich und Margo Lion in den Hauptrollen über die Bühne geht:

Es liegt in der Luft eine Sachlichkeit,
Es liegt in der Luft eine Stachlichkeit.
Es liegt in der Luft, es liegt in der Luft . . .

Was ist heute in der Luft los,
Was ist heute mit der Luft bloß?
Durch die Lüfte sausen schon
Bilder, Radio, Telefon.
Durch die Luft geht alles drahtlos,
Und die Luft wird schon ganz ratlos.
Flugzeug, Luftschiff, alles schon,
Hört, wie's in den Lüften schwillt,
Ferngespräch und Wagnerton.

Und dazwischen saust ein Bild.
Fort mit Schnörkel, Stuck und Schaden
Glatt baut man die Hausfassaden.
Nächstens baut man Häuser bloß
Ganz und gar fassadenlos!

Krempel sind wir überdrüssig,
Viel zu viel ist überflüssig:
Fort die Möbel aus der Wohnung,
Fort mit, was nicht hingehört.
Ich behaupte ohne Schonung,
Jeder Mensch, der da ist – stört!!!

Hier mischt sich, wie in vielen anderen Berliner Schlagern dieser Zeit, das Einverständnis mit den zivilisatorischen Novitäten mit einer ironischen Reflexion, die zwar an die alten Vorbehalte erinnert und die finsteren Einwände der Kulturkritik flüchtig berührt, in ihrer Leichtigkeit aber und ihrer Nähe zum Räsonnement mithilft, das emotionale Feindbild der Stadt abzubauen. Das ist, wie wir sehen werden, die Qualität vieler populärer Schlager Berlins. Und die Revuen bilden hierbei so etwas wie eine Schule moderner Mentalität. Wenn vom Angestellten als von einem „Modernisierungsagenten" die Rede ist, so wäre der Anteil der Kulturindustrie an diesem Wandel der Mentalität noch zu untersuchen. Die großen Berliner Revuen versuchen (nicht nur bühnentechnisch), den neuesten Entwicklungen auf dem Fuße zu folgen. Schon 1925 geht die Haller-Revue „Achtung! Welle 505" über die Bühne, die die Entwicklung des Rundfunks in Szene setzt. Wenig zuvor, im Oktober 1923 waren in

Berlin die ersten regelmäßigen Rundfunk-Unterhaltungssendungen ausgestrahlt worden.
In der oben schon zitierten Antwort Alfred Döblins auf die Frage nach seiner Erfahrung der Großstadt (Vossische Zeitung vom 16. 4. 1922) klingt auch schon ein Gedanke an, der die neue Attitüde des neusachlichen Schriftstellers zu der alten Klage der Kulturkritik über die „Verdinglichung" vorzeichnet. Beinahe 10 Jahre später wird Brecht diese neue Haltung auch theoretisch formulieren: Das *Einverständnis mit einem Prozeß, der alles in die Zirkulation der Waren hineinreißt,* Zahnpasta, Gedicht und Wecker, – und weder dem Künstler noch dem Publikum ein Schutzreservat beläßt, in dem er sich vor dem Markt verbergen könnte. Bei Döblin heißt es noch vorsichtig: „In so einem Warenhaus ist mir nichts unsympathischer als die Bücherabteilung; die Abteilung zwischen Nachttöpfen und Brennscheren ist mir ein zu gewaltiger Zynismus des Handelsherrn. Sie ist eine Unverschämtheit, aber eine famose, ich könnte es nicht besser machen. Das ganze hat mächtig inspirative Kraft". Ist Döblins Reaktion, aus dem „gewaltigen Zynismus der Handelsherren" einen ästhetischen Reiz zu gewinnen, mitgeprägt vom dadaistischen Blick, der diesen Zynismus noch zu übertrumpfen suchte, so gehört es Mitte der 20er Jahre schon zum Stil nicht nur der mondänen Berliner Zeitschrift „Die Dame", sondern auch der weit verbreiteten BIZ (Berliner Illustrirte Zeitung), überraschende Kombinationen von kostbarem Kulturdokument und profaner Ware zu präsentieren. Dabei haben beide Zeitschriften einen deutlichen Hang zur exquisiten Ware, die den Status erhöht. So erscheint ein nachgelassenes Stück von Arno Holz' Dichtung „Phantasus" neben der Telefunken Radio-Reklame; neben der Novelle von Arthur Schnitzler steht die Großaufnahme des Rotationssaales, in dem die Ullstein-Illustrierte gedruckt wird; ein Gespräch mit Thomas Mann, die HAUTANA-Reklame, Mercedes-Benz, BMW-Motorräder, Fotoreportagen, Übersetzung eines Rudyard-Kipling-Gedichts durch Brecht, Foto des Malers George Grosz in seinem Atelier, DULMIN-Enthaarungscrème, Continental Autoreifen, Oskar Kokoschka, Elbeo-Seidenstrümpfe . . .

Im snobistischen Appeal dieser Zeitschriften setzt sich langsam eine Gewöhnung durch, für die später kaum eine Kombination, die der Markt herstellt, noch Elemente der Überraschung hat, und deren „Zynismus" kaum mehr wahrnehmbar ist. Der Markt hat das Auge an eine Art der Montage gewöhnt, die kurz zuvor in den Veranstaltungen der Berliner Dadaisten noch provozierendes Kunstmittel war.
Das Einverständnis mit der Kulturindustrie wird in der Weimarer Republik von Bevölkerungsschichten getragen, deren Vertrauen zu den tradierten Haltungen durch Kriegserfahrung und Inflation nachhaltig erschüttert worden war. Sie erfuhren den Wandel ihrer Einstellung *nicht* als Anpassung, sondern als zeitgemäße Form der Skepsis, als Reflex der Demokratisierung, als zivilen Ungehorsam gegenüber einer Gesellschaft, die unverkennbare Spuren des Militarismus trug, als Anschluß an die „politikfreie" Modernität Amerikas. Viele entdecken jetzt die Großstadt als einzigen Lebensraum, in dem eine moderne und interessante Existenz möglich ist. „Natur ist nicht mehr das Große Andere zur Gesellschaft, sondern Erholungsgelände, Grünfläche, die hinter der bebauten Zone kommt."[22] Der Massenverkehr im Nahbereich Berlins ließ hier eine *Weekend-Zivilisation* entstehen.

Weekend

Der Prozeß, der sich in diesem Zeitraum abspielt und mit dem Namen „Neue Sachlichkeit" versehen ist, ist als „Verdoppelung der zweiten industriellen Revolution in Alltagswelt, Kultur und Psyche" beschrieben worden (Sloterdijk). „*Rationalisierung*" wurde zum Kernbegriff der wirtschaftlichen, politischen und kulturellen Diskussion der Zeitgenossen. Die 1924 einsetzende Rationalisierungswelle in den Großbetrieben bedeutete steigendes Arbeitstempo, erhöhte Intensität, verschärftes Kontrollsystem (Stücklohn, Akkord, Stoppuhr), Ausdehnung industrieller Strategien auf den Konsumbereich durch Reklame und Bedürfnissteuerung, „innere Industrialisierung" durch Psychotechnik, Arbeitsmedizin, Arbeitersport. Der Kampf der Gewerkschaften um das freie Wochenende und das Entstehen der Weekend-Zivilisation zeigt gerade in Berlin die beiden Seiten der Moderni-tät.[23]

1928 ist der Kampf der Arbeiter- und Angestelltengewerkschaften um eine ununterbrochene Arbeitspause von an-derthalb Tagen in weiten Bereichen noch ein Fernziel. Eine Rede des Berli-ner Bürgermeisters Scholtz im Frühjahr 1926, in der er das freie Wochenende propagierte, löst heftige Diskussionen über die umstrittenen Ladenschluß- und Kontorschlußzeiten aus. Eine Neufas-sung des Arbeitsschutzgesetzentwurfs soll gewährleisten, daß das Gros der Arbeitnehmer überhaupt in den Genuß des Weekends kommen kann. Die 48-Stunden-Woche ist zu diesem Zeit-punkt faktisch noch nicht durchgesetzt. Auch der neue Gesetzentwurf von 1928 kennt noch einen Maximalarbeitstag von 10 Stunden bzw. „eine Maximalar-beitswoche von 58 Stunden nur für ju-gendliche und weibliche Arbeitneh-mer". Besonders drückend ist die Lage der Angestellten im Einzelhandel. „Das heutige Recht", heißt es 1928, „kennt als Regel den 7-Uhr-Werktagsschluß mit der Möglichkeit der Verlängerung bis 9 Uhr an höchstens 20 Tagen im Jahr". Dabei ist jedoch bekannt, daß der offi-zielle Ladenschluß keineswegs Arbeits-schluß bedeutet. Darum ist für den Deutschen Handlungsgehilfenverband das freie Wochenende noch ein erkämp-fenswertes Ziel, für das es sich aus „hy-gienischen, kulturellen und sozialen Gründen" einzusetzen lohnt.

1927 wird in den Ausstellunghallen des Berliner Messeamtes die Ausstellung „Das Wochenende" veranstaltet, die mehr als eine halbe Million Besucher anzieht. Zwar hat man zur künstleri-schen Leitung der Ausstellung Hans Ba-luschek bestellt, der die Ausstellung auf „den Grundton Heimat" abgestimmt hat, aber in der Argumentation der In-teressenverbände, die diese Initiative unterstützen, überwiegt bereits der Hin-weis auf den volkswirtschaftlichen Nut-zen des Weekends. Dieser wird in allen Aspekten in einem Buch erläutert, das 1928 unter dem Titel „Das Wochenen-de. Anregungen zur praktischen Durch-führung" mit einem Geleitwort des Stadtrats und Vorsitzenden des Auf-sichtsrats der BVG, Ernst Reuter, ver-öffentlicht wird. In ihm wird vom Blick auf die Unfallstatistik bis zur Erläute-rung der Preispolitik der Reichsbahndi-

rektion, von der Wochenend-Strategie der Deutschen Bank bis zur Funktion des Rundfunks am Wochenende das „weekend" nach amerikanischem Vor-bild propagiert. Interessant, daß jetzt auch der „Naturfaktor" im Lichte des Kernbegriffs der „Rationalisierung" er-scheint: „Diese Fühlung mit der Erde ist nicht symbolisch, sondern wörtlich, materiell, physikalisch zu verstehen. Es kann gar kein Zweifel bestehen, daß das Herumliegen im Sande, auf dem Gras, auf dem Waldboden stärkende Wirkung zeitigt, die von der Erde kommt und nicht nur von dem Sonnen-licht, das den leichtbekleideten Körper bestrahlt. Wir wissen, daß beispielswei-se die *gewöhnliche Ackererde radioak-tiv* ist, und die neue Strahlungsfor-schung macht uns mit immer mehr Strahlungsarten bekannt, von denen wir früher keine Ahnung hatten und de-ren Wirkungen auf den Körper wir an-deren Faktoren zuschoben."

Strahlendes Pathos der Neuen Sach-lichkeit auch in den Erwägungen über den volkswirtschaftlichen Nutzen der „Deutschen Turnerschaft" mit ihren 1 700 000 Mitgliedern: „Zur einfachen Ausrüstung eines Turners gehören 1–2 Turnhemden, 2 Turnhosen und 1 Paar Turnschuhe. Hierfür muß der Turner im Jahr durchschnittlich 10 Mark aufwen-den, was … die ansehnliche Summe von *17 Millionen* im Jahr ausmacht."

Auch die Leichtathletik mit ihrer Mehr-belastung durch Wolltrikot, Reserve-hemden und Reisetasche kommt auf den ansehnlichen Betrag von 2,5 Millio-nen. Der Fußballbund hat zu dieser Zeit einen Mitgliederbestand von annä-hernd einer Million. Schon allein die Anschaffung der Fußballstiefel würde, wenn nur die Hälfte der Mitglieder des Bundes aktiv wäre, die runde Summe von 18 Millionen RM ergeben. Rechnet man den Bau von Turnhallen, die katho-lischen Kraftsportvereine und die Arbei-ter-Turn- und Sportvereine (je ungefähr 825 000 Mitglieder) hinzu und berück-sichtigt man auch den durch die Sport-bewegung ausgelösten Reiseverkehr, so entdeckt man den „nicht zu unterschät-zenden Wertfaktor" des Weekends.

Eine schöne Illustration für die neue Erschließung der Weekend-Zivilisation bieten die Tips für die „Weekendauto-mobilisten", die den Berlinern 1928 ge-geben werden: „Darüber hinaus hat das

Motorrad wie das Kleinauto besonders für das Camping und den Transport der ambulanten Wirtschaft ungeahnte Vor-teile. Die Mitnahme eines größeren Zel-tes, das unter Zuhilfenahme des Autos selbst zu einem behaglichen Wohnzelt ausgebaut werden kann, macht keiner-lei Schwierigkeiten. Die im Auto befind-lichen Gummivorleger oder Teppich-läufer finden im Zelt die praktischste Nutzanwendung. Reichliche Mitnah-me von Trinkwasser ist ebenfalls not-wendig und gewährleistet. Die Verstau-ung des Lebensmittelproviantes berei-tet keinerlei Schwierigkeiten. Die her-ausnehmbaren Lederpolsterungen der Wagensitze leisten hervorragende Dien-ste als Kopfkissen. Das für den Motor benötigte Benzin dient gleichzeitig als Heizstoff, wobei man sich des Kochers nach Art einer Lötlampe bedient. Die Suchlampe des Wagens mit ihrem lan-gen beweglichen Kabel eignet sich her-vorragend als Deckenbeleuchtung des Zeltes. Notfalls kann man auch den Wa-gen so aufstellen, daß seine Scheinwer-fer die Beleuchtung für das Zelt liefern. Die Rundfunker haben außerdem noch in ihrem Wagen ein ungeahntes Hilfs-mittel zur Installation des Rundfunks. Sie haben den Vorteil, daß sie bei An-wendung eines geeigneten Heiz- wider-standes zur Heizung der Anodenröhren die Automobilbatterie benutzen kön-nen und darum keinen schweren Akku-mulator mitzuschleppen brauchen."

Langsam bildet sich hier eine moderne Sprache des Weekends heraus, in der „Natur" nicht mehr den Gegenpol zum Schreckbild der Zivilisation bildet. Zweifellos finden im oben zitierten Text Listen und Tricks ihren freundlich-zivi-len Zweck, die in Extremsituationen des Kriegs erfunden worden waren. Gerade aber dies gehörte mit zum Pathos der Neuen Sachlichkeit: gegen den Wider-stand der nach wie vor herrschenden, zivilisationsfeindlichen Ideologie (die gegen die Anwendung modernster Technologie im Krieg nicht viel ein-zuwenden hatte), die Einbeziehung modernster Technologien in den gehei-ligten Kulturbezirken der Freizeit und des Konsumbereichs zu propagieren. Die Begeisterung, die Henry Fords Produktion des Kleinautos „Ford-T" damals entzünden konnte, hing ent-schieden auch mit dieser ideologischen Situation zusammen. Der „Amerikanismus" (vgl. S. 282 ff.) war ein Reflex auch des Kampfes gegen die vorherrschende Kulturkritik. Die Idee des „weekends" und ihre noch tastenden Realisierungen im Bezirk der Weimarer Republik sind wichtige Versuche, „die Natur" in den Komplex der Zivilisation zu integrieren. Ihre Ausklammerung ist immerhin ein Moment der deutschen Unheilsgeschichte.

„Natur" war aber nicht nur außerhalb der Steinmauern der Stadt Berlin zu finden. Stadtbaurat Martin Wagner förderte in dieser Zeit planmäßig die Anlage von Grünzonen in städtischen Kerngebieten, und es zählte zu den besonderen Eigenschaften der Berliner Stadtlandschaft, daß in ihr 136 000 Kleingärten integriert waren. 1925 betrug die von der Berliner Laubenkolonistenbewegung bearbeitete Fläche 7 Prozent des städtischen Areals. Auch hier wird der volkswirtschaftliche Nutzen errechnet: Die

worden.[24] Nach dem Vorbild von Coney-Island, New York, sollte hier ein Vergnügungspark und ein großes Etablissement entstehen. 1910 konnte man schon den millionsten Besucher im Lunapark begrüßen. Seine Attraktionen waren das Luna-Welt-Kino, das Zeppelin-Karussell, die Wasserrutschbahn, das Spiegelkabinett, wechselnde Völkerschauen und Sensationen wie der Auftritt der überlebenden Matrosen der „Titanic" (1912). Während des Krieges wird zeitweise eine Fleischkonservenfabrik zur Heeresversorgung auf dem Gelände des Lunaparks untergebracht. Am 23. Mai 1920 eröffnet der Lunapark wieder seine Tore. Der Tanzpalast ist inzwischen nach Ideen der expressionistischen Künstler Max Pechstein und Rudolf Belling neu gestaltet worden. 1924 kommt ein Radio-Haus hinzu, ein „Automobilrennen in der Luft", und die ersten Miß-Wahlen ergänzen 1925

gen der „Berliner Funkstunde" 68 000 Besucher auf das Gelände des Lunaparks. Im gleichen Jahr bildet die elektrisch betriebene Autorennbahn einen neuen Anziehungspunkt. Die größte Schwimmhalle Europas ist als Wellenbad konstruiert. Eine Eisenbahnbrücke verbindet das Sonnenbad auf dem Dach des Wellenbades mit der Sommereisbahn. Striptease auf der Attrappe eines Ozeanriesen, Kabarett im Luna-Palais, Dauertänzer Fernando tanzt 142 Stunden mit etwa 400 Partnerinnen. Ausstellung über die Fremdenlegion, Piratenschiff, Jazz-Konzerte ... Das ganze Konzept scheint dem Gehirn eines Dadaisten entsprungen zu sein –, aber haben diese nicht vielmehr von den Collagen der Weltausstellungen und Lunaparks gelernt? Bis 1929 registriert der Park 50 Millionen Besucher. 1933 beginnt man unter der Devise „Freilegung des Parks von den unschönen Aufbauten. Der Besen des Neu-Deutschland fegt hinweg, was des Wegfegens wert ist" mit dem Abriß der Wasserrutschbahn und umliegender Bauten.

Kabarett und Revue

Auch in Kabarett und Revue wird seit Beginn der 20er Jahre die alte Frontstellung der Hochkultur zur trivialen Massenkultur durchbrochen. Kabarett und Revue sind als Publikumsattraktionen einerseits selbst Symptom der Erschütterung des alten Kulturgefüges. Andererseits bieten sie „moderne" Haltungen zur Zivilisation, zur neuen Demokratie, zur Industriearbeiterschaft an, mit denen das Publikum die Erfahrung der Zerstörung der großen Konvention verarbeiten kann.

Vom Umfang dieser über die Stadt verstreuten, kleinen kulturellen Transformatoren macht man sich heute keine rechte Vorstellung mehr. Im Jahre 1922 zählte man in Berlin allein 32 Kabaretts. 1926 zogen die Berliner Revuen täglich bis zu 11 000 Besucher an. Das bedeutet zwar keine plötzliche Umwälzung des Verhaltens in der Vier-Millionen-Stadt. Gemessen aber an der hysterischen Reaktion eines Großteils der Weimarer Presse auf Erscheinungen der Modernisierung, kann die neue Attraktion doch als Zeichen dafür gewertet werden, daß sich ein Wechsel der Einstellung im großen Publikum an-

187 Die berühmte „Scala" in der Lutherstraße – hier traten, unter vielen anderen, der Clown Grock und der „Hellseher" Hanussen auf. Foto: H. Hoffmann, 1929

Kleingärten erwirtschaften jährlich für rund 112 Mio. Mark Obst, der jährliche Bedarf an Baustoffen, Drahtzäunen, Brunnen, Düngemitteln, Pflanzen, Farben und Geräten beträgt 2,7 Millionen Mark, die gezahlte Pacht für sonst ödliegendes Land etwa 1,25 Mio. Mark.

Lunapark

1904 waren am Kurfürstendamm 124a die Terrassen am Halensee eröffnet

die Attraktionen. 1926 wird die Riesenleuchtfontäne-Wasserorgel, eine der Sensationen der Pariser Weltausstellung von 1925, im Halensee installiert, die längste Rolltreppe Europas mit einer Förderleistung von 8 000 Menschen pro Stunde wird in Betrieb genommen, Max Schmeling gewinnt hier die deutsche Meisterschaft im Halbschwergewicht gegen Max Dieckmann. Am 6. August ziehen die Veranstaltun-

188 *Die Scala-Girls posieren vor dem Eingang der „Scala". Foto: Herbert Hoffmann, 1929. 1926 zogen die Berliner Revuen täglich bis zu 11 000 Besucher an.*

bahnt. In den massenhaft besuchten Veranstaltungen werden Werte (Mobilität/Transparenz/technische Reproduzierbarkeit) positiv besetzt, die ein größeres Verständnis von Haltungen in der Industriearbeiterschaft erschließen helfen (ein unproblematischeres Verhältnis zur „Maschine", ein entspannteres Verhältnis zur sexuellen Freizügigkeit, ein angstloseres Verhältnis zur Anonymität).

In den *Kabaretts* der Nachkriegszeit mischen sich Haltungen des politischen Radikalismus mit Kunstformen der Avantgarde, die Propaganda sexueller Libertinage mischt sich mit melancholischem Abschied von Revolutionsideen, und ein Zynismus, der alle Vereinbarungen der herkömmlichen Moral aufzukündigen scheint, verbindet sich mit naivem Spaß an Slapstick und Zirkusnummer. Im Kabarett „Montag-Abend", das ab 1926 regelmäßig im Schubertsaal

in der Bülowstraße stattfindet, verbindet eine der ersten Berliner Jazz-Bands, „Weintraubs Syncopators", die Rezitation von Gedichten Klabunds, Brechts, Ehrensteins und Mynonas. In Max Reinhardts Kabarett „Schall und Rauch", das 1919 im Keller unter dem Großen Schauspielhaus eingerichtet wird, ist zwar der Abstand zur „hohen" Kunst, die sich auf der höheren Etage abspielt, noch eingehalten; allein – im Keller arbeiten die Künstler, die diesem Berliner Jahrzehnt ihren Stempel aufdrücken werden: John Heartfield, George Grosz, Walter Mehring. Kabarett-Künstler wie Rosa Valetti, Gussy Hell und Paul Graetz verhelfen den Chansons von Tucholsky, Mehring und Klabund zu größten Erfolgen. In Trude Hesterbergs „Wilder Bühne" treten Kate Kühl und Margo Lion auf, die später zusammen mit Marlene Dietrich Star der Berlin-Revue „Es liegt in der Luft" sein

wird; hier singt auch 1922 Brecht seine „Legende vom toten Soldaten".

Das Berliner Kabarett in den frühen 20er Jahren erscheint in mancher Hinsicht als ein Laboratorium, in dem sich die materialistischen Elemente in der Tradition des Berliner Gassenhauers,[25] der satirischen Volkslieder und der soldatischen Parodien, die während der Hungerzeiten des Krieges und Nachkriegs ins Kraut geschossen waren, mit Formen des französischen Chansons und Elementen des Jazz verbinden. In den alten Parodien, die im Krieg nach der Melodie patriotischer Durchhaltegesänge gesungen waren,[26] wird schon ein Ton angestimmt, den man später in den Berliner Schlagern wiederfinden wird. Nach der Melodie „Alle umschlingt uns ein festes Band/Einig im Kampfe fürs Vaterland" sang man: „Dörrgemüse, trocken Brot, Marmelade, Heldentod."

189 „Gretel Grow, gestern noch Berliner Sekretärin, heute Revuekünstlerin in Hollywood..", so die Überschrift zu dieser Abbildung im UHU, 1931.

In diesen Parodien auf patriotische Texte deutet sich allmählich der lässig-materialistische, neusachliche Ton an, der sich offenbar leicht mit dem Berliner Dialekt amalgamierte. Aus der Zeit nach dem Weltkrieg, aus den ersten Revolutionsmonaten stammt eine Morgenrot-Parodie aus Berlin, in der es heißt:

„Morgenrot, Morgenrot,
Schieber haben große Not.
Durchgebrannt sind all die Hohen.
Sind ins Ausland jetzt – ins Bad gereist.
Das Wandern ist des Müllers Lust."
Dem Lied der sogenannten „Valuta-Mädchen" der Inflationszeit mit ihrem Schlager: „Ich liebe Dich weil Du Devisen hast" (1922) und dem beliebten Schlager „Wer wird denn weinen, wenn man auseinandergeht, wenn an der nächsten Ecke schon ein andrer steht" antwortet ein Chanson von Willi Kollo mit einem ironischen Blick auf die von der Neuen Sachlichkeit geforderte Fä-

higkeit zur schmerzlosen Trennung. Typisch auch hier – wie in vielen neusachlichen Texten – daß der Frau die Rolle zugemutet wird, die Sachlichkeit zu verkörpern, während der verlassene Mann – als die problematischere Natur – in melancholische Betrachtung versinkt:

Jetzt geht's der Dolly gut!
(vorgetragen von Max Hansen)

Vor'ges Jahr genau um diese Zeit
War ich verlobt,
Was bin ich heut'?
Meine Freundin Dolly war sehr nett,
Doch neulich las ich in der „BZ":
Jetzt geht's der Dolly gut,
Die sitzt in Hollywood
An einem Tisch
Mit Lilian Dish.
Die kennt den Harold Lloyd,
Die kennt den Conradt Veidt,
Wen kennt sie nich'?

Ich glaube mich!
Dabei hab ich ihr hundert Mark geschenkt,
Damit sie immer, an mich denkt.
Jetzt geht's der Dolly gut,
Die sitzt in Hollywood!
In USA –
Und ich steh da.

Es gibt im Berlin der 20er Jahre viele gelungene Beispiele für den Versuch, einen populären *und* intelligenten Ausgleich zwischen Hochkultur und Trivialität zu schaffen. Im Refrain eines erfolgreichen Chansons, der von Ilse Bois vorgetragen wurde und dessen Text und Musik Friedrich Holländer schrieb, verbindet sich ein Wortwitz, der von Morgenstern oder Ringelnatz stammen könnte, mit einem ironischen Seitenblick auf die Mode des Amerikanismus:

„Meine Schwester liebt den Buster, liebt den Keaton.
Und sie sieht ihn in jedem Mann.
Alle Männer sind nur Nieten gegen Keaton.
Und sie sieht ihn
Sich täglich an.
Alle Männer sind nur Rester gegen Buster,
Und sie schwärmt für ihn von Neujahr bis Silvester!
Meine Schwester liebt den Buster, liebt den Keaton,
Und sie zieht ihn
Sich Chaplin vor."

Seit Mitte der 20er Jahre verschiebt sich der Schwerpunkt zu den großen Revuen; sie öffnen die Theater für weite Publikumsschichten, für die das Theater bis dahin verschlossen war, und verdrängen zeitweise selbst die Operette. Dabei ist es das Verdienst Rudolf Nelsons (vgl. Abb. 212), mit seinen Kleinen Revuen im Theater am Kurfürstendamm eine Kombination von Show und aktuell satirischen Nummern geschaffen zu haben. Friedrich Holländer, Marcellus Schiffer und Mischa Spoliansky können daran anknüpfen mit erfolgreichen, zeitkritisch getönten Kabarettrevuen. Tonangebend sind in Berlin aber drei große Produzenten von Ausstattungs-Revuen: Erik Charell, der in den Jahren 1924 bis 1927 drei große Revuen inszenierte (An Alle!, Für Dich!, Von Mund zu Mund), Herrmann Haller und James Klein.

Die Berliner Revue wird in diesen Jahren selbst zum Orientierungspunkt der Theater-Experimentatoren. Noch 1925 mußten Bernhard Reich und Walter Benjamin feststellen: „Zwischen der Revue und den Phantasiekräften der Bewohner der großen Städte steht der Kordon der Bildungstrabanten, unter ihnen der Dichter ... Die Revue hat es nicht nötig, in scheuem Bogen um das vom Dichter besetzte Gebiet herumzugehen, sie mag frech eindringen.“[27] Sie preisen eine Revue mit Trapezkünstlern und Clownerien, Kinoreklame auf dem Theatervorhang und einem Bühnenraum, in dem „die Maschinerie zum vielbewunderten Akteur“ wird. Sie fordern eine Revue, die in Szenenreihen zerschnitten ist, in der phantastischer Ortswechsel so schnell durchgeführt wird, daß der Eindruck entsteht, als ob New York und Moskau, wie auf einer Landkarte, nur eine Handbreit auseinander seien und die Welt wie eine Anzahl bunt und wild aufeinanderwirkende „Kraftfelder“ dargestellt ist.

Man beginnt in Kreisen der linken Intelligenz, das Berliner Publikum „mit seinem Hang zum hundeschnäuzigen Skeptizismus“ und „exaltierten Snobismus“ (Paul Westheim) zu idealisieren. Man findet im Publikum der großen Revuen „mehr Aufrichtigkeit“ als im Publikum des traditionellen Theaters. „Das Berliner Publikum handelt in einem tiefen Sinne wahrheitsgemäß, wenn es diese Kunstereignisse mehr und mehr meidet“, meint Siegfried Kracauer. „Hier im reinen Außen trifft es sich selber an, die zerstückelte Folge der splendiden Sinneseindrücke (in den Revuen, d. Vf.) bringt seine eigene Wirklichkeit an den Tag.“ Und Brecht sekundiert, indem er sich auf die Seite des Revue-Publikums stellt, den Spieß umdreht, und die Kritik gegen die Statthalter der Kultur richtet: „Die Geschmacklosigkeit der Massen wurzelt tiefer in der Wirklichkeit als der Geschmack der Intellektuellen“. Und: „In ihren geschärften Instinkten handeln diese auf die Richtigkeit ihrer Analysen materiell angewiesenen Leute so, als ob die Wurzeln ihres Geschmacks in der gesellschaftlichen und ökonomischen Situation dieser Massen steckten.“

Mitte der 20er Jahre treffen all diese Wunsch-Konzepte höchstens auf Erwin Piscators Versuche zu und einige Vor-

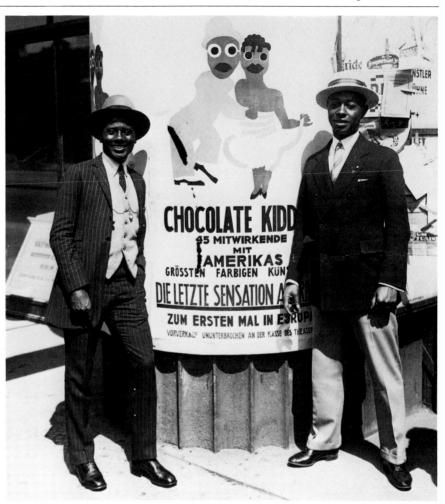

190 Mitglieder des Ensembles der „Chocolate Kiddies“ vor einer Litfaßsäule in der Potsdamer Straße während ihrer Gastspielreise 1925

stellungen von Alexander Tairows Moskauer Kammertheater, das 1923 und 1925 in Berlin gastiert. Piscator, der „Zaubermeister der Apparate und Apparaturen, der auf Menschen einwirken wollte im hellen Werkstattlicht“, der die Bühne in eine Maschinenhalle und den Zuschauerraum in einen Versammlungsraum wandeln wollte, entwickelte ein ganzes Register neuer Formen der Revue; 1924 in der „Revue Roter Rummel“ und 1925 in „Trotz alledem“, einer Historischen Revue aus den Jahren zwischen 1914 und 1919 in 24 Szenen mit Zwischenfilmen.

Jetzt werden die Berliner Revuen auch durch gastierende amerikanische Revuen angeregt. Als im Sommer 1925 der Jazz-Pianist Sam Wooding mit der Revue-Truppe Chocolate-Kiddies in Berlin auftritt, regt das die expressionistischen Komponisten Ernst Křenek und Kurt Weill zu eigenen Versuchen in „ameri-

kanischen Rhythmen“ an. Während Křenek sein Musical „Jonny spielt auf“ komponiert (dessen Musik, wie man sagte, mehr einer Mischung von Puccini und Ellington glich), instrumentiert Kurt Weill 1927 die „Mahagonny-Lieder“ für Bertolt Brecht und schafft die Musik zur „Dreigroschenoper“. In der „Dreigroschenoper“, die 1928 im Theater am Schiffbauerdamm aufgeführt wird, schießen die produktiven Elemente aus Kabarett, Revue und Jazz zusammen. Die Mythen und Feindbilder der Gangsterstadt, das alte London und das neue Berlin; das unterirdische Labyrinth und die Planquadrate des politischen Lebens, die geisterhaften Bankiers und die Gangsterbanden, die im Meer des Pauperismus manövrieren; das zur Straße geöffnete Invalidenhaus des Proletariats und die kleinen, geheimen Kabinette, in denen die politischen Entscheidungen fallen! Hier präsentiert sich die Stadt ähnlich wie in Fritz Langs Film „Eine Stadt sucht ihren Mörder", als eine Überlagerung von Netzen: die Ebene der Keller, der Kanalisation und unterirdischen Gewölbe, in der die Gangs ihre Pläne schmieden, überlagert die Ebene der Verwaltungszentrale, der politischen Nervenzentren der Stadt; der Polizeichef macht seine Geschäfte mit der Unterwelt, – und alles ist als einfacher Mechanismus transparent, was in der Wirklichkeit als zusammenhanglos und dunkel erfahren wird.

Nie war der Mythos der „rot-schwarzen Stadt", Moskau und Chicago, so *angstfrei* dargestellt worden. Nie schien der „steinerne Sarg" so transparent. Nie waren Wahrnehmungsformen, die sich in zwei Jahrhunderten in der Literatur über London, Paris und schließlich Berlin herausgebildet hatten und erstarrt waren, so spielerisch dem Markt und seinem Publikum zum Verzehr geboten worden. In diesem Raum, den die Oper konstruiert, klang das Lied der Seeräuber-Jenny nur noch als ein geisterhaftes Nachklingen von verschollenen Revolutionsideen. In ihren Schlagern feiern auch die Zynismen der Lieder der Inflationszeit wieder fröhliche Urständ:

„Das eine wisset ein für allemal:
Wie ihr es immer dreht und wie ihr's immer schiebt
Erst kommt das Fressen, dann kommt die Moral."

Und im „Lied" von der Unzulässigkeit menschlichen Strebens", das der Bettlerkönig Peachum singt, vernimmt man, im Spott auf die idealistischer gestimmten Expressionisten, die Berliner Anthropologie 1928:

„Der Mensch ist gar nicht gut,
Drum hau ihn auf den Hut.
Hast du ihn auf den Hut gehaut,
Dann wird er vielleicht gut."

In Berlin wird man diese Zeile noch jahrelang wiederholen; die anschließenden Jahre der Weltwirtschaftskrise gaben den Dreigroschenliedern eine unheimliche Aktualität. Man hat später in dieser Aufführung eine „letzte Epiphanie der Ideen von 1918" erkennen wollen.[28] Ein anderer Zeuge der Aufführung meint, daß „dieser Zynismus, dieses Ja-Sagen zu Brutalität und Raub" in „vollem Einklang zur Berliner Zeitstimmung" gestanden habe und beurteilt im

Rückblick die Oper im Vorfeld der faschistischen Machtergreifung: „In dieser Stimmung zwischen forciertem Optimismus und allerhand bösen Ahnungen kam die Dreigroßenoper ‚wie gerufen'. Sie wirkte ein wenig wie ein Mann, der sich erst einmal die Hemdsärmel aufkrempelt und in die Hände spuckt, bevor die große Keilerei beginnt" (Willy Haas).[29]

30 Jahre später schreibt ein anderer Augenzeuge: „Über dieser Stadt sprühte die linke Intelligenz wie eine Wunderkerze. Einem in seiner Naivität und Idealität schrankenlosen Fortschrittsglauben hingegeben, lebte sie wie selbstverständlich in der Erwartung, daß sich in der Politik das Vernünftige mehr oder weniger automatisch durchsetzen werde."[30] Wen dieses Urteil trifft, müßte von Fall zu Fall untersucht werden. Öfter als der hier vorgeführte „urbane Optimismus" ist in diesen Kreisen der Intelligenz *Melancholie* bezogen, die aus der Erfahrung des Zwiespalts zwischen der aus der Erinnerung an 1918 gespeisten Hoffnung und der harten Realität des Weimarer Staates rührte. Die große Zersplitterung der „linken Intelligenz", die ein so pauschales Urteil zweifelhaft erscheinen läßt, müßte ebenso miteinbezogen werden wie die Haltungen des „urbanen Optimismus" in den Führungsgremien der SPD, der KPD oder des ADGB. Die „dialektische Zuversicht", die zeitweise atmosphärisch das Kulturleben Berlins belebt zu haben scheint, auch sie war ein Mischprodukt der Sphären: des „Fordismus" der USA und der Sowjetkultur (Sozialismus + Elektrifizierung).

1924 erscheint in der „Berliner Illustrirten Zeitung" (Nr. 14) als Beispiel einer amerikanischen Reklame ein Foto. Es zeigt ein Stahlgerippe über einer Erdbebenlandschaft. Das Foto war von amerikanischen Stahlfabrikanten mit der Unterschrift versehen worden „Steel stood the Test" und als Beweis für die Überlegenheit der Stahlkonstruktion über andere Bauweisen im Anzeigenteil der großen Zeitungen veröffentlicht worden. Während der Kommentar der BIZ noch das moralisch Verwerfliche der amerikanischen Anzeige betont (tragisches japanisches Erdbeben muß herhalten als Anreiz für die Verwendung einer neuen Technologie des Bauens), nimmt einer der Berliner Intellektuellen das

Foto zum Anlaß, den Gedanken zu illustrieren, daß Schicksalsschlägen in Zukunft die Stirn zu bieten ist: mit Stahl. Ein Architektengedanke von Bertolt Brecht, der die finsteren Kulturkritiker mit ihrem Hang zu apokalyptischen Bildern provoziert.

Berlin – Markt der Zeichen und Symbole

Ernst Jünger wohnt im Osten der Stadt, an der Warschauer Brücke, in einem Stadtteil, der vornehmlich von Arbeitern bewohnt wird. Die Aussicht aus seinem Zimmer geht auf das Gleisgewirr der Stadt- und Reichsbahn. Im Hause lärmen Kinder, und „es roch nach Kohl", berichtet Ernst von Salomon, der ihn 1928 aufsucht. „Das Zimmer war nicht sehr hell, mit Büchern vollgestopft, mit Masken und seltsamen, holzgeschnitzten Figuren geschmückt, auf dem Schreibtisch stand ein Mikroskop, indes Käfersammlungen und Einweckgläser voll merkwürdigen Geschlings irgendwelcher fahlgrüner Substanzen auf den Regalen standen."[31] In der Wohnung dieses Mannes, der in seiner Doppeleigenschaft als berühmter Grabenkämpfer des Ersten Weltkrieges, Ritter des Orden Pour le mérite („den Umgang mit Leichen und Explosivkörpern gewohnt") und Naturforscher die Zeitgenossen faszinierte, treffen sich die Männer eines Kreises, den man später die „Nationalrevolutionäre" nennen wird. Ernst Jüngers Beobachtungen in der Metropole Berlins bilden eine der Grundlagen für die Essays „Totale Mobilmachung", „Der Arbeiter" und „Über den Schmerz". Im „Arbeiter" (1932), dessen Einverständnis mit dem technischen Modernisierungsprozeß manche Ähnlichkeit mit den Gedanken zeigt, die Brecht zur gleichen Zeit in Berlin entwickelt, schreibt er: „Die großen Städte, in denen wir leben, bestehen in unserer Vorstellung mit Recht als die Brennpunkte aller Gegensätze, die denkbar sind. Zwei Straßenzüge können voneinander entfernter als Nord- und Südpol sein. Die Kälte der Beziehungen zwischen den Einzelnen, den Passanten, ist außerordentlich."[32]

Ähnliche Sätze könnte man auch in Heinrich Heines Beschreibung Londons oder in der Skizze finden, die Friedrich Engels 1845 in „Die Lage der arbeitenden Klasse in England" nach eigener

191 *Streikende Arbeiter. Foto: Friedrich Seidenstücker, 1932*

Anschauung von London gibt. Heißt dies nun, daß Jüngers Wahrnehmung noch immer von einer Anschauung des 19. Jahrhunderts gesteuert wird oder daß die Wirklichkeit der Großstadt sich in den 80 Jahren, die ihn von Engels' Großstadterfahrung trennen, trotz Modernisierung nicht wesentlich geändert hat?

Ernst Jünger betrachte die Situationen, meinte Ernst von Salomon, „wie ein Flieger, dem sich aus großer Höhe der blutige Vorgang wie ein sinnloses Gekrabbel von winzigen Pünktchen darstellen mochte, von mikroskopisch kleinen Lebenwesen, die sich zu Kolonnen formierten, nach allen Seiten strebten und wenig Notiz von denen nahmen, die durch irgendwelche höheren Gewalten bewegungslos am Platze blieben". Halten wir Jüngers Blick auf die „Kälte der Beziehung" der Stadtbewohner und ihrer Lebensbezirke, die „entfernter als

Nord- und Südpol" sein können, Blickpunkte aus anderen politischen Lagern entgegen. Die im folgenden mitgeteilte Darstellung von einer Art Bürgerkriegs-Situation in Berlin geht von einem unmittelbar Betroffenen aus. Berlin 1929. Die preußische Koalitionsregierung hat ein Demonstrationsverbot für Berlin erlassen, das sie auch für den 1. Mai 1929 nicht aufheben will. Ungefähr 200 000 Berliner leisten dennoch am 1. Mai dem Aufruf der KPD Folge. Sie werden von der Polizei mit Gummiknüppel und Schußwaffe auseinandergetrieben. In den folgenden Tagen und Nächten kommt es zu Barrikadenkämpfen im Wedding und Neukölln, in deren Verlauf die Polizei zwar keine Verluste aufzuweisen hatte, wohl aber 25 Zivilisten getötet und 36 schwer verwundet wurden (nach Ossip K. Flechtheim, der diese Tage als Augenzeuge miterlebte).[33] Die Erfahrungswirklichkeit eines in

diese Auseinandersetzungen direkt einbezogenen Mannes: Der Betonträger Kurt Z. verläßt am frühen Morgen die Kösliner Straße (vgl. S. 318 ff.) im Wedding. Auf dem Weg ins Stadtzentrum sieht er an Zeitungskiosken die Schlagzeile „Moskau braucht Leichen". Er erfährt aus dieser Zeitung, dem „Vorwärts", daß in der Nacht ein Sturmkommando von 150 Kommunisten am Nettelbeckplatz und in der Kösliner Straße eine fast zwei Meter hohe Barrikade über die ganze Straßenbreite errichtet und auf ein viel zu schwaches Polizeiaufgebot mit Armeepistolen und Gewehren das Feuer eröffnet haben. Der Betonträger Z. begreift die Welt nicht mehr. Er kommt aus der Kösliner Straße, und es ist der 2. Mai 1929; in der Nacht hat es Verletzte und Tote gegeben, meist unter kommunistisch organisierten Arbeitern, die ein Demonstrationsverbot der Polizei mißachtet ha-

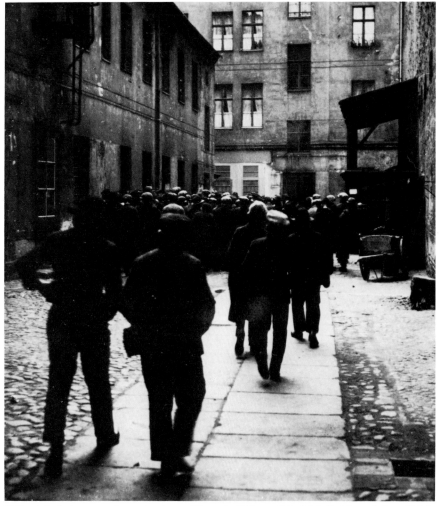

192 *Arbeitslosenspeisung in einem Hinterhof. Foto: Friedrich Seidenstücker, 1925*

ben. Er geht in Richtung Oranienburger Tor, Richtung Rosenthaler Tor, Richtung Bülow-Platz... Was immer geschehen ist, ob seine Erfahrung trügt, ob die Bürgerkriegs-Version des „Vorwärts" korrekt ist; was ihn an seinen Sinnen zweifeln läßt, ist folgendes: „Warum gingen denn die Menschen so ruhig weiter, als wenn überhaupt nichts geschehen wäre ...? Die Straßenbahnen fuhren wie immer. Die Stadtbahnzüge rollten über die Brücken, unter denen Kurt stand und den hämmernden Lärm der dröhnenden Eisenträger wie eine Musik in der unerträglichen Stille dieses Morgens empfand." Vergeht ihm Hören und Sehen? Erst vor den rotgestrichenen Schaufensterkästen des „Karl-Liebknecht-Hauses" am Bülowplatz, im Zentrum *seines* Lagers, traut er wieder seinen Sinnen. Nach der Lektüre der „Roten Fahne" *sieht* er förmlich, daß die Industriearbeiterschaft wie die

Belegschaften des Transformatoren-Werks Oberschöneweide, der Zigarettenfabrik Manoli und die Frauen der Schuhfabrik Leiser spontan die Arbeit niederlegen, um die Aufmerksamkeit der ganzen Stadt und der Republik auf das zu lenken, was er in dieser Nacht in „seiner Gasse" erfahren hat. Unterbricht das den Verkehr am Alexanderplatz? Beeinflußt es die Börse? Stört es das Nachtleben in der Friedrichstraße? Im Reichstag jedenfalls beschließt die Mehrheit der Parteien, diesen Vorfällen keine Aufmerksamkeit zu schenken und geht zur Tagesordnung über. Natürlich eine Romanszene! Der Roman „Barrikaden am Wedding" von Klaus Neukrantz wird verboten.[34]
An eben diesem 2. Mai 1929 notiert Adolf Stein, der unter dem Namen „Rumpelstilzchen" regelmäßig Glossen für die Hugenbergpresse verfaßt, daß der schöne Maifeiertag durch einige

Unregelmäßigkeiten am Rande gestört wurde. Nichts besonders Dramatisches. Die „lieben politischen Kinder" des Innenministers Severing, eben die Kommunisten, wurden in der Stadt „nach Strich und Faden verhauen". Man muß das nicht übertreiben, „ein Hasentreiben gegen Lausejungen, sonst nichts ... Überall junger Janhagel." Und umgeschaut hat sich der Reporter auch auf dem Askanischen Platz. Da *sah* er die „Generalstäbler der Weltrevolution, russische Juden, in kleinen Gruppen beieinander. Sie schienen mit der Entwicklung der Dinge nicht sehr zufrieden zu sein. An einem solchen Tag ‚nur' 8 Tote und einige Hundert Verletzte, das sei doch gar nichts. Das nächste Mal will man mehr. Immerhin: seit 1919 hat es wieder die ersten Straßenschlachten in Berlin gegeben." Adolf Steins Betrachtungen[35] werden im Rahmen des Hugenberg-Konzerns bis in die letzten Ostpreußischen Provinzblätter hinein als Augenzeugenbericht verbreitet. Keine Romanszene, sondern „authentisch". Ein anderes Lager.
Ein Arzt, der in der Gegend des Schönhauser Tors praktiziert, berichtet: „Hakkescher Markt: Menschen auf den Bürgersteigen. Polizei beginnt etwa um halb zwölf zu schlagen. Vor dem Postamt etwa zehn Schupos auf einem Haufen, Rücken zur Wand, und schießen in die Menschen; drei Verletzte, ein Knieschuß, ein Bauchschuß, ein Rückenschuß; Kugel steckt unter der Haut am Adamsapfel. – Bülowplatz: Polizei wild; beginnen zu laufen; Menschen laufen etwa fünfzig bis achtzig Meter voraus in die Koblankstraße hinein. Dabei waren die Beamten gegen fünfzig Meter von den Zivilisten getrennt. – Mir heraufgebracht zirka zehn Schußverletzungen und zirka zwanzig Schlagverletzungen..."[36]
Bertolt Brecht *sieht* an diesem Tage aus dem Fenster des Soziologen Fritz Sternberg, wie Menschen tödlich getroffen werden. Nachmittags fährt er in seinem Steyr-Auto in verschiedene Stadtteile, um sich zu vergewissern. Die Polizei behandelt ihn höflich. Ein anderes Lager.
Zahllos sind die Dokumente, die bezeugen, daß die Stadt die Lebensbezirke auseinanderreißt. Schon die Revolution von 1918 erschien manches Mal zwei Straßenzüge entfernt als „Blutiger

193 *„Bardamen" des berühmten Transvestitenclubs „Eldorado" in der Motzstraße beim Tanz, 1929*

Karneval". Hans Ostwald führt in seiner „Sittengeschichte der Inflation"[37] einige Berichte aus den Revolutionstagen an, die ihm aus moralischem Gesichtswinkel als „Skandal" erscheinen: „Während die Maschinengewehre knatterten", wurden um die Ecke, in den Salons und Bars Shimmy und Fox getanzt. Die Zeichnungen der „Veristen" George Grosz und Otto Dix versuchen, diese fatale Gleichzeitigkeit als Schock zu formulieren: „Die Devisen steigen und die Kommunisten fallen." Man erfindet Simultanbühnen, um wenigstens im Theater mit einem Blick erfassen zu können, was in der Stadt auf einen Blick als Schock schwer zu haben ist.

Diese Stadt *ist* in diesen Jahren „*Metropole der Zerstreuung*", wie sie von Kracauer beschrieben wird, und sie *ist* gleichzeitig als größte Mietskasernenstadt der Welt ein „*steinerner Sarg*", wie Werner Hegemann sie 1930 sieht.

Sie *ist* das Zentrum der Elektroindustrie und die *größte Industriestadt des Reiches* und *ist* gleichzeitig „*Moskau und Chicago*", Mischpult der Impulse fremder Kulturen. Die Stadt, die sich aus derart aufgespaltenen Erfahrungswirklichkeiten zusammensetzt, bietet sich aber immer auch als die *Einheit* eines Marktes dar, als ein „*Markt der Zeichen und Symbole*" (Lefèbvre)[38], als großes Versprechen, alle getrennten Ebenen zu vermischen, auszutauschen und transparent zu machen. Der Kapitalmarkt, der Grundstücksmarkt, der Arbeitsmarkt, der Warenmarkt und marginal der Raum der politischen Kämpfe; alles, was sich im Zentrum und an den Rändern materiell konzentriert, kann in einer einheitlichen Flut von Zeichen und Symbolen erfahren werden: von der Schlagzeile am Zeitungskiosk, der Reklame am Straßenbahnwagen, der Mauerinschrift, dem

politischen Transparent, dem Schmiß auf der Wange, den Symbolen der Staatsmacht, den Lichtern der Nachtklubs, den Sirenen der Überfallwagen der Polizei, den Graffiti auf der Toilettenwand, den Preisschildern im Schaufenster ... die Stadt scheint völlig lesbar zu sein. Schafft so die Stadt eine „urbane Situation" (Lefèbvre), in der die abgespaltenen Erfahrungsbereiche auf einem Markt der Zeichen zueinanderfinden und nicht länger getrennt zu existieren brauchen?

Um einer Antwort auf diese Frage näherzukommen, wenden wir uns einem anderen auffälligen Aspekt Berlins zu:

Die Zeitungsstadt Berlin
Berlin ist zu diesem Zeitpunkt auch *Metropole der Medien*, Ort der Entwicklung neuer Technologien der „Massenkommunikation". Die Stadt hat eine

halbe Million Telefonanschlüsse, täglich werden eineinviertel Millionen Telefongespräche geführt. Berlin gilt als die „telefonierwütigste Stadt der Welt". Die publizistische Nutzung eines neuen technischen Mediums, des drahtlosen Funks wird in Berlin entwickelt: Anfang April 1923 erhält die Oberpostdirektion Berlin die Anweisung, auf dem Dach des Hauses der „Vox-Schallplatten- und Sprechmaschinen AG", Potsdamer Straße 4, in Zusammenarbeit mit der Reichstelegraphenverwaltung eine Sendeantenne zu errichten. Sie soll für Versuchssendungen der Rundfunk-GmbH ausprobiert werden.[39] Im Herbst des gleichen Jahres entstehen im Dachgeschoß des Vox-Hauses in zehn Tagen eine Anlage, die provisorisch aus Laboratoriumsbeständen zusammengebaut wird, und die Studios für den Berliner Sender. Am 18. Oktober beginnen die Versuchssendungen; am 29. Oktober 1923 läuft von 20.00 bis 21.00 Uhr bereits das erste Abendprogramm der „Deutschen Stunde", später die „Berliner Radio-Stunde". Ein Jahr später sind bereits in Berlin 107327 Rundfunkteilnehmer registriert, am 1. April 1924 hat sich die Zahl verdreifacht, jetzt sind es 316238; wiederum ein Jahr später ist in Berlin die halbe Million überschritten (522461 Teilnehmer am 1. 4. 1926), wobei die enorme Zahl der Schwarzhörer nicht mitberechnet ist. Die Berliner Rundfunkgesellschaft blieb während der Weimarer Republik das Unternehmen mit der größten Teilnehmerdichte (vgl. Bd. I, S. 368 f.).

Die Ausbreitung des Rundfunks fand ,natürlich' eine Grenze in den Preisen für Rundfunkgeräte. Ein einfacher Detektorempfänger galt als preiswert, wenn er 70 Mark kostete, im Januar 1925 fiel dieser Preis auf etwa 15 bis 20 Mark, um mit den im Selbstbau gebastelten Apparaten konkurrieren zu können. Im selben Monat kostete ein Einröhrenempfänger 35 bis 40 Mark, ein Zweiröhrenempfänger 60–90 Mark. Hinzu kamen natürlich immer noch ein Kopfhörerpaar (87–14 Mark) oder ein Lautsprecher (65 bis 100 Mark). Zu dieser Zeit beträgt der Durchschnittslohn eines gelernten Arbeiters, verheiratet, zwei Kinder, in der höchsten tarifmäßigen Altersklasse 88 Pfennig; ein ungelernter Arbeiter bekommt 61 Pfennig die Stunde. Ein kleiner Angestellter ver-

dient im Schnitt monatlich brutto 162 Mark, ein mittlerer Angestellter kommt auf 267 Mark, ein höherer Angestellter auf 372 Mark. Für die monatliche Rundfunkgebühr von 2 Mark muß 1925 ein gelernter Arbeiter also über zwei Stunden arbeiten. Ein damals als hochwertig geltendes Empfangsgerät mit vier Röhren, das zwischen 400 und 500 Mark kostet, ist auch für Facharbeiter und mittlere Angestellte unerschwinglich.

1924 beschließt der Verband der Radio-Industrie zusammen mit der Berliner Messegesellschaft die Organisation regelmäßiger Funkausstellungen. In vier Monaten wird der Bau der Ausstellungshalle für die „Erste Große Deutsche Funkausstellung" vollendet. Für die Dauer der Ausstellung stellte die Reichstelegraphenverwaltung einen 1,5-kW-Sender hinter hohen Glaswänden auf, so daß die Besucher den technischen Sendebetrieb besichtigen konnten. Kopfzerbrechen machte jedoch das Antennenproblem. Während der ersten Ausstellung im Dezember 1924 diente ein 84 m hoher Hilfsmast noch als vorläufige Antenne; der Funkturm wird dann in den Jahren 1924 bis 1926 errichtet. Die Radioindustrie versieht die Elektropolis so mit ihrem Wahrzeichen. 1931 wird nach den Plänen des Architekten Poelzig das „Haus des Rundfunks" an der Masurenallee fertiggestellt, das die Reichs-Rundfunkgesellschaft, die Deutsche Welle, die Funkstunde und das Rundfunkkommissariat beherbergt.

Obwohl Berlin im Jahre 1931 eine Teilnehmerdichte von 14,8 offiziell angeschlossenen Rundfunkteilnehmern auf 100 Einwohner hat (im Reich kommen zur gleichen Zeit 4,6 Teilnehmer auf 100 Einwohner) wird die Bedeutung des neuen technischen Mediums bei weitem übertroffen vom älteren Medium der Zeitung. Berlin war zu dieser Zeit die *größte Zeitungsmetropole des Erdballs.*[40] Im Jahre 1928 zählte Berlin 147 politische Tageszeitungen. In Großverlagen wie Scherl und Ullstein (vgl. Bd. I, S. 377–379) kamen 2633 verschiedene Zeitungen und Zeitschriften heraus. 26% der gesamten Zeitschriften- und Zeitungsproduktion des deutschen Reiches waren in Berlin konzentriert. Um die Mitte der 20er Jahre belieferte Berlin ein Drittel aller im Reich erschei-

nenden Zeitungen mit Matern. Die „Telegraphen-Union" des Hugenberg-Konzerns gibt im Jahre 1928 elf Korrespondentendienste heraus. Die TU ist eine wahre „Nachrichtenfabrik": 600 feste Angestellte, zweitausend regelmäßige Mitarbeiter und 90 Redakteure. Zwei Drittel aller deutschen Zeitungen werden von diesen Nachrichtendiensten Hugenbergs bedient.

Peter de Mendelssohn hat in seiner Untersuchung der „Zeitungsstadt Berlin" festgestellt, daß Berlin sowohl unter dem Aspekt der Zeit wie unter dem des Raumes von einem beinahe lückenlosen Presse-Netz überzogen war: Von den 147 Berliner Zeitungen erschienen 93 sechsmal oder öfter in der Woche; 18 erscheinen wöchentlich zwei- bis fünfmal; 29 erscheinen wöchentlich einmal. Es gibt zwei fremdsprachige Zeitungen, eine russische und eine polnische, die beide sechsmal wöchentlich erscheinen. Die auflagenstärksten Zeitschriften und Zeitungen sind: Berliner Illustrirte 1 950 000 (Okt. 1929); Berliner Morgenpost 623 000 (1930); BZ am Mittag 202 000 (1929); Vossische Zeitung 81 000 (1931); Tempo 145 000; Blatt der Hausfrau 551 000 (1931); Grüne Post 1 250 000 (1931).

Den größten Teil der 147 Zeitungen stellen aber die etwa 70 Blätter der sogenannten *Großberliner Heimatpresse,* die nur eine lokale Verbreitung in ihrem jeweiligen Stadtbezirk hatten. (Davon war die „Spandauer Zeitung" mit 32 000 Auflage die größte, die Charlottenburger „Neue Welt" hatte 23 000, der in Wilmersdorf erscheinende „Westen" 21 000, die „Neuköllnische Zeitung" 15 000 bis zu den kleinsten Berliner Heimatzeitungen, die „Dahlemer Nachrichten" und der „Lankwitzer Anzeiger" mit einer Auflage von je 1000.) So scheint der geographische Raum Großberlins Planquadrat für Planquadrat mit einem Informationsnetz abgedeckt. Aber auch die Tageszeiten sind weitgehend besetzt: An der Jahreswende 1930/31, mitten in der Wirtschaftskrise existieren immer noch 45 Morgenzeitungen, 14 Abendzeitungen und zwei Mittagszeitungen. Das ökonomische Movens für das Erscheinen der Zeitungen zu verschiedenen Tageszeiten ist die Notwendigkeit der intensiveren Ausnützung des modernen Maschinenparks der Druckereien. Der Kampf um die

Zeit nimmt groteske Formen an: Die Zeitung „Der Montag" aus dem Hugenbergkonzern erscheint nicht montags, sonders bereits am Sonntagabend, die „Nachtausgabe" erscheint natürlich am Nachmittag. Das „12-Uhr-Blatt" mit dem ausführlicheren Sport- und Theater-Teil, das in Konkurrenz zur „BZ am Mittag" steht, erscheint nicht um 12, sondern gegen 11, ein wenig später um halb zehn und schließlich um 8 Uhr früh, um sich seine Leser zu sichern; während das „Acht-Uhr-Abendblatt" schon um 5 Uhr nachmittags zu kaufen ist. Diesem „Acht-Uhr-Abendblatt" die Leser abzufangen, erscheint Hugenbergs „Nachtausgabe" bereits gegen vier Uhr nachmittags. Sie verdrängt mit ihrer Auflage von 200 000 bald sogar die „BZ am Mittag". Kaum ein „zeitungsleerer" Raum, kaum eine „zeitungsleere" Zeit!

Historiker der Berliner Presse wie Peter de Mendelssohn sehen sich nun in ihren Erklärungen dunklen Paradoxien gegenüber, die kaum lösbar oder nur auf die unerklärbare Massenpsychologie „des Berliners" zurückführbar zu sein scheinen:

Leser der liberal-demokratischen „B.Z. am Mittag" aus dem Hause Ullstein (1929 knapp über 200 000 Auflage) kaufen sich nachmittags die „Nachtausgabe" aus dem Hugenbergkonzern, „ohne dabei das Bewußtsein zu haben . . . , mit je einem Fuß in zwei feindlichen Lagern" zu stehen.

Mit der Wirtschaftskrise sinkt die Auflagenhöhe der großen Zeitungen *nicht* direkt rapide. In der Regel steigt sie (z. B. bei der „Berliner Morgenpost" von Oktober 1929 bis April 1930 von 611 000 auf 623 000, die „Berliner Illustrirte" von 1,89 Millionen im Oktober 1929 auf 1,95 Millionen im Juli 1931).

Herrmann Ullstein erinnert sich in „The Rise and Faith of the House of Ullstein", daß die „hitlerfeindliche Presse" bei weitem die größte Leserschaft auf dem Zeitungsmarkt hatte, aber in „ihren Bemühungen, der nationalsozialistischen Bewegung das Wasser abzugraben", restlos versagte.

1933 ist das Ullstein-Haus mit einem Leserschwund von 25% heftig angeschlagen. „Aber", so schreibt Herrmann Ullstein, „obwohl unsere Leser nach außen hin treu blieben, entstand nur wenig Zweifel, daß sie im Herzen nicht

mehr auf unserer Seite standen. Innerlich war gut die Hälfte von ihnen, die überzeugt war, daß ,es nicht so weitergehen kann', bereits in Hitlers Lager."

Das Abonnement wurde erst später gekündigt.

Herrmann Ullstein klagt: „Tag für Tag kritisierten wir ihr Idol und griffen es an, und es hatte nicht die geringste Wirkung auf sie", und Peter de Mendelssohn kommt zu dem resignierenden Fazit: „Die Zeitungen konnten die Republik nicht populärer machen, als die Republik selbst sein wollte." All das müßte geprüft werden, und es wäre interessant, durch Analyse der Zeitungen herauszufinden, wie hoch der Anteil der Redakteure und Mitarbeiter dieser Presse war, die schon vor 1933 im „anderen Lager" standen. Dennoch scheint mir an dieser liberalen Darstellung die Feststellung wichtig, daß durch die Presse der Lauf der Dinge nicht aufzuhalten war; selbst Hugenberg mußte diese Lektion lernen.

Können die Schriftsteller und analytischen Köpfe Licht in diese Rätsel und dunklen Paradoxien bringen? Hier läßt sich feststellen, daß viele von ihnen die Medienlandschaft Berlins fasziniert betrachten und gegen Ende der Republik Beobachtungen zur Funktion der Medien machen, die von einer neuen Einstellung zeugen. Nicht die Fälschung der Nachricht, das Verschweigen der Wahrheit, die eklatanten Fälle staatlicher Zensur und die Inhaftierung von Redakteuren erschienen den Beobachtern als moderne Erscheinung, sondern daß dieser Markt der Zeichen und Symbole als ein *Medium der Indifferenz* funktionierte. Gedanken, die 50 Jahre später von einem Berliner Schriftsteller formuliert werden, der Gedanke der „Irrealität der Medienzivilisation" mit ihren „weltumspannenden Fluß des Vergessens" (Botho Strauß) werden damals schon ausgesprochen. Man glaubt, daß der sprunghaft vermehrte Einsatz der Fotografie in den Illustrierten ein „Streikmittel gegen die Erkenntnis" sei, daß der „Ansturm der Bildkollektionen" das Bewußtsein der Leser verschütte. „Das Schneegestöber der Photographien", schreibt Kracauer 1927, „verrät die Gleichgültigkeit gegen das mit den Sachen Gemeinte."[41] Blättert man heute in der alten „Berliner Illustrirten Zeitung" mit ihrem eher de-

zenten, oftmals gerahmten Einsatz der Fotografie, so läßt sich dieses Urteil kaum nachvollziehen.

Es gibt Szenen in Revuen, Agit-Prop-Stücken und Zeitromanen, die eine unweit „modernere" Erklärung der Funktion der Zeitungslektüre bieten. Eine Szene, die dies erläutern soll, ist geschrieben von einem jüngeren Schriftsteller, der 1899 in Dresden geboren wurde, in Leipzig bis 1925 studiert hat und 1927 nach Berlin übergesiedelt ist. Sie steht zu Beginn seines Berlin-Romans, der 1931 veröffentlicht wird: „Fabian saß in einem Café und las die Schlagzeilen der Abendblätter: Englisches Luftschiff explodiert über Beauvais, Strychnin lagert neben Linsen, Neunjähriges Mädchen aus dem Fenster gesprungen. Abermals erfolglose Ministerpräsidentenwahl, Der Mord im Lainzer Tiergarten, Skandal im Städtischen Beschaffungsamt, Die künstliche Stimme in der Westentasche, Ruhrkohlenabsatz läßt nach, Die Geschenke für Reichsbahndirektor Neumann, Elefanten auf dem Bürgersteig. Nervosität auf den Kaffeemärkten, Skandal um Clara Bow, Bevorstehender Streik von 140 000 Metallarbeitern, Verbrecherdrama in Chikago, Verhandlungen in Moskau über das Holzdumping, Starhembergjäger rebellieren. Das tägliche Pensum. Nichts Besonderes. Er nahm einen Schluck Kaffee und fuhr zusammen. Das Zeug schmeckte nach Zucker."

In Kästners Szene gehört die Zeitungslektüre zum Kaffeetrinken. Die Nachrichten werden *konsumiert.* Der unerwartete Zucker im Kaffee ist ein Schock, explodierendes Luftschiff und Selbstmord der Neunjährigen gehören zum „Pensum". Dieser neuen Art der Lektüre scheint auch die Mentalität der Zeitungsmacher entsprochen zu haben. Sling, der Gerichtsberichterstatter der „Vossischen Zeitung" berichtet aus der Redaktion seines „Industriehauses": „Aber das, was hergestellt wird, ist nicht Stiefelwichse, nicht Benzol, ist *Unterhaltungsstoff* für Millionen, zuweilen dauerhaft und schwer, dann wieder leicht, flüchtig." Beide Beobachtungen, die der Indifferenz und die des Konsums hat der österreichische Schriftsteller Robert Musil, der seit 1908 regelmäßig und zuletzt 1931 bis 1933 in Berlin weilt, in folgender Formulierung zusammengefaßt: „Du brauchst bloß in eine

Zeitung hineinzusehen. Sie ist von einer unermeßlichen Undurchsichtigkeit erfüllt. Da ist die Rede von so viel Dingen, daß es das Denkvermögen eines Leibniz überschritte. Aber man merkt es nicht einmal; man ist anders geworden. Es steht nicht mehr ein ganzer Mensch einer ganzen Welt gegenüber, sondern ein menschliches Etwas bewegt sich in einer allgemeinen Nährflüssigkeit.“[42]

Daß ein „Großstadtmensch“ aber erst in dieser „allgemeinen Nährflüssigkeit“ des Markts von Zeichen und Symbolen seine Identität finde, entsprach durchaus dem (im ersten Abschnitt geschilderten) neuen Lebensgefühl der Moderne, das sich vor allem in Revuen seinen Ausdruck verschaffte. Wiederum ist es die Frau, der die Modernität zugemutet wird. So singt die Heldin einer der berühmten Haller-Revuen Mitte der 20er Jahre:

„Ich bin die Marie von der Haller-Revue!
Im Tanzen bin ich ein Genie!
Von mir stehn Artikel bei Mosse und Scherl;
man hält mich sogar für ein Tillergirl.
Ich bin die Marie von der Haller-Revue!
Sie sehen meine Photographie
in der BZ!
Darunter steht fett:
Marie von der Haller-Revue.“

Daß sie dabei in den Gazetten der drei konkurrierenden Großverlage steht, tut dieser Selbstgewißheit keinen Abbruch, es begründet sie. Die Gleichgültigkeit gegen die Qualitäten macht den kessen Charme des neuen Typus aus.

Zwei Zeitdiagnosen, die gegen Ende der Weimarer Republik in Berlin entworfen werden, belassen es aber nicht bei der Klage über die Medien. Ihre Verfasser gehören extrem unterschiedlichen Lagern an. Sie kommen zu beklemmend ähnlichen Beobachtungen, aus denen sie wiederum extrem verschiedene Konsequenzen ziehen. Ernst Jünger und Bertolt Brecht.

Ernst Jünger beobachtete eine Veränderung des Zeitungslesens im Bus, in der U- und S-Bahn. In den Verkehrsmitteln entdeckt er eine neue Art des Lesens. Es erscheint ihm als ein Element des „Arbeitscharakters“. Er sieht in der Zeitungslektüre nur einen unter vielen Momenten des „eintönigen Wechsels der

bunten Signale“.[43] Der Transport zur Fabrik im Wedding mit der beiläufigen Lektüre des Grubenunglücks, des Stapellaufs, des Kinderfests, Granateinschlägen auf irgendeinem verwüsteten Stück Erde, Kaffeevernichtung in Brasilien; Beachten der Verkehrssituation, rechtzeitiges Umsteigen, Fahnen und Häusertransparente, der Sog der Arbeitskameraden – ein eintöniges Geräusch von Signalen, das den Werktätigen umhüllt. Hohn und Spott kennt Jünger nur für die liberalen Intellektuellen, die diesen Tatbestand beklagen. Er sieht voller Einverständnis in diesem Zeitungsleser in der S-Bahn eher einen gewieften Simultanspieler, der *angemessen* auf die verquere Vielfalt der Signale reagiert, – und in diesem Zustand den großen Vorteil genießt, sich vor den Klagen der liberalen Intelligenz zu verschließen, die mit ihren Kategorien nur eine „ungeheure Steigerung des Leidens“ hervorzurufen vermögen, statt einzugreifen. Liberale Intelligenz, die sich in diesen Arbeitsprozeß nicht einzuschalten vermag, muß hoffnungslos versagen: „Daher möchte man zuweilen fast Mitleid mit jenen Intelligenzen empfinden, denen die Produktion des einmaligen Erlebnisses immer saurer wird, wenn man bedenkt, daß eine solche Leistung in diesem Raume im besten Falle als eine Art von sentimentalem Saxophon-Solo wahrgenommen wird.“ Für Jünger ist denn auch die „Geräuschkulisse“ des Meinungsmarkts überflüssig. Respekt zwingt ihm nur der Standard der Technologie ab, mit dem die liberale Presse dem „Perpetuum mobile der freien Meinung“ diene. Er höhnt: „Auch hier ist zu erkennen, daß die Technizität viel beachtlicher ist als das Individuum, das innerhalb dieser Technizität seine Meinung produziert. Um wieviel sauberer ist die Maschine, die diese Meinung durch ihre Arbeitsgänge jagt, und um wieviel bedeutender ist die Präzision und die Geschwindigkeit, mit der jedes beliebige Parteiblatt an seine Leser gelangt, als alle Parteiunterschiede, die man sich ausdenken mag.“ Das ist der finstere Glanz der Neuen Sachlichkeit! (Beim Bau des Druckhauses Tempelhof 1925 wird darauf geachtet, daß die Besucher nach dem Eintritt in das Vestibül einen Blick auf die Rotationsmaschinen im Druckereisaal werfen können. Im Baupro-

gramm von 1924 wird Wert darauf gelegt, daß man „durch große Glasfenster einen Einblick in einen Maschinensaal erhielte, um sofort einen Begriff von dem Umfang des Gesamtbetriebes zu bekommen“. So konnten auch die Besucher der Ersten Großen Deutschen Funkausstellung 1929 den technischen Betrieb des 1,5-kW-Senders durch Glaswände hindurch beobachten.

Auch Brecht blieb nicht beim Lamento über den Rundfunk als „akustisches Warenhaus“ stehen und fand die Entlarvung der Deutschen Welle als „drahtlose Pressestelle der Trustbourgeoisie und ihres Staatsapparats“ nur bedingt interessant; ebensowenig wie er in die Klage der Kulturkritik einstimmen wollte, daß es ein Verhängnis sei, wenn Meinungen auf dem Markt zur Ware würden. Er erblickt hierin Tatbestände ohne Fatalität. Er begreift in ihnen eine Herausforderung. Sein magisches Schlüsselwort ist „Umfunktionierung“. In einem Gedankengang, der 40 Jahre später wiederum in Berlin von einem anderen Schriftsteller, Enzensberger, aufgenommen wird, entwickelt er die Konsequenzen des Umfunktionierens in seiner „Radiotheorie“. Diese läuft kurz gesagt darauf hinaus, das „ungeheure Kanalsystem“ des Rundfunks zu einem „Kommunikationsapparat“ zu verändern, indem die Hörer sich selbst als aktive „Lieferanten“ des Rundfunks organisieren, selbst auszusenden beginnen.

Diese Parolen sind keineswegs in Blaue gesprochen. Damit sei nicht nur an die kleinen „Piratensender“ erinnert, die zu Beginn der 30er Jahre vom sozialistischen „Freien Radio Bund“ organisiert waren, sondern auf den Zeitungs- und Verlagskonzern, den der Kommunist Willi Münzenberg in Berlin errichtet hatte.[44] Zu diesem Konzern gehörten zwei Tageszeitungen, „Berlin am Morgen“ (60 000 Abonnenten), die „Welt am Abend“, (das „meist gelesene linke Arbeiterblatt in Berlin“) und die „AIZ“ (Arbeiter Illustrierte Zeitung), die es auf eine Auflage von 400 000 brachte, die satirische Zeitschrift „Der Eulenspiegel“ (1931 : 50 000) und die illustrierte Frauenzeitschrift „Der Weg der Frau“, die, in der Wirtschaftskrise gegründet, bald schon eine Auflage von 100 000 erzielt. Mit dem Layout und den Fotomontagen von John Heartfield und einem Netz von eigenen Betriebsstellen und Kolporteuren entwickelte vor allem die „AIZ" einen publikumswirksamen Stil von Bildreportagen aus Werkhallen, von Stempelstellen und Demonstrationen. Überaus geschickt versucht Münzenberg gegen den Widerstand von Genossen, eine Bresche in die fatale Lagermentalität der Kommunisten zu schlagen. Unter der Schirmherrschaft der „Welt am Abend" fanden regelmäßig Matineen in der „Scala" und im „Wintergarten" statt, an denen bekannte Kabarettisten und Schauspieler seiner Zeit mitwirkten wie Rosa Valetti, Blandine Ebinger, Kate Kühl und der Berliner Komiker Paul Graetz. Die „Welt am Abend" beteiligte sich auch seit 1929 an den „Internationalen Solidaritätstagen". Babette Gross schildert den propagandistischen Ausklang eines solchen Tages folgendermaßen: „Mit untrüglichem Sinn für großartige Effekte hatte man 1929 zur Zeit des Streites um den Bau des Panzerkreuzers A, die illuminierte Attrappe eines Schiffes aufgebaut, das zuletzt, von dumpfen Explosionsschlägen begleitet, in einem Gewässer des ‚Karlshofes' versank. Ein Foto aus dem Jahre 1930 zeigt Münzenberg auf einem dieser Feste, wie er, den Regenmantel über dem Arm, stolz wie ein Feldherr an der Spitze einer großen Menschenmenge in das Stadion in den Rehbergen einzieht."

Wenn irgend mit Grund – und schon vor Brecht – von „Umfunktionierung" die Rede sein konnte, dann (weit über die Theaterexperimente hinaus) im Münzenberg Konzern.

Haben aber all diese insular erscheinenden Initiativen etwas an der Wirklichkeit der Zeitungsstadt zu ändern vermocht? Haben sie etwa die „unermeßliche Undurchsichtigkeit", die diesen Preßraum nach dem Urteil Musils erfüllte, behoben? Waren es nur schärfere Ingredienzien in der „allgemeinen Nährflüssigkeit"? Unter welchen Bedingungen konnten die abgespaltenen Erfahrungsbereiche dieser Stadt überhaupt ineinanderübergreifen? War es überhaupt anzustreben, diese Stadt zu einem homogenen Erfahrungsfeld zu machen?

Es ist bezeichnend, daß ein Hauptmittel, die gespalteten Erfahrungswirklichkeiten Berlin zusammenzufassen, die Herstellung *theatralischer Situationen* war. Von der kleinen agitatorischen Inszenierung bis zum großen Fanal. Bela Balázs, damals künstlerischer Leiter der Reichsorganisation des „Arbeiter-Theater-Bund Deutschlands" erinnert sich: „Dies geschah in Berlin hellichten Tages auf der Friedrichstraße im Jahre 1930. Ein junger Mann brach bewußtlos zusammen just vor dem Schaufenster eines feinen Delikatessenladens, so daß er gleichsam vor eine effektvolle Kulisse von Schinken, Würsten, Käsen, von Kaviar und Ananas zu liegen kam. Es erübrigt sich zu betonen, daß besagter junger Mann nicht elegant gekleidet war, sondern vielmehr wie ein Arbeitsloser aussah, ebenso wie auch jener andere junge Mann, der neben ihn hinkniete, ihm den Halskragen öffnete und sich wie üblich um ihn bemühte. Er schien ein Freund des Ohnmächtigen zu sein. Es entstand sofort – wie gewöhnlich – eine kleine Ansammlung der Passanten um die beiden. Solche Ansammlungen um einen Straßenunfall ist, wie wenn das Blut an der Stelle eines Hiebs rot zusammenläuft. Und wie gewöhnlich gab es einen, der fragte: „Was fehlt ihm?' – Die bittere Antwort des knienden Freundes war auch nicht überraschend ..."[45] Es kommt zum programmgerechten Meinungsaustausch, erhitzten Dialogen, die Polizei kreuzt auf, 15 Passanten werden festgenommen. Nur der unglückliche junge Mann fehlt. Er ist mit seinem Agitproptrupp aus dem Wedding weitergefahren und bricht gerade auf einer Straße Moabits zusammen; „just" vor einem Delikateßladen ...

Können in solchen theatralischen Situationen die Lagermentalitäten der in sie Verwickelten dauerhaft durchbrochen werden? Ist es Selbstdarstellung einer Subkultur, oder zeigt es den Grad einer größeren Mobilmachung?

Erwin Piscator hatte schon versucht, alle Register zu ziehen. In seiner Revue „Roter Rummel", die bis zu den Reichstagswahlen am 7. Dezember viermal in verschiedenen Bezirken Berlins gespielt wurde, in dieser Art „politischem Wanderzirkus" (Weltbühne) hatte er Akrobatik, Chanson, Film, Pantomime und Sport „roh zusammengehauen" (Piscator) und bahnbrechend bei der Entwicklung der Arbeitertheaterbewegung gewirkt. Während des Wahl-

kampfs von 1930 spielten allein in Berlin 19 Agitproptruppen ungefähr 600mal in Betrieben und Sälen, Hinterhöfen und Plätzen. Sie trugen Namen wie: Rotes Sprachrohr, Truppe Tempo, Sturmtrupp Alarm, Der rote Wedding, Roter Hammer, Wühler etc. Ihre Einsätze sind relativ gut dokumentiert in Selbstdarstellungen und Polizeiberichten, und die Erfindungsgabe ist erstaunlich[46]. Um so mehr bekümmert die Erkenntnis, daß sich diese Einsätze in der Regel damit begnügen, in einer kurzen theatralischen Situation den homogenen Raum des eigenen Lagers hergestellt zu haben. Es kursierten natürlich im Berlin der Weimarer Republik auch anarchistische Phantasien, die Stadt in symbolischen Aktionen aufzurütteln; so der Plan, in Berlin 1922 ein Sprengstoffattentat auf die Siegessäule mit Dynamit zu verüben, um damit ein Fanal zu setzen, was, wie Max Hoelz berichtet, kläglich ausging. Es kursierte die Phantasie von der „Ratte", die in der Schaltzentrale der Metropole ein Kabel durchnagt, so daß alle Lichter der Stadt verlöschen, die landläufigen Kanäle blockiert und im nächtlichen Chaos die Entscheidung losbricht. Aber es kam höchstens zur kleinen Störaktion, wie durch den Piratensender, dem es 1932 gelang, die Rede des Reichspräsidenten Hindenburg am Silvesterabend kurz zu stören.[47]

Alle diese Phantasien blamieren sich vor der theatralischen Inszenierung der Macht, in denen ab Januar 1933 die Faschisten Berlin zu ihrem homogenen Raum machen wollen (vgl. S. 230–237). Ihre Umfunktionierung des brennenden Reichstags übertraf alle anarchistischen Erwartungen von der Technik des „Fanal-Setzens". Und ihre Inszenierung des 1. Mai 1933 in Berlin bereits auf höchstem technologischem Niveau mit Rundfunkübertragung vom Zeppelin aus über dem zentralen Aufmarschgebiet, dem Tempelhofer Feld, war eins ihrer ersten großen Gesamtkunstwerke. Und ihre Einplanung „*politikfreier Räume*" in der Diktatur schloß an die moderne Erkenntnis der Medien an: Mit ihnen funktionierte sie die „Indifferenz" der Zeitungsleser in ihrem Sinne um.

Helmut Lethen

*Einen Tag nach dem Pogrom vom 10. 11. 1938 führen SS und
Polizei Juden zu Sammelplätzen für KZ-Transporte.*

Von der braunen Provinz besetzt

Jüdisches Berlin und seine Vernichtung

Das Berlin der Weimarer Republik bildete das Zentrum der Juden Deutschlands und des deutschsprachigen Judentums in Europa. In dieser Stadt zu leben, zu lernen und zu arbeiten war die Hoffnung tausender junger Juden aus Schlesien und Posen, aus Böhmen und Galizien, aus Polen und sogar aus Wien. Wie alle echten Berliner kamen die meisten Juden Berlins aus dem Osten des Deutschen Reiches. Doch das „jüdische Hinterland" Berlins, das Reservoir der in die Metropole strebenden Talente, reichte bis an die Grenzen der Türkei. Nur wer sich diese Perspektive vor Augen hält, begreift die enorme Vielfalt des Berliner Judentums, seine einzigartige wirtschaftliche und kulturelle Bedeutung und seine kosmopolitische Rolle im Leben der Reichshauptstadt.

Denkt man heute an das Berliner Judentum zurück, so wird es fast automatisch identifiziert mit der langen Reihe berühmter jüdischer Namen aus Theater, Literatur, Kunst, Wissenschaft, Presse und Film. Doch diese hervorragenden Juden bildeten nicht das jüdische Berlin – jedenfalls nicht in den Augen der Juden selbst. Sie gehörten zum öffentlichen Leben, ihr Judentum war Privatsache, bis die Nationalsozialisten es zum todeswürdigen Verbrechen erklärten. Das jüdische Berlin wurde durch die Tatsache bestimmt, daß Berlin eine Stadt mit 170 000 Juden war, mit Hunderten von jüdischen Gemeinden und Institutionen und mit Vertretern aller religiösen und politischen Richtungen des Judentums.

Nur in den Köpfen von Antisemiten bilden Juden eine homogene Gemeinschaft. Das Berliner Judentum, das in wenigen Jahrzehnten gewachsen war, spiegelte in seiner sozialen und religiösen Zusammensetzung die Divergenz seiner Herkunft. Hier gab es nicht nur das etablierte deutsch-jüdische Bürgertum liberaler Prägung, sondern auch ein starkes jüdisches Kleinbürgertum und ein vorwiegend ostjüdisches Proletariat. Hier lebten sozialdemokratische Ärzte, deutsch-nationale Unternehmer und zionistische Wandervögel neben chassidischen Schneidern, orthodoxen Rabbinatsstudenten und emanzipierten Frauenrechtlerinnen. Jeder Jude konnte in Berlin Vertreter seiner eigenen geistigen und sozialen Richtung treffen. Das bildete mit den großen wirtschaftlichen und kulturellen Möglichkeiten der Stadt ihre Hauptanziehungskraft auf Juden. So spielte Berlin eine Doppelrolle als Zentrum deutscher und jüdischer Kultur. Die meisten Berliner Juden lebten in beiden Kulturbereichen gleichzeitig, verbanden sie entsprechend ihren persönlichen Voraussetzungen und schufen so für sich eine individuelle deutsch-jüdische Kultur. In dieser Funktion, die Berlin für Juden hatte, ist es am ehesten New York vergleichbar.

Größe und Vielfalt der Berliner jüdischen Gemeinde bildeten das gemeinsame Resultat von Judenemanzipation, Industrialisierung und Reichsgründung. In Berlin und Spandau hatten nachweislich schon im 13. Jahrhundert Juden gesiedelt, wovon heute noch die in die Mauer der Spandauer Zitadelle eingelassenen Grabsteine zeugen. Doch wurden die Juden wiederholt aus Berlin und der Mark Brandenburg vertrieben, bis der Große Kurfürst sie 1671 nach fast hundertjähriger Abwesenheit in beschränktem Umfang neu zuließ. Die preußischen Herrscher, interessiert an der Modernisierung des Staates, legten Wert auf Juden als Steuerquellen, Kapitalgeber und Beleber von Im- und Export, begrenzten aber gerade deshalb ihre Zahl, tolerierten nur Bemittelte und verhinderten den Zuzug armer Juden. Alle Rechte von Juden basieren auf Zahlungsfähigkeit – diesen Grundsatz prägte die preußische Staatsverwaltung den geduldeten Schutzjuden unermüdlich durch die Tat ein.

Dennoch war die Berliner jüdische Gemeinde nicht nur ein Wirtschaftsfaktor in der Residenzstadt, sondern spielte seit der Zeit Moses Mendelssohns zunehmend auch eine Rolle im öffentlichen Kulturleben. Mit Mendelssohn, der als Philosoph und Weltweiser europäischen Ruhm errang, begann in Berlin der Prozeß der Akkulturation der deutschen Juden sichtbar zu werden. Es war die Berliner jüdische Mittel- und Oberschicht, die in Salons und Gelehrtenzirkel vordringend, zuerst ihr Interesse für die deutsche Kultur entdeckte, die hochdeutsche Sprache erlernte und die zeitgenössische Literatur studierte. Aus der nationalen Abgeschlossenheit der rein jüdisch-religiösen Kultur heraustretend, wandten sich die Berliner Juden mit so starker Intensität ihrer kulturellen Umwelt zu, daß manche – im Gegensatz zu Mendelssohn – die jüdische Tradition vernachlässigten oder aufgaben. Ein „Berliner" zu werden, war daher für die orthodox lebenden Juden Polens gleichbedeutend mit, dem Unglauben anheimzufallen. Und in der Tat zog die Residenzstadt Juden aus Osteuropa an, die wie der Kantianer Salomon Maimon hier das Licht der Aufklärung suchten und bereit waren, sich vom allein talmudisch bestimmten Judentum abzuwenden.

Das Jahr 1812 brachte den Berliner Juden die staatsbürgerliche Gleichstellung, wenn auch mit zahlreichen Ausnahmen, die erst ab 1848 beseitigt wurden. Infolge der jahrhundertealten Diskriminierung der Juden, konnte der juristische Akt der Emanzipation jedoch nicht die wirkliche soziale Gleichberechtigung bewirken. Weitgehend ausgeschlossen von Staatsämtern, Richterstellen, Professuren und Offizierslaufbahnen durch die faktische „Aufhebung der Verfassung durch die Verwaltung", blieben Juden bis zum Ende des Kaiserreichs Bürger zweiter Klasse. Sozialer Aufstieg war ihnen nur über Bildung und Besitz möglich, nicht über die in Preußen so angesehenen Militär- und Beamtenkarrieren. Deshalb drängten junge Juden in die Berliner Gymnasien und in die Universität und nutzten intensiv die wirtschaftlichen Möglichkeiten, die die Industrialisierung ihnen bot. In Handel, Industrie und in den freien Berufen haben die Berliner Juden ihre wichtigsten Erfolge errungen. Für viele wurde der Aufstieg vom Außenseitertum ins Bürgertum in der zweiten Hälfte des Jahrhunderts zur Wirklichkeit.

Es gibt heute in Berlin noch eine Möglichkeit, sich diesen Aufstieg physisch zu vergegenwärtigen – durch den Besuch der historischen Friedhöfe, jetzt sämtlich in Ost-Berlin gelegen. Den ältesten Friedhof in der Großen Hamburger Straße, eröffnet 1672, hat die Gestapo 1942 fast ganz abgetragen, als sie im früher benachbarten jüdischen Altersheim ein Deportationslager unterhielt. Der kleine Friedhof war gedrängt voll mit einfa-

chen Grabstätten, und die meisten Steine trugen hebräische In-
schriften. Nach 1945 wurde am gleichen Platz eine bescheidene Parkanlage geschaffen und für den hier 1786 beerdigten
Moses Mendelssohn ein neuer Grabstein errichtet. Auf dem
zweiten, 1824 gegründeten Friedhof in der Schönhauser Allee
ruhen in größeren bürgerlichen Grabstätten so bedeutende
Berliner Juden wie Leopold Zunz und Abraham Geiger, die
Begründer der Wissenschaft des Judentums, die liberalen Parlamentarier Eduard Lasker und Ludwig Bamberger und Bismarcks Bankier Gerson von Bleichröder. Einen völlig anderen Eindruck vermittelt der 1880 eröffnete Friedhof in Weißensee, der mit 115 000 Gräbern schon durch seine Größe
einmalig ist. Seine schnurgeraden Hauptalleen sind gesäumt
von pompösen Mausoleen des jüdischen Großbürgertums,
dessen Wille zur Selbstdarstellung seiner Erfolge hier unübersehbar wird. Kommerzienräte und Kammersänger ruhen in
kunstvollen Tempeln. Die Gräber des mittleren und kleinen
Bürgertums und des Proletariats befinden sich in sorgfältiger
klassenmäßiger Abstufung hinter dieser Kulisse des Großbürgertums. Direkt am Eingang liegen in einer Ehrenreihe die
Rabbiner und Kantoren der Gemeinde, und am Ende des
Friedhofs wurden um eine Gedenkstätte die Gefallenen des
Ersten Weltkrieges beerdigt. Ein Gang über diesen Friedhof,
der einst von zweihundert Gärtnern gepflegt wurde, erlaubt
noch heute einen fesselnden Einblick in die Berliner jüdische
Gesellschaft im Kaiserreich und in der Weimarer Republik.
Die jüdische Gemeinde wuchs nach der Reichsgründung im
selben Tempo wie die Gesamtbevölkerung Berlins, so daß der
Anteil der jüdischen Berliner mit 4 % etwa gleich blieb. Doch
stieg in diesem Zeitraum zwischen 1871 und 1925 die absolute
Zahl der Juden in Berlin von 36 000 auf 175 000 Personen. Lebten zur Zeit der Reichsgründung 10 % aller deutschen Juden in
Berlin, so waren es 1925 ein Drittel. Diese Vergrößerung der jüdischen Bevölkerung geschah allein durch Zuwanderung,
denn die Geburtenzahl lag bei den deutschen Juden seit Ende
des 19. Jahrhunderts erheblich unter der der Gesamtbevölkerung. Fast zwei Drittel der Berliner Juden von 1933 waren
außerhalb Berlins geboren. Diese Zugezogenen stammten zu
über der Hälfte aus den Provinzen Posen, Schlesien und West-
preußen.
Darüber hinaus gab es seit 1880 eine zunehmende Einwanderung von ausländischen Juden, vor allem aus Polen und Galizien, wo Pogrome und Hungersnöte die starke jüdische Bevölkerung zu Millionen zur Auswanderung veranlaßten, die fast
immer nach den Vereinigten Staaten führte. Im Ersten Weltkrieg warb Deutschland in den besetzten polnischen Gebieten
Tausende von ostjüdischen Arbeitern an, womit die Einwanderung von ausländischen Juden sprunghaft weiter anstieg.
In der Weimarer Zeit lebten in Berlin die Hälfte aller ausländischen Juden Deutschlands, da sie hier am ehesten Arbeit oder
die Unterstützung von Glaubensgenossen fanden. Nach der
Zählung von 1925 betrug ihre Zahl 44 000 Personen. Damit
machten sie also ein Viertel aller in Berlin lebenden Juden aus.
Die ausländischen Juden waren überwiegend nicht bürgerlicher, sondern proletarischer Herkunft und unterschieden sich
meist in Kleidung, Sprache, Religiosität und Lebensform von
den deutschen Juden. Diese reagierten ambivalent auf die Zuwanderer. Sie betrachteten sie sozial und kulturell nicht als
gleichwertig, suchten aber durch Sozialarbeit ihre Not zu lin-

dern und ihre kulturelle Assimilation zu fördern. Trotz solcher
Spannungen war der Übergang zwischen beiden Gruppen fließend. Es gab Ostjuden, die sich schnell integrierten und wirtschaftlichen Erfolg hatten, und deutsche Juden, deren Eltern
oder Großeltern noch Jiddisch gesprochen hatten. Lag doch
die Herkunft vieler Berliner Juden aus dem Ostjudentum nur
ein oder zwei Generationen zurück. Um so größer jedoch war
die Angst der Aufsteiger vor der Berührung mit der eigenen
Vergangenheit.
Die preußische Regierung verhielt sich vor wie nach 1918 gegenüber den ausländischen Juden extrem restriktiv. Selbst kulturell völlig deutsche Familien erhielten nur in wenigen Ausnahmefällen die deutsche Staatsbürgerschaft. Zehntausende
von in Berlin geborenen jüdischen Kindern galten so weiterhin als Ausländer.
Die Zuwanderung der Ostjuden ließ Klassenunterschiede im
Berliner Judentum deutlich hervortreten. Diese drückten sich
in der Herausbildung verschiedener jüdischer Wohngegenden
aus, die durch eine starke Binnenwanderung vom Zentrum
Berlins in den Westen entstanden. In der Mitte des 19. Jahrhunderts war das Siedlungsgebiet der Berliner Juden vor allem
der nördliche Bereich des Bezirks Mitte, wo 1866 die große
Gemeindesynagoge in der Oranienburger Straße errichtet wurde, deren Ruine dort noch heute als Mahnmal steht. Direkt daneben befand sich in einem stattlichen und ebenfalls erhaltenen Gebäude der Sitz der jüdischen Gemeindeverwaltung.
Dies Haus übernahm nach der Deportation der letzten Ge-
meindebeamten im Juni 1943 das Reichssippenamt, doch beherbergt es heute wieder das Büro der Jüdischen Gemeinde
von Berlin-DDR. In der Nähe von Synagoge und Gemeinde-
haus entstanden Ende des Jahrhunderts in der Artilleriestraße
– heute Tucholskystraße 9 und 40 – die Gebäude der liberalen
Hochschule für die Wissenschaft des Judentums und des orthodoxen Rabbinerseminars. Diese beiden gelehrten Institutionen erhielten übrigens nach ihrem Standort den Spitzna-
men „die leichte und die schwere Artillerie", wobei sich die Orthodoxie für im Besitz der schwereren Geschütze hielt. Hier im
Norden von Berlin-Mitte blieb das religiöse und verwaltungs-
mäßige Zentrum der Berliner Juden auch noch als im Zuge
des sozialen Aufstiegs die meisten Juden schon in die westlichen Vororte abgewandert waren.
Diese Bewegung setzte ab 1880 ein. In den bürgerlichen Vororten Charlottenburg, Tiergarten, Wilmersdorf und Schöneberg
lebten 1910 schon vierzig Prozent aller Berliner Juden. In
Charlottenburg gab es damals mehr jüdische Anwälte, Ärzte,
Professoren, Künstler und Journalisten als im eigentlichen
Berlin. Die 1912 in der Fasanenstraße errichtete Prunksynago-
ge mit 2000 Sitzplätzen, die sogar der Kaiser besichtigte, wurde zum Symbol dieses Aufstiegs ins Bürgertum. Bei der Volkszählung von 1925 erwies sich, daß im Bezirk Mitte und im Bezirk Charlottenburg jeweils 30 000 Juden lebten. Der prozentuale Anteil der jüdischen Wohnbevölkerung lag mit 13 Prozent aller Einwohner in Wilmersdorf am höchsten. Hier und
in den anderen westlichen Vororten bewohnten die jüdischen
Bürger vergleichsweise komfortable Mietwohnungen. Die
Oberschicht dagegen strebte in die Villenviertel, wovon noch
heute die Häuser Walther Rathenaus und Samuel Fischers in
der Villenkolonie Grunewald zeugen.
Auch innerhalb der einzelnen Bezirke bevorzugten Juden ge-

194 *Vor der Synagoge in der Fasanenstraße, Berlin Charlottenburg, um 1927. Die Synagoge wurde 1911–12 nach einem Entwurf von Ehrenfried Hessel erbaut.*

wisse Wohnviertel, so daß hier eine weitere Verdichtung des jüdischen Bürgertums stattfand, wie sie vor allem für das Hansaviertel im Tiergarten und für die Gegend des Bayerischen Platzes in Schöneberg (vgl. S. 259 ff.) und in Wilmersdorf bekannt ist. Beide Viertel erhielten nachfolgend große Gemeindesynagogen – 1919 in der Levetzowstraße und 1930 in der Wilmersdorfer Prinzregentenstraße.

Gleichzeitig wurde der Bezirk Mitte zum Zentrum ausländischer Juden. Die ärmsten Zuwanderer konzentrierten sich im sogenannten Scheunenviertel nordwestlich des Alexanderplatzes um die Grenadier- und Dragonerstraße in einem Slum, der heute wie vor 80 Jahren noch immer zur Sanierung ansteht. Die Verbindung von Armut und Orthodoxie war bezeichnend für viele dieser zumeist Jiddisch sprechenden Juden, die sich von Kleinhandel und Gelegenheitsarbeiten ernähren mußten. Allein in der Grenadierstraße gab es 1932 sechs landsmannschaftliche Betstuben, darunter mehrere für chassidische Fromme. Ein Teil der Zuwanderer waren jedoch klassenbewußte Proletarier, die jüdischen Arbeiterparteien verschiedener Richtungen angehörten, so vor allem dem „Bund", der sozialdemokratisch-zionistischen Poale Zion und der palästinensischen Arbeiterpartei Hapoel Hazair. Sobald die ostjüdischen Einwanderer es sich wirtschaftlich erlauben konnten, verließen sie das Scheunenviertel und zogen z. B. in den angrenzenden Bezirk Prenzlauer Berg. Hier wurde 1904 in der Rykestraße eine große Gemeindesynagoge errichtet, die das Novemberpogrom überstand und heute noch von der Gemeinde Berlin-DDR genutzt wird.

Die Berufsstruktur der Berliner Juden blieb auf den ersten Blick gesehen, relativ konstant. Mitte des 19. Jahrhunderts er-

nährten sich 52 % der Juden vom Handel, 1925 waren es noch immer 44 %. Im gleichen Zeitraum nahm jedoch die Zahl der in Handwerk und Industrie Beschäftigten von 17 % auf 27 % zu und ebenso wuchs der Anteil der Akademiker und Beamten von 6 % auf 11 %. Das Verharren in der Handelsbranche erklärt sich nicht nur aus der Tradition und dem Streben nach Unabhängigkeit, sondern es hatte auch ganz konkrete wirtschaftliche Gründe. Bot doch mit der Erhöhung der Konsumgüterproduktion im Zuge der Industrialisierung die dadurch bedingte starke Expansion des Handels die besten Berufsaussichten in diesem Wirtschaftsbereich.

In der Handelsbranche waren 1925 in Berlin 44 000 Juden tätig, davon 21 000 als selbständige Geschäftsinhaber, der Rest als Angestellte, die überwiegend bei jüdischen Inhabern arbeiteten. In gewissen Branchen, wie etwa dem Textil-, Schuh- und Pelzhandel oder bei den Handlungsreisenden, lag der Anteil der Juden traditionell hoch. Das gleiche war in Handwerk und Industrie zu beobachten. Hier arbeiteten allein 14 300 Juden im Bekleidungsgewerbe, davon ein Drittel Ausländer. Die berühmte Berliner Konfektion basierte auf einer Fülle von zuliefernden Kleinbetrieben – ganz entsprechend den Londoner und New Yorker sweat shops. Von 8800 Berliner jüdischen Schneidern, 1000 Schuhmachern und 800 Kürschnern arbeiteten etwa die Hälfte als Selbständige, oft als Zwischenmeister. Doch in der Konfektion waren auch die Inhaber der großen Firmen, besonders in der Damenoberbekleidungsbranche, überwiegend Juden. In keinem anderen Wirtschaftsbereich haben sie eine vergleichbar große Rolle gespielt wie hier am Hausvogteiplatz, dem Zentrum der Berliner Konfektion. Selbst die Sprache der Konfektionäre zeugte davon. Diese heute versunkene und noch völlig unerforschte Welt darf man nicht vergessen, wenn man das Berliner Judentum beschreibt, bildete doch die Konfektion die wirtschaftliche Basis für zehntausende von Familien. Und war das Konfektionsgeschäft auch gesellschaftlich nicht sehr angesehen, so brachten es doch einige Modehäuser zu Weltruhm. An der Spitze stand die Firma Hermann Gerson, die das Kaiserhaus und die europäische Hocharistokratie ebenso einkleidete wie später die Stars von Bühne und Film. Gerson veranstaltete Modenschauen mit Automobilsalons, zu Gerson kamen Einkäufer aus Paris und New York und der Exportumsatz des Hauses betrug vor 1933 dreißig Millionen Mark jährlich.

Eine über das Wirtschaftliche hinausgehende Bedeutung hatten jüdische Firmen in der Druckindustrie und im Verlagswesen. Weltbekannt sind die Zeitungsverlage Ullstein und Mosse, die die liberale Presse Berlins druckten. Bedeutende Faktoren des Kulturlebens waren der Literaturverlag S. Fischer, der Verlag Erich Reiss oder der Kunstverlag Bruno Cassirers. Weniger bekannt ist, daß es in Berlin auch jüdische Verlage gab, die in Hebräisch und Jiddisch publizierten oder wie der Philo-Verlag und der Jüdische Verlag nur Werke für ein jüdisches Lesepublikum veröffentlichten. 1930 gründete Salman Schocken, der Inhaber des bekannten Kaufhauskonzerns, den Schocken Verlag, der nach 1933 zum bedeutendsten Verlag für jüdische Literatur wurde.

In der Berliner Presse spielten Juden als Journalisten, Redakteure und Kritiker eine bekannt wichtige Rolle – doch nur, soweit es sich hier um liberale oder linke Zeitungen handelte, nicht z. B. in der Massenpresse des konservativen Scherl-Verlages. Auch als Buchhändler und im neuen Beruf des Kinobesitzers waren Juden stark vertreten sowie in der schnell expandierenden Filmbranche. Besonders fiel auf, daß etwa ein Drittel der Ärzte und Anwälte in Berlin Juden waren. In den Beamtenlaufbahnen – auch als Lehrer und Richter – waren Juden dagegen nur schwach vertreten, weil ihnen diese Berufsgruppen bis 1918 fast immer verschlossen blieben. So spiegelte auch die Berufsstruktur der Berliner Juden von 1925 noch immer die historischen Folgen von Berufsbeschränkungen, die mit der Emanzipation nicht geendet hatten.

Das Kulturleben Berlins verdankte den jüdischen Berlinern viel – vor allem eine Atmosphäre von Urbanität und Weltoffenheit und Spitzenleistungen im Theater- und Musikleben. Jüdisch waren nicht nur Regisseure und Schauspieler wie Max Reinhardt (vgl. Abb. 122–123), Leopold Jessner, Elisabeth Bergner und Ernst Deutsch, sondern jüdisch war vor allem auch ein großer Teil des Bildungsbürgertums, das das Publikum der Theater und Konzertsäle stellte. Viele Kritiker, Sammler und Mäzene der Berliner Kunstszene waren Juden und ebenso viele Dirigenten, Sänger und Solisten der Musikwelt. Sie alle leisteten nicht einen „jüdischen Beitrag", sondern sie verstanden sich als selbstverständlichen Teil des Berliner Kulturlebens. Ihre künstlerischen Leistungen waren für sie selbst unabhängig von ihrem Judentum.

Juden traten im öffentlichen Leben Berlins auch als Politiker hervor. Ihre parteipolitische Orientierung wurde bestimmt von ihrer sozialen Situation, daher hatten sie traditionell ihre Interessen bei liberalen Parteien am besten vertreten gesehen. Als sich nach 1918 die Linksliberalen in der Deutschen Demokratischen Partei sammelten, gehörten zahlreiche Berliner Juden zu den Gründern dieser Partei, so der Zeitungsverleger Rudolf Mosse, der Chefredakteur des Berliner Tageblattes Theodor Wolff und der Staatsrichter Hugo Preuß, der die Weimarer Verfassung entwarf. Es ist geschätzt worden, daß 1920 etwa 60 % der deutschen Juden die DDP wählten. Mitglied der DDP war auch Walther Rathenau (vgl. Abb. 45), der als Reichsaußenminister am 24. Juni 1922 auf der Königsallee von antisemitischen Rechtsradikalen ermordet wurde. Als der Liberalismus gegen Ende der Weimarer Zeit immer mehr schwand und 1930 die DDP aufgelöst wurde, waren viele Juden bereit, sozialdemokratisch zu wählen, weil sie in der SPD das letzte Bollwerk der Republik sahen. Die SPD hatte nie gezögert, jüdische Sozialdemokraten – oft waren sie Dissidenten – als Wahlkandidaten aufzustellen und war noch bis 1933 mit 10 Abgeordneten jüdischer Herkunft im Reichstag vertreten.

Wendet man den Blick von den Einzelpersönlichkeiten im öffentlichen Leben auf die jüdischen Gemeinden und die zahlreichen jüdischen Organisationen in Berlin, betrachtet man also nicht die Außenkontakte, sondern die Binnenkontakte der Berliner Juden, so tritt Jüdisches viel stärker hervor. Der „Führer durch die jüdische Gemeindeverwaltung und Wohlfahrtspflege in Deutschland" von 1932 verzeichnet allein 16 Gemeindesynagogen und 72 private Synagogenvereine für Berlin. Hier waren alle religiösen Richtungen vertreten von den Bojaner-Chassidim in der Grenadierstraße über die Adass Jisrael Gemeinde der Austrittsorthodoxie, die nicht zur Einheitsgemeinde gehörte, über die vielen orthodoxen und liberalen Synagogen bis hin zur jüdischen Reformgemeinde, die sogar den Sabbat auf den Sonntag verlegt hatte. In den Vor-

195 *Razzia in den 20er Jahren im „Scheunenviertel" am Alexanderplatz, dem Wohngebiet armer, ostjüdischer Einwanderer. Die Unterschrift zu diesem Foto in der NS-Propagandabroschüre „Der ewige Jude", 1938, verkehrt den Inhalt des Bildes in sein Gegenteil.*

orten bildeten sich eigene Synagogenvereine, wie z. B. der „Jüdische Religionsverein Friedenau, Steglitz und Umgebung". Viele der Synagogenvereine waren schlichte Gebetsgemeinschaften, ohne Rabbiner oder Synagoge, die täglich oder wöchentlich unter der Leitung eines Vorbeters Gottesdienst hielten. Entsprechend der jüdischen Tradition übernahm die Gemeinde neben ihren religiösen auch pädagogische und soziale Aufgaben. Das Wohlfahrts- und Jugendfürsorgeamt der Gemeinde hatte Zweigstellen in ganz Berlin und betrieb für Arbeitslose mehrere Arbeitsvermittlungsbüros. Der Sozialarbeit widmeten sich in Berlin 80 jüdische Institutionen, die zahlreiche Kliniken, Altenheime, Kindergärten und Volksküchen unterhielten. Neben den schon genannten beiden Rabbinerseminaren gab es als jüdische Unterrichtsstätten drei Volksschulen, eine Mittelschule und fünf Thoraschulen. Die hohen laufenden Ausgaben – der Jahresetat betrug 1926 über 8 Millionen Mark – bestritt die Gemeinde aus den von ihr erhobenen Gemeindesteuern und aus Stiftungsmitteln. Die Repräsentanten der Gemeinde wurden alle vier Jahre neu gewählt und bestimmten ihrerseits den Gemeindevorstand. Bei den Berliner jüdischen Gemeindewahlen in der Weimarer Republik kam es wiederholt zu erbitterten Wahlkämpfen zwischen den Zionisten und der antizionistischen Mehrheit. Im Jahr 1929 gelang es den Zionisten überraschend durch die Aktivierung ihres ostjüdischen Wählerpotentials und durch eine Koalition mit der Orthodoxie, erstmals den Vorstand der Berliner Gemeinde zu stellen.

Die jüdischen Reichsorganisationen hatten fast durchweg ih-

196 *Der Schriftsteller Walter Mehring (1896–1984), Mitbegründer der Berliner Dada-Gruppe. Foto: Lotte Jacobi*

197 *Theodor Wolff (1868–1943) war Chefredakteur des Berliner Tageblattes, der bevorzugten Zeitung der Berliner Juden. Foto: Lotte Jacobi*

ren Hauptsitz in Berlin. Die größte von ihnen war mit etwa 70 000 Mitgliedern der Centralverein deutscher Staatsbürger jüdischen Glaubens (Emser Straße 42), der 500 Ortsgruppen unterhielt. Der Centralverein, 1893 als eine Vereinigung zur Abwehr des Antisemitismus gegründet, wurde später zu einem Gesamtverband der bürgerlich-liberalen Juden, die Deutschtum und Judentum verbanden. Er kämpfte in der Weimarer Republik durch seine Rechtsschutzabteilung, einen eigenen Pressedienst und zahlreiche Publikationen vergeblich gegen Aufstieg und Einfluß des Nationalsozialismus. Vertrat der Centralverein die große Mehrheit der deutschen Juden, so die 1897 geschaffene Zionistische Vereinigung für Deutschland (Meinekestraße 10) eine wachsende Minderheit, die im Judentum ein Volk sah und die jüdische Siedlung in Palästina erstrebte. Beide Großorganisationen besaßen ihnen verbundene Jugend- und Studentenvereinigungen, so daß ihr starker weltanschaulicher Antagonismus selbst die jüdische Jugendbewegung in zwei Lager spaltete. In Berlin erschienen die Zeitungen beider Organisationen – die zionistische „Jüdische Rundschau" und die „CV-Zeitung" des Centralvereins. Als weitere jüdische Reichsorganisationen mit Hauptsitz in Berlin seien nur genannt der Jüdische Frauenbund mit bis zu 50 000 Mitgliedern und der betont patriotische Reichsbund jüdischer Frontsoldaten, der u. a. Stoßtrupps zum Schutz bei nationalsozialistischen Überfällen ausbildete.

In Berlin zeigte sich die Vielfalt und Divergenz jüdischen Lebens stärker als in jeder anderen Stadt. Doch wurde hier auch am deutlichsten, daß das deutsche Judentum in einer Epoche wachsender politischer Gefährdung dringend eine Gesamtvertretung benötigte. Als Vorstufe hierzu wurde 1922 in Berlin der Preußische Landesverband jüdischer Gemeinden begründet, der mehr als zwei Drittel der deutschen Juden umfaßte. Mit den süddeutschen Gemeindeverbänden Bayerns, Badens und Württembergs konnte dieser jedoch bis 1933 keine Einigung über einen Zusammenschluß erzielen, da sie eine Majorisierung durch den preußischen Landesverband – das heißt durch Berlin – befürchteten. Bei der Machtübernahme durch die Nationalsozialisten waren die deutschen Juden daher eine Minorität, die nicht nur religiös und ideologisch in sich gespalten war, sondern auch über keine Vertretung auf Reichsebene verfügte. Am 30. Januar 1933 wurde Hitler zum Reichskanzler ernannt. Zehn Jahre später rechneten die letzten Juden in Berlin täglich mit ihrer Verhaftung. Josef Goebbels, Gauleiter von Berlin, schrieb am 2. März 1943 über die abschließende Deportation der jüdischen Zwangsarbeiter in sein Tagebuch: „Sie sind am vergangenen Samstag schlagartig zusammengefaßt worden und werden in kürzester Frist nach dem Osten abgeschoben. Leider hat sich auch hier wieder herausgestellt, daß die besseren Kreise, insbesondere die Intellektuellen, unsere Judenpolitik nicht verstehen und sich zum Teil auf die Seite der Juden stellen. Infolgedessen ist unsere Aktion vorzeitig verraten worden, so daß uns eine ganze Menge Juden durch die Hände gewischt sind. Aber wir werden ihrer doch noch habhaft werden. Jedenfalls werde ich nicht ruhen, bis die Reichshauptstadt wenigstens gänzlich judenfrei ist." Dies Ziel hat Goebbels niemals vollständig erreicht. Denn Berlin war nicht nur die Stadt, in der der Mord an den Juden ganz Europas geplant und organisiert wurde, Berlin war auch der Ort, an dem Juden mehr Helfer fanden als irgendwo sonst in Deutschland.

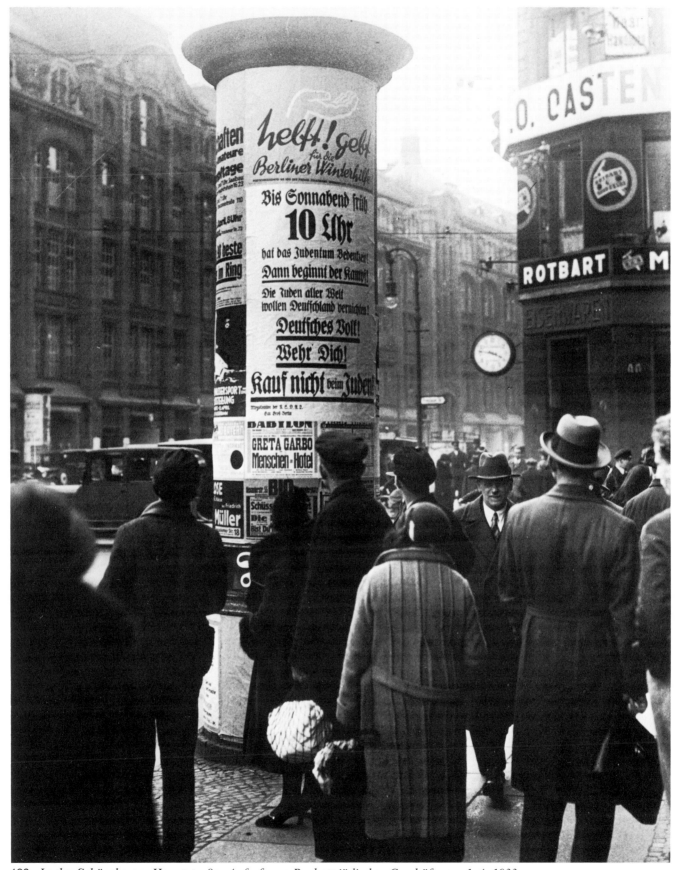

198 *In der Schöneberger Hauptstraße: Aufruf zum Boykott jüdischer Geschäfte am 1. 4. 1933*

Schon vor 1933 war die antisemitische Propaganda ständiger Teil des Alltagslebens. In Berlin gab es bereits 1923 im Scheunenviertel und 1931 auf dem Kurfürstendamm tätliche Überfälle auf Juden. Doch was viele Juden nach dem 30. Januar 1933 nur langsam erkannten, war die völlig neue Tatsache, daß der Rassenantisemitismus jetzt Teil des Regierungsprogramms war. Seit Jahrhunderten gewöhnt, bei den Herrschenden Schutz gegen die Exzesse des Pöbels zu suchen, konnten Juden diese Art des „Obrigkeitsdenkens" nicht so schnell ablegen. Und noch weniger waren sie bereit, über Nacht auf Befehl ihre deutsche Identität abzustreifen. Hatten doch ihre Familien seit Jahrhunderten in Deutschland gelebt und hatten viele von ihnen selbst im Ersten Weltkrieg als deutsche Soldaten für ihr Vaterland gekämpft.

Die ersten Juden, die Berlin 1933 verlassen mußten, waren gerade die am meisten ins öffentliche Leben integrierten Politiker und Künstler. Nach dem Reichstagsbrand flüchteten zusammen mit ihren Parteifreunden prominente jüdische Sozialdemokraten und Kommunisten in den Untergrund oder außer Landes, soweit sie nicht bereits Opfer der großen Verhaftungswelle geworden waren. Bekannte jüdische Künstler, die in Berlin ihre Engagements verloren, folgten Angeboten aus dem Ausland. Die große Mehrheit der Juden aber sah wie viele Deutsche die Naziherrschaft zunächst nur als ein Zwischenspiel an. Der 1. April 1933, der Tag des von der SA organisierten Boykotts jüdischer Geschäfte, zeigte allen Juden erstmals ihre Rechtlosigkeit unter der neuen Regierung, die versuchte, sie sozial zu isolieren, zu brandmarken und Pogromstimmung gegen sie zu erzeugen. Gerade in Berlin hatte dies den wenigsten Erfolg, wie Ball-Kaduri beschreibt: „Das Straßenbild blieb ruhig, und von allen jüdischen Geschäften wurde berichtet, wie viele alte christliche Kunden gerade aus den Kreisen der konservativen Bürgerschaft trotz aller Warnungen die Geschäfte betraten und aus innerer Anständigkeit und Protest gegen die Maßnahmen Waren kauften, diesen Grund auch oft ausdrücklich angaben." Doch eine solche Haltung zeigte sich nicht mehr, als im April 1933 die Beamten jüdischer Herkunft entlassen, die jüdischen Anwälte aus der Anwaltskammer ausgeschlossen und die Ärzte der Kassenzulassung beraubt wurden. Im Krankenhaus Moabit, wo die SA mehrfach jüdische Ärzte direkt auf den Stationen verhaftete, wurden von insgesamt 47 Ärzten allein 30 als Juden entlassen. Kein Berufsverband protestierte dagegen. Daß die ehemaligen Frontsoldaten dem Berufsverbot jetzt noch nicht unterlagen, erwies sich nachträglich für viele als verhängnisvoll, da es sie von einer rechtzeitigen Auswanderung abhielt.

Die Ereignisse des Frühjahrs 1933 führten zu einem engeren Zusammenschluß der bedrohten jüdischen Gemeinschaft, wenn auch die inneren Gegensätze zwischen dem Centralverein und der jetzt schnell an Mitgliederzahl gewinnenden zionistischen Vereinigung bis 1938 noch immer sichtbar blieben. Als erste Selbsthilfeorganisation entstand in Berlin im April 1933 der Zentralausschuß für Hilfe und Aufbau, ein Vorläufer der endlich im Herbst 1933 von den Landesverbänden gegründeten Reichsvertretung der deutschen Juden, die ihren Sitz in der Kantstraße 158 hatte. Präsident der Reichsvertretung wurde der bekannte Berliner Rabbiner Leo Baeck, dessen allseits respektierte Persönlichkeit die innerjüdischen Gegensätze zu mildern wußte. Die Reichsvertretung schuf ein umfassendes Selbsthilfewerk, das zunächst vor allem für die Unterstützung und Umschulung der Erwerbslosen sorgte und eigene Schulen und Ausbildungsstätten für die im öffentlichen Schulwesen diffamierten jüdischen Kinder gründete, bis die Auswanderungshilfe ihr immer mehr zur Hauptaufgabe wurde. Zunächst empfahl die Reichsvertretung die Auswanderung nur der Jugend, für die es in Deutschland keine Zukunft mehr gab, während die Älteren zum Ausharren ermutigt wurden. Gegenüber der NS-Regierung trat die Reichsvertretung als Sprecher der deutschen Juden auf und war ständig dem direkten Zugriff der Staats- und Parteibehörden sowie vor allem der Gestapo ausgesetzt. In dieser äußerst schwierigen Situation koordinierte sie die Arbeit aller jüdischen Einrichtungen in Deutschland und hielt Kontakt mit den jüdischen Hilforganisationen des Auslands.

Als Teil des Selbsthilfewerkes ist auch die Gründung des Berliner jüdischen Kulturbundes im Sommer 1933 zu verstehen. Es war dies eine Kulturorganisation ausschließlich von und für Juden, die unter der Leitung von Kurt Singer, früher Intendant der Städtischen Oper, Theater- und Musikaufführungen sowie Vortragsreihen veranstaltete. Der Kulturbund hatte in Berlin zeitweise 20 000 Mitglieder, unterhielt ein eigenes Theater in der Kommandantenstraße und beschäftigte viele sonst arbeitslose Künstler. Konzerte und Vorträge fanden auch in der Synagoge Prinzregentenstraße statt.

Groß war die Leistung der Schulabteilung der Reichsvertretung, die zahlreiche neue Schulen gründen mußte, für die Kinder, die die öffentlichen Schulen verließen, wo sie immer stärker isoliert und verfolgt wurden. Ende 1933 besuchten ein Viertel aller jüdischen Kinder jüdische Schulen, bis 1938 waren es drei Viertel. Die Schulabteilung schuf auch neue Lehrpläne und Schulbücher und veranstaltete Fortbildungskurse für Lehrer in den für die Auswanderung wichtigsten Sprachen. Daneben bestand in der Reichsvertretung eine Abteilung für Erwachsenenbildung, geleitet von Martin Buber, die durch ihre Kurse zur Stärkung des jüdischen Selbstverständnisses beitragen wollte. Von großer praktischer Bedeutung für die Vorbereitung der Auswanderung waren die zahlreichen handwerklichen und landwirtschaftlichen Lehrstätten, die geschaffen wurden, weil jüdische Lehrlinge keine Lehrstellen bei „Ariern" mehr erhielten. In Berlin gab es z. B. für Jungen Kurse in Schlosserei, Mechanik und Elektrotechnik, für Mädchen in Kranken- und Säuglingspflege, Schneiderei und Hauswirtschaft. Auch zahlreiche Erwachsene wurden zum Zweck der beruflichen Umschulung in diese Bildungsstätten aufgenommen.

Die Nürnberger Gesetze vom 15. September 1935 machten die Rechte des Einzelnen endgültig von seiner staatlich festgelegten „Rasse" abhängig. Juden konnten keine Reichsbürger mit politischen Rechten mehr sein, sondern nur noch „Staatsangehörige". Das „Gesetz zum Schutz des deutschen Blutes und der deutschen Ehre" verbot Eheschließungen zwischen Juden und Nichtjuden und kriminalisierte alle außerehelichen Sexualbeziehungen zwischen solchen Partnern. Bedenkt man, daß 1928 bereits 27 % aller Berliner Juden nichtjüdische Partner heirateten, so erkennt man, welche zerstörerischen sozialen Auswirkungen dieses Gesetz haben mußte. Wieviel Berliner aufgrund der Nürnberger Gesetze wegen „Rassenschande" verurteilt worden sind, ist noch unerforscht.

199   *Vor dem Buchungsbüro der Schiffahrtsgesellschaft „Palestine & Orient Lloyd" in der Meinekestraße am 23. 1. 1939. Hier konnte nur Schlange stehen, wer eine Einwanderungserlaubnis der englischen Mandatsregierung nach Palästina erhalten hatte.*

Im Bereich von Handel und Industrie blieben die antijüdischen Maßnahmen bis 1937 begrenzt, weil das Reichswirtschaftsministerium Produktions- und Absatzstockungen ebenso vermeiden wollte wie Exportrückgänge. Da jedoch die Partei und vor allem der „Stürmer" immer wieder den Boykott jüdischer Geschäfte propagierten, ging deren Umsatz allgemein zurück. Bis zum 1. April 1938 wurden in Deutschland etwa ein Viertel der jüdischen Betriebe aufgelöst oder „arisiert", das heißt unter Zwang zu Niedrigpreisen verkauft. Der erste Schritt zur völligen Ausschaltung der Juden aus der Wirtschaft war die Anmeldepflicht für alle Vermögen von Juden und das Verbot vom April 1938, Betriebe ohne besondere Genehmigung zu verpachten oder zu verkaufen. Im ersten halben Jahr nach dieser Verordnung wurden bei der Berliner Industrie- und Handelskammer 1002 Anträge auf „Arisierung" gestellt, und zwar von 365 Einzelhändlern, 180 Großhändlern, 218 Industriefirmen und 112 Bekleidungsunternehmen. Die Verkaufspreise, die die Firmeninhaber erzielten, lagen nach Genschel mehr als 50 % unter dem Verkehrswert. Die „Arisierung" ist für Berlin wie für ganz Deutschland bis heute nur in Ansätzen erforscht worden.

Es gab im Sommer 1938 viele Anzeichen für eine Verschärfung der Judenpolitik zusammen mit gezielten Kriegsvorbereitungen, so daß sich jetzt fast alle jüdischen Familien um Auswanderungsmöglichkeiten bemühten. Im Juni wurden alle auch nur geringfügig vorbestraften Juden verhaftet und in Konzentrationslager gebracht, im Juli schloß ein neues Gesetz Juden von zahlreichen Wirtschaftsberufen aus. Es folgte die Verordnung über die besondere jüdische Kennkarte und die zwangsweise Einführung der zusätzlichen Vornamen Israel und Sara.

Am 28./29. Oktober 1938 erfolgte die große Abschiebung von mindestens 15 000 Juden polnischer Staatsangehörigkeit. In Berlin wurden Tausende der Betroffenen in ihren Wohnungen verhaftet, auf dem Schlesischen Bahnhof in Züge geladen, an die polnische Grenze gefahren und mit Gewehren hinübergetrieben.

Das organisierte Pogrom vom 9. November 1938 bildete den Auftakt zur Vernichtung der deutschen Juden. In Berlin wurden 40 Synagogen verbrannt, die jüdischen Läden, Schulen und Büros zertrümmert, Juden auf offener Straße mißhandelt und am 10. November etwa 12 000 Männer in das Konzentrationslager Sachsenhausen verschleppt (vgl. S. 214–215). Diese das ganze Stadtbild prägenden Ereignisse, die Zerstörung von Gotteshäusern und Sachwerten, die in aller Öffentlichkeit stattfanden, riefen teilweise heimliche Kritik hervor, doch gab es keine Proteste aus der Bevölkerung dagegen.

Auf Terror und Verhaftung folgten Gesetze, die die Juden endgültig aus dem Wirtschafts- und Kulturleben ausschlossen. Juden konnten keine Betriebe mehr führen und nicht mehr frei über ihre Konten verfügen. Jüdischen Kindern war der Besuch öffentlicher Schulen verboten. Die in Sachsenhausen Internierten wurden, soweit sie nicht dort umkamen, meist nur gegen Auswanderungsbescheinigungen entlassen. Jeder weitere Aufenthalt in Deutschland war lebensgefährlich geworden, und die Verzweifelten kämpften in Panik um die immer geringer werdenden Möglichkeiten zur Auswanderung.

Berlin war seit 1933 das Zentrum der Auswanderung für Juden

200 *Das Pogrom vom 9. 11. 1938 leitete die endgültige Ausschaltung der Juden aus dem deutschen Wirtschaftsleben ein. Für die Pogromschäden mußten allein die jüdischen Ladeninhaber aufkommen. Foto: Abraham Pisarek*

aus dem ganzen Reich. In der Meinekestraße 10 befand sich das Palästinaamt, das mehr als 50 000 Juden Einwanderungszertifikate für Palästina vermittelte, die die englische Mandatsregierung nur in sehr begrenztem Umfang gewährte. Eine besondere Abteilung bildete die Jugendalija, die Jugendlichen die Auswanderung nach Palästina ohne ihre Eltern ermöglichte. Tausende von Kindern nahmen auf dem Anhalter Bahnhof für immer von Eltern Abschied, die zurückblieben und später deportiert wurden. Die nichtzionistische Auswanderung beriet und unterstützte der Hilfsverein der deutschen Juden in der Reichsvertretung. Er unterhielt Kontakte zu vielen Staaten und Hilfsorganisationen, um neue Einwanderungsmöglichkeiten zu eröffnen. Doch fast alle Länder der Welt verschlossen jüdischen Einwanderern die Grenzen, als 1938 die Massenflucht bevorstand. Wenngleich die USA mehr deutsche Juden aufnahm als jedes andere Land, wurde auch hier 1938/39 die festgesetzte Einwanderungsquote nicht erhöht. Shanghai war 1939 der einzige Ort der Welt, in den ein deutscher Jude ohne Visum flüchten konnte.

Wieviel Berliner Juden auswanderten, ist nicht genau festzustellen, da Berlin ständig neue Flüchtlinge und Durchwanderer aus der Provinz aufnahm. Lebten 1933 in Berlin 160 000 Glaubensjuden, so waren es im Mai 1939 noch 75 000, und im Juni 1941 wurden 67 000 „Rassejuden" gezählt, was 8 % Christen jüdischer Herkunft einschloß. Nach Beginn des Krieges im Sommer 1939 konnte die Auswanderung nur noch in kleinem Umfang bis 1941 fortgesetzt werden. Am 18. Oktober 1941 verließ der erste Deportationszug den Bahnhof Grunewald in Richtung Lodz.

Alle jüdischen Organisationen und Gemeinden waren schon Anfang 1939 zur „Reichsvereinigung der Juden in Deutschland" zusammengefaßt worden, die zwar noch die Schul-, Wohlfahrts- und Auswanderungsarbeit der Reichsvertretung weiterführen konnte, aber vollständig der direkten Kontrolle durch die Gestapo unterworfen war. Leo Baeck und andere ihrer Mitarbeiter blieben weiterhin bewußt in Deutschland, um die vielen nicht im Stich zu lassen, die nicht mehr auszuwandern vermochten. Die Reichsvereinigung wurde später gezwungen, auch Hilfsdienste bei den Deportationen zu leisten. Die Berliner Gestapo bestimmte die zu Deportierenden, die Reichsvereinigung mußte sie benachrichtigen und zuerst auch selbst zu den Sammellagern bringen. Juden, die jung und mutig genug waren, sich der Deportation zu entziehen, tauchten spätestens bei der Benachrichtigung unter, während mehr als tausend ältere Menschen auf den Transportbescheid mit Selbstmord reagierten. Über die Hälfte der damals noch in Berlin lebenden Juden waren älter als 50 Jahre.

Ab 15. September 1941 mußten alle Juden den Stern tragen und wurden so für die bevorstehende Deportation gekennzeichnet. Über die Zeit der Deportationen aus Berlin vom Oktober 1941 bis zum Juni 1943 wissen wir, was die Geschichte der Opfer betrifft, noch immer viel zu wenig. Die meisten Betroffenen haben nicht überlebt, die wenigen Berichte der Geretteten zeugen von der grauenvollen Ausgeliefertheit der zuletzt einzeln Gejagten. Es gibt bisher keine Liste der Firmen, in denen Juden bis zur „Fabrikaktion" vom Februar 1943 als Zwangsarbeiter beschäftigt wurden, doch wissen wir z. B., daß die Angehörigen der Baum-Gruppe fast alle bei Siemens arbei-

ten mußten. Zu wenig systematisch erforscht sind auch die Bedingungen des Untertauchens und des Lebens in der Illegalität. Es wird geschätzt, daß etwa 5000 Berliner Juden in den Untergrund gingen. Jeder Untergetauchte benötigte Helfer, die
bereit waren, ein hohes Risiko einzugehen und überdies die gesamte Ernährung zu übernehmen in einer Zeit der strikten Le-
bensmittelrationierung. Die Illegalen mußten folglich häufig
das Quartier wechseln, so daß man vermuten kann, daß mindestens 20 000 Berliner vorübergehend Juden geholfen haben.
Es beteiligten sich hieran die unterschiedlichsten Menschen,
darunter auch einige kirchliche Gruppen, so vor allem die
Pfarrer der Schwedischen Kirche in der Wilmersdorfer Land-
hausstraße und Pfarrer der Bekennenden Kirche, die verfolgte Berliner Juden in Württembergischen Dorfpfarrhäusern versteckten. Doch die Mehrzahl der Helfer und ihre Motive blieben unbekannt.

Zu gering sind auch unsere Kenntnisse über die Widerstandsgruppe Baum. Sie bestand aus jungen jüdischen Zwangsarbeitern, die teilweise dem Kommunistischen Jugendverband angehört hatten. Am 18. Mai 1942 setzten sie eine antisowjetische
Propagandaausstellung im Lustgarten in Brand. Die meisten
Mitglieder wurden daraufhin festgenommen und später hingerichtet. Zur Vergeltung verhaftete die Gestapo 500 Berliner Juden, von denen 250 am 28. Mai 1942 in der Kadettenanstalt
Lichterfelde erschossen wurden, die übrigen ermordete man in
Sachsenhausen.

Am 28. Februar 1943 erfolgte die große Massenverhaftung der
etwa 7000 jüdischen Zwangsarbeiter an ihren Arbeitsplätzen
in der Rüstungsindustrie. Bei dieser sogenannten „Fabrikaktion" wurden auch Juden festgenommen, die in Mischehe
lebten. Daraufhin demonstrierten mehr als 200 Ehefrauen
über eine Woche lang täglich vor dem Sammellager in der
Rosenstraße, bis diese Männer freigelassen wurden. Dies war
die einzige Demonstration gegen Deportationen, die jemals in
Deutschland stattfand.

Insgesamt sind mindestens 50 000 Berliner Juden entweder in
die Vernichtungslager des Ostens oder in das Ghetto There-
sienstadt deportiert worden. Nach dem Abtransport der letzten
Angestellten der Reichsvereinigung wurde deren Büro am
10. Juni 1943 geschlossen. In das Haus der Berliner jüdischen
Gemeinde zog das Reichssippenamt ein. Nur die in Mischehe
lebenden Juden waren noch in Berlin, und für sie blieben das
Jüdische Krankenhaus Iranische Straße und der jüdische
Friedhof in Weißensee bis zum Ende des Naziherrschaft in
Betrieb. Im Jüdischen Krankenhaus wurde ein Sammellager
für die noch aufgegriffenen Juden eingerichtet. In diesem Ge-
bäude sollen nach Bruno Blau etwa 800 Juden die Befreiung
Berlins erlebt haben.

Nach Ende des Krieges befanden sich in Berlin etwa 4000 Juden, die in Mischehe überlebten und mehr als 1500 die aus
dem Untergrund wieder auftauchten. Zu dieser Restgruppe ka-

201 *Ist Berlin noch Heimat? Rückkehr von Berliner Juden
aus Shanghai 1948. Foto: Henry Ries*

men etwa 2000 Rückkehrer aus den Lagern, vor allem aus The-
resienstadt, und Zehntausende von jüdischen Flüchtlingen
aus Osteuropa, die sogenannen Displaced persons. Aus diesen
höchst divergenten Gruppen bildete sich eine neue jüdische
Gemeinde, die lange als Liquidationsgemeinde angesehen
wurde, da alle Mitglieder die Emigration planten. Doch blieb
ein Teil der Überlebenden und der Displaced Persons in Berlin. Nach der Spaltung der Jüdischen Gemeinde zu Berlin 1953
wurde die West-Berliner Gemeinde zum Auffangbecken für
jüdische Emigranten aus Polen, Ungarn, der Tschechoslowa-
kei und der Sowjetunion, die heute mehr als die Hälfte der
etwa 6000 Gemeindemitglieder stellen. Nur wenige Berliner
Juden kehrten aus der Emigration zurück. In Ost-Berlin, wo
keine Einwanderung erfolgte, und die Rückwanderer sich als
Kommunisten nicht der Religionsgemeinde anschlossen, leben heute nur noch 200 meist alte Gemeindemitglieder. Von
einer Kontinuität des ehemaligen Berliner Judentums kann in
keinem Teil der Stadt gesprochen werden.

Monika Richarz

Geist des total platten Landes

Machtergreifung in der preußischen Akademie der Künste

Nun dämmere das Ende einer zerstörerischen Asphaltliteratur, stellte 1933 Will Vesper triumphierend fest. „Man traut seinen Augen nicht, welch brave Leute eigentlich im Grunde alle diese Burschen waren, die mit der Jauche ihrer Literatur seit einem Jahrzehnt unser Volkstum vergifteten, mit ihrer Verhöhnung alles dessen, was einem Volk heilig sein muß, mit ihrer Zersetzung aller Bindungen und Gesetze, mit ihrer alle Lebenswerte pervertierenden Schnoddrigkeit, ihrer Lustmord- und Bordellatmosphäre, ihren homosexuellen Widerlichkeiten, mit ihrem bolschewistischen, nihilistischen Snobismus."[1] Vesper war zusammen mit Werner Beumelburg, Hans Friedrich Blunck, Peter Dörfler, Hans Grimm, Hanns Johst, Erwin Guido Kolbenheyer, Agnes Miegel, Börries von Münchhausen, Isolde Kurz, Wilhelm Schäfer und anderen in die Preußische Akademie der Künste berufen worden. Ausgeschlossen worden waren per Einschreiben zwischen dem 5. und 8. Mai 1933 mit Berufung auf das Gesetz zur Wiederherstellung des Berufsbeamtentums vom 7. April Leonhard Frank, Ludwig Fulda, Georg Kaiser, Bernhard Kellermann, Alfred Mombert, Rudolf Pannwitz, René Schickele, Fritz von Unruh, Jakob Wassermann, Franz Werfel; unter Protest waren ausgetreten Alfred Döblin, Ricarda Huch, Heinrich Mann, Thomas Mann, Alfons Paquet und Stadtbaurat Martin Wagner.

Der „Kampf wider den undeutschen Geist" hatte bald nach der Machtergreifung der Nationalsozialisten begonnen; er kulminierte in der Bücherverbrennung vom 10. Mai 1933. Bei der „Verbrennung undeutschen Schrifttums" in Berlin stellte Joseph Goebbels mit Aggressionspathos fest, daß das Zeitalter des überspitzten jüdischen Intellektualismus nun zu Ende gehe, und der Durchbruch der deutschen Revolution dem deutschen Wesen die Gasse frei mache. „Diese Revolution kam nicht von oben. Sie ist von unten hervorgebrochen. Sie ist nicht diktiert, sondern das Volk hat sie gewollt. Sie ist deshalb im besten Sinne des Wortes der Vollzug des Volkswillens, und die Männer, die diese Revolution organisiert, mobilisiert und durchgeführt haben, stammen aus allen Schichten, Ständen und Berufen des deutschen Volkes. Ein ganzes Volk ist aufgestanden und hat die Fesseln der Tyrannei von sich abgeworfen." Die geistige Grundlage der Novemberrepublik sei nun zerstört; aus den Trümmern werde sich siegreich der Phönix eines neues Geistes erheben – eines Geistes, dem die Nationalsozialisten das entscheidende Gesicht geben und die entscheidenden Züge aufprägen würden. „Das Alte liegt in den Flammen. Das Neue wird aus der Flamme unseres eigenen Herzens wieder emporsteigen."[2]

Die rigorose nationalsozialistische Machtergreifung in der Preußischen Akademie der Künste markiert auf exemplarische Weise den „Aufstand der niederen Dämonen" gegen eine Literatur und Kunst, die durch Urbanität geprägt war. Die Manifestationen von Industriekultur als Ausdruck einer gleichermaßen nervösen wie komplexen Modernität sollten im Namen einer Ideologie liquidiert werden, die sich zu „Blut und Boden" bekannte – einer Metapher, die das Ressentiment von terriblen Simplifikateuren transportierte. Die Großstadt erschien den Nationalsozialisten als Topos einer durch Humanitätsduselei bestimmten Aufklärung; Logos sollte durch Mythos ersetzt werden.

Der führende Ideologe der NSDAP, Alfred Rosenberg, fußte in seinem Buch „Der Mythus des 20. Jahrhunderts" auf der völkischen Traktätchenliteratur des 19. und 20. Jahrhunderts und vermengte deren Inhalte mit einem mißverstandenen Nietzsche und den pseudowissenschaftlichen Erkenntnissen rassistischer Biologie. Dieser Entwurf einer nationalsozialistischen Weltanschauungslehre, der „eine Wertung der seelisch-geistigen Gestaltenkämpfe unserer Zeit" vornehmen will – und zwar in drei Büchern: „Das Ringen der Werte", „Das Wesen der germanischen Kunst", „Das kommende Reich" –, stellt die Behauptung auf, daß die gesamte Kulturentwicklung des Abendlandes von germanischen Stämmen ausgegangen sei, daß andererseits die mit dem Christentum zu Einfluß gelangte römische „Priesterkaste" gemeinsam mit Jesuiten, Freimaurern und den „Verschwörern des internationalen Judentums" den Niedergang der germanischen Kultur verursacht hätten. Nun sei die Zeit gekommen, da aus dem „Mythus des Blutes" ein rassereines germanisches Imperium emporsteige. Aus dem Typus des germanischen Menschen entstünden Staat und Leben neu; Kunst und Literatur seien arisch, rassisch und völkisch auszurichten. Rosenberg, der von Hitler zum „Beauftragten des Führers zur Überwachung der gesamten geistigen und weltanschaulichen Schulung und Erziehung der nationalsozialistischen Bewegung" ernannt worden war, wollte dementsprechend eine Akademie als Hort nationaler Selbstbesinnung schaffen. Von zentraler Bedeutung in Rosenbergs Werk, das selbst Goebbels einen „weltanschaulichen Rülpser" nannte, ist die Metapher „Asphalt"; sie soll, in den verschiedensten Kombinationen, die industriekulturelle Perversion anprangern. In den großen Städten mit ihren „Asphaltdschungeln" war eben ein Intellektualismus entstanden, gegen den die Vertreter der völkischen Bewegung schon im Zweiten Reich und dann vor allem in der Weimarer Republik mit dumpfer Wut anrannten. Rosenberg wütet gegen die „Schlammflut von Nigger-Begeisterung und Nigger-Kunst", gegen die „jüdische Bordell-Literatur", gegen die „Syrier vom Kurfürstendamm". Der härteste Mann sei für die eiserne Zukunft gerade noch hart genug. Aus dem „Zwangsglaubenssatz der schrankenlose Liebe und der Gleichheit alles Menschlichen vor Gott einerseits, der Lehre vom demokratischen rasselosen und von keinem nationalverwurzelten Ehrgedanken getragenen ‚Menschenrecht' andererseits" habe sich die europäische Gesellschaft geradezu als „Hüterin des Minderwertigen, Krankhaften, Verkrüppelten, Verbrecherischen und Verfaulten" entwickelt. „Die ‚Liebe' plus ‚Humanität' ist zu einer aller Lebensgebote und Lebensformen eines Volkes und Staates zersetzenden Lehre geworden und hat sich dadurch gegen die sich heute rächende Natur empört."[3]

Als verdorben erschien die Stadt; dort waren Juden und Rationalisten, Zersetzer und Zivilisierte zu Hause, „ein Inferno sich verbastardisierender schmutziger Menschenfluten", die „auf dem glühend unfruchtbaren Asphalt einer bestialisierten Unmenschheit verkrüppelten".[4] Die Dichter und Künstler, die nun in die Preußische Akademie einzogen, verkörperten und verbreiteten einen Geist, den Alfred Döblin den „Geist des total platten Landes" genannt hat. Ihr Altmeister war Adolf Bartels, der auch als Bauernromanautor hervorgetreten war. Mit borniertem Fleiß hatte er die Literatur in blutbewußte germanische und blutverseuchte jüdische Autoren eingeteilt. „In einem aber steht Adolf Bartels einzig dar: er hat zuerst die Scheidung der Geister nach Rasse und Blut in die Literaturgeschichte eingeführt, ohne jeder streng sachlichen und kritischen Wertung etwas zu vergeben."[5] Gottfried Benn, der bei der Gleichschaltung der Preußischen Akademie der Künste eine fatale Rolle spielte, hat später, als er dazugelernt hatte, den rassistischen Blubo-Ungeist als schreckliche Regression entlarvt. „Ein Volk in der Masse ohne bestimmte Form des Geschmacks, im ganzen unbe-

rührt von der moralischen und ästhetischen Verfeinerung benachbarter Kulturländer, philosophisch von konfuser idealistischer Begrifflichkeit, prosaistisch dumpf und unpointiert, ein Volk der Praxis mit dem – wie seine Entwicklung lehrt – alleinigen biologischen Ausweg zur Vergeistigung durch das Mittel der Romanisierung oder der Universalierung, läßt eine antisemitische Bewegung hoch, die ihm seine niedrigsten Ideale phraseologisch verzaubert, nämlich Kleinbausiedlungen, darin subventionierten, durch Steuergesetze vergünstigten Geschlechtsverkehr; in der Küche selbstgezogenes Rapsöl, selbstbebrütete Eierkuchen, Eigengraupen; am Leibe Heimatkurkeln, Grauflanell und als Kunst und Innenleben funkisch gegrölte Sturmbannlieder. Darin erkennt sich ein Volk. Ein Turnreck im Garten und auf den Höhen Johannisfeuer – das ist der Vollgermane. Ein Schützenplatz und der zinnerne Humpen voll Bock, das sei sein Element. Und nun blicken sie fragend die gebildeten Nationen an und erwarten mit einer kindlich anmutenden Naivität deren bewunderndes Erstaunen."[6]

Dichter, die im besten Sinne des Wortes Vertreter der „Heimatliteratur" waren, also die seit der zweiten Hälfte des 19. Jahrhunderts sich ausprägende Polarität von Stadt und Land als Ausdruck der Krise der modernen Gesellschaft er-

kannt und in den Mittelpunkt ihres Schaffens gerückt hatten, sahen sich zu Unrecht in die Nähe der Blut-und-Boden-Literatur gerückt. Oskar Maria Graf, den die Nationalsozialisten für ihre Weltanschauung zu vereinnahmen trachteten, protestierte im Mai 1933 in schärfster Form dagegen: „Diese Unehre habe ich nicht verdient! Nach meinem ganzen Leben und nach meinem ganzen Schreiben habe ich das Recht, zu verlangen, daß meine Bücher der reinen Flamme des Scheiterhaufens überantwortet werden und nicht in die blutigen Hände und in die verdorbenen Hirne der braunen Mordbanden gelangen! Verbrennt die Werke des deutschen Geistes! Er selber wird unauslöschlich sein, wie eure Schmach!"[7]

Hildegard Brenner, der eine ausführliche Studie über die „Politische Formierung der Preußischen Akademie der Künste ab 1933" zu danken ist, spricht mit Recht davon, daß der Terminus „Gleichschaltung", da er noch die Vorstellung von einheitlicher Ausrichtung und Einsatzbereitschaft, also einer nachweisbaren Funktionstüchtigkeit impliziere, die Ziele der nationalsozialistischen Kulturpolitik viel zu schwach beschreibe. Die Preußische Akademie der Künste verkam zur gesellschaftlichen und faktischen Bedeutungslosigkeit.[8]

Der ehemalige niedersächsische Gauleiter der NSDAP, Dr. Bernhard Rust, der

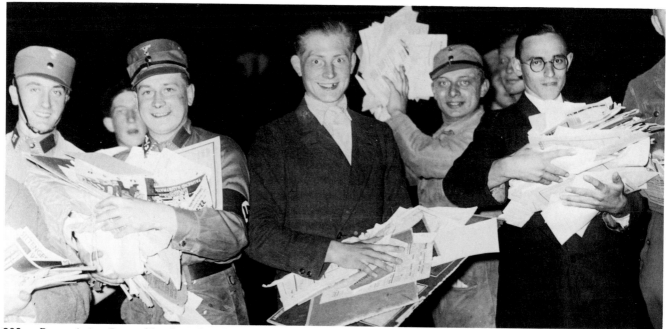

202 „Das geistige Deutschland wird verbrannt!" Berlin, Opernplatz, 10. Mai 1933

im Februar 1933 zum Staatskommissar für Kunst, Wissenschaft und Volksbildung in Preußen und damit zum Kurator der Akademie ernannt worden war, betonte zwar kurz nach seiner Ernennung in einer Rede vor Studenten, daß er die Persönlichkeit als „ewigen Garanten eines echten Fortschreitens zur Höhe" nicht mehr binden wolle als notwendig; in seinem Ressort werde er der Pflege der Persönlichkeit große Sorgfalt

die „gemeinsame Abwehrfront' zu formieren. Mir scheint, es sei nicht nur jener Leiter schuldig, sondern ebenso schuldig alle jene, die diesen Mann, Herrn Heinrich Mann, zum Leiter ihrer Akademie erkoren. Seien sie unbesorgt! Ich werde dem Skandal an der Akademie ein Ende bereiten!"[9]

Am 15. Februar 1933 wurde der amtierende Akademiepräsident Max von Schillings ins Preußische Ministerium

Binding in der Sitzung des Senats und der Abteilung für Dichtung am 13./14.3.1933 wurde eine Loyalitätserklärung verabschiedet, die vorwiegend Gottfried Benn formuliert hatte: Jedes Mitglied sollte gefragt werden, ob es unter Anerkennung der veränderten geschichtlichen Lage weiter mit seiner Person der Preußischen Akademie der Künste zur Verfügung stehe. Eine Bejahung dieser Frage schließe die öffentliche politische Betätigung gegen die Regierung aus und verpflichte zu einer loyalen Mitarbeit an den satzungsgemäß der Akademie zufallenden nationalen kulturellen Aufgaben.[10]

Thomas Mann schrieb: „Den mir vorgelegten Revers kann ich in der gewünschten Form nicht beantworten. Ich habe nicht im Geringsten die Absicht, gegen die Regierung zu wirken und der deutschen Kultur glaube ich immer gedient zu haben, werde auch in Zukunft versuchen, es zu tun. Es ist aber mein Entschluß, von meinem Leben alles Amtliche abzustreifen, das sich im Lauf der Jahre daran gehängt hat, und fortan in vollkommener Zurückgezogenheit meinen persönlichen Aufgaben zu leben. Darum bitte ich Sie, sehr verehrter Herr Präsident, von meinem Austritt aus der Sektion für Dichtung der Preußischen Akademie der Künste Kenntnis zu nehmen."[11]

203 *Sitzung der Sektion für Dichtkunst (von l. nach r.): Alfred Döblin, Thomas Mann, Ricarda Huch, Bernhard Kellermann, Hermann Stehr, Alfred Mombert, Eduard Stucken. Foto: Erich Salomon, vermutlich am 28. 10. 1929*

angedeihen lassen. Was er jedoch unter „Persönlichkeit" wirklich verstand, zeigten bereits die nächsten Sätze seiner Ansprache: „Das Schlagwort von der Freiheit ist Unsinn. Selbst die größte Persönlichkeit findet dort ihre Grenze, wo die Notwendigkeit des Volksganzen beginnt. Nicht der Mensch, das Individuum, das Volk ist das Maß aller Dinge." Genehm waren diejenigen, die als „Persönlichkeiten" ideologisch bereits entpersönlicht waren, die „aus der organischen Eigenart des Volkes" emporwuchsen. Die zu ergreifenden Maßnahmen liefen darauf hinaus, „der Zersetzung deutscher Eigenart und deutschen Bildungswesens ein Ende zu bereiten". „Lassen Sie mich ein Beispiel auswählen, an dem ich zeigen kann, was ich zu tun gedenke: Es gibt da z. B. eine Dichterakademie. Die hat auch einen Leiter. In den letzten Tagen hat man den Namen dieses Mannes von den Litfaßsäulen prangen sehen, der die Sozialdemokraten und Kommunisten aufforderte,

für Wissenschaft, Kunst und Volksbildung berufen; Reichskommissar Rust eröffnete ihm, daß er die Preußische Akademie der Künste, zumindest deren Literaturabteilung, aufzulösen beabsichtige. Die Unterzeichnung des Wahlaufrufs des „Internationalen sozialistischen Kampfbundes" (ISK) durch die Akademiemitglieder Käthe Kollwitz und Heinrich Mann würde diese Maßregelung notwendig machen. Schillings berief für den Abend, das heißt innerhalb von sechs Stunden, eine außerordentliche Sitzung der erreichbaren, also der Berliner Akademiemitglieder ein; die beiden Inkriminierten sollten zum Austritt veranlaßt werden. Wenig später verließen sie die Akademie.

Das Verhalten der in der Akademie verbleibenden Dichter zeigte in einer Reihe von Fällen, wie charakterlos man die ästhetische Position bemühte, um eine moralische bzw. politische Entscheidung nicht treffen zu müssen. Unter der Verhandlungsführung von Rudolf G.

Ricarda Huch antwortete auf ein Schreiben des Präsidenten, der sie zum Verbleib aufgefordert hatte: „Sie erwähnen die Herren Heinrich Mann und Dr. Döblin. Es ist wahr, daß ich mit Herrn Heinrich Mann nicht übereinstimmte, mit Herrn Dr. Döblin tat ich es nicht immer, aber doch in manchen Dingen. Jedenfalls möchte ich wünschen, daß alle nichtjüdischen Deutschen so gewissenhaft suchten, das Richtige zu erkennen und zu tun, so offen, ehrlich und anständig wären, wie ich ihn immer gefunden habe. Meiner Ansicht nach konnte er angesichts der Judenhetze nicht anders handeln als er getan hat. Daß mein Verlassen der Akademie keine Sympathiekundgebung für die genannten Herren ist, trotz der besonderen Achtung und Sympathie, die ich für Herrn Dr. Döblin empfinde, wird jeder wissen, der mich persönlich oder aus meinen Büchern kennt. Hiermit erkläre ich meinen Austritt aus der Akademie."[12]

Durch Ausschlüsse und Austritte war die Abteilung Dichtung der Preußischen Akademie bald „gesäubert". Der neue Vorsitzende wurde Hanns Johst, sein Stellvertreter Hans Friedrich Blunck. Über die konstituierende Sitzung der „erneuerten" Abteilung für Dichtkunst in der Preußischen Akademie der Künste am 7. Juni 1933 schrieb Oskar Loerke in sein Tagebuch: „Feierlicher Beginn: Kultusminister Rust, der Präsident, Ziergold. Als die Herrschaften sich selbst überlassen waren, wurde es unangenehm. Die guten Alten triumphieren. Emil Strauß, Hermann Stehr. Sie fühlen sich jetzt würdig und wichtig. Man hat ihnen auch Senatsstellen gegeben. Im übrigen waren die Herren Nationalisten sehr unter sich. Schäfer, immer zu hysterischen Wutausbrüchen neigend, brüllend, schwarzer Alberich. Das tückische aufgeblasene breiige Nichts Kolbenheyer, stundenlang redend. Eitle Diktatoren, die sehr bald mit den Neuen zusammenstießen. Haß auf die ‚Berliner'. Beleidigungen. Zum Teil die alten ‚Berliner Existenzen' (Schäfer). Die alten Mitglieder wurden absolut ausgeschaltet, außer mir: Stukken, Molo, Scholz, Benn, Seidel, Halbe ... Durch die hohlen, üblen Radaubrüder Schäfer und Kolbenheyer geriet die Sitzung auf ein unwahrscheinlich schäbiges Niveau. Nicht zu verachten ist auch die rücksichtslose Strammheit Will Vespers ...".[13]

Eine Notiz im Amtlichen Preußischen Pressedienst vom 9. Juni kündigt den beabsichtigten Ausbau der Abteilung zu einer „allgemeinen deutschen Akademie der Dichtung" an: „Aus dem betont außervölkischen Zustande ihrer früheren Zusammensetzung ist sie zu einem volksbewußten und artgerechten Lebenskörper umgebaut worden."[14]

Die neuen Dichterfürsten, die sich souverän „von Gottes Gnaden" dünkten, werden nach monatelangem Kompetenzgerangel über (nie bestätigte) Statuten und Statusfragen im November 1933 jäh aus ihren Träumen von einer zukünftigen „Großen Akademie der Deutschen Kunst" gerissen. Ohne Rücksprache mit den angeblich höchsten Vertretern des ‚deutschen Schrifttums' werden eine Reichskulturkammer beim Reichsministerium für Volksaufklärung und Propaganda, eine Reichsschrifttumskammer, ein Reichssprach-

amt usw. gebildet, die alle Kompetenzen wahrnehmen werden, für die sich die Dichterakademie auf ihrer konstituierenden Sitzung im Juni für zuständig erklärt hatte.[15]

In dieser Situation wirkt der Vorschlag von Hans Grimm vom 6. Dezember grotesk, während einer Art Dichterkrönung im selbstentworfenen Talar und „feierlicher Form" alljährlich vor die Nation zu treten und jeweils fünf neue

204 *Spendet! Büchersammlung der NSDAP für unsere Wehrmacht, Plakat*

noch unbekannte Dichter aufzunehmen.[16] 1937 zieht der neuernannte Generalbauinspektor für die Reichshauptstadt, Albert Speer, in die Räume der Preußischen Akademie im alten Arnimschen Palais am Pariser Platz 4 ein.

Die Aktionen wider den undeutschen Geist in den Abteilungen 1 und 2, den Sektionen für Bildende Künste und Musik, liefen erst Mitte Mai bzw. im Juni 1933 an. „Der Grund für diese Verzögerung muß in der weitaus geringeren politischen Exponiertheit dieser Abteilungen gesehen werden; in der Akademieleitung hatte sich zudem die Einsicht durchgesetzt, daß die ‚sprichwörtlich undeutsche Hast' (von Schillings), mit der die Reorganisation der Literaturabteilung betrieben worden war, sich nicht wiederholen dürfe, Fehlschläge wie der unerwünschte Austritt von Ricarda Huch sollten vermieden werden."[17]

Ähnlich wie im Bereich Literatur trat eine Reihe von bedeutenden Künstler aus – allerdings oft erst in den späteren Jahren; auch die Ausschlüsse erstreckten sich über einen längeren Zeitraum. Unter denjenigen, die insgesamt die Akademie verließen, bzw. verlassen mußten, waren Ernst Barlach, Otto Dix, Karl Hofer, Ernst Ludwig Kirchner, Oskar Kokoschka, Käthe Kollwitz, Max Liebermann, Ludwig Mies van der Rohe, Max Pechstein, Karl Schmidt-Rottluff, Bruno Taut; Arnold Schönberg, Franz Schreker.

In der zweiten Szene des dritten Aufzugs von Shakespeares „Sturm", als Caliban, der dumpfe, gierige Sklave, den besoffenen Kellner Trinkulo und den verlumpten Spaßmacher Stefano antreibt, den Humanisten Prospero umzubringen, bedrängt dieser seine Mitverschworenen, vor der Mordtat die Bibliothek Prosperos zu verbrennen:

„Denk dran, dich erst der Bücher
  zu bemeistern,
Denn ohne sie ist er nur so ein
  Dummkopf,
Wie ich bin, und es steht kein einz'ger
  Geist
Ihm zu Gebot ...
Verbrenn' ihm nur die Bücher!"[18]

Die Vorgänge des Jahres 1933, vor allem die Entmündigung der Preußischen Akademie der Künste, wirken wie eine Verifikation des dichterischen Textes. Hatte man sich der Bücher „bemeistert", hatten die Mordkolonnen freie Hand. „Dort wo man Bücher verbrennt, verbrennt man auch am Ende Menschen" (Heinrich Heine).

Zum Glück der deutschen Kultur konnten sich (wie Prospero) 1933 und in den folgenden Jahren eine große Anzahl von Vertretern des deutschen Geisteslebens ins Exil retten. Von dort brachten sie 1945, oft freilich wenig anerkannt, die verbotene und verfemte Dichtung und Kunst wieder zurück – in ein Land zu einem Volk, das freilich, wie das Dritte Reich hinlänglich zeigt, oft mit erschreckendem Enthusiasmus die Dichter und Denker verfolgt und den Richtern und Henkern zugejubelt hatte. Mehr Anpassung als Widerstand kennzeichnete bereits 1933, kurz nach der Machtergreifung, die Lage.

Hermann Glaser

Vom Dschungel zum Fahnenwald

Berlin in Reih und Glied – zur 700-Jahr-Feier der Reichshauptstadt 1937

Berlin steht nicht unter dem Schatten einer Kathedrale. Der Mensch, der hier ganz auf sich selbst gestellt ist, verlangt deshalb wohl um so entschiedener nach Ordnung und militärischer Zucht.
(Helene Nostiz, 1938)[1]

Mit der alten Hauptstadt war im neuen Reich kein Staat zu machen. In keiner Hinsicht erfüllte sie das unheilvolle Wunschbild eines machtvoll geschlossenen Zentrums im Reich deutscher Größe. Berlin, 1937 gerade siebenhundert Jahre alt geworden, war in den Augen Hitlers „nichts als eine ungeregelte Anhäufung von Bauten".[2] Seine Verachtung traf eine Stadt, in der „die Warenhäuser einiger Juden und die Hotels einiger Gesellschaften als charakteristischer Ausdruck der Kultur unserer Tage"[3] gegolten hätten. Der Hohn des Siegers fiel auf eine Republik, die die Monarchie beseitigte, ihr Staatsoberhaupt aber im Gebäude eines ehemaligen Untergebenen des Königs residieren ließ.[4] Jedoch wäre für das Dritte Reich die Würde der Macht auch nicht dadurch gewährleistet gewesen, daß

man die alten Herrschaftssitze bloß übernahm, wie Hitler gegen die neuen Herren im Kreml mokant hervorkehrte. Das neue Reich verlangte grundsätzlich nach einer neuen Hauptstadt. Ganz im Sinne eines deutschen imperialen Anspruchs sollte sie unvergängliche Macht repräsentieren, Zeugnis von deutscher Größe geben, sollte ihr Stadtbild Dauerkundgebung sein, Monument des Triumphes der neuen Ordnung.[5] Fast beschwörend klingen die stets wiederholten Forderungen nach einer repräsentativen Weltstadt, fähig mit allen Hauptstädten der Welt zu konkurrieren, nach einer würdigen, wirklichen, erstmals wahren Hauptstadt der Deutschen, nach einer endgültigen Mitte ihres nationalen Lebens.[6]

All das war Berlin nicht gewesen. Feiernswert war deshalb anläßlich des 1937 erstmals begangenen Stadtjubiläums auch nicht der stolze Rückblick. Er gab nur, mit Blick auf Preußen, das Kolorit für den Marsch in die neue Zeit, getreu dem Lied „Uns're Fahne flattert uns voran, in die Zukunft zieh'n wir Mann für Mann". ‚Umbau', ‚Aufbau', ‚Neuaufbau' sind die Begriffe in den Festreden der 700-Jahr-Feier,[7] mit denen dem alten Berlin ein Abschied ge-

geben wird, den der im selben Jahr eigens dafür etablierte „Generalbauinspektor der Reichshauptstadt Berlin", Albert Speer, exekutieren sollte.

Mit Hitlers Worten: „Berlin muß sein Antlitz ändern, um sich seiner großen neuen Mission anzupassen"[8] – einer Mission, die zuallererst an die Beseitigung der politischen Gegner ging, um im Holocaust zu münden; einer Mission, an deren Ziel „die Hauptstadt Europas das gewaltigste werden (müsse), was es auf der Erde gibt."[9] Mehr noch – Berlin wäre „Welthauptstadt" geworden. Sinnfällig präsentierte diesen Anspruch die Entwurfsänderung zur Bekrönung der Kuppel der ‚Großen Halle': Hielt der Adler zunächst ein Hakenkreuz in den Fängen, so zuletzt die Weltkugel.[10]

„Gebt mir vier Jahre Zeit" – die erste Bilanz

Auch ohne die Pläne, das alte Berlin in der Welthauptstadt ‚Germania' verschwinden zu lassen, war das Jubiläumsjahr der Stadt ein Wendepunkt. 1937 – das ist das letzte Jahr jener Grenzen, die bis heute auf etlichem Papier gehalten werden, das Jahr des Endes des Deutschen Reiches, das über das Groß-

205 *László Moholy-Nagy, Projektions-Collage für: Walter Mehring, „Der Kaufmann von Berlin". UA 6. Sept. 1929, Theater am Nollendorfplatz, Piscator-Bühne. Regie: Piscator, Bühne: Moholy-Nagy, Musik: H. Eisler. „Nie kam ‚die Straße' jemals derart auf die Bühne. . . . Die Straße trampelt, die Straße schreit" (Bernhard Diebold, Frankfurter Zeitung, 11. Sept. 1929).*

deutsche und Großgermanische zum Reich schlechthin werden sollte.

Die vier Jahre, die der gewählte Reichstag Hitler gegeben hatte, schlossen mit einer eindruckheischenden Bilanz: „Möge es ihnen (den Teilnehmern des Reichsparteitages 1937, d. Vf.) aber bewußt werden, daß damit eine Hoffnung von Jahrtausenden und das Gebet vieler Generationen, die Zuversicht und der Glaube unzähliger großer Männer unseres Volkes endlich seine geschichtliche Verwirklichung erfahren hat. Die deutsche Nation hat doch bekommen ihr germanisches Reich",[11] resümierte Hitler in der Schlußrede des Reichsparteitages 1937, den erstmals die Botschafter Frankreichs und Großbritanniens sowie der Geschäftsträger der USA mit ihrer Anwesenheit würdigten. Die Behauptung und, gewiß, Überzeugung von einer ,Schicksalswende', dem Beginn einer neuen Zeit, wurde so emphatisch unterstrichen, daß es verwundert, warum man nicht auch mit einer neuen Zeitrechnung begann. Hitler: „... wir sind wirklich die Zeugen einer Umwälzung, wie sie gewaltiger die deutsche Nation noch nie erlebt hat. Gesellschaftlich, sozial, wirtschaftlich, politisch, kulturell und rassisch leben wir in einem gigantischen Umbruch der Zeit."[12] Und, auf den nationalen Anspruch bezogen: „Drei Tatsachen möchte ich heute als Abschluß eines Kapitels der deutschen Geschichte feststellen. Erstens: Der Vertrag von Versailles ist tot. Zweitens: Deutschland ist frei! Drittens: Der Garant unserer Freiheit ist unsere eigene Wehrmacht."[13] Bis in Randbereiche wurde die ,Wiedererlangung der Wehrhoheit' zum sinnstiftenden Signal: Die Namen des neuen Weins, die er in Neustadt an der 1934 so getauften ,Deutschen Weinstraße' erhielt, lauteten: 1936: Rekrut, 1937: Bomber.

Der nationale Erfolg erfüllte sich in internationaler Anerkennung. Die ,Jugend der Welt' hatte zur Olympiade 1936 die Reichshauptstadt in bestem Licht gesehen, der deutsche Pavillon auf der Pariser Weltausstellung 1937, vis à vis dem sowjetischen auftrumpfend, präsentierte strahlend seine Schau neuer deutscher kultureller Leistungen, darunter das dort im Modell preisgekrönte Nürnberger Parteitagsgelände.

Die Bilanz der Mission schloß 1937 positiv – auch was das ,Antlitz' der Hauptstadt betraf? Die Vorbilder waren da: das Nürnberger Parteitagsgelände, die Bauten in München, der ,Hauptstadt der Bewegung', zugleich ,Hauptstadt der Deutschen Kunst', das ,Haus der Deutschen Kunst', das vier Wochen vor dem Berliner Stadtjubiläum mit einem bombastischen Festzug „2000 Jahre Deutsche Kultur"[14] eröffnet wurde. Hier wurde im Herbst 1937 der ersten „Großen Deutschen Kunstausstellung" das Vernichtungsverdikt einer sogenannten ,Entarteten Kunst' oder des ,Ewigen Juden' gegenübergestellt. Dagegen war „mit dieser Stadt Berlin ... nichts anzufangen",[15] so Hitler im Hinblick auf eine Stadtverwaltung, die seine Umbaupläne so wenig tatkräftig beförderte, daß er ihre Aufgaben seinem Generalbauinspektor übertrug. Diese Schmähung der Stadt verstand sich jedoch allgemeiner. Nach Möglichkeit mied die Staatsspitze Berlin – allein Goebbels hielt die Stellung –, Hitler residierte auf dem Obersalzberg, empfing in München. Tatsächlich war 1937 das „künftige und damit ewige Gepräge", das Hitler Deutschlands Städten zu geben versprochen hatte,[16] in Berlin erst in Probestücken zu sehen: die Deutschlandhalle (Fritzsche und Löhbach, 1935), das Messegelände (Richard Ermisch und Bachmann, 1935–1936) als dominierender Gegenpol zu Hans Poelzigs Haus des Rundfunks an der Stelle

der 1935 sicherlich zum Wohlgefallen der neuen Machthaber abgebrannten Bauten der von Poelzig und Martin Wagner 1929 geplanten „Systemarchitektur", der Zentralflughafen Tempelhof (Ernst Sagebiel, 1937), das Reichsluftfahrtministerium (Ernst Sagebiel, 1935–1936), der neugestaltete Wilhelmplatz (Albert Speer, 1933), der Reichsbankerweiterungsbau (Heinrich Wolff, 1934–1940), das Reichssportfeld (Werner March, 1934–1936).

Doch war für die Parteipropaganda bereits in diesen ,Monumentalbauten' „die nationalsozialistische Einheit sinnfällig zu spüren".[17] ,Einheit', ist das Schlüsselwort auch für die Vorstellung der neuen deutschen Stadt: Wo der Staatsbürger dem Volksgenossen Platz zu machen hatte, war die Formierung der heterogenen Gesellschaft zum einigen Volk in gradliniger Geschlossenheit zu bezeugen. Ein machtvolles Sinnbild mußte die Stadt werden, Monument des Sieges über den Moloch. Schneisen mußte sie schlagen durch das undurchdringliche Chaos. Die Einheitlichkeit des Stadtbildes sollte die Einheitlichkeit des Erlebens, das Gefühl stolzer Zusammengehörigkeit beglaubigen. Diese ,Stimmungsarchitektur' erweckt das Gefühl der Teilhabe an der Macht, steht man in ihrer Mitte nur klar ausgerichtet in Reih und Glied und tanzt – bei Strafe – nicht aus der Reihe.

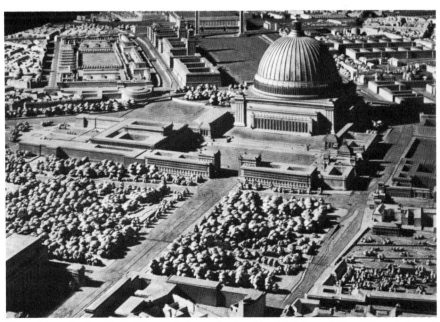

206 Die „Große Halle" im Schnittpunkt der Nord-Süd- und Ost-West-Achse als Mitte des neuen Reiches. Entwurf: Albert Speer, Modellaufnahme von 1941

Das Lichten des Dschungels

„Als Tummelplatz mannigfaltiger Ideen blieb Berlin die klare Linie versagt. Erst der Nationalsozialismus brachte der Stadt die Grundsätze straffer Führung. (Illustrierter Beobachter, zur 700-Jahr-Feier Berlins).[18]

Im offiziellen Sprachgebrauch wurde Berlin von den Nazis ‚erobert‘. Die Inschrift des ‚Ehrenschildes‘, den die Stadt Berlin anläßlich ihrer 700-Jahr-Feier stiftete und Goebbels in Dankbarkeit verlieh, feiert den Gauleiter ausdrücklich als „Eroberer Berlins“.[19] Kriegerisch war diese Eroberung: Die politische und architektonische Destruktion klingt denn auch folgerichtig in der eingangs genannten Vokabel vom ‚Neuaufbau‘ Berlins an. Der verhaßte Feind wurde geschlagen, vertrieben, vernichtet. Eine 1933 erschienene parteioffiziöse Broschüre, in mehr als 150 000 Exemplaren verbreitet, sprach gar in ihrem Titel vom „Bewaffneten Aufstand“, der abzuwehren war.[20]

Das eroberte Terrain war das einer lärmend blühenden Kultur, die die Faszination Berlins während der 20er Jahre ausgemacht hatte: einer Kultur der Kritik, in der unablässigen Suche nach Neuem, dem Unerhörten, nach Modernität; einer Kultur, in der alles erlaubt schien, atemlos offen für Experiment, Veränderung, Utopie. Brecht, für viele andere: „Es gibt einen Grund, warum man Berlin anderen Städten vorziehen kann: weil es sich ständig verändert.“[21] Der Beifall, den die gesamte künstlerische Avantgarde der 20er Jahre der Ästhetik der Oberfläche gab, das Lob einer staatsfernen Kultur, der Stolz, Hohlraum für Ideen zu sein, gewissermaßen als ‚Fremdkörper‘ im Reich, war mindestens ambivalent. Denn eben dem ‚Fremdkörper‘ galt die dann siegreiche Attacke aller Reichsbesessenen. Wie elementar ihre Feindschaft gegen das offenbar ordnungslose Durcheinander des vornazistischen Berlin war, wie bedrohlich, gefährlich eine Kultur der Moden, des unablässigen Wechsels, der Exzentrik tatsächlich wirken konnte, scheint am deutlichsten im Wort vom ‚Dschungel‘ der Großstadt ausgedrückt: Hier wuchern Schlingpflanzen regellos durcheinander, das Auge verliert sich in einer chaotisch ungegliederten Masse, Moder und Zersetzung herr-

207–208 *Demonstration der KPD im Lustgarten gegen den Panzerkreuzerbau, 1928. Dekoration des Ufa-Palastes am Zoo zu Leni Riefenstahls Film „Triumph des Willens“. Foto: Fritz Eschen*

schen, grelle Geräusche, ‚Urwaldmusik‘ fasziniert und ängstigt zugleich. Ein Gefühl von Regel, gleichmäßiger Wiederholung, wie sie staatliche Ordnung fordert, scheint hier ausgeschlossen. Das Bedürfnis nach ‚Zerstreuung‘, der Wunsch nach Anonymität konnte auch nach 1933 in diesem schillernden Großstadtdschungel befriedigt werden, einer Volksgemeinschaft (vgl. S. 263 f.) jedoch stand diese urbane Kultur un-

versöhnlich entgegen. Ästhetisch wird der Dschungel denn auch vom strammen Fahnenwald überwunden. In ihm sind die angetretenen Massen geborgen. Er überhöht das erhabene Einigkeitsgefühl zu nationaler Andacht. Der Fahnenwald steht als symbolische Vereinigung der heroischen Lebensziele des in die Zukunft marschierenden Volkes. Nicht nur im Lied der HJ ist die Fahne mehr als der Tod. Den Wald hat Elias

211 *Festzug „700 Jahre Berlin", ‚abgenommen' am 15. August 1937 vor dem Rathaus.*

209–210 *Maifeier im Lustgarten: „Das Volk angetreten zum Generalappell der Nation" (Hitler). „Dauerfestschmuck" für die Ost-West-Achse. Entwurf: Benno von Arent, „Reichsbühnenbildner"*

Canetti später als das ‚Massensymbol' der Deutschen identifiziert: den Wald als Heer, das Heer als „marschierenden Wald", der jedem seinen Platz zuweist. Die Vernichtung des Waldes/Heeres wird zur tödlichen Bedrohung: „Die Übungen, die ihnen (den Deutschen nach dem Versailler Vertrag, d. Vf.) nun versagt waren, das Exerzieren, das Empfangen und Weitergeben von Befehlen, wurden zu etwas, das sie sich

mit allen Mitteln wiederzuverschaffen hatten.
Das Verbot der allgemeinen Wehrpflicht ist die Geburt des Nationalsozialismus."[22] Eben das drückte Hitlers Feststellung in Nürnberg 1937 aus, daß Deutschland frei sei, weil der Vertrag von Versailles tot sei, und ebenso direkt und ausschließlich identifizierten die Medien die Wehrmacht als Symbol deutscher Freiheit.

Es ist nicht allein eine Dämonisierung des geschlagenen inneren Feindes, wenn die Abrechnung in den Triumphreden des neuen Reiches nichts weniger behauptet als die Erlösung vom Übel. Die „Festschrift zur 700-Jahr-Feier der Reichshauptstadt"[23] sah da satanische Gewalten am Werk, die Berlin in einen Totentanz rissen. Demnach schien die Stadt in ein Inferno zu taumeln, sah einen Kampf auf Leben und Tod mit den Mächten der Finsternis: Moskau, Mob und Maschinengewehre. Voll teuflischer Freude hätten Bolschewismus und Judentum geglaubt, den Untergang der Stadt feiern zu können. Mit Anspielung auf Walter Mehrings Stück „Der Kaufmann von Berlin" hätte der Galizier den Kurfürstendamm in eine Straße des Judentums verwandeln können und so fort.
Oder, wie der parteioffizielle „Ilustrierte Beobachter" zur 700-Jahr-Feier resümiert: „Nirgends in Deutschland schien der Kampf gegen das Weimarer System und das Moskauer Untermenschentum so hoffnungslos zu sein wie in Berlin, nirgends erhob der rote Mob frecher sein Haupt, nirgends gab es ganze Stadtviertel, die so uneingeschränkt der roten Diktatur preisgegeben waren, wie in der Reichshauptstadt . . ."[24]
Überraschend taucht in diesen Heldenliedern noch ein Feind auf, dem mit Gewalt und Propaganda ganz wörtlich

zu Leibe gerückt werden mußte: die Bevölkerung. Als wären verstockte und aufsässige Heiden zu unterwerfen gewesen, spricht die Partei sozusagen von einem Bekehrungswerk, um so verdienstvoller und schwieriger, „weil der Berliner von Natur aus schwer zu überzeugen und zu gewinnen ist."[25] Bekehrung – und Säuberung, wie Goebbels in seiner 700-Jahr-Festansprache vor den Ehrengästen sagte: „Wer an diesem Tag durch die Straßen unserer Stadt fährt..., dem geht eine Ahnung davon auf, daß unsere Aufgabe nicht nur eine wirtschaftliche, eine politische oder nur eine soziale gewesen ist, sondern daß es vielmehr eine Aufgabe am *Menschen* war, daß wir nicht nur diese Stadt in ihrem äußeren Bild, sondern daß wir sie geändert haben in den Menschen aller Schichten. Vor allem, daß der üble Beigeschmack, den man sonst im Lande empfand, wenn von Berlin oder vom Berliner die Rede war, nun geschwunden ist."[26]

Schauplatz des Triumphes wurde Berlin im doppelten Sinn: Ort des Sieges und Ort seiner Beschwörung. Der Triumphzug durch das eroberte Berlin fand sogleich nach der Ernennung Hitlers zum Reichskanzler, der von den Nazis so genannten ‚Machtergreifung', statt: als Fackelzug in angeblich endlosen Reihen durch das Brandenburger Tor, der, für Filmaufnahmen nachgestellt, zum legendären Bild wurde. All die Großbauten, Arenen, Tribünen, Plätze, Achsen, Gigantenforen bildeten hinfort die Kulisse zur stets wiederholten Selbsthuldigung, zur Inszenierung der Macht.

Der Aufmarsch zur Volksgemeinschaft

„Deshalb, weil Sie mir nachmarschiert sind, konnte ich vorangehen." (Adolf Hitler, 1937)[27]

Staats- und Dynastieverherrlichungen scheinen für die Idee einer Identität von Staat und Volk so unverzichtbar, daß gerade auch der Mangel an staatlichem Pathos und nationaler Symbolik für die Abkehr von der (Weimarer) Republik verantwortlich gemacht wurde.[28] Was aber hätte eine ‚Republik ohne Republikaner' zu feiern gehabt?

Zwar hatte die Republik dem Deutschen Reich mit dem ‚Deutschlandlied' 1922 eine Nationalhymne gegeben,[29] sah Berlin zur Amtseinführung des zweiten

Reichspräsidenten ein militärisches Zeremoniell, zeigte der Leichenzug beim Tode Stresemanns Anklänge an wilhelminischen Trauerpomp, wurde der Verfassungstag gewürdigt – in lustloser Pflichterfüllung freilich, wie Stresemanns Urteil über die Verfassunsfeier des Jahres 1925 nahelegt: „Wenn man die Verfassung hätte zu Grabe tragen wollen, hätte man sie nicht anders feiern können."[30] Wie die Beseitigung der

212 *Programmheft des Nelson-Theaters am Kurfürstendamm, 1926.*

Monarchie von den Verfechtern des Reiches allenfalls als notwendiges Übel hingenommen wurde, zeigte der Ausgang des Flaggenstreites, 1926: Die offizielle Gleichstellung von Schwarz/ Weiß/Rot mit Schwarz/Rot/Gold nahm schließlich die Beseitigung der Republik selbst vorweg. Was eine Aufgabe der Republik hätte sein können: der Weg in eine zivile Gesellschaft, in einem ‚Paneuropa' gar, mit der Chance für Berlin, als traditionsloseste, neueste, lebendigste Stadt eine kosmopolitische Zukunftsmission für Europa zu erfüllen; eine solche Mission war machtpolitisch, nicht nur nachträglich, die Sache von Träumern und Außenseitern, im schlimmsten Fall Verrätern.[31]

Die ‚Neue Festesfreudigkeit', von der bei den Feiern des Dritten Reiches die Rede ist, beseitigte ein Defizit an öffentlicher Identifikationsmöglichkeit mit Nation und Reich so gründlich, daß,

im Gegenzug gewissermaßen, zur Schilderung erhabener Empfindungen im Seelenhaushalt des einzelnen von einem ‚inneren Reichsparteitag' gesprochen werden konnte. Tatsächlich war die „gewaltigste Umwälzung" darangegangen, die vergangene Zeit der ‚Miesmacher' und ‚Kritikaster' – und ihren jetzigen Terror – in pompösen weihevollen Festen zu überstrahlen und damit unsichtbar zu machen. Wie der damalige französische Botschafter respektvoll konstatierte,[32] gab das Dritte Reich seinen Festen einen Glanz, wie ihn Deutschland nie gekannt hatte. Mit Ausgelassenheit etwa hatten jene Lustbarkeiten nichts zu tun. Sie reaktivierten das Muster vom Einzug des Herrschers und der Heerschau, wie es Berlin im Wilhelminismus erlebt hatte. Doch fügten sie ein wesentliches Element hinzu: das Volk als Akteur, sich selbst im Aufmarsch repräsentierend. Hitler sah „das Volk als Millionenarmee angetreten" zum „Generalappell der Nation", wenn er den Massen am 1. Mai erschien, der, 1933 erstmals arbeitsfreier Tag, als ‚Nationaler Feiertag des Deutschen Volkes' angeeignet worden war. Feiern hatten die Empfindung des Eins-Seins mit dem Ganzen zu erwecken, den Einzelnen im erhabenen Gefühl deutscher Größe aufzusaugen, die im Wort vom einen Volk in einem Reich mit einem Führer beschworen war. Nirgendwo war dieses Gefühl besser hervorzurufen, als im Marschieren, im Aufmarsch, Vorbeimarsch – in der unvermeidlichen Uniform: 1937 beschäftigte die ‚Reichszeugmeisterei' von ihrem 500räumigen Münchner Büro aus 800 Tuchfabriken, 1000 Hemdenhersteller, 1000 Mützenmacher, 70 000 Schneidermeister, 1700 Lederwarenfabriken und Sattlereien, 900 Metallwarenfabriken.[33]

Zuallererst in den Feiern verwirklichte sich Rosenbergs Satz: „Die deutsche Nation ist eben drauf und dran, endlich einmal ihren Lebensstil zu finden Es ist der Stil einer marschierenden Kolonne, ganz gleich, wo und zu welchem Zweck diese marschierende Kolonne auch eingesetzt sein mag."[34] Ganz so erscholl es im Lied „wir werden weiter marschieren" – bis tatsächlich alles in Scherben fiel.

Wie der Einzug des Herrschers verlangt der Aufmarsch des Volkes nach einem

213   Plakat „Deutschland das Land der Musik", Entwurf: L. Heinemann. Dieses Plakat hing mit
französischem Text auf der Pariser Weltausstellung 1937.

würdigen Rahmen, einem Feierraum. Ihn bot die Festarchitektur, und nur in ihr wurde zunächst – anders als in Nürnberg – ein neues Berlin Wirklichkeit. Auch die ausdrücklich zur ‚via triumphalis‘ erklärte Ost-West-Achse, zu Hitlers 50. Geburtstag vollendet, aber schon seit der Olympiade als Feststraße eingesetzt, war nur ein Vorgriff auf die Triumphstraße der geplanten Welthauptstadt, die Nord-Süd-Achse (vgl. S. 249–251). Hier erst wären Stadt- und Festarchitektur eins geworden, hätten statt des immer wieder aufzubauenden ‚Dauerfestschmucks‘ der Ost-West-Achse ein Triumphbogen und die obligaten Trophäen, eroberte Panzer und Geschütze auf hohen Sockeln, den Volksgenossen demonstriert: Dies „ist das Wort aus Stein!“ Gerdy Troost, die Frau des bereits 1934 verstorbenen Architekten Paul Ludwig Troost (Haus der Kunst in München), überliefert diesen Ausspruch Hitlers und fährt fort: „Adolf Hitler, der das scheinbar unentwirrbare Chaos der zersplitterten Teile seines Volkes zu Kraft und sinnvollem Zusammenwirken in einer höheren Einheit ordnete, ist auch der große Baumeister einer neuen deutschen Heimat."[35]

Andererseits hatte ein geschmähtes Berlin Dekoration auch in besonderer Weise nötig. Einheitlichkeit, Geradlinigkeit und Geschlossenheit zeigte das Stadtbild gerade nicht.[36] Deshalb waren schon zur Olympiade Baulücken provisorisch geschlossen worden, hatte man Reklamen beseitigt, das Stadtbild ‚bereinigt‘. Doch blieb damit immer noch der „stets als störend empfundene Eindruck der uneinheitlichen Häuserarchitektur“.[37] Vor allem aber war dem Mangel an staatstragendem Dekor abzuhelfen. „Das sieht aus, wie die Dekoration zu einem Schützenfest", hatte sich Speer angesichts der ersten Planungen zum 1. Mai empört.[38]

Die ‚Dekoration der Gewalt‘, von der im Blick auf die Architektur des Dritten Reiches gesprochen wurde,[39] nahm in der Kulisse ihren Anfang. Fahnenwände kaschierten die Fassaden Unter den Linden, an Drähten hängende Fahnen schirmten den Einblick in Seitenstraßen ab, die Straßenflucht weitertreibend. Fahnentürme, Fahnenwälder wuchsen auf dem heutigen Theodor-Heuss- und Ernst-Reuter-Platz, Fahnen strebten hinter Zuschauer- und Rednertribünen

empor. Als vorbildlich galt Speers Dekoration des Berliner Lustgartens, wohin die Maifeier vom Tempelhofer Feld (der Flughafen war im Bau) 1936 verlegt wurde: Rechtwinklig fügten sich an Schinkels Altes Museum – in dieser Dekoration selbst wie Festarchitektur wirkend – Tribünen, von Pfeilern und Fahnenwänden überhöht. 1937 schloß eine dritte Tribünen- und Fahnenwand diesen Feierraum zum eigenen, geradezu sakralen Erlebnisfeld ab, die Massen in seiner Ordnung bergend – und gefangennehmend. Fahnen, Schmuckpfeiler, Pylone mit Hoheitszeichen und Flammenschalen, eigens und lediglich für die Feste installiert, waren die auftrumpfende Symbolik der Macht. Sie umrahmten in feste Blöcke geformte Massen zu einem Empfindungsensemble, das seinen wahren Ausdruck in der Andacht der licht- und flammenerfüllten Nacht fand.

Jedoch hatte neben diesen Festen durchaus eine parvenühafte Hofhaltung Bestand.[40] Nach außen gab die Staatsspitze sich selbst und den Repräsentanten anderer Staaten Feste in ungeniert barockem Gepräge. Goebbels lud während der Olympiade zu einer „Italienischen Nacht" auf die Pfaueninsel. Pioniere hatten hier eine Schiffsbrücke geschlagen. Sie standen, die Ruder präsentierend, Spalier für tausend Gäste, die zwischen illuminierten Bäumen und jungen Mädchen in Pagenkostümen das mitternächtliche Feuerwerk erwarteten. Göring postierte in der Staatsoper rotgewandete Lakaien mit Puderperücken zwischen den Gästen eines Festessens mit anschließendem Ball, der von goldübersäten Uniformen und Damen in großer Toilette erstrahlte. Vielleicht war es solch höfische Prachtentfaltung, die den damaligen, dem Dritten Reich nicht mißgünstig gesinnten britischen Botschafter zum Schwärmen auch über die Verschmelzung von Massen und Dekor brachte. Angesichts der 1937 in Nürnberg unter dem ‚Lichtdom‘ aufmarschierten 140 000 Mann überkommt ihn folgender Vergleich: „Vor dem Krieg verbrachte ich sechs Jahre in St. Petersburg, in den besten Tagen des alten russischen Balletts. Was aber grandiose Schönheit betrifft, so habe ich nie ein Ballett gesehen, das mit diesem zu vergleichen wäre."[41]

Die 700-Jahr-Feier der Reichshaupt-

stadt registrierten er und sein französischer Kollege nicht. Wohl aber, einen Monat später, die auch politisch wichtigste Feier des Jahres 1937: den Besuch Mussolinis, dessen Zustimmung zum bevorstehenden ‚Anschluß‘ Österreichs gefragt war. Sein Besuch kann als Paradebeispiel gelten. Hier bestand die Ost-West-Achse ihren Test so glänzend, daß François-Poncet fast bewundernd konstatierte: „Niemals ist ein Monarch in Deutschland mit solchem Prunk empfangen worden."[42] Sein Einzug in die Stadt führte ihn an der Seite des Führers vom Bahnhof Heerstraße über die Ost-West-Achse, den schon verbreiterten, aber noch siegessäulenlosen Großen Stern durch das Brandenburger Tor zum Wilhelmplatz durch ein üppiges Zuschauerspalier: Berlin hatte eigens dafür einen arbeitsfreien Tag erhalten.

Wie die Verschmelzung des Volkes mit dem Staat technisch zu realisieren war, zeigte die bis dahin größte Radio-Direktübertragung: Die nächtliche Feier im Olympiastadion wurde, wie Goebbels in seiner Einleitungsrede stolz verkündete, von mehr als 100 Millionen Menschen zugleich am ‚Volksempfänger‘ erlebt.[43] Bereits der feiertagsstiftende 1. Mai 1933 konnte die Teilnehmer der damals größten Massenveranstaltung auf dem Tempelhofer Feld, 1,5 Millionen Menschen, nur über Lautsprechertechnik vereinen; ähnlich wie heute mit Watt-Zahlen renommiert wird, listeten damalige Berichte mehr als 100 Hochleistungslautsprecher, dazu 51 ‚Riesenhaller‘ usf. auf.[44] Ebenso wurden die Festsitzungen der „Reichskulturkammer" in der Deutschen Oper und Hitlers Rede im Lustgarten entlang des Aufmarschgeländes zum 1. Mai auf die Straßen übertragen.

Die Anzahl der Soldaten, die Mussolini vor der heutigen TU Berlin Revue passieren ließ, war 1937 gewaltig: 14 000 Mann. Zwei Jahre später, zur Einweihung der Ost-West-Achse bei Hitlers 50. Geburtstag, mußte die damalige Parade bereits verblassen: Nun defilierten vier Stunden lang 100 000 Mann – übergangslos in den Krieg, möchte man heute meinen, an dessen Ende die triumphale Ost-West-Achse zwischen Brandenburger Tor und Siegessäule nur noch die letzte Startbahn für Hanna Reitsch (die „deutsche Fliegerin") aus dem eroberten Berlin war.

Heimat Berlin –
der Weg in die Gemeinschaft

„Die besondere Verhaltenheit Berlins, die dem Fremden mit scheinbarer Gleichgültigkeit Jahrhunderte alter Kultur verschweigt, ist aber keineswegs, wie man oft sagt, amerikanisch. Die preußische Haltung, die im Grunde auch hier regiert, empfindet jeden neuen Augenblick als Gelegenheit zur Tat und erlaubt sich selten einen Rückblick"(Helene Nostiz, 1938).[45]

In seinen Festen blickte das neue Reich nach vorn. Wenn des Vergangenen gedacht wurde, so nur der zu Helden avancierten Opfer des Ersten Weltkrieges am ‚Heldengedenktag‘, zu dem der 1925 vom ‚Volksbund deutscher Kriegsgräberfürsorge‘ etablierte ‚Volkstrauertag‘ erhoben worden war, und der Toten des Hitlerputsches, die im funebren Marsch vom Bürgerbräukeller über die Feldherrnhalle zum Königsplatz in München geheiligt wurden. Die Rückschau auf die Historie Berlins im ‚Historischen Kabinett‘ der „700-Jahr-Feier" jedoch konnte weniger vollbrachte Leistungen würdigen als die Voraussetzungen zum Neuaufbau, zur „Wiederaufrichtung" der Reichshauptstadt, von der der stellvertretende Gauleiter zur Austellungseröffnung sprach.[46] Nur unter diesem Aspekt war das Stadtjubiläum vom 14. bis 22. August 1937 für das Reich bedeutend. Hitler selbst pendelte zu der Zeit zwischen Bayreuth und den Vorbereitungen zu seinem Parteitag in Nürnberg; sein dürres Telegramm zur 700-Jahr-Feier streicht lediglich die architektonischen Aufgaben für ein neues Berlin heraus, als habe es eine Arbeitsteilung zwischen ihm und Goebbels gegeben: Der eine schafft den Rahmen, den der andere mit den Volksmassen füllt. Was im 700jährigen Berlin vor dem fahnengeschmückten Rathaus zu feiern war, war die Eroberung der Stadt durch Goebbels; ihm zu Ehren, und nur einmal in einer Generation zu vergeben, hatte die Stadt den ‚Ehrenschild‘ gestiftet, ihm, der die ‚Wiedergeburt‘ der Stadt betrieben hatte, die ihren ‚üblichen Beigeschmack‘ nun los war. Das Wort von der ‚Eroberung‘ fand seine schlüssige Fortsetzung in der Rede vom ‚Stellungsausbau‘, der nun zu folgen habe. Sein Ziel lag wiederum in der Geschlossenheit, der ästhetischen und, vor allem, politischen. Sie zu erreichen war die politische Funktion des Stadtjubiläums, wie Oberbürgermeister Lippert unterstrich: „Der ethische Wert und der tiefe Sinn der Festwoche liegt darin, daß jedem Volksgenossen damit der Weg in die Gemeinschaft bereitet wird."[47]

Als Vehikel stand auf diesem Weg die Heimatliebe bereit, die Betonung oder, für Berlin doch eher, die Behauptung einer Verwurzelung in der Heimat. In diesem Sinn bereitete die 700-Jahr-Feier der Stadt ein Heimatfest – ‚Heimat Berlin‘ betitelte auch die Berliner Illustrirte ihre Sonderausgabe – ein Fest der ‚Volksgemeinschaft‘, das einer anekdotisch aufgefaßten Historie den Anbruch der neuen Zeit gegenüberstellt, in Ausstellung, Festspiel und Festzug.

Die gerade fertiggestellte Messehalle an der Masurenallee stand der Stadt nicht zur Verfügung: Hier sollte eine Woche nach Beginn der Jubiläumsfeierlichkeiten eine „Internationale Milchwirtschaftliche Ausstellung" die Tore öffnen. Für die Präsentation der Historie Berlins war deshalb ein provisorischer Pavillon im Sommergarten (das Reststück der Poelzig/Wagnerschen Anlage) am Funkturm vonnöten, das ‚Historische Kabinett‘, zugänglich durch die Kulisse eines fiktiven Halleschen Tores. Die Aufbietung historischen Kitschs gipfelte in dem als ‚Akzise‘ erhobenen Eintrittsgeld, hatte man – von der U-Bahn kommend – den Pferdeomnibus hinter sich. Rings um den Pavillon brachte ein Ballett 150 junger Mädchen einen historischen Reigen dar. Marketenderinnen, Rokokodamen, Köchinnen oder (‚zeitgenössisch‘) Sportlerinnen boten sich dem Anblick inmitten von Puppentheatern, Zauberbuden und einem Armbrustschützenplatz.

Daß die Fest-Ausstellung Berliner Geschichte äußerst bruchstückhaft zeigte – sie versammelte Urkunden, Stadtmodelle, ein Panorama Berlins, vom Lustgarten her gesehen, und schließlich die lebensgroßen reliefartig hervortretenden Köpfe von Goebbels und 30 seiner Mitarbeiter in einem 5 × 6 m großen Rahmen –, war, nach Oberbürgermeister Lippert, gerade ihr Vorzug: Denn das historische Erbe sei nicht als tote Vergangenheit zu bestaunen, sondern als Verpflichtung für die Zukunft zu nehmen.

So hatte auch die Bilderfolge des Festspiels „Berlin in sieben Jahrhunderten Deutscher Geschichte", nächtens im Olympiastadion gezeigt, in dem Bild „Das neue Deutschland" zu kulminieren, das die uniformierten Gliederungen zu dumpfem Trommelwirbel bei Leuchtfeuer und Glockengeläut versammelte.[48]

Verglichen mit dem Münchner Festzug desselben Jahres, „2000 Jahre Deutsche Kultur", war der historische Zug der 700-Jahr-Feier bescheiden. Er verkörperte die Vorstellung einer ‚Heimat Berlin‘ wesentlich dadurch, daß er in das seit 1933 wiederbelebte Volksfest des ‚Stralauer Fischzugs‘ mündete.[49] Auch hier hatten Pioniere zum Festplatz eine Schiffsbrücke geschlagen. ‚Heimat‘ und Heimatliebe waren nur das Bindemittel des Spektakels. Seinen Abschluß, politisch, seine Vollendung nahm der Zug im trivialisierten Heilsmuster. Zeigte er im ersten Teil mit allem gebotenen Pappmachée Stationen Berliner Geschichte – Publikumsliebling waren friderizianische Soldaten – und gab er im zweiten Teil den in Großberlin vereinigten Bezirken ihr Recht – sie zeigten auf Wagen ihr jeweiliges städtisches Prachtstück, Wilmersdorf etwa das Jagdschloß Grunewald –, so lösten im dritten Teil die geschlossen paradierenden Formationen das kunterbunte Vielerlei auf: Die Geschichte Berlins mündete im Reichsarbeitsdienst, den blinkenden Spaten geschultert, den Formationen von Partei, SA und SS, schließlich der „Leibstandarte", in dröhnenden Marschschritt.

Hier fand sich Berlin nun wirklich auf dem Weg der Umwandlung zur Metropole – im alten Sinn: Mutterstadt all der unterworfenen Gebiete; auf dem Weg zu einem totalen Umbau, wie ihn der Krieg vollzog. Hauptstadt ist Berlin heute für einen anderen deutschen Staat. Fünfzig Jahre nach dem ersten Stadtjubiläum ist ‚Dschungel‘ lediglich der vielsagende Name einer Diskothek, sprießen Fahnenwälder auf dem Ernst-Reuter-Platz eher halbherzig, ist das Wort ‚Hauptstadt‘ für Berlin (West) allenfalls noch ein Pfand für Träume und Alpträume von einem immerwährenden Reich.

Gerhard Riecke

Platz für die staatliche Macht

Berlin . . . Spreebogen . . . „Platz der Republik" . . .: Geordnete Brachfläche, öde Fußballplatzgeometrie, dekoriert mit architektonischen Monströsitäten. Durch unwirtliches Terrain fluten Autokolonnen in Nord-Süd-Richtung und Süd-Nord-Richtung beharrlich aneinander vorbei. Ihre Abgase zerfressen hilflos drapierte, sich abstrakt gebärdende Plastiken, die in der Grasunweite verloren, wie versehentlich dort stehengelassen, seit Jahrzehnten vor sich hindämmern.

Nur dem intimen Kenner vermittelt sich die magische Bedeutung des Areals, das von der weichen Biegung der Spree eingerahmt ist: Wann immer in der jüngeren deutschen Geschichte in der Hauptstadt des Reiches politischer Anspruch

architektonische Gestalt annehmen sollte, dienten sich eifrige Architekten hurengleich den unterschiedlichen Systemen an, um der Macht jeweils zum architektonisch-ästhetischen Ausdruck zu verhelfen. Überspitzt formuliert: Im Spreebogen, einst „Exerzierplatz vor dem Brandenburger Thor", später Königsplatz, dann Platz der Republik, fast Adolf-Hitler-Platz, z. Zt. gerade wieder einmal Platz der Republik, wurde im Planen, Bauen und Zerstören wie an keinem anderen Ort deutsche Geschichte und im besonderen deutscher Herrschaftsanspruch manifest. So unterschiedlich die verschiedenen Zeiten und Generationen sich auch gesellschaftlich gerierten und baulich zu artikulieren und umzusetzen gedachten, so

durchgehend verbindlich trieb sie dabei – wenn auch mit differierenden politischen Vorzeichen – das Fieber des deutschen Großmachttraumes. Die Abfolge der Planungen und Konzepte für den Platz, ob nun in monarchistischer Imponierpose oder demokratisch-republikanisch gewendet bzw. faschistisch aufgeblasen, offenbart die Kontinuität einer imperialen Vision, von der alle gleichermaßen ergriffen waren. Dieser politisch-visionäre Anspruch ging dabei stets einher mit Zerstörung. Sie war immer die Voraussetzung zur Verwirklichung des vermeintlich Neuen. In der Kontinuität der Zerstörung spiegelt sich dabei zugleich exemplarisch ein wesentliches Charakteristikum des Umgangs mit der Geschichtlichkeit in die-

214 *Das Palais Raczynski, 1843 nach einem Entwurf von Heinrich Strack erbaut, an der Ostseite des Königsplatzes gelegen und damit Vorgängerbau des Reichstagsgebäudes, Blick von der Siegessäule herunter, ca 1882*

ser Stadt generell, die doch immer autoritär von König, Kaiser, Staat oder „Führer" beplant wurde, nicht aber von ihr selbst entsprechend den realen kommunalen Bedürfnissen und Notwendigkeiten: Das Alte wurde bereits rigide verworfen, noch ehe das Neue real greifbar war. Der Plan ersetzte oft die Wirklichkeit. Die Dimensionen des Unsichtbaren – gerade hier im politisierten, symbolträchtigen Spreebogenareal – ist demzufolge weitaus vielschichtiger, komplexer und inhaltlich brisanter als die vergleichsweise kläglichen physischen Ablagerungen der gebauten Realität. Die bizarren Schichtungen des fragmentarisch Überkommenen vermitteln sich deshalb heute nur noch undeutlich als die Hinterlassenschaft uneingelöster Planspiele politischer Selbstdarstellung. In den sichtbaren stadträumlichen und architektonischen Brüchen des Ortes ist die hartnäckige Kontinuität der

Macht- und Herrschaftsutopien, die stets im Vorgriff auf die Geschichte mit zuweilen ungestümer und bornierter Leidenschaft entwickelt wurden, vollends verschüttet und in ihren konkreten gesellschaftlichen Bezügen wie geschichtlichen Abfolgen nicht mehr nachvollziehbar. Allein die heutige politische Situation des geteilten Landes und des geteilten Berlins – im Ergebnis Folge und Konsequenz der politischen Entwicklung in Deutschland, welche sich von der Bismarckschen Reichsgründung über Kaiserzeit und Ersten Weltkrieg, der ungelernten Demokratie von Weimar bis hin in die Katastrophe des „Tausendjährigen Reiches" vorbereitete – teilt sich durch den Ort und seine Umgebung unmißverständlich mit: Der seiner Kuppel beraubte, halbherzig wiederhergestellte Reichstag steht mit dem Rücken zu seinem einstmaligen, städtischen Bezugsfeld, das hinter der

Sperrmauer inzwischen eine andere Orientierung erhalten und sich räumlich von ihm abgesetzt hat. Das benachbarte Brandenburger Tor ist verschlossen, die unwirkliche Szenerie „DEM DEUTSCHEN VOLKE" (Giebelspruch am Reichstag) beiderseits der Demarkationslinie zur Touristenattraktion geworden. Der Platz der Republik, auf westlicher Seite gelegen, ist als Platzraum aufgelöst und nur noch weites Vorfeld der Grenzabsperrungen. Seine unkonturierte, kantenlose Fläche – jahrzehntelang in Vergessenheit geraten – ist Politikern und Planern gerade heute, im Aufbruch zur ‚Wende' (vgl. S. 358 ff.), wieder ins Bewußtsein gekommen. Ihr bedrohlicher Zugriff ist somit schon vorprogrammiert. Die Phantasiearmut angesichts der bevorstehenden 750-Jahr-Feier soll in der selbstgefälligen Hauptstadtpose kompensiert werden: „Wir planen hier nicht Klein-

215 *Blick nach Westen auf die Siegessäule und den Kroll'schen Wintergarten. Nach 1945 wurde der im Krieg beschädigte Bau abgetragen. Im Hintergrund rechts das Gebäude des Generalstabs, Aufnahme 1881*

kleckersdorf, sondern die Hauptstadt Deutschlands!"[1] Angesichts dieser Perspektive ist es hohe Zeit, sich im besonderen für die Geschichte dieses strapazierten Ortes zu sensibilisieren, um aus ihr zu lernen.

Der preußische Exerzier- und Paradeplatz

Erst im 18. Jahrhundert durch Friedrich Wilhelm I. (1713–1746) als großflächiger, nahezu rechteckiger Exerzierplatz vor der Stadt für das Preußische Militär angelegt, hatte er lange Zeit keine Bedeutung für das städtische Gefüge Berlins und blieb noch über Jahrzehnte ohne Bebauung: Eine staubige, unbegrenzte Fläche nahe dem kurfürstlichen Tiergarten, ohne übergeordnete Funktion; eine Sandwüste auf der dann und wann militärische Übungen und Paraden abgehalten wurden. Im Volksmunde trug sie den Namen „Berliner Sahara".

ne Brandenburger Tor (1788–1791), welches den westlich davor gelegenen Exerzier-Platz anschloß, ohne ihn jedoch dadurch städtebaulich konditionieren zu können. So staubte der „Königliche in spe" noch Jahrzehnte still vor sich her, ohne ein wirklicher Platz zu sein.

Erst unter Friedrich Wilhelm IV. wurde im Rahmen der Aufstellung eines Bebauungsplanes für Moabit, mit dem Karl Friedrich Schinkel 1840 beauftragt wurde, versucht, eine repräsentative Platzgestaltung zu entwickeln, freilich auf den kurz zuvor entstandenen Plänen von Peter Joseph Lenné aufbauend. Ausschlaggebend und richtungsweisend für spätere Planungen war dabei der Gedanke einer Nord-Süd-Achse. Diese 1 km lange Achse endete im Norden mit einer neu geplanten Kirche und schloß im Süden unter Einbeziehung des ‚Paradeplatzes' zur Charlottenburger Chaussee auf. Im Zuge des Bebauungsplanes

schreibung als Paradeplatz eine qualitativ neue, zentrale Bedeutung, die letztlich auch die militaristische Struktur des preußischen Staates sinnfällig spiegelte. Schon 1846 gestaltete Lenné den gerade herausgeputzten Paradeplatz um. Er ließ die gesamte Fläche des Platzes, der zu dieser Zeit noch immer „der sandigste aller Paradeplätze" der Berliner Kasernen gewesen sein soll, senken und begrünte diesen mit Pflanzen und Rasenflächen. Dazwischen legte er ein geometrisch geordnetes Wegesystem aus Kies an.

Mit dem Bau des sogenannten Kroll'schen Wintergartens 1842–1844 an der Westseite und der Galerie des Grafen Raczynski an der Ostseite, war der Platz dann für eine kurze Zeitspanne von einem eigentümlichen Spannungsverhältnis zwischen Öffentlichkeit und Privatheit bestimmt, bis er schließlich zum Vehikel politischer Selbstdarstellungen

216   *Unausgeführte Planung Paul Wallots zur architektonisch-gärtnerischen Neufassung des Königsplatzes nach Fertigstellung des Reichstagsgebäudes 1894*

Friedrich Wilhelm II., der stetigen Expansion der Stadt Rechnung tragend und zugleich neuen künstlerischen Gedanken der Stadtarchitektur gegenüber aufgeschlossen, beauftragte Carl Gotthard Langhans „das steinerne Berlin gegen die davorliegende grüne Wildnis des Tiergartens" zu schließen und architektonisch neu zu gestalten. Langhans schuf in diesem Zusammenhang das den Propyläen in Athen nachempfunde-

war westlich der Kirche ein weiterer „Großer Exerzier-Platz" angeordnet, baulich durch das alte friderizianische Invalidenhaus auf der östlichen Seite und dem neuen Zellen-Gefängnis (heute Untersuchungshaftanstalt Moabit) auf der westlichen Seite begrenzt (das sogenannte Berliner Marsfeld, vgl. Bd. I, S. 95). Der bis dahin ungestaltete alte Exerzier-Platz bekam durch die Anlage der Achse und seiner funktionalen Fest-

instrumentalisiert wurde. Das gräfliche Anwesen, 1843 nach Entwürfen von Heinrich Strack erbaut, bestand aus einer dreiteiligen Häusergruppe, deren Mittelteil eine Bildergalerie enthielt. Die mit ihm durch Säulenhallen verbundenen Seitenteile beherbergten das Atelier des Malers Peter Cornelius im Süden und die Wohnung des Grafen im Norden. Ruhe und vornehme Privatheit kennzeichneten die gediegene Gebäudeanlage. Kroll dagegen, der Galerie direkt gegenüberliegend, von Carl Ferdinand Langhans und Ludwig Persius entworfen und von Eduard Knoblauch nach deren Plänen ausgeführt, war mit seinem stattlichen dreigeschossigen Mittelbau und zwei schmaleren Flügelbauten, in denen sich großartige Tanz-, Fest- und Feiersäle befanden, ganz auf „gutbürgerliche Öffentlichkeit" ausgerichtet.

Zu einem richtigen Platz im städtisch-urbanen Sinne war das ehemalige Exerzierfeld jedoch noch immer nicht avanciert. Obwohl es unterdessen in seiner Umgebung schon recht lebendig geworden war. So vor allem ‚In den Zelten', der Straße unmittelbar hinter ‚Kroll', der Obrigkeit deswegen ein Dorn im Auge, weil vor und während der Märzrevolution 1848, in den zahlreichen hier ansässigen Ausflugslokalen – ursprünglich übrigens einfache Leinwandzelte – die ersten politischen Volksversammlungen abgehalten worden sind. Hier wurden in spontanen Eingaben bürgerliche Forderungen an den König formuliert sowie in der „Zeitungshalle" die auswärtigen Ereignisse diskutiert. Dagegen setzte Kroll mit seinen fast 6000 Plätzen auf „etabliertes kaiserliches Vergnügen". Seine Veranstaltungen und rauschenden Feste waren vor und nach der Revolution ein beliebtes Ziel der Berliner. Im Februar 1851 brannte Krolls Etablissement total ab, wurde jedoch sofort wieder aufgebaut. Äußerlich nahezu unverändert, aber innen „um vieles prächtiger", nahm es schon im Mai 1852 seinen Betrieb wieder auf.

Unterdessen begannen sich langsam aber stetig nun auch die Straßen- und Platzwände im nördlichen Spreebogenbereich herauszubilden. Der dortige Grundrißfächer nahm durch die Überbauung zusehends städtische Konturen an. So ließ Graf Charles von Portales von dem Architekten Friedrich Hitzig, dem späteren Erbauer der berühmten Börse, sein Palais am Königsplatz Ecke Hindersinstraße errichten, in das dann zum Ende des Jahrhunderts die Japanische Botschaft einzog. Waren die Platzkanten, mit Ausnahme von Kroll also zunächst noch adlig besetzt, drängte gehobenes, vornehmlich reiches Bürgertum in die entstandenen Wohnhäuser der umliegenden Straßen, wie

der Alsen-, Hindersin- und Sommerstraße.

Mit dem Sieg Preußens über Dänemark im Kriege von 1864 rückte schließlich Platz und Umgebung vollends ins Rampenlicht der Öffentlichkeit. Sein gerade gewonnener ziviler Status wurde von seiner militärischen Vergangenheit wieder eingeholt. Zu Preußens Gloria sollte er zunächst in ‚Siegesplatz' umbenannt werden. Man entschloß sich dann jedoch für die Bezeichnung Königsplatz, da alle bis dahin regierenden fünf Könige hier ihre Paraden abhielten. War dieser Akt noch verbaler, symbolischer Natur, schickte sich bald darauf das Militär an, den Platz auch baulich zu vereinnahmen. Kaum nachdem die Jubelfeier des Sieges über den kleinen nördlichen Nachbarn verrauscht waren, beauftragte man den Architekten Fleischinger mit dem Entwurf für ein Generalstabsgebäude an der

Schnittpunkt der Achsen des Königsplatzes ein Monument zur Erinnerung an den Deutsch-Dänischen Krieg zu erschaffen. Doch noch ehe sein Entwurf verwirklicht werden konnte, tobt 1866 der Krieg gegen Österreich, was 1867 zur Vergrößerung des geplanten Siegesdenkmals führte. Eine weitere Änderung wurde schließlich nach dem erfolgreichen Deutsch-Französischen Krieg 1870/71 befohlen. Erst dann wurde der Säulenbau – nach dritter offizieller Grundsteinlegung – verwirklicht, die Baukosten von den französischen Kontributionen bestritten. Am 2. September 1873 fand die feierliche Einweihung der Siegessäule statt, die in ihrer kolossalen Unproportioniertheit fortan das platzbeherrschende Element bildete: Auf kantigem Sockel mit vier Bronzereliefs, die an die Schlachten von Düppel, Königgrätz und Sedan sowie an den Einzug der Fürsten in Berlin erinnern, er-

217 *Entwurf für ein Kaiser-Wilhelm-Denkmal axial dem Reichstagsgebäude gegenübergestellt. Architekten: Wilhelm Rettig/Paul Pfann, 1889*

nördlichen Flanke des Königsplatzes zwischen Moltke- und Herwarthstraße. 1867 wurde mit dem mächtigen roten Backsteinbau begonnen; 1871 konnte die Generalität, soeben siegreich aus Frankreich heimgekehrt, in das fertige neue Gebäude einziehen.

Schon zuvor, im Jahre 1865, wurde auf Wunsch König Wilhelm I. Johann Heinrich Strack damit beauftragt, aus „der Beute des dänischen Feldzuges" im

hebt sich eine aus drei Trommeln bestehende Säule, mit vergoldeten Kanonenrohren geschmückt, die Beutestücke der Kriege sind. Gekrönt wird die Säule von einer monumentalen Viktoria des Bildhauers Friedrich Drake. Für den Säulenumgang über dem Sockel schuf Anton von Werner auf Befehl des inzwischen in Versailles zum deutschen Kaiser gekrönten Wilhelm I. ein Mosaik, dessen Darstellung „Die Rückwirkung des Kampfes gegen Frankreich auf die Einigung Deutschlands"[2] thematisiert.

Forum des Kaiserreiches

Berlin war durch die mit der Kaiserproklamation vollzogene Reichsgründung am 18. Januar 1871 zur Hauptstadt des Reiches erklärt worden. Damit begann eine neue, entscheidende Phase für die bauliche Entwicklung der Stadt, in der entsprechend der neuen staatlichen Verfassung, die Organe der Macht aufgebaut und zentralisiert wurden. Als vornehmste aller anstehenden Bauaufgaben erwies sich dabei der Bau eines Reichstagsgebäudes, gleichsam als Ausdruck und Symbol der Reichseinigung und Ort und Sinnbild der deutschen Volksvertretung. In der heftigen Debatte, die der Ausschreibung eines Wettbewerbs vorausging, drückte sich

ke transparent. Noch im Dezember 1871 wurde vor diesem Hintergrund der offene Wettbewerb initiiert; als Bauplatz wurde das Grundstück des Grafen Raczynski am Königsplatz gewählt. Im Juni 1872 wurde dem Entwurf Ludwig Bohnstedts der erste Preis zuerkannt. Seine Konzeption sieht einen kolossalen, horizontal gelagerten Baukörper vor, der die gesamte Baugrundfläche von 150 m × 115 m in Anspruch nimmt. Die achsial aufgebaute Hauptfassade am Königsplatz ist dabei von einem baulich überhöhten triumpfbogenartigen Porticus beherrscht, der mit einer monumentalen Quadriga bekrönt ist. Dahinter erhebt sich aus der Mitte des mächtigen Baues eine in Glas aufgelöste Kuppel, die den Sitzungssaal des Gebäudes als dessen Herzstück heraushebt und sinnfällig betont. Bohnstedts Entwurf

Leipziger Straße 4. Dieses Provisorium sollte noch bis 1894 Bestand haben.

10 Jahre dauerte es, bis ein zweiter Wettbewerb für den Bau eines Reichstagsgebäudes ausgeschrieben wurde. Nach zwischenzeitlichen, intensiven aber vergeblichen Bemühen um einen anderen Standort, kam man schließlich auf den Königsplatz zurück, nachdem Carl Eduard Nalecz von Raczynski, Sohn des alten Athanasius, sich 1879 mit der Überlassung des Grundstückes einverstanden erklärte.

Unterdessen schrieb im Mai 1876 der Architektenverein zu Berlin eine Monatskonkurrenz zum Standort des Reichstages aus, in der u. a. der Architekt F. O. Kuhn, unter dem Motto „Pax", in räumlicher Verbindung mit dem Königsplatz ein monumentales Forum vor dem Brandenburger Tor mit Reichstag, Reichskanzleramt und Ministerien vorschlug sowie ein unbekannter Verfasser, unter Umsetzung des Bohnstedt'schen Parlamentshausentwurfs auf den Alsenplatz, aus dem Königsplatz einen bombastischen Regierungsstandort entwickelte. Beide Entwürfe drücken in ihrem imperialen Habitus und ihrer offenkundigen Machtgebärde das Selbstverständnis des jungen Kaiserreiches aus; freilich unter republikanischem Vorzeichen. Die Entwürfe blieben, wie viele andere Vorschläge dieser Zeit, Planmakulatur. Allein die großzügige Schmuckplatzgestaltung des Königsplatzes wurde nach Plänen des damaligen Tiergarteninspektors Neide ab 1878 durchgeführt. Im wesentlichen orientierte sich dessen Entwurf an der schon von Lenné vorgesehenen Aufteilung des Platzes.

Am 1. Februar 1882 wurde dann schließlich der zweite Reichstagswettbewerb eröffnet. Wie beim ersten Wettbewerb war das Reichsamt des Inneren die ausschreibende Behörde. Knapp 200 eingereichte Entwürfe der besten Architekten Deutschlands und Österreichs hatte die Jury zu begutachten. Zu Siegern wurden die Entwürfe Paul Wallots (Motto: Für Staat und Stadt) und Friedrich Thierschs (Motto: Voluntas regum labia justa) erklärt. Den Auftrag erhielt schließlich der Frankfurter Wallot. Nach Überarbeitung des Entwurfes konnte 1884 dann der Grundstein gelegt werden, nachdem 1883 das Palais Raczynski abgerissen worden war. Am

218 *Umgestaltungsvorschlag des Königsplatzes zu einem „Deutschen Forum" von Felix Wolff, 1915. Beherrschendes Element der Platzgestaltung sollte ein in der Achse des Reichstagsgebäudes angeordnetes „Deutsches Pantheon" sein.*

zugleich der politische Anspruch des erstarkten Bürgertums aus, der hier diametral mit den feudalistischen Machtstrukturen kollidierte. Obschon in der geschichtlich notwendigen, jedoch perspektivisch unheilvollen Allianz von Bourgeoisie und Feudeladel die Macht im Staate aufgeteilt war, machte die Diskussion um die Errichtung des Reichstagsgebäudes den permanent schwelenden Interessenskonflikt der Machtblök-

kam jedoch nicht zur Ausführung. Das vorgegebene Raumprogramm der Ausschreibung war angeblich völlig unzulänglich; vor allem aber verweigerte der dem Kaiser loyal verbundene Athanasius Graf Raczynski die Veräußerung seines Grundstückes. Die parlamentarische Volksvertretung tagte deshalb bis auf weiteres im provisorisch hergerichteten alten Gebäude der ehemaligen Königlichen Porzellanmanufaktur in der

219 *Städtebauliches Konzept zur Fassung des Königsplatzes anläßlich des Opernhauswettbewerbes auf dem Gelände des Kroll'schen Wintergartens. Architekt Otto March, 1912*
220 *Entwurf für ein Reichshaus auf der nördlichen Seite des Königsplatzes von Otto Kohtz. Variante einer Serie von Entwürfen, die 1920 entstanden. Als Bauplatz für das gigantische Gebäude war ein beträchtlicher Teil des Alsenviertels im Spreebogenbereich vorgesehen. ,,Welche Akropolis der Arbeit, als Ausdruck des Hirns des wirtschaftlichen Amerikas hätte hier entstehen können ... Im Architekturstadtbild der Zukunft (werden) die modernen Riesengeschäftshäuser als Tempel der menschlichen Arbeit in der Geschäftsstadt beherrschend emporragen" (Max Berg, Der Bau von Geschäftshochhäusern ..., in: Ostdeutsche Bauzeitung 18, 1920, S. 277).*

5.12.1894 erfolgte durch Kaiser Wilhelm II. dann die feierliche Schlußsteinlegung des Reichstages, dem Sinnbild des von ihm als Greuel empfundenen bürgerlichen Parlamentarismus. Die tiefe Abneigung gegenüber dem von ihm als „Reichsaffenhaus" titulierten Parlament übertrug sich auch auf das Gebäude, das er geringschätzig als „Gipfel der Geschmacklosigkeit" abtat. In der Tat widersprüchlich und befremdlich, wenn man bedenkt, daß der wuchtige, monströse Bau in seiner monumentalen Schwülstigkeit, dem säbelrasselnden, kaiserlichen Imponiergehabe durchaus immanent war. Das hohle Pathos seines Selbstverständnisses kommt dann auch letztlich in Wilhelm II. Einweihungsrede zum Ausdruck, die in der Ausführung gipfelte: „Es bleibe der Bau ein Denkmal der großen Zeit, in welcher als Preis des schwer errungenen Sieges das Reich zu neuer Herrlichkeit erstanden ist, eine Mahnung den künftigen Geschlechtern zu unverbrüchlicher Treue in der Pflege dessen, was die Väter mit ihrem Blute erkämpft haben."[3]

Mit dem schweren, mächtigen Reichstagsgebäude erhielt der Königsplatz als bürgerliches Machtzentrum eine neue Bedeutung. Er stand nun in bedeutungsvoller Konkurrenz zum Lustgarten mit der Schloßanlage als Symbol der feudalen Macht; optisch vermittelt und weithin sichtbar durch die das Stadtbild beherrschenden Kuppeln beider Gebäude, wobei die 75 m hohe Reichstagskuppel, sinnfällig für die herrschende Staatsverfassung, mit einer Kaiserkrone ausgestattet war. Aber nicht nur die Bedeutung des Platzes änderte sich mit der Errichtung des Reichstages, sondern auch seine städtebauliche Ausrichtung: Ein großzügiger Vorplatz vermittelte nun den weiten Zwischenraum zwischen Siegessäule und dem wuchtigen Portalbau, der die Hauptfront des Gebäudes axial akzentuierte. Der Schwerpunkt des Platzes hatte sich damit nach Osten verlagert und erhielt schließlich 1901 mit der dortigen Aufstellung des 15 m hohen Bismarck-Nationaldenkmals von Reinhold Begas seine bauliche Betonung. Flankiert wurde das Monument des an gleicher Stelle vier Jahre zuvor schmählich verabschiedeten Reichseinigers, der diese Zeremonie als „Leichenbegräbnis erster Klasse"[4] empfand, von zwei halbrunden Brunnenbek-

221 *Luftbild des Königsplatzes sowie des Alsenviertels in der markanten Biegung der Spree. Die Aufnahme ist Ende der 30er Jahre entstanden.*

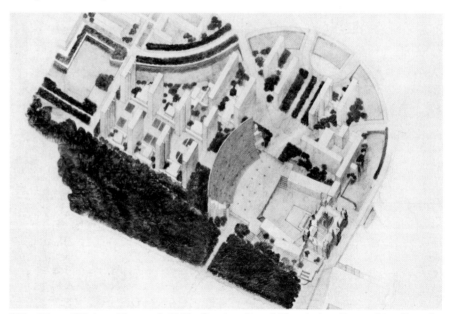

222 *Hugo Härings Entwurf, 1929, für ein „Republikanisches Forum" im Spreebogenbereich mit einer monumentalen Tribüne.*

ken mit Tritonen- und Najadengruppen des Bildhauers Ludwig Cauer. Das „heroische Mobilar" des Königsplatzes wurde schließlich 1904 durch die Denkmäler der Generäle Helmuth von Moltke vor dem Kroll'schen Etablissement und Albrecht von Roon an der Nordseite der Anlage ergänzt. Die bereits 1895 von Wallot entwickelte grundlegende architektonische Neufassung des gesamten Platzareals wurde hingegen ebenso

verworfen, wie die gärtnerische Neugestaltungskonzeption von A. Weiß aus dem gleichen Jahr. Dagegen setzte mit der spektakulären Anlage der aus 32 Marmorgruppen bestehenden Siegesallee (vgl. Abb. 33) zwischen 1895 und 1901 der Kaiser ein schrilles Zeichen der Machtdemonstration gegen das zum bürgerlichen Forum avancierte Königsplatzensemble. Die bis zum Kemperplatz reichende Nord-Süd-Achse der imperialen Siegesallee war dabei programmatisch als „via triumphales" der Fürsten Brandenburgs und Preußens gefaßt und damit vor allem zu Ehren der Hohenzollerndynastie angelegt. Zuvor schon suchte Wilhelm II. mit dem 1889 entwickelten Plan für ein Kaiser-Wilhelm I.-Denkmal auf dem Kroll'schen Grundstück ein kaiserliches Signal zu setzen. In der Achse des Parlaments sollte die von den Architek-

Gunst des bürgerlichen Publikums. Genzmers Plan war als Vorstudie für einen Wettbewerb gedacht, der schließlich 1910 durchgeführt wurde und zu dem acht Architekten eingeladen waren. Die abgegebenen Entwürfe stellten jedoch nicht zufrieden, so daß es 1912 zu einem weiteren Wettbewerbsverfahren kam, das zweigleisig angelegt war; d. h. aus einem engeren und einem offenen Verfahren bestand. Die Größe des

wohner angewachsenen Großraum Berlin neu zu ordnen und ihm ein übergeordnetes, zusammenfassendes Gefüge zu geben. Seine bedeutsamen Ergebnisse wurden in der Allgemeinen Städtebauausstellung von 1910 gezeigt und leidenschaftlich diskutiert, wobei die zukunftsweisenden städtebaulichen Ansätze der Arbeiten in eklatanten Widerspruch zu der dem 19. Jahrhundert verhafteten Architektur der meisten Ent-

223 *Bebauungsvorschlag für den Spreebogenbereich im Zusammenhang mit dem Wettbewerb zur Erweiterung des Reichstages von Norden (Humboldthafen) gesehen. Architekt Hans Poelzig, 1929*

ten Wilhelm Rettig und Paul Pfann entworfene und in einem Wettbewerb prämierte Denkmalsanlage mit monumentalen Triumphbogen und prunkvoller Kuppel der Front des Reichstages entgegengesetzt werden, um damit auch baulich die Machtbalance am Platz wieder herzustellen. Das Denkmal kam jedoch nicht zur Ausführung. Nach den Plänen Reinhold Begas' wurde stattdessen auf der Schloßfreiheit, in räumlicher Zuordnung zum Stadtschloß, eine monumentale Denkmalsanlage errichtet und am 22. März 1897 zum 100. Geburtstag Wilhelm I. enthüllt (vgl. Abb. 15, 16, 18).
1909 kam es dann noch einmal zu dem Versuch, den Königsplatz im monarchistischen Sinne umzuinterpretieren. Das Ministerium des Königlichen Hauses legte ein Konzept des Hofbaurates Genzmer vor, das anstelle von Kroll ein großes Königliches Opernhaus vorsah. Der Kaiser heischte nunmehr um die

Baues war inzwischen auf 2500 Plätze erweitert worden. Neben der eigentlichen Bauaufgabe bestand die generelle Forderung darin, den Platz als neues Zentrum der enorm expandierten Reichshauptstadt zu gestalten, gleichsam als politisch-kulturelle Mitte des Reiches. Auch der zweite Durchgang erbrachte keinen eindeutigen Sieger. Preisgekrönt waren jedoch neben vier anderen Entwürfen, die monumentalen Platzanlagen Otto Marchs und Martin Dülfers, beide von der Idee geleitet, den Platz durch Gebäude memorialen Charakters eine Geschlossenheit zu verleihen und ihn in Verbindung mit der Sieges-Allee zu einem symbolschwangeren „vaterländischen Forum"[5] zu gestalten. Diese politisch überhöhte städtebauliche Motivation spielte auch eine gravierende Rolle im „Wettbewerb Groß-Berlin" von 1908/09, in dem es darum ging, den inzwischen auf 3 500 000 Ein-

würfe stand. Vor allem der Aufsehen erregende Beitrag von Havestadt & Contag, Bruno Schmitz und Otto Blum zeichnete sich durch gewaltige Platzanlagen aus, deren Anschluß an das alte Zentrum und Auftakt für ein überdimensioniertes „Monumental-Viertel" der Königsplatz bilden sollte. Dem in Größe und Monumentalität vergleichbar, sah die Arbeit Bruno Möhrings in Zusammenarbeit mit Rudolf Eberstadt und Richard Petersen vor, den Königsplatz als „Forum der Staatsmächte" auszugestalten: „Dem Reichstagsbau sollte ein stolzes Kriegsministerium (gegenüberstehen), auf dem Kleinen Königsplatz ein Bau für das Reichsmarineamt (entstehen)..."[6]
Keiner der Vorschläge wurde jedoch realisiert. Der Ausbruch des Ersten Weltkrieges sollte zunächst die politischen Bedingungen schaffen für die visionären Tagträume deutscher Groß-

224–226 *Fieberträume von Welt-*
macht: Zeichnung einer Versamm-
lungshalle von Adolf Hitler, angefertigt
während seiner Festungshaft in
Landsberg am Lech, 1925 (r.). Modell-
aufnahme der über 300 m hohen Kup-
pelhalle durch den Eingang des „Gro-
ßen Platzes" gesehen (u.). 1938 begin-
nen die Vorbereitungsarbeiten für die
größte Versammlungshalle der Welt,
die 1950 fertiggestellt sein sollte. Albert
Speer entwarf sie „nach den Ideen des
Führers"; letzte Fassung des Entwurfs:
1942/43. Die Vision von „Germania"
(wie Berlin ab 1950 als Welthauptstadt
heißen sollte): Perspektivische Zeich-
nung des Generalbauinspektors vom
Mittelstück der Nord-Süd-Achse, ange-
fertigt als Geschenk Albert Speers an-
läßlich des „Führer-Geburtstages"
1941 (S. 247).

machtstrebens. In der nationalen Euphorie der ersten Kriegserfolge und in der Gewißheit des siegreichen Ausganges, soll der Königsplatz auf Vorschlag von Felix Wolff 1915 zum „Deutschen Forum" ausgebaut werden, dessen beherrschender Bau ein gewaltiges „Pantheon für die gefallenen Helden" bildet. Wolffs Vorschlag war dabei Ausdruck der ausgeprägten nationalistischen Haltung und Kriegsbegeisterung, die weite Teile der Bevölkerung erfaßt hatten: „Wir Deutschen zweifeln nicht an einem Sieg unserer guten Sache. Solange der Krieg dauern wird, halten wir durch mit allem, was wir sind und haben. Aber einst werden die Glocken den Frieden läuten, und der siegreiche Krieg beendet sein. Dann werden wir der Gefallenen in ernster Trauer gedenken, und den Überlebenden in Freude zujubeln. Und unsere Dankbarkeit gegen die Helden, die ihre Vaterlandstreue mit dem Leben besiegelt haben, wird nach einem sichtbaren Ausdruck der Verherrlichung suchen: Ein Pantheon für die gefallenen Helden. Keine Stelle ist dafür geeigneter als der Königsplatz in Berlin, der geweiht ist durch historische Denkmale nationaler Größe und Herrlichkeit."[7] Wolffs Entwurf sieht neben dem Pantheon „für unsere … Helden, die das machtvolle Deutschland geschaffen haben"[8], eine monumentale Platzumbauung vor, die im

227 *Vom Zynismus der Planer zeugt die Karikatur der Baustelle „Große Halle", gezeichnet und getextet von Hans Stephan, Abteilungsleiter des Generalbauinspekteurs, 1941/42. Das Reichstagsgebäude befindet sich im Greifer eines Krans. „Beim Bau der ‚Großen Halle', Maurer zum Polier: Um Gottes Willen, da haben sie gerade einen falschen Stein erwischt."*

Norden ein voluminöses Kriegsmuseum ausweist und südlich des Pantheons, auf der Charlottenburger Chaussee, ein Siegestor. Zwischen Siegestor und Brandenburger Tor ist die Chaussee als abgeschlossener Teil gedacht, der mit der Siegesallee ein Kreuz ausbildend," geschmückt (ist) mit den Bildsäulen der Helden, der Männer der Kunst und Wissenschaft, des Handels und der Industrie, die das große Jahrhundert von 1815–1915 haben schaffen helfen: die Männer der Tat, die die hohen Bestrebungen der Hohenzollern-Herrscher auf der Siegesallee verarbeitet und ausgeführt haben"[9]. Der Entwurf verschwand ebenso schnell in die Versenkung der Vergessenheit, wie sich das Kriegsgeschick wendete. Stattdessen wurde im selben Jahr ein überdimensionales hölzernes Standbild des „eisernen Hindenburgs" vor der Siegessäule errichtet. „Um Mittel für die Kriegsopferversorgung zu erhalten, wurden eiserne, silberne und goldene Nägel verkauft, die in das Standbild eingeschlagen wurden."[10] Als der Krieg 1918 beendet wurde, verschwand auch der hölzerne Hindenburg von der Bildfläche des Königsplatzes, der jetzt Schauplatz revolutionärer Demonstrationen war, wie er vier Jahre zuvor die Kulisse für die begeisterten Volksmassen bei Kriegsausbruch hergab.

Noch ehe der letzte Donner des Krieges

verflogen war, sannen bereits Planerhirne über den Königsplatz als Zentrum eines (republikanischen?) Deutschlands nach dem Kriege nach. So Martin Mächler 1917 in einer Studie, die bereits auf Vorarbeiten aufbaute, die bis in das Jahr 1908 zurückgingen und im Zusammenhang mit der Organisierung des Massenverkehrs im Stadtgefüge standen, einer der Hauptaufgaben des erwähnten „Städtebauwettbewerbes Groß-Berlin". Mächlers Plan einer „Schematischen Massenteilung" will die Neuordnung Berlins. „Losgelöst von der historischen Stadtstruktur formuliert Mächler ein Ordnungsprinzip, das auf strenger Abgrenzung einzelner Funktionsbereiche basiert, die sich aus den (vermeintlichen) Erfordernissen der Stadt als Arbeits- und Wohngemeinschaft und als Welt- und Hauptstadt ergaben."[11] Hauptelement ist eine Nord-Süd-Achse die von einem Nordbahnhof in der Invalidenstraße und einem Südbahnhof in Schöneberg begrenzt wird. Der Königsplatz soll im Zuge der Achse der bauliche Höhepunkt und das Herzstück der neuen, zentralen Prachtstraße werden. Hier vereinigt er in Zuordnung zum Reichstag sämtliche Reichsministerien sowie anstelle von Kroll, in der Achse des Parlamentsgebäudes, die neue Reichskanzlei. Am Kemperplatz sind sämtliche Preußischen Behörden konzentriert. Der fol-

genschwere Entwurf sollte schließlich, obwohl er nie zur offiziellen Planung avancierte, in den nächsten Jahrzehnten die Konzepte und Ideen maßgeblich präformieren. Entscheidender qualitativer Unterschied zu allen vorausgegangenen Planungen war seine rigide Ignoranz der bestehenden Strukturen und der Grad der einkalkulierten Zerstörung vorhandener Bausubstanz. Bezogen auf Königsplatz und Spreebogen bedeutete Mächlers Vorschlag die totale Liquidierung des Gebäudebestandes mit Ausnahme des Reichstages und der Siegessäule. Damit begann eine Planer-„Tradition" die in verhängnisvoller Weise Schule machte und im Grunde bis heute nicht zur Besinnung kam.

Republikanisches Forum

Die Kriegsniederlage und der damit verbundene Wandel vom Kaiserreich zur ungelernten Republik von Weimar, bestimmten, unter Beibehalten der gesellschaftlichen Machtstrukturen, die politischen und planerischen Ideen der Folgezeit. Berlin war 1920 durch die Eingemeindung der umliegenden Gemarkungen, Dörfer, Gemeinden und Städte auch administrativ zu Groß-Berlin gediehen; das Areal des Königsplatzes und das Alsenviertel dem Verwaltungsbezirk Tiergarten zugeschlagen worden. Im gleichen Jahr entwickelte Otto Kohtz die Idee eines Reichshauses

am Königsplatz, „für Wohlfahrt, Gesundheit, Sitte, Gesetz, Kraft, Geist und Schönheit"[12]. Kohtz Vorschlag – in mehreren Varianten entwickelt – geht von einem bombastischen Turmhochhaus aus, das auf der Fläche des Alsenplatzes in den Himmel steigt und sämtliche Reichs- und Staatsbehörden zusammenfassen sollte. Die Republik wendet die Machtdarstellung jetzt demokratisch, ohne die monumentale Gebärde aufzugeben. Es lebe die „Kathedrale der Demokratie", die neue Stadtkrone! Vergleichbar ahistorisch – nur mit „organischem" Architekturverständnis – geht Hugo Häring in seinen Studien zwischen 1922–1927 mit dem Königsplatz und seiner Umgebung um. Während er in seinem Entwurf von 1927 der Mächlerschen Nord-Süd-Achse eine in Ost-West-Richtung verlaufende ,Straße der Republik' entgegensetzt, die einen Achsenbezug zwischen Reichstag und Schloß Bellevue darstellt und an der sich sämtliche Reichsbehörden addieren, löst seine Studie von 1929 den Königsplatz in seine Bestandteile auf. Bis auf den Reichstag wird die gesamte Bebauung des Spreebogenbereichs niedergelegt und mit unterschiedlich gestaffelten Hochhausscheiben bebaut; dem Reichstag gegenüber ein geschwungener hoher Tribünenbau plaziert. Das „republikanische Forum" hatte damit Gestalt angenommen.

228 *Modellaufnahme des Adolf-Hitler-Palais'. Das Gebäude sollte an Stelle des Kroll'schen Etablissements dem alten Reichstagsgebäude axial gegenüberstehen. Von Albert Speer zur Ausführung bestimmte letzte Fassung von 1942.*

Der 1927 dann durchgeführte Wettbewerb für den „Erweiterungsbau des Reichstages" erbrachte keine entscheidenden Lösungen. Es wurde demzufolge kein erster Preis kreiert. Man kam jedoch zu der Erkenntnis, „daß jede mit dem Reichstag verknüpfte Bauaufgabe, nur im Zusammenhang mit der Gestaltung seiner Umgebung zu lösen ist".[13] In einem engeren Wettbewerb unter der erweiterten Aufgabenstellung der Gestaltung des Platzes der Republik, wie jetzt der Königsplatz hieß, ging der Entwurf von Emil Fahrenkamp und H. de Fries als erster Preisträger hervor. Er setzte ebenso auf die totale Neugestaltung des Spreebogens wie Poelzigs gefächerte Hochhausscheiben-Anlage.

Noch ehe der Reichstagsbrand 1933, nach der sogenannten „Machtergreifung" der Nationalsozialisten, die qualitativ neue Dimension der kommenden gesellschaftlichen Auseinandersetzungen sichtbar machte, wärmte Otto Kohtz in der dünnen Luft der Wirtschaftskrise, zwischen 1930 und 1932 noch einmal, den Reichshausgedanken auf.

Das Zentrum der Welthauptstadt ‚Germania'

Der 30. Januar 1933 brachte – entgegen landläufiger Auffassung – bezüglich der Architektur und des Städtebaus zunächst keine qualitativen Veränderungen. In den Planungsadministrationen

wurden allein politisch unliebsame Personen, wie auf allen institutionellen Ebenen, durch Parteigänger ersetzt. So sind dann auch die Planungen für die Reichshauptstadt während der politischen Konsolidierungsphase des Nationalsozialismus bis 1936/37 in ungebrochener Kontinuität mit dem zu sehen, was (vor allem) seit Beginn des Jahrhunderts konzeptionell entwickelt wurde. Auch die Motive verschoben sich inhaltlich nur unwesentlich. Der Königsplatz, wie der zwischenzeitlich als „Platz der Republik" titulierte seit März 1933 wieder hieß, blieb durchgängig die große städtische Herausforderung, der magische Ort politischer Selbstdarstellungsgelüste. Schon 1933 konzipierte deshalb das Stadtplanungsamt auf persönlichen Wunsch Hitlers, dabei im wesentlichen die Ideen Martin Mächlers aufnehmend, eine Nord-Süd-Achse, als neue Prachtstraße der Hauptstadt, zu dessen zentralem Platz der Königsplatz ausgebaut werden sollte. „Berlin als Reichshauptstadt eines 65-Millionen-Volkes muß städtebaulich und kulturell auf solche Höhe gebracht werden, daß es mit allen Hauptstädten der Welt konkurrieren kann."[14] Mit dieser Begründung forderte er, daß „an dem bisherigen Königsplatz ..., gegenüber und seitlich des Reichstages ..., das Reichswehrministerium, das Luftfahrt- und das Marine-Ministerium Platz finden.

(Die) Siegessäule soll etwas weiter nach Norden verrückt werden, als nördlichen Abschluß des Platzes (sollen) 2 Gedenkhallen für die Helden des Luft- und Seekampfes (entstehen)."[15] Als weiterer Höhepunkt der Achse war ein „gewaltiger Triumphbogen für das unbesiegte Herr des Weltkrieges"[16] vorgesehen. Die vorgelegten Pläne, von der Stadtverwaltung ohnehin nur zögerlich verfolgt, entsprachen in Dimension und Habitus jedoch nicht den Vorstellungen des „Führers", der sich unzufrieden zeigte und daraufhin den jungen Architekten Albert Speer, der bereits mit dem Ausbau des Reichsparteitagsgeländes in Nürnberg betraut war, im Sommer 1936 beauftragte, auch die Neugestaltung Berlins zu übernehmen. Am 30. Januar 1937 wurde Speer schließlich offiziell zum „Generalbauinspektor der Reichshauptstadt Berlin" erklärt, seine Dienststelle, kurz GBI genannt, in der Kompetenz einem Ministerium gleich, allein dem „Führer" unterstellt. Die Stadtverwaltung und sämtliche nachgeordneten administrativen Stellen wurden dem GBI untergeordnet und zur Zuarbeit verpflichtet. Speers Aufgabe bestand darin, Berlin als die Hauptstadt des Reiches und gleichsam im Vorgriff auf die geplanten Expansionskriege, der Perspektive des zweiten Vierjahresplans (dem faktischen Mobilmachungsplan), zu einer gigantischen Machtzentrale

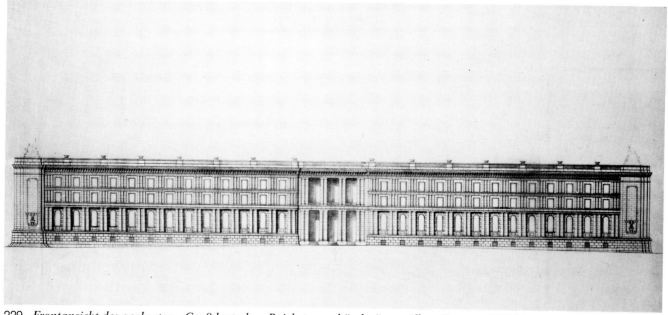

229 *Frontansicht des geplanten „Großdeutschen Reichstagsgebäudes" von Albert Speer und Woldemar Brinkmann, Planfassung um 1940/41*

230 *Der seiner Kuppel beraubte, halbherzig wiederhergestellte Reichstagsbau im Vorfeld der Grenzabsperrungen*

auszubauen. Das Programm hatte dementsprechend keinerlei sozialen Auftrag, sondern war auf Staats-, Partei- und Repräsentationsbauten memorialen Charakters konzentriert, die die Kulisse für die kultischen Inszenierungen des faschistischen Systems bilden sollten. Die „Neugestaltungsplanungen für die Reichshauptstadt" waren dabei nicht mehr auf das Maß des einzelnen Menschen gerichtet, sondern auf die in Blökken ausgerichteten, gleichgeschalteten Menschenformationen. Ihr Maßstab und Habitus unterschied sich dabei bewußt von den in Berlin bis dahin realisierten NS-Bauten, wie zum Beispiel den Bauten am Fehrbelliner Platz sowie den Messehallen. Anfang 1938 war die Rahmenplanung soweit gediehen, daß die detaillierte Ausarbeitung einzelner Bereiche bzw. Gebäude in Angriff genommen werden konnte und noch vor Ende des gleichen Jahres wurde mit gro-

ßem propagandistischem Aufwand an mehreren Stellen zugleich mit der baulichen Realisierung begonnen. Obschon über die „Neugestaltung" in den Medien wortgewaltig berichtet wurde, blieb der Gesamtumfang der Planungen der Öffentlichkeit gezielt vorenthalten, um nicht die Frage ihrer Finanzierung, angesichts des kargen Konsumgüterangebotes zu provozieren. Die Antwort wäre zugleich Preisgabe der brutalen Kriegsabsichten gewesen.

Der Neugestaltungsplan sah als signifikantes Merkmal und gleichzeitig als „Rückgrat" des neuen Stadtgrundrisses ein Achsenkreuz vor, dessen Straßen in Nord-Süd- und Ost-West-Richtung verliefen und sich im Bereich des Brandenburger Tores schnitten. Die vier Achsenenden schlossen jeweils auf den um Berlin geplanten (und inzwischen realisierten) Autobahnring an, der die neue Berliner Stadtgrenze bilden sollte. Vier

konzentrische Ringe vervollständigten das Hauptgerüst, das durch eine Vielzahl von Radialstraßen ergänzt wurde. Während die Ost-West-Achse, die Ringstraßen sowie die Radialstraßen zum Teil vorhandene Straßenzüge aufnahmen, die verbreitert bzw. mit Durchbrüchen verbunden werden mußten, stellte die Nord-Süd-Achse in ihrer Trassenführung eine totale Neuanlage dar. Ihre Projektierung stand in engem Zusammenhang mit dem geplanten Umbau des gesamten Berliner Eisenbahnnetzes. Anstelle der bis dahin vorhandenen diversen Kopfbahnhöfe sollten zwei Zentralbahnhöfe entstehen – ein Nordbahnhof und ein Südbahnhof –, die, in Wedding und Tempelhof lokalisiert, die Endpunkte des als „Prachtstraße" gedachten, etwa 7 km langen Mittelabschnittes der Nord-Süd-Achse darstellen. Allein dieses zentrale Teilstück der Achse, das in der letzten Planfassung eine Breite von ca. 140 m aufwies, hätte neben den freigesetzten Flächen des innerstädtischen Gleisgeländes, den Raum ganzer Stadtviertel eingenommen, die dafür liquidiert werden sollten. Mehr als 50 000 Wohnungen wären in diesem Zusammenhang abgerissen worden. Der Gegenwert wäre eine monströse Achse steinerner Tausendjährigkeit, dessen „Ruinenwert"[17] schon für die Zukunft einkalkuliert war. Die architektonische Inszenierung der „Prachtstraße" – dem gedachten Höhepunkt der neuen Stadt und die Verkörperung des Nazi-Staates zugleich – offenbart in ihrer Programmatik Stein für Stein, Gebäude für Gebäude die imperiale Perspektive der angestrebten Weltherrschaft, dessen Machtzentrum in der Planung des „Großen Platzes" im Spreebogenbereich angelegt war: Ein gewaltiger Südbahnhof eröffnet die ‚via mortes' der Zivilisation. Eine martialische „Beutewaffenallee" an den siegreichen „Feldzug" gegen Frankreich erinnernd, breitet sich vor ihm aus und bildet den Vorplatz für einen 120 m hohen Triumphbogen. In seinem Attikakranz sind die Namen der Millionen deutscher Gefallenen des Ersten Weltkrieges eingemeißelt, die post festum zu Siegern erklärt sind. Gesäumt von dichten, kolossalen Baublöcken inflationären Ausmaßes, führt die Straße auf den „Runden Platz", an dessen Ausgang die Soldatenhalle, dem Ruhmesbau der künftigen Kriegshelden, einem Reichsmarschallamt gegenüber steht und auf das Grün des Tiergartens überleitet, der Distanz schafft für den Höhepunkt der Achse, den „Großen Platz" mit der „Großen Halle", dem größten Bauwerk der Welt. In der letzten Planfassung mehr als 300 m Kantenlänge im Quadrat messend, begräbt es das Alsenviertel und die weiche Biegung der Spree unter seinen

98 m hohen Hallenquader, über dem sich eine maßlose Kuppel in den Himmel wölbt, deren Laterne von einem Adler gekrönt ist, der die Weltkugel in den Krallen hält. Dieses ca. 320 m hohe Monstrum soll 180 000 Menschen fassen. Die differenzierte Fläche des einstmaligen Königsplatzes, die der „Große Platz" vor der Halle mit Granit überdeckt, ist als Aufmarschplatz für eine Million Menschen angelegt. Unter ihm verläuft in zwei Kammern das neue Bett der Spree. Als gefangener Platz, nur von der Achse zugänglich, ist er umsäumt von schriller Machtarchitektur. Anstelle von Kroll erhebt sich der „Führerpalast"; fensterlos und nur mit einem Balkon ausgestattet, in 15 m Höhe über dem, mit schweren Stahltüren verbarrikadierten axialen Hauptportal. Ihm gegenüber der im Maßstab zur Lächerlichkeit degradierte alte Reichstag, der für den nördlich anschließenden neuen „Großdeutschen Reichstag" nur noch Archiv-, Bibliotheks- und Restaurantgebäude gewesen wäre. Den Eingang zum Platz bilden, in Verbindung mit dem Führerpalast, eine neue Reichskanzlei und das Oberkommando der Wehrmacht. Nördlich der Platzanlage bereitet die 1200 m × 400 m große Fläche eines künstlichen Wasserbeckens die Wirkung der Kuppelhalle vor, die durch die Spiegelung im Wasser den am Nordbahnhof Ankommenden verdoppelt überwältigt hätte.
Schon 1938 hatten im Spreebogen für den „Großen Platz" die Abrißarbeiten begonnen. 1950 sollten die Bauarbeiten abgeschlossen sein. Im Rahmen einer „Weltausstellung" wollte man mit der „Großen Halle" die gesamte Achsenanlage zwischen den Bahnhöfen einweihen und Berlin feierlich in „Germania" umtaufen. Bis 1942, als man die „Neugestaltungsarbeiten" einstellte, waren be-

reits erhebliche Teile des Alsenviertels straßenweise abgerissen bzw. ihr Abriß vorbereitet worden. Das ‚Helden-Mobiliar' der deutschen Geschichte, wie Siegessäule, Bismarck-, Moltke- und Roondenkmal sowie die Siegesallee, wurde am ausgebauten ‚Großen Stern' zum „Forum des Zweiten Reiches" zusammengefaßt (vgl. S. 290–291). Tobten sich die Fieberträume des Kaiserreiches wie die der republikanischen Zeit nur in Planspielen aus, begannen die Nazis also real mit der systematischen Demontage der Stadt, um sich Platz zu schaffen für die geballte Macht, die Dekoration der Gewalt, zu der sie die Architektur im deutschen Faschismus pervertierten. Die totale Indienstnahme der Architektur als machtpolitisches Instrument stand dabei in seiner gesellschaftlichen Funktion in einer direkten Austauschbeziehung zum Raubkrieg. Sinnfälliger Ausdruck dieses Zusammenhangs ist die 1942 vollzogene Ernennung Albert Speers zum „Reichsminister für Rüstung und Kriegsproduktion". Er und die maßgeblichen Abteilungen seiner Generalbauinspektion managten fortan die deutsche Kriegswirtschaft. Die Architektur hatte zu diesem Zeitpunkt ihre Schuldigkeit getan.
Sie fand im Krieg ihre Fortsetzung! Die Zerstörungen der Reichshauptstadt durch die hypertrophen Welthauptstadtplanungen wurden dabei im grausamen Bombenkrieg ungeplante Realität. Hitler zu Speer im November 1944 angesichts der Ruinen: „Was hat das alles schon zu sagen Speer! Für unseren neuen Bebauungsplan hätten sie allein in Berlin achtzigtausend Häuser abreißen müssen. Leider haben die Engländer diese Arbeiten nicht genau nach Ihren Plänen durchgeführt. Aber immerhin ist ein Anfang gemacht!"[18]

Wolfgang Schäche

Rüstungsbetrieb Rheinmetall-Borsig

In der Zeit der Weimarer Republik hatte die Maschinenfabrik A. Borsig zunächst große Erfolge und dann ihren Niedergang zu verzeichnen. Kurz nach dem Ersten Weltkrieg konnte das Werk trotz wirtschaftlicher Probleme sogar expandieren. Dampfkessel, Dampfmaschinen, Eis- und Kältemaschinen und Entstäubungsanlagen waren national und international gefragt. Diese erfreuliche Tendenz hielt an, solange die Deutsche Reichsbahn vorzugsweise bei Borsig Lokomotiven bestellte. Die Brüder Ernst und Conrad v. Borsig erweiterten das Werksgelände und ließen nach amerikanischem Vorbild ein Bürohochhaus erbauen, das zugleich „sichtbares Wahrzeichen" des Werks sein sollte. Durch ein Netz sozialer Einrichtungen versuchten sie, die Betriebsangehörigen an sich zu binden. Werksparkasse, Beamten-Pensionskasse und Altersfürsorge gaben treuen Beschäftigten eine gewisse Sicherheit. Mit Kinder- und Erholungsheimen, einer Krankenkasse und einem Gesundheitsdienst organisierte die Firma die gesundheitliche Versorgung der Arbeitskräfte und ihrer Angehörigen. So kam es, daß die „Borsigianer" im Vergleich zu Arbeitern anderer Metallbetriebe anpassungsbereiter waren.

Die Aufwärtsentwicklung des Familienunternehmens kehrte sich schlagartig um, als die Deutsche Reichsbahn nur noch ein begrenztes Kontingent von Lokomotiven bestellte. Die Lokomotivenproduktion sank von 22 000 t im Jahr 1922 auf 3800 t im Jahr 1927. Die rückläufige Entwicklung in diesem Sektor konnte auch durch Auslandsgeschäfte und andere Produkte nicht ausgeglichen werden. Als Ende der 20er Jahre Borsig von der Weltwirtschaftskrise erfaßt wurde, zeigte es sich, daß Betrieb und Produktion viel zu weitläufig organisiert, technisch rückständig und zu wenig nach wirtschaftlichen Gesichtspunkten ausgerichtet waren. Im Dezember 1931 mußte das traditionsreiche Unternehmen seine Tore schließen. Am 28. 4. 1933 wurde es unter der Obhut der Düsseldorfer Firma Rheinmetall zum zentralen Rüstungsbetrieb für die Nationalsozialisten umfunktioniert.

Michael Drechsler

231–233 *Einfahrt der Borsig-Heißdampfschnellzuglokomotive 05001 (1936 Weltrekord über 201 km/h) in den Güterbahnhof Seddin zur Eisenbahnausstellung 1934 (l.). Werbeblatt mit Zeichnung des von Eugen G. Schmohl 1922/23 errichteten Borsig-Turms (erstes Hochhaus in Berlin) (o.). Laubengarten in der Siedlung Borsigwalde in den 20er Jahren (u.)*

234–235 *Betriebsfeiern und -jubiläen waren u. a. für die nationalsozialistisch geführte Direktion des Rüstungsunternehmens Rheinmetall-Borsig willkommener Anlaß, die als „Gefolgschaft" bezeichneten Beschäftigten auf die „Betriebsgemeinschaft" und die „Einheit des Gesamtunternehmens" einzuschwören. 1.-Mai-Feier 1937 im Borsig-Kasino unter Mitwirkung des Borsig-Chores und des Werk-Orchesters (o.). Feier zum hundertjährigen Bestehen des Borsig-Werkes 1937 (1.). Dazu ein ehemaliger ‚Borsigianer': „An diesem Tag wurde ein besonderes soziales Moment bei Borsig entdeckt. Wir kriegten zur Feier des Tages pro Gefolgschaftsmitglied 10 Mark Zehrgeld, und es wurde versprochen, daß diejenigen Arbeitnehmer, die kinderreich waren – mit vier Kindern und mehr – pro Arbeitsstunde für ein Kind einen Pfennig Zuschlag kriegen sollten."*

Mit der Übernahme durch Rheinmetall wurden bei Borsig grundlegende personalpolitische Veränderungen vollzogen. In sämtliche leitenden Funktionen wurden Männer aus dem Düsseldorfer Werk eingesetzt. Sie zogen Mitarbeiter ihres Vertrauens nach und stellten Waffen-Spezialisten aus den Werken im Rheinland und Thüringen ein. „Borsigianern", die sich noch dem Familienunternehmen verbunden fühlten, fiel die Zäsur durch die neuen Herren schwer, da bisherige Produktionsbereiche an Bedeutung verloren, während die „Waffenbetriebe" vorrangig ausgebaut wurden. Schon 1934 wurde die Munitionsdreherei eingerichtet. Es entstanden neue Hallen für die Geschützdreherei, und man begann mit der Herstellung schwerer Maschinengewehre. Im Verlaufe des Krieges durften schließlich bei Rheinmetall-Borsig auch im allgemeinen Maschinenbau nur noch ‚kriegsentscheidende' Produkte hergestellt werden. Unter den zahlreichen Erwerbslosen Anfang der 30er Jahre konnte sich die Betriebsleitung die Arbeitskräfte auswählen. Wer nicht in der Partei war, mußte schon Beziehungen oder besondere Qualifikationen haben, um eingestellt zu werden. Im Betrieb wurde regelmäßig dazu aufgefordert, sich den nationalsozialistischen Organisationen anzuschließen. Die „Deutsche Arbeitsfront" (DAF) richtete „Betriebssportgemeinschaften" ein und bot über „Kraft durch Freude"(KDF)-Programme Unterhaltung, kulturelle Veranstaltungen und Reisen an, um die Beschäftigten auch in ihrer Freizeit ideologisch einzubinden. In den einzelnen Abteilungen wurden Zellenobleute der NSBO (Nationalsozialistische Betriebszellenorganisation) eingesetzt, die für die Mitgliedschaft in NS-Organisationen warben, und darauf zu achten hatten, daß Äußerungen gegen das NS-Regime unterblieben.

Seit Beginn des Krieges stellte sich der Betriebsleitung das Problem, die Arbeitsplätze der in den Wehrdienst einberufenen Männer zu besetzen. Zum Ausgleich wurden deutsche Frauen dienstverpflichtet – sie waren als Reserve für den ‚Ernstfall' schon eingeplant – und ausländische Zwangsarbeiterinnen eingesetzt. Kontakte mit den Ausländern waren streng verboten, insbesondere mit Polen und Russen. *Christa Lindner*

236 *Max und Martha Wittek. Max Wittek gehörte zur Gruppe „Mannhart", die bei Rheinmetall-Borsig gegen den Krieg agitierte. In Flugblättern informierte die Gruppe über die illegal abgehörten Nachrichten der Alliierten und rief die Kollegen dazu auf, sich krankzumelden. 1944 wurde Max Wittek zusammen mit Kollegen aus der Widerstandsgruppe verhaftet und zu Zuchthaus verurteilt.*

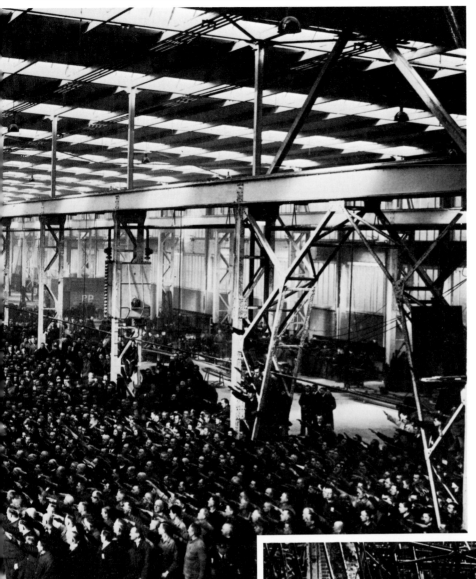

238 *In den Werkshallen von Rheinme-*
tall-Borsig wurden mehrfach Anspra-
chen gehalten (u. a. von Hitler und Gö-
ring), in denen die „Front des deut-
schen Rüstungsarbeiters" zu äußerster
Pflichterfüllung aufgerufen wurde. Ge-
nerell galt seit 1941 die 57-Stunden-
Woche, vielfach wurde in zwei Schich-
ten à 12 Stunden gearbeitet. Außer-
dem wurde die Produktion durch Ratio-
nalisierungsmaßnahmen gesteigert.

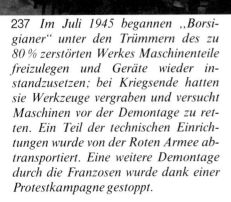

237 *Im Juli 1945 begannen „Borsi-*
gianer" unter den Trümmern des zu
80 % zerstörten Werkes Maschinenteile
freizulegen und Geräte wieder in-
standzusetzen; bei Kriegsende hatten
sie Werkzeuge vergraben und versucht
Maschinen vor der Demontage zu ret-
ten. Ein Teil der technischen Einrich-
tungen wurde von der Roten Armee ab-
transportiert. Eine weitere Demontage
durch die Franzosen wurde dank einer
Protestkampagne gestoppt.

Betriebsalltag

Die folgende ‚Geschichte‘ spielt in den Berliner Siemenswerken in der Zeit zwischen 1934 und 1936. Hilde Radusch hat sie 1951 auf der Grundlage von Beobachtungen aufgeschrieben, die sie als Siemensarbeiterin in Satzfetzen und Notizen auf der Rückseite von Zetteln festgehalten hatte, auf denen sie ihren Stücklohn ausrechnete. Ihre Notizen bezogen sich v. a. auf den Arbeiter „Otto Kutschke“, der in seiner Ambivalenz weitgehend so geschildert ist, wie sie ihn damals erlebt hat. In den Eindrücken und Gefühlen der Erzählerin „Lotte“, in der sich die Autorin als „neue Arbeiterin“ selbst darstellt, wird eine soziale und politische Distanz angedeutet, die aber erst auf dem Hintergrund ihrer Biografie verständlich wird.

H. R. wurde 1903 geboren, ihr Vater war Postbeamter im mittleren Dienst. Mit 18 Jahren ging sie nach Berlin, um sich im Pestalozzi-Fröbel-Haus als Kinderhortnerin ausbilden zu lassen. In dieser Zeit wurde sie Mitglied der Kommunistischen Jugend und 1924 der Kommunistischen Partei. Von 1923–30 war sie als Telefonistin bei der Reichspost beschäftigt – ein damals noch durchaus bürgerlicher Frauenberuf. Als Mitglied der KPD und ihrer „Revolutionären Gewerkschaftsopposition“ wurde sie zwischen 1928 und 1930 Betriebsratsvorsitzende für drei Fernmeldeämter und 1929 Stadtverordnete. Hilde Radusch wurde – wie die meisten Kader der KPD – im April 1933 in „Schutzhaft“ genommen, nach einem halben Jahr wurde sie entlassen. Nach acht Monaten Arbeitslosigkeit und ständiger Beschattung wurde sie im Mai 1934 als Hilfsarbeiterin zu Siemens vermittelt, wo sie von Arbeitsplatz zu Arbeitsplatz versetzt wurde, weil sie das Arbeitstempo nicht schaffte. In dieser Zeit schrieb sie Beiträge für die illegale kommunistische Betriebszeitung. Erst 1936 gelang es ihr, wieder eine Stelle als Angestellte zu finden. Von August 1944 bis zum Ende des Krieges lebte sie auf einem Laubengrundstück versteckt, praktisch ohne Lebensmittelversorgung und Heizung, um der letzten großen Verhaftungswelle des

NS-Regimes, der berüchtigten „Gitteraktion“, zu entgehen. Nach Kriegsende leitete sie die Dienststelle „Opfer des Faschismus“ im Bezirk Schöneberg bis sie 1946 die KPD verließ. Sie lebt heute in Berlin.

Neben sozialhistorisch und politisch interessanten Hinweisen – z. B. wie früh Siemens seine Belegschaft auf den Krieg vorbereitete oder wie sehr das untere und mittlere Management politisch-ideologische Herrschaftsfunktionen übernommen hatte – sollte man die ‚Geschichte‘ unter dem Blickwinkel lesen, wie eine (damals noch) überzeugte Kommunistin zu der bitteren Einsicht kam, daß der Nationalsozialismus eben nicht vom aufrechten und kämpferischen deutschen Proletariat „hinweggefegt“ werden würde – eine Position, auf der die Strategie ihrer illegalisierten Partei bis 1935 basiert hatte. „Kutschke“ wird nicht in Verratskategorien abgehandelt, mit denen die parteioffizielle Geschichtsschreibung in ähnlichen Fällen heute noch hantiert. Nur der Titel, der auch schon auf den Zetteln notiert war, erinnert daran. Vielmehr wird die Wirkung der vielfältigen und widersprüchlichen Druck- und Herrschaftsmittel von Lob und Lohnabbau, sozialer Anerkennung und Überwachung, von Ehrenpöstchen und Geld-aus-der-Tasche-Ziehen gezeigt, die gerade in ihrer Ambivalenz so effektiv waren, das deutsche Proletariat politisch handlungsunfähig zu machen. Der „krumme Hund“ ist eigentlich ein sich krümmendes Würmchen.

(Annemarie Tröger)

Ein krummer Hund

Durch die große dröhnende Halle huscht ein Mann. Jetzt ist er bei den Stanzen, jetzt bei den großen Pressen. Endlich ganz hinten, wo der Transporter zu frühstücken pflegt, hat er gefunden, was er suchte, den Transportkarren. Das Mäusegesicht schmunzelt, schnell fährt er den Hauptweg zurück, an den zwei Sägen vorbei zu einer Stanze. Hier hat er hintereinander 5000 kleine Kupfer-Segmente ausgestanzt. Wie der Teufel war das gegangen. Auf der einen Seite schob er mit der rechten Hand die lan-

gen Kupferbänder ein. Auf der anderen Seite drückte er unaufhörlich einen Hebel herunter und die schwere Stanze schnitt jedesmal haarscharf eine eigentümlich gezackte Form aus und drückte sie in einen darunter befindlichen kleinen Kasten.

Mit einer Flasche Milch bewaffnet erscheint er nach einiger Zeit wieder am Kontrolltisch. „Warum machen Sie das eigentlich alles selbst Herr Kutschke?“ fragt die neue Arbeiterin an der Kontrolle. Die andre Arbeiterin, Else, lacht: „Er hat immer Ärger mit den Transportern.“ „Das geht mir nicht schnell genug“ sagt Kutschke und seine Mausäuglein kontrollieren, ob die Neue auch richtig mit der Drahtbürste alle Unebenheiten von dem Kupfer wegpoliert. „Raten Sie mal, wie schwer so ein Kasten ist?“ „Fünf Zentner“ rät die ältere Arbeiterin. „Das kann stimmen Else“, meint er. „Ja wenn alle die Transportarbeit mitmachen wollen, werden doch die Transporter arbeitslos?“ Otto zuckt die Achseln: „Der Lohn ist so schlecht, da muß man sehen wie man am schnellsten fertig wird.“ Er hat geschuftet und geschuftet und wenn der Kalkulator ihm den Preis heruntersetzte und dazu seine außerordentliche Tüchtigkeit bescheinigte, dann schwieg er. Das Lob überwog den Preisverlust, den er durch größere Geschwindigkeit immer wieder wettgemacht hatte. Aber diese Nachbarabteilung! Seiner Meinung nach taten sie gar nichts und bekamen ungeheuren Lohn. Sie hatten sich nämlich den Lohn nicht abbauen lassen.

„Heut ist wieder Luftschutzabend“ seufzt Kutschke. „Es ist zum Kotzen. Jeden Abend ist was los. Morgen ist Amtswalterappell. Bei der Kälte! Aber das ist denen ja ganz egal. – Wir haben genug vom Krieg. Diese Kriegsspielerei sollen Sie den Jungen überlassen. Wir haben genug davon.“ Die Augen der Neuen werden kugelrund. Das ist ja ein ganz anderer Ton! So wütend kommt das über seine schmalen Lippen, daß sie ganz erstaunt aufsieht. „Na, wenn es wieder Krieg gibt, müssen sie doch auch mit?“ fragt sie. „Nein, ich bin jetzt 50 Jahre, da werde ich nicht mehr eingezogen“ triumphiert er. „Den Krieg sollen die machen, die ihn ausgeheckt haben. Wer einmal im Felde war, der dankt dafür." Die Neue findet diese Ansicht sehr sozialdemokratisch, schweigt aber, um mehr zu hören. „Und das sieht verflucht nach Krieg aus" murmelt er noch; der Neuen kommen die Friedensversicherungen des Führers in den Sinn.

Lotte putzt grade ein paar mächtig ölige Stücke mit dem Lappen und sieht ihm zu. „Das Einsetzen der Schnitte macht doch an den anderen Stanzen der Einrichter?" „Otto ist sein eigener Einrichter" antwortet Else. „Sein eigener Arbeiter, Transporter, Einrichter, Vorarbeiter und Meister. Meinen Sie der Meister weiß, was der macht? Der guckt bloß von weitem, aber sagen tut der ihm nichts." Nach einer längeren Pause seufzt sie auf: „Aber Lohn kriegt er nur als einfacher Abschneider. – Ja früher, als noch mehr Motoren gebaut wurden

– bei den Reparationslieferungen und während der Russlandaufträge – da war er Vorarbeiter. Da haben wir schönes Geld verdient." Da waren 4 Frauen an der Kontrolle und 10 Arbeiter in 2 Schichten. Da hat er immer nur Arbeit angewiesen und gezeigt wie sie's machen sollen und auf die Termine geachtet, daß alles richtig rauskommt.

Mittags geht Lotte zur Aluminiumkontrolle plaudern. „Bei Otto bist Du jetzt? Warum der bloß die Else nicht heiratet! Die wohnen nun schon neun Jahre zusammen." Lotte staunt. „Ist das wahr, daß der Amtswalter ist?" schnüffelt sie. „Ach wo, der ist son Vertrauensmann von der Arbeitsfront, wie das früher beim D. M. V. war" (Deutscher Metallarbeiterverband, die Hrsg.). Frau Kresse wird hitzig. „Das war son ganz Roter früher. Der konnte den ganzen Tag die Schnauze nicht weit genug aufreissen. Son Kommuniste! Und als der Metall-

arbeiterstreik war, da blieb er im Betrieb. Noch voriges Jahr schimpfte er auf die Regierung und nun ist er der ihr Vertrauensmann." Voll Abscheu ruft die Kressen das aus. Die Sirene ertönt und Lotte geht wieder hinüber an ihren Platz. „Neulich hat man mir erzählt, der Kutschke hätte so auf die Regierung geschimpft und nun wäre er Vertrauensmann." Wer hat das erzählt?" fährt Else auf. „Oben in der Gaderobe jemand, ich kenne die Frau nicht" antwortet Lotte. „Was soll man denn da machen? Der Schreiber kommt und sagt: ‚Herr Kutschke, Sie müssen den Vertrauensmann machen. Wir haben keinen anderen.'" „Herr Kutschke ist wohl sehr angesehen da oben?" fragt Lotte. „Beim Ingenieur und Betriebsleiter ja. Die sollen sich man einen suchen, der die Arbeit ganz alleine und so gut macht! Hier haben schon so viele gearbeitet, aber keiner hat's ausgehalten. (Bei den runtergewirtschafteten Löhnen – denkt Lotte.) Wenn der mal hier nicht mehr arbeitet, müssen sie zwei anstellen. Das weiß der Meister ganz genau, drum sagt er auch nichts, obwohl er ihn nicht leiden kann."

Am anderen Morgen hämmert Kutschke die geputzten Segmente auf einem Amboß grade und bündelt die kleinen zu je 10 Stück. Es geht wie geschmiert. Ein eisig kalter Luftzug läßt Lotte erschaudern und sie fragt Kutschke: „Na, gestern schön gefroren beim Luftschutz?" „Nee, es ging. Wir haben hinten eine Decke abgesteift." „Gottseidank im geschlossenen Raum" vollendet Else. „Eigentlich sollten wir ja eine Brücke bauen." Lotte staunt. „Ist das Luftschutz?" Kutschke kommt in Hitze: „Ja, die reinen Pionierarbeiten sollen wir machen. Das haben wir im Krieg schon viel besser gemacht. Die sollen doch die SA zu so was nehmen. Die jungen Bengels haben von so etwas keine Ahnung. Aber wir Alten müssen immer ran!" „Warum machen Sie's denn?" fragt Lotte. „Luftschutz ist doch freiwillig." „Nein", sagt Else „er muß das mitmachen!" „Aber von der ganzen Abteilung sind doch nur 5 Mann im Luftschutz" weiß Lotte und sieht Kutschke an. Der macht verquere Augen und traut sich nicht, Lotte recht zu geben. Denn er gibt Else damit ein Argument. Sie ist nicht dafür, daß er abends so viel weggeht.

239 *Hilde Radusch Anfang der 30er Jahre*

In der Frühstückszeit gibt der Schreiber dem aufspringenden Kutschke 10 Nummern vom „Arbeitertum". Sie duzen sich. Man hört Kutschke direkt die Freude an, diesen Angestellten duzen zu können. Der Schreiber ist vom Betriebsleiter als Zellenwart der NSDAP und NSBO (Nationalsozialistische Betriebsorganisation, d. Hrsg.) eingesetzt. Lotte hält ihn für etwas beschränkt. Aber er ist freundlich gegen jedermann und gibt in Kleinigkeiten den Arbeitern immer großzügig Recht. Bei Lohnfragen dagegen – nun ja, da ist er eben Angestellter und hat ein Amt und keine Meinung.

Wütend sagt Kutschke, nachdem der Schreiber gegangen war: „Nun hat der mir doch einen Kalender angedreht für 80 Pf. Und Wiederbringen gibt es nicht. Was ich nicht verkaufe, muß ich bezahlen!" „Was der schon alles zugesetzt hat!" ruft Else auf. „Ja, da gehen jeden Monat ein paar Mark drauf. Man muß ihnen zureden wie einem lahmen Schimmel, sonst nehmen sie überhaupt nichts." Lotte macht ein ernstes Gesicht und grinst innerlich. „Sie haben doch sicherlich auch Uniform kaufen müssen, als Amtswalter?" fragt sie. „Nee" schüttelt er sich „Für den Blödsinn 50 M ausgeben kommt nicht in Frage. Da gehe ich so hin wie immer."

Nach dem Frühstück geht er an die Säge. 350 mal in der Minute läuft das große Sägeblatt über 2 metergroße Räder und dort, in der Mitte, wo es durch die Tischplatte läuft, schneidet Kutschke mit Hilfe selbstverfertigter Schnitte die unregelmäßigen Segmente aus. Wie Funken fallen die heißen Kupferspäne auf seine Glatze und die stark fliehende Stirn. Eine Schutzbrille trägt er nicht, weil sie ihn stört. Nur wenn die Gesundheitskommission kommt, setzt er sie schnell auf. Auch die lange Nase kriegt Späne ab. Lotte denkt eben, die sieht aus, als ob sie beständig schnuppert, was am Besten ist. Da – ein Schrei gellt durch die Halle. Hat sie geschrien? Oder Else? Das Sägeblatt durchsaust die Luft und schnellt auf Kutschkes Hals zu. Im selben Moment wirft er sich zu Boden und in Schlangenwindungen saust das 4,65 m lange Todesband über ihn hinweg. Bei dem Dröhnen in der Halle hat man nur in nächster Nähe die Schreie gehört. Die Werkzeugmacher kommen in die Ecke gestürzt. Kreide-

weiß und zitternd erhebt sich Kutschke. Er fliegt am ganzen Körper. „Beinah hätt Dir dat Ding n roten Strich um den Hals gemalt" meint einer. „Det is jerissen" findet der andre. „Na jeh man nach Hause, Otto, heute kannste doch nischt mehr tun!" „Ich habe ja heute noch gar nichts verdient" protestiert Kutschke. Aber er sitzt schlotternd auf seinem Schemel und auch der inzwischen unterrichtete Meister ist für Nachhausegehn. Er schreibt einen Passierschein und Kutschke nimmt sich zusammen und geht.

Den ganzen Tag gibts Unfallerzählungen und Lotte erfährt dabei, daß selten eine Stanzerin noch alle 10 Finger hat, daß alle Tage das Krankenauto Schwerverletzte abholt, daß jeder, der einige Jahre im Werk ist, einige Unfälle hinter sich hat. Else weint die ganze Zeit leise vor sich hin.

Am andern Morgen ist Otto wieder oben auf und saust durch den Betrieb. Der Ingenieur sieht sich die Säge an und einige Techniker und Arbeiter sind bald beim Bau einer Schutzvorrichtung. Solch ein Unfall könnte teuer werden für die Firma! Otto Kutschke ist der Held des Tages und gibt an, wo er diese Vorrichtungen haben möchte. Aber im Grunde fürchtet er die Säge und das wird wohl auch so bleiben.

Lotte und Else feilen und wischen nach Leibeskräften. Gehören doch 444 Segmente zu einem einzigen Motor! Otto sieht man gar nicht. Plötzlich kommt er an und schimpft immer vor sich hin. „So ein Kamel, so ein dämlicher Hund!" Bei den Mädels angelangt platzt er heraus „Hat doch drüben einer den Ingenieur mit erhobener Faust gegrüßt!" Die Mädchen reißen den Mund auf und starren Otto an. „Ja, der Ingenieur hat sich beim Vertrauensrat beschwert. Und was hat der Dussel gesagt, als man ihn zur Rede stellte? Er war ganz verdattert. Er sagte, er wisse nicht, wie es dazu gekommen sei – Mensch, habe ich gesagt, konntest Du nicht antworten, Du hättest was in der Hand gehabt? Da meint er, er sei selber so perplex gewesen darüber! Na nun wird er sicher rausgeschmissen." „Hat er Familie?" fragt Lotte. „Ja, das ist es eben! 4 Kinder hat er und macht solchen Quatsch." „Herr Kutschke, Sie sind doch Amtswalter! Sie können sich doch für ihn einsetzen! Es kommt doch

vor, daß Menschen etwas anderes sagen, als sie wollten." Plötzlich macht Otto ein pfiffiges Gesicht. Er holt mit spitzen Fingern – damit er nicht schmutzig wird – den Kalender für 80 Pf hervor, klemmt ihn unter den Arm und verschwindet. Als er wiederkommt, sehen ihn die Mädels erwartungsvoll an. „Also ich habe ihn gefragt, ob er, als er die Faust hochhob, die Worte ‚Rot Front' ausgesprochen habe. Er hätte gar nicht daran gedacht, sagt er. Da habe ich ihm gesagt, ich würde versuchen, die Sache beizulegen. Und damit er seine staatsbejahende Meinung beweist, soll er mir einen Kalender abkaufen. Er hat ihn gleich genommen." Den Fall hat er wirklich stillschweigend beigelegt.

Mittags kommt ein Ingenieur, der „Luftschutzhauptmann". Otto muß die letzte Stunde eine Übung mitmachen. Er arbeitet wie ein Irrer, um die Stunde herauszuschuften. Schweißbedeckt und schimpfend saust er im letzten Moment hinter den fünf Mann seiner Abteilung hinterher. Als er wiederkommt, strahlt er. „Denen habe ich aber ein paar Dinger hingeschmissen. Alle Fensterscheiben sind in dem alten Schuppen kaputt gegangen." „Was denn?" fragt Lotte. „Na Handgranaten – habt ihr sie nicht knallen hören?"

Acht Tage später ist eine große Luftschutzübung. Offiziere in Uniform kommen auf das Übungsgelände. Der Betrieb ist überall abgesperrt. In der Mittagspause darf niemand zur Kantine gehen. Das Verlassen des Betriebes ist überhaupt verboten. Otto Kutschke kriegt eine weiße Armbinde und geht mit den 5 anderen Männern los. Bald hören die Mädels starke Detonationen. Nach 2 Stunden ist die Übung vorbei. Als Otto die eine Handgranate geworfen hatte und ausriß, stieß er mit einem mit einer Gasmaske zusammen und riß ihn zu Boden. „Aber es fiel im allgemeinen Wirrwarr nicht auf", meint er.

Nach einigen Tagen hing ein Aushang am schwarzen Brett. Die Vertreter der Stadt hätten sich von dem guten Stand der Luftschutzarbeit der Firma X überzeugt und sprächen den Beteiligten ihre Anerkennung aus. Die Firma schließe sich dem an und danke den Arbeitskameraden.

Hilde Radusch

Kriegsalltag

Polizeiberichte aus Berlin-Schöneberg
Immer häufiger gerät in den letzten Jahren der Alltag der Menschen während der Nazizeit ins Blickfeld der historischen Forschung, offenbar stimuliert durch den Wunsch, neue Antworten auf die Frage zu bekommen, wie so etwas inmitten einer zivilisierten Welt überhaupt möglich gewesen sein konnte. Nicht der Alltag der kleinen Leute hat jedoch den Nazi-Staat möglich gemacht, sondern das gezielte Verhalten der Mächtigen und Einflußreichen im Staate. Dennoch gibt die neu eingeschlagene Forschungsrichtung Aufschluß darüber, wie differenziert, wie kleinteilig die Nazi-Diktatur wirkte, wie sehr sie ins „Innenleben" jedes Einzelnen eindrang, wie sehr sie auf vorbereiteten Boden angewiesen war – und ihn z. B. in der Mentalität des obrigkeitshörigen Beamten auch häufig fand. Gleichzeitig stellt sich auch heraus, wie schwierig es ist, den Alltag selbst der jüngsten Vergangenheit zu rekonstruieren. Auch die Befragung von Zeitzeugen kann diese Schwierigkeit nur teilweise beheben; schriftliche Quellen aber, die den subjektiven Aspekt überschreiten und dennoch über das tägliche Leben erzählen, sind spärlich und schwer zu finden.
Zu diesen schriftlichen Quellen, die über Alltagssituationen in Berlin während des Krieges exemplarische Auskunft geben, gehören die Tätigkeitsbücher von drei Schöneberger Polizeirevieren, des Reviers 171 in der Rubensstr. 103, des Reviers 174 in der Hohenstaufenstraße 49 und – besonders umfangreich – des Reviers 173 in der Gothaer Str. 19. Anders als in den „Geheimen Lageberichten des Sicherheitsdienstes" oder in den „Monatlichen Lageberichten der Gestapostellen", in denen die „staatspolitisch bedeutsamen" Regungen in der deutschen Bevölkerung registriert wurden, enthalten die Tätigkeitsbücher die kleinen und großen Ereignisse in einem Berliner Kiez während des Krieges aus der Sicht des Schutzmannes an der Ecke, der gehalten war, Tag für Tag und streng nach Vorschrift seine dienstlichen Eintragungen zu machen. Gerade die Akribie, mit der alles und jedes notiert wurde, macht

deutlich, wie das „Ungeheuer NS-Staat" als „Doppelstaat" funktionierte, wie die Mischung aus Banalität und Verbrechen den Mitläufern das Mitlaufen erleichterte. Die sog. „Rechtsstaatlichkeit" des Unrechtsstaates, die so vielen während des NS-Regimes die Möglichkeit bot, die Augen zu schließen, weil ja offenbar „alles seine Ordnung" hatte, tritt bei der Lektüre der Tätigkeitsbücher besonders hervor.

Kriegsbeginn

Der Krieg wird von einem Teil der Berliner zunächst – und nach den sog. Blitzsiegen kaum verwunderlich – nicht so recht ernstgenommen. Die ersten (Probe-)Fliegeralarme sind eher amüsante Erlebnisse. Auch als im August 1940 die ersten Bomben auf Berlin fallen, ist das für viele Berliner noch Anlaß, Sonntagnachmittagsfahrten zu den vereinzelten Ruinen zu machen. Ende des Jahres sieht die Bilanz schon anders aus: 222 Tote, 428 Verletzte und 9000 Obdachlose, und der Organisator der Luftverteidigung Berlins, Göring, muß sich langsam an seinen neuen Namen Meier gewöhnen. In den folgenden beiden Jahren läßt die Intensität der Bombardierungen Berlins zunächst wieder nach, die Berliner fühlen sich erneut sicher. Nach 1941/42 gibt es zahlreiche Eintragungen in den Tätigkeitsbüchern, die einen Verstoß gegen das Verdunklungsgebot anzeigen.
Zu Beginn des Jahres 1943 – am 16. Januar 1943 erlebt Berlin die erste Flächenbombardierung durch rund 200 Bomber – werden diese Verstöße nur noch selten registriert. Die Berliner haben am eigenen Leibe erfahren, daß es ernst geworden ist. Dafür häufen sich Anzeigen wegen „verbotenen Fotografierens von Schadensstellen". Die Folgen des Angriffskrieges sollen soweit wie möglich kaschiert werden.
Anzeichen von Opposition werden auch in Schöneberg erkennbar; „slawische Hetzschriften" werden mit der Post versandt und von pflichtbewußten Bürgern aus der Martin-Luther-Straße auf dem Polizeirevier abgegeben. Bei Aufräumungsarbeiten nach einer Bombennacht wird im Keller eines Hauses in

der Grunewaldstraße „kommunistisches Propagandamaterial" gefunden. Die Schutzpolizei muß Hilfestellung leisten, wenn – ab 1943 häufiger – deutsche Rüstungsarbeiterinnen wegen „Arbeitsverweigerung" angezeigt und der Gestapo oder dem Gericht „vorgeführt" werden.
Unter der Überschrift „Abgegebener Handzettel" ist im Mai 1943 folgender Eintrag zu finden: „Am 27. 5. 1943, gegen 11.20 Uhr, gab die Ehefrau Ella K..., in Berlin-Friedenau ... wohnhaft, auf dem 173. Pol. Revier einen Zettel mit dem Inhalt: ‚Schlagt Hitler und Bonzen tot, bring Luftangriffe zu Ende', ab. Frau K. hatte sich diesen Zettel von einem Soldaten zwecks Meldung ... erbeten. Der unbekannt gebliebene Soldat hatte angeblich in Gegenwart der Frau K. eine größere Anzahl derartiger Zettel in der Telephonzelle am Rudolph-Wilde-Platz ... im Telephonbuch verborgen gefunden. Ein sofortiges Absuchen weiterer Telephon-Zellen in der Umgebung blieb ergebnislos."

Zwangsarbeiter

Unübersehbar in den Straßen Berlins und in den Betrieben sind Tausende von unfreiwilligen Zuwanderern: die Zwangsarbeiter. Ein großer Teil der berufstätigen deutschen Männer ist bei Kriegsausbruch Soldat geworden, die größte Waffenschmiede Europas aber muß weiterarbeiten: 7,5 % der gesamten Industrieproduktion befindet sich in Berlin, jeder zehnte Flugzeugmotor, jeder vierte Panzer und fast die Hälfte aller Geschütze werden 1943 in Berlin hergestellt. Zwangsverschleppte und Kriegsgefangene, unter Druck Angeworbene und – bis Anfang 1943 – zwangsverpflichtete Juden ersetzen die fehlenden Arbeitskräfte. Mitte 1943 sind es rund 350 000.
Fast täglich werden in den Tätigkeitsbüchern Eintragungen gemacht, die über das elende Schicksal der vielen Kriegsgefangenen und Zwangsarbeiter Auskunft geben, auch darüber, wie verschieden ihre „Rechte" waren: „Protektoratsangehörige" wohnen oft privat zur Untermiete, angeworbene „Fremdarbeiter" reisen relativ selbständig im Lande

umher, Kriegsgefangene aus Frankreich und Belgien werden beim Schwarzhandel denunziert und verhaftet, d. h. sie haben noch etwas zu verkaufen, russische Kriegsgefangene und „Ostarbeiter" dagegen wegen „Bettelei" festgenommen, da ihre Versorgung am schlechtesten ist. Nicht selten erfolgen Anzeigen wegen verbotenen Umgangs deutscher Frauen mit „Fremdarbeitern", häufiger aber sind Denunziationen ausländischer Arbeiterinnen und Arbeiter. Im Februar 1943 heißt es unter der Überschrift:

„Arbeitsverweigerung einer Polin.
Am 3. 2. 1943, gegen 15.00 Uhr, erschien die Ehefrau des Majors H . . ., wohnhaft Berlin W 30, Bamberger Straße . . ., und zeigte an, daß die bei ihr beschäftigte polnische Hausgehilfin Felagia Wawrzyniak, 10. 6. 1910 in Wojzin geboren, Bamberger Str . . . bei H . . . wohnhaft, in der Nacht vom 31. 12. 1942 zum 1. 1. 1943 aus dem Haus gegangen und erst am nächsten Morgen wieder zurückgekehrt sei. Die Wawrzyniak soll das P.-Abzeichen nicht tragen. Am 3. 2. 1943, gegen 15.00 Uhr, sollte sie die Kinder der Frau H . . . beaufsichtigen, worauf sie gesagt haben soll: „Das tue ich nicht!" Frau H . . . will die Wawrzyniak daraufhin eingeschlossen haben, um die Arbeitsverweigerung der Polizei zu melden. Staatspolizeileitst. Berlin, IV D 3 b, wurde in Kenntnis gesetzt, Vorführung wurde gefordert."

Judenverfolgungen

Eine besondere Art von „Alltag" im NS-Staat aber dokumentieren die Eintragungen in den Tätigkeitsbüchern über die „Judenverfolgungen". Zu Beginn des Jahres 1943 verschlimmert sich die Situation für die noch „legal" in Berlin wohnenden, aber auch für die bereits „untergetauchten" Juden. Die Stadt soll nach dem Willen des Gauleiters Goebbels „judenrein" werden. Ende Februar 1943 kommt es zu Verhaftungen an den Arbeitsplätzen und in den Wohnungen, zu Razzien auf Straßen und Plätzen. Die festgenommenen Juden werden deportiert. Viele Juden werden von ihren Nachbarn denunziert, nicht wenige verüben Selbstmord. Die freiwerdenden Wohnungen werden versiegelt oder „verdienten" Nazis überlassen. Die Eintragungen im Tätigkeitsbuch des Polizeireviers 173 in Ber-

lin-Schöneberg notieren die Judenverfolgung in der menschenverachtenden Sprache einer Bürokratie, die den ordnungsgemäßen Ablauf der Verbrechen garantiert.
Am 6. März 1943 ist folgende Eintragung im Tätigkeitsbuch des Polizeireviers 173 zu lesen:
„Nr. 105/106 – Festnahme und Einlieferung von Juden. Am 5. 2. 43, gegen 17.00 Uhr, erschien auf dem Revier der Hauswirt des Hauses Eisenacher Str . . ., Arthur G . . ., wohnhaft Berlin-Schöneberg, Eisenacher Str . . ., und erklärte, daß laut eines fernmündlichen Gesprächs mit der Stapo nachstehende Juden festzunehmen und der Stapo eingeliefert werden sollen. Es handelt sich um das Judenehepaar Harry Israel Rosenthal, 24. 5. 02 in Rossberg geboren, und seine Ehefrau Lina Sara Rosenthal, geb. Fichauer, 5. 1. 14 in Breslau geboren, sowie der Jüdin Paula Sara Fichauer, geb. Cohn, 8. 2. 81 in Wolfenbüttel geboren, die gemeinsam als Untermieter bei dem Juden Fritz Israel Samulon, 30. 6. 92 in Berlin geboren, wohnhaft Berlin-Schöneberg, Eisenacher Str . . ., der seit einigen Tagen die Wohnung mit Selbstmordabsichten verlassen haben soll, wohnen. Nach fernmündlicher Rücksprache bei der Stapo, bestätigte der SS-Reservist H . . ., daß die Festnahme der Juden auf Anordnung des Kommissars S . . ., Stapo IV D 1, erfolgen solle. Am 6. 2. 43, gegen 06.50 Uhr wurden die oben genannten Juden in ihrer Wohnung Berlin-Schöneberg, Eisenacher Str . . ., durch Owm. d. Sch. d. Res. H . . . und mich festgenommen und dem Revier zwecks Einlieferung mittels Gefangenentransportwagen zugeführt."
1939 lebten in Berlin nur noch ca. 78 000 Juden. In den Folgejahren wurden die meisten von ihnen deportiert und ermordet, so daß zu Beginn des Jahres 1943 noch 27 000 übrigblieben, die fast ausnahmslos in der Rüstungsindustrie eingesetzt waren.
Nach der von Goebbels inszenierten „Märzaktion" waren es noch ganze 6700, die dem Naziterror bis dahin nicht zum Opfer gefallen waren. Folgerichtig registrieren die Eintragungen in den Tätigkeitsbüchern der Schöneberger Polizeireviere im Jahre 1943 vor allem das „Öffnen und Schließen" von sogenannten „Judenwohnungen", die nach der Deportation der Bewohner versiegelt

worden waren. Gründe dafür waren „klappernde Fenster", das Beseitigen von Rohrbrüchen oder – immer häufiger – der Wunsch nach Besichtigung durch wohnungssuchende Parteigänger der Nazis.
Im bayerischen Viertel von Schöneberg gab es in jedem dritten oder vierten Haus in fast jeder Straße solche Wohnungen. Es kann keine Frage sein, daß in diesem Viertel die nichtjüdischen Bewohner Tag für Tag sehen konnten, wie ihre jüdischen Mitbewohner abgeholt wurden. Die Tätigkeitsbücher enthalten immer wieder Belege dafür, daß die Hausbewohner nicht nur zusahen, sondern auch die wenigen Juden, die noch „legal" oder untergetaucht als „U-Boote" im Kiez wohnten, denunzierten und so die Deportation und die Ermordung im KZ mitverursachten.
Zwei Beispiele für viele: „Nr. 209 vom 11. 3. 1943: Jüdinnen ohne Stern. Am 10. 3. 43, gegen 16.15 Uhr, wurde das Revier fernmündlich benachrichtigt, daß in der Wohnung der Frau F . . ., Bln.-Schöneberg, Landshuter Str . . ., die Jüdinnen Toni Sara Langzoner, 2. 1. 94 in Berlin geboren, Bln.-Wilmersdorf, Babelsberger Str. 52 b. Mayer wohnhaft, und deren Tochter Jeanette Sara Langzoner, 24. 12. 30 in Berlin geboren, sich aufhalten (Anrufer war Frau F . . .). Beide Jüdinnen wurden dem Revier zugeführt und gegen 18.00 Uhr in das Judenlager, Große Hamburger Str. 26, eingeliefert."
„Nr. 214 vom 12. 3. 43: Jude ohne Stern. Am 12. 3. 43, gegen 19.00 Uhr, meldete Frau Sch . . ., wohnhaft Grunewaldstr . . ., dem Revier, daß sich in der Wohnung der Hauswartsfrau S . . . der Jude Günter Israel Bernardt, 4. 12. 19 in Berlin geboren, aufhalte. Ich begab mich nach der Grunewaldstr . . . und fand in der Küche der Frau S . . . den Juden Bernardt. Ich brachte ihn zum Revier und er wurde mittels Gefangenentransportwagen für Stapo IV D 1 eingeliefert."
Viele Juden – auch in Schöneberg – verüben Selbstmord, um der drohenden Deportation zu entgehen. Die Polizei notiert – auch in solchen Fällen bürokratisch korrekt – den Selbstmord unter der Rubrik „Sicherstellung eines Nachlasses": „Eintragung Nr. 194 vom 7. 3. 1943: Sicherstellung eines Nachlasses. Am 5. 3. 43, gegen 21.00 Uhr, verübten die Eheleute Fritz Weiß, 4. 10. 06 Groß-Strenz geb., und Regina Sara Weiß, geb.

Hirschfeld, 19. 10. 09 Schwedenhöhe geboren, Berlin-Schöneberg, Salzburger Str. 8 wohnhaft gewesen, Selbstmord durch Leuchtgas. Sie nahmen ihre 3 Kinder, Ruth Weiß, 5. 7. 32 Berlin geboren, Doris Weiß, 27. 2. 39 Berlin geboren, Ursula Weiß, 3. 4. 42 Berlin geboren, mit in den Tod. Angehörige konnten nicht ermittelt werden. Der Nachlaß der Verstorbenen ist aufgenommen und sichergestellt worden. Ein Verzeichnis über die aufgenommenen Gegenstände ist an das Amtsgericht Bln.-Schöneberg abgegeben..."

Berlin-Schöneberg, 8. 3. 43
Quittung
Am 8. 3. 1943 wurde dem Amtsgericht Schöneberg, aus dem Nachlaß der Familie Fritz Weiss, 14. 10. 06 in Gross-Strenz geb. und Regina Sara Weiss, geb. Hirschfeld, 19. 10. 09 Schwedenhöhe geb., nebst den drei Kindern, Ruth, Doris u. Ursula; Bln.-Schöneberg, Salzburger Str. 8 wohnhaft gewesen, folgende Gegenstände u. Geld abgegeben:
RM. 17.13 (in Worten: Reichsmark Siebzehn und 13 Rpfg.)
eine goldene Herrenuhr mit Kette
eine silb. Herrenuhr
eine silb. Damen-Armbanduhr
eine Damen-Armbanduhr (Chrom)
vier Broschen
drei Anhänger
eine silb. Armkette
zwei Ohrgehänge
ein gold. Ehering
Dienstsiegel

Auch der „Fall" des Professors Czempin wird als „Nachlaß-Sicherstellung" rubriziert. Immerhin aber wird dem anwesenden Enkel, der als „Mischling 2. Grades" wehrwürdig war und im Afrikafeldzug zum Krüppel wurde, der Nachlaß „belassen".
Es heißt: „Nr. 179 vom 2. 3. 1943: Sicherstellung eines Nachlasses. Am 1. 3. 43 wurde das Revier benachrichtigt, daß der Jude Professor Alex Israel Czempin, 29. 10. 61 Berlin geb., Berlin W. 30, Barbarossastr. 52 wohnhaft gewesen, in seiner Wohnung Selbstmord durch Einnehmen von Schlafmitteln beging. In der Wohnung befindet sich zur Zeit der Enkel, Unteroffizier Robert Czempin, 2. 11. 21 Berlin geb., welcher im Afrikafeldzug das rechte Bein verloren hat, im Res. Lazarett 110, Bln.-

Wilmersdorf, Babelsberger Str. 24, im ambulanter Behandlung ist. Robert Czempin gibt an, Mischling 2. Grades zu sein, von seinem Großvater gemeinsam mit seinem sich z. Zt. in Kreta befindlichen Bruder, Gefreiter Thomas Czempin, Feldpost 23175, als Alleinerben eingesetzt zu sein. Das Testament hat Robert Czempin in Händen, wird dieses beim Amtsgericht Schöneberg abgeben. Der Nachlaß wird unter diesen Umständen den Erben belassen."

Kriegsende
Erst gegen Ende des Krieges – zu Beginn des Jahres 1945 – wird aus den Eintragungen in den Tätigkeitsbüchern ablesbar, daß der „Glaube an den Endsieg" erschüttert ist: Immer häufiger werden in den Trümmergrundstücken Uniformen gefunden und auf dem Polizeirevier abgegeben. Desertierte Soldaten und Offiziere werden nach Denunziationen der Hausbewohner von der Schutzpolizei festgenommen und der Wehrmacht oder der SS übergeben.
Im Februar 1945 heißt es im Tätigkeitsbuch: „Festnahme eines Fahnenflüchtigen. Am 17. 2. 45, gegen 12.20 Uhr, wurde der Fahnenflüchtige Heinz-Werner P... von dem Volkssturmmann Werner S... vor dem Hause Schöneberg, Wartburgstr. 32 erkannt und dem Revier zugeführt. Die Bahnhofskommandantur Bhf. Zoo wurde telef. verständigt und der Fahnenflüchtige vom Revier gegen 15.30 Uhr abgeholt."
Die Bahnhofswache „quittiert" die Übergabe: „Den Fahnenflüchtigen Werner P... in Empfang genommen." – Über das weitere Schicksal von Werner P... ist nichts bekannt.
Die alte Ordnung beginnt zu wanken. Mord und Totschlag häufen sich und können nur registriert, kaum noch aufgeklärt werden.
Auch SS-Männer bleiben nicht verschont:
„Aufgefundene männliche Leiche. Am 19. 2. 45 gegen 11 Uhr wurde von Volkssturmmännern in den Ruinen im Hause Bln. W 30, Nördlinger Str. 3, die Leiche des SS-Obersturmführers Sven R... aufgefunden. Laut Feststellung der Mordkommission ... liegt Mord vor. Die Leiche wurde am 19. 2. 45 gegen 17 Uhr vom Leichenschauhaus abgeholt."
Am 18. April 1945 erfolgt im Tätigkeits-

buch des Polizeireviers 171 die letzte Eintragung während der Naziherrschaft: Ein Wachtmeister der Schutzpolizei der Reserve vermerkt – akkurat bis zur letzten Minute –: „ ... gegen 16.00 Uhr wurde die Feuerschutzpolizei zur alten Schadensstelle Rubensstraße 76 gerufen. Dortselbst war in den Trümmern ein Brand ausgebrochen. Tätigkeit der Feuerschutzpolizei von 16.00–16.30 Uhr. Eine Brandwache verblieb bis 2.00 Uhr nachts." Die letzte Eintragung im Tätigkeitsbuch des Polizeireviers 173 erfolgt am 23. 4. 45 – die Front hat den Stadtrand von Berlin erreicht –: Ein Kaufmann hat „durch erschießen Selbstmord begangen".

Neuanfang?
Das Nazireich lag in Trümmern, der Alltag der Polizei aber ging weiter. Auf derselben Seite – nur drei Zeilen bleiben leer – erfolgt bereits Anfang Juli die erste Eintragung der neuen Revierwache. Immerhin denkt der Eintragende kurz über die Ursache der zweimonatigen Pause in den Eintragungen nach: „Durch Zusammenbruch des Nazireiches und Verlassen des Reviers wahrscheinlich am 15. 4. 45 abgeschlossen. Die neue Volkspolizei hat nach endlicher Einrichtung in den neuen Räumen Rembrandtstraße 8 am 12. Juli 1945 wieder mit der Führung des Tätigkeitsbuches begonnen."
Andere Sorgen und Nöte beschäftigen jetzt die Bevölkerung rund um die Rembrandtstraße in Berlin-Schöneberg: Felddiebstahl, Schwarzmarkthandel und immer wieder Auseinandersetzungen mit den (amerikanischen) Besatzungssoldaten gilt es jetzt zu registrieren. Der alte Geist aber ist noch lange nicht aus dem Denken der ungebrochen ihre „Pflicht" erfüllenden Polizeibeamten verschwunden. Am 23. Januar 1946 noch notiert der diensthabende Wachtmeister im Tätigkeitsbuch: „... um 15.30 Uhr wurde auf Veranlassung der Amerikanischen Militär-Regierung der Jude Adam Sch... der Dienststelle ... vorgeführt". Immerhin aber ist – offenbar vom Revierleiter – das Wort „Jude" unterstrichen und ein Fragezeichen an den Rand gemacht.

Siegfried Heimann

Modernität und innerer Feind

„Ich kann es kaum glauben, daß diese Stadt im November 1918 eine Revolution gemacht hat." (Josef Goebbels in seinem Tagebuch über Berlin, 1943)

Am 21. April des Jahres 1945 brechen mehrere ehemalige Organisatoren der Berliner Olympischen Spiele auf: Bewaffnet verlassen sie ihre Arbeitsstätte, die Deutsche Hochschule für Leibesübungen auf dem Reichssportfeld, um ganz in der Nähe, an den Havelbrücken nach Spandau, gegen die Russen zu kämpfen, – unter ihnen auch Carl Diem und Guido von Mengden, die wiederum die olympische Bewegung in der BRD organisieren werden. Mit ihnen kämpfen etwa 5000 Hitlerjungen, von denen nur 500 überleben. Hier erst, im Angesicht des Olympiastadions, erfüllte sich der Geist der Olympischen Spiele von 1936. Aber dieser Kampf bedeutet nur für die Toten ein Finale. Die Sportfunktionäre arbeiten weiter, die Sporthochschule wird nach Köln verlegt. Sie wird nach Carl Diem benannt. Die Kämpfer dieser Apriltage werden die Olympischen Spiele von München vorbereiten.

In Berlin geschieht 1945 ein „Wunder": Über Nacht verwandelt sich die Stadt aus einer Hauptstadt des Zweiten Weltkrieges in einen Hort der Freiheit und des Friedenswillens. Was hat die Berliner so plötzlich, innerhalb weniger Tage, verändert?

Wenn man genauer hinsieht, ist der Bruch nicht so radikal, wie er zunächst erscheinen muß. Für die Westsektoren hatte sich der Hauptfeind nicht geändert, es ging immer noch gegen die „bolschewistische" Bedrohung. Und der Jubel war in den letzten Kriegsjahren leiser geworden. Die Berliner hielten vor allem durch. Der „totale Krieg" fand in Fabriken und Heeresverbänden statt, in geordneten Verhältnissen mit Befehl, Unterordnung, genau verteilten Funktionen. „Nun Volk steh' auf und Sturm brich los"? Davon war wenig zu spüren. „Kolberg" blieb ein Propagandafilm und konnte nicht in die Wirklichkeit umgesetzt werden. Kein begeisterter „Volkskrieg": Aber der allgemeine Konsens blieb erhalten, vor und nach dem „Zusammenbruch". „Kol-

berg" fiel aus, aber auch ein Bürgerkrieg oder wenigstens eine „Nacht der langen Messer" gegen die bisherigen Unterdrücker fanden nicht statt. Trotz dieses verlustreichsten aller bisherigen Kriege blieben „Ruhe und Ordnung" vor und nach dem April/Mai '45 erhalten. Die Nationalsozialisten fürchteten immer einen neuen „November 1918". Hier waren sie erfolgreich.

So ganz widerspruchslos blieben die Berliner allerdings nicht. Flüchtlinge aus der „Ostzone" und später der „17. Juni" zeigten, daß vor allem die westliche Stadt einig blieb. An der „Freiheit" kann es kaum liegen, denn solch ein Bedürfnis hätte sich wohl zunächst gegen die Nationalsozialisten richten müssen. Verteidigten die Westberliner jetzt alle den Kapitalismus? Auch das wäre merkwürdig, wenn man etwa an den „roten Wedding" vor 1933 denkt. Doch hatte inzwischen der Stalinismus die Glaubwürdigkeit einer kommunistischen Alternative zerstört. Lag es am späteren „Wirtschaftswunder", am Konsumalltag, der von der amerikanischen Besatzungsmacht schon früh vorbereitet wurde? Immerhin wurde der Begriff eines „deutschen Wirtschaftswunders" bereits in der zweiten Hälfte der 30er Jahre geprägt. Vielleicht geschah gar kein „Wunder", als sich die Berliner in der zweiten Hälfte des Jahres 1945 als Verteidiger der „Freiheit" entpuppten. Eine wirklich tiefgehende Wandlung der Stadt scheint dagegen nach 1933 erfolgt zu sein. Das widersprüchliche Berlin der 20er Jahre kam nicht zurück. Damit sind nicht nur die direkt politischen Widersprüche gemeint: Auch das Berlin des ostjüdischen Scheunenviertels, der kriminellen Selbsthilfeorganisationen („Ringvereine"), das Berlin, in dem Polizei und Fürsorge über das „abweichende Verhalten" breiter Bevölkerungsgruppen klagten, blieb verschwunden. Geklagt wurde zwar gleich nach 1945 über steigende Kriminalität, aber das lag wohl eher an den noch nicht gelösten Versorgungsschwierigkeiten. Das „Milieu" gab es nicht mehr. Die letzten Versuche, Anfang der 50er Jahre in der Gegend um den Görlitzer Bahn-

hof Ringvereine neu entstehen zu lassen, wurden schnell zerschlagen. Vielleicht liegt hier eine der Bedingungen für den bleibenden Konsens: eine vom Staat durchgesetzte Einheit, die vereinzelte und in der über den privaten Bereich hinausgehende Gemeinsamkeit nur noch im staatlich legitimierten Bereich erlebt werden konnte.

Wenn nicht die geschlagenen, sondern die erfolgreichen Nationalsozialisten das Wunder des Konsenses verursacht haben, so konnten diese doch an Einheitsmuster anknüpfen: etwas an den „Burgfrieden" von 1914, an die Vorformen des „totalen Krieges" seit 1916/17, auch an die Ablehnung der „Lumpen" durch die organisierte Arbeiterbewegung, an die Normalitätsbegriffe von Pädagogen, Juristen, Psychologen oder Polizisten. Die Funktionalität des deutschen Heeres, die Rationalisierungskampagnen der Industrie, der Gehorsam in der Schule, der Ausbau des Polizeiapparates, – alles das hat bereits vor 1933 zur Homogenität beigetragen. Durchgesetzt wurde sie, so eine These dieses Aufsatzes, im Nationalsozialismus. In diesem Sinne war der Nationalsozialismus eine der Voraussetzungen für den schnellen Wiederaufbau und das „Wirtschaftswunder" nach dem Krieg.

Die erwähnte Sozialisierung hat in Deutschland, verstärkt im östlichen Preußen, eine spezifische Tradition. Diese „Vergesellschaftung" bedeutet eine „Industrialisierung" des Menschen, eine, im wörtlichen Sinne, „Verfleißigung". Solche Industrialisierung wurde hier (weniger allerdings im westlichen Preußen) vor allem über den Staat durchgesetzt (schon seit den zu Beginn des 18. Jahrhunderts gegründeten Manufakturen und Erziehungs-Waisenhäusern, vgl. Bd. I, S. 30–37). Sie mußte auch einen Ersatz für fehlende Kolonien bieten. Widersprüche (und von der Norm abweichende Bevölkerungsgruppen) konnten in keine fernen Erdteile oder in einen „Wilden Westen" exportiert werden, der Zwang zur Umerziehung war daher größer. Die „innere Kolonisierung" (Friedrich II.) mußte die äußere ersetzen. Der Konsens mußte

„intern" erreicht werden. Jeder „Andere", „Fremde" wurde um so bedrohlicher, je kürzer die Zeit für die nachholende deutsche Industrialisierung wurde. Und der „Andere" konnte nicht räumlich an die „Grenzen der Menschheit" (Roland Barthes) verwiesen werden, er war bereits im Ursprung, aus seiner Entstehung heraus unmenschlich. Hier liegen Gründe für ein spezifisch deutsches „Gehäuse der Hörigkeit" (Max Weber), das schließlich der Nationalsozialismus perfektionierte. Mit dem erreichten Konsens wurde es schließlich möglich, den Anschluß an die westlichen Demokratien zu suchen.

Volksgemeinschaft

Die Zeit zwischen 1933 und 1945 wird zur „Ausnahme" erklärt. Auch „Übergriffe" der Polizei, Arbeitslosigkeit, offenes Elend, Aufstände sind „Ausnahmen". Sie sind die Schreckbilder, die den geregelten Zustand legitimieren, davor warnen, ihn zu verlassen. Ausnahme und Regel wechseln einander ab und sind zugleich ineinander verschränkt. Die jeweilige Intensität ändert sich. Ernst Fraenkel hat für den Nationalsozialismus den Begriff des „Doppelstaates" geprägt. Die Ausnahme umfaßt den Bereich staatlichen Terrors, die Regel bleibt notwendig, um die Wirtschaft aufrechtzuerhalten. Sie umfaßt den Bereich ernst zu nehmender Verträge. Über den juristischen Bereich und den Nationalsozialismus hinaus: Die Regel industrialisierter Arbeit braucht den Ausnahmezustand, um diese Regel allgemein gegen alle Populationen durchzusetzen. (Marx hat dies an den Vernichtungskampagnen gegen Bettler und Vaganten während der Zeit der ursprünglichen Akkumulation in England gezeigt.[1]) Der Grundkonsens wird durchgesetzt und gewahrt über eine Strategie der Ausnahme. Nicht allein von oben: Die Sozialistengesetze wirkten auch innerhalb der SPD gegen Linke und Anarchisten. Die Ausnahme überzeugt, sie lehrt den Satz, daß es besser sei, mit „friedlichen" Mitteln eingeordnet zu werden, als sich mit Gewalt zu emanzipieren, – wobei diese Gewalt definiert wird als Verstoß gegen die zu akzeptierende Regel. Solche subtilen Integrationsstrategien sind in Deutschland eher bei der sozialdemokratischen Linken zu finden. Offener

schrieb der zwischen 1933 und 1945 in Berlin Staatsrecht lehrende Carl Schmitt bereits 1917: „Somit ist nicht der Staat eine Konstruktion, die Menschen sich gemacht haben, er macht im Gegenteil aus jedem Menschen eine Konstruktion …"[2] Solche „Umschmelzung des einzelnen" folgt der Tradition preußischer Industrialisierung. Wenn Adam Smith (in England) auf den sogar moralisierenden Wert der Marktkonkurrenz vertrauen konnte, so wurde in Deutschland auf die Moralisierung von oben gesetzt. Die Marktgesellschaft wurde zunächst ein Ziel der Beamten, – wenn die Regel nicht bedroht war, einer liberalen Reformbürokratie. Das „Gute" jedenfalls kam immer „von oben", es folgte nicht aus einem Gesellschaftsvertrag, allgemeiner Konkurrenz oder gar einer Revolution. Diese deutsch-preußische bürgerliche Gesellschaft (die Historiker sprechen z. B. von einer „Pseudodemokratisierung" der Rittergutsbesitzer) hatte ihr Zentrum in Berlin. Hier wurde die deutsche Massenseele geplant: das „uniforme Produkt der durch Disziplinierung erzwungenen Internalisierung der Normen und Gesetze"[2a].

Die spezifische Schwäche dieser deutschen bürgerlichen Gesellschaft zeigt sich darin, daß Auswege aus Krisen in direkter Konfrontation mit den entwikkelten Nachbarn und/oder gesellschaftsintern gesucht werden. Carl Schmitt in seinem 1932 erschienenen Buch über den „Begriff des Politischen": „Diese Notwendigkeit innerstaatlicher Befriedung führt in kritischen Situationen dazu, daß der Staat als politische Einheit von sich aus, solange er besteht, auch den ‚innern Feind' bestimmt."[3] Solche „innerstaatliche Feinderklärung" verteidigt die Grundordnung, auch wenn die Verfassung außer Kraft gesetzt wird. Schmitt zitiert Lorenz von Stein: „So wie sie (die Verfassung, d. Vf.) angegriffen wird, muß sich daher der Kampf außerhalb der Verfassung und des Rechts, also mit der Gewalt der Waffen entscheiden."[4]

Die legale Machtübernahme der Nationalsozialisten war kein geschickter Trick, sondern folgte konsequent aus der deutschen Ordnungstradition. Mit der parlamentarischen Zustimmung zum Ermächtigungsgesetz wurde ein wichtiges Problem gelöst, das in dem

oben zitierten Satz Steins steckt: Wie kann gegen die Unordnung gekämpft werden, ohne mit den angewandten Mitteln neue Unordnung zu verursachen? Der „Tag von Potsdam" war nicht bloße Propaganda, er bestätigte die Kontinuität deutsch-preußischer Geschichte. Der Berliner Privat-Dozent Ulrich Scheuner (in den 50er Jahren Professor in Bonn) rühmte 1933, daß „die Reichsregierung an der Spitze der revolutionären Erhebung" stand. Die Revolution wurde nicht, wie sonst üblich, gegen die Regierung geführt. Sie fand statt „unter Wahrung der formellen Rechtskontinuität".[5] Wenn der Ausnahmezustand sonst zu leicht die Willkür von unten rechtfertigte, so war jetzt die Legitimation der Legalität verteidigt worden. Carl Schmitt im selben Jahr: „Es war von großer praktischer Bedeutung, daß dieser Übergang legal erfolgte. Denn … die Legalität (ist) ein Funktionszusammenhang des staatlichen Beamten- und Behördenapparates und insofern von praktischer und juristischer Bedeutung … Die deutsche Revolution war legal. Sie war es aus Disziplin und deutschem Sinn für Ordnung."[6] Der seit 1913 in Berlin lehrende Heinrich Triepel verwies in diesem Zusammenhang ausdrücklich auf die deutsche Tradition einer „legalen Revolution" und erinnerte an den „Revolutionär" Bismarck.[7] Während des Ersten Weltkrieges unterschied (der Nationalliberale) Friedrich Naumann in seinem Buch über „Mitteleuropa" (einer der ersten Entwürfe einer europäischen Großraumordnung) die „zweite Periode der kapitalistischen Menschheit: Arbeitsmechanismus auf Grund schulmäßig erzogener Masse" von der des unternehmenden Kapitalisten „erster Periode". Seine „Welthauptstadt" befand sich in London. Der „Heimatort" (!) des neuen Kapitalismus, des „neuen Arbeitsmenschentums", ist Berlin. „Dieser unpersönliche Kapitalismus (ist) bei uns das Ergebnis von 1 1/2 Jahrhundert Arbeit und Erziehung". Diese Industrie zeichnet sich durch „größere Organisationskraft" aus, eine „geordnete industrielle Gemeinwirtschaft". Naumann verweist auf den Krieg, der diese „deutsche Arbeitsweise" noch weiter gestärkt hat und schlägt für sie den Namen „Staats- oder Nationalsozialismus" vor: „Deutschland ist nicht auf dem Wege zum Indu

striestaat, sondern zum Organisations-
staat überhaupt."[8] 1915 schreibt er über
die Lehren des damaligen Krieges, daß
in „unserer deutschen Arbeitsweise ...
wir alle durch den Verlauf des Krieges
sehr bestärkt worden" sind. „Jetzt handelt es sich darum, dieses im unheim-
lichsten Kampf erprobte deutsche Wesen bis ans Ende durchzuführen." Für
Naumann bedeutet dies vor allem „bessere Organisation". „Da nun aber jede
Organisierung wieder in Statistik, Gruppierung, Zergliederung, Zusammenfassung, Kontrolle und Ordnung besteht,
so wächst von allen Seiten der Staats-
oder Nationalsozialismus, es wächst die
‚geregelte Volkswirtschaft'. Fichte und
Hegel nicken von den Wänden: der
Deutsche wird erst recht nach dem Kriege staatlicher Wirtschaftsbürger mit
Leib und Seele, sein Ideal bleibt und ist
der Organismus, nicht die Willkür ...
Unsere Periode bricht an, wenn der englische Kapitalismus seine Höhe erreicht
und überschritten hat, und für diese
neue Periode haben uns Friedrich II.,
Kant, Scharnhorst, Siemens, Krupp,
Bismarck, Bebel, Legien, Kirchdorf ...
zusammen erzogen."
Vielleicht klingt die Zusammenstellung
dieser Namen zunächst erstaunlich. Für
die „Arbeiterführer" hat Naumann erklärt: „Der Zusammenhang mit der
schulmäßigen Wissenschaft, den wir
überall in der neuen Landwirtschaft und
in allen Gewerbunternehmen größeren
Umfanges entdecken, war und ist auch
die Eigentümlichkeit der deutschen Sozialdemokratie ... Von allen Arbeiter-
schaften ist nur die deutsche ... in ihrer
Massenbelehrung theoretisch im Sinne
des reinen Marxismus aufgetreten. Das
konnte im einzelnen oft falsch sein und
über die Köpfe und über die Gegen-
wartsprobleme weit hinweggehen,
aber die Tatsache selbst, daß wir die
theoretischste Arbeiterbewegung der
Welt besaßen, gehört zum Bilde des
deutschen Wirtschaftsvolkes. Diese Arbeiterschaft zusammengebunden mit
unseren geschulten Unternehmern, mit
unseren Syndikatsleitern, mit unseren
Geheimräten und Offizieren ergibt nicht
die anmutigste und amüsanteste Gesellschaft ... aber die wirksamste ... menschliche Maschinerie. Diese lebendige
Volksmaschine geht ihren Gang, ob der
Einzelmensch lebt oder stirbt, sie ist un-
persönlich oder überpersönlich ..."[9]

Die deutschen Sozialdemokraten setzten
Verstaatlichung und Vergesellschaftung
in eins. Es ging ihnen nicht um die soziale Revolution, sondern um die langsame „Durchdringung des Staates", –
bis hin zu der Konsequenz, die der ungarische marxistische Ökonom Eugen
Varga zog („Probleme der Kriegswirtschaft"), „daß die Kriegswirtschaft viele
Züge der sozialistischen Wirtschaft auf-
weist". Denn die „Anarchie der Produktion" würde durch „staatliche Regelung" ersetzt.[10] Varga charakterisiert damit richtig die enge Zusammenarbeit
von Militär und Wirtschaft. Wenn die
Willkür der „Lumpen" und, auf der anderen Seite, die Willkür der Kapitalisten
gefürchtet wurde, eine eher moralische Angst vor dem Ungeregelten, dann
konnten sich im Ausnahmezustand (im
Ersten Weltkrieg hieß er Belagerungszustand) Sozialdemokraten und Militärs
einig sein. Der deutsche Generalstabs-
offizier Hans von Seeckt erhoffte sich
1915 innenpolitisch vor allem: „ ... ein
starkes Anwachsen der Staatsidee und
damit der Macht des Staates, also verstärkter Staatssozialismus, nachdem
das Volk zur Armee wurde ... "[11]
Auch die zentrale Bedeutung der
„Volksgemeinschaft" bei den Nationalsozialisten wurde im Ersten Weltkrieg
von den verschiedenen politischen Lagern vorweggenommen. Der Gewerkschaftsführer Emil Kloth schrieb 1916
in den „Sozialistischen Monatsheften"
unter dem Titel „Volksgemeinschaft
und Volkswirtschaft", daß in der Ausnahmesituation des Krieges Arbeiter
und Unternehmer vor allem „ökonomische Funktionen im selben nationalen
Körper" hätten, beide müßten „wünschen und dafür sorgen, daß die Produktion des eigenen Landes ... sich erweitert und intensiviert".[12] Die verschiedenen Klassen werden in dieser „Volksgemeinschaft" definiert durch ihre Funktionalität innerhalb des behaupteten
Ganzen.
In der Krise Ende der 20er Jahre werden
sich die Sozialdemokraten als unfähig
erweisen, eine solche technische Gliederung des „Ganzen" durchzusetzen.
Aber sie haben die „Volksgemeinschaft" mit vorbereitet: Die Ausnahme
lehrt, das Ganze sei wichtiger als der
Einzelne. Die Nationalsozialisten erweitern diese Ausnahme. Der Kampf wird
zum Dauerzustand der behaupteten Ge-

meinschaft, in dem die bloße „Herrschaft der ... anonymen Zahl", so Roland Freisler 1938 („Gemeinschaft und
Recht") überwunden wird. Denn aus
ihr folge nur „Verantwortungslosig-
keit".[13]

„Saubere Menschen in sauberen Betrieben"

1930 kündigte der „Reichsverband der
Deutschen Industrie" seine Zusammenarbeit mit den Sozialdemokraten
auf. Die Rationalisierungsbemühungen
der Wirtschaft waren in der Krise vorläufig gescheitert. Der Weltkrieg hatte
die Bemühungen um eine äußere Kolonisierung vorläufig beendet. Um so
mehr mußte in den 20er Jahren auf eine
Erhöhung der Produktivität gesetzt werden, d. h. vor allem erhöhte Arbeitsin-
tensität. 1921 wurde in dem Berliner
Haus des „Vereins Deutscher Ingenieure" (VDI) das „Reichskuratorium für
Wirtschaftlichkeit in Industrie und
Handwerk" gegründet. Rezipiert wurden vor allem die amerikanischen Erfahrungen (Taylorismus). Die Schwach-
stelle der Rationalisierung war nicht die
Maschine, sondern der einzelne
Mensch, die Möglichkeit seiner Kontrolle, wenn diese zum Teil auch durch
die Maschinerie (Fließband) selbst übernommen werden konnte. Um den
durch sie vermittelten Arbeitsrhythmus
genau festlegen zu können, wurden Zeit-
studien notwendig (sog. „Normenzeit-
kalkulationen", vgl. Bd. I, S. 310–321).
Damit entstand ein neuer Beruf, dessen
erste Tagung 1922 im Französischen
Gymnasium in Berlin stattfand. Sehr
genau hat der damalige Direktor des
VDI, Waldemar Hellmich, die Ziele beschrieben: „Mit unendlicher Mühe ist
versucht worden, dem Problem auf den
Leib zu rücken, wie der Mensch unter
Vermeidung der aus seiner Eigenart entstehenden Reibungen in unsere Güter-
herstellung organisch eingegliedert werden kann."[14] Geschaffen werden soll
eine Berechenbarkeit menschlicher Leistung, so Hellmich, aus der sich dann
für die Arbeiter das Gefühl einer gerech-
ten Behandlung ergibt.
Ein relatives „Aufholen" gelang: Zwischen 1924 und 1929 stieg die durchschnittliche Leistung pro Stunde in der
Industrie um 40%, der deutsche Anteil
an der Weltindustrieproduktion stieg
von 8% (1923) auf 12% (1928).[15] Die

240 *Volkswagen-Werbung um 1938*   241 *Foto aus: Wohnwagen-Bilderbuch, 1941*

Berliner Industrie stand mit an der Spitze der Taylorisierung. 1924 führte hier als erster Betrieb die Zählerfabrik der AEG ein Fließband ein (vorher, 1923, nur bei Opel).

Um die möglichen „Reibungsverluste" durch das unvollkommene „Menschenmaterial" zu erforschen und auszuschalten, wurden „Psychotechniker" eingesetzt. Forschungs- und Ausbildungsstelle war vor allem das „Institut für Psychotechnik" in Berlin-Charlottenburg (1918 gegründet). Hier wurden Kurse für Ingenieure und Betriebswissenschaftler aus ganz Deutschland durchgeführt. Neben innerbetrieblichen Kontrollverfahren entwickelte das Institut genauere Methoden zur Eignungs- und Berufsauslese. Ende der 20er Jahre wurden bei der Reichsbahn bis zu 18 000 solcher Untersuchungen jährlich durchgeführt (die Tests wurden auch von der Reichswehr übernommen).[16] Die Überprüfung reichte von den Körperorganen über die Willensstärke bis zur Arbeitsgesinnung. Die Psychotech-

niker wußten, daß ihre Methoden gesamtgesellschaftliche Bedeutung besaßen. Ihre „Kunst der Menschenführung" wies über den Betrieb hinaus; Anwendungsmöglichkeiten wurden im „Handbuch der Arbeitswissenschaft" genannt: „Straßenaufläufe, Demonstrationen, Streiks, Massenverbrechen, Revolution, geistige Epidemien ... "[17] Die Psychotechniker bedauerten, daß der gegebene politische Rahmen für eine konsequente gesellschaftliche Rationalisierung noch zuviel Spielraum ließ für „unsachliche" Widersprüche.

Wenn die Ansprüche nicht mehr sachlich motiviert zu werden brauchen, neigten besonders die Arbeitslosen „zu einem starken Radikalismus", sogar zu „brutalen Gewaltakten", klagt ein Nervenarzt 1926 in der Zeitschrift „Der Arbeitgeber". Solche Sachlichkeit allerdings setze zunächst „freiwillige Einordnung" voraus.[18] 1928 wurde in Berlin das „Institut für Betriebssoziologie und soziale Betriebslehre" an der Technischen Hochschule gegründet. Sein Lei-

ter Götz Briefs schreibt über die Aufgaben: Die „Intensität und Radikalität der frühen deutschen Arbeiterbewegung" folgte u. a. aus dem „technischen Prozeß des Betriebes": „Damit war die Frage der Harmonisierung industrieller Arbeitsbeziehungen offen; ich verfolgte sie mit Nachdruck."[19] Briefs teilte nicht mehr den Optimismus der ersten Hälfte der 20er Jahre. In einer 1928 von der Berliner Industrie- und Handelskammer herausgegebenen Schrift sieht er Grenzen vor allem in den „Seelenschichten" der Arbeiter. Diese der Sachlichkeit „nicht zugänglichen Seelen" müßten aber in den Arbeitsprozeß einbezogen werden.[20] Unter den damaligen gesellschaftlichen und politischen Bedingungen war dies nicht möglich. Ein beschränkter Ansatzpunkt blieb der Betrieb, so für das „Deutsche Institut für technische Arbeitsschulung" (Dinta) unter seinem Leiter Karl Arnhold. Für die 20er Jahre entwickelte er meist noch utopische Vorschläge. „Der Kampf um die Seele unserer Arbeiter", so der Titel einer Publikation, müsse beim zentralen Lebensinhalt des einzelnen beginnen, bei der täglichen Arbeit im Betrieb. Eine solche Erziehung müsse „den Arbeiter bereits ... im Mutterleib" erfassen. Aus der betrieblichen Arbeitsgemeinschaft würde er erst wieder entlassen, „wenn er, unter den Klängen der Werkskapelle, nach der Einsegnung der Leiche in der Invaliden- und Alterswerkstatt des Werkes, auf den Schultern der Werksjugend zum Friedhof getragen werde".[21] Eine solche Integration setzt aber voraus, daß die einzelnen auch wirklich den Betrieb als zentralen Lebensinhalt ansehen. Die Vorschläge des Instituts knüpften an Versuche aus dem 19. Jahrhundert an (etwa bei Borsig), wie diese aber zeigten, war ihr Erfolg auf die Stammbelegschaft der Facharbeiter beschränkt, bei denen eine hohe Arbeitsintensivierung vorausgesetzt werden konnte. In Zeiten hoher Arbeitslosigkeit und gegen Bevölkerungsgruppen, die sich nicht in den Arbeitsprozeß integrieren ließen, blieben solche Harmonisierungsstrategien gesellschaftlich bedeutungslos (vgl. Bd. I, S. 242–251).

Angesichts dieser Schwierigkeiten begrüßten die Arbeitswissenschaftler den Nationalsozialismus. Götz Briefs[22] 1934 über das Gesetz zum „Schutz der nationalen Arbeit", in dem die Werksgemeinschaft unter Leitung des Betriebsführers proklamiert worden war: „Daß die Arbeiterschaft jetzt ‚Gefolgschaft' ist, bedeutet zunächst ihre seelische Einschaltung in den Betrieb ... dem gegenüber sie bewußt bestimmte Pflichten zu übernehmen hat..." Briefs erhofft sich, daß dieses Gesetz auch im Ausland nachgeahmt würde: „ ... dann würde das Land, von dem einst die Kampflehre des Marxismus ausging, zum Künder des Arbeitsfriedens werden." Der soziale Frieden setzte jetzt zunächst die „Ausschaltung des Marxismus" voraus.[23] Diese „seelische Einschaltung" folgt nicht aus einem Irrationalismus der Nationalsozialisten, sondern aus den Schwierigkeiten, in der Krise eine soziale Harmonisierung zu erreichen. Die bloß unmittelbaren technischen Kontrollinstrumente im Betrieb reichten nicht mehr aus. Der Arbeiter durfte nicht mehr aus den Augen gelassen werden. Die „seelische Einschaltung" bedeutete eine Erweiterung bisheriger Ra-

tionalisierungsbemühungen bis in die Freizeit, den Wohnbereich usw. hinein. 1935 wurde von der „Deutschen Arbeitsfront" das „Arbeitswissenschaftliche Institut" gegründet, dem das Dinta unter seinem bisherigen Leiter eingegliedert wurde. Arnhold berief sich auf ein Treffen mit Hitler im Jahre 1932, bei dem dieser ihm versichert hatte, daß die Arbeit des Dinta „aus der gleichen Ideenwelt stammte, wie sein großes Werk".[24] (1947 gründete Arnhold die „Gesellschaft für Arbeitspädagogik". 1960 erhielt er das Bundesverdienstkreuz.) Die Arbeitswissenschaft der Nationalsozialisten wurde sozialpolitisch abgesichert. Das Amt „Schönheit der Arbeit" sorgte sich um die inner- und außerbetriebliche „Gestaltung" („Kraft durch Freude"). Der Führer der DAF sprach im Herbst 1933 über die Weichenstellung nach der Machtergreifung: „ ... es gab zwei Wege. Entweder man zerschlug damals die Gewerkschaften restlos, verbot sie und machte damit 12 Millionen Menschen in unserem Staate heimatlos, oder machte es auf dem Wege, den ich auf Befehl des Führers gegangen bin ... einem Staate ist nichts gefährlicher als heimatlose Menschen. Da hat selbst der Kegelabend oder der Skatclub eine staatserhaltende Aufgabe. Da geht der Mensch abends hin und weiß damit, wohin er gehört ... hier war es eben von eminent großem Wert, daß die Arbeitsfront die 12 Millionen Menschen wieder an ihren Platz im Staat setzte."[25]
Ley erinnert hier mit seinen Hinweisen an die organisierte Arbeiterbewegung, die, spätestens seit den Sozialistengesetzen, sich auch über ihre Vereine, Kneipen oder Wohnbezirke stabilisierte. Hier wurde über den Betrieb hinaus regelmäßiges alltägliches Leben eingeübt, das gesellschaftliche Widersprüche auf die Organisationsarbeit verwies. (Im Unterschied zum „Milieu" der „Lumpen", aus dem heraus unmittelbar staatliche Normen verletzt wurden.) Dieser organisierte Alltag wurde von den Nationalsozialisten verstaatlicht. Nur so war eine restlose Erfassung möglich, – und eine allgemeine Vereinzelung. Noch in ihrer Freizeit wurden die einzelnen damit auf die Organisationsangebote des Staates verwiesen, – die von den Arbeitswissenschaftlern der 20er Jahre geforderte „seelische Eingliede-

rung" wurde möglich. Dies setzte eine doppelte Strategie voraus, die wiederum dem Muster von Ausnahme und Regel folgte: sozialpolitische Fürsorge einerseits und gegebenenfalls zwangsweise Eingliederung (oder Aussperrung) andererseits. Der Zwang sollte Ausnahme bleiben, in der Regel sollten die Arbeiter motiviert werden, die Arbeitsleistung zu intensivieren. Sie sollten die Produktion zu ihrer eigenen, auch unmittelbar (nicht nur ideologisch vermittelten) Sache machen. In dieser von oben befohlenen und inhaltlich bestimmten Selbsttätigkeit von unten unterscheidet sich der Nationalsozialismus strukturell von einer bloßen Militarisierung der Produktion (Erster Weltkrieg).
Eine Umfrage unter Berliner Arbeitern (Siemens Werke) nach 1933 ergab, daß von 42 000 Betriebsangehörigen erst 28 500 einen Urlaub außerhalb der Stadt verbracht hatten.[26] Jetzt wurde der Mindestjahresurlaub für Industriearbeiter von drei auf sechs Tage erhöht. „Kraft durch Freude" baute die erste deutsche Massenorganisation für Tourismus auf, es gab ein staatlich organisiertes Freizeitangebot von Theaterringen über Stadienbau bis zur Planung des KdF-Wagens. Til Mason hat das Ergebnis zusammengefaßt: „Eine gigantische organisatorische Leistung verwandelte Landschaft und Kultur in Konsumgüter, machte sie jedem zugänglich und stellte sie in den Dienst der politischen Lebensfreude und der gesteigerten Produktion."[27]
Unter Schlagworten wie „Saubere Menschen in sauberen Betrieben" oder „Kampf dem Lärm" sollte „Schönheit der Arbeit" erreicht werden. Gesellschaftliche Aktivität hieß jetzt „Mitmachen": Gemeinschaft wurde als Leistungs- und Ritualgemeinschaft erfahren; die Massen wurden geordnet und über die Medien sich selber vorgeführt. Diese Gemeinschaft sollte ein Ziel erreichen: Umgreifende Homogenisierung aller bisherigen Ungleichzeitigkeiten, Nivellierung zur Mittelstandsgesellschaft, die nicht erst mit den 50er Jahren, sondern bereits im Nationalsozialismus begann. 1949 warb Coca-Cola mit dem Slogan: „Coca-Cola ist wieder da!" Es stimmte! Es war bis 1942 eines der beliebtesten Getränke gewesen (wegen Rohstoffmangels wurde es dann

durch „Fanta" ersetzt). Für viele Symbole der bundesdeutschen Mittelstandsgesellschaft gilt eine ähnliche Kontinuität: Die motorisierte Gesellschaft war ein Ziel der Nationalsozialisten, Begeisterung für die jeweils „modernste" Technik, Mallorca- und Italienreisen, Elektro-Herde (um „in den Tagen der fortschrittlichen Technik, des Sports und der Körper- und Geisteskultur ... Aufgaben und Pflichten der Haushaltsführung zu vereinfachen".[28]) Für 1939 war eine Produktion von 10 000 Fernsehern angekündigt worden. Es gab Campingplätze, Wohnwagen wurden gekauft, mit dem Ausland wurde ein Schüler- und Studentenaustausch organisiert (allerdings nur mit „gesunden Völkern", dazu gehörten Frankreich, England und die USA). Beliebt waren ausländische Sender (ihr Empfang wurde erst im Krieg verboten), deren Programme in den Zeitschriften abgedruckt waren („Berlin hört und sieht", 1 Mill. Auflage). Amerikanische Filme wurden gezeigt, Micky Mouse war auch im nationalsozialistischen Deutschland beliebt (sie wurde sogar zum Wappen eines Luftschlachtgeschwaders). Anders war es mit Gangsterfilmen: Kritisiert wurde der „ungebundene Freiheitsbegriff".[29] Die Konsumförderung blieb widersprüchlich: breite Passivierung mit fast allen nur bezahlbaren Mitteln einerseits, aber andererseits auch das Bemühen, die „Volksgemeinschaft" gegen „störende" Einflüsse abzusichern. So konnte es z. B. geschehen, daß eine englische Swing-Kapelle angegriffen wurde, dieselbe Kapelle aber auf dem Berliner Presse-Ball aufspielte und Goebbels und Göring zu ihren Klängen tanzten.

Für die Arbeiter am wichtigsten waren wohl zunächst der Abbau der Arbeitslosigkeit und die Erinnerung an die Notjahre vor 1933. Der Staat konnte sich als Retter feiern lassen. Bei erreichter Vollbeschäftigung vergrößerte sich der Spielraum der Arbeiter (in den entscheidenden Rüstungsberufen gab es seit 1938 keine Arbeitslosen mehr). Die Klagen über Bummelei, häufige Krankmeldung usw. nehmen jetzt zu. Ab 1936 (verstärkte Rüstung, Vierjahresplan) wurde die arbeitswissenschaftliche Betreuung der Betriebe erweitert: Sie sollten sich um die Auszeichnung als „Musterbetrieb" bemühen. Gewertet wurden u. a. Berufserziehung, Gesundheitsarbeit, Werksiedlungen, Förderung des Tourismus, Sportanlagen. Bis zu 80 000 Betriebe nahmen jährlich daran teil.

Auf einer Sitzung zur Lage in der Produktion (Berlin, November 1936), kam es zu einer charakteristischen Kontroverse zwischen Ley und dem Leiter der Wehrwirtschaft im Reichskriegsministerium. Diesem ging es fast nur um erhöhte Leistung. Ley erinnerte dagegen an die Erfahrungen des Ersten Weltkrieges: „... wenn man von einem Volk Opfer verlangt – das hat uns der Krieg mit unerhörter Deutlichkeit gezeigt: aushalten, aushalten, durchhalten, durchhalten! – so ist das alles ganz schön; es gibt aber für jeden Menschen ein Ende der Belastungsprobe ... und wenn dies ... erreicht ist, dann bricht das eben. Und dies war bei uns eben 1918 da am 9. November."[30]

Diese Angst vor der Revolution ist in fast allen sozialpolitischen Entscheidungen der Nationalsozialisten zu finden. Der Vierjahresplan bedeutet auch deshalb nicht nur Intensivierung der Arbeit. Zunächst in den wichtigen Betrieben wurden die Löhne erhöht und verschärfte Preiskontrollen (besonders Grundnahrungsmittel) angeordnet. Gleichzeitig wurde die Arbeitszeit verringert (drei bis vier Stunden pro Woche). Ende 1937 wurde die Bezahlung der gesetzlichen Feiertage angeordnet. Trotz des hohen Rüstungsetats wurden die Steuern zunächst nicht erhöht. Versuchte Einschränkungen (weniger Zuschläge und Urlaub) wurden Mitte November 1939 wieder zurückgenommen. Die DAF hatte in diesen Jahren mehr erreicht als die früheren Gewerkschaften, und trotz des Arbeitskräftebedarfs in der Rüstung blieb der Anteil der Konsumgüterindustrie stabil. Die Absicherungsfunktion der „Freizeit" blieb selbst im Krieg zunächst erhalten: Versucht wurde der Aufbau einer Kriegswirtschaft, ohne die Friedenswirtschaft zu stören. Das bedeutete in den ersten Kriegsjahren z. B. großzügige Unterstützung der „Kriegerfrauen" (bis zu 85% des letzten Einkommens). Selbst die Drosselung des privaten Autoverkehrs wurde als „innenpolitisch untragbar" abgelehnt.

Auch aus dieser Friedenswirtschaft im Krieg erklärt sich die Blitzkriegsstrategie: kurzfristige Belastungen, die sich auf die Friedenswirtschaft möglichst nicht auswirken sollten, aber trotzdem durch die Eroberung fremder Länder und ihrer materiellen Ressourcen die Grundlagen für den nächsten „Schlag" bildeten. Die durch die Ausbeutung der Kolonien finanzierte Machtstellung der westlichen Länder sollte wie im Ersten Weltkrieg kurzfristig nachgeholt werden, aber unter Vermeidung des Risikos einer Revolution. Zudem waren über Konsum pazifierte Arbeiter eher bereit, ihre Arbeit zu intensivieren, mit den Worten der DAF: „Wir taten das nur, um die Arbeitskraft des einzelnen zu erhalten und um ihn gestärkt und neu ausgerichtet an seinen Arbeitsplatz zurückkehren zu lassen. KdF überholt gewissermaßen jede Arbeitskraft von Zeit zu Zeit, genauso wie man den Motor eines Kraftwagens nach einer gewissen gelaufenen Kilometerzahl überholen muß."[31]

Die zweite Phase der Arbeitsintensivierung begann erst nach dem Scheitern der Blitzkriege (wobei auch jetzt, bis in die letzten Kriegstage, das Konsumangebot möglichst aufrechterhalten wurde: Filmproduktion, Wunschkonzerte usw.). Die Kontroll- und Aufspaltungsmöglichkeiten waren jetzt erheblich verbessert. Gegen säumige Arbeiter drohte die Einberufung. Vor allem gelang eine weitere Aufspaltung der Arbeiter, – nicht mehr wie bisher in Facharbeiter, Angelernte und Ungelernte. Als unterste Schicht kamen jetzt die „Fremdarbeiter" hinzu. Nur mit ihrer Hilfe konnte schließlich die Produktion noch aufrechterhalten werden. Sie waren allerdings nicht nur Kriegsgefangene, sondern kamen zum großen Teil aus den besetzten Gebieten: Der Begriff „Gastarbeiter" wurde in dieser Zeit geprägt.[32]

In den allerletzten Kriegsmonaten lockerte sich auch in den deutschen Städten die Disziplin. Das ungeregelte Leben kam zurück, erschreckend für die normierten Deutschen. Aus einem Tagebuch vom November 1944: „Der Bahnhof Friedrichstraße ... gilt als bombensicher. Dort ist es so, wie ich mir Shanghai vorstelle. Zerlumpte malerische Gestalten in wattierten Jacken mit den hohen Backenknochen der Slawen, dazwischen hellblonde Dänen und Norweger, kokett aufgemachte Französinnen, Polen mit Haßblicken, fahle, frierende Italiener – ein Völkergemisch, wie es wohl noch nie in einer deutschen

242 „Übersicht mit Hollerith Lochkarten". Deutsche Hollerithmaschinen-Gesell-
schaft, Berlin-Lichterfelde. Plakat der IBM-Tochterfirma Dehomag, 1934

Stadt zu sehen war."[33] Die Berliner Bevölkerung wird aber nicht bereit sein, so
etwas hinzunehmen. Ein Bericht vom
Januar 1945: „Auch in den vielen Gast-
stätten am Alexanderplatz treiben sich
tagsüber zahlreiche Ausländer anscheinend beschäftigungslos herum ... Die
Bevölkerung murrt bereits sehr stark
darüber."[34]

Die Polizei und das ungeordnete Leben

„Bei der angespannten Lage am Arbeitsmarkt war es ein Gebot der nationalen Arbeitsdisziplin, alle Personen,
die sich dem Arbeitsleben der Nation
nicht einpassen wollten und als Arbeitsscheue und Asoziale dahinvegetierten,
Großstädte und Landstraßen unsicher
machten, auf dem Zwangswege zu erfassen und zur Arbeit anzuhalten. Hier
wurde auf Anweisung der Dienststelle
‚Vierjahresplan' seitens der Geheimen
Staatspolizei mit aller Energie durchge-

griffen ... Weit über 10 000 derartiger
asozialer Kräfte machen laufend eine
Erziehungskur zur Arbeit in den hierzu
hervorragend geeigneten Konzentra-
tionslagern durch."[35]
Ein SS-Oberführer berichtet hier über
die Aktion „Arbeitsscheu Reich", die im
Januar 1938 begonnen wurde. Die Be-
völkerungsgruppe, gegen die Zwangs-
erziehung einzusetzen war, wurde in
dem Erlaß definiert: „Arbeitsscheue ...
sind Männer im arbeitsfähigen Lebens-
alter, deren Einsatzfähigkeit in der letzten Zeit durch amtsärztliches Gutachten festgestellt worden ist oder noch festzustellen ist, und die nachweislich in
zwei Fällen die ihnen angebotenen Arbeitsplätze ohne berechtigten Grund abgelehnt oder die Arbeit zwar aufgenommen, aber nach kurzer Zeit ohne stich-
haltigen Grund wieder aufgegeben haben."[36] Der hier hergestellte Zusammenhang zwischen angebotener Erziehung

und drohender Haft (und Vernichtung)
ist nicht neu. Er ist im 18. Jahrhundert
zu finden, in den Arbeitshäusern reißt
er seitdem nicht ab.[37] „Ochsenkopf"
und später „Rummelsburg" bedrohten
in Berlin schon immer die unangepaßten Unterschichten (vgl. Bd. I,
S. 268–279). Auch im 18. Jahrhundert
sah eine resignierte Arbeitspädagogik
in der Vernichtung einen letzten Ausweg: Die Sinti und Roma galten als un-
erziehbar (preußische Zigeuneredikte).
Subjekt dieser Erziehung war die „Polizei". Der Begriff stammt aus der Kame-
ralwissenschaft des 18. Jahrhunderts.
Die Polizei trägt umfassend Vorsorge
für das allgemeine Wohl. Erziehung
und Kontrolle fallen bei ihr zusammen
(„Schulpolizei"). Die Polizei arbeitete
an einer Erziehung von oben, die letztlich, im liberalen Verständis preußischer Reformer, auf eine Selbsttätigkeit
der Angepaßten (auf eine geordnete
Freiheit) gerichtet war. Die anfängliche
Hoffnung auf eine allgemeine Industrialisierung, in der die eingesehene Notwendigkeit alltäglicher Arbeit als Erzie-
hungsmoment ausreichte, verringerte
sich schon zu Beginn des 19. Jahrhunderts. Steigende Armut und Kriminalität führten zu einer intensivierten
Überwachung, auf die die Aufgaben
der Polizei dann mehr und mehr beschränkt wurde. Der optimistische Pädagoge und der mißtrauische Polizist: Figuren, die für die Ordnung der Gesellschaft gebraucht wurden, wobei ihre jeweilige Bedeutung je nach Stabilitäts-
grad dieser Ordnung wechseln konnte.
Über die Aufgaben der Polizei heißt
es 1927 im Kommentar zum Preußischen Polizeirecht zusammenfassend:
„Schutz aller Normen über Handlungen, Unterlassungen und Zustände, deren Befolgung... nach der herrschenden
allgemeinen Auffassung zu den uner-
läßlichen Voraussetzungen gedeihlichen
und staatsbürgerlichen Zusammenle-
bens gehört."[38] Die „herrschende allgemeine Auffassung" blieb in dieser Defi-
nition offen. Entscheidend war nicht
der Inhalt, sondern die Stabilität der
Ordnung. Genauer ist eine Selbstdarstellung der preußischen Polizei aus dem
Jahre 1926. Sie zeigt zunächst den historischen Zusammenhang: Im 18. Jahrhundert hatte die Polizei allererst „das
Verständnis für die Notwendigkeit und
Nützlichkeit des Einordnens des Einzel-

egoismus in den Gesamtegoismus" wek-
ken müssen. Diese Aufgabe ist geblieben, erst recht nach dem November
1918, denn „das Volk hatte seine Einheitlichkeit verloren". Auch für die Mitte der 20er Jahre muß noch grundsätzlich festgestellt werden: „Die zusam-
mengeströmte Masse bildet nur zeitweise ein zufällig und bunt organisiertes
Wesen, das wieder zerfließt, wie es entstanden ist. So können sich bei ihr wohl
Massenregungen und seelische Kräfte
elementarer Art entwickeln, aber nicht
ein Gefühl der Verantwortlichkeit." Dieses aber „wirkt in den einzelnen Beamten hinein und gibt ihm eine sittliche
und seelische Überlegenheit über jeden
Einzelnen aus der Masse".[39]
Hier wird die Erziehungsfunktion der
aufgeklärt absolutistischen Obrigkeit bis
in das 20. Jahrhundert verlängert. Das
Elitebewußtsein wird durch die Behauptung, daß die Massen eben nun
mal so seien, noch verstärkt (während
der aufgeklärte Absolutismus doch eher
von einer Möglichkeit allgemeiner Ver-
sittlichung ausging). Gerade weil die
Polizei hier mit einem moralischen Anspruch versehen wird, konnten dann
später Masseninternierung und -ver-
nichtung entwickelt werden: Der Staat
handelte durch seine Organe im sitt-
lichen Auftrag. Noch in den Reden
Himmlers wird dieser Anspruch aufrechterhalten. Einzelne und Bevölkerungsgruppen, die außerhalb der als allgemein angenommenen Normen lebten, konnten schnell als unmenschlich
abqualifiziert werden, wenn erst einmal
geklärt war, wie denn nun der wahre
Mensch zu sein habe. In diesem Anspruch findet der absolutistische Humanismus des 18. Jahrhunderts im Nationalsozialismus seine resignierte Fortsetzung.
Die genaue Beobachtung unmorali-
schen Lebens braucht einen Mittelpunkt, in dem Informationen gesammelt
und wieder weitergegeben werden. Ein
solches panoptisches Prinzip war im
Deutschland vor 1933 kaum ausgebaut.
Zwar fand 1912 in Berlin ein „Allgemeiner Deutscher Polizeikongreß" statt,
die hier geforderte Vereinheitlichung
des Fahndungswesens, der technischen
Hilfsmittel (Fingerabdruckkartei etc.)
wurde aber von der Polizei gegenüber
dem stärkeren Föderalismus nicht
durchgesetzt.

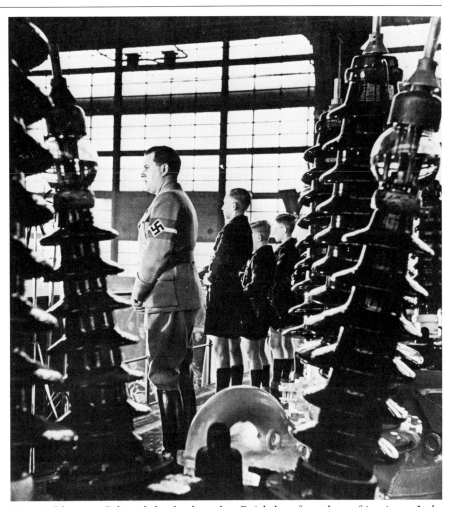

243 *Baldur von Schirach beobachtet den Reichsberufswettkampf in einem Indu-
striebetrieb, 1935*

In der Weimarer Republik sollte der
friedliche und helfende Polizist den ge-
fürchteten und geachteten Polizisten der
Kaiserzeit ablösen. Vorgespiegelt wurde
eine bereits homogenisierte Gesellschaft, in der die erreichte Selbstdiszipli-
nierung die bloße Autorität überflüssig
machte. Ein Höhepunkt war die „Große Polizeiausstellung" von 1926 in Berlin. Fast 50 000 Besucher kamen in die
Messehallen am Kaiserdamm. Dem
auch hier gezeigten Wunschbild einer
geliebten Ordnungsmacht entsprach
das Berlin der 20er Jahre keineswegs.
Das Scheunenviertel am Alexanderplatz erlebte noch 1923 tagelang offene
Plünderungen, die schließlich in Straßenschlachten mit der Polizei endeten.
Diese klagte immer wieder, daß in den
Armutsvierteln im Norden und Osten
der Stadt Diebe oft spontan von der Bevölkerung geschützt würden. Kriminalität beschränkte sich nicht auf Delikte

einzelner, sondern wurde von nicht angepaßten Bevölkerungsgruppen unterstützt. „Milieu" und Unterwelt waren
eng miteinander vernetzt. Bekannt geworden sind die „Ringvereine", zwei
der großen: „Rosenthaler Vorstadt"
und „Immertreu". Sie waren im Vereins-
register eingetragen und dienten offiziell allein karitativen und geselligen
Aufgaben, also eine durchaus in der
deutschen Ordnungstradition stehende
Form einer „Mafia". Die Polizei sah
diese Vereine nicht ungern. Sie boten
immerhin Eingrenzungsmöglichkeiten.
Die Ordnungsstrategie bestand noch
vor allem in einer Ghettoisierung der
Unangepaßten (eine ähnliche Funktion
hatten bestimmte Kneipen und Bars
etwa für sexuelle Minderheiten). Die
Polizei achtete vor allem darauf, daß
gesteckte Grenzen nicht überschritten
würden. Nach einer wohl zu offenen
Straßenschlacht zwischen rivalisieren-

den Gruppen durchkämmten im Januar 1929 dagegen tausende Polizisten die Gegend um den Schlesischen Bahnhof. Trotz der Ghettoisierung wurden diese Populationen als bedrohlich empfunden, nicht nur wegen der Delikte, denn sie boten das Beispiel eines den Produktivitäts- und Legalitätsnormen nicht angepaßten Lebens. Auch mit der karitativen Ordnungsargumentation der Linken, diese Illegalität folge nur aus der Armut, war ihnen nicht beizukommen. Die Akten der Berliner Kriminalpolizei über die Ringvereine zeigen diese Furcht: „Nahezu alle Verbindungen waren einem Vereinsbund angeschlossen und hatten mit gleichen Vereinen anderer Städte in Deutschland und im Ausland Verbindungen. Außer den offiziellen Satzungen, die als Zweck des Vereins gewöhnlich die Pflege der Geselligkeit und des Sparens angaben, bestanden Geheimstatuten... Dazu gehörten ... Gestellung von Bürgen bei Neuaufnahmen, Schweigegebot... Verpflichtung, Vereinsbrüder ... nicht zu verraten. Darüber hinaus war es streng verboten ... die Polizei sonstwie in Anspruch zu nehmen... hatte das Vereinsmitglied die Möglichkeit, in seinem Verein kriminelle Erfahrungen auszutauschen... Mittäter zu finden... Werkzeug zu bekommen... Tips zu erlangen. Außerdem gehörte die Schulung des Nachwuchses zu den Zielen der Vereine."[40] Schon vor 1933 gab es in Berlin mehrere Polizeireviere, die von der NSDAP dominiert wurden. Die bloße Ghettoisierung der, im Polizeijargon, „unsauberen, kriminellen Elemente", die mehr oder weniger dezentrale Fahndung in Deutschland, die dazu noch steigende Kriminalität ließen in dieser Partei einen Ausweg sehen: Vor 1933 wurde von vielen Polizisten, auch in Publikationen, das faschistische Italien als Vorbild hingestellt. Besonders seine offensichtlichen Erfolge im Kampf gegen die Mafia wurden bestaunt. Mit ersten Versuchen einer zentralen Fahndung und mit dem Einsatz neuer Methoden konnte die Polizei immerhin bereits vor 1933 beginnen. Zwischen 1919 und 1927 wurde allgemein die Auswertung von Fingerabdrücken eingeführt, 1925 begann in Berlin das für ganz Preußen zuständige Landeskriminalamt seine Arbeit. Zwischen den deutschen Ländern wurde zumindest eine Arbeitsteilung vereinbart: In Berlin wurde die für ganz Deutschland zentrale Fingerabdruckkartei geführt. Die verschiedenen Länder spezialisierten sich auf die Beobachtungen bestimmter Delikte und Populationen (Bayern war z. B. für die „Zigeuner" zuständig). 1927 wurde in Berlin-Charlottenburg ein Institut für Polizeiwissenschaft gegründet. Aber trotz solcher Versuche konnte die Berliner Polizei 1928 nur etwa die Hälfte aller Diebstähle aufklären.

Erst nach 1933 ging die Polizeihoheit an das Reich über. Der spätere Chef der preußischen Kriminalpolizei, Arthur Nebe, (seit 1935) war bereits 1931 über seine Frau heimlich der NSDAP beigetreten. 1937 wurde dann das Landeskriminalpolizeiamt zum Reichskriminalpolizeiamt (bis 1939 am Alexanderplatz, dann am Werderschen Markt). Dieser Behörde waren die jeweiligen Landesanstalten untergeordnet. Sie arbeiteten als Nachrichtensammelstellen und mußten ihre „Erkenntnisse" den jeweiligen Reichszentralen des Reichsamtes weitergeben (Sammlungen: Verbrecherkartei, Finger- und Handflächenabdrücke, Lichtbildkartei, Spitznamenkartei usw.; Zentrale u. a. zur Bekämpfung des „Zigeunerwesens", zur Bekämpfung der Homosexualität und der Abtreibungen). Die Kriminalpolizei wiederum war dem Chef der Sicherheitspolizei unterstellt (bis zu seinem Tode, 1942, Heydrich, dann Kaltenbrunner). Seit 1938 konnten Angehörige der Sicherheitspolizei in die SS aufgenommen werden. Zum weiteren Lebensweg Arthur Nebes: Im Krieg gegen die Sowjetunion wird er bis November 1941 die Einsatzgruppe B leiten. Unter seiner Führung wurden etwa 45 000 Menschen umgebracht (darunter viele Insassen von Heilanstalten).[41] Er ließ Experten aus dem Kriminaltechnischen Institut seines Amtes kommen, um neue Tötungsmethoden zu erproben (Auspuffgase, Sprengstoff: das Material wurde von der Westfälisch-Anhaltischen Sprengstoff AG Berlin geliefert).[42] Anfang März 1945 wird Nebe nach einem Urteil des Volksgerichtshofes hingerichtet: Er stand in Verbindung mit Offizieren des 20. Juli. Eine Doppelrolle? Wohl eher war das „Sichern und Befrieden", so der Auftrag für seine Einsatzgruppe, gegen Kriegsende nicht mehr durch die Staatsspitze garantiert.

Diese scheinbare Zwiespältigkeit, die auf keine besondere Ideologie, sondern auf das Ziel einer geordneten Gesellschaft verweist, liegt auch in anderen Lebensläufen bekannter Berliner Polizisten. Hans Schneickert war bis zu seiner Pensionierung 1931 Leiter des Erkennungsdienstes gewesen. Noch 1927 wandte er sich in einem Artikel gegen die Todesstrafe. Sie ließe kein „Vertrauen in die Rechtspflege" bei den „Bürgern" aufkommen.[43] 1935 äußerte er sich anerkennend über die Nationalsozialisten. Sie waren im November 1933 und im Februar 1934 gegen das Berliner „Milieu" vorgegangen: Tausende Menschen („Vorbeugehaft") wurden aus Berlin in Konzentrationslager verschleppt. Jetzt kritisiert Schneickert die früheren Beschränkungen der Polizei: „Eine solche Toleranz steht der Bekämpfung des Berufsverbrechertums in der gegenwärtigen Zeit selbstverständlich im Wege."[44] Bereits vor 1933 forderten Kriminalisten die Zwangssterilisierung bei Alkoholikern und „Schwachsinnigen" (zu denen auch viele „Kriminelle" gerechnet wurden), so der Fälschungsspezialist Liebermann. Er hat übrigens in den 20er Jahren den Slogan erfunden: „Die Polizei, Dein Freund, Dein Helfer".[45] Als er 1936 pensioniert wurde, dankte er dem Chef der Ordnungspolizei Kurt Daluege: „In den letzten drei Jahren habe ich ... an der Bekämpfung des Verbrechertums nach Methoden mitarbeiten dürfen, die mir stets als die richtigen erschienen waren, die aber ohne die nationale Erhebung ... niemals Wirklichkeit geworden wären."[46] Liebermann hat berechtigten Grund für sein Lob: Nach 1933 sank die Kriminalität (besonders Eigentumsdelikte) zunächst drastisch ab. Um die erneute Entstehung eines unangepaßten „Milieus" zu verhindern, wurde in Berlin ein Kriminalbiologisches Institut gegründet, das zunächst „Erbwissenschaftliche Forschungsstelle" hieß. Dieses Institut hatte die Aufgabe, Kriterien für die Populationen zu entwickeln, deren Fortpflanzung verhindert werden sollte, die zu internieren oder direkt zu vernichten waren. Hierzu gab es, in Verbindung mit dem Berliner Institut, in den verschiedenen deutschen Zuchthäusern kriminalbiologische Sammelstellen (zusammengefaßt wurden die Unterlagen aus ganz

Deutschland in Berlin-Plötzensee). Am Institut wurde außerdem eine Beobachtungsstation eingerichtet, die „Klinische Jugendsichtstätte" („Suche" nach evtl. vorhandenen Möglichkeiten einer Wiedereingliederung in das „Volksganze"). Für Kinder und Jugendliche war besonders die weibliche Kriminalpolizei zuständig. Ihre Organisation wurde auf einer Tagung der Reichsfrauenführung 1937 verkündet. Sie arbeitete eng mit dem Kriminalbiologischen Institut zusammen (Sterilisierungskampagnen) und plante an zentraler Stelle die späteren „Jugendschutzlager" (Jugend-KZ's).

Zentraler Begriff der Polizeiarbeit nach 1933 war die Volksgemeinschaft. Sie sollte geschützt, sie sollte gleichzeitig aber auch erst noch erreicht werden. Die pädagogische Funktion der Polizei wurde offener als bisher wiederaufgenommen. Die Polizei habe, so Heydrich in der Zeitschrift „Kriminalistik", nicht nur Sicherungsaufgaben, „sondern auch den Auftrag, die Volksgemeinschaft nach den von Weltanschauung und politischer Führung gegebenen Grundsätzen neu aufzubauen".[47]

Den vorausgesetzten Kampf gegen das „Milieu" schildert Heydrich als gleichsam medizinisches Bemühen um öffentliche Gesundheit: „Völliges Erfassen des Gegners in seinem geistigen Grundelement, totales Erkennen und kriminalistisches Ermitteln seiner organisatorischen Form sowie seiner personellen Besetzung, schließlich planvolles Bekämpfen, Vernichten, Lahmlegen, Ausschalten des Gegners mit exekutiver Gewalt ... die Grundidee: Vorbeugung sowohl im politischen wie im kriminalistischen Sektor."[48] Diese Vorbeugung war von vielen Kriminalisten bereits in der Zeit der Weimarer Republik gefordert worden. Der Stellvertreter Nebes, Paul Werner, hat 1939 präzisiert, wie diese Vorbeugungsmaßnahmen auszusehen haben: „In erster Linie richten (sie) sich gegen Berufs-, Gewohnheits- und Triebverbrecher und gegen Asoziale, die vielleicht noch nicht nachgewiesenermaßen kriminell in Erscheinung getreten sind, die aber erfahrungsgemäß Verbrecher werden könnten. Maßgebend ... für die Verhängung der Vorbeugehaft, vor allem aber für deren Dauer (ist) die kriminalbiologische Struktur des Häftlings. Wenn ein Verbrecher oder Asozia-

ler Vorfahren hat, die ebenfalls verbrecherisch oder asozial lebten ..., ist nach den Ergebnissen der Erbforschung erwiesen, daß sein Verhalten erbbedingt ist und daß durch erzieherische Einflüsse eine Änderung nicht zu erreichen ist. Ein solcher Mensch muß demzufolge in anderer Weise angepackt werden ... Der Verbrecher wird nicht mehr als Einzelperson ... angesehen. Er ist vielmehr als Sproß und Ahn seiner Sippe ... zu betrachten ... In einer besonderen Zentralstelle des Reichskriminalpolizeiamtes werden gerade die Kinder der schweren Verbrecher erfaßt und die erforderlichen Maßnahmen zentral geleitet. Die Erfolge zeigen, daß der beschrittene Weg richtig ist."[49]

Eine entscheidende Argumentation in dieser Passage liegt in der Feststellung, daß „erzieherische Einflüsse" nichts mehr ausrichten. Dahinter steckt die Erfahrung aus den 20er Jahren, daß trotz aller polizeilicher und auch fürsorgerischer (bei der Fürsorge eine der Polizei parallele Entwicklung nach 1933) Bemühungen das „Milieu" überlebte. Dies machte die Polizei auch so aufnahmebereit gegenüber den Rassisten. Sie lieferten eine Erklärung für die Zähigkeit des „Milieus" über Generationen hinweg. Vom Rassismus bleibt die Argumentation Werners aber nicht abhängig, seine Kategorien können leicht in soziologische übersetzt werden, ohne daß sich an der vernichtenden Konsequenz etwas ändert (auch deshalb besaß die Soziologie, entgegen den Nachkriegsgerüchten, gerade im Nationalsozialismus eine wichtige Funktion).

Die „Randgruppe" der Asozialen wurde sehr weit gefaßt: Neben Bettlern, Landstreichern, Prostituierten und Zuhältern, Homosexuellen, „Schiebern" und „Preisbrechern", Psychopathen konnten auch „hartnäckige Verkehrssünder" in diese Listen geraten, ebenso wie Menschen, die sich zweimal geweigert hatten, einen angebotene Arbeit anzunehmen. Eine intensivierte Erfassung begann 1937/38, also in der Zeit erhöhter Aufrüstung und hohen Arbeitskräftebedarfs. Im Dezember 1937 befanden sich 3000 Menschen in Vorbeugehaft, im Januar 1938 waren es bereits 13 000 (davon 9000 „Asoziale", die nicht wegen eines Deliktes verfolgt wurden).[50]

Die polizeiliche, wirtschaftliche und

„volkserzieherische" Erfassung forderte ein genaueres Überwachungssystem. In diesen Zusammenhang gehören verschiedene Maßnahmen: Volkszählungen 1933 und 1939, Arbeitsbuch für jeden Arbeiter 1935, als Vorläufer des Kfz-Briefes der „Wehrpaß des Kraftfahrzeugs" 1934, Zentralkartei der Kraftfahrer und der Fahrzeuge 1936, Meldepflicht 1938, 1939 Einführung der persönlichen Kennkarte. Seitdem bestand für Wehrpflichtige und für Juden Ausweispflicht. Weiter: Errichtung einer Volkskartei 1939, schließlich 1944 die Personenkennziffer. Die Krankenkassen wurden eingesetzt: Die AOK-Vertrauensärzte gaben Hinweise auf „Arbeitsscheue". Das Statistische Reichsamt in Berlin verdoppelte zwischen 1932 und 1939 seinen Personalbestand. Das Lochkartensystem, das „maschinelle Berichtwesen" wurden ausgebaut. Die Nationalsozialisten orientierten sich hierbei an der amerikanischen Technologie. Auch noch während des Krieges mit den USA wurden Verträge mit IBM geschlossen.[51] Jeder einzelne wurde von diesem Überwachungssystem erfaßt. Gegenüber der geforderten Leistungsmoral gab es kein Entrinnen (oder nur scheinbar und wiederum integriert im angebotenen Konsumalltag). Die zukünftige Unterteilung der Deutschen wird in den „Richtlinien für die Beurteilung der Erbgesundheit" des Reichsinnenministeriums aufgestellt. Sie war im Kriminalbiologischen Institut entwickelt worden, u. a. von seinem Leiter, dem Neurologen Robert Ritter („Der primitive Mensch ändert sich nicht und läßt sich nicht ändern."[52]) In diesen Richtlinien (1940)[53] werden vier Kategorien unterschieden: 1. asoziale Personen, 2. tragbare Personen, 3. die Gruppe der Durchschnittsbevölkerung, 4. besonders hochwertige Personen. Es ging nicht mehr nur um die Vernichtung eines unangepaßten „Milieus", alle sollten in einen Formierungsprozeß einbezogen werden, dessen Kriterien sich nach der jeweiligen produktiven Leistung richteten. Die sozialpolitische Behandlung der verschiedenen Kategorien folgte aus der jeweiligen Erziehungsmöglichkeit. „Asoziale" erhielten keinerlei Unterstützung, sie wurden interniert, unfruchtbar gemacht, bei weiterem Widerstand vernichtet. Tragbare erhielten Kinderbeihilfe (das „Kinder-

geld" stammt aus dieser Zeit), aber keine weitere Förderung. Die Durchschnittlichen erfuhren alle „ehrenden und fördernden Maßnahmen", in der vierten Kategorie schließlich sind die führenden Kontrolleure und Volkserzieher selbst zu finden. Zu den „Asozialen" (auch „Gemeinschaftsunfähige") wurden 2% der Bevölkerung gerechnet (etwa 1,6 Millionen Menschen), unter ihnen wird die „zahlenmäßig größte Gruppe … durch die Arbeitsscheuen und gewohnheitsmäßigen Schmarotzer gebildet".[54] Der Autor dieses Satzes (und der Zahlenschätzung) ist der Statistiker Siegfried Koller, nach dem Krieg der wohl einflußreichste bevölkerungspolitische und gesundheitsstatistische Experte der BRD. Die Behandlung änderte sich je nach dem Arbeitskräftebedarf. Deshalb wurden „Asoziale" während des Krieges zunächst in besonders eingerichtete Arbeitserziehungslager eingeliefert („Aufnahme von Arbeitsverweigerern und arbeitsunlustigen Elementen"[55]). Wenn hier die Anpasssng erfolglos blieb, wurden die „Asozialen" in die KZ's überstellt.
Nach dem Scheitern der Blitzkriegsstrategie, mit der Notwendigkeit weiterer Arbeitsintensivierung und bei sinkendem Konsumangebot, wurde die Überwachung der Betriebe selber verstärkt. Dies war die Aufgabe von „Arbeitseinsatz-Ingenieuren". In ihnen vereinigten sich die Traditionen der Psychotechniker und der polizeilichen Kontrolle. Aus den „Richtlinien für den innerbetrieblichen Arbeitseinsatz" (1943): „Laufende Überwachung des Krankenstandes, schärfste Maßnahmen gegen Bummelanten und Drückeberger, rücksichtslose Ausmerzung asozialer Elemente."[56] Die Erfassungsmethoden wurden bis in die letzten Kriegsmonate hinein weiter perfektioniert. Im November 1944 begann der Aufbau der Reichspersonalnummernkartei, mit Personal aus dem „Maschinellen Zentralinstitut für optimale Menschenerfassung und -auswertung" der SS. Auch die mögliche Ausgrenzung nicht brauchbarer Menschen wurde erweitert. Zum 1. 1. 1945 war ein „Gesetz über die Behandlung Gemeinschaftsfremder" vorgesehen (es konnte dann nicht mehr in Kraft treten). Zu den bisherigen Kriterien kamen hinzu: „Liederlichkeit", „ungeordnetes Leben", „außergewöhn-

liche Mängel des Verstandes oder des Charakters", „Unverträglichkeit" oder „Streitlust". Solche „Gemeinschaftsfremden" sollten zunächst von der Polizei überwacht, wenn dies nichts nützte, an die Fürsorge überantwortet, schließlich in die Arbeitslager der Polizei überwiesen werden (für Berlin war dies schon seit dem 19. Jahrhundert Rummelsburg). Auch gegen Minderjährige richtete sich das Gesetz, wenn die „Erziehungsbehörden" eine Besserung „mit den Mitteln der öffentlichen Jugendhilfe" für „voraussichtlich" aussichtslos hielten. Schließlich: „Gemeinschaftsfremde, bei denen für die Volksgemeinschaft unerwünschter Nachwuchs zu erwarten ist, sind unfruchtbar zu machen."[57]

Die Medizin: „Auslese und Ausmerze"
Im Jahre 1896 ließ sich ein junger Arzt in der Kommandantenstraße im Wedding als praktischer Arzt nieder: Alfred Grotjahn, Sozialdemokrat. Er wird eine Sozialhygiene entwickeln, auf die sich später die Nationalsozialisten stützen können. Der junge Arzt reagierte mit Abscheu auf die Armen in seiner Praxis. In seinen Tagebüchern sind Sätze zu finden, die an Wichern, den Begründer der Inneren Mission (vgl. Bd. I, S. 76–79), erinnern, wie sie aber auch bei Vertretern der organisierten Arbeiterbewegung in ihrem „Abscheu" gegenüber den „Lumpen" zu finden sind. Sozialismus hieß für ihn Überwindung jeder Willkür: der von oben und des ungeregelten Lebens unten. Sozialismus war ein Ordnungsbegriff. 1908 befürwortete Grotjahn die Asylierung von Alkoholikern und Arbeitsscheuen (er gebraucht hier den Begriff „Schutzhaft"[58]). Dazu müßte ein breites Erfassungs- und Karteisystem aufgebaut werden. Zu den wichtigsten Forderungen Grotjahns gehörte die „Unfruchtbarmachung". Dabei griff Grotjahn in seinen Zahlen höher als später die Nationalsozialisten: Er berechnete, daß Geisteskranke, Behinderte, Alkoholiker, Menschen mit sonstigen körperlichen Mängeln (z. B. Sehfehler) zusammen etwa $\frac{1}{3}$ der Bevölkerung ausmachen (das „defekte Drittel").[59] Sie alle müßten dieser Maßnahme unterzogen werden. Die übrigen seien „aufartungswürdig" und seien zu fördern. In diesem Zusammenhang prägte Grotjahn den Slogan „Wil-

le zum Kind". (Die Deutschen würden durch „sich stark vermehrende Slawen" bedroht.) Grotjahn wurde 1919 Ordinarius für Sozialhygiene in Berlin, er arbeitete mit dem rechten Flügel der SPD zusammen (Noske, David). U. a. war er in der Weimarer Republik Mitglied des „Ausschusses für Rassehygiene und Bevölkerungswesen" des Preußischen Landesgesundheitsrats.[60] Er propagierte auch weiterhin die gesetzliche Verankerung der Zwangssterilisation. Es gelang aber nur die Anerkennung der „freiwilligen" Sterilisation (die Arbeit des Ausschusses und die „Freiwilligkeit" müßten weiter erforscht werden). Grotjahn starb vor der Machtergreifung. Für die Nationalsozialisten wird er nützlich sein, sie wiesen immer wieder darauf hin, daß der Sozialdemokrat Grotjahn noch weitergegangen ist als sie. Grotjahn wird nach 1933 durch seine Schüler weiterwirken. Ein Beispiel: Karl Valentin Müller („Ausmerze des asozialen Lumpenproletariats"), der in seinem 1937 erschienenen Buch „Aufstieg des Arbeiters durch Rasse und Meisterschaft" die Verbindungen zog zwischen Sozialhygiene und Produktivitätssteigerung. (Müller blieb einflußreich: in den 50er Jahren vor allem durch seine Untersuchungen der „Jugendverwahrlosung".)
Das für die späteren Auslese- und Vernichtungsstrategien wohl wichtigste wissenschaftliche Institut war das „Kaiser-Wilhelm-Institut für Anthropologie, menschliche Erblehre und Eugenik" in Berlin-Dahlem in der Ihnestr. 22. Das Gebäude ziert noch heute der nordische Bronzekopf einer Pallas-Athene. Es wurde 1927 gegründet, sein Direktor hieß Eugen Fischer. Fischer war bereits 1913 bekanntgeworden mit seiner Schrift über das „Bastardisierungsproblem beim Menschen". Er untersuchte die Auslesemöglichkeiten im damaligen Deutsch-Südwestafrika. Über die dortigen Mischlinge schrieb er: „ … man gewähre ihnen eben das Maß von Schutz, was sie als uns gegenüber minderwertiger Rasse gebrauchen … nur so lange, als sie uns nützen – sonst freie Konkurrenz, d. h. meiner Meinung nach Untergang … "[61] Fischer war einer der wichtigsten Anreger Hitlers gewesen. Während er in der Festungshaft an „Mein Kampf" arbeitete, las er das Buch „Menschliche Erblich-

keitslehre und Rassehygiene" (Fischer gehörte zu den Verfassern), die „Lesefrüchte" sind in „Mein Kampf" wiederzufinden. (Fischer wurde 1942 emeritiert, 1952 Ehrenmitglied der Deutschen Anthropologischen Gesellschaft, lebte bis zu seinem Tode, 1967, in Freiburg: „Der Heidegger hat ihn ab und zu besucht."[61a]) Gleich nach der Machtergreifung bezieht sich Fischer auf seine erste Arbeit: Im Harnack-Haus der Kaiser-Wilhelm-Gesellschaft in Dahlem hielt er im Februar 1933 einen Vortrag über „Rassenkreuzung und geistige Leistung". Im Juli 1933 wird Fischer zum Rektor der Berliner Universität gewählt. In seiner Rektoratsrede lobt er die „biologische Bevölkerungspolitik ... die auf ... Auslese und Ausmerze gerichtete Erb- und Rassenpflege des Staates".[62] 1927 wurde Fischer von der „Notgemeinschaft deutscher Wissenschaft" (seit 1934: Deutsche Forschungsgemeinschaft, DFG) beauftragt, „Deutschland ... mit einem Beobachtungsnetz zu überziehen", um erbstatistische Daten zu erhalten.[63] Möglichst zentrale Beobachtung hielten Anthropologen und Polizisten für notwendig, um gesellschaftliche Ordnung durchzusetzen. Unterstützt wurde das Projekt seit 1929 auch von der Rockefeller-Foundation.[64] 1934 wird die DFG dem Institut mehrere Assistentenstellen bewilligen, um die Sterilisierungskampagne zu untersuchen. Seit 1933 begann zu diesem Zweck eine breite Erfassung in den verschiedenen Anstalten. Das Berliner Institut hielt für Ärzte Kurse über Rassehygiene ab. Es arbeitete mit dem oben erwähnten Robert Ritter zusammen, dessen Forschungsgebiete sich mit denen des Instituts deckten. Auch Ritters Arbeiten über „Zigeuner" und Vaganten wurden von der DFG finanziert.[65] Unter dem Titel „Ein Menschenschlag" veröffentlichte er 1937 seine Untersuchungen. Es lohnt sich, näher darauf einzugehen, denn Ritter stellt hier selber den schon oben angeführten Zusammenhang mit der Arbeitserziehung im 18. und 19. Jahrhundert her. Er sieht sich in der Tradition der „Jauner" Untersuchungen zu Beginn des 19. Jahrhunderts. Diese frühen „aktenmäßigen" Sammlungen (Ritter zitiert sie) waren angelegt worden, um Menschen zu fangen, die sich der von ihnen geforderten Arbeit entzogen. Ritter muß feststellen, daß

dieser „Menschenschlag" entgegen allen Bemühungen überlebt hat. Er kann sich in den großen Städten sogar noch besser verbergen: „Sie tauchten in den Großstädten unter, in denen sie wieder Menschen vom gleichen Schlage fanden. Dort treiben sie alles und nichts. Sie wechseln oft ihren ‚Beruf' und ihre Arbeitsstätte, sie lungern viel herum und beziehen Arbeitslosenunterstützung." Welche Unterschichten Ritter meint, sagt er deutlich: „Taglöhner und Hilfsarbeiter in den Fabriken ... Man begegnet ihnen überall dort, wo sich mehr Abwechslung als Arbeit bietet, und wo man von ihnen weder Stetigkeit noch Disziplin verlangt." Zusammenfassend: „Noch vor 150 Jahren kannte man die ‚Jaunergesellschaft' und sah in ihr immerhin ein gefahrvolles soziales Gebilde ... durch die staatlichen Maßnahmen (sind) die Banden aufgelöst und die Vagabunden und Gauner zerstreut und zersplittert worden ..."[66] Das „biologische Gepräge" sei aber erhalten geblieben. Dieses „Element" stört die angestrebte Volks- und Leistungsgemeinschaft. In der Phase der Produktionsmodernisierung wird das Verhältnis von Ausmerze und Auslese aus der Zeit der Frühindustrialisierung wiederaufgenommen, – mit zwei Unterschieden. Zunächst: Die technischen Möglichkeiten der „Erfassung", im doppelten Sinn, lassen kaum mehr „Reste" oder „Verstecke" übrig. Dann: Angesichts des zähen Überlebens unangepaßter Bevölkerungsgruppen und ihrer Ausbreitung in Krisensituationen hat der Pädagoge zum Teil resigniert; die Möglichkeiten der Umerziehung bleiben begrenzt. Wenn nicht die Moral legalen und industrialisierten Lebens selber bezweifelt werden darf, dann könnte die „Schuld" dieses pädagogischen Versagens in der Erblichkeit des „Bösen" liegen. Diese Kausalität sollte aber nicht zu schnell als „irrational" abgetan werden: Die Untersuchungen Ritters weisen Traditionen unangepaßten Lebens nach, die zur Vernichtung freigegeben sind. Diese Traditionen sind wirklich vernichtet worden. Nicht die Rassenlehre ist der entscheidende Grund der Vernichtungsaktionen, ihre Kategorien können leicht in soziologische Termini übersetzt werden, sondern die unbedingte Forderung einer bestimmten Norm angepaßten Lebens (und hier

liegt die Übereinstimmung zwischen der Vernichtung von „Rassen" und der von „Klassen", etwa der Kulaken während der zwangsweisen Einführung der Kolchosen und der Produktionsmodernisierung der Landwirtschaft in der Sowjetunion).

Zum Rassismus an dieser Stelle noch eine Bemerkung: Der Aufsatz behandelt vor allem den über das Kriegsende hinaus weiterreichenden Modernisierungseffekt des Nationalsozialismus. Dieser selber ist damit keineswegs ausreichend charakterisiert. Der Rassismus gegen Sinti und Roma und gegen Ostjuden, gegen „Andere", die nicht ohne weiteres zu integrieren waren, bleibt innerhalb dieser vom Nationalsozialismus gesetzten Funktionalität, nicht aber der Rassismus gegen die „angepaßten" Juden. Wohl auch deshalb ist gerade er nach dem Kriege beklagt worden, sehr viel zurückhaltender dagegen der Rassismus gegen „Zigeuner" und Ostjuden.

Allerdings: Die „innerstaatliche Feinderklärung" selber ist für die „Volksgemeinschaft" funktional, sie muß aufrechterhalten werden, auch wenn der „Feind" integrierbar wäre. 1933 schrieb hierüber Ernst Forsthoff in seiner Schrift „Der totale Staat": „Das politische Volk bildet sich in der Einheit des Willens, die aus dem Bewußtsein seinsmäßiger Gleichheit erwächst. Das Bewußtsein der Gleichartigkeit und volklichen Zusammengehörigkeit aktualisiert sich vor allem in der Fähigkeit, die Artverschiedenheit zu erkennen und den Freund vom Feind zu unterscheiden. Und zwar kommt es darauf an, die Artverschiedenheit dort zu erkennen, wo sie nicht durch die Zugehörigkeit zu einer fremden Nation ohne weiteres sichtbar ist, etwa in dem Juden, der durch eine aktive Beteiligung an dem kulturellen und wirtschaftlichen Leben die Illusion einer Artgleichheit und einer Zugehörigkeit zum Volke zu erwecken suchte und zu erwecken verstand. Die Wiedergeburt eines politischen deutschen Volkes mußte dieser Täuschung ein Ende machen und dem Juden die letzte Hoffnung nehmen, in Deutschland anders denn im Bewußtsein der Artverschiedenheit, also in dem Bewußtsein, Jude zu sein, leben zu können."[67] (Forsthoff war von 1943 bis zu seiner Emeritierung, 1967, ordentlicher Professor der Juristischen Fakultät in Heidelberg, außerdem war er Richter am Verwaltungsgerichtshof von Baden-Württemberg.)

Mit dem Vierjahresplan, der verstärkten Aufrüstung, wurde es nicht nur notwendig, alle Arbeitsreserven zu mobilisieren, alle in diesem Zusammenhang überflüssigen Kosten mußten gesenkt werden. Seit 1938 stiegen die Sterblichkeitszahlen in den Heil- und Pflegeanstalten. Den sozialpolitischen Lehren Grotjahns war bereits gefolgt worden (wenn auch nicht in dessen Radikalität), jetzt ging es um die direkte Vernichtung „lebensunwerten" Lebens. (Auch hier gibt es Vorläufer in den 20er Jahren, etwa bei Binding und Hoche.[68]) Die „Ermächtigung" Hitlers zur Euthanasie stammt aus dem Oktober 1939, sie wurde auf den 1. September 1939 zurückdatiert (also den Beginn des Krieges). Seit Frühjahr 1939 hatte bereits die planmäßige Euthanasie gegen Kinder begonnen. Ein besonderer „Reichsausschuß" begutachtete und empfahl die Einweisung in eine Tötungsanstalt („Kinderfachabteilungen"). Gutachter waren der Leiter der Berliner Universitäts-Kinderklinik Werner Catel und die Berliner Kinderärzte Heinze und Wentzler.[69] (Catel: seit 1954 Professor in Kiel. Heinze wurde Leiter der auch für Berlin zuständigen Tötungsanstalt Goerden/Brandenburg, seit 1953: Leiter der jugendpsychiatrischen Klinik des Landeskrankenhauses Wunstorf. Wentzler: Leiter der Kinderklinik in Berlin-Frohnau, in der behinderte Kinder getötet wurden (Berlin-Frohnau, Zeltinger Str. 44), nach dem Krieg Kinderarztpraxis in Hannoversch-Münden.)

Organisiert wurden die Tötungsaktionen von einer Koalition aus Polizei und Medizin, dazu gehörten u. a. der schon oben erwähnte Vertreter des Chefs des Reichskriminalpolizeiamtes Paul Werner (in den 60er Jahren Ministerialrat im Innenministerium in Baden-Württemberg) und der Berliner Professor für Neurologie und Psychiatrie Max de Crinis (Selbstmord 1945).[70] Die Dienstzentrale lag in der Tiergartenstr. 4 (Tarnbezeichnung der Organisation T4, später: Reichsamt für die Heil- und Pflegeanstalten). Bis September waren in der Brandenburger Anstalt fast 10 000 Menschen umgebracht worden. (Anfang Januar 1940 zum erstenmal ein

Versuch mit Giftgas).[71] Offiziell wurde die Aktion T4 im August 1941 gestoppt. Inzwischen war das erste „Planziel" erreicht worden: 70 000 Tote.[72] Trotzdem wurde die Vernichtung fortgesetzt, stark dezentralisiert. Für 1941 sind Hinweise in den Erbgesundheitsakten von Berlin-Wilmersdorf zu finden: Verlegung von Menschen aus der Westendklinik, aus Buch, aus Wittenau in verschiedene Tötungsanstalten.[73] Um Angehörige zu beruhigen (die Aktion traf auch „angepaßte" Familien), waren Zwischenanstalten eingerichtet worden (so für Berlin besonders Neuruppin). Bereits 1941 wurde „T4" auch auf die KZ's ausgedehnt: Arbeitsunwillige oder -unfähige Häftlinge wurden nach den ärztlichen Gutachten getötet. „T4" sorgte sich auch darum, die Fortpflanzung besonders der „Asozialen" zu verhindern. Neben der Sterilisation gehörte dazu auch die erzwungene Abtreibung. Auch hier arbeitete der erwähnte Kinderarzt Ernst Wentzler als Gutachter.[74] Wichtigste Kriterien der Gutachter waren „soziales Verhalten" oder „Lebensbewährung". Zentrales Kriterium dieser Kampagnen blieb die Produktivität: „Ausscheidung aller derjenigen, die unfähig sind, auch nur in den Anstalten produktive Arbeit zu leisten, also nicht nur von geistig Toten."[75]

Bei dieser Auslese arbeiteten in den besonders für die „Asozialen" eingerichteten Arbeitslager und -häuser Rassehygieniker, Kriminalisten und Psychiater zusammen. Für das Berliner Arbeitshaus Rummelsburg kam eine solche Kommission 1942 nach Untersuchungen zu dem Schluß, daß etwa ein Viertel der Insassen zu töten sei (abweichende Gutachter der verschiedenen Mitglieder forderten sogar eine 50%ige Todesrate).[76] Die Gefangenen waren u. a. in verschiedenen Stadtkommandos eingeteilt und arbeiteten für die Berliner Stadtverwaltung (Straßenreinigung) und für verschiedene Berliner Betriebe (u. a. die Firma „Knorr Bremse").[77] Welche Folgerungen aus den Empfehlungen gezogen wurden, konnte noch nicht erforscht werden. Wahrscheinlich wurden viele Insassen in KZ's eingeliefert („Vernichtung durch Arbeit" statt sofortiger Tötung): Für Mauthausen ist belegt, daß Ende 1942 etwa 4000 deutsche „Sicherungsverwahrte" in das Lager kamen.[78] Dieser Arbeitseinsatz der Berli-

ner Unangepaßten vor ihrem schließlichen Tod würde auch der „Verschrottung durch Arbeit" entsprechen, die auf einer Sitzung im Ostministerium empfohlen wurde (Teilnehmer u. a. der Anthropologe Fischer aus dem Dahlemer Institut).[79] Im September 1942 verordnete ein offizieller Beschluß: „Auslieferung asozialer Elemente aus dem Strafvollzug an den Reichsführer (SS) zur Vernichtung durch Arbeit."[80] Gleichzeitig arbeitete „T4" an Listen krimineller Patienten, die „einer irrenärztlichen Anstaltsbehandlung nicht mehr bedürftig und zugleich arbeitsfähig" seien. Diese sollten in die Arbeitslager überwiesen werden. Dabei kam es allerdings zu Konflikten mit den Anstalten, die diese produktiven Häftlinge selber einsetzen wollten. Nach dem offiziellen „Ende" der Euthanasie wurden verstärkt die von der Polizei eingelieferten Unangepaßten erfaßt: eine Massenvernichtung sozialer Randgruppen, die so effektiv war, daß von einem Weiterleben der von Ritter angeprangerten Traditionen nach dem Kriege nicht mehr gesprochen werden kann.

In der Folge der Bombardierungen wurden mehr Krankenhausbetten gebraucht. Krankenhäuser mußten Sieche, „hoffnungslose" Fälle aussondern (zuerst im Rheinland, später dann auch in Berlin).[81] Sie kamen in eine der Tötungsanstalten. Die Lieferung des Vernichtungswerkzeugs übernahm das Kriminaltechnische Institut der Reichskriminalpolizei (Zusammenarbeit mit IG-Farben) in Berlin.[82]

Der Bombenkrieg verstärkte noch die latente Furcht der Nationalsozialisten vor einem neuen „November 1918". Unangepaßte mußten verstärkt erfaßt werden. Dies reichte bis zu den Opfern des Krieges; so berichtet ein Augenzeuge aus der Tötungsanstalt Meseritz-Obrawalde: „Ich erinnere mich an einen Transport aus Berlin, in dem sich Patienten befanden, die aufgrund der Bombenangriffe auf Berlin einen schweren Schock erlitten hatten. Diese Patienten ... kamen direkt vom Zug in das Lazarett, wo man sie noch am selben Tag umbrachte. Ich weiß dies genau, weil anschließend wieder Massengräber mit Leichen gefüllt wurden."[83] Ähnliche Berichte gibt es über Kriegsopfer aus anderen Städten, u. a. hat der auch nach dem Krieg hoch angesehene Psychiater

244 *Aus einem Schulbuch für Biologie, 1940: „Gesundes und krankes Erbgut!"*

Hans Bürger-Prinz unter Schock stehende Hamburger Bombenopfer in Vernichtungsanstalten verlegen lassen.[84] Ähnlich erging es schließlich auch Bewohnern von Altersheimen, wobei auch hierbei (wie bei der „Verlegung" aus Krankenhäusern) Umfang und genaue Auswahlkriterien noch nicht erforscht worden sind: „Die Oberpflegerin ... bekam im Juni 1944 einen Transport alter Mütterchen, die in Stettin ausgebombt waren. Es waren etwa 500 alte, abgeklapperte Frauen. Die ... mußte sie ... beseitigen."[85]
Nach dem Krieg liefen bei der Staatsanwaltschaft Berlin Fragen über den Verbleib vermißter Soldaten ein. So forschte eine Frau nach dem Verbleib ihres Mannes, von dem sie nur wußte, daß er aus einem Marinelazarett in die Tötungsanstalt Meseritz-Obrawalde verlegt worden war.[86] Hintergrund war ein Befehl vom Februar 1943: Über die Behandlung von „Soldaten mit hysterischen und psychogenen Reaktionen". Wenn die Behandlung im Lazarett nicht erfolgreich war, sollten sie in die Heilanstalten eingeliefert werden, d. h., sie wurden schließlich umgebracht.[87] Ebenso erging es „geisteskranken Ostarbeitern und Polen". Die Sammelstelle für ihren Abtransport in eine Tötungsanstalt war für Berlin die Heil- und Pflegeanstalt Landsberg/Warthe.[88]
Zwar gab es spezielle nur für die Ver-

nichtung bestimmte Anstalten. Aber an den Tötungsaktionen waren auch andere Häuser beteiligt, so in Berlin die Anstalt in Wittenau oder die oben erwähnte Kinderklinik in Frohnau.[89] Die Erforschung dieser beteiligten Anstalten steht erst am Anfang. Die Vernichtung sollte auch weiterhin intensiviert werden. Bis kurz vor Kriegsende wurden in mehreren Anstalten weitere Krematorien gebaut. Solche Maßnahmen leitete zentral die Medizinalverwaltung im Reichsinnenministerium. Die Ofentüren für die Verbrennungsanlage in Meseritz-Obrawalde entsprachen den Türen des Krematoriums in Majdanek. Sie waren alle von der Berliner Firma „Kori. Heizung und Lüftung" geliefert worden (damals Dennewitzstraße in Berlin-Schöneberg).[90]
Die Lager- und Anstaltsinsassen wurden während des Krieges zunehmend als Forschungsobjekte in die Arbeit der wissenschaftlichen Institute eingeschaltet. Der oben erwähnte Robert Ritter konnte seine Erforschung der „Unangepaßten" besonders an Sinti und Roma fortsetzen. Über seine Erfahrungen in den Ostgebieten berichtete er im März 1943 der DFG.[91] 1942 wurde der Leiter des Dahlemer Instituts für Anthropologie, Fischer, emeritiert. Nachfolger wurde Otto von Verschuer. Sein Assistent und wissenschaftlicher Gast in Dahlem, Josef Mengele, ging nach

Auschwitz; er arbeitete dort in der Zwillingsforschung („spezifische Eiweißkörper"). Finanziert wurde dieses Projekt von verschiedenen Institutionen, vor allem von der Deutschen Forschungsgemeinschaft. Der Antrag war im August und September 1943 von dem Mediziner Sauerbruch genehmigt worden. Mit dem Geld wurden u. a. die für das Labor in Auschwitz notwendigen Geräte angeschafft („Leihgabe der DFG").[92] Im März 1944 berichtete Verschuer an die Forschungsgemeinschaft: „Als Mitarbeiter in diesem Forschungszweig ist mein Assistent Dr. med. et Dr. phil. Mengele eingetreten. Er ist als Hauptsturmführer und Lagerarzt im Konzentrationslager Auschwitz eingesetzt. Mit Genehmigung des Reichsführers SS werden anthropologische Untersuchungen an den verschiedensten Rassengruppen dieses Konzentrationslagers durchgeführt und die Blutproben zur Bearbeitung an mein Laboratorium geschickt."[93] (Die Zusammenarbeit mit dem „Reichsführer" ergab sich schon daraus, daß das Institut mit „Rassegutachten" beauftragt war.) 1944 wurden auch andere Materialien nach Dahlem geschickt: Augen, innere Organe, Skelette etc.[94] Mengeles jüdischer Zwangsassistent in Auschwitz schrieb: „Die (Organe), die das Institut für Anthropologie in Berlin-Dahlem interessieren konnten, wurden in Alkohol fixiert. Diese Teile wurden besonders verpackt, um durch die Post verschickt zu werden ... Die Direktoren des Berlin-Dahlemer Instituts dankten immer herzlich Dr. Mengele für dies seltene und kostbare Material."[95] Aus Berlin kamen außerdem Instruktionen für die weitere Arbeit.[96] Mengele reiste selbst mehrmals nach Berlin, um über seine Forschungen im Institut zu berichten. (Mengele zu Frau Verschuer bei einem Essen in

schiedene Lehrstellen und Berufe probiert. Sie zeigt sich bald als oberflächlich, putzsüchtig, geschminkt, arbeitsscheu, schnippisch und wurde ein ausgesprochen dirnenhafter Typ. Sie lebte zeitweilig von häufig wechselndem Geschlechtsverkehr ... wurde auch einmal wegen Diebstahl ... mit Gefängnis bestraft. Nach dem Urteil des Psychiaters im Pflegeamt verbirgt sich hinter ihrem auftrumpfenden Wesen ein erheblicher

Nichterscheinen seiner Mutter entschuldigte. Er hat ½ Jahr die Hilfsschule besucht, hat aber dann in der Normalschule angeblich die 1. Klasse besucht. Die Intelligenzprüfung konnte aber nicht ganz durchgeführt werden, da er angeblich keine Zeit hatte und seinen Dienst bei der Post antreten mußte. Er versprach, an einem der nächsten Tage wiederzukommen, ist aber trotz mehrfacher Vorladung bisher nicht erschienen. Er zeigte einen deutlichen Intelligenzdefekt ... Nach telefonischer Auskunft bei seinem Sturmarzt (HJ) ... hat er auch dort einen minderwertigen Eindruck gemacht. Da sich X bisher jeder weiteren Untersuchung entzogen hat und ein erheblicher Verdacht von Schwachsinn besteht, erblich belastet durch die Mutter, die wegen Schizophrenie in der Anstalt gewesen ist, halte ich die Anzeige zwecks Sterilisierung für notwendig."[100]

245 *Schüler und Lehrer der NAPOLA in Potsdam bei einem Härte-Test, 1937*

Hier genügten bereits Schwierigkeiten in der Schule, ein begonnener Intelligenztest und wohl auch die Weigerung, sich den Anordnungen des Arztes zu fügen, um ein Verfahren in Gang zu bringen. Daraus konnte leicht eine Hinrichtung werden. Die zur Zwangssterilisation Verurteilten wurden nicht gerade sorgfältig „behandelt". Allein in den Jahren 1934 und 1935 starben etwa 400 Menschen nach dem „Eingriff".[101] Es gab keine besonderen Sterilisationskliniken. Eingeliefert wurde vor allem nach regionalen Gesichtspunkten. So wurden die meisten Zwangssterilisierungen in Berlin-Wilmersdorf im dortigen Achenbach-Krankenhaus durchgeführt.[102] Wie das zitierte Beispiel zeigt, genügte schon ein angenommener „Intelligenzdefekt". Aus solchen schnellen Verfahren ergab sich ein Widerspruch, denn in der Produktion wurden immer mehr Arbeitskräfte gebraucht (der oben erwähnte Jugendliche war ja auch arbeitswillig), die möglichst geschont werden mußten. Zudem verstand sich der nationalsozialistische Staat insgesamt als Erziehungsanstalt, in der nicht nur vernichtet, sondern das Volk allererst formiert werden sollte. Medizinischer, produktionstechnischer und pädagogischer Blick sehen an dieser Stelle verschiedene Schwerpunkte. An der Hilfsschule kann beispielhaft gezeigt werden, wie versucht wurde, diesen Widerspruch zu lösen.

Berlin auf ihre Frage, ob es schwer sei, „was er tun müsse": „Es ist grauenhaft, ich kann nicht darüber sprechen."[97])
Die Bestände des Instituts wurden erst im Februar/März 1945 aufgelöst. Verschuer ließ alle belastenden Akten vernichten, das übrige Inventar wurde in den Westen verlegt.[98] Nur Verschuers Mitarbeiter Hans Nachtsheim blieb in Berlin und leitete das Institut zunächst weiter. Nachtsheim wurde später Professor für allgemeine Biologie und Genetik an der Freien Universität Berlin und Leiter eines Instituts für vergleichende Erbbiologie und Erbpathologie. Verschuer war seit 1953 Ordinarius in Münster und Leiter eines Instituts für Humangenetik.

Pädagogische Aufgaben: Die Schüler sind frei und angepaßt

„Nach dem Bericht des Pflegerats in Schöneberg hat sie mindestens 11 ver-

intellektueller Schwachsinn ... eine völlige Unernsthaftigkeit in bezug auf jede Arbeit und sonstige Pflichten."[99]
Aufgrund dieser Diagnose beschließt das Erbgesundheitsgericht die „Unfruchtbarmachung" einer 27jährigen Frau aus Berlin-Wilmersdorf. Es kam schließlich nicht mehr dazu: Sie war bereits in das KZ Ravensbrück eingeliefert worden, denn sie war nicht nur arbeitsscheu, sondern auch noch Jüdin. Darauf bezog sich die Argumentation der Justiz aber nicht. Es ging ihr, und der Pflegestelle in Berlin-Schöneberg, um die Bekämpfung unangepaßten Lebens. Wie genau dabei beobachtet wurde und wie schnell man dieser Sozialhygiene ausgeliefert war, zeigt ein anderes Beispiel, – aus dem Bericht des städtischen Vertrauensarztes von Berlin-Wilmersdorf über einen Jugendlichen: „Wie aus den Akten ersichtlich ist, habe ich X zufällig hier untersucht, als er das

246 *Ästhetik der Auslese: Fechtlehrer und Schüler der NAPOLA in Potsdam beim Fechtunterricht, 1937*

Der oben erwähnte Jugendliche hatte zuerst die Hilfsschule besucht. Auch in vielen anderen Urteilen reichte dies bereits als Verdachtsmoment. Nach der „Machtergreifung" war zunächst gegen die Hilfsschule argumentiert worden. Sie verursache zu hohe Kosten. Die Pädagogen sahen sich in ihrer Existenz bedroht. Sie mußten sich anpassen und ihre Institution modernisieren: nicht als Hilfsschule, sondern als besonderes Institut im allgemeinen Auslese- und Ausmerzungszusammenhang, orientiert an den Forderungen der Produktion. Leistungsanpassung der Schüler, Beobachtungsstation für Sterilisierungskampagnen und Ausgrenzung der „Unbeschulbaren": Dabei konnte der Hilfsschullehrer die Volksschule entlasten. 1933 schloß sich der Verband der Hilfsschullehrer dem Nationalsozialistischen Lehrerbund an. Der Übergang war allerdings leicht. Der Berliner Hilfsschulleh-

rer Gustav Lesemann war bereits vor 1933 Nationalsozialist und damals bereits Vorsitzender des Verbandes gewesen[103] (auch nach 1945 ein einflußreicher Pädagoge, nach dem eine Berliner Sonderschule benannt wurde). Nach anfänglichem Sinken stieg die Schülerzahl langsam wieder an. Die Hilfsschullehrer waren jetzt verpflichtet, „erbbiologische Erhebungen" anzustellen, „Charakterwerte" zu ermitteln etc.[104] Die Berufsziele der erziehbaren Schüler wurden zunächst auf Hilfsarbeiter und ähnliche Tätigkeiten eingeschränkt. Erst ab 1936 wurde auch für die Hilfsschulen eine höhere Qualifikation gefordert (gleichzeitig weniger Sterilisationsverfahren, etwa ab 1938). „Hilfsschulbedürftig" hieß jetzt nicht mehr vorschnell „schwachsinnig". In einer Schrift Seelerts, Psychologe in Berlin-Buch, wird 1936 gefordert, auch die Fortpflanzung erblich Belasteter zuzu-

lassen, wenn sie „sich als brauchbare Mitglieder der Volksgemeinschaft" erwiesen haben. Denn man brauche „zuverlässige und treue Arbeitskräfte für Arbeiten einfacher Art".[105] Der Begriff „Schwachsinn" wurde jetzt auf diejenigen beschränkt, die für den Produktionsprozeß nicht brauchbar waren (Begriff des „moralischen Schwachsinns"). 1937 wurde in der Charité eine 22jährige Frau sterilisiert (vorbestraft wegen „Eigentumsdelikten") mit der Begründung: „deutliches Versagen auf ethischen und sozialen Gebieten … Neigung, sich in ihrer Handlungsweise durch triebhafte Regungen beherrschen zu lassen … nicht in der Lage, sich als brauchbares Mitglied dem Volksganzen einzufügen."[106]

Die Intelligenzprüfung war durch solche Anpassungsforderungen normiert. Ein entscheidender Prüfungspunkt: „Sittliche Allgemeinvorstellungen" („Warum und für wen spart man?", „Verhalten bei der Untersuchung ... Zugänglichkeit").[107] Mit dieser Funktionszuweisung für die Hilfsschule vermehrte sich die Zahl der Volksschüler, die an die Hilfsschule überwiesen werden. Seit 1938 hieß die Hilfsschule auch „Sonderschule", – ein präziser Begriff: Es ging vor allem um Aussonderung. (Der Begriff „Sonderschule" zuerst im Reichsschulpflichtgesetz, Juli 1938). Aus einer Anordnung zum Hilfsschulwesen (1938): „Sie erzieht die ihr überwiesenen Kinder in besonderen, den Kräften und Anlagen der Kinder angepaßten Verfahren, damit sie sich später als brauchbare Glieder der Volksgemeinschaft selbständig oder unter leichter Führung betätigen können." Es ist darauf zu achten, daß die „Kinder, die für die Volksschule ungeeignet erscheinen, möglichst frühzeitig der Hilfsschule ... überwiesen werden". Hierbei sollen die Lehrer in Zusammenarbeit mit den Amtsärzten entscheiden. Neben dem allgemeinen Verhalten, Erreichung der Klassenziele etc. ist das „Intelligenzmeßverfahren" für die Auswahl entscheidend.[108]

Lesemann (s. o.) hatte schon 1933 gefordert, die in der Hilfsschule „Unerziehbaren" auszusondern.[109] An dieser Stelle, der Pädagoge sieht seine Erfolglosigkeit, übergibt er den Schüler dem Arzt. Hier berühren sich Sonderschule und Euthanasie: Die „Unbeschulbaren" wurden zumeist asyliert und gerieten damit in den Bereich der Tötungsaktionen. Der Versetzungs- und Notenmechanismus der Schule wurde damit erweitert: nach oben bis zum Aufstieg in die nationalsozialistischen Eliteschulen, nach unten bis in die Krematorien der Irrenanstalten (jeweils regulierbar nach dem Arbeitskräftebedarf). In einem Referat auf einer Tagung der Fachschaft der Hilfsschullehrer wird ausgesprochen, daß die Lehrer ihre Funktion begriffen haben: „Die fachschaftliche Arbeit ist im Begriff, sie in immer stärkerem Maße als Auslese- und Ausmerzungsinstitute der Volksgesundheit dienstbar zu machen."[110]

In den Erbgesundheitsakten des Gesundheitsamtes Berlin-Wilmersdorf ist nachzulesen, daß es bei diesen „Todesurteilen" um die weitere Vernichtung unangepaßter Bevölkerungsgruppen ging, wobei die Hilfsschule auch weiterhin ein Kennzeichen des „Milieus"

blieb. Über die Einweisung einer 17jährigen in eine der Todesanstalten aus dem Jahre 1940 (die Jugendliche starb dort 1943): Sie ist „im Haushalt der Mutter nicht als sicher behütet anzusehen. Diese Mutter ist selbst sehr schußlich, ist berufstätig, völlig erziehungsunfähig. Der Vater ist Trinker. Zwei jüngere Brüder besuchen die Hilfsschule. X ist sich viel selbst überlassen, steht oft allein auf der Straße herum, dann in sehr auffallend zurechgemachtem Zustand – unmögliche Frisur und dergleichen mehr – redet alle Leute an. Sie fällt sehr unangenehm auf."[111] Sterilisierung reichte oft nicht aus: Bei „dirnenhafter" Einstellung führe gerade dies zu „unbesorgter" Sexualität und zur Prostitution. Deshalb wurde zusätzlich zur Sterilisation besonders bei Frauen die Einweisung in eine Anstalt empfohlen. Dies allerdings widersprach wiederum dem Arbeitskräftebedarf. Ein Ausweg wurde versucht: In Berlin bestand seit 1941 eine der zentralen Vermittlungsstellen, die Ehen zwischen Sterilisierten vermittelte.

Mit der Ausweitung zum totalen Krieg wird die Arbeitskraft der Hilfsschüler noch wichtiger werden. In den Richtlinien für die Hilfsschulen aus dem Jahre 1942 (die aber kaum mehr realisiert werden konnten), werden die Ausleseverpflichtungen beibehalten (Gutachten der Lehrer über die Schüler etc.), aber die Hilfsschule wird zu einem Mittel erklärt, zumindest versuchsweise das „Milieu" umzuerziehen. Die Hilfsschule soll daran arbeiten, „Willensschwäche, vermindertes Selbstbewußtsein, mangelndes Empfinden und egoistische Einstellung, Triebhaftigkeit und Negativismus zu beseitigen". Die Mittel: „Weckung des Selbstvertrauens, der Arbeitsfreudigkeit, des Frohsinns und ein besonderes Vertrauensverhältnis zwischen Schüler und Lehrer, das sich auch auf das Elternhaus erstreckt (Elternbesuche, Elternabende usw.)."[112] Diese Richtlinien überdauern den Krieg, sie bleiben nach 1945 Grundlage für die Arbeit der Hilfsschulen.

Die Abgrenzung und Ausmerze der Unangepaßten standen im Widerspruch zu den Forderungen der Produktion nach mehr Arbeitskräften. In dieser negativen Sozialisierung gelang es zwar, große Teile des bisher unangepaßten „Milieus" zu vernichten, ein umfassen-

des Kontroll- und Beobachtungsnetz aufzubauen und vor allem auch vor jeder Verweigerung abzuschrecken. Eine positive Motivation zur Leistungssteigerung war damit aber nicht gegeben. Auf die DAF und die Motivation über einen die Gesellschaft atomisierenden Konsumalltag habe ich hingewiesen. Der Anspruch der Nationalsozialisten, eine leistungsfähige Volksgemeinschaft ohne Abschreckung und materielle Motivation zu erreichen, wurde damit nicht erfüllt. Z. B. entsprach die gleich nach der „Machtergreifung" wiedereingeführte Prügelstrafe in den Schulen keineswegs nationalsozialistischen Vorstellungen. Sie bedeutete eher ein Zugeständnis an die Wünsche traditioneller Lehrer (also an die „Reaktion"). Diese Strafe war zwar ein Instrument gegen die Unangepaßten, sie war ein Mittel der „Ausnahme", sollte aber nicht zum Regelalltag der Leistungsfähigen und vor allem auch -willigen gehören.

Am 10. Mai 1933 marschierte der neue Berliner Ordinarius für politische Pädagogik, Alfred Baeumler, „im Licht der Fackeln", an der Spitze eines Zuges von Studenten von der Universität zum Opernplatz. Mit sich führten sie auf mehreren Wagen Bücher „des undeutschen Geistes", die dann auf dem Platz verbrannt wurden. Baeumler hatte vor dieser Aktion seine Antrittsvorlesung gehalten. In ihr begründete er die notwendige „geistige ... und soziale Revolution", nachdem nun die „politische Revolution fast vollendet" sei. Ein entscheidender Begriff in dieser Rede war der des „Typus". Baeumler fordert den „soldatischen Typus", den er vom bloß Gebildeten und dem Individualisten unterscheidet: „Das Moralische versteht sich immer von selbst." Eine bloß passive Haltung reiche aber nicht aus. In der „Philosophie" des preußischen Generalstabs dagegen sei eine Erziehung entworfen worden, die den ganzen Menschen fordert, – seine Aktivität innerhalb der jeweiligen Wirklichkeit, vor allem innerhalb eines Ganzen: „Der Vielseitigkeit setzen wir Geschlossenheit gegenüber, der Harmonie die Kraft, der Feinheit die Schlichtheit, der komplizierten Innerlichkeit die Sicherheit der Haltung."[113] Der „soldatische Typus" handelt selbständig im Rahmen des Vorgebenen. Er ist deshalb auch nur möglich, wenn der staatliche und gesell-

247 Formiert in die Zukunft

schaftliche Rahmen für ihn paßt. Erst dann kann er eine Aktivität beginnen, die von oben strukturiert gleichwohl sich selbst bestimmt (gerade über die Anerkennung der Struktur).

Für den Nationalsozialismus steht diese Struktur unter dem Motto „Jedes Volk hat den Auftrag, die Welt in seinem Kreise von sich aus neu zu organisieren." Baeumler kritisiert damit eine Allgemeinheit, die das Besondere nicht mehr wahrnimmt. Aber indem er das „Volk" zum entscheidenen Besonderen erklärt, konstituiert er eine neue Anpassungswirklichkeit: Die „Volksgemein-

schaft" ist ein pädagogischer Begriff, mit dessen Hilfe „seelenlose" Allgemeinheit, die Herrschaft bloßer Technologie kritisiert werden können (damit werden Zivilisations- und Technologiekritik der 20er Jahre aufgenommen), aber nur, um zugleich über diesen Widerstand angepaßtes Handeln zu fordern. Modernisierung kann so durchgesetzt und gleichzeitig die Kritik an der Modernisierung integriert werden. Es würde hier zu weit reichen, die anfängliche Aufnahme und die anschließende Ablehnung lebensreformerischer oder volksmedizinischer Bewegungen nach-

zuzeichnen. Sie verliefen immer nach diesem Muster. Damit wurde es auch möglich, daß die SS zugleich germanische Mythologie und hochtechnisierte Überwachung organisierte und schließlich gegen Kriegsende die fortgeschrittensten Produktionsanlagen baute. Zum Schluß seiner Rede faßte Baeumler die besondere Form der Freiheit innerhalb des Ganzen zusammen: „Wir stellen es dem Einzelnen nicht frei, die Symbole anzugreifen und zu verwerfen, in denen sich unsere Einigkeit offenbart. Sie ziehen jetzt hinaus, um Bücher zu verbrennen, in denen ein fremder Geist sich des deutschen Wort bedient hat ... Es ist unsere Aufgabe, den deutschen Geist in uns so mächtig werden zu lassen, daß sich solche Stoffe nicht mehr ansammeln können. Wir dürfen nicht auf Verbote bauen ... Die deutsche Universität ... hat ihre eigene Beziehung zum Ganzen. Politik und Geist sind vereinigt in den Symbolen, aber getrennt in den Organen. In der Deutung der Symbole sind wir frei."[114]

1940 hat Baeumler in einem Aufsatz („Der Weg zur Leistung") noch deutlicher die modernisierende Funktion des „Typus" beschrieben, der mit bloßem Gehorsam gerade nicht das Ziel erreicht, „sachgerecht" zu handeln: „Die Schule erzieht nicht zu einzelnen, vorgeschriebenen Leistungen, sondern vielmehr dazu, daß mit gegebenen Voraussetzungen Leistungen überhaupt vollbracht werden können. Was man in einer guten Schule lernt, ist nicht ein bestimmtes Handeln, sondern das Handelnkönnen."[115] Die „selbständige Tätigkeit" wird in einer Passage seines Aufsatzes „Die deutsche Schule in Gegenwart und Zukunft" (1941) gerade zum Kriterium der Auslese: Das „Prinzip der Selbsttätigkeit hat durch die Rassetheorie einen neuen Sinn bekommen. Wir wissen heute, daß es ein Zeichen guter Rasse ist, von innen heraus, spontan, aus eigener Neigung und zu eigener Lust zu gestalten und planmäßig zu handeln ... Schöpfende Kraft will gebildet, angeregt und geführt sein, sie will nicht abgerichtet und zu speziellen Leistungen gepreßt werden. Auch die spezialisierteste Leistung darf nicht aus einem mechanisierten Gemüt hervorgehen, sondern muß die Fähigkeit, etwas selbständig und neu zu beginnen, in der Seele des Arbeiters zum Hintergrund haben."[116]

Innerhalb der bestehenden Klassenverhältnisse war eine solche integrierende Pädgogik nicht unmittelbar durchzuführen. Hier liegt die pädagogische Funktion der Hitlerjugend. Grundpfeiler in ihr sind die verschiedenen Gruppen (Schar usw.), die miteinander konkurrieren innerhalb des vorgegebenen Rahmens: eine innerhalb der Gesamtformation selbständige Leistung. Für eine solche Pädagogik waren auch die traditionell ausgebildeten Lehrer nur schwer zu erreichen, – viele Lehrer waren auch deshalb Nationalsozialisten geworden, weil sie traditionelle Ordnungsbegriffe durchsetzen wollten. Auch deshalb wurden die Lehrer jetzt verpflichtet, an Schulungslagern teilzunehmen. Das Lager wurde in Gruppen formiert, in denen die Bildungsunterschiede der Lehrerkategorien unwichtig waren: Entscheidend war die gemeinsam erbrachte Leistung der Gruppe. Trotzdem blieben Konflikte zwischen HJ (seit 1936 „Staatsjugend") und Schule. In der HJ wurde die Übernahme von Aufgaben gefordert. Hier mußte gehorcht, konnte aber gleichzeitig auf den verschiedenen Ebenen auch geführt werden. In der Schule dagegen wurde vor allem traditionelle Autorität ausgeübt. Der formierten Selbsttätigkeit entsprach in der HJ die Parole „Jugend führt Jugend". Konflikte mit der Schule wurden als eher leistungsfördernd angesehen. An bestimmten Tagen fielen Unterricht oder Hausaufgaben zugunsten der HJ aus. Die Schüler konnten in diesem Sinne selbstbestimmt auf Fahrt gehen, 1937 haben etwa 29 000 Berliner Kinder und Jugendliche an Sommerlagern teilgenommen.[117] In besonderen Einheiten wurden technische Grundkurse durchgeführt, der Sport war bevorzugtes pädagogisches Mittel, gestellte Aufgaben müssen hier innerhalb eines vorgegebenen Bewertungsschemas gelöst werden. Im jährlichen „Reichsberufswettkampf" wird dieser Zusammenhang auf die geforderte Arbeit übertragen. Hier wurden in den verschiedenen Berufen die jeweiligen Sieger ermittelt, nach normierter Überprüfung der jeweiligen Leistung.

Die nationalsozialistische Pädagogik zielte auf eine Formierung, die aber als Befreiung von Zwang erfahren werden sollte. Damit knüpft diese Pädagogik gerade nicht an der autoritären Schule

der Kaiserzeit (oder gar an der Pädagogik der Kadettenanstalten) an, sondern eher an Vorstellungen aus der preußischen Reformzeit. In ihr war das Unterordnungsystem der friderizianischen Armee kritisiert worden, das zur Niederlage gegen die „selbstbestimmten" Heere Napoleons beigetragen hatte. Die Selbsttätigkeit innerhalb des Ganzen wurde gefordert, wobei die Reformen in Preußen von oben durchgesetzt wurden: eine nachholende etatistische Revolution. In der Phase der Vorbereitungen für einen imperialistischen Krieg fallen die humanistischen Begründungen fort, aber wieder soll Befreiung erfahren werden, um dadurch das Ganze zu legitimieren. (Das „Ganze" wird wiederum durch die Produktionsanforderungen bestimmt.) Die Schule, und auch das „Elternhaus", gaben für die HJ Gegner ab, gegen die diese Befreiung erlebt werden konnte, um damit schließlich die gesellschaftliche Hierarchie zu bestätigen (der Reichsjugendführer lobte öffentlich solidarische Klassengemeinschaften, auch wenn sie sich mit Lügen gegen ihre Lehrer verteidigten, – die Rede wurde von den Lehrern angegriffen[118]). Integration konnte so als Widerstand erfahren werden (eine ähnliche Bedeutung hatte die DAF in sozialpolitischen Konflikten mit Betriebsführern).

Die bisherigen Intellektuellen wurden von den Nationalsozialisten kritisiert, weil ihr Wissen nicht integrierte. Ihr Wissen bedeutete Widerspruch oder zumindest die Errichtung von Bildungsschranken gegen die „Volksgemeinschaft". Der nationalsozialistische Intellektuelle wußte nicht nur, er handelte, und vor allem führte er. Hier liegt auch ein Grund, warum in keiner Phase der deutschen Geschichte eine so junge, mobile und an Produktion und Technik interessierte Elite geherrscht hat. In diesem Sinne gehört gerade die Waffen-SS in die Geschichte dieser Modernisierung.

Ideale der Waffen-SS waren der Einzelkämpfer, der Stoßtruppführer und der deutsche Ingenieur. Der von Baeumler geforderte „soldatische Typus" wurde hier verwirklicht (und damit auch der von Ernst Jünger analysierte „Arbeiter" der Zukunft). Die Waffen-SS entstand aus einem Protest gegen die „reaktionäre" Reichswehr, sie wollte aus den

negativen Erfahrungen des Ersten Weltkrieges lernen. Der Kasernenhofdrill wurde abgeschafft, bei Beförderungen zählte nicht die soziale Herkunft (auch nicht die Schulbildung), sondern nur die erbrachte Leistung, das äußere „Gepränge" wurde zurückgedrängt gegenüber der kämpferischen Funktionalität (die Kampfanzüge der SS wurden zum Vorbild aller späteren Armeen). Aus dieser Funktionalität folgte auch, daß die Waffen-SS zur europäischen Armee wurde: Es gab Einheiten aus fast allen besetzten Gebieten (aber auch Soldaten aus der Schweiz oder aus Schweden), sogar slawische SS-Truppen. Ausländer stellten schließlich sogar die Mehrheit der Waffen-SS.

Selbst-beherrschte Körper

Das Ziel der Nationalsozialisten war kein beherrschter, sondern ein selbst-beherrschter und deshalb beherrschender Körper. Nach dem Abschluß der Olympischen Spiele von 1936 erschien ein zweibändiges grundlegendes Werk über das nationalsozialistische Verhältnis zum Körper („Sport und Staat"). Hier veröffentlichte Baeumler einen Aufsatz über politische Leibeserziehung („Mannschaft und Leistung"), in dem er die Aufgaben des nationalsozialistischen Reichsbundes für Leibeserziehungen behandelt. Er unterscheidet zwischen den bisherigen Staatsbürgern und den jetzigen Volksbürgern. Für die Staatsbürger war der Körper unwichtig, er wurde vor allem juristisch definiert, für den Volksbürger wird dagegen Leistung innerhalb der Volksgemeinschaft zum entscheidenden Kriterium. Der „Leib" wird deshalb politisch. Seine Erziehung ist zentriert um Willen und Mut. Es geht nicht um bloße „Bewegungsfähigkeit" oder „Hygiene": „Unmittelbar darf jede Leibesübung nur der Aufgabe entspringen, sich durch den Leib und seine Kräfte hindurch zum Herrn des umgebenden Raumes zu machen ... es kommt darauf an, etwas zu überwinden."[119]

Hier werden darwinistische Motive aufgenommen, wie sie in der Rassenlehre weiterwirken, aber vor allem Ansprüche aufgestellt, sich zu formieren, und jeweils von sich selber, über die Anordnung hinaus, das „Äußerste" zu verlangen. Dabei wird, wie in der HJ die jeweilige Gruppe, im Sport die jeweilige

Mannschaft, zum vorbildlichen Träger der Leistung. In ihr werden gleichzeitig Formierung und jeweilige Beanspruchung des einzelnen eingeübt. Die höchste Form der Mannschaft aber ist die Nation: „Nur von den Nationen aus wird Olympia sichtbar."[120]

In diesem Zusammenhang stehen die Jahn-Ehrungen der Nationalsozialisten. Die Turngeräte gelten als Widerstand, der zu überwinden ist, vor allem bei Übungen, die Mut erfordern. Zugleich steht Jahn für einen „nationalen Aufbruch" aus einer bloß bevormundenden reaktionären Enge, die den Zusammenhang zwischen Formierung und Selbstbeherrschung noch nicht verstanden hatte (vgl. Bd. I, S. 41f.). Deshalb wird auch die besiegte deutsche Olympiastaffel geehrt: „Die letzte Läuferin brach zusammen, weil sie wußte, ihr Vaterland hat durch sie eine Schlacht verloren."[121] Die Verliererin hatte die Ziele der Formierung zu ihrer eigenen Sache gemacht. Im Jahr der Olympiade werden die Nationalsozialisten auf dem ersten Turnplatz Jahns in der Neuköllner Hasenheide einen Ehrenhain einweihen.

Die preußischen Reformer wollten den friderizianischen Offizier überwinden, der hinter den geschlossenen Reihen die Soldaten in die Schlacht zwingen mußte. Die französischen Revolutionstruppen handelten selbst-beherrscht und konnten deshalb in weit auseinandergezogenen Linien kämpfen. Der nationalsozialistische Versuch, diese Entwicklung nachzuholen, richtete sich gegen bloße Autorität (der „Reaktion") und gegen unangepaßte Bevölkerungsgruppen sowie nicht leistungswillige oder -fähige einzelne. Beides war auch in der Französischen Revolution zu finden. In Deutschland wurde die allgemeine Anpassung an die gesetzten Normen erreicht, aber nicht die „totale Mobilisierung". Die Integration in den Produktionsprozeß gelang, aber sie führte doch eher zu einer allgemeinen Passivierung: Das jeweils Geforderte wurde zwar ge-

tan, der Konsumalltag blieb aber doch stärker als die nationalsozialistische Pädagogik. Die Jugendkriminalität erreichte im Krieg niemals die Zahlen wie etwa im Ersten Weltkrieg, aber sie stieg doch deutlich an (in Berlin zwischen 1939 und 1940 sogar um 142%)[122]. Die unangepaßten Bevölkerungsgruppen waren vernichtet, aber der „Gruppenwiderstand" der HJ richtete sich gegen sie selbst: Die „Cliquen" und „Emeuten" der Jugendlichen konnten nur mit verstärkter Überwachung bekämpft werden. Kein Volk „stand auf". Der Krieg verlief im Muster der Staatsfeste: Auf den Parteitagen wurden die Massen nicht mobilisiert, sondern geordnet und sich selber vorgeführt. Sie schauten ihrer eigenen Formierung zu. Aber mit dieser Passivierung war die Möglichkeit einer Entwicklung offen, die auch führende Nationalsozialisten wahrnahmen. Ein Beispiel ist Reinhard Höhn. Er war zwischen 1935 und 1945 Direktor des Instituts für Staatsforschung in Berlin gewesen. In den letzten Kriegsmonaten wurde er noch zum Generalleutnant der Waffen-SS befördert. Nach dem Krieg wird er Leiter der Akademie für Führungskräfte der Wirtschaft in Bad Harzburg. Nach der Passivierungsleistung und den Vernichtungskampagnen kann die Volksgemeinschaft durch „sozialen Frieden" und „Sozialpartnerschaft" ersetzt werden.

Die Engländer und Amerikaner hatten sich eine Demoralisierung durch ihre Bombenangriffe erhofft. Sie hatten nicht den erreichten Integrationsgrad der deutschen Gesellschaft berücksichtigt. Auch 1944 und in den letzten Kriegsmonaten lief die Rüstungsproduktion in Berlin „reibungslos" weiter. Die SA hatte bereits besondere Einsatzgruppen gebildet, um Unruhen in den Betrieben der Stadt zu bekämpfen. Dies erwies sich als überflüssig. Goebbels notierte im November 1943 erstaunt in sein Tagebuch: „Das ist einmal der röteste Wedding gewesen. Ich werde nur geduzt ... Frauen umarmen mich ... Ich

kann es kaum glauben, daß diese Stadt im November 1918 eine Revolution gemacht hat."[123]

Auch nach den Bombenangriffen wurde der Konsumalltag der Stadt möglichst ungestört fortgesetzt: Theater, Eisstadion, Waldläufe und Fußballspiele. Eine breitere Desintegration begann erst mit der Schließung der jeweiligen Institutionen und Betriebe: Nach der Schließung von Schulen wird über herumtreibende Jugend auf den Straßen geklagt. Im März 1945 müssen auch Berliner Betriebe ihre Produktion einstellen. Aus einem Bericht der Wehrmacht vom Ende März 1945: „Mit dem Verlust der Arbeitsstätte ... schwindet jedoch alle Hoffnung."[124] Der entscheidende Bezugspunkt für den industrialisierten Menschen war damit verloren, und an eine Revolution kann er nicht mehr denken. Aber im Juli 1945 arbeiteten bereits wieder 600 Fabriken. Und Ende Mai 1945 waren bereits wieder 29% des Berliner U-Bahnnetzes in Betrieb.[125]

Die eingangs erwähnten 5000 Hitlerjungen an den Pichelsdorfer Brücken gehörten zur Minderheit, bei denen es gelungen war, daß sie nicht nur funktionierten, sondern die nationalsozialistische Formierung für ihre eigene Sache hielten. Ein Augenzeuge berichtet von den letzten Kriegstagen in Kreuzberg: „Wir wohnten damals in Kreuzberg in der kleinen Gasse eines ausgesprochenen Proletarierkiezes. Im Vorderhaus war ein Kaufmannsladen, dessen Besitzer einen Sohn hatte, den wir ‚Fitti' nannten. Seine Eltern waren ganz unglücklich darüber, daß er ein ganz gläubiger Hitlerjunge war, so nach dem Vorbild des Hitlerjungen Quex. Der wollte unbedingt noch sein Leben für den Führer in die Schanze werfen. Als die Stalinorgeln schon am Schlesischen Tor standen, nahm der sein Fahrrad und verschwand mit den Worten: ‚Ich hab meinem Führer die Treue geschworen, und die halte ich jetzt.' Er war 16 Jahre alt, und er wurde nie wieder gesehen."[126]

Wolfgang Dreßen

Metropole verinselt

Die Amerikanisierung Preußens

Berlin als Metropole ist mit der bürgerlichen Öffentlichkeit untergegangen. Aus der Betonlandschaft und den mit Buden bestückten freien Flächen ragen zuweilen mächtige, aus Granit gebaute Geschäftshäuser, doch das Leben hat sich von ihnen zurückgezogen, denn „wo die gleichen Artikel gekauft und dieselben Stücke besichtigt werden, hat der Boulevard sein Recht verloren, und die Filmtheater machen mit Grund den Ladenketten Platz."[1] Daß dieser Verlust des städtischen Lebensgefühls in Berlin besonders ins Auge fällt, liegt nicht nur an der gesellschaftlichen Einebnung und der politisch erzwungenen Insellage; die Metropole war nur in den wenigen Jahren der Weimarer Republik zum öffentlichen Schauplatz geworden und zeigte auch nach der Reichsgründung die Neigung einer „Kolonistenstadt", unter dem Druck des wirtschaftlichen Vorwärtsdrängens tatsächliche Konflikte zu bemänteln und sich von Außengruppen abzuschließen. Der Franzose Jules Huret beobachtete 1906 in Berlin „eine merkwürdige Vorliebe für die Fassade, den Schein."[2] Die auf Sand rasch hochgezogenen Mietshäuser waren wie für den Abriß gebaut, Huret glaubte, „in Amerika zu sein, zu einer Zeit, da eben eine neue Stadt gegründet werden soll" (27), wie dort erfuhr der „Mangel an Qualität, an Geschmack" und an Interesse für Proportionen (18) durch einen ausgesprochenen „praktischen Sinn" einen Ausgleich (236). Wiederholt zeigte sich der Besucher vom energischen Vorgehen der Polizei und Sanitätsdienste beeindruckt (23, 210 f, 244 f); Slums fehlten; die Straßen – auch in den Arbeitervierteln – wirkten sauber, die Menschen reinlich gekleidet, doch Sicherheit vor kriminellen Banden und Hygiene waren durch eine freiwillige Unterwerfung erkauft (245). Autorität trat im Straßenbild mit einer Fülle „ungeschlachter" Monumente des Kaiserhauses und Uniformen in Erscheinung (10 f), selbst in Bezirken „mit durchwegs sozialistischer Einwohnerschaft" lösten vorbeiziehende Regimenter „strahlende Gesichter" aus (8). Trotz seiner „abstrakten Militärgeometrie" behielt Berlin etwas Provisorisches und wirkte – neben Hamburg – als die „amerikanisierteste Stadt Europas"[3], in der man sich „unhöflich" gab[4], auf Eleganz verzichtete und auch im Alltagsleben begann, „amerikanische Gewohnheiten" nachzuahmen.[5]

Das märkische Preußentum schien seine Herkunft auslöschen zu wollen und baute in die schnell wachsende Metropole die modernsten Verkehrsmittel Europas ein (Stadtbahn 1882, Elektrische Hoch- und Untergrundbahn 1902). Gleichzeitig hatten Großfirmen der Maschinenbau- und Elektroindustrie Herstellungsverfahren zur Massenproduktion aus Nordamerika übernommen. 1888 konnte Emil Rathenau feststellen, daß sogar in den Vereinigten Staaten die Elektrifizierung noch nicht soweit wie in Berlin fortgeschritten sei, geschweige denn im übrigen Europa, wo „der Wille des Parlaments die Errichtung elektrischer Zentralstationen" erschwere.[6] Die aus USA eingeführten Rationalisierungsmaßnahmen gingen mit preußischen Nützlichkeits- und Ordnungsdenken eine eigentümliche Verschmelzung ein; man fühlte sich durch die Organisation den Engländern überlegen, versuchte im Aufbau von Kartellen die Exaktheit der preußischen Armee zu kopieren und rühmte – wie Walther Rathenau gegenüber Wilhelm II. – das „einheitliche Durchdenken" der „ganzen Sache".[7] Da vor allem auch amerikanische Unternehmen aus der Gebrauchsgüter- und Nahrungsmittelindustrie im Deutschen Reich Produktionsanlagen errichteten, waren einheimische Firmen gezwungen, sich der US-Konkurrenz auf dem Binnenmarkt zu stellen und früher als andere europäische Betriebe ihre Absatzwirtschaft zu imitieren. 1895 verfügte die Nähmaschinenfabrik Singer & Co. im Kaiserreich über 192 Niederlassungen, die Firma verdrängte deutsche Fabriken vom Markt, stabilisierte aber andere, die mit „Kundendienst" und Markenartikelwerbung den Amerikanern Konkurrenz machten. Schon früh hatte die AEG erkannt, daß man die Anwendungsgebiete der Elektrizität durch eigene Büros in allen Städten erschließen und dem Konsumenten „das Bedürfnis erst nahelegen, in vielen Fällen gewissermaßen aufzwingen" müsse.[8] Das Engagement von Büromaschinenfirmen wie „National Cash Register Co." aus Dayton, Ohio (Berlin 1896) oder Hermann Holleriths „Tabulating Machine Co." aus New York (Berlin 1910) gaben Industrie und Verwaltung einen weiteren Modernisierungsschub. AEG, Osram und Siemens-Schuckert ließen sich noch vor dem Ersten Weltkrieg Lochkartenabteilungen „für kaufmännische Zwecke" einrichten und das Rechnungswesen vereinfachen;[9] 1911 wurden Hollerith-Maschinen vor Mitgliedern des Deutschen Reichstages vorgeführt, „um Interesse für die Verwendung des Verfahrens im Dienste der Staatsverwaltung zu wecken",[10] so daß u. a. das Statistische Amt der Stadt Berlin im Jahr darauf Tabelliermaschinen einsetzte.

Berlin bleibt unzivilisiert

Das „amerikanisierte" Berlin trug antiurbane Züge und bekannte sich ausdrücklich zum Ländlichen, Huret wunderte sich über die vielen „Zierplätze mit frisch beschnittenen Rosen, blühenden Pflanzen, Geranien, Petunien, Hortensien".[11] Äußerlich verweigerten die Wohnhäuser durch Loggia, Erker, Giebel und Blumenkasten die Funktionalität, als ob ihre Bewohner die erst vor wenigen Jahren verlassene Kleinstadt- oder Dorfwelt zurückzuholen versuchten. Ein über mehrere Generationen gewachsenes Stadtgefühl wie in Paris oder London fehlte; Runkelrüben- und Kartoffelfelder am Rand der Fabriken, Laubenkolonien mit Fahnen auf dem Dach, „als flackerten eine Unmenge bunter Flämmchen" neben der Eisenbahn (78) sowie die leibhaftige Anwesenheit von märkischen Kiefern und Seen in den neuerbauten Vierteln schienen den großstädtischen Charakter zu widerrufen. Anders als in Chicago gaben sich die Schnellrestaurants wie Aschinger „gemütlich-bayerisch" oder – wie das Weinhaus Rheingold an der Potsdamer Straße – als „Thronsaal der Gotenkönige". In beiden Fällen stand die Aufmachung im Widerspruch zur modernen Massenproduktion. Die Kolossalstatuen von Barbarossa und Kaiser Wilhelm I. am Eingang – „die Hände auf dem Knauf eines großen nackten Schwertes gelegt" – verleugneten die amerikanisierte Küche im Inneren, die in der Lage war, „schnell" und „billig" 4000 Gäste mit schlecht schmeckenden Gerichten zu versorgen (58 f.). Diese „Janusköpfigkeit" war mehr als Ausdruck einer Zeitstimmung, sondern umschrieb augenfällig die tatsächlichen Macht- und Herrschaftsverhältnisse. Trotz einer Hochindustrialisierung, die im Laufe von wenigen Jahrzehnten die Produktivität von Frankreich (1880) und Großbritannien (um 1900) überholte, behaupteten die alten Agrareliten ihren Einfluß. Das Einschwören auf das „Deutsche" hatte etwas Zwanghaftes. Obgleich die Großindustrie das Ziel verfolgte, „alles, was offen und ehrlich von Amerika zu bekommen war, von dort gebrauchsfertig zu holen und ohne Zeitverlust zu verwenden",[12] kapselte sie sich in nationale Mythologien ein und wehrte den Demokratisierungsprozeß fremder Länder als „unheimlich" ab; je mehr bürgerliche Führungsschichten im jungen Staat von der Amerikanisierung der Wirtschaft profitierten, desto weniger waren sie bereit, öffentlich für eine Veränderung Partei zu ergreifen. Die Aufrechterhaltung des Kaiserreiches wurde zum Selbstzweck, und die Neigung, im Fremden eine Bedrohung zu sehen, bekam halluzinatorische Züge. 1902 beklagte der Kaiser die „amerikanische Gefahr" und forderte die „Notwendigkeit einer gemeinsamen europäischen Aktion"[13]; Firmenzusammenschlüsse ließen ihn – wie nach 1941 Hitler – von einer „finsteren Verschwörung amerikanischer Plutokraten" sprechen „mit dem Ziel, Deutschland, wenn nicht ganz Europa niederzuzwingen"[14]; selbst englische Beobachter attestierten Wilhelm II. eine „gewisse Größe" in seinem „heroischen Widerstand" und stilisierten ihn zu einer kolossalen Figur, die „mit gezogenem Schwerte der steigenden Flut Trotz" bietet.[15] Die USA-Furcht hatte durchaus eine reale Grundlage: Trotz hoher Zuwachsraten gelang es der deutschen Industrie nicht, mit der Entwicklung in den Vereinigten Staaten Schritt zu halten; das Kaiserreich war auf Importe

von Petroleum, Kupfer, Baumwolle angewiesen und machte sich von der Lebensmittelzufuhr aus Nordamerika abhängig, schon um die Jahrhundertwende rechnete man sich in Berlin vor, daß Deutschland im Fall eines Krieges „für 55 Tage im Jahr ohne Nahrung" sein werde.[16] Andererseits schirmten die USA ihre Binnenmärkte durch Zölle immer mehr gegen die Einfuhren europäischer Industriewaren ab, traten aber selbst mit einer leistungsfähigen Exportindustrie vor allem auf den traditionellen Absatzmärkten der deutschen Wirtschaft in Lateinamerika in Erscheinung. Die Empfindlichkeit, mit der viele Deutsche auf die Absatzstrategien amerikanischer Unternehmer reagierten, wurzelte jedoch vor allem in der Unfähigkeit des Kaiserreiches, die Staats- und Gesellschaftsstrukturen den Bedingungen eines modernen Industriestaates anzupassen. Die gegen den Realismus der Nordamerikaner ins Feld geführten romantischen Werte verdeckten erfolgreich die Konflikte, die sich aus den Barrieren gegen Mobilität, dem Überhang ständischer Unterschiede und Normen und der Verlängerung des Absolutismus im Militärwesen ergaben. Die Aggression wurde nach Außen geleitet. Der Obrigkeitsstaat verstand es geschickt, die Aufmerksamkeit seiner Untertanen auf wirtschaftliche Interessen zu beschränken und die Wahrnehmungsfähigkeit für tatsächliche Konflikte zu schwächen. Die Kulturkritik wurde nicht müde, die modernen Produktionsprozesse, aus denen das Kaiserreich Vorteile zog, mit den üblichen Stereotypen der Spaltung zu belegen. In diesem Zusammenhang erschien die Fremdheit wie eine Ausgeburt des Bösen. Die Großstadt wurde erschreckt als „kalt" und „anonym" abgelehnt.

Die Metropole

Erst nach der Niederlage von 1918 entwickelten sich in Berlin urbane Formen von öffentlicher Geselligkeit. Angeekelt von der mittelalterlichen Verkleidung des Kaiserreiches bekannte sich ein Teil der Jugend zur Gegenwart der Technik und distanzierte sich von der Unehrlichkeit der älteren Generation, denn „sie hatte noch Reiterdenkmale errichtet, indes sie schon Auto fuhr. Sie hatte das Schwert zu ihrer Linken besungen, während sie das Giftgas zu ihrer Rechten er-

fand."[17] Die zweite Investitionswelle der US-Industrie wurde – anders als im Kaiserreich – von der Mehrheit der Deutschen begrüßt und verstärkte zunächst die Solidarität mit dem Neuen. Plötzlich wurde Berlin als „Metropole" erfahren; die Verkultung von Auto und Flugzeug, Filmstar und „rauhen" Sportarten wie Boxen war nach der „blutigen Mühle des Krieges" ein Versuch, eine „wahre" Identität zu finden und die Zivilisation zu einer „Sache der Zivilisten" zu machen.[18] Magazine feierten im Jazz „Vitalität und elementare Natur" und bewunderten die Mischung von europäischer Melodie und „Urrhythmus" aus Afrika, der dem "progressiven Wachstum der Pflanzen" und den „Schritten des Tieres entlehnt ist"; gleichzeitig verstand man die Synkopen jedoch auch als Ausdruck der durch Maschine und Fließband genormten Arbeit und hörte in „Saxophonen, die weinen können wie traurige Stimmen", die Klage der dort eingekerkerten Menschen.[19] Wo vor dem Weltkrieg künstlich Harmonie zur Schau gestellt wurde, lebte man jetzt die Konflikte aus; hatte das wilhelminische Berlin Scheu vor der Tolerierung von Andersdenkenden, öffnete man sich dem Fremden und akzeptierte die Divergenz nicht als Zerstörung, sondern als natürliche Lebensbasis. Die Anziehungskraft Berlins für in- und ausländische Künstler folgte aus der Bereitschaft, die Sphären zu mischen (Chicago und Moskau, S. 190 ff.). Doch das großstädtische Lebensgefühl hatte etwas Forciertes, zu sehr war das Schwärmen „für Boxen, für Beton und Revolution"[20] mit den Sachen verbunden; eine Verständigung der verschiedenen Schichten auf der Grundlage eines ehrlichen Zusammengehörigkeitsgefühls hatte in Wirklichkeit nie stattgefunden, zumal die Feindseligkeit polarisierter Menschengruppen zu keiner Zeit zur Ruhe kam. Die Weltwirtschaftskrise 1929 legte die alte Zivilisationslosigkeit der Metropole wieder bloß. Das Interesse an den Institutionen schwand. Schon um 1930 löste Paris Berlin als „Zentrum der internationalen künstlerischen Avantgarde" ab.[21] „Rationalisierung" und „Business" verloren an Überzeugungskraft und wurden – der wilhelminischen Kulturkritik folgend – für die Krise verantwortlich gemacht; der „Amerikanismus" fand sich wie über

Nacht als „Verflachung" denunziert. Der Blick zog sich von „Premierengeflimmer" und „Autorun" zurück[22] und entdeckte das „Entmaterialisierte" einer Berliner Straße, denn „wenn alles dunkel und vorüber ist, steigt aus ihrer Schlucht die nächtliche Urlandschaft: oben der silberne Sternenhimmel, unten die Aschinger-Filiale."[23] Ein idyllisches Lebensgefühl, in den zwanziger Jahren nie ganz aus der Großstadtlitera-

te Reich wollte keine Konsolidierung, sondern eine Zersplitterung der Klassensolidarität, um – im Namen der Volksgemeinschaft – die Einebnung zu erzwingen. Mit Hilfe neuer Informations- und Kommunikationsmittel, dem Straßenbau und der Motorisierung wurde Berlin der Provinz, aber auch die Provinz der Hauptstadt angeglichen. Zunächst schürte das Regime die durch die Arbeitslosigkeit hervorgerufene

de die Reduktion von 5381 Teilen auf 739 gemeldet;[28] außerdem organisierte man systematische Verlustbekämpfungen in den Betrieben und führte wirtschaftliches Verpackungsmaterial ein. Um die Abhängigkeit von Rohstoffimporten auszugleichen, erfuhr die Entwicklung von Zellwolle, synthetischer Seide, Kohlebenzin und künstlichem Gummi (Buna) eine nachhaltige Unterstützung, lediglich in den Vereinigten Staaten war die Verarbeitung von plastischen Stoffen aus Kunstharz soweit fortgeschritten wie in Deutschland.[29] Auch die Konsumgüterindustrie wurde jetzt verstärkt automatisiert. Die „nahezu unerschöpflich erscheinende Nachfrage nach Arbeitskräften" – durch die Rüstungskonjunktur unnatürlich erzeugt – ließ „sozialpolitische oder psychologische Hemmungen gegen die vermehrte Anwendung von Maschinen" fortfallen,[30] zumal Hitler die Deutschen ausdrücklich zum „Massenkonsum" ermunterte, um die „Produktionskosten wesentlich zu senken."[31] Noch während des Krieges bemühte sich Ludwig Erhard durch Verbrauchsforschung in 880 Konsumbezirken, „Werbung und Reklame zielsicherer und damit auch wirtschaftlicher zu gestalten." Die Radio-Union verbreitete in den besetzten und neutralen Ländern „Werbenachrichten der deutschen Industrie in der jeweiligen Landessprache".[32] Folgerichtig begrüßte die Wirtschaft den durch die „siegreichen Feldzüge" erreichten „Zusammenschluß des europäischen Marktes", erst jetzt seien die Voraussetzungen geschaffen, wirklich „amerikanisch" zu produzieren und die "Nachfrage nach Automobilen, Traktoren, Kühlschränken, Badewannen und anderen ... Konsumgütern mit einem Minimum an Kosten zu befriedigen."[33] Der Nationalsozialismus versah die „deutsche Rationalisierung" mit einer idealistischen Verbrämung; „wer materielle Fragen nur von der materiellen Seite her zu lösen versucht, der unterliegt der Materie", erklärte Todt bei der Reichstagung der Fachschaft Bauwesen und warb für die freiwillige Teilnahme an Fortbildungsseminaren und Schulungen.[34] Doch ohne das durch die Vollbeschäftigung bestätigte Sicherheitsbedürfnis sowie ohne Treue- und Sonderzulagen hätte das Regime nicht die gewünschte Leistungsbereitschaft gefun-

248 *Im Statistischen Reichsamt wurden die Kriegsdienstverpflichteten des Reichsarbeitsdienstes vorwiegend in der Hollerithabteilung eingesetzt, wo seit Kriegsbeginn der Mangel an Arbeitskräften besonders spürbar war (18. 1. 1942).*

tur verbannt, kehrte in der Depression wieder und dämpfte die Begeisterung für Lift, Funkturm und Jazz so vehement, daß Wolfgang Weyrauch in seinem Berlin-Buch von 1941 „die ganze Stadt von Landschaftserinnerung, Landschaftsnachklang durchsetzt" erfahren ließ.[24]

Deutsche Rationalisierung

Der „Führer" nützte das Desinteresse an komplexen Regierungsgeschäften aus und konfrontierte die als Chaos empfundene Demokratie mit klaren Bildern von Stärke: eindrucksvoll unterstützte er die Bereitschaft breiter Bevölkerungsschichten, sich der Modernität zu verweigern und propagierte Handwerk und Brauchtum. Hitler stellte – wie der Kaiser – lediglich eine altertümliche Fassade her, hinter welcher die Rationalisierung ungehemmt vorangetrieben werden konnte, doch das Drit-

Angst vor der Technisierung, aber schon 1936, als noch nicht alle Kräfte integriert waren, polemisierte es gegen „Maschinenfeindlichkeit" und propagierte neue Rationalisierungsmaßnahmen, „um möglichst alle Kenntnisse des wirtschaftlichen Fortschritts zur Hebung des Lebensstandards ... zu verwerten."[25] Immer wieder betonte der Nationalsozialismus das „Recht auf Arbeit" als Grundlage der „deutschen Rationalisierung" und grenzte sich vom „liberalistisch-amerikanischen" Egoismus ab.[26] Angesichts der Vollbeschäftigung in der Rüstungskonjunktur forderte Hitler 1939, durch umfassende Automatisierung „erhöhte Leistungen zu erzielen und ... Arbeitskräfte für neue zusätzliche Produkte einzusparen."[27] Noch vor dem Krieg traten Verordnungen zur Beschränkung der Typen und Sortenzahl im Auto- und Werkzeugmaschinenbau in Kraft, bereits im September 1939 wur-

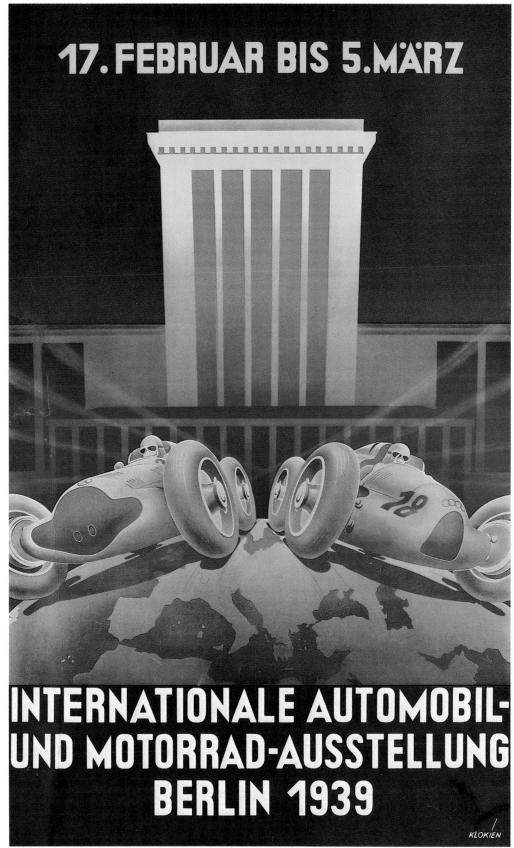

249 *Plakat, entworfen von Klokien, 1939*

250 *Groß-Tankstelle in Berlin, Teltower Straße. Foto: Osram Fotodienst*

den. Die Scheu der Arbeiterschaft vor offenen Auseinandersetzungen darf nicht allein aus Angst vor Repressivorganen erklärt werden, in den Betrieben wiederholte sich ein schon von Huret im Kaiserreich beobachtetes Verhalten, bescheidenen Forderungen der Arbeiter entgegenzukommen und „vielen Konflikten die Spitze ab[zu]brechen."[35] Die von der DAF propagierte „Schönheit der Arbeit" findet in der gesetzlich verordneten „Fabrikhygiene" Wilhelms II. ihr Vorbild, mit der versucht wurde, die Klassengegensätze zu harmonisieren. Das 1939 errichtete Telefunkenwerk in Zehlendorf war stolz darauf, Verwaltung und Herstellung in großen offenen und „wunderbar" hellen Räumen zu vereinheitlichen; Wände, Fußböden und Decken wurden außerdem mit schalldämpfenden Stoffen versehen. Weniger die Präsenz von Lautsprechern, als die durch Glas erzwungene Sichtbarkeit führte zu einem Gefühl, überwacht zu sein.[36] Auch die 1934 bezogenen neuen Arbeitsräume

der Deutschen Hollerith Gesellschaft in Lichterfelde Ost waren nach ähnlichen Gesichtspunkten entworfen. „Auf dem Weg durch den Verwaltungsflügel finden wir überall die gleiche Helligkeit", heißt es in einer Firmenschrift. „Bis auf wenige Ausnahmen sind die Räume durch Glaswände abgetrennt, die nicht nur Übersicht ermöglichen, sondern vor allem für Aufhellung sorgen sollen."[37] Die „Aufhellung" trug zu einer weiteren Leistungssteigerung bei, die Neigung, den Arbeitsvorgang zu verlangsamen oder eine Pause einzulegen, nahm durch das Konzept der „durchlässigen Wand" ab. Da jeder von jedem beobachtet werden konnte, verkümmerte die Geselligkeit, das Schweigen wurde zur einzigen Möglichkeit, sich am Arbeitsplatz zu schützen. Unterhaltungsmusik, Märsche und leichte Tanzweisen ersetzten das Gespräch.[38] Im Vordergrund der Bemühungen von Betriebsführung und DAF stand nicht der Schutz der „Gefolgschaftsmitglieder" vor körperlicher Ausbeutung, sondern

die Dämpfung der Unlustgefühle. Erst als Arbeitsphysiologen im Krieg nachweisen konnten, daß ein rasches Tempo der Fließbänder das „vegetative Nervensystem" anregt und als „subjektiv angenehm" aufgenommen wird,[39] fanden viele Firmen den Mut, die Fertigungsnormen zu erhöhen. Das Wissen um die Seele des Arbeiters raubte ihm jede Distanz zu seiner realen Situation und trug nicht unerheblich zur Stabilität des Systems bei. Erich Welter beobachtete in seinem Buch „Der Weg der deutschen Industrie" (1943) eine wachsende Bereitschaft der „Gefolgschaftsmitglieder", zahlreiche andere Fertigkeiten zu erwerben. In einer Uniformfabrik wurden Mädchen so ausgebildet, „daß jedes ... möglichst jeden Posten am Fließband übernehmen" konnte." Die „vielseitige Verwendbarkeit" war ein wichtiger „Faktor", „der auch bei der Bemessung des Lohnes ins Gewicht" fiel.[40] Unter solchen Bedingungen war es schwer, sich mit anderen Menschen, die sich in einer ähnlichen

251 *Symbol des Amerikanismus in den 20er Jahren: Karstadt am Hermannplatz. Foto: Waldemar Titzenthaler, 1927*

Lage befanden, zu identifizieren; der NS-Staat verstand es, besondere Qualitäten des einzelnen Arbeiters zu nutzen; viele waren kaum noch bereit, Gruppeninteressen zu vertreten und entwickelten eine zwanghafte Bindung an die vorgegebene Ordnung.

Das Dritte Reich und USA

Unverändert sahen „Freie Marktwirtschaftler" und Vertreter der Apparaturen ihre technologischen Verbesserungen im Vergleich mit den Vereinigten Staaten. Trotz des handelspolitischen Gegensatzes und einer scharfen Pressekampagne in USA gegen das NS-Regime blieb im Dritten Reich lange eine amerikafeindliche Stimmung aus. Zwar nahm man für sich eine bessere Sozialpolitik in Anspruch, bewunderte jedoch wie Kurt Zentner 1938 in seiner mehrteiligen Reportage für die „Berliner Illustrirte" „Das Volk am Steuerrad". Görings Zeitschrift „Der Vierjahresplan" warb für Studienreisen in die USA, um von der Leistungsfähigkeit der nord-

amerikanischen Industrie und ihrer relativen technologischen Überlegenheit zu profitieren. Allein 1937 bot der Norddeutsche Lloyd mehr als vierzig Amerika-Fahrten an u. a. für „Landwirtschaft und Bergbau, Leder- und Textilindustrie", auch „Juristen, Werbefachleute, der Aero-Club von Deutschland, Gelehrte auf Sondergebieten" und „Männer des Handwerks" fanden „ein Unterrichtsprogramm".[41] 1936 studierte Porsche Ford-Werke in Detroit und Fabriken von General Motors, um die Massenherstellung des Volkswagens vorzubereiten;[42] für den Autobahnbau untersuchten Straßenbauingenieure „Eigenschaften amerikanischer Zemente";[43] die Zweckvereinigung „Warenhäuser und Einheitspreisgeschäfte" unterrichteten sich über die Raumgestaltung von Läden, um auch im Deutschen Reich mit gedämpften Licht und farblich aufeinander abgestimmten Verkaufstischen eine „,Oase der Harmonie' innerhalb der vielen Unausgeglichenheiten des täglichen Lebens" zu schaffen.[44]

Erstaunlich bleibt die rege Reisetätigkeit nationalsozialistischer Organisationen in die Vereinigten Staaten. Noch kurz vor Kriegsausbruch erweiterte die DAF ihre „wirtschaftskundlichen Studienfahrten" mit „drei großen Reisen nach Amerika".[45] 1938 besuchte der NS-Rechtswahrerbund u. a. in New York die Radio City Music Hall, das Empire State Building und das Rockefeller Center, die Niagara Fälle, die Ford-Automobilwerke in River Rouge, aber auch das Zuchthaus Sing-Sing, das Police Headquarter in Chicago „mit Spezialabteilungen für Fingerabdrücke, Identifizierung und Gebrauch von Radiogerät bei der Verfolgung von Verbrechern" und nahm in Washington an einer Sitzung des Obersten Gerichtshofes teil.[46] Auf der anderen Seite bemühte sich der deutsche Fremdenverkehr mit Parolen wie „Reist in das fröhliche Deutschland" erfolgreich um amerikanische Touristen; im Dritten Reich gelang es, die Zahl ausländischer Besucher in Berlin gegenüber dem besten

Jahr der Weimarer Republik zu steigern (1927: 226 000; 1937: 285 313), der Anteil der Amerikaner stieg wegen des günstigen Dollarkurses 1937 auf 25 955 Übernachtungen.[47] Die 1926 in Berlin gegründete „Vereinigung Carl Schurz" betreute monatlich 100 Einzelpersönlichkeiten aus dem öffentlichen Leben der USA, veranstaltete Vorträge und organisierte Gruppenreisen. Amerikanische Austauschstudenten besuchten 1938 neben Schloß Schwanstein und Heidelberg die Schuhfabrik Salamander in Kornwestheim und die I. G.-Farbenwerke in Leverkusen.[48] Die Amerikaner fühlten sich als „Lieblingsausländer" der Deutschen[49] und kamen sich „beinahe wie Fürsten vor [...], deren Gunst man erwerben wollte."[50] Noch 1940 förderte die „Vereinigung Carl Schurz" den Schüler- und Studentenaustausch und eröffnete in New York eine Vertretung, „um die bestehenden Beziehungen zu pflegen."[51]

Nicht wenige Amerikaner – wie Herbert Hoover – sahen im Deutschen Reich einen Damm gegen den Bolschewismus und warben um finanzielle Hilfen. Die Rockefeller Foundation förderte den Neubau des Kaiser-Wilhelm-Instituts für Physik in Berlin-Dahlem, der Mai 1938 eingeweiht wurde.[52] Einzelne US-Firmen erhöhten ihre Beteiligungen und profitierten von der Rüstungskonjunktur, so stellte Ford 1936 die Montage auf Fabrikation um und verpflichtete sich, nur noch mit „deutschen Arbeitern und deutschem Material" zu produzieren;[53] Coca-Cola steigerte die Zahl seiner Abfüllbetriebe von fünf (1934) auf fünfzig (1939);[54] der Austausch von Patenten und Kartellabsprachen zwischen Standard Oil und I. G. Farben wurde verstärkt;[55] auch ITT expandierte im Dritten Reich und beteiligte sich 1938 mit 28% an der Bombenflugzeugproduktion von Focke-Wulf.[56] Doch seit der Machtergreifung hatte das Regime den freien Warenverkehr unterlaufen und die Einfuhren auch aus den USA erheblich vermindert, denn die Arbeitsbeschaffung – erklärte Karl Schiller 1936 – „ist um so wirksamer, je weniger eine Volkswirtschaft bei steigender Einkommenssumme auf steigende Importe angewiesen ist."[57] Da das Dritte Reich den Warenverkehr auf der Grundlage des Tauschhandels abwickeln wollte und außerdem Schuldenfra-

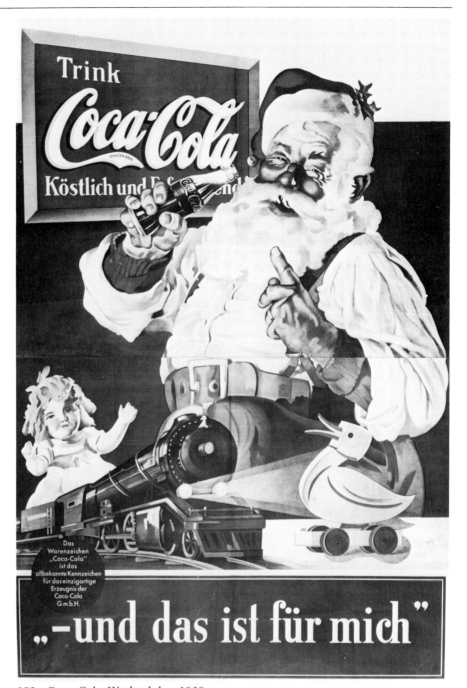

252 Coca-Cola-Werbeplakat 1938

gen mit außenwirtschaftlichem Zugeständnissen verknüpfte, sanken die Einfuhren aus USA von über 2 Milliarden RM (1928) auf 406 Millionen RM (1938), die Ausfuhren schrumpften im gleichen Zeitraum sogar von 796 Millionen RM auf 149 Millionen RM;[58] beachtlich blieben lediglich deutsche Rohstoffeinkäufe für das Rüstungsprogramm, die auch während des Krieges über neutrale Länder abgewickelt wurden, aber durch die Blockade war es

bald nicht mehr möglich, z. B. Flugzeugbenzin der Standard-Oil-Gruppe mit Hilfe südamerikanischer Gesellschaften nach Deutschland zu transportieren.[59] Das Dritte Reich tat viel, um die USA noch 1940 neutral zu halten,[60] übersah dabei freilich, daß die Vereinigten Staaten nicht auf ihre expansive Handelspolitik verzichten wollten. Je mehr es nämlich Hitler gelungen war, die von Wilhelm II. geforderte „Eindämmung der amerikanischen Flut" durchzusetzen und US-Firmen von den Märkten in Südosteuropa und Lateinamerika zu verdrängen, desto stärker hatte in USA die Bereitschaft zugenommen, wirtschaftliche Interessen militärisch zu verteidigen.

Das öffentliche Leben stirbt weiter ab

Das Erscheinungsbild Berlins blieb für einen ausländischen Besucher zwiespältig. Wie Huret um 1900 wunderte sich der Amerikaner Howard K. Smith 1936, daß „im Häusermeer von Berlin ... weit und breit nichts zu sehen" war, „was einem Slum auch nur entfernt geähnelt hätte. ... Die Menschen sahen gut aus, niemand ... lief in Lumpen herum. Sie waren gut, zuweilen auch elegant gekleidet, und sie waren wohlgenährt."[61] Auffällig war die Gegenwart der Militärs im Straßenbild. Smith beobachtete, daß „der Verkehr an manchen Tagen in regelmäßigen Abständen angehalten werden" mußte, „um Kavalkaden unheimlicher Kriegsgefährte vorbeizulassen, die, mit dreckbedeckten, stahlbehelmten Marsmenschen bemannt, durch die Hauptstraßen ins Manöver donnerten" (14 f). Das angsteinflößende Bild stand im Gegensatz zu der Freundlichkeit, mit der die Passanten einem Ausländer begegneten; „alle, die ich ansprach, wollten unbedingt nett zu mir sein", erinnerte sich Smith (19 f). Das Regime legte Wert darauf, daß sich Ausländer an Kongressen und Sportfesten beteiligten und betonte vor allem in der Varieté- und Filmunterhaltung seine Weltläufigkeit. Die kriegerisch-völkischen Botschaften, mit welchen das Dritte Reich seine Macht demonstrierte, wurden durch friedlich-internationale aufgelockert. Am Europahaus in der Saarlandstraße leuchteten seit 1937 zwei fünfzig Meter lange Neonbänder der Ford-Werke[62] und am Sportpalast, wo Goebbels seine Reden hielt, wurden die Berliner aufgefordert „Coca-Cola immer eiskalt" zu trinken.[63] Den aggressiven Nachrichten im Reichsrundfunk folgten alberne Reklameverse, die das „Evangelium der Erfrischung" verkündeten[64] oder für Autos warben („Was andre erst planen, das hat schon erreicht,/Der Mann, der im Ford wie ein Lord fährt").[65] Der Nationalsozialismus erlitt dadurch keinen Autoritätsverlust, sondern festigte seine Herrschaft über die Unterworfenen, zu

sehr kam das Dritte Reich der Haltung der Mehrheit entgegen, das System unangetastet zu lassen und seine Lebensformen möglichst ungestört zu bewahren. Die Stadt als komplexer Erfahrungsraum verdämmerte zugunsten lokaler Gemeinschaften. Wurde Berlin in der Republik als öffentlicher Schauplatz begriffen, der die Begegnung einander fremder Menschen wahrscheinlich macht, suchte man jetzt zwischenmenschliche Nähe. Betriebe wie Telefunken bemühten sich in ihren Werkzeitungen um die Arbeiter und organisierten auf freiwilliger Basis Wander- und Sportgruppen.[66] Die Stadt bot mit ihren zahlreichen Vergnügungsstätten und internationalen Bars genug Möglichkeiten, um – von der politischen Realität abgeschirmt – sein Selbst auszuleben. Doch an den öffentlichen Plätzen zeigte sich der Berliner nicht mehr aufgeschlossen für alles, er verbarg sich wie hinter einer unsichtbaren Mauer und vermied jede Verstrickung. Der Bombenkrieg verstärkte diese Selbstbezogenheit und ließ einzelne Stadtteile und Straßenzüge verinseln; das damals vielfach beobachtete „Zusammenrücken" war jedoch keine Keimzelle eines neuen öffentlichen Bewußtseins. Indem die Menschen in der Kellergemeinschaft, der Privatfamilie oder Clique den Zusammenhalt retten wollten, verstärkten sie ungewollt die Abkapselung nach außen und entwickelten keinen kritischen Blick für die Ursachen der Katastrophe.[67]

Nach dem „Zusammenbruch" paßten sich die Berliner „sachlich" den neuen Ordnungsstrukturen an. Im Westen schuf der Amerikanismus durch das „Wirtschaftswunder" ein künstliches Gefühl der Gemeinsamkeit, doch in Wahrheit hatten in beiden Teilen der Stadt kommerzielle und bürokratische Apparaturen lediglich Gruppen- oder Eigeninteressen gefördert. Das durch mehrspurige Autostraßen und tote Räume zerlöcherte Stadtbild ist Ausdruck der Verkümmerung. Auch in West-Berlin wurde das Schaufenster im Laufe der Zeit eingeebnet, die exotisch drapierte Alltagsware, die den „Bürger" dazu brachte, Gegenstände mit persönlicher Bedeutung zu besetzen, machte erwarteten Produkten zu „Tiefpreisen" Platz; Warenhäuser verloren ihre geheimnisvolle Palastarchitektur und ver-

änderten sich zu schmucklosen Verkaufsebenen, wo man „nicht mehr bedient, sondern mit Spiegeln und Videokameras bewacht" wird.[68] Je mehr das Urbane an Mystifikationsmöglichkeit einbüßte, um so höher wuchsen die seelischen Barrikaden innerhalb der Stadt. Zwar hatte in den fünfziger Jahren über dem beschädigten Kurfürstendamm noch einmal ein „Abendglanz der bürgerlichen Welt" gelegen, die glücklich war, „davongekommen zu sein", aber eine „Vermischung" fand anders als nach 1918 nicht mehr statt, zu nachhaltig hatten Nationalsozialismus und Kriegsereignisse das Verhalten geprägt, Aktivitäten aus der Öffentlichkeit in die Privatsphäre zu verlegen. Seit dem wirtschaftlichen Niedergang der siebziger Jahre ist für einzelne westliche Territorien eine "soziale Zersetzung à la New York" zu beobachten, die Toleranz, mit der die Mehrheit auf das Einströmen von Ausländern reagiert, „hat nichts mit der Achtung der fremdartigen Nachbarn zu tun, sie zeugt vielmehr von fast grenzenloser stumpfer Gleichgültigkeit."[69] Versuche von Neokonservativen, die atomisierten gesellschaftlichen Räume durch autofreie Schutzzonen oder ornamentierte Häuserfassaden zu beleben, entfalten kaum Wirkung, weil ein verändertes Design die städtische Öffentlichkeit nicht ersetzen kann. Die Zersplitterung von Berlin – über die politische Teilung hinaus – in lokale Viertel der Mittelschichten und „alternativen" Gruppen weist auf ein unaufgeklärtes, schon früh im Kaiserreich anerzogenes zivilisationsfeindliches Verhalten. Wenn wir aber lernen, Berlin als „Instrument nichtpersonalen Lebens" zu begreifen, wo „Menschen, Interessen, Geschmacksrichtungen in ihrer ganzen Vielfalt zusammenfließen",[70] könnte die Stadt als öffentlicher Schauplatz zurückkehren. Seit Spengler wird der Kulturverlust in der modernen Industriegesellschaft mit dem „Siegeszug der Zivilisation" erklärt, aber Kultur und Zivilisation bilden eine Einheit; der in Deutschland noch immer nicht voll erschlossene Begriff der Zivilisation legt den Akzent auf den „Menschen als Staatsbürger, ... der sich seines vollen Wertes bewußt geworden ist, er ... schließt die Barbarei aus."[71]

Hans Dieter Schäfer

Die zerstörte Siegesallee im Mai 1945, Foto: Willi Saeger

Unwiederbringlich zerstört

Krieg und Kalter Krieg

Bombenkrieg und Kellergemeinschaft

„Von Berlin aus gesehen war der Krieg etwas Unwirkliches... Er war zum Nationalsport geworden... Hitler war der Nationaltrainer und die Flieger und U-Boot-Kommandanten... waren die Nationalmannschaft."[1] Nach der von Gestapostellen bei Kriegsbeginn gemeldeten „mangelnden Kriegsbegeisterung" löste z. B. die Nachricht der kampflosen Besetzung von Paris am 15. 6. 1940 Szenen echter Begeisterung in Berlin aus. Der SD stellte einen „bisher nicht gekannten Integrationsgrad aller Bevölkerungsschichten" fest und sprach von einer „einwandfreie(n) vaterländische(n) Gesinnung" selbst bei ehemaligen Mitgliedern der KPD und SPD.[2] Der amerikanische Korre-

gime „spürte wohl den Zwang, das Volk rasch und ausgiebig an den Früchten des Sieges teilhaben zu lassen." Als aber am 22. 6. 1941 der Überfall auf die Sowjetunion begann, „kratzte Deutschland in den Vorratskammern der europäischen Wirtschaft bereits die letzten Reste zusammen."[3] Die entscheidende Wende des Krieges durch die Kapitulation der 6. Armee in Stalingrad am 2. 2. 1943 bekommen auch die Berliner schlagartig zu spüren: Ab 16. 1. nimmt die Royal Air Force nach fast vierzehnmonatiger Pause die Luftoffensive gegen Berlin auf.[4] Bis dahin war Berlin, abgesehen von kleineren Störangriffen „so sicher wie irgendeine neutrale Stadt".[5] Jetzt begannen die Vorbereitungen für den „totalen Krieg". Nach

derttausende ausländische Zwangsarbeiter.[7] Am 18. 11. 1943 eröffnet die RAF mit den ersten systematischen Flächenbombardierungen die Luftschlacht um Berlin, die bis zum vorübergehenden Abbruch der Offensive am 25. 3. 1944 unter der Berliner Zivilbevölkerung 6166 Tote, 18 431 Schwerverletzte und ca. 1,5 Millionen Obdachlose forderte. Trotz der Zerstörungen im Bereich der kriegswichtigen Industrie, der Versorgungsbetriebe und des Verkehrssystems „erhöhte sich die Kriegsproduktion auf eine kaum faßbare Weise... stetig weiter. Die Moral der Bevölkerung – der andere Hauptangriffspunkt der Schlacht – hatte trotz aller Belastungen auf eine ebenso unwahrscheinliche Art standgehalten".[8] Goebbels notierte am 29. 11. 1943 in sein Tagebuch: „Das ist einmal der röteste Wedding gewesen... Ich werde nur geduzt und mit dem Vornamen gerufen... Frauen umarmen mich."[9] „Ich kann es kaum glauben, daß diese Stadt im November 1918 eine Revolte gemacht hat."[10]

Gegen das „Völkergemisch" der Fremdarbeiter, „wie es wohl noch nie in einer deutschen Stadt zu sehen war"[11], behauptete sich in der gespenstischen Ruinenlandschaft deutsche Gemütlichkeit: „Die gähnend leeren Fenster im ersten Stock wurden zugemauert und in kleinere Öffnungen neue Scheiben eingesetzt... hinter den blanken kleinen Scheiben standen Blumentöpfe vor hübschen Gardinen."[12] Die vom Regime stillschweigend geduldete Abkapselung nach außen (vgl. S. 289) bekam in den verschworenen Kellergemeinschaften angesichts der gemeinsamen Bedrohung neurotische Züge: „Das Kellervolk hier im Haus ist jedenfalls überzeugt, daß seine Höhle eine der sichersten ist... Jeder Keller hat andere Tabus, andere Ticks. In meinem alten Keller hatten sie den Löschwassertick: allerorten stieß man sich an Kannen, Eimern, Töpfen... Trotzdem wäre das Haus wie eine Fackel heruntergebrannt."[13]

Am 31. 1. 1945 erreichte die Rote Armee die Oder, ca. 50 km von Berlin entfernt. Hitler erklärte Berlin zur Festung. Am 3. 2. flogen über 900 amerikanische Bomber vormittags zwischen 10 und

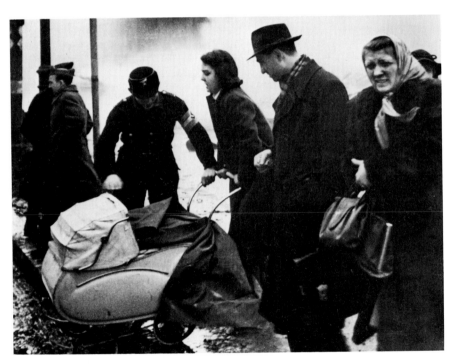

spondent Howard K. Smith beobachtete, „daß die ersten Auswirkungen des Krieges in Berlin nicht – wie üblich – Verfalls- und Mangelerscheinungen waren, sondern ein sprungartiger Anstieg des sichtbaren Wohlstandes. Berliner Putzfrauen... trugen... Seidenstrümpfe vom Boulevard Haussmann... In kleinen Eckkneipen entdeckte man plötzlich Batterien von Armagnac, Martell und Courvoisier im Regal." Das Re-

schweren Nachtangriffen im März und den Großangriffen auf Hamburg (23. 7.–3. 8., ca. 30 000 Tote), beginnt auf Anweisung Goebbels ab dem 6. 8. die freiwillige Evakuierung aller Berliner, die keine kriegswichtige Arbeit leisten, vor allem Frauen, Kinder und alte Leute. Bis November hatte sich die Einwohnerzahl von 4,3 Millionen (1939) auf 3,3 reduziert;[6] im April 1945 waren es noch ca. 2,8 Millionen, darunter hun-

11 Uhr den bisher schwersten Luftangriff auf die dichtbesiedelten Innenstadtbezirke, die zusätzlich von täglich ca. 40 000 Flüchtlingen überflutet waren. Mehr als 2500 Tote und 120 000 Obdachlose wurden gezählt. Noch 83 schwere Bombenangriffe sollten bis zum 21. 4. 1945 folgen.

253–255 *Vom Angriff am 3. 2. überraschte Passanten vor dem Anhalter Bahnhof. Foto: A. Grimm, S. 292. „Die Menschen kamen mir wie Gespenster entgegen. Tücher und dunkle Brillen vor dem Gesicht gegen den Rauch“[14], der noch Stunden nach dem Angriff das Atmen behinderte. Foto: A. Grimm, vor dem Anhalter Bahnhof. U: Bombenangriff vom 29. 1. 1944; rechts die Petrikirche. Foto: E. Gnilka*

‚Die Russen in Berlin'

Am 16. 4. 1945 begann die seit Anfang Februar erwartete Schlacht um Berlin. „Sie ist ein Mythos. Diese Schlacht hat nie stattgefunden."[15] Trotz einer Distanz von nur noch knapp 50 km konnten die sowjetischen Truppen erst eine Woche später, am 23. 4., die östlichen Vororte Berlins besetzen. Denn kein Angehöriger der alliierten Armeen dachte noch kurz vor dem Sieg daran, den Heldentod zu sterben. Vom Kampfgetümmel erinnerungsseliger Kriegsmemoiren bleiben beim genaueren Hinsehen „nur die Hitlerjungen übrig, die mit Panzerfäusten durch die Gegend radelten" (vgl. S. 262, 281)[16], und die SS-Scharfschützen, die in einzelnen Mietshäusern sich bis zur Kapitulation verschanzten. Die Rote Armee, erstaunt über den hartnäckigen Widerstand, verschoß täglich 230 Waggons Munition.[17] „Die letzten sechs Kampftage haben Berlin schlimmer zugerichtet als zehn schwere Bombenangriffe."[18] Der Reichstag, seit dem Brand am 27. 2. 1933 eine verlassene Halbruine, war „einer der ganz wenigen Punkte, an denen in Berlin wirklich gekämpft wurde."[19] Er galt den Rotarmisten als „Sinnbild Deutschlands".[20] Während der Straßenkämpfe bricht die Lebensmittelversorgung zusammen. Es kommt zu Plünderungen von Geschäften und Vorratslagern.

Sofort nach der Kapitulation der deutschen Truppen in Berlin am 2. 5. begann unter der Leitung des sowjetischen Stadtkommandanten, Generaloberst Bersarin, „dem die Berliner mehr zu verdanken haben als sie noch wissen" (Erich Kuby), der Aufbau einer ersten zentralen Verwaltung für Groß-Berlin. Die ersten Lebensmittelkarten wurden am 5. 5. über Hausobleute verteilt. 2,8 Millionen Menschen, die in fünf Ernährungsgruppen aufgeteilt wurden, mußten versorgt werden. Trotz vielfach bezeugter spontaner Hilfsbereitschaft sowjetischer Soldaten gegenüber der notleidenden Bevölkerung dominierte unter den Berliner „das reine Entsetzen" vor den ‚Russen', die „tapsig wie Urwaldmenschen"[21] ihre ersten Versuche mit requirierten Fahrrädern machten. Die Nazipropaganda und die Flüchtlingserzählungen über Vergewaltigungen hatten gewirkt. „Am Kurfürstendamm gab es eine Selbstmordwelle, und keineswegs nur bei den Nazis."[22]

Für das Bauernvolk in Uniform war die zerstörte Metropole immer noch Produkt einer hochtechnisierten westlichen Zivilisation: Aufgewachsen in einstöckigen Holzhäusern, kamen den Sowjetsoldaten mehrstöckige Steinhäuser unheimlich vor. Sie trauten sich in den ersten Wochen nicht höher als bis zum 1. Stock hinauf. Kluge Frauen versteckten sich auf dem Dachboden statt im Keller.[23] „Die Berliner lachten hinter

dem Rücken derer, vor denen sie sich fürchteten, weil vor dem Reichstag Panjewägelchen und struppige Steppenpferdchen statt der Horch-Kübelwagen und hochbordigen Mannschaftstransporter standen" (Erich Kuby). Sie konnten sich aber nicht vorstellen, was in den Köpfen der Soldaten vorging, die nach einem 3000 km langen Marsch mit unvorstellbaren Menschenverlusten (mehr als 20 Millionen!) Zeugen der

von Deutschen abgebrannten Dörfer und „durchgemordeten" Städte[24] in ihrer Heimat geworden sind. Die Politabteilungen der Armee versuchten durch eine groß angelegte ‚Umschulung' im Sinne der schon zu Kriegsbeginn gemachten Unterscheidung zwischen dem deutschen Volk und der faschistischen Herrscherclique[25], den Vergeltungstrieb der Soldaten zu dämpfen. Angesichts der Vergewaltigungen durch alkoholisierte Rotarmisten in „einer Größenordnung von einigen zehntausend Fällen", von denen sich etwa 80 % zwischen dem 24. 4. und 3. 5. ereigneten[26], sah sich die Führung zur Herausnahme großer Truppenteile aus Berlin veranlaßt. Die Rotarmisten leben seither in Feld- und Barackenlagern streng isoliert von der Zivilbevölkerung. Sie bewachen noch heute, in der näheren Umgebung Berlins konzentriert, den Mythos der deutschen Reichshauptstadt.

Aber auch dem klugen Verhalten der Berlinerinnen ist der relativ schnelle Rückgang der Gewaltakte zu verdanken.[27] Die ca. 600 000 am 1. 5. in Berlin vorhandenen arbeitsfähigen, männlichen ‚Beschützer' (70 % der Bevölkerung waren Frauen, Kinder, Invaliden und Rentner) versagten kläglich. Im Gegensatz dazu waren die Frauen „unvorstellbar mutig. Sie waren es, die während Bombenangriffen und im Artilleriefeuer aus den Kellern gingen und Wasser holten, inmitten detonierender Bomben und Granaten nach Lebensmitteln anstanden. Praktisch aus nichts zauberten sie Mahlzeiten... sie enttrümmerten Berlin... Ohne die Frauen wäre das Leben in Berlin im April 1945 erloschen... Als die Demontagen begannen und tonnenschwere Maschinen mit primitivsten Mitteln bewegt werden mußten, waren unter hundert Menschen, die diese Arbeit verrichteten, achtzig Frauen. Sie sprachen nicht in tragischem Ton von den Vergewaltigungen... Die darüber reden, als wäre ih-

nen dieses Schicksal widerfahren, sind die Männer..."[28] Für viele von ihnen waren diese Ausschreitungen der willkommene Vorwand, „die nazistische These vom russischen Untermenschen in einer neuen Version zur Grundlage... ihrer inneren Einstellung... gegenüber der Sowjetunion zu machen."[29] Da ‚die Russen' an der Zerstörung der deutschen Städte durch Flächenbombardements unbeteiligt waren[30] („Ein

Rußki auf'm Bauch ist nicht so schlimm wie ein Ami auf'm Kopf'[31]), gab es auch eine verbreitete Haltung, mit den ‚Russen' „zusammenzuarbeiten und sich ihnen anzupassen".[32] Erst die Zwangsverschmelzung von SPD und KPD im Frühjahr 1946 verfestigte die Ressentiments und schuf die Voraussetzung für die „uneingestandene Einheitsfront" fast aller Deutschen mit den Westalliierten im „Kalten Krieg".[33]

256–258 Berliner Trümmerfrauen, 1947 (l. o.). Provisorischer Verkaufsstand im Trümmerschutt (l. u.). Einer der ersten Zeitungskioske (r.). Foto: Friedrich Seidenstücker. Ende 1945 gab es in Berlin bereits wieder 12 Tageszeitungen (9 im Sowjetsektor, 3 in den westlichen Sektoren) und 4 Zeitschriften.

Die Spaltung

„Die Amerikaner sind da ..., auf die wir seit Anfang April gewartet hatten ... Nun ist das Märchen Wirklichkeit ... Merkwürdig, denke ich, daß die Weltversöhnung mit der Vierteilung von Berlin beginnt."[34]

Mit dieser Tagebucheintragung vom 3. 7. 1945 beginnt die Schilderung eines gescheiterten Neubeginns in der sich spaltenden Stadt. Wir zitieren im folgenden Ruth Andreas Friedrich[35]: „Wahlsonntag! 48,9 Prozent für die SPD, 21,5 für die CDU, 20,4 für die SED ..." (20. 10. 1946).

„Hie SPD – hie SED ... hie ‚Tagesspiegel' – hie ‚Neues Deutschland' ... Jede Zone nimmt von Monat zu Monat stärker das Gesicht ihrer Besatzungsmacht an. Von Tag zu Tag vergrößert sich die Kluft. Wer weiß, ob sie am Ende nicht endgültig wird." (31. 12. 1946). „Wie soll ein Magistrat durchgreifende Hilfsmaßnahmen treffen, wenn von fünfundsiebzig Stadtverordnetenbeschlüssen seit November 1946 erst drei durch den Kontrollrat genehmigt worden sind" (24. 2. 1947). „Die Außenminister sind aus Moskau abgereist" (27. 4. 1947). „Bleierne Ratlosigkeit liegt seit dem Moskauer Ende über den Menschen in Berlin. ‚Soll man hierbleiben?' ‚Soll man fortgehen?' ‚Wird es Krieg geben?' (5. 5. 1947). „Panikstimmung! Auch die Konferenz in Paris ist gescheitert. ‚Die unabhängigen europäischen Staaten sollen durch den Marshall-Plan ihrer Selbständigkeit beraubt und unter amerikanische Kontrolle gestellt werden', erklärt Molotow. ‚Also ist Rußland gegen den Marshall-Plan, denn er spaltet Europa in zwei Teile' ... Ohne daß ein Wort darüber gesprochen wurde, beginnt sich der Vorhang zwischen Ost und West an der Elbe zu senken" (4. 7. 1947). „Heute vor einem Jahr waren die ersten Wahlen in Berlin. Was ist daraus geworden? ... Willkürlich greift die sowjetische Besatzungsmacht in die Magistratsarbeit ein ... ‚Nein', sagen die Russen, wenn es um einen Antrag der Sozialdemokraten geht, und lächeln sehr höflich. ‚Nein', sagen die Westalliierten, wenn es um einen Antrag der SED geht und lächeln ebenso höflich" (20. 10. 1947). „Immer wieder gehen Gerüchte um über eine in Kürze bevorstehende Währungsreform. Allmählich wird man abge-

brüht ... Ohnehin spielt das Geld im täglichen Geschäftsverkehr keine maßgebende Rolle mehr. Wer zum Friseur geht, um sich den Kopf waschen zu lassen, muß Seife, Handtuch und fünf Stück Holz mitbringen ... Für 3 Kilo Knochen kriegt man ein Stück Seife, für 2 Kilo Altpapier ein Buch" (16. 12. 1947). „Am Samstag haben die Sowjets nach scharfer Debatte den Kontrollrat verlassen" (21. 3. 1948). „Aus dem Grenzgebiet überstürzen sich die Nachrichten. ‚Die beiden fahrplanmäßigen amerikanischen Dienstzüge in Marienborn aufgehalten ...' Die Stadt fiebert vor Unruhe. Noch nie lag der Krieg so greifbar in der Luft" (2. 4. 1948). „Für Mangelwaren zahlt man Phantasiepreise. Ein Pfund Erdbeeren 25 Mark ... – ‚Wir geben sie nicht ab', weigern sich die Baumbesitzer ..., ‚wir warten bis zur Währungsreform'. – ‚Dann wartet, bis sie faul werden' ... Anlegen, anlegen ... nur nichts verfallen lassen! Von Stunde zu Stunden büßt die Reichsmark an Wertschätzung ein ... Dieser kauft ... für dreihundert Mark Abführmittel, der andere für neunzig Mark Gesundheitstee ... Berlin verkauft sich aus. Berlin rotiert auf Höchsttouren ..." (11. 6. 1948). „Wir kleben am Radio ... Der Ansager räuspert sich ... ‚Das erste Gesetz zur Reform der deutschen Währung, das von den Militärregierungen der USA, Großbritanniens und Frankreichs erlassen wurde, tritt am 20. Juni in Kraft. Abwertung 10:1' ... Und dann ... ‚Die Währungsneuordnung erstreckt sich zunächst nicht auf Berlin. Berlin als Viermächtestadt behält vorläufig seine alte Geldrechnung. Keine wirtschaftliche Schranke zwischen Berlin und den Westzonen.'" (18. 6. 1948). „Marschall Sokolowskij: ‚Die separate Westwährung ist illegal. Berlin ist Bestandteil der Ostzone ... Ihre Einfuhr steht unter Strafe'. Die Grenze ist bereits gesperrt. Mit rasselndem Getöse fiel gestern nacht um 24 Uhr zwischen Helmstedt und Marienborn endgültig der Eiserne Vorhang. Eben verkündet die SMA: ‚Im Zusammenhang mit der separaten Währungsreform war die Sowjetische Militärverwaltung gezwungen, folgende Maßnahmen durchzuführen: Die Einreise ... aus den westlichen Zonen wird gesperrt'" (19. 6. 1948). „Kaffeepfundpreis dreitausend Mark ... Eine

Chesterfield fünfundsiebzig Mark...
In der Luft brummt es wie zur Bomben-
zeit. Die amerikanische Militärregie-
rung hat ab sofort den Flugverkehr
nach Berlin erhöht...,Im Westen essen
sie jetzt Kirschtörtchen', sagt Heike träu-
merisch, als wir unter Fliegergebrumm
ins Bett steigen. ,Und rauchen Chesterfield für zehn Pfennig'" (22. 6. 1948).
„,Sonderausgabe der ,Täglichen Rundschau':... ,Demokratische Währungsreform in der sowjetischen Besatzungszone und in Berlin. Ab 24. Juni 1948
sind... neue Geldscheine einzuführen:
Reichsmark und Rentenmark alten Musters mit aufgeklebten Spezialku-
pons... Sonderausgabe des Telegraf,
der englisch lizenzierten Berliner Tageszeitung: ,Die sowjetischen Befehle
für eine Umwandlung der Währung in
Groß-Berlin widersprechen dem Vier-
mächteabkommen... In den französischen, britischen und amerikanischen
Sektoren sind diese Befehle null und
nichtig... Erforderliche Vorkehrungen
werden getroffen, um in den drei Westsektoren... die neue Westzonen-Wäh-
rung einzuführen'. Es ist also so weit.
Statt einer neuen Währung haben wir

259–261 *Schaufenster am Kurfür-*
stendamm nach der Währungsreform
1948 (l.); Markierung der Sektoren-
grenze am Potsdamer Platz (l. u.);
Wechselstube am Zoo 1948

zwei. Und zu dem Eisernen Vorhang an der Elbe gesellt sich ab übermorgen der Eiserne Vorhang quer durch Berlin" (23. 6. 1948). „Die Repressalien beginnen. Seit heute morgen haben die Sowjets die Stromzufuhr nach den Westsektoren abgeschnitten. Wir sitzen wieder ohne Radio, ohne Licht, ohne Kochstrom... Heute beginnt der Geldumtausch im Ostsektor. Gegen Vorlage des Stammabschnitts der Junilebensmittelkarte für Zucker erhält jeder Bürger 70 Kuponmark im Umtauschwert 1:1 ... Die Kuponmark gilt auch in den Westsektoren. Allerdings nur zum Erwerb bewirtschafteter Lebensmittel, zur Zahlung des Mietzinses, des Fahrgelds in öffentlichen Verkehrsmitteln, der Post- und Fernsprechgebühren, der Strom-, Gas- und Steuerschulden. Morgen beginnt der Geldumtausch in den drei Westsektoren. Gegen Vorlage und Abstempelung der Kennkarte erhält je-

der Bürger 60 Deutsche Mark Kopfgeld
im Umtauschwert 1:1 ... Die Deutsche
Mark ist im Ostsektor verboten ... Am
Bahnhof Zoo ... handelt man bereits
ganze Bogen Kuponmark gegen Reichsmark mit 50 Prozent Aufschlag ... Jeder sein eigener Neugeldfabrikant"
(24. 6. 1948). „Die SMA hat befohlen,
ab sofort jede Belieferung der Westsektoren mit Gütern aus der Ostzone oder
dem Ostsektor einzustellen. Auch der
Güterverkehr über die Zonengrenze findet seit gestern nicht mehr statt"
(25. 6. 1948). „Howley, der amerikanische Kommandant (erklärt:) ‚Wir werden nicht zulassen, daß die Berliner
Bevölkerung hungert'" (26. 6. 1948).
„Zwei Stunden Strom am Tage. Der Gerechtigkeit wegen soll es nach Plangrup-
pen gehen. Unsere Stromstunden sind
von zwölf bis drei Uhr nachts. Seit kurzem fahren Lautsprecherwagen des
RIAS durch die Straßen der Westsektoren und ersetzen den Nachrichten-
dienst ... Er meldet das Wichtigste:
‚Weitere Verstärkung der Luftbrücke
auf 100 Flugzeuge täglich'" (27.
6. 1948). „‚Streichhölzer, nur Westgeld. Zwiebeln: halb Ost und halb West.
Rosinenzuteilung: Westgeld. Dekaden-
zucker: Ostgeld ... Seifenaufruf: Ost-
währung, die dazugehörigen Einweich-
mittel: Westwährung. Ja, sind wir denn
Mathematikakrobaten?'" (2. 7. 1948).
„‚Es ist toll, wie sich in den letzten drei
Wochen hier alles verändert hat',
schreibt Frank aus München. ‚Man
spricht nicht mehr von Kalorien, weil es
genug zu essen gibt. Die Läden sind voll
mit Waren ...' Sollen wir gehen? Sollen
wir bleiben? Ich schaue in die leeren Läden ... Ich lese im Tagesspiegel ..., daß
bereits 50 Prozent der Westberliner Betriebe wegen Strommangel stillgelegt
wären ... Ich höre, daß die SMA ... seit
heute wegen ‚Schleusenreparatur in Ra-
thenow' auch den Wasserverkehr zwischen Berlin und den Westzonen eingestellt hat" (10. 7. 1948). „Seit kurzem
werden sogar Kohlen eingeflogen. Alle
drei Minuten ein Flugzeug. ‚Berlin
kämpft für die Freiheit Europas ...' be-

*262–265 Landung eines „Rosinen-
bombers" (l. o.); Kohlenzuteilung am
29. 1. 1949 (l.); Telegraf vom
23. 7. 1948 (r. o.); Die ersten Interzo-
nen-Omnibusse Berlin-Hannover verlassen die Stadt.*

teuer ein westzonaler Politiker nach dem anderen... Wir haben keine Zeit stolz zu sein" (20.7.1948). „Die Luftbrückenflugzeuge bringen innerhalb 24 Stunden 3000 bis 4000 Tonnen Versorgungsgüter nach Berlin. Und die Berliner Selbstmordziffer, in normalen Zeiten pro Tag 1,5 ist auf etwa 7 Fälle täglich gestiegen" (22.8.1948). „RIAS: Gegen 11 Uhr vormittags erschienen... kommunistische Demonstranten vor dem Neuen Stadthaus. Sie... besetzten den Sitzungssaal... Gegen 14 Uhr eröffnete ein Vorstandsmitglied der SED eine Stadtverordnetenversammlung, an der lediglich die SED-Fraktion und der Leiter der Ostzonen-CDU-Arbeitsgemeinschaft teilnahmen... Um 18.30 Uhr traten die Stadtverordneten mit Ausnahme der SED-Fraktion zu einer außerordentlichen Sitzung in der Taberna Academica im Britischen Sektor am Steinplatz zusammen. Sie beschlossen, bis zur Rückkehr normaler Verhältnisse in den Westsektoren zu tagen und auf den 14. November die Wahl für ein neues Stadtparlament anzusetzen" (6.9.1948). „Heute ist auch der westlich orientierte Magistrat aus dem Stadthaus ausgezogen und hat sein Quartier im britischen Sektor aufgeschlagen. Zwei Stadtparlamente, zwei Polizeibehörden, zwei Stadtregierungen und – seit neuestem – auch zwei Berliner Universitäten. Die chinesische Mauer an der Sektorengrenze wächst ständig" (14.10.1948). „Westberlin hat

gewählt. Von rund anderthalb Millionen Stimmberechtigten entschieden sich fast eineinviertel Millionen gegen die Politik der SED" (6.12.1948). Mit dem Abflug der Autorin am 19.12.1948 vom Flughafen Tempelhof nach Frankfurt am Main endet das Tagebuch. Bleibt noch nachzutragen, daß die Blockade im Bewußtsein der West-Berliner zu einem Mythos wurde. Wer erinnert sich heute noch, daß die Stadt zur SBZ und zum Ostsektor offen war? Vom Anhalter Bahnhof konnte man bis Mai 1952 nach Dresden fahren, mit der S-Bahn in die Mark Brandenburg, wo die Berliner auf ihren Laubengrundstücken traditionell ihr Kleingemüse zogen und Kleinvieh hielten. Entlang der Sektorengrenze wurde eine dichte Kette von Konsum- und HO-Geschäften aufgebaut (vgl. Abb. 270). Dort konnte jeder West-Berliner, wenn er wollte, die karge Kost aus Trockenkartoffeln, Dörrgemüse, Ei- und Milchpulver mit frischem Brot, Milch, Eiern und „Feinfrost" aus der Magdeburger Börde (das erste Tiefkühlgemüse!) ergänzen. Diese Einkaufsmöglichkeiten wurden erst nach Aufhebung der Blockade am 12.5.1949 eingeschränkt. Obwohl die Westalliierten am 20.3.1949 die Ostmark als gesetzliches Zahlungsmittel in den Westsektoren verboten, existierten die Wechselstuben (Kurs 1:4, vgl. Abb. 261) noch bis 1952 (Erlaß eines Aufenthaltsverbots für West-Berliner in der DDR). Ab Herbst 1948 begann eine

Kampagne des West-Berliner Magistrats gegen Einkäufe im Osten: „Herr und Frau Dummstroh essen Ostbrot" konnte man auf Plakaten lesen.[36] Zivile Steuerstreifen machten Stichproben in den Einkaufsnetzen (vgl. Abb. 269).[37] Mit der Freigabe von 95 Millionen DM aus dem Marshallplanfonds im Dezember 1949 war der Weg frei, um „aus einer Trümmerinsel im ‚roten Meer'[38] ein „Bollwerk" und „Schaufenster der Freiheit" zu machen, dessen „elektrischer Feuerschein am Horizont"[39] den Ost-Berlinern den rechten Weg weisen sollte.   E. G.

266–270 *Kurfürstendamm; „Neue Scala" Motzstraße (l.); Der erste Transport aus dem Westen brachte Sahneeis am Stiel (l. u.); West-Berliner Steuerfahnder kontrollieren am Potsdamer Platz, 1953. Fotos: Fritz Eschen; „Die freie Berliner Presse meldet" contra „Der kluge Berliner kauft bei der HO" im April 1951 auf dem Potsdamer Platz*

Stadtlandschaft

Scharouns städtebauliche Vision für Berlin
und ihre Provinzialisierung

Als Scharoun, im Mai 1945, nachdem der Kampf um Berlin zu Ende war, mit seinem geretteten Fahrrad von Siemensstadt über die Trümmerfelder 12 km weit zum Stadthaus in der Parochialstraße gefahren war, las er, dort angekommen, an der Tür des Amtszimmers des Stadtbaurats seinen Namen. Die Frage, die er stellen wollte, nämlich was er tun könne, war damit beantwortet (Heinrich Lauterbach im Katalog der Scharoun-Ausstellung 1967).

Hans Scharoun war Ordinarius für Städtebau und Siedlungswesen an der Technischen Universität Berlin-Charlottenburg, als ich in den 1950er Jahren dort studierte. Er ist für mich keine literarische Figur; ich kenne ihn aus seiner Vorlesung. Mit Normen für Straßenbreiten, Gehsteige, mit Kanalisationsquerschnitten, mit Abstandsregeln für Wohnzeilen gab er sich nicht ab. Er sprach von der Geschichte der Moderne und war voll von der Idee, Städte zu bauen, in denen sich leben lassen würde, ohne Behinderung durch falsche Repräsentation, durch die längst hohl gewordene bürgerliche Fassade. Niemand habe ich seither mit mehr Verständnis über Mies van der Rohes Kunst reden hören, niemand aber auch mit solcher Liebe über die Ordnung der mittelalterlichen Stadt oder über den kultischen Gebrauch des antiken griechischen Theaters. Er hat mir selbst erzählt, wie er in den Nachkriegsjahren versucht hat, das Berliner Schloß oder wenigstens dessen Schlüterbau zu retten, und wie er damit Verhaftung riskierte, was damals noch Deportation bedeuten konnte (1945/46 war er Stadtbaurat des noch ungeteilten Groß-Berlin, 1947–50 Leiter des Instituts für Bauwesen der Deutschen Akademie der Wissenschaften in Ost-Berlin).

Wenn er gegen die Stadt des 19. Jahrhunderts gleichgültig war („die vielen Kuppeln, die in Berlin so heimisch und, ... dienten lediglich der Erhöhung der ersten Hypothek") – dann muß man wissen, daß zumindest deren Fassaden noch die Städte anfüllten. Er hat nicht voraussehen können, daß wir in infantiler Amerika-Imitation die Stadt des 19. Jahrhunderts nahezu austilgen würden. Er hat auch nicht vorausgesehen, daß der Städtebau nicht funktional im Sinne von uns allen sich gestalten würde, wie er das dachte, sondern funktional für das Großkapital – fast niemand hat das damals für möglich gehalten. Er glaubte an Planung, hoffte, daß nie wieder die Bodenpreise den Städtebau beherrschen würden: „Die Bodenspekulation stand einer natürlichen und gesunden Entwicklung der Stadt entgegen."

Scharoun sprach vom organischen Aufbau der Stadt aus Wohn- und Arbeitsstandorten. Die Wohnstadt dachte er sich gegliedert in Nachbarschaften von der Größe des Einzugsbereiches einer Volksschule, die auch kultureller Mittelpunkt sein sollte. Er hatte 1930 die Siedlung Siemensstadt entworfen und wohnte dort auch; ebenso zog er wieder in eine Wohnung der Siedlung Charlottenburg Nord, die 1956–61 nach seinen Plänen gebaut wurde. 1930 zur Siedlung Siemensstadt: „Nachbarschaft für eine geistige Energie – eine Qualität und nicht nur eine Quantität. Sie ist ein Raum, den ein Fußgänger in etwa einer Viertelstunde durchquert, ein Raum, der der Erlebnisfreudigkeit des Kindes entspricht, groß genug, um Abenteuer darin anzusiedeln, klein genug, um das Gefühl der Heimat aufkommen zu lassen." Die Nachbarschaft sollte verkehrstechnisch gut angebunden sein. Mit Selbstversorgungsgarten, Leben auf dem Lande hatte er nichts im Sinn, über Leberecht Migges einschlägige Gartenstadt-Planungen nach dem Selbstversorgungsprinzip spottete er: ‚lebe recht und mikkerig.' Er war Großstädter. Selbstverständlich hatte seine Großstadt ein kulturelles Zentrum, auch Areale des Handels, der Produktion, der Verwaltung. All dies sollte am jeweils sinnvollsten Platze sich entwickeln können.

Nicht auf den Bodenpreisen, sondern auf den landschaftlichen Gegebenheiten sollte die große Ordnung des Lebensraumes aufbauen. Die Hauptverkehrsadern – Autobahnen selbstverständlich – sollten den großen Tälern folgen. Er erklärte uns das am Beispiel der Verkehrsverbindung Berlin–Potsdam. Er fand es falsch, daß man 1938 die alte Landstraße von Wannsee über den ‚Kilometerberg' zur Glienicker Brücke breiter gemacht und in einen tiefen Einschnitt gelegt hatte. Statt die alte Straße zu verderben (von ihrer Höhe bot sich einst das Panorama Potsdams) hätte für den ganz neuen Verkehr eine ganz neue Verbindung durch das Nuthetal angelegt werden sollen – ein Problem, das inzwischen obsolet geworden ist ...

Schon damals habe ich verstanden, daß die Auflösung der Stadt in Landschaft, die Auffassung des Landes im ganzen als Wohnlandschaft Weiterführung und Ausformung des modernen bürgerlichen Welt- und Naturgefühls war, das mit dem englischen Landschaftsgarten des 18. Jahrhunderts zuerst formal ausgesprochen worden ist. Die Ästhetisierung und zugleich zweckmäßige Disposition mußte schließlich auf die ganze Oberfläche des Planeten ausgedehnt werden. Der Park, die Landschaft ist ja der selbstverständliche Rahmen aller heutigen positiven Lebensäußerungen weit über die Künste hinaus (z. B. für den Urlaub). Der Landschaftspark nimmt in unseren Ordnungsideen ungefähr die Stelle ein, die im Mittelalter die Kathedrale ausgefüllt hat, im Absolutismus das Schloß inklusive Residenzstadt. Die Modernen führen die großen Traditionen fort, die Traditionalisten verzehren nur das Erbe.

Als Stadtbaurat von Groß-Berlin hat Scharoun langgehegte Ideen für Berlin ausformuliert in der Ausstellung „Berlin plant" (22. 8. 1946 eröffnet), die er im Schloß veranstaltete, gewiß nicht ohne Nebengedanken, er wußte doch von den Abrißabsichten. Er hat damals eine Rede gehalten, aus der ich hier zitieren möchte und aus der auch die übrigen Zitate in meinem Text entnommen sind, soweit nicht besonders nachgewiesen. Das Wort ‚Stadtlandschaft', das er verwendet, ist schon in den 20er Jahren geprägt worden, und zwar gerade auf Berlin als sich herausbildenden Prototyp einer modernen Großstadt. „Was blieb, nachdem Bombenangriffe und Endkampf eine mechanische Auflockerung vollzogen, das Stadtbild aufrissen? Das, was blieb, gibt uns die Möglichkeit, eine ‚Stadtlandschaft' daraus zu gestalten. Die ‚Stadtlandschaft' ist für den Städtebauer ein Gestaltungsprinzip, um der Großsiedlungen Herr zu werden. Durch sie ist es möglich, Unüberschau-

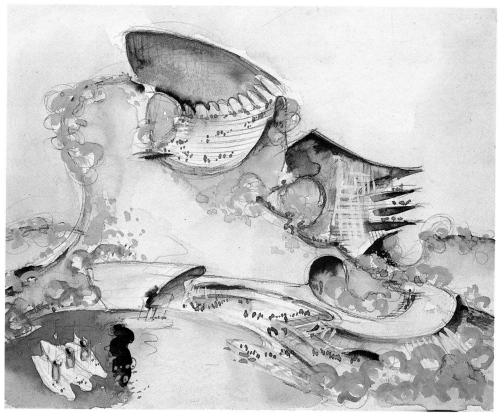

271–272 *Hans Scharoun, Ohne Titel, Aquarelle, entstanden zwischen 1939 und 1945*

273 *Blick von der Siegessäule über den Tiergarten nach Osten, 1951. „Die Zerstörung hatten Flugzeuge erledigt und nichts stand mehr im Zentrum der Stadt. Die Zeit war endlich gekommen" (Hans Scharoun).*

bares, Maßstabloses in übersehbare und maßvolle Teile aufzugliedern und diese Teile so zueinander zu ordnen, wie Wald, Wiese, Berg und See in einer schönen Landschaft zusammenwirken. So also, daß das Maß dem Sinn und Wert der Teile entspricht, und so, daß aus Natur und Gebäuden, aus Niedrigem und Hohem, Engem und Weitem eine neue lebendige Ordnung wird. ... Unsere Meinung ist, daß die Großstadt nicht überholt ist, sondern, daß sie bisher eine ihr gemäße wahre Form noch gar nicht gefunden hat ... Ausgang ist die Fixierung der Arbeitsstandorte für Industrie, Wirtschaft und Verwaltung, die streifenartig die Stadtlandschaft durchziehen. Sie werden von Wohnbändern begleitet, – die der Kapazität der Wirtschaftsstandorte entsprechen –, denen ein sehr hoher Wohnreiz gegeben werden muß, um der Flucht der Arbeiter aus dem Stadtraum an die Peripherie entgegenzuwirken und den Berufsverkehr zu mindern... Die Wohngebiete sind in Grundzellen – ‚Nachbarschaften' – von möglichst gleicher Wohndichte aufgegliedert, die etwa dem Kern der Siedlung Siemensstadt entsprechen. ... Der Familie muß der Lebensraum gegeben werden, der ein Leben der Familie und mit Freunden auch wirklich gestattet....."

Der berühmte Kollektivplan für Berlin (Ebert, Friedrich, Herzenstein, Lingner, Scharoun, Seitz, Selmanagič, Weinberger) besteht wesentlich aus Autobahnen parallel zur Spree oder besser in Richtung des Urstromtals und Querverbindungen dazu in größeren Abständen. In dies abstrakte Rechtecknetz („Verkehrsgitter") ließ sich alles einbetten, was die Stadt war und was sie brauchte. Die Mitte der Stadt waren für Scharoun nicht die Geschäftsstraßen, sondern die Kultureinrichtungen, die er als dasjenige verstand, was die Rolle der einstigen Kulte übernommen hatte oder übernehmen würde. Als Weltbürger konnte er das einheimische Christentum nur als provinziell einschätzen, er sah es aus intellektueller Distanz. Daß seine Ausdruckweise manchmal etwas anthroposophisch klingt, mag daran liegen, daß das anthroposophische Vokabular in eben den Jahren geprägt wurde, in denen Scharoun sich

ausgebildet hatte. Den mittelalterlich-provinziellen Kern der Stadt Berlin mit ihren alten Kirchen scheint Scharoun nicht eigentlich als Anfang des ‚Kulturbandes' angesehen zu haben; hier war ihm das Rathaus als Ausgangspunkt der kommunalen Verwaltungen das wesentliche. Das Kulturband fing beim Schloß an, das ja seit 1921 Museum war, und setzte sich über Museumsinsel, Staatsbibliothek, Oper, Universität zum Tiergarten hin fort, um westlich des Tiergartens Zoo und Technische Hochschule zu erreichen. In Scharouns Gedanken rückte die kulturelle Mitte Berlins in den Tiergarten, in jenes kostbare Stück Landschaft, das inmitten der Stadt die Verpflichtung aller Kultur auf eine schöne Ordnung der natürlich gegebenen Welt sinnfällig machen konnte. Kultur heißt ja ursprünglich Bestellung des Landes.

Mit dem ‚Kollektivplan' lebte Berlins kulturelle Metropolenrolle der 20er Jahre noch einmal auf. Nach der Spaltung der Stadt beginnt mit dem West-Berliner Hauptstadt-Wettbewerb sogleich die Provinzialisierung: der Verkehrsplan der Behörden in den Wettbewerbsunterlagen ist ein Bastard aus der zentralistischen Planung des Dritten Reiches und dem Kollektivplan.

Scharoun hat nicht dementiert, wenn die Behörden im unterbewußten Gefühl ihrer Unzuständigkeit ihn als Mitautor dieses Bastards, des West-Berliner Schnellstraßenplans, in Anspruch nahmen. Niemand wußte besser als er, daß Architektur vom Kulturzustand der Gesellschaft abhängt. Er wollte das Maximum des Erreichbaren herausholen. So wappnete er sich gegen Unverstand durch Wurschtigkeit und erreichte immerhin, daß mit dem ‚Kulturforum' ein Stückchen seines Kulturbandes ausgeführt wurde. Er hat die Neubauten für die Staatsbibliothek (West), die Museen (West) selbstverständlich als Erweiterungsbauten auf die Museumsinsel bezogen.

In das Kulturband gehörte auch der Neubau der Philharmonie. Der Alte hat es nicht so einfach verraten, aber ich weiß es aus dem Zusammenhang seiner Vorlesung: Die Philharmonie war für ihn eine Stätte des demokratischen Kultus, eine Stätte, wo sich das Volk versammeln sollte, wie die griechische Bürgergemeinde im Theater sich versammelt und im Miterleben von Tragödie und Komödie sich gemeinsam erhoben, gereinigt, befreit hatte. Der Innenraum der Philharmonie ist eine Beschwörung, eine Vergegenwärtigung des archaisch-griechischen Felsentheaters, etwa der delphischen Schlucht, ehe sie mit gleichmäßigen Bankringen ausgebaut war; die Decke ist der Himmel. Und in den Pausen sollten sich die Teilnehmer der Kulthandlung ungestört vom städtischen Getriebe angesichts der weiten Landschaft erholen, daher die Türen aus den Foyers auf die Dächer und hinaus ins Freie. Und wer die Nordseite des Gebäudes genauer ansieht, wird finden, daß Scharoun angedeutet hat, daß sie sich aufspalten, aufklaffen will, um sich zum Tiergarten hin zu öffnen, wie eine Knospe, oder eher noch wie im romantischen Idealtheater ein Vorhang hinter der Bühne den Blick ins Land freigibt. Auch bei der Philharmonie hatte Scharoun seine Wurschtigkeit bitter nötig. Die West-Berliner Statiker trauten sich nicht, ihm für das Dach moderne Hängeschalen zu konstruieren – da nahm er eben einen Trägerrost. Und ich habe stark den Eindruck, daß sie ihm ins Foyer jene Stützen ‚hineingerechnet‘ haben, die er in ein Pflanzbecken gestellt und schaurig-modernistisch gestylt hat.

Ein kluger Kritiker hat bemerkt, daß man in dem Gehäuse der Philharmonie nicht recht Gelegenheit findet, Rang und Reichtum zur Schau zu stellen. Für den Gala-Auftritt in großer Robe gibt es keine Bühne. Das war Absicht. Scharoun hat sogar an den Zugängen zu den teuersten Plätzen (Blocks A und B) den Brüstungen barocke Schweifungen aufgelegt, mit denen er den Opernpomp ironisiert. Scharoun sagte, die moderne Architektur könne nur ‚Leistungsform‘ sein. Damit meinte er wohl, daß sie nicht über symbolische Formen verfüge wie die älteren Baustile, ehe das 19. Jahrhundert die Symbolformen verbrauchte. Um seine Philharmonie auch symbolisch sprechen zu lassen, sah er auf ihrer Spitze ein freies Kunstwerk vor: den Vogel Phönix von Uhlmann. Der Senat von West-Berlin sollte in diesem von Grund auf demokratischen Gebäude seine Empfänge geben, das wäre sympathischer und selbstbewußter, als den Rahmen feudal-absolutistischer Herrschaft von Gottes Gnaden, das Charlottenburger Schloß, in Anspruch zu nehmen.

Wenn ich heute lese, Scharouns Kulturforum ermangle jeder Idee von stadtbaulicher Einbindung, kann mir so ein Schreiber (und West-Berlin) nur leidtun. Ich bin übrigens nicht dafür, Scharouns Vorstellungen posthum auszuführen. Jede Generation soll ihre eigene Ordnung und ihre eigenen Räume bauen, soweit sie damit kommt. Das ist ihr gutes Recht. Sie soll sich auch nicht hinter Berühmtheiten verstecken, die sich nicht dagegen wehren können, daß man aus ihren Vorstellungen sich Details anmaßt und dabei das ganze verhunzt.

Ich habe als Student Scharouns Architektur nicht verstanden, mich an der leichter begreiflichen Richtung Mies van der Rohes orientiert. Daß aber der Kollektivplan unserer Zeit angemessen und daß das, was der West-Berliner Senat baute, provinziell war, das haben wir schon als Studenten gewußt. Ich entsinne mich, wie wir aus dem Zeichensaalfenster oben im Erweiterungsbau der Technischen Universität die Freigabe des Ernst-Reuter-Platzes (vgl. Abb. 283) für den Verkehr und den sofortigen Zusammenbruch des Verkehrs voll Hohn erwarteten (tatsächlich wurden alsbald die Ampeln aufgestellt). Für diese 250 Jahre verspätete Ausbeutung einer städtebaulichen Prägung des Barock haben die Planungsbehörden die originale barocke Sichtverbindung vom Charlottenburger Schloß zum Zoo (ursprünglich Fasanerie), die über die Otto-Suhr-Allee und Hertz-Allee lief, unkenntlich gemacht und doppelt verbaut. Ich erzähle das nicht als Einzelfall, sondern als Beispiel für viele – das war strukturell. Weil aber im städtebaulichen Fach vielleicht doch Unkenntnis der alten Systeme waltete, ein architektonisches Beispiel.

Wir hatten mit einer Studentengruppe gegen den Abbruch des Anhalter Bahnhofes protestiert, der ja sogar in der Kritik der 20er Jahre als großer Wurf anerkannt worden war (vgl. Hajos/Zahn, „Architektur der Großstädte"). Mich interessierte neben der großen Form auch die Fertigteilbauweise, die so eine Formziegelarchitektur ja schon darstellt. Ich fand auch die Eisenfenster der Halle in ähnlicher Weise aus kleinen Fertigteilen kombiniert und habe mir damals noch ein Sprossenkreuz herausgeschnitten . . . indessen vielleicht ein, zwei Jahre nach der Sprengung und Abtragung fielen mir die Wettbewerbsunterlagen des Wettbewerbs Hauptstadt Berlin wieder einmal in die Hände, und ich fand den Standort des Anhalter Bahnhofes für ein Verkehrsmuseum ausgewiesen! Es gab ja im Hamburger Bahnhof das alte Berliner Verkehrsmuseum, das zwar unter Regie der (DDR-)Reichsbahn stand und geschlossen war, in das ich aber schon mal hineingeguckt hatte. Nun wollte ich doch wissen, was die Planer sich beim Abbruch der großen Halle des Anhalter Bahnhofes gedacht hatten. Man hätte ja dort für meine Begriffe die beste denkbare Ausstellungshalle gehabt. Ich suchte also wie schon einmal, vor der Sprengung, den Leiter der Verwaltung des West-Berliner stilliegenden Reichsbahnvermögens auf. Ob diese Möglichkeiten nicht bedacht worden seien? Er sah mich zuerst verständnislos an, dann begriff er: Ach so! Aber wir wollten doch ein modernes Museum!

So eine Provinzposse ist erzählenswert, weil die Macher in fast allen Städten Deutschlands damals etwa so dachten und verfuhren. Die Deformierung der Gehirne hatte den Zusammenbruch von 1945 überdauert. Es ist mir heute noch unbegreiflich, daß ausgerechnet diese Generation sich anmaßte, über gut und schlecht nicht nur gegenwärtiger Planung, sondern der Planung aller ihnen vorausgegangenen Generationen das endgültig letzte Wort zu sprechen.

Nur vom Hörensagen kenne ich die überaus bezeichnende Geschichte, daß sich Martin Wagner, der Stadtbaurat des Berlin der 20er Jahre, mitverantwortlich u. a. für die Großsiedlungen wie Britz, nach 1933 emigriert, eines Tages beim West-Berliner Bausenator Schwedler melden ließ. Dieser: „Wer ist Herr Wagner?"

Über den Kollektivplan äußerten sich diese Stadtgewaltigen überlegen, gewissermaßen schulterklopfend, daß er eben zu idealistisch sei, daß „unser Professor Scharoun" nicht so ganz mit beiden Beinen auf der Erde stünde. Der Kollektivplan teilt seinen Ruhm mit zwei gleichzeitigen Gegenstücken, dem Plan von Arthur Korn für Groß-London und dem Plan von Maciej Nowicki für Warschau. In Warschau ist der Plan durchgeführt worden.

Goerd Peschken

Die autogerechte Stadt

West-Berlin, Partnerstadt von Los Angeles, der Stadt auf vier Rädern – verfügt über eine technisch perfekte, ja geradezu luxuriöse Verkehrsinfrastruktur. Auch die äußersten Zipfel der Stadt sind verkehrstechnisch vorzüglich erschlossen: ein dichtes ca. 2900 km langes, sorgfältig gepflastertes, asphaltiertes oder betoniertes Stadtstraßennetz, davon allein über 500 km Verkehrsstraßen mit über 12 m Fahrbahnbreite, überzieht die Stadt. Dazu kommen 24 km Bundesstraßen und ca. 42 km vielspurige Stadtautobahnschneisen, teilweise mitten durch die Stadt. Und das Bild der Straßen wird unübersehbar, unüberhörbar und – riechbar vom „fließenden und ruhenden" Autoverkehr bestimmt. 1983 waren es – bei immer noch steigender Tendenz – 545 658 PKW's (die Vergleichszahlen für 1953: 33 435, 1963: 221 335, 1973: 367 293), dazu 33 036 Motorräder und Roller sowie 38 037 LKW's und Busse. Zum Straßenbild West-Berlins gehören auch die ca. 80 Buslinien mit ihrem etwa 1000 km langen Busnetz. Diese Autoflut hatte allein in den 20 Jahren zwischen 1960 und 1980 eine Zunahme von ca. 500 ha versiegelten Straßenlandes (das entspricht der fünffachen Fläche der Spandauer Altstadt) und in den letzten 30 Jahren (1953–1983) ca. 500 000 Verletzte und 9400 Tote bei ca. 1,7 Millionen Unfällen zur Folge.

Ein Opfer dieser Autolawine wurde die in den Jahren zwischen 1953 und 1967 stillgelegte Straßenbahn – bis in die 50er Jahre das Rückgrat des öffentlichen Personennahverkehrs (ÖPNV). Der in seiner relativen Bedeutung ständig weiter abnehmende ÖPNV spielt sich – auch das ist ein Ausdruck des Siegeszuges des Autos – als Restverkehr vor allem unter der Erde auf dem ca. 101 km langen U-Bahn-Netz ab. Dazu kommt schließlich die seit dem Mauerbau planerisch und politisch boykottierte S-Bahn, erst 1985 von der BVG halbherzig wieder in Betrieb genommen.

Der Siegeszug des Autos als dominantes Massentransportsystem wird nicht nur bei einem Rückblick auf die Zustände in den 50er oder gar 20er Jahren (vgl. Weltstadtplätze und Massenverkehr, S. 132 ff.), sondern auch bei einem direkten Vergleich mit den Verkehrsverhältnissen in Ost-Berlin deutlich. Hier sind, trotz eines ebenfalls hohen Motorisierungsgrades, immer noch die S-Bahn und die Straßenbahn Hauptträger des Massenverkehrs. Der autogerechte Aus- und Umbau des Verkehrssystems ist jedoch nur ein, wenn auch zentraler Aspekt des Versuchs, die kompakte Mietskasernenstadt nach dem Leitbild der aufgelockerten und durchgrünten „Stadtlandschaft" umzubauen, deren ‚guten Lagen' nicht mehr an der Straße, sondern in den Schwerpunkten der von Verkehrsstraßen umschlossenen Wohngebiete liegen sollten. Die gegenwärtig zu beobachtende Renaissance der städtebaulichen Vorstellungen aus der Vorautozeit beendet (scheinbar?) das in den 20er Jahren vorbereitete und in den vier Nachkriegsjahrzehnten realisierte Kapitel funktionalistischen Städtebaus. Die Etappen einer im Vergleich zum Bombenkrieg z. T. einschneidenderen „zweiten Zerstörung" werden im folgenden skizziert.[1]

Straßenplanung für die „Hauptstadt Berlin"

Die „erste Zerstörung" endete nach einem elftägigen „Kampf um Berlin" am 2. Mai 1945. Die zerbombte Stadt wird von sowjetischen Armee-Einheiten besetzt. Unter der Leitung des sowjetischen Stadtkommandanten, Generaloberst Bersarin (nach ihm wird später der Baltenplatz im heutigen Ost-Berlin benannt) erfolgen die ersten Aufräumungsarbeiten und die Wiederingangsetzung der Straßenbahn, der S- und U-Bahn sowie der stadttechnischen Ver- und Entsorgung. Die Stadt ist zwar schwer beschädigt, 612 000 Wohnungen, d. h. ca. 40 % der Gesamtsubstanz sind zerstört, die Einwohnerzahl auf ca. 2,3 Millionen zusammengeschmolzen, aber dank der weitgehend erhaltenen Straßen und der nur leicht beschädigten stadt- und verkehrstechnischen Infrastruktur trotzdem beschränkt lebensfähig. Autos zum privaten Gebrauch waren nicht vorhanden, man benutzte die öffentlichen Verkehrsmittel oder das Fahrrad.

In dieser Situation begannen die Vorarbeiten (teilweise wurden auch nur bereits vorher begonnene Arbeiten fortgesetzt) für den Wiederaufbau des ‚neuen Berlin'. Mangels ausreichender Datengrundlagen und angesichts einer ungewissen Zukunft trugen die Pläne bis zur politischen Teilung – also der sogenannte ‚Kollektivplan', der Zehlendorfer Plan, der Heyer-Plan und die Pläne A und B (Bonatz)[2] mehr oder weniger ausgeprägt den Charakter gezeichneter Leitbilder. Dies gilt insbesondere für den unter der Leitung des ersten Stadtbaurats Hans Scharoun und seiner sich programmatisch ‚Kollektiv' nennenden Mitarbeiter erarbeiteten Kollektivplanes (vgl. S. 302 ff.)[3]. Im Vergleich zum heutigen Typ gesetzlich geregelter, verbeamteter Stadtplanung nach den Vorschriften des Bundesbaugesetzes war dies weniger ein Plan, sondern mehr Utopie, Denkmodell oder Gestaltungsprinzip und zwar sowohl in seinem Gesamtbild einer radikal aufgelockerten Stadtlandschaft als auch in vielen seiner Details. Obwohl er gerade wegen dieses Charakters schnell auf Widerstand stieß und von den „Realisten" in West-Berlin aber auch den Anhängern eines an sowjetischen Vorbildern orientierten Städtebaues in der jungen DDR (vgl. S. 328 ff.) abgelehnt und durch neue Pläne ersetzt wurde, finden sich vor allem in den späteren Westberliner Planungen (Flächennutzungsplan von 1950, Hauptstadtwettbewerb 1957 und Flächennutzungsplan 1965), wenn auch verwässert und abgelöst von den politischen und ökonomischen Voraussetzungen, wichtige Elemente des Kollektivplans wieder. Über den Umweg nachfolgender Planungen wirkte er in kleinen Dosen und kleinsten Dosierungen weiter beim Umgestaltungsprozeß beider Teile Berlins und schaffte die geistige Bereitschaft für die endgültige Zerschlagung des steinernen Berlin, für die spätere hybride Stadtautobahnplanung und die Flächensanierung. Die auf ihm basierende planerische „Auflockerung" der Stadt wirkt nachhaltiger als die „mechanische Auflockerung" durch den Bombenkrieg[4]. Zum besseren Verständnis der späteren Planung ist es also angebracht, sich die Planungsprinzipien des

„Kollektiv-Planes" unter besonderer Berücksichtigung des Verkehrs in Erinnerung zu rufen.

Scharoun, der sich selbst als Nachfolger Martin Wagners sah[5], also bewußt an die 1933 unterbrochene Diskussion funktionalistischen Städtebaus anknüpfte, lehnte wie die anderen Mitglieder des „Kollektivs" die Mietskasernenstadt ab. Er sah daher die „mechanische Auflockerung" durch die Bombenangriffe als gute Voraussetzung dafür an, Berlin nach dem Leitbild einer bandförmigen „Stadtlandschaft"[6] umzubauen. Die Haltung zum Bestehenden und zur Geschichte kommt wohl am deutlichsten in seiner Beschreibung der zerstörten Stadt als „Rohstoff zur Stadtlandschaft" zum Ausdruck[7]. Stadtlandschaft, das war für ihn ein „Gestaltungsprinzip, um der Großsiedlung Herr zu werden. Durch sie ist es möglich, Unüberschaubares, Maßstabsloses in über-

sehbare und maßvolle Teile aufzugliedern und diese Teile so zueinander zu ordnen, wie Wald, Wiese, Berg und See in einer schönen Landschaft zusammenwirken"[8]. Nach diesem Gestaltungsprinzip legte das Kollektiv einen Plan vor, der radikal mit der bisherigen Mietskasernenstadt und der (radialen) Verkehrsstruktur brach. Das „neue Gesicht Berlins" stellte er sich eingebettet in das Spreetal zwischen Barnim und Teltow als eine durch ein anbaufreies Schnellstraßennetz in einzelne Wohngebiete und einen Arbeitsstreifen zwischen Spree und Landwehrkanal aufgeteilte Stadtlandschaft vor. Die Gliederung dieser Einheiten erfolgte durch ein Rastersystem von anbaufreien Verkehrsstraßen (als reine Kfz-Straßen), innerbezirkliche Straßen für den Mischverkehr, Sammelstraßen und Quell- oder Endstraßen. Mit diesem System verkehrsfunktional hierarchisierter Straßenty-

pen sollte als „Endziel stets fließender Verkehr ohne Notwendigkeit der Regelung erzielt werden"[9]. Obwohl es das erklärte Ziel des Planes ist, „hinsichtlich des Berufsverkehrs eine möglichst verkehrslose Stadt zu schaffen", entspricht die verkehrsplanerische Auffassung des Kollektivs eher den 10 Jahre später von Hans Bernhard Reichow formulierten Vorstellungen einer „autogerechten" oder wie er präzisierend sagt einer „Autostadt nach menschlichem Maß"[10]. Die Autofixiertheit des Kollektivplans kommt auch darin zum Ausdruck, daß der öffentliche Personennahverkehr (ÖPNV) also der damalige Hauptträger des Massenverkehrs nur am Rande erwähnt wird. Die wichtigste Aussage für den ÖPNV ist die Umstellung des (vorhandenen) Schnellbahnsystems auf das nicht vorhandene Schnellstraßensystem. „Selbstverständlich" hatte die Straßenbahn, damals noch

274 *Die Bundesallee in Wilmersdorf. Typisches Beispiel für den autogerechten Stadtumbau der 60er und 70er Jahre. Die 1886 von Carstenn geplante Kaiserallee verwandelt sich im Zusammenhang mit dem Bau der U-Bahn in eine Schnellstraße mit sechs überbreiten Fahrspuren. Foto: Karl-Ludwig Lange*

Hauptträger des ÖPNV, in einem solchen System keine Existenzberechtigung.

Die Umsetzung des Kollektivplans in konkrete Planung unterblieb bis auf wenige Teilstücke schon deswegen, weil Scharoun nach den letzten Gesamtberliner Magistratswahlen am 20. 10. 1946 durch Karl Bonatz (SPD) abgelöst wurde und zwei Jahre später durch die politische Spaltung der Stadt dem Plan auch seine geographischen Voraussetzungen genommen wurden. Trotz der Ablehnung des Kollektivplans[11] und der faktischen Beschränkung des Planungsraumes auf West-Berlin bezogen sich die weiteren Planungen insbesondere in ihren Straßenplanungen unbeirrt auf das ungeteilte Groß-Berlin; außerdem blieb die Autofixiertheit. Man griff auf stadtstrukturelle Überlegungen aus dem Kollektivplan zurück. So heißt es im West-Berliner Flächennutzungsplan von 1950 u. a.: „Der Vollständigkeit halber sei noch die selbstverständliche Voraussetzung des Plans erwähnt, daß Berlin die Bundeshauptstadt werden muß. Wäre dies nicht der Fall, so verlöre Berlin als Großstadt seinen Sinn und die Planung müßte von gänzlich anderen Voraussetzungen ausgehen". In bezug auf den Straßenverkehr heißt es weiter: „Der Grundgedanke moderner Verkehrsplanung ist es, die Stadt in geschlossene Gebiete gleicher Nutzungsart, sog. ‚Städtebauliche Einheiten' zu gliedern, an denen der durchgehende Verkehr vorbeigeführt wird und sie nicht durchschneidet."[12]
Neu war im Vergleich zum Kollektivplan die Überlagerung des rasterförmigen Hauptverkehrsstraßennetzes durch ein die alte Innenstadt tangierendes Autoschnellstraßensystem (Ring-Tangentensystem). Die Dimensionierung dieses seit 1956 im Bau befindlichen Systems (s. u.) geschah mangels geeigneter Grundlagen immer intuitiv. Die einzige verkehrswissenschaftliche Berechnung eines Teilstücks des Systems wurde im Zusammenhang mit der Vorbereitung zum „Ideenwettbewerb für die Gestaltung der Hauptstadt Berlin" (1957) vom verkehrswissenschaftlichen Berater von Bausenator Rolf Schwedler (SPD), Professor Wehner angestellt[13]. Die Aufgabe des Gutachtens bestand darin, die Verkehrsbelastungen des *inneren* Tangentenvierecks aufgrund der geplanten Flä-

chennutzung zu ermitteln und das Schnellstraßen-Netz entsprechend zu dimensionieren. Das wichtigste, als Wettbewerbsvorgabe in die späteren Entwürfe einfließende Ergebnis des Gutachtens bestand in der Aussage, daß die für den Zustand eines wiedervereinigten Berlins mit 4,8 Millionen Einwohner errechnete Verkehrsbelastung vor allem im Bereich der Knotenpunkte größer sei als die Anzahl der bis dahin geplanten Spuren. Als Folgerung wurden von Wehner bis zu siebenspurige Autobahnquerschnitte je Richtung und flächenaufwendige Kreuzungslösungen nach amerikanischem Vorbild (Los-Angeles-Lösung bzw. Turbinenlösung) sowie eine Unzahl weiterer paralleler Trassen, Straßendurchbrüche, Straßenverbreiterungen, riesige Verkehrsplätze in Kreisform (u. a. ein gegenüber Wagners Planungen aus den 20er Jahren nochmal vergrößerten Kreisel am Alexanderplatz) vorgeschlagen. Da das Wettbewerbsgebiet im wesentlichen in Ost-Berlin lag[14], beschränken sich die Folgen dieses Kampfprojektes des Kalten Krieges darauf, die hypertrophen Großberliner Straßenplanungsvorstellungen für das sogenannte innere Tangentenviereck in den West-Berliner Flächennutzungsplan von 1965 zu übernehmen. Die Planung eines Autobahnknotens in Turbinenform auf dem Oranienplatz, die Westtangente mit den Kreuzungsbauwerken im Bereich der Süd- und Nordtangente, der Ausbau des Straßennetzes in der südlichen Friedrichstadt (Wilhelmstraße/Lindenstraße), die Isolierung des Mehringplatzes[15] und vieles mehr gehen auf die Straßenverkehrsvorgaben der Wettbewerbe von 1957 zurück.
Die zerstörerische Wirkung der seit 1946 in unterschiedlichen Plänen verfolgten Absicht, Berlin bzw. West-Berlin in eine autogerecht erschlossene Stadtlandschaft schrittweise umzubauen, ist an verschiedenen Stellen in der Stadt zu besichtigen. Die unter dieser Zielsetzung durchgeführten Maßnahmen beschränken sich dabei nicht nur auf die schrittweise Realisierung des Stadtautobahn- bzw. Schnellstraßennetzes, sondern betreffen auch den Umbau der vorhandenen Hauptverkehrsstraßen (oft im Zusammenhang mit dem Bau neuer U-Bahnlinien), neuerdings der zwischen dem Hauptverkehrsstraßennetz liegen-

den ‚Wohnstraßen' durch Maßnahmen der ‚Verkehrsberuhigung' und schließlich die Neuanlage bzw. den Umbau vorhandener Plätze zu ‚Verkehrsplätzen'. Das Bündel dieser bis auf wenige Ausnahmen ohne Architekten und Bürgerbeteiligung von den Tiefbauämtern mit Milliardenaufwand durchgeführten „Straßenschlachtungen" (D. Hoffmann-Axthelm) wird zu Recht oft als ‚zweite Zerstörung' Berlins bezeichnet. Wichtigster Protagonist dieses in seiner Breite historisch wohl unvergleichlichen Zerstörungsvorgangs war der Bauingenieur Rolf Schwedler, von 1955 bis 1972 sozialdemokratischer Bausenator. Schwedler, schon vorher als ‚Leitender Senatsdirektor' Vertreter seines Vorgängers (Dr. Karl Mahler, FDP), gestaltete praktisch 21 Jahre die Politik und Planung der Senatsbauverwaltung und damit die gesamte Periode des ungebremsten Ausbaues des Stadtautobahnnetzes. Er verkörperte durch seine berufliche Herkunft (Bauingenieur) und in seinem politischen Werdegang (rechter Sozialdemokrat) geradezu idealtypisch den eindimensional denkenden, technikgläubigen, an amerikanischen Vorbildern orientierten Macher der langen Wiederaufbauphase[16].
Die folgenden ausgewählten Beispiele aus den Bereichen Stadtautobahnprojektierung, Straßendurchbrüche und Tangentenplanungen sowie Verkehrsplatzgestaltung verdeutlichen die Folgen dieser Politik.

Stadtautobahnen
Durch die Einführung des Straßentyps Schnellstraße bzw. Stadtautobahn wird zum erstenmal die Stadtstraße auf die bloße Transportfunktion reduziert. Diese allein an ingenieurwissenschaftlichen Kriterien ausgerichtete Hauptstraßenplanung behandelt das Straßensystem gedanklich wie ein Schienennetz. Die soziale und ästhetische Kommunikations-, aber auch die stadttechnische Erschließungsfunktion der städtischen Straßen wird von ihr völlig ignoriert. Die Straßenplanung nahm bis zur Einführung des Typs Stadtautobahn – auch als zunehmend wichtiger werdender Teil städtebaulicher Planung – Rücksicht auf die Zusammenhänge städtischer Topographie. D. h., sie stiftete durch sorgfältige Anlage von Straßen und Plätzen mit ihren sorgfältigen

Baumpflanzungen, ihrer Beleuchtung, Pflasterung etc. den physischen Zusammenhang der entstehenden Städte, war also Grundlage für die heute wieder entdeckten Qualitäten der Stadt des 19. Jahrhunderts. Bei der Stadtautobahnplanung hingegen ging es zuerst um die (weitere) Zerstörung vorhandener Strukturen im Interesse einer langfristig angestrebten Auflösung der Mietskasernenstadt. Die Stadtautobahn verwandelte so das Geflecht unterschiedlich gestalteter und genutzter, vielfach mit den im Block liegenden Höfen verknüpfter, Straßen und Platzräume in einen ‚geographischen Raum‘, d. h. in eine Ansammlung von nur durch Autoschnellstraßen verbundener Schauplätze diverser Lebensbereiche (Einkaufszentren, Kulturforum, Schulzentren, Wohngebiete, Freizeitparks, Gewerbegebiete, etc.). Dabei hat sich der inzwischen (seit 1974) als Bundes-

autobahn bezeichnete Typus der Berliner Stadtautobahn im Sinne einer überörtlichen Fernstraße zur Abwicklung innerstädtischen Langstreckenverkehrs erst allmählich aus dem Typ der anbaufreien Schnellstraße entwickelt[17]. Der Stand dieser Entwicklung beeinflußte neben der Lage im Stadtgebiet (innerstädtisch, Vorort) auch die Form der jeweiligen Realisierungen, d. h. ihre Querschnittsausbildung, die Entwurfsgeschwindigkeit und Kurvenradien, die Entfernungen zwischen den Auf- und Abfahrten, die Beschilderung, die Art des Schallschutzes, etc.). In allen Fällen wurden die Stadtautobahnschneisen jedoch in die vorhandene Stadt als neues technisches Artefakt hineingefräst.
Der Realisierungsprozeß beginnt im Frühjahr 1956 mit dem Bau eines Teilstückes der Südtangente (Durchbruch Lietzenburger Straße) und fast zeitgleich mit der des Stadtringes-West im Bereich

Halensee. Die Realisierung dieses Ringteilstückes am oberen Kurfürstendamm war in seinen städtebaulichen Konsequenzen ähnlich wie bei den nördlich und südlich anschließenden Teilstücken noch relativ unproblematisch, da der parallel zur S-Bahn und Fern-Bahntrasse angelegte Autobahnring hier „nur" die bereits vorhandene Zäsur verstärkte. Weitaus gravierender waren die Folgen bei der ebenfalls 1956 begonnen Realisierung der Südtangente zwischen Rankeplatz und Martin-Luther-Straße. Hier wurde erstmals ein, wenn auch stark vom Krieg zerstörtes, in seiner Straßenstruktur jedoch erhaltenes Gebiet im Zusammenhang mit dem Schnellstraßenbau nach dem Leitbild der autogerecht erschlossenen Stadtlandschaft umgebaut.
Die nächste Steigerungsstufe, die gleichzeitig den Höhepunkt des Generalangriffs auf die Stadt des 19. Jahrhunderts markiert, war dann der Mitte der 70er Jahre abgebrochene Versuch zur Realisierung des Ring-Tangentensystems im dicht bebauten Kreuzberger Süd-Osten.
Seit Anfang der 70er Jahre beginnt der vor allem von den Bürgerinitiativen erkämpfte Rückzug der Verwaltung von dem Versuch, die Stadt des 19. Jahrhunderts buchstäblich auszulöschen. Eine wichtige Station des Rückzuges ist die in den Jahren 1970 bis 1975 propagierte Integration der Stadtautobahn durch Überbauung im Sinne eines (bis auf die Ausnahme der Überbauung in Wilmersdorf gescheiterten) Versuchs an der Realisierung des Autobahnsystems zwar festzuhalten, deren negative Folgen aber durch technische Maßnahmen auszuschalten. Seit Mitte der 70er Jahre stockt der Weiterbau des inzwischen auf die Westberliner Belange zurückgestutzten Stadtautobahnnetzes (Neue Konzeption), weil die Betroffenen, zunehmend auch Stadtplaner und Architekten und zuletzt auch einzelne Politiker sich dafür einsetzen, den Stadtautobahnbau zu beenden. Treibendes Moment dieses Wandels sind die Gründungen schlagkräftiger Bürgerinitiativen (BI Westtangente, BI-Tegel, BI-B 101, etc.), die dann mit ihrem Sachverstand dafür sorgen, daß die Realisierung weiterer Teilstücke im Rahmen von Normenkontrollverfahren vom Oberverwaltungsgericht für nichtig erklärt wird:

275 *Stadtzerstörung durch Schnellstraßenbau am Beispiel des Durchbruchs der Südtangente (Lietzenburger Straße) zwischen Rankeplatz und Martin-Luther-Straße.*

„Am 29. 10. 1981 zieht der Bausenat seine Bebauungspläne zurück. Die Normenkontrollklage wird ausgesetzt, die Westtangente kann vorerst nicht gebaut werden".

„Der mit dem Regierungswechsel zur CDU/FDP Koalition (1981) wieder aufgenommene Versuch, die Westtangente, das Schlüsselstück des 1975 reduzierten West-Berliner Autobahnnetzes, in einer stadtverträglichen Form, d. h. als „Parkway" durchzusetzen, deutete bereits darauf hin, daß das Ende der etwa dreißig Jahre dauernden Diskussion über die Planung eines Gesamtberliner Stadtautobahnnetzes noch nicht erreicht ist. Im Zusammenhang mit der aktuellen Diskussion (1985) um die Planung des „Zentralen Bereiches" (Gebiet zwischen Spree und Landwehrkanal mit Reichstag und Kulturforum) erlebt die 1981 vom letzten SPD-Senat für beerdigt erklärte Planung der Westtangente ihre Wiederauferstehung.

Die Lietzenburger Straße, ein Teilstück der Südtangente[18]

Die Lietzenburger Straße – heute wenig beachtete Rückseite der Renommierstraßen Tauentzien und Kurfürstendamm – ist in ihrem Durchbruchteil zwischen Rankeplatz und Martin-Luther-Straße das erste realisierte Teilstück des auf fiktive gesamtberliner Straßenverkehrsverhältnisse hin angelegten Schnellstraßen-/Stadtautobahnsystems in Ring-Tangentenform. Die grundsätzliche Linienführung der zu diesem System gehörenden „Südtangente" – vom Olivaer Platz bis zum Rankeplatz und von dort aus als Durchbruchsstrecke bis zur Martin-Luther-Straße – wurde im Flächennutzungsplan von 1950 festgelegt. In diesem Plan taucht – als stadtplanerischer Ausdruck der politisch unsicheren Verhältnisse – zum ersten Mal das „Cityband", d. h. eine flächenmäßige Verbindung der alten Innenstadt mit der West-Berliner City ‚Rund um den Zoo' auf. Zur Verkehrsverbindung der beiden „Citykonzentrationen" und gleichzeitig zur „Entlastung von Kurfürstendamm und Tauentzien" weist der Flächennutzungsplan von 1950 die „Südtangente" aus. Die Festlegung ihrer Linienführung und ihres Querschnitts geschah aufgrund eines Vorschlages der Stadtplanungsabteilung rein intuitiv, d. h. ohne

276–277 *Blick vom Funkturm auf den Stadtring West im Bereich der Verknüpfung mit der Avus. In diesem Abschnitt begann im Frühjahr 1956 der Bau der Stadtautobahn, an die im Bereich des Rathenauplatzes auch der Kurfürstendamm angeschlossen wurde.*

vorherige verkehrswissenschaftliche Erhebungen (von den Straßenplanern daher auch kritisiert) und ohne weitere Untersuchung der gravierenden städtebaulichen Folgen.[19] Da die Südtangente im
Gebiet östlich der Nürnberger Straße
anbaufrei und ab Martin-Luther-Straße
als Hochstraße geplant war, hielt man
die Anlage von Radwegen nicht für
möglich.[20] Die frühzeitige Realisierung
des Planes (Einweihung des ersten Teilstückes am 12. 1. 1957) hängt mit der
planerischen und tatsächlichen Citybildung „Rund um den Zoo" zusammen.
Die bereits 1947 (also vor der Teilung)
mit einem Wettbewerb begonnene
planerische Vorbereitung der West-
City kommt mit dem Beschluß des Abgeordnetenhauses von West-Berlin
vom 2. 3. 1954 über den „Richtplan
Rund um den Zoo" zu einem vorläufigen Abschluß. Dieser Plan enthält vor
allem auch die Festlegung der Südtangente als südlicher Cityumfahrung.
Die Festlegung der Trassenführung im
vom damaligen Bausenator Dr. Mahler
(FDP) vorgelegten „Richtplan" geschah
gegen den verhaltenen Widerstand der
damals oppositionellen SPD-Fraktion
(sie stimmte mit Enthaltung). Die
Durchsetzung betrieb dann allerdings
nach der Neuwahl des Abgeordnetenhauses im Dezember 1954 der neue
Bausenator in der großen Koalition von
SPD und CDU, Rolf Schwedler (SPD).
Unter seiner Leitung werden kurzfristig
der Bebauungsplan aufgestellt, die
Grundstücke enteignet, die Finanzie-

278–280 *Die Einweihung neuer Stadt-
autobahnteilstücke gehört seit Mitte
der 50er Jahre zu den Selbstinsze-
nierungsritualen Berliner und bundes-
deutscher Politiker. Man dokumentierte damit: der Ausbau Berlins zur
Hauptstadt kommt voran. Die Bildfol-
ge zeigt von o. nach u.: Bundesverkehrs-
minister Seebohm (CDU), 1963, den
Regierenden Bürgermeister Willy
Brandt und Bausenator R. Schwedler
(beide SPD) und in gleicher Funktion,
aber Jahre später, den Regierenden
Bürgermeister K. Schütz (SPD) und R.
Schwedler. Das Ende dieses unkritischen Rituals verkehrstechnischen Fortschritts zeichnet sich gegen Ende der
70er Jahre ab. Hier, im Jahre 1980, vor
dem Protestplakat Bausenator H. Ristock (SPD).*

rung sichergestellt und die Bauaufträge vergeben. Bereits am 12. 1. 1957 kann der Bausenator das erste 400 m lange Teilstück feierlich dem noch kaum vorhandenen Autoverkehr übergeben. Am 31. 10. 1958 folgen dann weitere 200 m. Die Fertigstellung bis zur Martin-Luther-Straße erfolgte im Jahre 1963. Die durch den Straßendurchbruch entstandenen, als Parkplatz zwischengenutzten, offenen Blockränder zwischen Ansbacher Straße und Martin-Luther-Straße werden erst jetzt (1985) im städtebaulichen Stil der Zeit, d. h. in postmodern dekorierter Blockrandbebauung geschlossen (vgl. Abb. 319). Die Realisierung des verkehrstechnisch ‚schönsten‘ Teils der Südtangente, die Hochstraße im Kreuzungsbereich mit der Martin-Luther-Straße / Kleiststraße / Kurfürstenstraße wurde 1957 wegen des Widerstandes aus dem Bezirk Schöneberg vertagt und erst 20 Jahre später, im Januar 1976, von Bausenator H. Ristock (SPD) ganz aufgegeben. Vom Traum der autogerechten Stadt künden an dieser Stelle nur noch die riesigen freigehaltenen Flächen und die auf die geplante Trasse ausgerichtete zurückgesetzte Bebauung.

Großberliner Tangentenplanung in Kreuzberg

Die Luisenstadt – von den Bomben weitgehend verschontes Herzstück Kreuzbergs zwischen Moritzplatz und Lausitzer Platz seit Gründung der IBA (1979) Exerzierfeld der behutsamen Stadterneuerung[21] – wurde 1963 zum (Kahlschlags-)Sanierungsgebiet erklärt. Wichtigstes Auswahlkriterium war – neben der von den Planern als Mißstand empfundenen Mischung von Gewerbe und Wohnen – die Realisierung der Stadtautobahnplanung. Die erstmals im Flächennutzungsplan von 1950 enthaltene Planung sah im Bereich der Luisenstadt die Kreuzung der Südtangente mit der Osttangente in Form eines riesigen Autobahnknotens auf dem Oranienplatz sowie die funktionalistische Neuordnung des restlichen Straßennetzes vor. Die Realisierung dieser Planung hätte den Abriß eines großen Teiles der vorhandenen Blöcke, die Vernichtung des weit und breit einzigen Grünzuges zwischen Landwehrkanal und Mauer und letztlich die vollkommene Vernichtung eines der ältesten Teile West-Berlins bedeutet.

Die Begründung für diesen städtebaulichen Totalangriff liest sich noch 1970 im 7. Stadterneuerungsbericht so: „Es ist offensichtlich, daß die engen Straßen mit ihren zahlreichen sich gegenseitig behindernden Funktionen den heutigen Erfordernissen nicht mehr entsprechen. Es ist deshalb dringend notwendig, das Straßennetz nach Verkehrsfunktionen zu gliedern, das Einkaufen und Promenieren auf gefahrlosere und angenehmere Zonen zu konzentrieren und die Stellplätze und Spielflächen auf die Blöcke zu verlegen. Für den Durchgangsverkehr gilt, genau so wie für den Schnellverkehr auf den Stadtautobahntangenten, daß die Verkehrssituation einer wiedervereinigten Stadt berücksichtigt werden muß".[22]
In konkrete Planung umgesetzt bedeutete dies: eine Durchschneidung Kreuzbergs durch Teile der Süd- bzw. Osttangente; die Benutzung des ehemaligen Görlitzer Bahnhofsgeländes und des Grünzuges im Zuge des ehemaligen Luisenstädtischen Kanals für lärmende Stadtautobahntrassen;
den Bau einer riesigen Autobahnkreuzung auf dem Oranienplatz;
die Umwandlung der Kottbusser Straße in eine Fußgängerzone;
die erhebliche Verbreiterung der Mariannenstraße, der Prinzenstraße, der Gitschiner/Skalitzer Straße, der Alexandrinenstraße um bis zu 25 m sowie die Umwandlung der genannten Straßen in überörtliche Hauptverkehrsstraßen für eine fiktive Verkehrsbelastung unter Großberliner Bedingungen; den Bau von reinen Gewerbe-, Erschließungs- und Wohnstraßen.
Die Anfänge dieses Versuchs, den Kreuzberger Südosten zu einer säuberlich nach Lebensfunktionen – Wohnen, Arbeiten, Einkaufen, Verkehr – aufgeteilten „Großsiedlung" mit Stadtautobahnanschluß zu verwandeln, sind u. a. am Böcklerpark und am Kottbusser Tor (Neues Kreuzberger Zentrum) zu besichtigen.
Der nach 1972 eingetretene Wandel der städtebaulichen Ziele (Erhaltung der alten Stadtstruktur), die Aufgabe der Stadtautobahnplanungen im Rahmen der sog. „Neuen Konzeption" (1976) und der zunehmende Widerstand der Betroffenen haben die Phase des autoorientierten Stadtumbaus im großen Stil wenigstens in Kreuzberg beendet.

Stadtautobahnüberbauungen
Je weiter die Realisierung der Stadtautobahnpläne fortschritt und sich die Betonschneisen häufiger in bebaute oder sonstwie ‚empfindliche‘ naturräumliche oder städtebauliche Strukturen fräsen, desto deutlicher stellten sich für die Verwaltung die daraus entstehenden Probleme des Umweltschutzes, der Barrierebildung und letztlich auch des Umgangs mit den zunehmend selbstbewußter auftretenden Betroffenen. Bevor unter dem Einfluß dieser Durchsetzungsprobleme (d. h. nicht aus Überzeugung) mit der „Neuen Konzeption" vom Januar 1976 unter Beibehaltung großer Teile des alten Netzes (Westtangente) die längst überfällige Abkehr vom auf die alte Berliner Innenstadt ausgerichteten Ring-Tangenten-Systems vollzogen wurde, unternahm der Senat in den Jahren nach 1969 noch einmal den Versuch, das Konzept der stadtautobahngerechten Stadt durch Überbauung problematischer Teilstücke zu retten.[23]
An der städtebaulichen, architektonischen und finanziellen Konkretisierung der Stadtautobahnüberbauungsidee im Sinne eines Versuches, im Grunde Unversöhnliches, nämlich Stadt und Autobahn zusammenzubringen, beteiligten sich die Hochschulen, die Architektenverbände, einzelne Architekten, private Bauträger und schließlich die Senatsbauverwaltung. Als 1971 private Bauträger (Mosch bzw. Klingbeil) mit konkreten Überbauungsprojekten (Tegel und Wilmersdorf) an die Öffentlichkeit getreten waren, ließ der Senator für Bau- und Wohnungswesen insgesamt 25 Standorte auf die Eignung zur Überbauung (mögliche Nutzung, städtebauliche Einordnung, Finanzen) systematisch untersuchen.[24] Ergebnis dieser Untersuchung war der Vorschlag von acht Standorten erster und fünf Standorten zweiter Priorität. Mit Ausnahme des Standortes Schlangenbader Straße und Wedding/Rehberge (hier wurde 1974 ein Gutachterwettbewerb durchgeführt) wurden jedoch angesichts der sich abzeichnenden ökonomischen Desaster des einzigen realisierten Projektes an der Schlangenbader Straße alle anderen Projekte in aller Stille begraben. Als einziges ‚Denkmal‘ dieser Periode verblieb die Stadtautobahnüberbauung Schlangenbader Straße. Hier gelang es

281   *Typische Berliner Trümmerlandschaft am Beginn der 50er Jahre: Hier im Bereich der Corneliusbrücke über den Land-*
wehrkanal. Trotz der weitgehend zerstörten Gebäude blieb die Stadt in ihrem Grundriß und in ihrer unterirdischen Ver- und Ent-
sorgung weitgehend erhalten. Sie war deswegen auch lebensfähig. Man ging zu Fuß, benutzte das Fahrrad und nur in Ausnah-
mefällen das Auto. Foto: Harold Friedly, 1951/52

in den Jahren nach 1971 der privaten Wohnungsbauträgergesellschaft Mosch mit massiver ideeller und finanzieller Unterstützung der Parteien, des Senats und der damaligen Bundesregierung, die Realisierung einer 570 m langen und bis zu 14 geschossigen Überbauung (Entwurf Georg Heinrichs, Gerhard und Klaus Krebs) eines ursprünglich offen geführten, von einem 60 m breiten Grünstreifen abgeschirmten, eigentlich überflüssigen Stadtautobahnteilstücks. Obwohl der private Bauträger mit dem Abschreibungsprojekt in Konkurs ging und das halbfertige Projekt 1975 zur Fertigstellung von der stadteigenen DEGEWO übernommen wurde und auch die städtebauliche Lösung (Wohnen über der Autobahn) niemanden mehr zur Nachahmung anregt, gilt es offiziell weiter als im „Prinzip völlig richtiges" Modell für eine „Integration einer Stadtautobahn in dicht bebauten Gebieten".

Boulevard oder Parkway statt Westtangente?

Die Stadtautobahn Westtangente – heute als Teil des geplanten Bundesfernstraßennetzes korrekt „BAB Ring Berlin (West)" bezeichnet, – in der gesamtberliner Planung gedacht als eine die historische Innenstadt Berlins *westlich* tangierende Stadtautobahn, verwandelte sich nach der Verabschiedung der „Neuen Konzeption" im Jahre 1976 nicht nur dem Namen nach, sondern auch funktional in ein Teilstück des die Westberliner City *östlich* umfahrenden Bundesautobahnringes. Die „Schließung des Ringes", wie seitdem der Bau der Westtangente im Politikerjargon verharmlosend genannt wird, gehört zum Wunschtraum von inzwischen zwei Generationen von Stadt- und Straßenplanern – was in West-Berlin tendenziell identisch ist – und Verkehrspolitikern. Ihre durch massiven Bundesautobahnmitteleinsatz unterstützte (wenn nicht gar erzeugte) Hartnäckigkeit bei der Verfolgung dieses Ziels wird im Bereich der Westtangente noch dadurch verstärkt, daß der Torso des „Kulturforums" erst mit der Realisierung der Westtangentenplanung seinen auf Scharouns Entwurf zurückgehenden ursprünglichen planerischen Sinn erhielte.

Ganz und gar unbeeindruckt von solchen ,höheren', straßenplanerischen Überlegungen hat sich 1974 die inzwischen bundesweit bekannte Bürgerinitiative Westtangente (BIW) zur Verhinderung eben dieser ,Schließung des Ringes' gegründet.[25] Durch den energischen und phantasievollen Widerstand der BIW wurde die Westtangente über Berlin hinaus zum Symbol einer sich vor allem als Straßen*bau*planung verstehenden Stadtplanung sowie der Lernunfähigkeit der Verkehrspolitik der herrschenden Parteien (SPD, CDU, FDP). Erst nach dem Scheitern des vorletzten SPD/FDP-Senates unter Dietrich Stobbe (SPD) verkündete der neue Regierende Bürgermeister Hans-Jochen Vogel (SPD) das genaue Gegenteil der bis dahin auch von der SPD betriebenen Verkehrspolitik und Verkehrsplanung. In Vogels Regierungserklärung vom Februar 1981 heißt es: „Die Planung und der Bau der sog. Westtangente wird aufgehoben. In der Verkehrsplanung sind die Bedürfnisse des Bus-, Fahrrad- und Fußgängerverkehrs verstärkt zu berücksichtigen."[26] Der in dieser Aussage zum Ausdruck kommende Wille zur Beendigung einer über dreißig Jahre mit unerbittlicher Konsequenz betriebenen auf ein wiedervereinigtes Berlin orientierten Autoschnellstraßenplanung blieb jedoch eine Episode einer von der westberliner Großmannssucht nicht befallenen Übergangsregierung. Nach dem Wahlsieg der CDU im Mai 1981 wurde die im geltenden Flächennutzungsplan von 1965 nach wie vor dargestellte Westtangente vom neuen Senator für Stadtentwicklung und Umweltschutz Volker Hassemer (CDU) in der Verkleidung eines aus den USA eingeführten ,Parkways' wieder aus der Versenkung geholt. Die Anregung für diesen Verkleidungstrick kam nicht von den inzwischen ratlos gewordenen Straßenplanern der Senatsverwaltung, sondern von Architekten der Abteilung ,postmoderner Städtebau'. Im Sommer 1981 legte der für die Neubaubereiche zuständige Planungsdirektor der IBA Josef-Paul-Kleihues einen sogenannten Rahmenplan für die Neubaugebiete vor in dem er u. a. „die Realisierung der Westtangente als Boulevard (vergleichbar mit der Clayallee) . . . als bescheidene ultima ratio" empfiehlt.[27] Kleihues Vorschlag einer postmodern gefaßten West-

tangente wird kurze Zeit darauf im Rahmen eines international besetzten Expertenhearings von Architekten und Politikern begierig aufgegriffen und modifiziert. Besonderen Eindruck hinterläßt der Vorschlag des US-amerikanischen Architekturprofessors Colin Rowe, der vorschlägt, anstelle einer deutschen Autobahn nach amerikanischem Vorbild eine Straße vom Typ ,Parkway' als Nord-Süd-Verbindung vorzusehen. Eine solche in die Stadtlandschaft eingefügte „passegiata für Autos" (Rowe) würde zwischen den Interessen der „Ökologenlobby und der Schnellfahrenthusiasten" vermitteln.[28]

Obwohl Rowe's Vorschlag auch von den ,harten' Verkehrsplanern als Betrugsmanöver[29] und von der BIW als „Betonwolf im Schafspelz"[30] abgelehnt wurde, und das Abgeordnetenhaus von Berlin am 24. 6. 1982 beschloß, die Planung der Westtangente nicht weiter zu verfolgen, „wird an der Planung einer autobahnähnlichen ,Nord-Süd-Straße' " mit einem Tunnel unter dem Tiergarten verwaltungsintern fleißig weitergearbeitet.[31] Der alte Traum vom autogerechten Berlin ist zumindestens an dieser Stelle noch nicht ausgeträumt.

,Freie Fahrt für den freien Bürger'

Die West-Berliner Verkehrspolitik[32] verfolgt seit Jahrzehnten in voller Übereinstimmung mit den Zielen der jeweiligen, die Finanzierung sichernden Bundesregierungen zwei Hauptziele. Es soll das „Mobilitätsbedürfnis der Bürger" möglichst optimal befriedigt und dabei die „Freiheit der Wahl der Verkehrsmittel" gesichert werden.

Die Westberliner Verkehrspolitik war darüberhinaus zusätzlich immer auf den geplanten Ausbau Berlins zur „Hauptstadt Deutschlands" und ein darauf zugeschnittenes ,weltstädtisches' Schnellstraßenangebot ausgerichtet. Durch die Orientierung auf einen fiktiven Zustand ließen sich sämtliche durch normale verkehrsplanerische Berechnungen nicht begründbaren Straßenbauprojekte durchsetzen. Gebaut wurde nicht – wie z. B. im Wohnungsbau – nach Bedarf, sondern weit über den Bedarf hinaus im Sinne eines Angebotes an den ,freien Bürger', sich ein Auto zu kaufen und es zu benutzen. So produzierte u. a. der Straßenbau eine Nachfrage nach immer mehr befahrbarer Straßenfläche. Die Verfolgung des Ziels der permanenten Mobilitätserhöhung im Sinne einer Vergrößerung der Ortsveränderungen mit dem PKW mit einem frei gewählten Transportsystem (Auto oder ÖPNV) ist sozusagen der verkehrspolitische Ausdruck einer sich freiheitlich (niemand kann gezwungen werden öffentliche Verkehrsmittel zu benutzen), fortschrittlich (ist das Auto), pluralistisch (Fußgänger, Radfahrer, Autofahrer und ÖPNV-Benutzer leben in ungetrübter Harmonie) verstehenden und auf Wachstum orientierten Gesellschaft (Ziel ist die sogenannte Vollmotorisierung). Das Zielbündel wird verkehrsplanerisch durch den Ausbau eines *doppelten* Angebotes, also von Straßen *und* Schiene (d. h. U-Bahn) zu erreichen versucht (Parallelförderung). Angesichts der Tatsache, daß die Mehrheit der Bevölkerung gar keine Wahlmöglichkeit hat (nur etwa ein Drittel der Westberliner Bevölkerung besitzt ein Auto) entpuppt sich dieses Ziel als reine Ideologie. Maßnahmen zur Erreichung dieses Zieles waren die Abschaffung der Straßenbahn, die Beseitigung der Radfahrwege und die Benutzung des so gewonnenen Straßenraumes für zusätzliche Fahr- und Parkspuren bei gleichzeitigem unterirdischen Ausbau der U-Bahn (ab 1953).

Typische Beispiele solcher verkehrspolitisch begründeter Parallelförderungen sind der Ausbau der Müllerstraße und der Berliner Straße in Tegel in Verbindung mit dem Bau der U-Bahnlinie 6 (1953–1958); der Joachimstaler Straße in Verbindung mit dem Bau der U 9 (1957–1960); des Tempelhofer und Mariendorfer Damms in Verbindung mit der Verlängerung der U 6 (1961–66); der Bundesallee in Verbindung mit der Verlängerung der U 9 (1962–1971); der Brandenburgischen Straße, der Berliner Straße und der Grunewaldstraße in Verbindung mit dem Bau der U 7 (1962 bis 1971); der Schulstraße und Luxemburger Straße in Verbindung mit dem Bau der U 9 (1969–1976); der Sömmeringstraße, des Siemensdammes und der Nonnendammallee in Verbindung mit der Verlängerung der U 7 nach Spandau (Einweihung 1985) und als letzter Fall der Residenzstraße in Reinickendorf in Verbindung mit dem Bau der U 8 ins Märkische Viertel.

In allen Fällen wurde das Angebot an Fahrbahnflächen für den Autoverkehr drastisch vergrößert und gleichzeitig die städtebauliche Qualität der Straßen und damit das Wohnumfeld vieler Anwohner entscheidend verschlechtert. Faktisch erweist sich der gleichzeitige Bau einer U-Bahn und einer vielspurigen Hauptverkehrsstraße als eine ganz gewöhnliche Diskriminierung der betroffenen Anwohner und aller Nicht-Autofahrer. Die autoverkehrsgerechte Umgestaltung des Berliner Hauptverkehrsstraßennetzes beschränkte sich jedoch nicht auf die im Zusammenhang mit U-Bahnneubauten genannten Beispiele. Verkehrspolitisch und verkehrsplanerisch anders begründet veränderte die Umbauwut der Senatsbauverwaltung das vor allem durch die alten Hauptstraßen geprägte Gesicht Berlins auch da, wo der Krieg kaum Spuren hinterlassen hatte. Etliche, vorher oft ruhige, Straßen wurden durch den Bau der Stadtautobahn plötzlich zu hochbelasteten und entsprechend gestalteten Stadtautobahnzubringern. Genannt seien hier z. B. die Detmolder Straße und die Wexstraße in Wilmersdorf, die Saar- und Dominicusstraße in Schöneberg, die Schildhornstraße in Steglitz, die Lewishamstraße in Charlottenburg, die Konstanzer Straße in Wilmersdorf, der Eichborndamm / Antoniusstraße, um nur einige besonders markante Beispiele zu nennen. Oft wurde ergänzend zum Stadtautobahnnetz (oft parallel dazu) auch „nur" an der Realisierung des Hauptverkehrsstraßennetzes im Sinne des in den 50er Jahren aufgestellten Generalverkehrsplanes weiter gearbeitet. Konkret hieß das in der Regel: Häuserabriß, Straßenverbreiterung, Baumfällungen, Aufgabe der Radwege, Verschmälerung der Fußwege etc. Beispiele dafür sind der kreuzungsfreie Ausbau der Straße Unter den Eichen in Steglitz, der großzügige Ausbau des Saatwinkler Dammes in Charlottenburg, der Kaiser-Wilhelm-Straße in Lankwitz, der Königin-Elisabeth-Straße in Charlottenburg, der Bau der neuen Potsdamer Straße durch das Kulturforum, die Verlegung und der Ausbau der Wilhelmstraße und der Lindenstraße in Kreuzberg sowie der gescheiterte Durchbruch der Reinickendorfer Straße im Wedding.[33]

Die theoretische Grundlage dieser und zahlreicher weiterer Kahlschläge öffentlicher Räume, die einmal das Stadtbild prägten, ist die bereits dem Kollektivplan zugrundeliegende Vorstellung einer „Bündelung" des Kraftfahrzeugverkehrs auf wenige, aber sehr leistungsfähige Hauptverkehrsstraßen vom Typ Schnellstraße oder Stadtautobahn. Durch die Bündelung des Autoverkehrs sollte der Verkehr aus den Wohngebieten zwischen den Maschen „abgesaugt" und die Gebiete dadurch beruhigt werden. Diese vom „Kollektiv" und tendenziell auch noch im Flächennutzungsplan von 1950 nicht nur verkehrs-, sondern auch stadtplanerisch begründete Idee der Aufteilung der Stadt in vom Autoverkehr umtoste, im Inneren aber „verkehrsbefriedete selbständige städtebauliche Einheiten" mit Schulen, Versorgungszentren, Kitas etc. verkam im Laufe der Jahre immer mehr zur technischen Legitimationsformel, mit der der weitere Ausbau von Straßen ‚theoretisch' begründet wurde.

Als man Anfang der 70er Jahre erkannte, daß trotz des ständig wachsenden Angebotes an Hauptverkehrsstraßen der zunehmende Autoverkehr sich nur begrenzt „absaugen" ließ, eher in zunehmendem Maße auch die Straßen zwischen den Maschen in Anspruch nahm und sich so die Qualität des „Wohnumfeldes" vor allem in dichtbebauten Innenstadtgebieten durch Lärm, Abgase und Unfallgefahren erheblich verschlechterte, ging man daran, durch bauliche Maßnahmen die Durchfahrt durch solche Gebiete zu erschweren und so den Durchgangsverkehr auf die Hauptverkehrsstraßen zu verdrängen. Stichwort: Verkehrsberuhigung! Die Folgen dieses vorerst letzten Angriffs auf den Typ des etwa 100 Jahre alten Berliner Straßenprofils mit Bürgersteig, Baumstreifen, Bordstein, Fahrbahn, sind fatal. Die von Architekten, Stadt- und Verkehrsplanern und Kommunalpolitikern unterstützten Maßnahmen liefern den Tiefbauämtern nicht nur neue Gründe für den weiteren Aus- und Umbau der noch vorhandenen Hauptstraßen mit städtischer Qualität in monofunktionale Transportbänder für den schnellen Autoverkehr, sondern zerstören darüberhinaus und zwar tendenziell flächendeckend das traditionelle Gesicht Berlins. Zur Verdrängung des überbordenden, lärmenden, stinkenden und mordenden Autoverkehrs und zur Bewältigung des die Bürgersteige benutzenden parkenden Blechs, werden nach holländischem Kleinstadtvorbild fünfgeschossig bebaute Berliner Innenstadtstraßen durch die Einrichtung von „Gleichberechtigungszonen" (d. h. vor allem Aufhebung der aus dem 19. Jahrhundert stammenden Trennung von Fahrbahn und Bürgersteig), durch aufwendig beschilderte Fahrbahnverschwenkungen, durch Umorganisation

ten und neue Straßen nur als vielspurige Schnellstraßen bzw. Stadtautobahnen vorstellen. Eine Beteiligung von Architekten oder, wie in den späten 20er Jahren durchaus noch üblich, die Durchführung städtebaulicher Wettbewerbe hielt man in der von Tiefbauingenieuren dominierten Senatsbauverwaltung nicht bzw. nur in Ausnahmefällen für notwendig (vgl. S. 318 ff.). Die Dimensionierungen wurden errechnet, die

der Durchbruchstraße „Am Juliusturm" ein Teil der Altstadt brutal begraben. Am nordwestlichen Rande der Altstadt entstand zwischen mittelalterlichen Stadtresten und vorstädtischer Bebauung ein riesiger Verkehrskreisel mit einer unbetretbaren Mittelinsel (Durchmesser 90 m), über die zunächst noch die Straßenbahn geführt wurde. Ungefähr zur gleichen – vergleichsweise autolosen Zeit – entstand 1956 im Zusammenhang mit der Realisierung des ersten Stadtautobahnteilstücks im Bereich der ehemaligen Straßenkreuzung Kurfürstendamm / Halenseestraße / Hubertusallee der Rathenauplatz mit einer eiförmigen unbetretbaren, aber gärtnerisch gestalteten Mittelinsel. Auch diese bescheidenen Gestaltungsversuche sind inzwischen bis auf kümmerliche Reste ein Opfer der Anlage weiterer Fahrbahnen geworden. Obwohl der Platz den Eingang zur City von West-Berlin bildet, hat es zu keiner Zeit Ansätze gegeben, den Platz einschließlich seiner zufällig zusammengewürfelten Randbebauung bewußt zu gestalten.

Von ähnlich ‚überzeugender' Gestalt, jeoch wegen seiner Lage weniger stadtzerstörend, ist der ebenfalls in den 50er Jahren (1956 ff.) angelegte Jacob-Kaiser-Platz (benannt nach dem früheren CDU-Bundesminister). Der zuerst Siemensplatz genannte Verkehrskreisel (Durchmesser der Mittelinsel 60 m), heute eingeklemmt zwischen einer hochliegenden Stadtautobahngabelung, entstand im Zusammenhang mit der Erschließung der ursprünglich von Scharoun im Sinne einer Konkretisierung seiner Stadtlandschaftsidee entworfenen Großsiedlung Charlottenburg-Nord anstelle der Kreuzung Tegeler Weg/Siemensdamm.[37]

Eine der wenigen Ausnahmen von diesem Stadtgestaltungstyp bildet der Ernst-Reuter-Platz. Der Platz befindet sich an der Stelle, wo die frühere Charlottenburger Chaussee (heute Straße des 17. Juni) als Zufahrtsweg durch den Tiergarten nach dem Charlottenburger Schloß in Ost-West-Richtung angelegt, mit der Marchstraße, der Hardenbergstraße und der Berliner Straße (heute Otto-Suhr-Allee) zusammentrifft und dabei einen Knick nach Nordwesten macht. Diesen Knick nannte man bis 1953 Knie bzw. Platz am Knie. Die ersten Umbauabsichten dieser auf fünf

282 „Berlin Fountain" auf dem Ernst-Reuter Platz. Versuch einer zeitgemäßen Aneignung der Mittelinsel des Ernst-Reuter-Platzes durch ein kinetisches Objekt, in der Form einer verglasten Autowaschanlage (Entwurf Edward Kienholz).

des parkenden Autos (Schrägparken etc.), durch Verpollerung und Möblierung der Fußwege mit Pflanzbecken, Tischtennisplatten, Sitzecken, durch den Einbau einer Vielzahl von Beton- und Natursteinpflaster, die Verwendung nostalgischer oder moderner Straßenlampen, Straßenschilder und was dergleichen die Kataloge der Straßenmöbelhersteller noch hergeben, zerschmückt.[34] Verkehrsberuhigung ist zumindest in dieser die Hauptverkehrsstraßen sorgsam aussparenden Form der Vergärtnerung und Verpollerung der Wohnstraßen ein nur schlecht getarnter Beitrag zum autogerechten Aus- bzw. Umbau Berlins.[35]

Die neuen Verkehrsplätze[36]
In den 50er, 60er und 70er Jahren konnte man sich neue Plätze nur als großzügig angelegte, den Maßstab der vorhandenen Stadt sprengende Verkehrsknoten

Platzform wurde von Verkehrsingenieuren entsprechend der jeweiligen straßenplanerischen Moden festgelegt. In Bezug auf die verkehrstechnische Form bevorzugte man bei der Anlage neuer Verkehrsplätze vor allem in den 50er Jahren die Kreisform. Die autobahnknotenmäßige Auflösung von Kreuzungen, wie sie M. Breuer bereits 1931 für die Umgestaltung des Potsdamer Platzes vorgeschlagen hatte, etablierte sich als Normallösung erst in den späten 60er Jahren (vgl. Abb. 109–110).

Das wohl schlimmste Beispiel eines frühen Verkehrskreisels stellt die Anlage des Falkenseer Platzes in Spandau dar. Gedacht als Kreuzungspunkt einer über die Grenzen Berlins hinausführenden Schnellstraße (Falkenseer Chaussee) und einer die Spandauer Altstadt westlich tangierenden Hauptverkehrsstraße (Richtung Henningsdorf), wurde hier in den Jahren 1958 bis 1961 zusammen

283 *Der Ernst-Reuter-Platz, oft abgebildetes Symbol des „neuen Gesichts von Berlin (West)". Der als großstädtischer Verkehrsschmuckplatz gestaltete Platz wurde in den späten 50er Jahren nach einem Entwurf des Architekten Bernhard Hermkes und Werner Düttmann (Platzflächengestaltung) gebaut und mit Bürohochhäusern locker umbaut (Foto 1963).*

(ursprünglich sechs) Straßeneinmündungen gebildeten Kreuzung gehen auf das Jahr 1912 zurück, wurden aber nicht realisiert. 1936 folgte dann eine verkehrstechnische Anpassung zur reibungslosen Abwicklung des Autoverkehrs durch die Anlage einer elliptischen Mittelinsel und die teilweise Herausnahme des Straßenbahnverkehrs.[38] Im Zuge der Umgestaltung der Speerschen Ost-West-Achse in den Jahren 1938/39 sollte der „Knie-Platz" repräsentativ und autoverkehrsgerecht nach dem Vorbild des ‚neuen' Großen Stern (Außendurchmesser 200 m, Mittelinsel ca. 120 m) umgebaut werden. Geplant war u. a. ein Straßenbahntunnel im Zuge der abgeknickten Berliner Straße. Der Tunnel sollte nach der mittelfristig in Aussicht genommenen Abschaffung der Straßenbahn den Kraftfahrzeugverkehr aufnehmen. Der Krieg verhinderte die Realisierung dieser Planung,

an die dann erst Mitte der 50er Jahre in modifizierter Form wieder angeknüpft wurde. Für die städtebauliche Neugestaltung des Gebiets um das Knie – Teil der neuentstehenden City von West-Berlin – wurde 1955 nach dem Vorbild des Alexanderplatzwettbewerbes von 1928 ein beschränkter Wettbewerb ausgeschrieben, zu dessen Vorgaben die kreisförmige Abwicklung des Verkehrs gehörte. Die Straßenbahn wurde über den Platz geführt. Die preisgekrönte Lösung des Architekten Bernhard Hermkes verzichtet bewußt auf eine Lösung, bei der die Form des Verkehrs sich in der Architektur wiederspiegelt. Er versuchte statt dessen – darin dem Vorschlag von Mies van der Rohe für den Alexanderplatz ähnelnd (vgl. Abb. 103–105) – eine gestaffelte Wandbebauung im Süden und eine Zeilenbebauung im Norden sowie auf der Westseite des Platzes ein Hochhaus im Blick-

punkt aller Straßen.[39] Der Platz wurde entsprechend dieser Vorgaben in den nächsten Jahren umgestaltet und durch verschiedene Architekten (Kreuer, Hermkes, Sobotka und Müller, Schwebes und Schloszberger, Gutbrod und Gerber und Risse, Binder) mit Bürohochhäusern locker umbaut. Zusammen mit der von Werner Düttmann entworfenen Platzflächengestaltung mit Springbrunnen und inzwischen teilweise wieder vernichtetem Quadratraster, erhielt der Platz seine typische, allerdings nur aus der Luft richtig wahrnehmbare, Gestalt eines großstädtischen Verkehrs-Schmuckplatzes. In seiner dann vor allem in den späten 50er Jahren realisierten Form eines von der Straßenbahn 1967 befreiten, vom lebhaften Autoverkehr umtosten Zentrums privater Konzernverwaltungen (Osram, Telefunken, IBM, Eternit, Raiffeisen) war der Platz damit viel-

284 *Planung für die Kreuzung der Stadtautobahn Südtangente mit der Osttangente in Form eines riesigen Autobahnknotens in der Gegend des Oranienplatzes. Die Realisierung dieser Planung hätte den vollständigen Abriß eines der ältesten Stadtgebiete West-Berlins bedeutet.*

leicht der reinste Ausdruck der städtebaulichen Leitvorstellungen der 50er Jahre. Immer wieder abgebildet wurde er geradezu zu einem Symbol des „neuen Gesichts von Berlin", von dem – auch das typisch – nach dem Abzug der Konzernzentralen vielfach nur noch die Kulissen, hinter denen sich die TU-Berlin breit macht, blieben (vgl. S. 338 ff.).

Zur neuesten Geschichte der Aneignung des Platzes gehört der Entwurf einer „Berlin Fountain" des Bildhauers Edward Kienholz. Kienholz entwarf für die schwer zugängliche Mittelinsel des Platzes ein zeitgemäßes kinetisches Objekt in Form einer verglasten Autowaschanlage, in der sich ein Mercedes hin und herbewegt. Dabei steht der Mercedeswagen exemplarisch für die Zweischneidigkeit der technischen Entwicklung. Dieselbe Technologie, die solche technisch perfekten Autos her-

vorbringt, produziert auch Überfluß, Automation, Abfall, Umweltverschmutzung, sozialzerstörerische Arbeit, Frustration, etc. Das im Rahmen eines TU-Wettbewerbs preisgekrönte Projekt wurde (natürlich) noch nicht realisiert.

Zerstörung der Stadtplätze – Berlin verliert sein Gesicht

Die 1965 begonnene Realisierung des Stadtautobahnnetzes und des ergänzenden dichten Netzes weitgehend kreuzungsfrei geplanter Hauptverkehrsstraßen, hat die physische Zerstörung zahlreicher vom Krieg verschonter Plätze zur Folge. Getreu der von Martin Wagner schon in den späten 20er Jahren aufgestellten Forderungen, die Dimensionierungen moderner Verkehrsplätze den Verkehrsingenieuren als Rechenaufgabe zu überlassen (vgl. S. 124 ff.), verwandelten die Berliner Straßenbauingenieure die verkehrstechnisch unzu-

reichenden Stadtplätze in moderne, der Fahrdynamik schnellfahrender Autos angepaßte, möglichst kreuzungsfreie Verkehrsmaschinen mit Abbiegespuren, Lichtsignalanlagen, autogerechter Beschilderung, etc.

Die Lösung der Aufgabe war vergleichsweise einfach, da sich das verkehrstechnisch schwierigste Problem, die Unterbringung von Straßenbahnen *und* Autos durch die Abschaffung der Straßenbahn (1953 bis 1967) anders als in den 20er Jahren nicht mehr stellte, und man zudem die Fahrradfahrer für eine aussterbende Spezies hielt. Die zur reibungslosen Verkehrsabwicklung vorschriftengerecht gestalteten Mittelinseln, Mittelstreifen und sonstigen Restflächen überließ man den bezirklichen Gartenbauämtern zur Gestaltung. Diese bemühten sich redlich, den durch flotte Radien geformten, verkehrslärmumtosten Restflächen ein zeitgemäß asymme-

trisches Gesicht gartenähnlicher Wohn-
lichkeit zu verleihen. So verwandelten
sich typische Berliner Block- oder
Schmuckplätze nach und nach in Verkehrsknoten mit Restgrünflächen für
Kinder, alte Menschen und parkendes
Blech: um seinen Südteil gekappt wurde 1957/58 der Bayerische Platz; ange-
fressen von der Südtangente wurde
1961 der im Endstadium kreuzungsfrei
geplante Olivaer Platz; halbiert wurde
1968 der Hohenzollernplatz; durchschnitten von der kreuzungsfrei geführten Bundesallee wurde 1967 der Bundes-
platz (vormals Kaiserplatz); um gut ein
Drittel verkleinert wurde 1965/66 der
Lützowplatz; angeschnitten von der
Bundesallee wurde 1970 der Friedrich-
Wilhelm-Platz; erdrückt von einem
hochliegenden Stadtautobahnabzweig
wurde der Breitenbachplatz; vernichtet
wurden der Rankeplatz, der Nürnberger Platz, der Emser Platz, der Kemperplatz, etc. und schließlich wurde die
NS-Geschichte des früheren Auf-
marsch- und Repräsentationsortes Fehrbelliner Platz durch die Umwandlung
in eine gewöhnliche Kreuzung „bewältigt".[40]
Die Reihe ließe sich weiterführen und
die Zerstörung wäre weitergegangen,
wenn die Planungen des Berliner Flä-
chennutzungsplanes von 1965 unge-
bremst von Bürgerinitiativen und dem
Widerstand der Betroffenen weiter realisiert worden wären. Der seit Mitte der
70er Jahre aufgegebene Bau der Stadtautobahn im Kreuzberger Südosten hätte insbesondere die auf Lenné zurückgehenden Plätze der Luisenstadt (Mariannenplatz, Heinrichplatz und Oranienplatz) unter sich begraben.
Die Verkehrsplanung der Nachkriegs-
jahrzehnte war maßgeblich beteiligt an
dem Versuch, das durch die Planungen

des 19. Jahrhunderts geprägte „steinerne
Berlin" (W. Hegemann) in eine autogerecht erschlossene Stadtlandschaft um-
zuformen. Diese im Bereich des städtebaulichen Leitbildes inzwischen aufge-
gebenen Bemühungen haben zu einem
für den schnellen Autoverkehr luxuriösen Straßennetz mit kreuzungsfreien
Stadtautobahnen und Schnellstraßen
geführt. Die an Groß-Berlin-Planungs-
vorstellungen orientierten Straßenplanungen erzeugten an vielen Stellen in
der Stadt kaum reparierbare harte Brüche, oft städtebauliche Totalschäden.
Der zerstörende Umgang mit den aus
dem vorigen Jahrhundert stammenden
Straßen und Plätzen war dabei ebenso
geschichtslos wie verschwenderisch.
Das auf die Planungen von Schmid,
Lenné und Hobrecht zurückgehende
jeweils Typische aber auch das Gemeinsame der Berliner Straßen und Plätze
wurde in seinen Proportionen, Ausstat-
tungselementen und Materialien als
Teil der verhaßten Mietskasernenstadt
in seinen Qualitäten nicht erkannt und
deswegen zur weiteren Zerstörung freigegeben.
In den letzten Jahren haben sich die politischen, ökonomischen, sozialen und
ökologischen Rahmenbedingungen der
Stadtentwicklung West-Berlins dramatisch verändert: Energie- und Rohstoff-
verknappung, Einschränkung der öffentlichen Finanzen, sinkende Bevölke-
rungszahlen bei steigender Arbeitslosen-
quote, aber auch Widerstand gegen
weitere Umweltzerstörung u. a. durch
fortgesetzten Straßenbau, wachsender
Bedürfnisse nach Wiedergewinnung
urbaner Lebensverhältnisse, Sehnsucht
nach geschichtlicher Kontinuität, all das
sind Indizien dieser Entwicklung. Ein
Eingehen darauf erfordert nicht nur
eine Abkehr von der bisherigen Auto-

orientierung und eine an den Bedürfnissen der Kinder, der Alten, der Fußgänger, Radfahrer und Behinderten anset-
zende Verkehrspolitik und -planung,
sondern auch eine kostensparende und
die historischen Bezüge aufnehmende
behutsame Modernisierung der Straßen
nach dem Vorbild der bislang auf die
Hochbausubstanz beschränkten Stadterneuerung, wie sie insbesondere von
der Internationalen Bauausstellung Berlin GmbH (IBA) in Kreuzberg entwik-
kelt und praktiziert wird.
Der sich in den späten 20er Jahren unter
dem Eindruck der beginnenden Massenmotorisierung abzeichnende Bruch
mit den aus dem 19. Jahrhundert stammenden städtebaulichen Gestaltungs-
prinzipien, die statt dessen u. a. von
Martin Wagner propagierte Methode,
die Dimensionierung der zu Verkehrsmaschinen degenerierten Straßen und
Plätze den Verkehrsingenieuren als Rechenaufgabe zu überlassen sowie die damit verbundene „Amerikanisierung"
der Stadt- und Verkehrsplanung war
ein Irrweg. Die verloren gegangene Fähigkeit, Straßen und Plätze wieder nach
den Ansprüchen und der Wahrnehmung von Fußgängern zu gestalten und
zu benutzen, muß erst mühsam wieder
erlernt und politisch gewollt werden.
Eine an solchen Kriterien orientierte
Verkehrspolitik und Planung hätte in jedem Fall nicht zuerst dafür zu sorgen,
daß einkommensstarke Bewohner die
Berliner Innenstadt von jedem Punkt
am Stadtrand in 15 Minuten Autofahrt
erreichen können, sondern dafür, daß
diese Stadt auch für die kommenden Generationen bewohnbar bleibt bzw. wieder wird.

Hans Stimmann

Abriss der Geschichte

Stadterneuerung Kösliner Straße im Wedding

Stadterneuerung? Im Wedding gibt es manche Straßen, die verschwunden sind, obwohl sie heute noch existieren. Die alten Bewohner sind fortgezogen, die Läden und Gewerbebetriebe sind weg, die alten Häuser abgeräumt. Auf den Trümmern der Mietskasernen ist eine neue Stadt erbaut worden, für neue Bewohner – unter dem Banner von Licht, Luft und Sonne. Nur der Name dieser Straßen hat den Abbruch überlebt, aber die dunklen Erinnerungen, die an diesen Namen kleben, beginnen bei Licht und Sonne zu verblassen. Bald ändert auch der Name seine Bedeutung, obwohl die Buchstabenfolge unverändert bleibt. Er wird so luftig und leicht wie ein Straßenname an der heutigen städtischen Peripherie.

Eine dieser neuen Straßen des alten Wedding ist die Kösliner Straße, an die – so die Sprache der Planer – die Blöcke 177 und 178 grenzen. Der auf der Ostseite gelegene Block ist nach den schweren Kriegszerstörungen zwischen 1955 und 1962 in Zeilenbauweise wiederaufgebaut worden, der auf der Westseite gelegene Block ist seit 1963 Bestandteil des „Sanierungsgebietes Wedding Nettelbeckplatz". Heute existiert keines der seit den 70er Jahren des 19. Jahrhunderts erbauten Häuser der Kösliner Straße mehr; die Geschichte dieser Häuser ist mit den Menschen, die diese Geschichte gemacht und erduldet haben, ausgelöscht. Stadterneuerung heißt auch: Vergessenmachen, was man vergessen will.

Die baumlose, steinerne Kösliner Straße mit ihren um winzige Hinterhöfe gedrängten, schlecht ausgestatteten Arbeitermietskasernen war nicht irgendeine Straße. Sie war die „rote Gasse", eine Hochburg der KPD, ein symbolischer Ort der Arbeiterbewegung in der Weimarer Republik. Hier kam es nach einem Demonstrationsverbot des sozialdemokratischen Polizeipräsidenten Zörgiebel am 1. Mai und den folgenden Tagen des Jahres 1929 zu Barrikadenkämpfen, in deren Verlauf einige Arbeiter von der Polizei erschossen wurden. Zum Gedenken an den „Blutmai"

schrieb Erich Weiner 1929 das Gedicht „Das Wunder vom 1. Mai 1929" und das (verbotene) Agitprop-Lied „Der Rote Wedding". Und Johannes R. Becher, der spätere berühmt-berüchtigte Autor der „Spalterhymne", verfaßte das Gedicht „Die rote Gasse" (vgl. S. 324). 1931 erschien das (sofort verbotene) Buch „Barrikaden am Wedding – der Roman einer Straße aus den Berliner Maitagen 1929" von Klaus Neukrantz.

Ist die Kösliner Straße für DKP, SEW und andere sozialistische Gruppen nur eine nostalgische Erinnerungsstätte an bessere Zeiten? Dieser Schluß wäre zu einfach – wenn auch unserer politischen Schwarz-Rot-Malerei nicht unangemessen. Die Maitage in der Kösliner Straße sind vor allem ein Ergebnis der inneren Geschichte dieser Straße, der Erfahrungen ihrer Bewohner. Sie sind nur ein Höhepunkt einer langen Tradition zermürbender Auseinandersetzungen zwischen Mietern und Vermietern um die Instandhaltung der Mietskasernen. Vielleicht ist die Kösliner Straße der Ort Berlins, der am eindringlichsten die verhängnisvolle Zerstrittenheit der beiden großen Arbeiterparteien angesichts der wachsenden nationalsozialistischen Gefahr verkörpert. Aber diese Mahnung wird verdrängt. Heute ist die Kösliner Straße nicht mehr rot, sie erinnert auch nicht mehr daran, sie ist clean geworden, wie es sich für eine sanierte Straße in der gealterten Frontstadt des kalten Krieges geziemt.

285　*H. Zille, „Zirkusspiele" auf einem Hinterhof nahe der Kösliner Straße, 1925*

Vordringliche Auflockerung

Bereits im Herbst 1936 beginnen erste Untersuchungen zur Sanierung des „alten Wedding", d. h. der beiden Blöcke links und rechts der Kösliner Straße. Diese Untersuchungen sind Bestandteil eines nicht realisierten Planspiels, das am Beispiel von elf Untersuchungsgebieten mit zusammen 637 Grundstükken erstmals ein Konzept zur Sanierung des gesamten Berliner Altbaubestandes einschließlich der Mietskasernenviertel entwickelt. Leiter dieser Untersuchungen ist „Pg." Dr.-Ing. Erich Frank, Sachbearbeiter im Amt für Technik, Gau Berlin der NSDAP.[1]

Angesichts der politischen, sozialen und ökonomischen Schwierigkeiten, am Vorabend des Krieges eine radikale Kahlschlagsanierung in die öffentliche Diskussion zu bringen, wird ein zweistufiges, blockbezogenes Verfahren vorgeschlagen. Zunächst soll unter „tunlichster Wahrung der wirtschaftlichen Belange" lediglich eine „vordringliche Auflockerung" der zu dichten Bebauung mit entsprechender Entschädigung an den Grundeigentümer erfolgen, um die schlimmsten „Licht- und Luftverhältnisse" zu beseitigen, die als „die besten Grundlagen zur gesundheitlichen Verelendung" diagnostiziert werden. Das letztlich nicht „wirklich befriedigende" Konzept einer „sparsamen Auflockerung", auch „Auskernung" genannt, soll nicht durch einzelne aufwendige Umbauten und Neubauten begleitet werden, um nicht Hemmnisse für die spätere zweite Stufe der Sanierung zu schaffen. Denn aufgrund der Überalterung der Gebäude aus der Kaiserzeit wird ein späterer Totalabbruch des „in kultureller Hinsicht zum größten Teil ziemlich wertlosen Bestandes" notwendig sein. Damit ist die „Endlösung" der Sanierung angesprochen, der „vollständige Wiederaufbau".

Als Träger wie Geldgeber der Sanierung wird vor allem der „Privatmann" genannt. Gerade wegen der wirtschaft- lichen Erleichterungen der national- sozialistischen Politik zugunsten der Hausbesitzer (Senkung der Hypothekenzinsen, Hauszinssteuernachlaß und „Sicherung des Mieteingangs") kann diesen auch eine „Rücklage" zugemutet werden. Diese Rücklagen sind die Grundlage der Finanzierung der zweistufigen Sanierung. Für Berlin wird die Dauer der ohne Zuschüsse der öffentlichen Hand geplanten „vordringlichen Auflockerung", die den Abriß von 28–30 000 Altbauwohnungen (etwa 8 % des Gesamtbestandes) umfaßt, auf 20 Jahre veranschlagt.

Die angestrebte Sanierung, für die noch eine gesetzliche Grundlage fehlt, zielt nicht nur auf die Gesundung des Wohnungsbestandes, sondern hat vor allem auch politische Ziele. So gilt es, die „Hausgemeinschaft" zu stärken und die vergangenen Konflikte zwischen Hausbesitzern und Mietern vergessen zu machen. Allerdings wird nichts darüber ausgeführt, wie mit den von der Umsetzung betroffenen Mietern verfahren werden soll. Wichtiger noch ist die zweite Zielsetzung: die Beseitigung des „Nährbodens" des Kommunismus. „Die politische Einstellung der Bewohner ist mit den Wohnungsbedingungen auf das engste verknüpft. Es ist bekannt, daß die drei größten Städte des Altreiches, Berlin, Hamburg und Leipzig, Hochburgen des Marxismus waren. Und sollte die Tatsache, daß in verschiedenen Untersuchungsgebieten sich der Prozentsatz der kommunistischen Stimmen (Reichstagswahl 5. 11. 1932) mit dem der unerwünschten Wohnungsgrößen deckt, lediglich ein Zufall sein? Je schlechter die Wohnverhältnisse, um so öder und langweiliger die Umwelt, desto besser der Nährboden für die staat- und volkszerstörenden Irrlehren."[2]

Der fruchtbarste Nährboden in dieser Hinsicht ist das Untersuchungsgebiet I, die Blöcke an der Kösliner Straße, ein Gebiet mit damals 5173 Bewohnern in 4386 Zimmern und einer Bevölkerungsdichte von 1270 Personen/ha. Frank verweist auf das Stimmenverhältnis bei der Reichstagswahl vom 5. 11. 1932 in diesen beiden Blöcken: Die KPD erhielt 64,0 %, die SPD 16,3 % die NSDAP immerhin schon 18,0 % und die übrigen Parteien 1,7 %. Rein zahlenmäßig stimmt hier die Milchmädchenrechnung weitgehend: 64 % Stimmen der KPD bei 67,3 % Kleinstwohnungen (Kochstuben bis 1 ½ Zimmerwohnungen)! Nun, Frank ist kein Soziologe, und er kennt sicher auch die Alltagsgeschichte der Kösliner Straße nicht. Jedenfalls ist für ihn der Prozentanteil von KPD-Stimmen ein zentrales Kriterium für die Sanierungsbedürftigkeit eines Gebietes.

Das Konzept für die „vordringliche Sanierung" des Untersuchungsgebietes I empfiehlt den Abriß von 10,2 % des vorhandenen umbauten Raums. Das betrifft insbesondere die gesamte Quergebäudezeile auf der Westseite der Kösliner Straße. Die später erbauten Mietskasernen mit größeren Höfen auf der Ostseite sollen nicht angetastet werden, „weil die Höfe vielleicht noch gerade erträgliche Ausmaße haben".[3] Insgesamt betrachtet ist der Sanierungsvorschlag für den alten Wedding in baulicher Hinsicht durchaus behutsam zu nennen. Allerdings darf nicht vergessen werden, daß hier nur eine Zwischenlösung im Zeichen des Krieges vorgestellt wird, der die „Endlösung" bald folgen soll. „Kostspielige Umbauten im Zuge jener baulichen Auflockerung und Sanierung kommen nicht in Frage, da die Gebäude westlich der Panke im Durchschnitt bereits über 60 Jahre alt sind. Man muß sich daher mit dem Abriß von Gebäuden für die vordringliche Auflockerung begnügen, um sobald als möglich zu einer restlosen Neubebauung des Geländes nach neuzeitlichen Grundsätzen zu kommen."[4]

Sobald als möglich? Frank faßt einen Zeitpunkt in 25 Jahren ins Auge. Der dann zu errichtende Neubau soll 50–60 % des alten Bauvolumens betragen. 25 Jahre nach Abschluß der Untersuchungen wird das Jahr 1963 geschrieben. Und in diesem Jahr werden – sicher ohne Kenntnis der Überlegungen des Pg. Frank – die übriggebliebenen Mietskasernen des alten Wedding zum Sanierungsgebiet erklärt und damit zum Abbruch freigegeben. In der Periode des Dritten Reiches wird das Sanierungsplanspiel nicht weiter vorangetrieben, der Zweite Weltkrieg überschattet auch die dunklen, politisch nicht mehr gefährlichen Hinterhöfe der Kösliner Straße.

Operation an einem „Krebsgeschwür"

Nach dem Kriege werden auch im russisch, britisch und dann französisch besetzten Wedding – trotz aller gesamtstädtischen Pläne einer radikalen Auflockerung des kriegszerstörten steinernen Berlins – die noch bewohnbaren Mietskasernen instandgesetzt. Die Kräfteverhältnisse im Bezirk verschieben sich zugunsten der SPD, die bei den Wahlen zur Bezirksverordnetenversammlung am 20. 10. 1946 mit 80 671 Stimmen vor der SED (35 732 Stimmen) stärkste Partei wird. Nach der Spaltung verliert die SED sehr an Bedeutung, ihr Stimmanteil bei den Wahlen zur Bezirksverordnetenversammlung 1958 beträgt im Wedding – ihrem nach wie vor stärksten West-Berliner Bezirk – nur mehr 2,9 %.

Die Bomben haben auch in der Kösliner Straße die von vielen Architekten und Planern als „Chance" begriffene „mechanische Auflockerung" der Mietskasernen vollzogen. Insbesondere im Osten der Straße besteht die Möglichkeit, auf einigen Trümmergrundstücken eine West-Berliner Antwort auf die Mietskasernenstadt nach den Prinzipien der durchgrünten und aufgelockerten Stadt durchzuführen. Erste Ansätze in dieser Richtung scheitern aufgrund der alten, nicht zerstörten Besitzstrukturen. Um 1955 gelingt es der Düsseldorfer „Kleinwohnungsbau-Gemeinnützige Baugesellschaft mbH", die wichtigsten Grundstücke aufzukaufen. Gleichzeitig erwirbt die Stadt Berlin einen Geländestreifen entlang der Panke, um endlich einen Ufer-Grünzug anlegen zu können. Damit ist die erste Periode der Stadterneuerung an der Kösliner Straße eingeleitet.

Die Kleinwohnungsbau-Gemeinnützige Baugesellschaft mbH errichtet nach Plänen des Architekten Fritz Maiß bis 1962 eine Anlage des sozialen Wohnungsbaus, die radikal mit der Vergangenheit bricht. Fünf leicht gefächerte, die Möglichkeiten der zur Verfügung stehenden Fläche ausschöpfende helle Zeilen in West-Ost-Richtung öffnen den Raum zwischen der Kösliner Straße und der Panke. Die Zeilen werden jeweils durch Mietergärten an der Südseite, einen Fußweg an der Nordseite und einige Stellplätze in Straßennähe getrennt. Es gibt keine Höfe mehr, keine geschlossene Straßenfront, keine Läden und kein Gewerbe. Die früher steinerne Straße erhält einen sichtbaren grünen Akzent, der durch die nahe am Bürgersteig stehenden Bäume unterstrichen wird.

Die Bebauung erfolgt in drei Bauabschnitten mit jeweils 155, 25 und 45 Wohnungen. Für den letzten Bauabschnitt haben die Bomben noch nicht den Weg bereitet: Hier werden bereits vor der Verkündigung des Stadterneue-

rungsprogramms erste Abrisse von noch bewohnten Altbauten durchgeführt. Bei diesem „anerkannten Einzelsanierungsvorhaben" müssen 101 Wohnungen abgebrochen und 107 Haushalte umgesetzt werden. Alle Neubauten haben fünf Geschosse ohne Fahrstuhl, die Wohnungen (in der Regel zwei Zimmer/Küche/Bad) sind mit Mehrraumofenheizung und selbstverständlich mit WC ausgestattet. Im Kellergeschoß der Kösliner Str. 9 ist eine gemeinschaftliche Waschküche vorhanden. Was für ein Kontrast zu den mangelhaft instandgehaltenen, nicht modernisierten Altbauwohnungen! Die Nutznießer dieser beliebten neuen Kleinwohnungen sind aber offensichtlich kaum ehemalige Bewohner der Kösliner Straße.

Im zweiten Juliheft der Zeitschrift „Berliner Bauwirtschaft" werden die Neubauten der Kleinwohnungsbau-Gemeinnützige Gesellschaft mbH im alten Wedding als „Beispiel moderner innerstädtischer Sanierung" gepriesen. Dieses Lob erhält eine etwas merkwürdige Schlagseite, wenn man den namentlich nicht gezeichneten Artikel weiterliest. Der Verfasser blickt zurück in der Geschichte und schreibt: „Noch heute verbinden sich mit dieser Gegend Erinnerungen an eine Hochburg der Kommunisten, an Krawalle und an erbitterte Barrikadenkämpfe in den zwanziger Jahren. Der Gedanke, derartige städtebauliche Krebsgeschwüre operativ zu behandeln, ist nicht neu. Schon in den dreißiger Jahren befaßte sich in Berlin Dr.-Ing. Erich Frank mit derartigen Plänen. In seinem 1939 erschienenen Buch ‚Geordnete Wohnungswirtschaft, Neubau und Sanierung' legte er seine Gedanken dar und eröffnete neue diesbezügliche Perspektiven... Unter den seinerzeit ausgewählten elf Untersuchungsgebieten, die für ihre nähere und weitere Umgebung kennzeichnend waren, befand sich auch ein Viertel des alten Weddings... Auch in diesem Falle wurden von Dr. Frank detaillierte Sanierungsmaßnahmen in Vorschlag gebracht, die aber durch den Ausbruch des Zweiten Weltkrieges nicht weiter verfolgt werden konnten. Trotzdem blieb es dem Kriege vorbehalten, die seinerzeit vorgeschlagenen schrittweisen Maßnahmen schlagartig und rigoros durch Fliegerbomben einzuleiten."[5]

Mit diesem Zungenschlag betont der

Verfasser ganz in der Tradition von Pg. Frank die politische Zielrichtung der Sanierung, wobei er in der Wahl seiner Worte noch etwas weitergeht als Frank selbst. Dieser hat in seinem Buch nie von einem „städtebaulichen Krebsgeschwür" gesprochen, das operativ zu behandeln sei. Übrigens erwähnt der Verfasser am Schluß seines Artikels zwar die anstehende „Sprengung der letzten dem Gesamtprojekt noch im Wege stehenden alten Gebäudeteile", er verschweigt aber, daß diese Gebäude noch bewohnt waren. Die gebäudebezogene, nicht bewohnerbezogene Sanierungshofberichterstattung hat eine lange Tradition.

Die fünf Zeilen an der Kösliner Straße, die bisher in der bezirklichen wie städtebaulichen Geschichtsschreibung zu Unrecht wenig Beachtung gefunden haben, sind 1980 modernisiert worden. Die Fernheizung hat die Mehrraumofenheizung abgelöst, die Fassaden haben eine Wärmedämmung und einen neuen Anstrich erhalten. Die Kaltmiete beträgt nach der Modernisierung zwischen 5,60 DM und 5,67 DM/m². Im Gegensatz zum Wohnungsbestand der inzwischen zur GmbH & Co. Kg gemauserten Kleinwohnungsbaugesellschaft im Außenbereich (Spandau/Falkenhagener Feld und Rudow) sind die Weddinger Zeilen beliebt und problemlos. Die Mieterfluktuation ist sehr gering, es gibt keinen Leerstand, der Reparaturaufwand ist bescheiden.

Wechsel der Identität

Nachdem in den 50er Jahren die Erneuerung der Mietskasernenstadt auf kriegszerstörten Grundstücken erprobt worden ist, wird 1963 mit einer Erklärung des Berliner Regierenden Bürgermeisters, Willy Brandt, ein in der Geschichte Berlins einmaliges, gigantisches Sanierungsvorhaben verkündet. Anknüpfend an praktische Erfahrungen „insbesondere in den USA" wird ein „Erstes Stadterneuerungsprogramm" für die großzügig mit öffentlichen Mitteln zu fördernde Sanierung von 56 000 Altbauwohnungen aufgelegt. Bevorzugte Sanierungsmethode – daraus wird kein Hehl gemacht – ist der „Totalabriß und nachfolgende Neubebauung", die Kahlschlagsanierung.

Schwerpunkt des Stadterneuerungsprogramms ist der Wedding, wo man schon seit Jahren der Sanierung entgegenfiebert. „Wo bleibt das Sanierungsprogramm?" – so fragt die Zeitung „Der Wedding gestern und heute" vom November 1958. Die vom Krieg verschonten Mietskasernen, in der Zeitung als „Mietzuchthäuser" (Preusker) bzw. „Mißgeburten der Gründerzeit" (Lücke) verteufelt, sollen endlich weg. Bereits 1952 hat die SPD versucht, 100 Mio. DM an Bundesmitteln für die Sanierung in Berlin lockerzumachen, von denen allein 43 Mio. DM für die „Beseitigung des Wohnungselends im Wedding" vorgesehen waren. Sanierung in West-Berlin heißt in den 60er Jahren vor allem Sanierung im Wedding. Dort liegt das bis heute größte Sanierungsgebiet Deutschlands, vielleicht Europas – das Sanierungsgebiet Brunnenstraße. Dieses gewaltige Vorhaben stellt das zweite, kleinere Sanierungsgebiet des Wedding, das Sanierungsgebiet Nettelbeckplatz, nicht nur quantitativ weit in den Schatten, es absorbiert auch die Aufmerksamkeit der Öffentlichkeit und des Fachpublikums vollständig.

Das Sanierungsgebiet Nettelbeckplatz umfaßt „nur" vier Blöcke, darunter den Block 177 westlich der Kösliner Straße. Zu den Gründen der Auswahl dieses kleineren Gebietes gibt der 1. Stadterneuerungsbericht von 1964 keine näheren Hinweise, doch dürfte neben dem Baualter der Gebäude und dem „rückständigen" Milieu von „Armut, Alter und Unbildung"[6] auch die Geschichte des Gebietes eine Rolle gespielt haben. Speziell für die Sanierung des Blocks 177 an der Kösliner Straße spricht noch ein weiterer Grund: die übergeordnete Planung einer neuen Hauptverkehrsstraße, die – ausgehend von der bestehenden Reinickendorfer Straße – den Block 177 diagonal durchquert und dann weitere Baublöcke in Richtung Gartenstraße durchschneidet. Mit der Gartenstraße endet diese Trasse schließlich an der Mauer. Der zeitlich noch nicht festliegende Straßendurchbruch der Reinickendorfer Straße ist die entscheidende, autoritär festgelegte, kostspielige und zerstörerische Prämisse, die die erste Planungsphase des Blockes 177 prägt.

„Grundzüge" einer städtebaulichen Konzeption für den Block 177 werden 1969 veröffentlicht.[7] Zu dieser Zeit hat der im Gebiet tätige Sanierungsträger,

die Deutsche Gesellschaft zur Förderung des Wohnungsbaues Gemeinnützige AG (DeGeWo), bereits 52 % der „sanierungsbedürftigen" Grundfläche erworben. Damit ist die bei der Stadterneuerung übliche, weitgehend von der öffentlichen Hand bezahlte drastische Umwälzung der Eigentümerstruktur bereits beträchtlich fortgeschritten. Frühere Pläne der Kleinwohnungsbau-Gemeinnützige Baugesellschaft mbH, als Sanierungsträger auch auf der Westseite der Kösliner Straße, im Block 177, einzusteigen, sind zu diesem Zeitpunkt längst zu den Akten gelegt.

Die bei der Vorstellung der Konzeption genannten Sanierungskriterien lassen den expliziten Willen erkennen, auch die Bewohnerschaft des Blocks zu „erneuern". „Die Sanierungskriterien sind auf diesem Block in hohem Maße gegeben: Ausnutzung bis GFZ 4,5; von 18 Altbauten sind 17 in der Zeit zwischen 1871 und 1885 entstanden; 60 % der Altbauwohnungen (267 WE) besitzen lediglich Podesttoiletten, die von mehreren Mietparteien benutzt werden müssen; für 18 Wohnungen sind nur Hoftoiletten vorhanden; ca. 6,0 m tiefe Höhe zwischen fünfgeschossiger Bebauung sind mehrfach anzutreffen. Eine durchgreifende Sanierung ist auch insofern dringend geboten, als die soziale Struktur der Bewohner dieses Blockes sich negativ auf die Bevölkerung der benachbarten Neusiedlung an der Panke auszuwirken droht."

Das Gewerbe soll ebenfalls vom Block verschwinden. Nach einer vom Deutschen Institut für Wirtschaftsforschung (DIW) im August 1965 durchgeführten Untersuchung gibt es in dem Block 177 13 Dienstleistungseinrichtungen, 17 Einzelhandels- und zwei Handwerksbetriebe. Davon liegen vier Betriebe in der Kösliner Straße: ein Restaurant und drei Einzelhandelsbetriebe (Feinkost, Holz/Kohlen/Kartoffeln und Kartoffeln/Zwiebeln), die bisher eine durchschnittliche Miete von 1,15 DM/m² bezahlen und mehrheitlich am bisherigen Standort bleiben wollen. Die Untersuchungsergebnisse des DIW haben aber keinen Einfluß auf die Planung. „Unter planerischen Gesichtspunkten wären gewerbliche Betriebe auf diesem Block nicht erwünscht", die „Mehrzahl" der ja „nicht standortgebundenen" Betriebe soll „zu gegebener Zeit" am erneuerten Nettelbeckplatz untergebracht werden – und das, obwohl ausdrücklich festgestellt wird, daß störende Betriebe nicht vorhanden sind.

Der Kern der städtebaulichen Konzeption ist die Anpassung des Gebietes an die Bedürfnisse der „übergeordneten Verkehrsplanung". Die Planung einer schnittigen Diagonaltrasse durch den Block 177 hat zur Folge, daß der südliche Abschnitt der Reinickendorfer Straße abgeklammert und die Kösliner Straße im Süden „abgeriegelt" wird. „Die Kösliner Straße wird als Parkstraße ausgebildet ... Die Weddingstraße wird ganz aufgehoben, ehemaliges Straßenland wird begrünt." Die Kösliner

Straße als Parkstraße – umschmeichelt vom Grün der Weddingstraße! Was hier als Idylle verkauft wird, wäre in Wirklichkeit ein unerträglich verkehrsbelastetes Areal. Selbst die gefächerten Zeilen auf der Ostseite der Straße wären hinsichtlich der Lage entwertet.

Im Zuge des Straßendurchbruchs sollen nicht nur alle 446 Altbauwohnungen beseitigt werden, sondern auch 20 Neubauwohnungen (Kösliner Str. 21 und 22), die zusammen mit der Kösliner Str. 23 auf kriegszerstörter Fläche erst 1959 im Wiederaufbauprogramm erstellt worden sind. Als neue Bebauung für die Kösliner Straße wird „eine in der Höhe mehrfach gestaffelte Nord-Südzeile" vorgesehen. „Im nördlichen Bereich, wo die Verkehrsbelästigungen am geringsten sein werden, soll die Bebauung auf zehn bis zwölf Geschosse

Die Rote Gasse

Und die Straße wurde lebendig und schrie,
Bedeckte sich mit Menschenleibern,
Setzte Arme und Köpfe an,
Münder, Gewehre, Augen, Brechstangen –
Straße: hart, unerbittlich,
Geknechteter Rücken,
Über den Räder und Fußtritte hetzen,
Lasten sich wälzen,
Wirft sich empor –
Zackig,
Ausgerissen,
Ein erbärmlicher Leib –
Und schlägt wieder nieder,
Unter sich begrabend
Alles, was wehe tat und drückte:
Wachtstuben, Polizeikolonnen –
Straße der Knechtschaft!
Straße der Demonstration!

Johannes R. Becher

286 „*Tatsachen-Bildbericht" der „Arbeiter Illustrierte Zeitung" über die Kösliner Straße, 1931 (Auszug). Die dortigen Wohnverhältnisse werden mit denen der „feinen Ebert-Siedlung" erbaut 1929/31) verglichen, die für Arbeiter wie Fournes „unerschwinglich sind".*

287 *Der KPD-Führer Ernst Thälmann nach dem „Blutmai" 1929 in der Kösliner Straße (vermutlich eine Fotomontage).*

Das ist die Kösliner Straße – saubere Fassaden, hinter denen sich dunkle Hinterhöfe, verfallene Wohnhöhlen, Elend und Not verbergen

HIER –in der „roten Gasse"–wohnt die Bauarbeiterfamilie FOURNES

Unvergessen ist der Maitag 1929, als das Straßenpflaster zur Barrikade emporwuchs, jeder Passant aus der Kösliner Straße von bewaffneten Ordnungshütern untersucht wurde, „verirrte" Polizeikugeln vier Arbeiter töteten . . .

288 Die ‚Heldengeschichte' zur Zeichnung aus „Der Wedding", 1935:
„Die Kösliner Straße war neben den
Pharussälen der Inbegriff des knallro-
ten Weddings. 1929 war die Kösliner
Straße erstmalig von der Standarte VI
mit Lastautos durchfahren worden. Die
verhetzten Marxisten bewarfen die SA
mit Blumen, an denen aber noch die
Töpfe waren. Die Fahrt der SA gab
einen Aufruhr unter den Roten. . ."

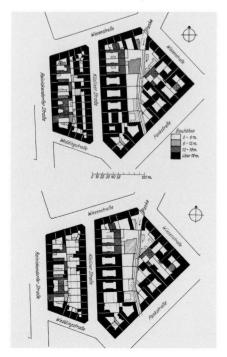

ansteigen." Nordwestlich dieses Gebir-
ges, an der verlegten Wiesenstraße, sollen mehrgeschossige Gemeinschafts-
stellplätze untergebracht werden. „Die
Restfläche wird zur Abschirmung gegen die Hauptverkehrsstraße begrünt."
Insgesamt soll der Wohnungsbestand
von 496 auf 172 Einheiten schrumpfen.
Mit der Ausschreibung eines begrenzten
Wettbewerbs für ein „Arbeitnehmerwohnheim" an der Kösliner Straße
durch die DeGeWo im Jahr 1970 konkretisiert sich ganz langsam das bauliche
Programm der Stadterneuerung. Freu-
dig schreibt die BZ am 9. 4. 1970: „Jetzt
geht's auch in Wedding den alten
Schuppen an den Kragen. Das Bezirksamt will rund um den Wedding- und
Nettelbeckplatz mit den Wohnhäusern
aus Ur-Urgroßmutterszeiten aufräu-
men." Gleichzeitig wird die zweite Stufe der Gebietsumwälzung gezündet, die
Vorbereitung der öffentlich geförderten
Umsetzung der Mieter. Im „Freima-
chungsprogramm 1971" sind 171 Wohnungen der Kösliner Straße verzeichnet. Ende 1971 sind 118 Wohnungen geräumt, 53 Wohnungen kommen auf die
Überhangliste. Die freigemachten Gebäude rutschen weiter in die ebenfalls
öffentlich geförderte „Abräumungspha-
se". Elf Jahre nach Einleitung der Sanierung und vier Jahre nach Ausschreibung des Wettbewerbs wird schließlich
1974 der erste sanierungsbedingte Neubau auf dem Block 177 errichtet – das in
seiner Dimension gegenüber der Planung erheblich reduzierte Arbeitnehmerwohnheim mit 136 Appartements
für westdeutsche Arbeiter.
Als sich jetzt die geplante Neuordnung
im Gebiet herumspricht, entwickelt sich
die einzige gravierende Krise der Stadterneuerung an der Kösliner Straße. Insbesondere der Angelpunkt der ganzen
Neuordnung, der Straßendurchbruch,
stößt auf heftigen Widerstand. So zei-

289–291 Die baumlose Kösliner Straße mit Blick zur Wiesenstraße, vor 1939
(l.). Das Sanierungsplanspiel des Pg.
Frank von 1939 für die rote Kösliner
Straße: Bestand (u. l.) und Abrißvor-
schlag (gestrichelt, unten). Hinterhäu-
ser an der Kösliner Straße (Westseite),
vor 1939. Das Konzept der „vordringlichen Auflockerung" von Pg. Frank
sieht den Abriß der linken Hinterhaus-
zeile vor.

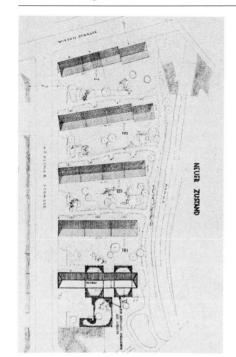

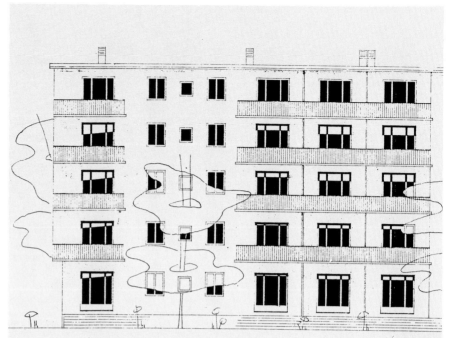

327   Abriß der Geschichte

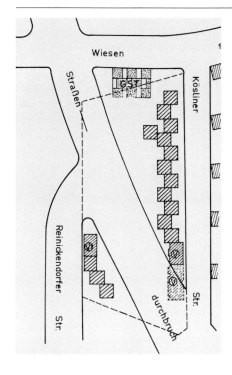

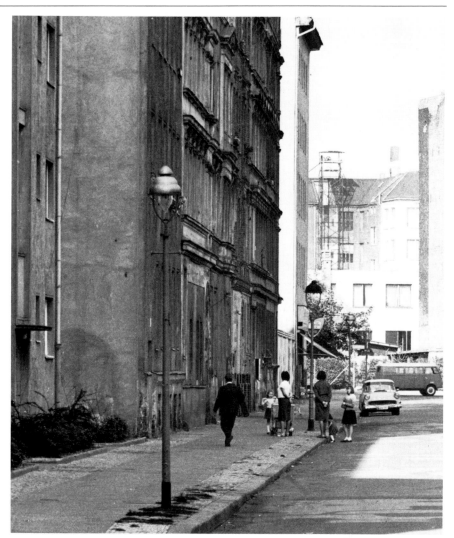

292–297 Leicht gefächerte, durchgrünte Wohnzeilen der Kleinwohnungsbau-Gemeinnützige Baugesellschaft mbH zwischen Kösliner Straße und Panke (realisiert 1955-62). Der südlichsten Zeile („Block V") stehen – auf dem Plan sichtbar – noch zwei alte Seitenflügel im Wege (S. 326 l. o.). Fassadenentwurf für „Block IV", Gartenansicht von Fritz Maiss, 1. November 1955 (S. 326, r. o.). Weddinger Propagandabild der Wohnzeilen der Kösliner Straße mit Panke, Mitte der 60er Jahre: „Häuserzeilen im Grünen haben die alten Mietskasernen ersetzt" (S. 326 u.). Zerstörerischer Rahmenplan des Senators für Bau- und Wohnungswesen aus dem Jahre 1969. Für den geplanten, den Block 177 westlich der Kösliner Straße diagonal durchschneidenden Straßendurchbruch müßten nicht nur Altbauwohnungen, sondern auch 20 Neubauwohnungen abgerissen werden (o.). Die Westseite der Kösliner Straße im Jahre 1965, vor der Sanierung: ganz vorne links die Nr. 20 (Wiederaufbauprogramm 1959), dahinter Mietskasernen (inzwischen abgerissen; o. r.). Blick in die sanierte Kösliner Straße von Süden her, 1983. Vorne rechts wird gerade der letzte Altbau der Kösliner Straße zugunsten des „Weddinghofes" abgerissen (u. r.).

gen sich beim notwendigen Grunder-
werb der abzuräumenden Häuser an
der Reinickendorfer und Kösliner Straße durch den Sanierungsträger große
Schwierigkeiten. Überhaupt sieht der
private Hausbesitz in der Gegend, so
der Tagesspiegel am 4. 1. 1973, „Opfer
für den Straßenbau auf sich zukommen". Und dieses Opfer seien sinnlos,
„da eine Änderung der Reinickendorfer Straße nicht ohne weiteres den Erfordernissen entspreche. Die Linienführung im Flächennutzungsplan werte
Verkehrsrouten auf, die tatsächlich gar
nicht vorhanden seien, die sich höchstens bilden könnten, wenn Berlin eine
ungeteilte Stadt wäre". Vor allem der
Eigentümer des Hauses Reinickendorfer Str. 32, das für den Straßenbau abgerissen werden soll, weigert sich, an die
DeGeWo zu verkaufen, die trotzdem
im Dezember 1974 den Mietern (des ihr
nicht gehörenden Hauses!) mitteilen
läßt, daß das Haus im Freimachungs-
programm 1975 verzeichnet ist, und die
zu Beginn des Jahres 1975 die Mieter
zur Kontaktaufnahme hinsichtlich der
Umsetzung auffordert.
Ende 1975 spitzt sich der Konflikt zu. In
einem Flugblatt des SEW-Kreisvor-
standes Wedding (Sitz Weddingstr. 6!)
mit der Überschrift „Reinickendorfer
Straße wird verlegt. 38 Häuser fallen der
Spitzhacke zum Opfer! SEW fordert:
Mitsprache der betroffenen Bevölkerung!" heißt es: „Für eine solche, völlig
unsinnige Planung sollen die Bürger er-
haltenswerte und preisgünstige Wohnungen opfern." Ebenfalls im Dezember 1975 schreibt das Initiativen-Blatt
IZ Wedding: „Noch immer nicht informiert wurden die betroffenen Bewohner über . . . den Neubau der Reinickendorfer Straße." Und weiter: „Tausende
von Wohnungen sollen für eine Straße
abgerissen werden, die niemandem
nützt . . . Gipfelpunkt des Wahnsinns:
Im Sanierungsgebiet Nettelbeckplatz
sollen in der Kösliner Straße Häuser abgerissen werden, die erst 1959 erbaut
wurden und Zentralheizungen haben.
So kann es nicht weitergehen! Wir hoffen, daß sich auch in diesem Gebiet be-
troffene Bürger zusammenschließen unter dem Motto: Stoppt den Straßenneu-
bau durch Wohngebiete!" Im April
1976 protestieren Bürger auf dem Nettelbeckplatz gegen die dort geplante Ab-
holzung der Bäume. Der Selbstmord

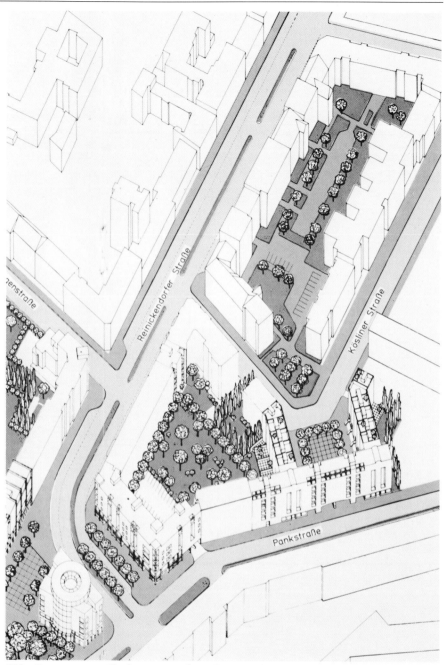

298   *Der sanierte Block 177 mit den Pkw-Stellflächen im Inneren sowie – südlich
davon – der zur Pankstraße gerichtete geplante „Weddinghof". Die rote Gasse –
so der Bezirk beschwörend – habe nunmehr eine „neue Identität" gefunden.*

des Eigentümers der Reinickendorfer
Str. 32 im Mai 1976 erregt großes Aufsehen. Die BZ hängt sich am 18. 5. 1976 in
typischer Manier an die Kampagne gegen den Straßendurchbruch an: „Berliner erhängt sich aus Liebe zu seinem
Mietshaus. Der Mann konnte es nicht
ertragen, daß das Gebäude der Stadtsa-
nierung zum Opfer fallen sollte." Die
Befürworter des Durchbruchs in der
Verwaltung betonen aber noch am

29. Juni 1976 , daß bei Fallenlassen der
Trasse die vornehmste Aufgabe der Sanierung ungelöst bleibe. „Der Anlaß
der Sanierung dieses Gebietes wird in
Frage gestellt."
Zwei Monate später, am 19. 8. 1976,
wird die neue Trasse der Reinickendorfer Straße durch eine Senatsentschei-
dung aufgegeben. Damit wird eine langjährige, unsinnige Planungskonzeption
für den Block 177 zu Grabe getragen.

Welche Verschwendung an Geld und Zeit! Aber die Krise ist überwunden, und die Mitte der 70er Jahre mehr beschworene als realisierte „Wende" in der Stadterneuerung wird auch an der Kösliner Straße spürbar. In einem Flugblatt vom September 1976, das von Bausenator Harry Ristock und vom Weddinger Baustadtrat Horst Renner unterzeichnet ist, wird eine neue Melodie gespielt: „Liebe Mitbürger! Für Ihr Wohngebiet hat sich in den letzten Monaten die vorgesehene städtebauliche Planung verändert. Hierüber möchten wir Sie informieren... In Erwartung einer starken Verkehrszunahme sah die vor zehn Jahren entwickelte Planung eine Entlastung des Nettelbeckplatzes vor ... Eine Überprüfung dieser Planung aus heutiger Sicht hat dazu geführt, daß der gegenwärtige und für die Zukunft zu erwartende Verkehr weiterhin durch die Reinickendorfer Straße geführt werden kann... Durch die Neuplanung werden auch die noch wertvollen Wohnhäuser erhalten. Die überalterten und in ihrer Bausubstanz nicht mehr erneuerungsfähigen Altbauten werden im Zuge der Sanierung abgerissen und durch Neubauten des sozialen Wohnungsbaus ergänzt."

Es soll und darf also weiter abgerissen werden, aber nicht mehr alles. Nach einer neuerlichen Bausubstanzuntersuchung wird festgestellt, daß bei drei Vorderhäusern des Blocks 177, darunter dem besonders umstrittenen Gebäude Reinickendorfer Str. 32, „eine Modernisierung aus wirtschaftlichen Gründen sinnvoll erscheint".[8] Die neue, zweite Planungsphase für den Block 177 entspricht der allgemeinen Tendenz in West-Berlin, es wird eine geschlossene, die überkommene Gebäudehöhe und Fassadengliederung respektierende Blockrandbebauung mit Tiefgarage vorgeschlagen, in die die drei zu modernisierenden Altbauten, die Gebäude der späten 50er Jahre und das inzwischen errichtete Arbeitnehmerwohnheim integriert werden sollen.

In dem neuen Konzept des Stadtplanungsamtes Wedding vom 17. 1. 1977

wird die Wende noch ein bißchen weitergetrieben, indem auch wieder an die Geschichte des Gebietes angeknüpft wird – allerdings nicht an die Geschichte der Weimarer Zeit, sondern an diejenige vor der Kaiserzeit, deren Spuren die Mietskasernenbebauung ebenso rücksichtslos ausgelöscht hat wie die aktuelle Stadterneuerung die Spuren der Kaiserzeit. Der durch seine Betonung des Grüns auffallende Plan markiert die Lage des ehemaligen „Weddinghofes", eines bis Ende des 19. Jahrhunderts noch existierenden Reliktes des vorindustriellen Wedding, und will im Schnittpunkt der Kösliner Straße mit der Weddingstraße eine „Säule mit historischem Hinweis vom ‚Weddinghof'" aufstellen. Die Neuordnung der Straßen in diesem Vorschlag wird weiterverfolgt und im 13. Stadterneuerungsbericht 1978 der Öffentlichkeit vorgestellt. Danach ist die Weddingstraße als Fußgängerbereich ausgewiesen, die Kösliner Straße endet als (Auto-)Parkstraße mit einem Wendehammer im Süden. Im Oktober 1980, nachdem alles entschieden ist, werden die Erörterungen nach § 9 Abs. 1 Städtebauförderungsgesetz mit den verbliebenen betroffenen Mietern, Gewerbetreibenden und Eigentümern durchgeführt – durch Auslegung der Planung im Bezirksamt. Das bauliche Konzept über den Block 177 wird Anfang der 80er Jahre mit öffentlicher Förderung in modifizierter Form realisiert, die Südostecke des Blocks bleibt unbebaut, im südlichen Blockinnenbereich werden Autoabstellplätze angelegt. Ein Bebauungsplan, der die vollzogene kostspielige Erneuerung rechtlich legitimieren soll, ist seit längerer Zeit in Vorbereitung, die Aufhebung der förmlichen Festlegung als Sanierungsgebiet ist in Diskussion. Die Durchführung des Straßenkonzepts wird zurückgestellt, da im Zusammenhang eines 1979 ausgeschriebenen städtebaulichen Wettbewerbes für das zum Teil wüstenartig brachliegende Gebiet um den Nettelbeckplatz ein neues Konzept entwickelt wird. Der von Günther Fischer gewonnene Wettbe-

werb sieht als luxuriösen Südabschluß der Kösliner und Weddingstraße eine schicke viergeschossige Doppel-Maisonette-Bebauung mit dem Namen Weddinghof vor – eine Nostalgie vermarktende Bezeichnung ohne erkennbaren historischen Sinn. Für diese Planung muß der letzte Altbau der Kösliner Straße, das außerhalb des Sanierungsgebietes liegende Eckhaus Kösliner Str. 1/Weddingstr. 1a, am 6. 10. 1983 weichen, das – 1975 von der DeGeWo erworben und 1981 an die GeSoBau verkauft – aufgrund einer seit 1978 forcierten Entmietungspolitik, unterlassener Instandhaltung und den daraus folgenden Schäden bereits weitgehend unbewohnbar war.

Der Weddinghof als (unbezahlbares?) Juwel der Gegend ist noch in der Planung, erste Grundstücksgeschäfte sind aber schon getätigt. Fertig dagegen ist – nach Jahren der Verunsicherung aller Betroffenen – der Block 177. Die Kösliner Straße hat ein vollständig neues Gesicht erhalten, ohne Läden und Gewerbe, ohne die alten Bewohner, aber immerhin mit einer qualitätvollen durchgrünten und relativ preiswerten Zeilenbebauung an der Ostseite. Die Erinnerung an die „rote Gasse", das steinerne Symbol der Spaltung der Arbeiterbewegung, den „Ort des politischen Terrors"[9] ist ausgelöscht, dafür wird scheinbar an den Weddinghof erinnert. Auch die von oben verordnete, autoritäre und alles andere als sparsame Stadterneuerung sozialdemokratischen Musters schreibt die Geschichte um, verwischt Unbequemes, erfindet Genehmes. Der Bezirk jedenfalls ist zufrieden: „Das Weddinger Milieu hat sich in den letzten Jahrzehnten geändert. Gestern noch die Enge der Mietskasernen, rauchende Schornsteine und eine klassenspezifische Bevölkerungsstruktur, hat der Bezirk eine neue Identität gesucht und heute gefunden."[10] Welche neue Identität hat denn der gewaltsame Abschied von der Geschichte wirklich gestiftet? „Die Kösliner Straße", so Hella Jordan, „ist heute eine Allerweltsstraße."[11] Operation gelungen... *Harald Bodenschatz*

Die sozialistische Metropole

Planung und Aufbau der Stalinallee und des Zentrums in Ost-Berlin 1949–1961

Das kulturelle Leben der Nachkriegszeit quoll über vor Aktivitäten, geprägt von dem Wunsch, all das nachzuholen, was das Tausendjährige Reich zwölf Jahre lang der deutschen Bevölkerung und vor allem seinen Hauptstadtbewohnern vorenthalten hatte. Bis zur Währungsreform und der nachfolgenden Gründung zweier deutscher Staaten im Herbst 1949 hatten alle Projektplanungen im Bereich der Architektur und des Städtebaus, anders als z. B. die der bildenden und darstellenden Künste, aus wirtschaftlichen Gründen keine Realisierungschance.

Sofort nach Kriegsende begann die Arbeit in den Architekturateliers. Hans Scharoun, der bereits in der Weimarer Republik einer der bekanntesten Repräsentanten des Neuen Bauens gewesen war, bekam als neuer Stadtrat für Bau- und Wohnungswesen beim Magistrat in Groß-Berlin, der seinen Sitz im sowjetischen Sektor hatte, die Leitung eines „Planungskollektivs" übertragen (vgl. S. 302ff.). Die Arbeiten dieses Kollektivs erlangten durch die Ausstellung „Berlin plant – Erster Bericht" 1946 und darüber hinaus größte Publizität. Generell ist zu sagen, daß Scharoun aufgrund dieser Pläne, keineswegs Berlin wieder-, sondern als durchgrünte, autogerechte Großstadt fern jeder repräsentativen Gestaltqualität neu aufzubauen gedachte. Erste Anregungen Heinrich Starcks, des stellvertretenden Bürgermeisters von Friedrichshain und späteren Magistratsbaudirektors, die Frankfurter Allee in seinem Bezirk als Prachtstraße umzugestalten, weil auf ihr die siegreiche Rote Armee einmarschiert war, wurden vom Planungskollektiv konsequenterweise nicht aufgegriffen. Trotz alledem geriet der „Kollektivplan" im Herbst 1946 in die politischen Mühlen der ersten und letzten Nachkriegswahl der Stadtverordneten aller vier Sektoren Berlins, weil er im sowjetischen Sektor angefertigt worden war. Die SPD unterstellte der SED, daß diese Partei u. a. auch im Bau- und Wohnungswesen „unbeirrbar und unbelehr-

bar nur politische Positionssicherungen" verfolgt habe. Man übersah, daß Scharoun sich weder durch Mitgliedschaft noch durch gute Worte an die SED gebunden hatte. Nach diesen Wahlen schied er aus dem Planungskollektiv aus, ohne daß sogleich ein Nachfolger zur Stelle war. Nach einigen Verwaltungsquerelen hieß der neue Stadtbaurat beim 1946 gebildeten separaten West-Magistrat Karl Bonatz, der die Arbeitsergebnisse seines Vorgängers als „schematisch" und „wirtschaftlich vollkommen undurchführbar" kritisierte und in den Jahren bis zur Teilung der Stadt mit neuen Mitarbeitern umwertete.

Parallel zu Bonatz arbeitete das Planungskollektiv im sowjetischen Sektor weiter, ohne daß jedoch dessen Arbeitsergebnisse in die Fach- oder Tagespresse gelangten. Zur Überraschung der West-Berliner Architekten und Stadtplaner präsentierte Oberbürgermeister Friedrich Ebert im Juli 1949 einen eigenen „Generalplan zum Wiederaufbau Berlins", erstellt von dem personell erweiterten Kollektiv des ersten Nachkriegsjahres. So verwunderte es nicht, daß grundsätzliche Überlegungen Scharouns, vor allem die, Wohnquartiere als „Nachbarschaften" zu organisieren, nur minimal varriiert wurden. In grundlegenden Arbeitshypothesen waren sich Ost und West durchaus noch einig, wie z. B. in Forderungen nach „getrennten Wegen für Fußgänger und Kraftwagen", „Licht, Luft und Sonne für jeden", „strenger Trennung der Wohngebiete von den Arbeitsstätten", oder kurz und bündig nach „Dezentralisation". Legte man jedoch die von Bonatz und die vom Kollektiv entwickelten Pläne im Groß-Berliner Maßstab übereinander, so wurden entlang der Sektorengrenze unüberwindbare Verschiebungen und Brüche sichtbar. Nicht nur im politischen Bereich war von nun an der „Riß durch Groß-Berlin" sichtbar.[1]

Neu- oder Wiederbeginn?
Der 70. Geburtstag Stalins am 21. 12. 1949 brachte für den Bezirk Friedrichshain die Umbenennung der Frankfurter Alle in Stalinallee und dort die Grund-

steinlegung für die erste „Nachbarschaft": für zwei fünfgeschossige Laubenganghäuser, die vom Bautyp und von der Baugestaltung her eindeutig die Ideen der Stadtrandsiedlungen der Weimarer Republik im Stadtzentrum variierten. Im Laufe der nächsten Jahre sollte eine „Wohnstadt Stalinallee" mit viergeschossigen Zeilenbauten sowie mit Hoch- und Einfamilienhäusern für insgesamt 5000 Bewohner entstehen.

Warum gerade im Bezirk Friedrichshain? Er war nicht nur ein traditioneller Arbeiterbezirk, sondern auch das von der Bevölkerungsdichte her gesehen am stärksten kriegszerstörte Wohngebiet Berlins. Das Zentralorgan der SED „Neues Deutschland" empfahl seinen Lesern, das Bild der Grundsteinlegung des „ersten Wohnungsneubaus in Deutschland" durch zwei Maurerpoliere in traditioneller Kleidung mit schwarzen Zylindern auszuschneiden, um später einmal sich zu erinnern: „So hat es angefangen." Wer konnte in diesem feierlichen Augenblick ahnen, wie schnell dieses „später einmal" kommen sollte – und zwar noch vor dem Einzug der ersten Mieter?!

Bis heute übersieht man gern, daß in der unmittelbaren Nachkriegszeit, also vor der Gründung beider deutscher Staaten, sich keineswegs alle Architekten, weder im Westen noch im Osten, der modernen Architektur zugewandt hatten. In Berlin verfügten die Vertreter der Moderne fraglos über den größten Einfluß und repräsentierten in den Medien das, was man als offizielle Meinung bezeichnete. Als es dann in Ost-Berlin ans Bauen ging, lieferten ehemalige Mitarbeiter Scharouns dort die ersten bedeutenden Neubaubeispiele: Ludmilla Herzenstein war für den Entwurf der Laubenganghäuser an der Stalinallee verantwortlich und Selman Selmanagič für das Walter-Ulbricht-Stadion, das für das Deutschlandtreffen der FDJ gebaut wurde. Verglichen mit diesen beiden größten Bauvorhaben des Jahres 1950 waren die Beispiele der antimodernen, akademisch ausgerichteten Architektur unbedeutende Instandsetzungen kriegsbeschädigter Bauten: das Karl-Liebknecht-Haus des Kollektivs Schlüter und Schmidt und der U-Bahnhof Thälmannplatz, dessen Urheber verschwiegen wird.

Ein Stimmungswandel, d. h. eine Annäherung an akademische Traditionen, kündigte sich zuerst in Fachkreisen an und zwar im März 1950 auf der Deutschen Bautagung in Leipzig, die dort jedes Jahr parallel zur Frühjahrsmesse stattfand. In diesem Zusammenhang war das Referat von Lothar Bolz, dem Minister für Aufbau wichtig, und das von Kurt Liebknecht, dem Direktor des Instituts für Städtebau und Hochbau beim Ministerium für Aufbau, der 1951 Präsident der Deutschen Bauakademie wurde. Zusammengefaßt läßt sich ihnen entnehmen, daß Städte mit unterschiedlicher Baukultur nicht nach einem „allgemeingültigen Rezept" wiederaufgebaut werden sollten, wobei an den „besten nationalen Traditionen" anzuknüpfen und sogar „lokale Traditionen" zu erhalten und zu pflegen waren. „Kann heute der Bauhausstil oder der Stil, den wir neue Sachlichkeit oder Funktionalismus nennen, zum Ausgang unserer gesellschaftlichen Ordnung werden? Dieser Stil, der in den zwanziger Jahren gerade unter den fortschrittlichen Architekten viele Anhänger hatte, hat sich überlebt." Die neuen Bauwerke „müssen ein Symbol der neuen Zeit sein", geprägt vom Pathos und der Repräsentation der „Macht des schaffendes Volkes".[2]

Es war die Zeit der Aktivistenbewegung, und so ist es nicht verwunderlich, daß alle Berliner zur Beteiligung an Aufbausonntagen gerufen, „Tage der Aktivisten" proklamiert und Versprechen zur vorfristigen Erfüllung der Pläne abgegeben wurden. „Wir errichten vier Wohnblocks zu Ehren des III. Parteitags der SED."[3] Nach diesem Parteitag war allen Arbeitern und Kulturschaffenden klar, daß die großen Bauvorhaben des gerade eben erst beschlossenen ersten Fünfjahrplans der SED keineswegs zur Ehre gereichten. Walter Ulbricht führte aus: „Einige Architekten, besonders in der Bauabteilung des Magistrats von Berlin, wollten die Hauptstadt Deutschlands verniedlichen durch den Bau von niedrigen Häusern und wollten Gebiete der Innenstadt nach den Richtlinien für Stadtrandsiedlungen bebauen. Der grundsätzliche Fehler dieser Architekten bestand darin, daß sie nicht an die

Gliederung und Architektur Berlins anknüpften, sondern in ihren kosmopolitischen Phantasien glauben, daß man in Berlin Häuser bauen solle, die ebensogut in die südafrikanische Landschaft passen."[4]

Dem III. Parteitag der SED ging im April/Mai 1950 die Reise einer Delegation des „Ministeriums für Aufbau der Deutschen Demokratischen Republik" in die Sowjetunion voraus. Lothar Bolz leitete diese Delegation, zu der unter anderen auch Kurt Liebknecht, Waldemar Adler, Gruppenleiter der Hauptabteilung Bauindustrie des Ministeriums für Industrie, sowie Edmund Collein, Leiter des Stadtplanungsamtes beim Magistrat von Groß-Berlin, gehörten. Ihre Gesprächspartner waren in Moskau der Minister für Städtebau der Sowjetunion, die Leiter der Hauptverwaltungen für Städtebau, Hochbau und Ausbildung, der Präsident der Akademie für Architektur, verschiedene Direktoren verschiedener Fachinstitute und einige der großen Architekten des Landes. Es war daher naheliegend, daß Lothar Bolz nach der Rückkehr aus der Sowjetunion in einem Interview gefragt wurde: „Wie stellen Sie sich eine eventuelle praktische Mitwirkung sowjetischer Fachleute vor?" Er antwortete darauf: „Es ist in diesem Zusammenhang sicher sehr interessant zu wissen, mit welchem Nachdruck unsere sowjetischen Gastgeber selbst uns immer wieder darauf hingewiesen haben, daß ein schematisches Nachahmen ihrer Grundsätze unmöglich ist, weil auch bei Anwendung dieser erprobtesten Methoden neben den klimatischen Gegebenheiten immer die nationalen Besonderheiten und kulturellen Traditionen unseres deutschen Volkes berücksichtigt werden müssen... An eine unmittelbare Mitwirkung sowjetischer Städtebauer und Architekten ist dabei nicht gedacht."[5]

Als Ergebnis der Reise wurden die „Sechzehn Grundsätze des Städtebaues" für die DDR ausgearbeitet, die der Ministerrat im Juli 1950 beschloß. Im August wurde dort auch das Aufbaugesetz mit den wichtigen Paragraphen zur Einschränkung der privaten Grundeigentumsrechte angenommen. Im September stellte Bolz die Grundsätze und das Aufbaugesetz der Volkskammer vor, durch deren unmittelbar darauffolgende Annahme sie wirksam wurden.

1951 begannen die ersten Enteignungen von Grundbesitz in den Zentren der Großstädte, da diese zu den wichtigsten Enttrümmerungs- und Aufbaugebieten gehörten. In der DDR hatte man sich nun gegen eine Auflösung der Großstädte entschieden. Arbeits-, Wohn-, Kultur- und Erholungsbereiche sollten gleichbedeutend nebeneinander entstehen und sich soweit wie möglich durchdringen. In der Siedlungsplanung bevorzugte man anstelle der Zeilenbauweise eine neuartige Kompaktbauweise, die eine Bearbeitung der überlieferten und für Berlin typischen Blockrandbauweise bedeutete. Auch Wohnblocks sollten wieder Stadträume formen. Die neue Stadt der DDR war ihrer Form nach national, vom Klassizismus in Berlin bis zur Backsteingotik in Rostock, und ihrem Inhalt nach demokratisch, vom fehlenden Grundbesitz bis zu den niedrigen Mieten. Als Symbol der „nationalen Wiedergeburt in einem demokratischen Deutschland" sollte die Hauptstadt Berlin wiederentstehen. Und man war sich darüber einig, daß dieser große gedankliche Inhalt der Architektur und Stadtplanung nur verwirklicht werden konnte, wenn man über die reine Bautechnik hinaus den Schritt zur „packenden künstlerischen Form" wagte.[6]

Weiter an der Weberwiese

Im Oktober 1950 standen die Laubenganghäuser an der Stalinallee soweit im Rohbau, daß die HO und der Konsum in den untersten Geschossen Musterwohnungen einrichten konnten. Im November zogen die ersten Mieter ein. Mit den folgenden sechs viergeschossigen Wohnblocks schräg zur Stalinallee war bereits auf dem Hintergelände begonnen worden. Dieses Gelände auf der Südseite der Stalinallee trug seit langer Zeit den Namen Weberwiese, doch erinnerte zwischen dem wüsten Konglomerat aus Ruinenresten, Bauschutt und Rohbauten nichts mehr daran, daß einst hier Berliner Weber ihre Stoffe gebleicht hatten.

Die fieberhaften Enttrümmerungs- und Neubauaktivitäten vor Wintereinbruch ließen die in den Vormonaten geübte Kritik am äußeren Erscheinungsbild der Wohnblocks zuerst einmal vergessen, zumal eine Großwaschanstalt und eine Kindertagesstätte auch noch auf dem

299 *Stalinallee. Blick in die Küche einer Zweizimmerwohnung. Die Küchenmöbel wurden von den Mietern mitgebracht, Foto 1953*

Plan standen. Das „Neue Deutschland" berichtete darüberhinaus voreilig von der bevorstehenden Grundsteinlegung neungeschossiger Hochhäuser nach Hermann Henselmanns Entwurf, die „mit dem gleichen Tempo, dem gleichen Arbeitsenthusiasmus emporwachsen werden, wie die ersten Wohnungen. Und so wird es weitergehen."
Wohl kaum. Wie eine Bombe schlug am 13. 2. 1951 ein Artikel von Kurt Liebknecht ein, den wiederum das „Neue Deutschland" unter der programmatischen Überschrift „Im Kampf um eine neue deutsche Architektur" veröffentlichte. In ihm wurden die Architekten Henselmann, Mart Stam und Selmanagič persönlich gerügt und die Kulturabteilung der SED kritisiert, weil sie gerade im Bereich der Architektur „die Dinge hat treiben lassen, ohne nachdrücklichst auf die bisherigen Fehler aufmerksam zu machen." Eine moderne Baugesinnung vom Grundriß bis zur Fassade, das war der Kardinalfehler. In den nachfolgenden Monaten veröffentlichte das „Neue Deutschland" zahlreiche Beiträge anderer Autoren zu diesem Kampfthema, in denen die Forderungen nach einer „neuen deutschen Architektur" unter Umgehung des „Bauhausstils" überwogen, jedoch auch Liebknechts „rechthaberischer Ton" beanstandet wurde.
An den Baubeginn weiterer Wohnhäu-

ser dachte im Februar 1951 allerdings niemand mehr, da im August die dritten Weltfestspiele der Jugend und Studenten zu eröffnen waren. Knapp fünf Monate blieben übrig für den Entwurf und Aufbau eines Schwimmstadions (in Friedrichshain), eines Sportstadions (in Prenzlauer Berg) und einer Sporthalle (an der Stalinallee), dazu kamen der Ausbau des südlichen Außenrings der S-Bahn und Renovierungsarbeiten am Brandenburger Tor.
Im April veröffentlichte das ZK der SED seine Entschließung zum „Kampf gegen Formalismus in der Kunst und Literatur, für eine fortschrittliche deutsche Kultur". Darin wurden ohne Namensnennung diejenigen Architekten kritisiert, die „abstrakt und ausschließlich von der technischen Seite" an einen Bau herangingen, ohne die „Vorbilder der Vergangenheit" zu studieren. Als abschreckendstes Beispiel galten u. a. die ersten Neubauten an der Weberwiese. Das Zentralkomitee rügte außerdem die „Presse unserer Partei" – das galt vor allem dem „Neuen Deutschland" – in der von einer „breiten Entfaltung" der Kunst- und Literaturkritik viel zu wenig zu spüren war.[7] Auch das sollte sich noch nicht sofort, aber dann später umso heftiger ändern.
Am 29. 7. 1951 veröffentlichte Rudolf Herrnstadt, Chefredakteur des „Neuen Deutschlands" seinen ganzseitigen Arti-

kel „Über den Baustil, den politischen Stil und den Genossen Henselmann". Unmittelbarer Anlaß war eine Aussprache über die weitere Bebauung der Weberwiese, an der einige „fortschrittliche in Berlin beschäftigte Architekten" und Mitglieder des ZK der SED teilgenommen hatten. Zum wiederholten Mal hatten die Architekten, u. a. Hermann Henselmann und Richard Paulick, ihre Vorjahresmodelle vorgelegt, also Häuser „wie sie in den vergangenen Jahrzehnten in allen kapitalistischen Ländern zu Tausenden und Zehntausenden gebaut wurden: Kästen mit horizontalen Fenstern, oben flach, unten ohne Sockel, Fassaden ungegliedert, als Augenauswischerei für den kleinen Mann versehen mit eintönigen Ketten und Loggien, Blumen (die er selbst kauft) und fallweise mit Farbanstrich, von dem niemand weiß, warum er im einen Falle braun, im anderen himmelblau ist." Herrnstadts Fazit: „Häuser solchen Stils sind die natürlichen Produkte der Profitgier und der Menschenverachtung des sterbenden Kapitalismus." Ergebnis der Aussprache war eine Aufforderung an die beteiligten Architekten, innerhalb von acht Tagen überarbeitete Skizzen für die Bebauung der Weberwiese vorzulegen.
Henselmann erinnert sich: „In diesem Augenblick brauchte ich Brecht. Ich war abends sehr verwirrt, ob ich meine baukünstlerische Haltung aufgeben müßte. Brecht war freundlich, ja gütig zu mir, obwohl ich nicht ohne Aggressivität argumentierte. Die mir geläufige Autonomie des Künstlers gegenüber der Gesellschaft lehnte er strikt ab. Keine elitäre Haltung! Das Bündnis zur revolutionären Arbeiterklasse ist und bleibt die Grundlage der sozialistischen Kunst, und die Mittel der modernen Architektur waren 1950 nach Brechts Meinung unpopulär. Brecht selbst identifizierte sich rückhaltlos mit diesen architektonischen Grundauffassungen der 50er Jahre. Rückhaltlos durch das dichterische Wort und mit all seiner Autorität."
Bereits am 30. 7. fand die Vorführung der neuen Entwürfe in der Deutschen Bauakademie statt. Am 2. 8. entschied sich der Magistrat unter der Leitung von Oberbürgermeister Friedrich Ebert für den Entwurf von Hermann Henselmann. Am 1. 9. 1951 war die Grundsteinlegung für das Hochhaus an der

300-301 *Stalinallee (heute: Karl-Marx-Allee), Blickrichtung ostwärts, Foto 1953.*
Die Skulptur gehörte zum Eingangsbereich der Sporthalle.
Stalinallee, Hauseingang mit Mosaik am Block E-Süd (Architekt: Hanns Hopp),
Foto 1953. Originalbildlegende: „Hier wohnt der Maurer Müller."

Weberwiese, am 19. 1. 1952 das Richtfest – „ein Fest unserer Werktätigen" –
und am 1. 5. die symbolische Schlüssel-
übergabe durch Friedrich Ebert an die
ersten Mieter mit abschließendem
Feuerwerk von der Dachterrasse, das
der pathetische Zeitungsstil der frühen
50er Jahre zum Dauerbrenner stilisierte: „Weit strahlt der farbige Glanz über
die deutsche Hauptstadt hin, eine Warnung an diejenigen, die den Frieden der
arbeitenden Menschen zu stören versuchen, ein Leuchtturm für alle Patrioten,
der in eine noch schönere, noch glückli-
chere Zukunft weist."[8]
Ohne Zweifel galt dieses Hochhaus bei
einem Großteil der Berliner Bevölkerung als greifbares Symbol eines friedlichen Neuaufbaus, und es war populär,
wie seine grafische Umsetzung auf zahllosen Plakaten und in Anzeigen belegt.
Es gab einen „Bastelbogen Hochhaus
an der Weberwiese" in Massenauflage
zum Preis von 30 Pf. und sogar einen
Steinbaukasten für Kinder. Schulklassen und Hausfrauen fertigten Miniatur-
modelle des Hochhauses als Sammel-
büchse für Spenden zum „Nationalen Aufbauprogramm" an. „Während
mein Freund Paul Dessau das Hochhaus an der Weberwiese als einen Bar-
biersalon von Bagdad sehr witzig denunzierte", so Hermann Henselmann
dreißig Jahre später, „fand es Brecht
hinreißend, wie die Polizei den An-

drang der Menschen regeln mußte, die kamen, um das Bauwerk zu besichtigen, das inmitten der Ruinen eine bedeutende Signalwirkung hatte. ‚Solch eine Premiere möcht ich erleben', sagte er enthusiasmiert."

Jenseits aller Alltagserinnerungen nimmt der erste Wohnkomplex aus der akademischen Phase der DDR-Architektur – das Ensemble aus Hochhaus und fünf- bis sechsgeschossigen Seitenblocks – einen bedeutenden Platz nicht nur in der Berliner Baugeschichte ein. Henselmann wählte als Ausgangspunkt der Fassadengestaltung des Hochhauses an der Weberwiese das Stadthaus des Ofensetzers Feilner von Schinkel, dem Hauptvertreter des Berliner Klassizismus, der am Anfang des 19. Jahrhunderts Berlin als kommende Metropole definiert hatte. (Dreißig Jahre später wird das Feilner-Haus im Rahmen der IBA-Neubauprojekte an der Feilner- und Ritterstraße als Modell postmoderner Wiedergewinnung städtebaulicher Maßstäblichkeit im Sinne der klassizistischen Berliner Schinkelschule geplant und gebaut.) Henselmanns Entwurf zeigt durchaus eine freie Bearbeitung dieser Berliner Bautradition und ist eben keine Kopie oder Restaurierung der Vergangenheit. Noch konventionell aus Backsteinen gemauert, dem Material, das buchstäblich vor der Haustür lag, setzte es Maßstäbe im Bereich modernen Wohnkomforts, die damals nicht selbstverständlich waren: fließend Warmwasser, Zentralheizung, Hausbriefkästen, Hausklingelanlage, Telefonanschluß, Aufzug, Müllschlucker und gemeinsam nutzbare Dachterrasse. Seit 1979 steht das Hochhaus an der Weberwiese unter Denkmalschutz.

Die erste sozialistische Straße Berlins
Ende April 1951 wurde der große Wettbewerb für die städtebauliche und architektonische Gestaltung des ersten Bauabschnitts der Stalinallee, für das 1,8 km lange Teilstück zwischen Strausberger Platz und der Kreuzung Bersarinstraße (dem späteren Frankfurter Tor), ausgeschrieben. Als Grundlage der Planung galten die „Sechzehn Grundsätze des Städtebaues". Angemessen zu integrieren waren die ungeliebten zwei Laubenganghäuser auf der Südseite der Allee und die vorbildhafte Sporthalle der Weltjugendfestspiele, drei unwirklich

leuchtende Fremdkörper inmitten von rußgeschwärzten teilbewohnten Altbauten.

Das Preisrichtergremium aus Politikern, Architekten, Gewerkschaftsvertretern und Arbeitern sonderte von den 46 eingereichten Entwürfen im ersten Durchgang 26 aus wegen fehlerhafter Grundrißgestaltung und „kosmopolitischer Tendenzen" städtebaulicher und architektonischer Art.[9] Fünf Preise zwischen 50 000 und 10 000 DM waren am 31. 7. zu vergeben. Sie fielen an die Kollektive von Egon Hartmann (Weimar), Richard Paulick (Berlin), Hanns Hopp (Berlin), Karl Souradny (Leipzig) und Kurt Leucht (Berlin). Da jedoch nach Meinung des Preisgerichts keiner der Entwürfe vollkommen war, wurden die fünf ausgezeichneten Architekten aufgefordert, bis zum 30. 9. ein gemeinsames Massenmodell für die Stalinallee zu erstellen. Verbindlich waren dabei große sieben- bis neungeschossige Wohnblockeinheiten parallel zur Straßenführung, ferner eine deutliche horizontale und vertikale Gliederung der Fassaden durch Fenstergesimse und Profilierungen. Anfang September wurden die Entwürfe der Preisträger in der Berliner Tagespresse vorgestellt, und es begann eine monatelange Diskussion mit der Berliner Bevölkerung über den jeweils aktuellen Stand der Planung. Eine Auswahl der Kritik und der Änderungsvorschläge wurde ebenfalls veröffentlicht. Den größten Teil dieses Materials erhielt jedoch ein bei der Deutschen Bauakademie eigens eingerichtetes Auswertungsbüro. Die Schlagzeilen der Ost-Berliner Tageszeitungen lauteten: „Helfen Sie mit – unser Berlin zu gestalten". „An Müller, Meier, Schulz. An Alle! Wie gefallen Ihnen diese Wohnhäuser? Noch haben wir Zeit zur Diskussion". „Uns hat das Aufbaufieber gepackt". „Warum antworten unsere Architekten nicht auf die Kritik der Bevölkerung?" „Die Bau-Diskussion war doch nicht umsonst".

Im Spätherbst 1951 kam Hermann Henselmann zur Erarbeitung der Vorentwürfe hinzu, und im Dezember war klar, daß er als sechster Architekt einen der in Nord- und Südblocks unterteilten Abschnitte übernommen hatte, den Strausberger Platz. Am 3. 2. 1952 erfolgte die Grundsteinlegung auf der Baustelle von Block E-Süd, am 13. 7. das Richt-

fest für die Blocks C-Süd, E-Süd und F-Süd und am 3. 8. für D-Nord, am 27. 9. für A-Nordwest, B-Nord und C-Nord und am 19. 12. für das Hochhaus-Süd mit Kinderkaufhaus am Strausberger Platz.

In diesen zehn Monaten wurden einerseits die unterschiedlichsten handwerklichen Schnellbauverfahren, wie z. B. die Kowaljow-Methode für das Verlegen von Ziegeln, erprobt, andererseits mit der Stahlbetonfertigteil-Bauweise begonnen, bei der man Decken und Stützpfeiler für das Hochhaus-Süd und einen Flügel des Blocks C-Nord in einem Betonwerk am Strausberger Platz vorfabrizierte. Kein Wunder, daß beim Höllentempo des Neuaufbaus mit neuen Baumethoden bald Mängel in der Organisation und der Bauausführung auftraten.

Für die Stalinallee standen Sondermittel zur Verfügung, besonders deutlich an der Fassadengestaltung abzulesen. Die Wohnungsgrundrisse wurden zum Teil den jeweils gültigen Typenprogrammen entnommen und darüber hinaus eigens für die Stalinallee entworfen.[10] Ursprünglich sollte auf die vorhandene Altbebauung Rücksicht genommen werden, doch hätte das den Verzicht auf einheitliche Gestaltung und Verbreiterung der Allee bedeutet, so daß die Altmieter im Februar/März 1952 in den anderen Bezirken des „demokratischen Sektors" Wohnungen zugewiesen bekamen. Am 21. 12. war es dann für die Neumieter soweit: Sie erhielten in einem Festakt im provisorischen Gebäude der Deutschen Staatsoper die Schlüssel für die ersten 1148 Wohnungen der „ersten sozialistischen Straße" überreicht. Wie bereits beim Hochhaus an der Weberwiese setzten sich die Hauskollektive vor allem aus Aktivisten, Bestarbeiter und „Helden der Arbeit" zusammen, genauer gesagt: 677 Arbeiter, 322 Angestellte und 149 Angehörige der Intelligenz. Zwei Monate zuvor hatten alle sechs Architekten den Nationalpreis des Jahres 1952 erhalten.

Die Stalinallee gehörte zum bekanntesten Teil des „Nationalen Aufbauprogramms", das zunächst einmal für 1952 beschlossen wurde und in vermindertem Umfang auch für die nachfolgenden Jahre galt. Das Aufbauprogramm bestand in erster Linie aus Wohnbauten in der gesamten DDR und darüber hinaus

aus dem wiederaufzubauenden „deutschen Kulturerbe", wie z. B. in Berlin die Gebäude der Lindenoper, des Alten Museums und der Neuen Wache. Das „Nationale Aufbauprogramm" finanzierte sich aus Spenden, zusätzlichen Arbeitsleistungen der Bevölkerung und der Aufbaulotterie, an der sich alle Deutschen beteiligen konnten: Wer 3% seines Monatseinkommens für die Dauer eines Jahres einbrachte, erhielt die eingezahlte, mit 3% verzinste Summe in drei Jahresraten ab 1956 zurück und außerdem schon 1952 ein Los für Wohnungen und Geldprämien.

Der Ausbau der Läden und der Restaurants in den unteren Geschossen der Wohnbauten an der Stalinallee und die Planung des zweiten Bauabschnitts zwischen Bersarin- und Proskauerstraße bestimmte baulich das Jahr 1953. Hermann Henselmann gewann den internen Wettbewerb für das Frankfurter Tor mit zwei Hochhäusern, deren Kuppelaufsätze an die kriegszerstörten Dome des ehemaligen Gendarmenmarkts erinnerten. Gerade diese Kuppeln waren in den Diskussionen mit der Bevölkerung umstritten, wurden aber nach ausführlichen Erläuterungen durch Henselmann schließlich als „Bereicherung der Stadtsilhouette" akzeptiert und ausgeführt. Die an das Frankfurter Tor anschließenden nördlichen und südlichen Teile von Block G entwarf Hanns Hopp. Bereits Anfang 1953 begannen dort die Ausschachtungsarbeiten.

Am 10. 4. war auf der Berlin-Seite des „Neuen Deutschlands" zu lesen: „Die Partei ruft die Bauarbeiter der Stalinallee zum Kampf für höhere Normen". Deren Nichterfüllung hatte im Juni Lohnkürzungen für die erste Dekade zur Folge. Am 16. 6. beschlossen die Arbeiter der VEB Bau-Union in der Stalinallee – und dort vor allem diejenigen vom Block G – den Streik. Am Morgen des 17. 6. trafen sich alle streikenden Arbeiter Ost-Berlins am Strausberger Platz. Am Mittag verhängte der sowjetische Militärkommandant Pawel T. Dibrowa den Ausnahmezustand über seinen Einflußbereich. Am Abend erklärte das ZK der SED die Normenerhöhung für nichtig. Am 19. 6. trug die Titelseite der „Berliner Zeitung" die Schlagzeile: „Mauern der Stalinallee wachsen weiter".

Die Einschätzungen der Aktionen um den 17. Juni aus westlicher Sicht sind bekannt. Bertolt Brecht erklärte durchaus seine Verbundenheit mit der SED, schrieb jedoch auf seine eigene Art und Weise etwas später:

„Nach dem Aufstand des 17. Juni
Ließ der Sekretär des Schriftstellerverbandes
In der Stalinallee Flugblätter verteilen,
Auf denen zu lesen war, daß das Volk
Das Vertrauen der Regierung verscherzt habe
Und es nur durch doppelte Arbeit
Zurückerobern könne. Wäre es da
Nicht doch einfacher, die Regierung
Löste das Volk auf und
Wählte ein anderes?"

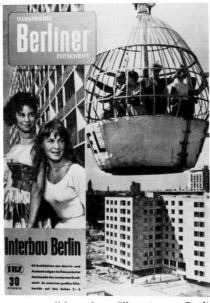

302 *Titelblatt der „Illustrierten Berliner Zeitung" zur Eröffnung der Interbau 1957. Im Vordergrund das Mehrfamilienhaus von Alvar Aalto, dahinter das Hochhaus von Klaus Müller-Rehm und Gerhard Siegmann, darüber die Gondel des Aussichtskranes zur Bauausstellung.*

Kurzer Westblick

Der Signalwert des „Nationalen Aufbauprogramms", die eingerichteten Musterwohnungen von Weberwiese und Stalinallee, verfehlten auch in West-Berlin ihre Wirkung nicht, wie die ausgelegten Gästebücher bezeugten. Die Sektorengrenze war mühelos passierbar, und die „Prawda" bemerkte in ihrem ersten Bericht über die Stalinallee im

Dezember 1952, daß die Bewohner West-Berlins „scharenweise" vor allem am Wochenende die neue Magistrale besichtigten. Das „Neue Deutschland" wollte zwischen Januar 1952 und April 1953 „fast ein Viertel der West-Berliner Bevölkerung", also knapp 400 000, besuchsweise auf der „Sonnenseite Berlins" gezählt haben.

Bekannt und unbeliebt war die Stalinallee vor allem in westdeutschen Fachkreisen. Dort galt sie als „architektonischer Irrtum in Ost-Berlin", als „gigantischer Kaninchenstall", als „Via Triumphalis der Russen", kurz gesagt als „Prunkmonument des östlichen Staatskapitalismus". Beliebt waren Vergleiche mit den Bauten des Dritten Reichs, so daß Richard Paulick in seiner Funktion als „Leiter des Aufbaustabs Stalinallee" mit einem Seitenblick auf den Chefarchitekten der Nazis als „Ost-Speer" im Nachrichtenmagazin „DER SPIEGEL" erscheinen konnte. Unter der Überschrift „Die deutschen Wühler" wurde an gleicher Stelle der „Ausspruch eines führenden Architekten des Westens" abgedruckt: *Eine* Stalinallee tut uns noch nicht weh, die zweite muß man verhindern."[11]

Aber wie? 1953 lief direkt als Antwort auf die Stalinallee in West-Berlin der Wettbewerb für das Hansaviertel, einem kriegszerstörten innerstädtischen Wohngebiet am Rande des Tiergartens. Gefragt waren hier selbstverständlich die ersten Konzepte der Nachkriegszeit mit „Auflockerung" und „Durchgrünung" der Großstadt. Um ebenfalls ein internationales Schauobjekt vorzeigen zu können, lud man neben deutschen auch „renommierte" Architekten aus aller Welt ein und präsentierte den ersten Bauabschnitt des Hansaviertels innerhalb der „Internationalen Bauausstellung 1957", die der modernen Architektur im Westen auf breiter Front zum Durchbruch verhalf. Auch hier wurde am Geld nicht gespart. Obwohl offiziell als privat finanziertes Aufbauprojekt deklariert, verschlang das Hansaviertel unglaublich hohe öffentliche Fördermittel in Form von Landesbaudarlehen und Sonderdarlehen des Bundes.[12]

Hauptstadt ohne Zentrum

Neues Berlin 1947: „Am Alexanderplatz klaffen gewaltige Abgründe in dem ehemals geschlossenen Kreis. Die Ruinen beginnen zu atmen; Menschen, die früher vom Keller bis zum Boden übereinander wohnten, Haus bei Haus, setzten sich wieder fest in Kellern, Buden und überdachten Löchern."[13]

Sechster Grundsatz des Städtebaus 1950: „Das Zentrum bildet den bestimmenden Kern der Stadt. Das Zentrum der Stadt ist der politische Mittelpunkt für das Leben seiner Bevölkerung. Im Zentrum der Stadt liegen die wichtigsten politischen, administrativen und kulturellen Stätten. Auf den Plätzen im Stadtzentrum finden die politischen Demonstrationen, die Aufmärsche und die Volksfeiern an Festtagen statt. Das Zentrum der Stadt wird mit den wichtigsten und monumentalsten Gebäuden bebaut, beherrscht die architektonische Komposition des Stadtplanes und bestimmt die architektonische Silhouette der Stadt."[14] Ausgehend von der Rede Walter Ulbrichts auf dem III. Parteitag der SED, beschloß der Magistrat im August 1950 den „ersten Bauabschnitt für ein neues und schöneres Berlin", womit er die „zentrale Achse" meinte: eine Straßenführung von der Stalinallee bis zum Alexanderplatz und von dort über Rathausstraße/Marx-Engels-Platz/Lustgarten/Unter den Linden bis zum Brandenburger Tor.

Dieser Beschluß besiegelte den Abriß der Ruine des Stadtschlosses, obwohl nur dessen ältesten Bauteile an der Spree nahezu völlig zerstört und gerade die kunsthistorisch bedeutendsten in den vorausgegangenen Jahren für Wechselausstellungen nutzbar waren. Es gab mehrere Begründungen für den Abriß: „Das Schloß soll uns nicht mehr an unrühmlich Vergangenes erinnern" ... „Für die großen Kundgebungen ist der bisherige Platz nicht geeignet" ... „Allein für die mehr als 30 Millionen DM zur Erhaltung des Schlüter-Teils „könnten wir in Berlin sehr viele sonnige Wohnungen" und „einige Krankenhäuser bauen".[15]

Richard Paulick lieferte 1950 die ersten Vorschläge zur Umgestaltung des Zentrums. Altes Museum und Dom sollten wiederaufgebaut werden, ebenso das Lindenforum, u.a. mit Lindenoper, Hedwigskathedrale und ehemaligem Zeughaus. Als Neubauten plante Paulick ein Denkmal für die ermordeten Antifaschisten aller Länder auf dem Gelände der ehemaligen Schloßfreiheit, sowie zu beiden Seiten der Rathausstraße das Staatsopernhaus und das Zentrale Gebäude für den Ministerrat und die Volkskammer der DDR. Zu den Maifeierlichkeiten des Jahres 1951 war aber im Zentrum der „Hauptstadt Deutschlands, Berlin" nur der freigelegte Marx-Engels-Platz – 450 m lang und 180 m breit – und eine provisorische Holztribüne an dessen Ostrand zu sehen.

1951 ging die weitere Arbeit für das Zentrum auf die „Planungsgruppe Berlin" unter der Leitung von Edmund Collein, Vizepräsident der Deutschen Bauakademie, über. Die wichtigste Veränderung gegenüber Paulicks Plänen bedeutete eine Aufstockung des Zentralen Gebäudes auf 200 m zur Höhendominante im Stadtzentrum. Der Haupteingang des Regierungsgebäudes blieb zum Marx-Engels-Platz hin orientiert, mit dem es über eine Spreebrücke verbunden war.

Durch den Regierungsbeschluß, Knobelsdorffs Lindenoper wiederaufzubauen, konzentrierte sich ab Juni 1951 die Bautätigkeit im Zentrum auf das Lindenforum, zumal seine Wiedererweckung als „Neues Berliner Forum" im „Nationalen Aufbauprogramm" die Beseitigung „der Sünden Friedrichs II., Wilhelms II. und der Dresdener Bank" zum Inhalt hatte. Richard Paulick leitete dieses größte Bauvorhaben Berlins jenseits der Stalinallee, auf welche sich allerdings bis Anfang 1953 alles konzentrierte, so daß es bei der Lindenoper wesentlich langsamer als geplant voranging: am 17. 6. Grundsteinlegung mit der prognostizierten Fertigstellung bis zum 30. 11. 1953, dann allerdings erst am 12. 4. 1952 das Richtfest und am 6. 9. 1955 die Eröffnung als Deutsche Staatsoper. Verzögerungen ergaben sich u. a. auch durch den Verlust einiger

303 *Modell zur Bebauung des Zentrums der „Hauptstadt Deutschlands", 1951 (Planungsgruppe Berlin unter der Leitung von Edmund Collein): Zentrales Gebäude am Marx-Engels-Platz*

Entwurfszeichnungen Knobelsdorffs, so daß keine originalgetreue Rekonstruktion des Vorbilds von 1742, sondern nur eine „lebendige Rekonstruktion" möglich war, wie der Minister für Kultur, Johannes R. Becher, bei der Eröffnung erklärte. Vor allem bei der Innenausstattung lag es in Paulicks Händen „inwieweit das Alte beizubehalten, inwieweit es aber zu korrigieren oder durch neue Teile zu ersetzen" war.[16]

Bis zum Frühjahr 1953 arbeitete die Planungsgruppe unter Collein an Varianten für das gesamte Zentrum, wobei nun das Zentrale Gebäude mit dem Haupteingang zum Lustgarten direkt auf die Stelle des ehemaligen Schlosses gesetzt wurde. Ansonsten war daran gedacht, das restliche Stadtgebiet in gewohnter Blockbauweise neu aufzubauen, mit Ausnahme einer großen Freifläche vor dem Roten Rathaus.

Parallel zu diesen unverwirklichten Plänen tauchten die ersten Klagen über den provisorischen Zustand des Zentrums auf, konkretisiert an der Ziegelmehldecke des Marx-Engels-Platzes mit Staubwolken bei Sonnenschein und Wasserlachen bei Regen. Als „endgültige Gestaltung" des Platzes, möglichst bis zu den nächsten Maifeierlichkeiten, proklamierte die „Berliner Zeitung" eine neue Bodenabdeckung aus Granitplatten und Kleinmosaik sowie eine neue Beleuchtungsanlage mit vierzehn doppelarmigen Kandelabern, wie sie bereits links und rechts der Stalinallee standen.

Konzepte für das Zentrum, die außerhalb der Meisterwerkstätten der Deutschen Bauakademie oder der vom Ministerrat beauftragten Gruppen entwickelt wurden, gab es nur wenige, wie jenes vom April 1953 für den Rathausvorplatz: Dort sollte inmitten großzügiger Grünanlagen der vom ehemaligen Schloßplatz abgetragene Neptunsbrunnen genau in der Rathausachse wiederaufgebaut werden, was Ideen der 60er Jahre vorwegnahm. Südlich des Brunnens war an den Neubau einer Philharmonie gedacht, die keinesfalls die umliegenden alten Bauwerke überragen sollte. Das widersprach allen Konzepten des „Nationalen Aufbauprogramms", die nicht nur vom stadtbildbeherrschenden Zentralen Haus, sondern darüber hinaus von ringförmig um das Zentrum angeordneten „Höhendominanten" ausgingen.

Ringförmig? Das hätte eigentlich die konkrete Einbeziehung West-Berlins in die Stadtplanung Ost-Berlins bedeutet. Gewiß, Berlin sollte auch aus östlicher Sicht die „Hauptstadt in einem wiedervereinigten Deutschland" werden. Programmerklärungen sowohl der Deutschen Bauakademie als auch des Ministeriums für Kultur, verteidigten die „Einheit der deutschen Kultur". Folgerichtig war 1952 „Vom Kampf um die Einbeziehung West-Berlins in das Nationale Aufbauprogramm" im „Neuen Deutschland" zu lesen, doch blieben die Aktivitäten der West-Berliner Kreisleitungen der SED, mit der SPD zu kooperieren, ohne Erfolg und auf Diskussionen in den traditionellen Arbeiterbezirken Wedding und Kreuzberg beschränkt. Dann ein letztes Aufflak-

304–305 *Zentrum der „Hauptstadt Berlin", Wettbewerbsentwurf außer Konkurrenz, 1959; Der Architekt Hermann Henselmann sah bereits einen Fernsehturm an Stelle des Zentralen Gebäudes vor. Palast der Republik (Architekten: Heinz Graffunder und Karl-Ernst Swora) und Fernsehturm (Architekten: F. Dieter und G. Franke unter künstlerischer Beratung Henselmanns)*

kern im Oktober 1954 anläßlich der West-Berliner Pläne, die Laubenkolonie Schillerhöhe in Wedding zugunsten von Wohnbauten aufzulösen, unter der Schlagzeile „Die SED kämpft für einen Plan zum Neuaufbau ganz Berlins": Das Architektenkollektiv Helmut Hennig hatte beim Chefarchitekten von Groß-Berlin, Hermann Henselmann, ein Gegenprojekt unter Beibehaltung der Laubenkolonie aufgestellt, das eine weithin sichtbare Höhendominante am Oskarplatz (heute: Louise-Schroeder-Platz) in einem kuppelbekrönten Hochhaus im Stil des „sozialistischen Realismus in der Architektur" hatte.

Diese Ost-Berliner Vorschläge waren Lappalien im Vergleich zu dem, was im Juni 1957 von West-Berlin ausging. Die Regierung der Bundesrepublik Deutschland und der Senat von Berlin schrieben kurz vor der Eröffnung der Interbau den Ideenwettbewerb „Hauptstadt Berlin" aus, der die Sektorengrenze vollkommen ignorierte, indem er das Gebiet zwischen Tiergarten und Alexanderplatz zur Planungsgrundlage machte. Der erste Vorschlag zu solch einem Wettbewerb kam bereits 1955 auf der ersten Sitzung des Bundestags in Berlin, und so war es zwei Jahre später selbstverständlich, daß die Schirmherrschaft beim Bundespräsidenten, Bundeskanzler, Präsidenten des Deutschen Bundestags, Präsidenten des Bundesrats, Präsidenten des Bundesverfassungsgerichts, beim Regierenden Bürgermeister von Berlin und beim Präsidenten des Abgeordnetenhauses lag.

151 Architekten und Architektengemeinschaften sandten im Sommer 1958 ihre Entwürfe nach West-Berlin, durchaus ignorierend, daß „alle Gegebenheiten dieses Wettbewerbs irreal" waren, wie die Darmstädter Zeitschrift „Baukunst und Werkform" kommentierte. „Man wollte eine Demonstration politischer Unbeirrtheit – sie gelang leider nicht, da in der Öffentlichkeit Desinteresse ist."[17]

Mit Ausnahme von Raumordnungsplänen aus dem Büro des Chefarchitekten von Groß-Berlin gab es in Ost-Berlin zwischen 1954 und 1957 keine weiteren Pläne mehr für das Zentrum, dessen Leben am Rande des Interesses solange dahindämmerte, bis die Berliner Stadtversammlung im Oktober 1957 in einer Debatte zur „Verbesserung der Arbeit im Berliner Bauwesen" einen Beschluß faßte, „als Grundlage für den Wiederaufbau des Stadtzentrums ist ein Wettbewerb auszuschreiben". Der ließ jedoch eine Weile auf sich warten. Zwischenzeitlich entwickelte Gerhard Kosel, Staatssekretär im Ministerium für Aufbau, zusammen mit Hanns Hopp und Hans Mertens eigene Vorstellungen für ein „Forum am Marx-Engels-Platz", die, aufgrund ihrer Veröffentli-

chungen bereits vor dem angekündigten Wettbewerb, von einigen Architekten der DDR als Vorwegnahme künftiger Entscheidungen interpretiert wurden.[18] Städtebauliche Dominante in Kosels Entwurf blieb das von zwei Wasserbecken umgebene Zentrale Haus, dessen Haupteingang nun wiederum zum Marx-Engels-Platz orientiert war.

Nachdem auch Walter Ulbricht auf dem V. Parteitag der SED im September

306 *Neubauten an der Nikolaikirche, Arbeitsmodell 1984 (Architekt: Günter Stahn)*

1958 eine zentrumsorientierte Stadtplanung für Berlin forderte, wurde endgültig am 7. 10. 1958 von der Regierung der Deutschen Demokratischen Republik und dem Magistrat von Groß-Berlin der „Ideenwettbewerb zur sozialistischen Umgestaltung des Zentrums der Hauptstadt der Deutschen Demokratischen Republik, Berlin" mit Preisen zwischen 30 000 M und 5000 M ausgeschrieben und ein Preisgericht in ähnlich beruflicher Zusammenstellung wie damals bei der Stalinallee benannt.[19]

Schneller, besser und billiger
Im Laufe des Jahres 1955 setzte die zweite große Umorientierung im Bauwesen der DDR ein. Ausgehend von den Ereignissen auf der Baukonferenz in Moskau im November 1954, auf der Chruschtschow die Architekten als große Verschleuderer des Volksvermögens ächtete, distanzierte man sich auch in

der DDR von der bisher geübten Baupraxis. Die „nationale Aufgabe des Bauwesens" bestand nun in der „richtigen Verbindung der Schönheit eines Baues mit der Lösung seiner funktionellen Aufgaben und der Wirtschaftlichkeit seiner Ausführung".[20] Die „sozialistische Perspektive" sollte im Bauwesen nahezu ausschließlich nun in der Industrialisierung und Typisierung liegen.

Kein Wunder, daß gerade Hermann Henselmann der Verschwendungssucht bezichtigt wurde, als im Mai 1955 mit dem Bau der Stahlkarkassen der Kuppeln am Frankfurter Tor die Fertigstellung einer der markantesten deutschen Nachkriegsbauten bevorstand. Die Anfrage nach deren Kosten beantwortete er trocken mit den Worten: „Soviel wie ein DEFA-Film." Kritik und natürlich Selbstkritik füllten die Spalten der Presse. Plötzlich rückte das Fehlen des „pulsierenden Lebens" an der Stalinallee ins Zentrum des Interesses. Der „Boulevard des demokratischen Berlins" krankte an Trübsinnigkeit nach Ladenschluß. Um der „neuerbauten Prachtstraße ihre volle gesellschaftliche Funktion" zu geben, wurde der Bau von Kinos, Theatern, einfachen Bierlokalen, Tanzgaststätten, eines Hotels und eines großen Kaufhauses gefordert und teilweise auch ausgeführt.

Der dritte Bauabschnitt der Stalinallee zwischen Strausberger und Alexanderplatz war bereits 1955 beschlossene Sache, doch sollten noch Jahre bis zum Baubeginn vergehen. Die Idee, den Eintritt in den zentralen Bereich Berlins am Strausberger Platz zu visualisieren, nicht zufällig hatte Henselmann 1952 bei der Planung der dortigen Hochhäuser die Bildzeichen „Turm" und „Tor" gewählt, ging verloren. Nur die Straßenflucht und die Bebauungshöhe des ersten Bauabschnitts blieben auch beim dritten erhalten. Zum zehnten Gründungsjubiläum der DDR am 7. 10. 1959 wurde der Grundstein für den Entwurf von Edmund Collein und Werner Dutschke gelegt, mit dem man gleichzeitig den Beginn der Ära der Großplattenbauweise feierte.

Im November 1959 lag das Ergebnis des Ideenwettbewerbs zur Gestaltung des Zentrums vor, und es folgte unter dem Motto „Jetzt hat die Bevölkerung das Wort" eine vom Umfang her ähnliche Pressekampagne wie damals beim ersten Bauabschnitt der Stalinallee. Alle 56 Entwürfe zeigten die, nun auch in der DDR angebrochene, „beschwingte und moderne Zeit" mit ihren Vorschlägen zu aufgelockerter Bauweise, Trennung der Fußgänger- und Autobereiche, Kaufhochhäusern, Rasterfassaden usw. Ein erster Preis wurde allerdings nicht vergeben. Bis zum April 1961 dauerte die weitere Erarbeitung eines Bebauungsplans durch immer wieder neu gebildete Kollektive für das „neue Zentrum der Hauptstadt" mit Zentralem Hochhaus für Volkskammer und Ministerrat und weiteren Regierungsgebäuden unter Beibehaltung des Doms und Vollzug eines weiteren Abrisses: Schinkels Bauakademie.

Als Schlußwort zur Stalinallee galt im November 1961 die Umbenennung des ersten und dritten Bauabschnitts in Karl-Marx-Allee und die des zweiten in Frankfurter Allee.[21] Im Laufe der 60er Jahre lagen die Schwerpunkte der baulichen Gestaltung des Zentrums Unter den Linden und am Alexanderplatz, so daß nach wie vor der zentralste Platz Ost-Berlins im Namen von Marx und Engels sein leeres Gesicht nur unwesentlich veränderte und die Unterlagen für das Herzstück der Innenstadt vergilbten.

1964 wurde die Idee des Zentralen Gebäudes für Ministerrat und Volkskammer als Höhendominante zugunsten des Interhotels am Alexanderplatz aufgegeben. 1965 rückte urplötzlich der geplante Fernsehturm von den Müggelbergen genau an den Platz, den Henselmann schon Jahre zuvor vorgeschlagen hatte. Die Architekten F. Dieter und G. Franke verschoben dann den Turm etwas nordwärts zum S-Bahnhof Alexanderplatz und überarbeiteten den Entwurf Henselmanns, der 1969 bei den Eröffnungsfeierlichkeiten anläßlich des XX. Jahrestages der Gründung der DDR übergangen und erst Jahre danach als „künstlerischer Berater" in den Nachschlagewerken zur „Hauptstadt der DDR" geführt wurde.

Parallel zur Verschiebung des Fernsehturms zum S-Bahnhof war die Idee des Zentralen Gebäudes wieder da, allerdings als ein relativ niedriger kubischer Bau, der im Generalbebauungsplan von 1968 als Mehrzweckgebäude für Kongresse und nur noch für die Tagungen der Volkskammer inhaltlich definiert wurde. Auch zu den X. Weltjugendfestspielen von 1973 blieb der Marx-Engels-Platz noch eine leere, immerhin begrünte Zone, wie es überhaupt für die neuen Stadtzentren der DDR typisch war, Schneisen und Freiflächen in die Altbebauung zu schlagen und parallel zur herrschenden westlichen Baudoktrin, die Neubauten so zu gestalten, daß sie auf den ersten Blick als moderne Fremdkörper wirkten. Als extremstes Beispiel kann dafür in Ost-Berlin die „Neuordnung der Fischerinsel" durch

höhendominierende Wohnbauten gelten.

Endlich: Zu Ehren des IX. Parteitages der SED übergab Erich Honecker, Generalsekretär der SED, nach 1000 Tagen Bauzeit den „Palast der Republik" der Öffentlichkeit. Die Chefarchitekten Heinz Graffunder und Karl-Ernst Swora hatten den Palast im großen und ganzen nach den Plänen von 1965/68 ausgearbeitet und den Marx-Engels-Platz zum riesigen Parkplatz für Personenwagen und Autobusse umfunktioniert. An das alte Zentrum Berlins erinnerten nur noch die Gebäude des Lindenforums und einige sorgfältig restaurierte Bürgerhäuser; das neue Zentrum erschien aufgerissen in alle Himmelsrichtungen. Erschien? Seit den 80er Jahren gilt auch für die DDR die Stadtverdichtung durch Neu- und Wiederaufbauten. Die Veränderungen städtebaulicher und architektonischer Praxis wurden zuerst am Platz der Akademie, dem früheren Gendarmenmarkt, mit Schinkels Schauspielhaus als Konzerthalle, mit den beiden Domen und den umgebenden Wohnhäusern, die der alten Blockrandbebauung wieder folgen, sichtbar. Es folgt als zweites spektakuläres Beispiel das Nikolaiviertel nach Plänen von Günter Stahn, das sich trotz einer langen Häuserwand zum Palast der Republik der Kleinteiligkeit, dem „Winkelglück", verschrieben hat. Die Bebauungskonzeption geht von der Erhaltung aller denkmalswerten und modernisierungsfähigen Gebäude aus. Mehr noch, das Ephraimpalais wird „fast" am alten Standort wiederhergestellt und das Restaurant zum Nußbaum, das auf der Fischerinsel abgerissen wurde, als „Gaststätte mit hohem Erinnerungswert" – ja, was denn eigentlich? – neuaufgebaut, wiederaufgebaut, rekonstruiert … Rücken an Rücken zur Mauer beginnen West- und Ost-Berlin bereits Jahre vor 1987, dem eigentlichen Datum der 750jährigen Gründungsfeier der Gesamtstadt, die eigene Geschichte mit baukünstlerischen Gesten der unterschiedlichsten Art zu feiern, und sei es vorläufig nur auf dem Papier.

Christian Borngräber

Das Ende der Industriemetropole

„Unstreitig waren es gerade diese französischen Kontributionen, der ‚Milliardensegen', was Berlin von einer zweitrangigen Residenzstadt zu einer Industriemetropole werden ließ" (Gerhard Masur, Das kaiserliche Berlin). *„Der schnellere Abbau der Kontrollratsgesetzgebung im Bundesgebiet ... in Verbindung mit der allgemeinen politischen Unsicherheit in Berlin zwischen 1948, dem Jahr der Währungsreform und Blockade, und 1971, dem Jahr des Vier-Mächte-Abkommens", begünstigte „eine Verlagerung industrieller Entscheidungszentren von Berlin in das Bundesgebiet, vor allem nach Süddeutschland"* (Dieter Schröder, *Der Status von Berlin – ein Problem der Wirtschaftspolitik).*[1]

Wenn das stimmt, dann war es der Krieg, der über die letzten hundert Jahre die ökonomische Entwicklung in Berlin maßgeblich geprägt hatte. Dann bezog die von Gerhart Hauptmann registrierte „Riesenmagnetkraft" Berlins ihre Initialzündung von jenen fünf Milliarden Goldfrancs Kriegsreparation, die Frankreich nach 1871 dem Deutschen Reich zu entrichten hatte. Die Entscheidung der Nationalsozialisten Mitte der 30er Jahre, die Rüstungsindustrie weitgehend fernab der Reichshauptstadt zu betreiben, markierte die erste ‚Wende' gegen Berlin, die dann über das Ende des Zweiten Weltkrieges sowie seiner Transformation in den Kalten Krieg in jene „subventionierte Agonie" (Ingeborg Bachmann) der späten Nachkriegszeit führte.

Auch bei genauerer Betrachtung behält diese These ihre Logik. Im Rückblick auf die Westberliner Nachkriegsgeschichte stellte der DGB-Landesverband in der Ära Walter Sickerts fest: Während der sowjetischen Berlin-Blockade von 1948/49 hätten „die Kontrollorgane der großen Unternehmen, die Aufsichtsräte, unsere Stadt verlassen"; nach dem Berlin-Ultimatum des Nikita Chruschtschow von 1958 seien „die Vorstände der Unternehmen sowie ganze Branchen gefolgt"; nach dem Mauerbau am 13. August 1961 schließlich seien „bis auf wenige Ausnahmen die Forschungs- und Entwicklungseinrich-

tungen in andere Orte des Bundesgebietes verlagert worden." Dieter Schröder schreibt: „Dadurch ist zunächst nicht die eigentliche Produktion in der Stadt betroffen worden. Die Werke arbeiteten in Berlin weiter, aber nun immer mehr als verlängerte Werkbänke der süddeutschen Zentralen. Forschung und Innovation finden hauptsächlich in den Zentralen statt. Je risikoreicher ihre Ergebnisse sind, desto mehr werden sie zur besseren Kontrolle in der Nähe der Zentrale in die Produktion eingeführt. Wenn die neuen Produktionen erfolgreich sind, werden die veralteten Produktionen in Berlin stillgelegt."[2]

Allerdings sollte man sich von solchen politisch sicherlich bedeutsamen Kalenderdaten nicht aufs Nebengleis locken lassen und versuchen, die Nachkriegsgeschichte Berlins nach Krisenpunkten zu periodisieren. Schaut man sich nämlich die strukturbestimmenden ökonomischen Daten West-Berlins für die Nachkriegszeit über längere Zeiträume genau an, so kommt man zu dem bemerkenswerten Ergebnis, daß nach Gründung der Bundesrepublik zwar deren Konjunkturzyklen immer wieder stark auf die ehemalige Hauptstadt durchgeschlagen haben, daß aber die großen politischen Zuspitzungen genausowenig gravierende ökonomische Pendelschläge zum negativen angerichtet haben wie im positiven Erleichterungen, zum Beispiel das alliierte Berlin-Abkommen vom 3. September 1971. So ist etwa der Produktionsindex in West-Berlin zwischen Chruschtschow-Ultimatum und dem Jahr nach dem Mauerbau stärker gestiegen als in der Bundesrepublik, umgekehrt hat jedoch der Zerfall der Westberliner ökonomischen Strukturen seine bis dahin dramatischste Zuspitzung ausgerechnet Mitte der 70er Jahre erfahren, egal ob bei Investitionen, Arbeitsplätzen oder bei der Wanderungsbilanz der Menschen zwischen Festland und Insel.

Das Klischee, daß alle wirtschaftlichen Probleme in den Westsektoren durch den Osten verursacht wurden, hilft nicht weiter. Die Vermutung liegt vielmehr nahe, daß mit solchen Unterteilungen der Nachkriegszeit die wahren Gründe

der permanenten Krise verschleiert werden. In Wirklichkeit wird sich für die Zeit nach 1945 wohl nur eine durchschlagende Zäsur ausmachen lassen: die sowjetische Blockade, eine Kriegsfolgeerscheinung von schmerzhafter Härte. Zwar sind später durch den Mauerbau – bitter genug – über Nacht 50 000 bis 60 000 Arbeitskräfte ausgesperrt worden, die bis dato aus Ost-Berlin eingependelt waren; doch hat sich dies damals durch Ausländeranwerbung, Rekrutierung westdeutscher Fachkräfte, Abbau der Arbeitslosigkeit und durch – ausdrücklich – „Freistellung" von Müttern durch ein eigens deswegen nach 1961 forciertes Kindertagesstätten-Bauprogramm schnell und relativ schadlos ausgleichen lassen.

Der Strangulierungsversuch West-Berlins von 1948 hingegen, der ausbleibende Rohstoffnachschub vor allem, hat der Industrie damals ein Zehntel ihrer Produktionskapazität geraubt, manchen noch mehr, hat Millionenverluste mit sich gebracht. Das mag, aus heutiger Sicht und in absoluten Zahlen betrachtet, so schrecklich viel nicht bedeuten. Viel aber damals in einer Stadt, über die im selben Jahr Bert Brecht in seinem Arbeitsjournal notierte: „Berlin, eine Radierung Churchills nach einer Idee Hitlers. Berlin, ein Schutthaufen bei Potsdam". Vor allem: Die Blockade hat der Großindustrie ein allerorten vorzeigbares Argument für ihre Absetzbewegung aus der ehemaligen Hauptstadt geliefert, die auch in den 80er Jahren noch nicht zum Stillstand gekommen scheint.

Eine wissenschaftliche Beraterkommission des Berliner Senats – der einzige Anlauf nach 1945 übrigens, die Entwicklung der Teilstadt auf ein konzeptionell geschlossenes Fundament zu setzen – hat zwanzig Jahre nach der Blockade die Vermutung bestätigt, daß in der elfmonatigen Abschnürung West-Berlins und der Zeit unmittelbar danach über weit mehr entschieden wurde als über vorübergehende Bilanzverluste. In dem dickleibigen Beraterwerk heißt es nämlich über die Mentalität des Unternehmers von damals, ihm sei es bei der Entscheidungsfindung in ökono-

mischen Angelegenheiten gar nicht so sehr „auf die objektive Größe" angekommen, „sondern auf die subjektive Einschätzung des Risikos in Gegenwart und Zukunft; denn besonders in der gegebenen Wirtschaftsordnung hängt das wirtschaftliche Geschehen in hohem Maße von den subjektiven Einstellungen und Motivationen der Wirtschaftssubjekte ab, von ihren Meinungen und ihren Erwartungen in Bezug auf Tatsachen, nicht von den Tatsachen selbst".
Wenn aber nicht die „objektive Größe" des unternehmerischen Berlin-Risikos den Ausschlag gegeben hat, der Druck aus dem Osten also, welche „Meinungen und Erwartungen" bildeten dann die tatsächliche Entscheidungsgrundlage? Damals, im Gründungsjahr der Bundesrepublik kann dies nur geheissen haben: Ein grundsätzliches Votum gegen Berlin als industrielle (und geistigkulturelle) Metropole und eine Option für das vom ersten Bundeskanzler Konrad Adenauer anfänglich noch nicht einmal voll ausformulierte Ziel einer Westintegration, bei der nationale Belange hintanzustellen seien und eine wirtschaftlich glanzlose Zukunft West-Berlins billigend in Kauf genommen werden muß.
Die Entscheidung, die Hauptverwaltungen der Konzerne aus der alten Metropole abzuziehen und im Westen neue Metropolen zu bilden, hat danach Langzeitwirkung gehabt, denn: „Infolge dieser Verlagerungen", so eine Westberliner Expertengruppe, „wurden in zunehmendem Maße auch ‚neue' Produktionen, für die wegen ihrer Entwicklungsintensität und der hohen Vertriebs- und Serviceanforderungen ein enger Kontakt zur Firmenspitze wichtig ist, nicht mehr in Berlin, sondern in deren Nähe, also in anderen Regionen der Bundesrepublik gegründet. Diese Standortentscheidungen hatten insofern einen ‚negativen' Sogeffekt, als sie zur Herausbildung neuer Entwicklungszentren außerhalb Berlins führten". So gesehen, sind im Kalten Krieg von 1948/49 in der Tat bereits die Weichen gestellt worden; daß West-Berlins Großindustrie im Laufe der Jahrzehnte zur „Werkbank" der bundesdeutschen Wirtschaft geworden ist, mit immer „flacheren" Produktionen, die ihrer anspruchslosen Fertigungsmethoden wegen oft genug mit Billiglohnländern konkurrieren müssen; daß nach Ge-

werkschaftsberechnungen heute nur noch jeder zehnte Werktätige an der Spree Gewerbebetrieben zugerechnet werden darf, die als Wachstums- oder Zukunftsbranchen gelten; daß man jüngeren West-Berlinern heute schon häufig die Bedeutung der alten Firmennamen erklären muß. Damals zählte allein die Metallindustrie Berlins eine Viertelmillion Arbeitsplätze, inzwischen sind es in allen Wirtschaftsbereichen West-Berlins gerade noch 150 000.
Kein Wunder, daß nach diesen Entscheidungen, die zudem mehr ideologisch als ökonomisch begründet wurden und werden, die einmal gestellten Weichen sich über Jahrzehnte als festgefahren erwiesen haben, trotz mancher mehr oder minder ernsthafter Versuche, ein wenig daran zu rütteln. Die in der Bundesrepublik heimisch gewordene Industrie etwa hat in periodischen Abständen mal vorbeischauen lassen, erstmals Ende der 40er Jahre, als der Bundesverband der Deutschen Industrie unter seinem damaligen Präsidenten Fritz Berg im westfälischen Altena eine „Luftbrücke nach Berlin" aus der Taufe hob, mit einem Remake dieser Aktion zehn Jahre später zu Zeiten des Chruschtschow-Ultimatums. In den 70er Jahren versuchte der sozialdemokratische Bundeskanzler Helmut Schmidt sein Glück, als er 53 Berlin-Beauftragte der Großindustrie unter einen Hut zu bringen versuchte, eine Runde, deren zeremonielle Präsentation auch unter seinem konservativen Nachfolger in den 80er Jahren wiederholt wirkungsvoll inszeniert wurde.
Daß ungeachtet solcher großen Gesten die Vernichtung der Arbeitsplätze an der Spree einen Verlauf nahm, dessen Kurve man die ganze Zeit über mit dem Lineal hätte ziehen können, spricht in diesem Zusammenhang freilich seine eigene Sprache. Obendrein ist die Vermutung nicht von der Hand zu weisen, so manche demonstrativ zur Schau gestellte Berlin-Solidarität sei nicht gänzlich selbstlos gewesen, erinnert man sich nur an die Worte Bergs, der 1967 angesichts des Ansturms der außerparlamentarischen Opposition auf den antikommunistischen Mief und angesichts der roten Fahnen auf den Straßen mit der Formulierung überliefert ist: „Die deutsche Industrie kennt ihre besondere Verantwortung für Berlin...

Wir wollen nicht eines Tages erleben, daß die Stadt hier irreparabel wird, weil andere Grundlagen gesucht werden müssen, oder weil andere Kräfte, die wir nicht mehr kontrollieren, sie längst gefunden haben. Und die „Gegenmaßnahmen"? Auf der politischen Ebene haben Adenauer und seine Enkel die Abhilfe für Wirtschaftsprobleme West-Berlins zunächst einmal finanziell gesehen. Mit zuletzt knapp sieben Milliarden DM pro Jahr wird jene Westberliner Wirtschaft bezuschußt, die ihre Absetzbewegung von der Spree so beharrlich betrieben hat. „Wenn jemand eingeladen ist", hat der Wirtschaftswissenschaftler Professor Fritz Bolle von Freien Universität vor einigen Zeit an den Anfang einer Rede gestellt, „wenn jemand eingeladen ist, einen Vortrag zu halten, sollte er reden. Ich will dies nur fünf Sekunden lang zu Beginn nicht tun. Ich möchte fünf Sekunden schweigen und Sie bitten, diesem Schweigen zuzuhören. Meine Damen und Herren, in diesen fünf Sekunden sind Steuergelder in Höhe von 951,19 DM zur Förderung der Berliner Wirtschaft nach dem Berlinförderungsgesetz ausgegeben worden. Das klingt nicht nach sehr viel, aber – wie immer – es summiert sich. In einer Stunde werden es schon 685 000 Mark sein, das ist mehr als eine halbe Million. Wenn wir also – vielleicht in zwei Stunden – diese Veranstaltung beendet haben werden, werden bereits 1,37 Millionen Mark in die Wirtschaft geflossen sein. Weiteraddiert: In einem Tag sechzehneinhalb Millionen, in einem Jahr über sechs Milliarden Mark."
Inzwischen ist Mitte der 80er Jahre die Subventionstaxe pro Minute nach Gewerkschaftberechnungen bei 12 000 DM gelandet. Wem dieser Segen zugute komme, hat die bereits genannte Beraterkommission schon 1968 vermutet, als sie in ihrem Abschlußbericht ans Parlament argwöhnte, der Bonner Geldregen auf die Westberliner Wirtschaft werde sich letztlich bloß auf ein Vorgang entpuppen, „über den spätere Chronisten sicherlich einmal zynisch urteilen werden, daß ihr wichtigster wirtschaftspolitischer Erfolg in der Umverteilung von Einkommen und Vermögen von unten nach oben bestand"; eine Anmerkung einer Kommission, zu deren Mitgliedern Karl

307 *AEG-Ackerstraße, 1978, ausgeräumte Halle. Foto: Paul Glaser*

Schiller zählte, die bis heute ihre Aktualität nicht verloren hat. Welche Ausformung dies im Laufe der Zeit angenommen hat, hat Anfang der 70er Jahre (und geändert hat sich bis heute nicht viel) Peter Bölke in seinem Buch „Geschäfte mit Berlin" dargelegt, indem er am Beispiel des von dem Radiohändler Karl Heinz Pepper erdachten Finanzierungskonzepts für das Europa-Center auflistete, wer alles über Steuerabschreibung sich an diesem Bauwerk sein Stückchen goldene Nase verdiente: „Die oberen Zehntausend der Einkommensteuerzahler waren in Peppers Kommanditgesellschaft würdig repräsentiert: Bankiers, Generaldirektoren, Kaufleute, Rechtsanwälte. Aber nicht nur die Geldaristokratie, auch der Erbadel bekundete auf diese Weise seine Anteilnahme am Schicksal Berlins: Carla Freifrau von Oppenheim und Baron Georg von Ullmann waren dabei, und Edzard Freiherr von Innhausen und Knyphausen engagierte sich für seinen Sohn Wilko Freiherr von Innhausen und Knyphausen mit 140 000 Mark. Eine solche Summe zählte noch zu den

kleineren Beträgen. Frau Helga Schorr-Reemtsma hatte durch ihren Gatten Dr. Karl Eberhard Schorr Kommanditanteile für 3,68 Millionen Mark kaufen lassen. Die Herren Konsul Dr. jur. Fritz Ries, Vorstand der Pegulan AG, und Generaldirektor Dr. Heinz Hoeschen, Vorstandsvorsitzender der Weserhütte AG, stiegen mit 1,84 Millionen bzw. 700 000 Mark ins Berlingeschäft ein. Rudolf August Oetker legte 230 000 Mark..." an.
Verdient wurde und wird außerhalb Berlins, in sicherem Abstand sozusagen, an Berlin. Welche langfristige Kontinuität auch in dieser Hinsicht zu registrieren ist, zeigt ein Blick auf die Abschreibungshaie der späten 70er Jahr in den innerstädtischen Sanierungsgebieten oder auf die Bauherrngesellschaften der 80er Jahre, deren Werbung offen zu erkennen gibt, daß nur Einkommensträger ab 200 000 Mark jährlich erwünscht seien und daß man auch dabei „aus verständlichen Gründen gerne unter sich bleiben" wolle. Wer einen ebenso langen Seitenblick zurückwerfen will auf die Westberliner Sozialhilfestatistik,

wird leicht erkennen können, an wen die seit der Blockade auf eine dreistellige Milliardensumme angewachsene Subventionierung des Kapitals sowie die Steuervergünstigungen für Wohlhabende vorübergeflossen sind. Die Umverteilung hat sich in den 80er Jahren weiter verschärft.
Wie aber sah die Kampfposition vor Ort aus, in einer immerhin als sozialdemokratisch eingestuften Stadt? Was die auf Kalten Krieg fixierten Gewerkschaften anbelangt, so liegen bis zum Jahre 1977 keinerlei verwertbare Konzepte vor, es sei denn so seltsame Vorstellungen wie die, wonach die Stadtregierung ungeachtet des Potsdamer Abkommens und der Bestimmungen des Kontrollratsgesetzes Nr. 43 (Auszug aus der aktualisierten Verbotsliste – BK/O vom 8. 1. 1957: Verboten sind in West-Berlin „Experimente mit Spezial-Spaltmaterial...Aerodynamik höherer Geschwindigkeiten...Hydrodynamik höherer Geschwindigkeiten...Raketen-Schubdüsen oder Gasturbinen-Antrieb") endlich dafür Sorge tragen solle, daß auch für militärische Zwecke geeig-

308 *AEG-Betriebsversammlung im Werk Brunnenstraße am 8. 12. 1982. Foto: Paul Glaser*

nete Produktionen an der Spree aufgenommen werden könnten, um damit neue Arbeitsplätze zu schaffen – ein Gedanke, der auch in den 80er Jahren auf einer Klausurtagung der CDU-Fraktion des Abgeordnetenhauses in variierter Form wieder ans Licht der Öffentlichkeit kam. Darüber hinaus nur der beharrliche Ruf nach mehr Geld, der bei der bundesdeutschen Neigung zu Ablaßzahlungen an Berlin noch allemal erfolgversprechend scheint.

Das sozialdemokratische Bild ist geprägt von seltsamer Zögerlichkeit. Da sind zwar die Worte eines Regierenden Bürgermeisters namens Heinrich Albertz überliefert, wonach, wenn die massiven Subventionen nicht Wirkung zeigten, „uns nichts anderes übrigbleibt, als die Produktionsstätten zu verstaatlichen oder in andere Formen gesellschaftlichen Eigentums zu überführen"; ein Jahr später war er wieder Pfarrer. Die Meinung eines Senators, daß es „einfach unerträglich" sei, „wenn ein Unternehmen erst mit Hilfe öffentlicher Mittel in Berlin aufgebaut wird, die Unternehmensleitung alle Vorteile der Berlinför

derung ausnützt, sich dann aber der Verantwortung gegenüber den Arbeitnehmern entzieht und die Beschäftigten ihrem Schicksal überläßt" – die Methode gilt heute noch, der Genosse aber wurde nie mehr Senator. Zähneknirschen, Gedankenlosigkeit oder Resignation hatten die Partei hinzunehmen gelehrt, daß „der ‚kapitalistischen' Wirtschaftsweise eine außerordentlich starke Tendenz innewohnt", so Oswald Nell-Breuning, „den Vermögenszuwachs immer wieder dorthin zu lenken, wo bereits Vermögen ist" – in den Westen der Republik also. Obwohl die Sozialdemokraten wußten, – von den Konservativen ist zu Recht bis Anfang der 80er Jahre nicht zu reden – daß West-Berlin Anfang der 70er Jahre seine „Bedeutung als Stätte industrieller Forschung und Entwicklung sowie als Sitz von Firmenleitungen weitgehend verloren hat" (Klaus Schütz), schworen sie sich hinter verschlossenen Türen ein, „draußen" sicherheitshalber nicht einmal das Wort vom „gemischtwirtschaftlichen Betrieb zu verwenden" (Dietrich Stobbe). „Draußen" redete ein Wirt

schaftssenator (Karl König) auf den nächsten Wahltag hin mit der öffentlichen Behauptung, Bundesunternehmen und der Bundesverband der deutschen Industrie würden die Stadt jetzt endlich aus der Talfahrt herausreißen, um „drinnen" zu gestehen, seine Deklamationen seinen bloß „taktischer Natur" gewesen, die bundesdeutschen Berlinadressen nur „Lippenbekenntnisse. Die Großkopfeten der Wirtschaft sind weiterhin nicht bereit, nach Berlin zu kommen."

Stattdessen wurden im Westberliner Allparteienkonsens immer ausufernder jene „Privilegia und Wohlthaten" – so das Edikt des Großen Kurfürsten von 1685 – verteilt, welche die Bundesregierung „daselbst zu verstatten gnädigst entschlossen seyn". Mißbrauchslücken im Berlinförderungsgesetz wurden allenfalls dann gestopft, wenn sie allzu öffentlich ruchbar geworden waren. Befand „die Wirtschaft", es fehle an Bürogebäuden in der Stadt, wurden flugs entsprechende „Anreize" für Steuerabschreiber geschaffen und erst wieder beseitigt, als das Großprojekt des Steglit zer Kreisel wegen fehlender Nutzer mit Getöse bachab ging; der Staat hatte den Betonklotz schließlich zu übernehmen. Als die Industrie- und Handelskammer – sie hat noch heute den Dichterpreis für Lobbyisten verdient – „Meinungen und Erwartungen" äußerte, wonach es in der Stadt an Herbergen fehle, wurde sogleich ein subventioniertes Hotelbauprogramm aufgelegt. Als es angeblich an Etablissements für Führungskräfte (Führung wohin?) mangelte, wurde prompt mittels einer Allparteienrunde beim damaligen Bundespräsidenten ein entsprechendes Programm abgesegnet, das sich später jahrelang als Beitrag zum Wohnungsleerstand an der Spree entpuppte. Jene Industrie aber, die während des Kalten Krieges von 1948 der einstigen Metropole so nachhaltig den Rücken gedreht hatte, die mochte mit den Parteien im Abgeordnetenhaus kokettieren wie sie wollte, nur zurück kam sie nicht, von Alibi-Investitionen abgesehen. Obwohl doch dieses West-Berlin vom Förderungsgefälle her jene Stadt im Geltungsbereich des Grundgesetzes ist, wo die Steuergelder am ungeniertesten auf der Straße lagen und liegen und wo es sich für jeden Wirtschaftssenator bis zum heutigen Tage geziemt, dem jeweiligen Jahreswirtschaftsbericht einen Katalog jener „Privilegia und Wohlthaten" voranzustellen, die man sich diesmal neu habe einfallen lassen, um „die Wirtschaft" endlich zu kraftvoller Expansion an der Spree zu verleiten.

Mag sein, die Sozialdemokraten als verantwortliche Regierungspartei bäumten sich zu spät auf gegen die Regeln eines „Spiels", das offenbar mit keinen Steuergeldern der Welt zu gewinnen ist. Gegen Ende der langen SPD-Ära nach dem Kriege war Subventions-Irrwitz nicht mehr zu verbergen wie ihn die aus Wissenschaftlern verschiedener Hochschulen zusammengesetzte „Arbeitsgruppe Berlinförderung" an einem Extremfall vorrechnete: „In den ersten zehn Jahren ihrer Kapazitätsverlagerungen nach Berlin konnten die fünf Zigarettenkonzerne etwas mehr als eine Milliarde an Umsatzsteuerpräferenzen kassieren. Damit hätten sie beispielsweise die Löhne und Gehälter (300 Millionen DM) und ihre Bruttoanlageinvestitionen (250 Millionen DM) bezahlen können, wenn sie diese nicht schon über ihre Zigarettenpreise verdient hätten."

Der Fall Ford machte Schlagzeilen, als sich die Regierung im Schöneberger Rathaus wegen einer Produktionsstätte für Kunststoffteile für (vielleicht?) sechshundert Arbeitsplätze mit über einhundert Millionen DM an Krediten, Zinsvergünstigungen und Direktleistungen engagierte; um das Werk hatte freilich halb Europa konkurriert. Schließlich der Sturz des in den 70er Jahren unter den vielen „Staatskapitalisten" West-Berlins als einen der wenigen Unternehmertalente hofierten Architekten Dietrich Garski über ein von staatswegen mit mehr als einhundert Millionen Mark verbürgtes Baugeschäft im Nahen Osten, das die Senatsmannschaft des Dietrich Stobbe mit in die Tiefe riß.

Gewiß, Stobbe und seinem Wirtschaftssenator Wolfgang Lüder war es 1980 erstmals seit dem Mauerbau gelungen, ein kleines Beschäftigungsplus im gewerblichen Bereich zu erreichen. Aber es waren Methoden gewesen der Subventionierung und Übersubventionierung, die seinen kurzzeitigen Nachfolger Hans Jochen Vogel „von einem maßlos übersteigerten ökonomischen Prinzip" sprechen ließen. Das als vergleichsweise neutral einzustufende Bonner Bundeswirtschaftsministerium sieht zwar noch heute den Beginn positiver Trends in Teilbereichen der Westberliner Ökonomie in der Stobbe-Ära. Aber die von einer seit Kriegsende dreistellig gewordenen Milliardensumme an Steuermitteln flankierte Halbierung der industriellen Arbeitsplätze zwischen 1960 und 1980 hatte das Vertrauen der Bevölkerung in die wirtschaftspolitische Kompetenz der Sozialdemokraten gründlich zerstört. Zwar trieb Vogel, nachhaltig unterstützt vom neuen DGB-Landesbezirksvorsitzenden Michael Pagels, während seines Westberliner Zwischenspiels tatkräftig eine Novellierung des Berlinförderungsgesetzes mit dem Ziel höherer Leistungsorientierung voran. Aber die nachfolgende Regierung verwässerte das Konzept.

Im Sommer 1982 hatten West-Berlins Sozialdemokraten sogar ein Modell in der Tasche, das jenseits der ordnungspolitischen Unschuldsbeteuerungen und schamhafter Verbrämungen früherer Jahre offen auf eine „gemischtwirtschaftliche Unternehmenskonstruktion" zielte, falls die ehrwürdige, damals 99 Jahre alte berlinerische Institution

namens AEG unter dem Druck der Banken zusammenkrachen sollte: Eine „Auffanggesellschaft" mit einem Drittel Privatkapital, einem Drittel Staatsanteil und einem Drittel Volksobligationen. Ein Projekt, das interessant hätte sein können in den großen Wachstumsphasen der 60er und frühen 70er Jahre. Aber als es endlich propagiert wurde, kam es zu spät: Der Produktion fehlten die Märkte, und herausgekommen wäre wohl nur eine Teilsozialisierung fortdauernder Verluste. Als die Genossen endlich Courage zeigten, glaubten ihnen ohnehin nur noch wenige.

Nun soll alles anders werden. Die ökonomische „Wende" hat laut konservativem Wahlkampf ab 1985 als endlich gelungen zu gelten. Zwar hat Willy Brandt einst von einem „Notstandsgebiet" gesprochen, CDU-Wirtschaftssenator Elmar Pieroth noch zu Beginn der 80er Jahre über ein „Notstandsprogramm" offen gegrübelt. Die Investitionen an der Spree aber sind zum Ende der ersten christ-demokratisch verantworteten Legislaturperiode um ein Mehrfaches im Vergleich zum Bundesgebiet gestiegen. Neue Medien sind ebenso zum Stichwort für Zukunftsverheißung geworden wie High Technology. Nixdorf investiert in Computer, Siemens in Elektronik. Im Berliner Innovations- und Gründerzentrum in Wedding haben sich zwei Dutzend Jungunternehmer unter einem Dach angesiedelt und kooperieren mit Instituten der Technischen Universität. Regierungsamtlich spricht man von „Wiegen für junge Unternehmer", von „Freiräumen für schöpferische Entfaltung", bilanziert einen fundamentalen Umschwung einer über 35 Jahre anhaltenden Entwicklung, nimmt Begriffe wie Modernität und Dynamik in Besitz und lobt sich zuweilen gar für das „halbe Wunder" an der Spree. Die „Stimmung" ist permanent gut, die Opposition hat kaum Argumente und keine Claqueure.

Dabei ist noch lange nicht entschieden, ob nicht mit viel Public Relations-Aufwand bloß an einem alten, im Rückenwind einer Export-Konjunktur fahrenden Vehikel ein paar Chromleisten angebracht werden. „Nichts ist konservativer als Innovation", heißt es im Kursbuch-Heft 79: „Die abendländische Kultur bestand immer aus Porschefahrern, die auf das neueste Modell warten". Eine Wirtschaftspolitik, die auf einen immer schnelleren Verbrauch immer neuer Güter bei immer schnellerer Vernichtung des „Kapitals" dieser Welt an unersetzlichen Ressourcen zielt, hat eine zweifelhafte Berliner Tradition, auch wenn sie sich diesmal mit den Fahnen eines neuen technologischen Zeitalters drapiert. Selbst der Westberliner Technologiepark, vorläufiges Aushängeschild im Innovations-Rausch, ist wo-

Daß sich die Entwicklungslinien der West-Berliner Ökonomie seit Kriegsende bald ändern könnten, ist nicht in Sicht, auch wenn sich die Kultur künftig noch stärker als in den vergangenen Jahren als Werbeträger für die Wirtschaft versteht, die Universitäten noch rückhaltloser als bisher in die industriegegebene Forschung einsteigen, die Geldschwemme durch Risikofonds aus vagabundierenden Unternehmensge-

mer weiter schwindenden Anteils an Arbeit? Wo sind jene Politiker, die – weil dies auch zur Wirtschaftspolitik gehört – ernsthaft sondieren, ob die DDR-Führung „grundlegend" willens ist, die Reste des Kalten Krieges aus der Blockadezeit zu eliminieren und mit diesem West-Berlin seinen Frieden zu machen? Die Sozialdemokraten scheinen dieses Terrain zunehmend wiederzuentdecken; es könnte „Meinungen und Erwartungen" beeinflussen.
Vielleicht wird man noch einmal zurückkehren müssen zu jenen Gedankengängen, die die Großindustrie im Kalten Krieg der Nachkriegszeit neue Pfründe im Westen suchen ließ. Er halte es für seine „patriotische Pflicht", hat das Daimler-Benz-Vorstandsmitglied Edzard Reuter in den letzten Jahren in zahlreichen Vorträgen erklärt, für die Wirtschaftskraft West-Berlin zu werben, um so eine „tickende Zeitbombe" zu entschärfen. „Mit Geld und immer mehr Geld", meint der Sohn des legendären Regierenden Bürgermeisters Ernst Reuter, „mit materialistischer Haltung allein wird sich kein Ausweg finden lassen. Neben anderem brauchen wir einen Patriotismus praktischer Taten". Wer die Legitimation des marktwirtschaftlichen Systems in der Bundesrepublik erhalten wolle, (niemand dürfe „in Wirklichkeit glauben, er könne in seiner wirtschaftlichen Betätigung unberührt bleiben, wenn West-Berlin von Innen her zu wanken anfinge"), müsse auch dabei helfen, der Stadt soviele Arbeitsplätze zur Verfügung zu stellen, „im Rahmen einer nationalpolitischen Anstrengung", wie die Bevölkerung sie brauche, weil, wenn es so weitergehe, der außenpolitisch mühsam gesicherte Status der Stadt von innen in Gefahr kommen könne – „mit unübersehbaren Folgen für unser Land und für die ganze westliche Welt".
West-Berlin in einer nationalpolitischen Haftpflichtversicherung der bundesdeutschen Unternehmer, ein neuer Mythos Berlins? „Berlin wartet", hat der Pole Witold Gombrowicz schon vor geraumer Zeit anläßlich eines Berlin-Besuchs gemutmaßt: „Berlin wartet auf ein Novum in großem Maßstab. Im Maßstab des deutschen Idealismus."

Otto Jörg Weis

309   *Demonstration vor dem AEG-Werkstor, Brunnenstraße im September 1982*

möglich bloß ein Instrument für ein neues „Subventionswettrennen", wenn man dem Bundeswirtschaftsministerium trauen darf, das sich davon zunächst allenfalls „Klimaeffekte" verspricht.
Was die neue Modernität vor allem fragwürdig macht: daß sie trotz jüngster Rekord-Investitionen, Rekord-Subventionen und Rekord-Exporten mit dem Schicksal der arbeitenden Menschen in keinem erkennbaren Zusammenhang steht. Auch die Konservativen mit ihrem pragmatisch-unverkrampften Umgang mit der Wirtschaft haben in ihrer ersten Legislaturperiode die Verdoppelung der Arbeitslosigkeit und die Vernichtung von über 30 000 Arbeitsplätzen hinzunehmen gehabt. Rund 40 000 Jugendliche zwischen 15 und 25 Jahren warten nach Angaben der Gewerkschaften auf ein Ausbildungsverhältnis – die Einwohnerschaft von Bruchsal.

winnen noch weiter aufgestockt werden sollten. Die erste größere Investition nach dem 10. März 1985 – die elektronischen Bauteile der Automation – ist eine Waffenschmiede für Jobkiller: Gewinnerwartungen wie gesellschaftliche Risiken wachsen dynamisch – auch dies eine Langzeiterscheinung der subventionierten Insel.
Immer noch gilt, daß eine allein auf Technologie gegründete „Modernität" leicht in sehr alte Sackgassen führt. Wo ist die Suche nach der „lebendigen Arbeit" (Rudolf Bahro), der Humanisierung der Arbeitswelt, wo bleibt West-Berlin als ein „Experimentierfeld der Moderne", das nicht nur an der elektronischen Welt des nächsten Jahrhunderts arbeitet, sondern an den Lebens- und Organisationsformen der Menschen, am sozialen Netz und an neuen Formen der Selbsthilfe, an einer phantasiereichen Verteilung des sicherlich im-

Das rote Berlin

Anfang und Ende einer Hegemonie

„Der Bourgeois ist furchtbar, und Adel und Klerus sind altbacken, immer wieder dasselbe. Die neue bessere Welt fängt erst beim vierten Stand an ..., das, was die Arbeiter denken, sprechen, schreiben, hat das Denken, Sprechen und Schreiben der altregierenden Klassen tatsächlich überholt, alles ist viel echter, wahrer, lebensvoller. Sie, die Arbeiter, packen alles neu an, haben nicht bloß neue Ziele, sondern auch neue Wege" (Theodor Fontane in einem Brief aus dem Jahre 1896).

„Die sozialdemokratische Bewegung ist in jeder Hinsicht Massenbewegung: demokratische Arbeit von Massen" (Eduard Bernstein, Dezember 1909).

Bei der Reichstagswahl am 20. Februar 1890 erzielte die Berliner Sozialdemokratie zum ersten Male mit 126 317 Stimmen die absolute Mehrheit der abgegebenen Stimmen. Dies war – so Eduard Bernstein in seiner Geschichte der Berliner Arbeiter-Bewegung – ein glänzender, ja fast berauschender Sieg. Im Vergleich dazu erzielten die „Deutsch-Freisinnigen" immerhin noch 75 007 Stimmen, das Bismarcksche Kartell nur 34 735 Stimmen und das katholische Zentrum ganze 3181 Stimmen. Nur wenige Wochen zuvor hatte der Reichstag am 25. Januar 1890 eine erneute Verlängerung des „Sozialistengesetzes" verweigert. Elf Tage danach, am 5. Februar 1890, also mitten im Wahlkampf, hatte der „Reichsanzeiger" einen weiteren Ausbau der Arbeiterversicherung, eine gesetzliche Verkürzung der Arbeitszeit und eine Erweiterung des Arbeitsschutzes angekündigt. Trotz dieses „neuen Kurses" war die SPD jetzt nicht nur die stärkste Partei Berlins, sie hatte nun sogar mehr Stimmen erlangt, als alle anderen Parteien zusammen. Trotz des zwölfjährigen Ausnahmezustandes und tausenderlei Schikanen hatten die „vaterlandslosen Gesellen" die traditionellen Eliten in Preußen politisch bloßgestellt. Die Hohenzollern regierten zwar im Berliner Schloß weiter, die Stadtteile lebten und dachten jedoch mehrheitlich sozialdemokratisch. Erst bei der Reichs-tagswahl 1912 erreichte die Gesamtpartei mit 4 250 000 Stimmen ein ähnlich gutes Ergebnis. Mit 34,8 % der Stimmen erzielte die SPD ihren Durchbruch zur Massenpartei der Fach- und Industriearbeiter und stellte im Reichstag mit 110 Abgeordneten nunmehr die größte Fraktion. Im selben Jahr hatte aber die Berliner Partei mit 75,3 % ihr Stimmenreservoir bereits weitgehend ausgeschöpft.

Die gewerkschaftliche Bewegung spielte im damaligen Berlin eine immer wichtigere Rolle im politischen Alltag der Stadt. Während sich 1889 erst 59 245 Mitglieder in 82 lokalen gewerkschaftlichen Organisationen registriert hatten, waren es im Jahre 1905 bereits 224 297 Gewerkschafter in 80 Organisationen. Der Streik der Buchdrucker von 1891 für den Neunstundentag, der große Bierboykott der Berliner Arbeiter im Jahre 1894 gegen die Aussperrung der Brauereiarbeiter durch die Ringbrauereien und der Arbeitsausstand der ca. 30 000 Näherinnen und Schneider in der Herren- und Knabenkonfektionsbranche im Frühjahr 1896 hatten das Klassenbewußtsein des Berliner Proletariats geschärft.

Das rote Milieu

Die Arbeiterkultur war in jenen Jahren in Berlin äußerst vielgestaltig und lebendig: Die Vorhut der Berliner Arbeiter hatte bereits am 12. Januar 1891 auf einer Volksversammlung in der Lipps' Brauerei am Friedrichshain mit großer Mehrheit den Aufbau einer „Arbeiterbildungsschule" beschlossen. Laut Wilhelm Liebknecht waren die Gründer von dem Gedanken hingerissen gewesen, daß nunmehr den „bildungshungrigen Arbeitern" endlich Gelegenheit geboten würde, das nur mangelhafte Wissen aus ihrer Volksschulzeit systematisch zu erweitern. Zunächst meldeten sich mehrere Tausend Arbeiter. Aber schon bald war die erste Euphorie verflogen: „Die Schülerzahl blieb bedeutend hinter den ersten Schätzungen zurück, die Lehrfächer mußten beschränkt, die Schulräume vermindert werden, und doch wollten Einnahmen und Ausgaben nicht ins Gleichgewicht kommen ... Schließlich kam es im Jahre 1897 dahin, daß man sich ernsthaft die Frage vorzulegen hatte, ob es nicht am besten sei, die Schule ganz aufzulösen. Aber wie es der Schule nie an einem Stamm begeisterter Anhänger und Freunde gefehlt hatte, die keine Mühen und Opfer scheuten, sie über Wasser zu halten, so hatte sie auch jetzt deren genug, welche nicht von ihr lassen mochten, bis nicht alle Mittel versucht worden seien, sie auf eine feste Basis zu stellen. So ward in jenem Jahre eine völlige Neuorganisation der Schule beschlossen. Die örtliche Dezentralisation der Schulräume ward gänzlich fallengelassen, die Schule in einem Lokal zentriert, während die Lehrfächer auf Geschichte, Gesetzeskunde, Naturgeschichte, Volkswirtschaft und Redekunst beschränkt wurden. Der Lehrkurs ward auf 10 Stunden im Vierteljahr und das Unterrichtsgeld auf 1 Mk. für den Kursus angesetzt."[1]

Nachdem das Schulprogramm noch durch Dichterabende, gemeinsame Ausflüge und politische Vorträge erweitert worden war, stieg die Mitgliederzahl um die Jahrhundertwende wieder ununterbrochen an. So besuchten z. B. im Schuljahr 1905/1906 93 Arbeiterinnen und 1189 Arbeiter regelmäßig die angebotenen Veranstaltungen. Im letzten Quartal des Jahres 1905 fanden Unterrichtskurse in Nationalökonomie, Naturerkenntnis, Geschichte, Gesetzeskunde, Rednerschule und Nationalökonomie für Fortgeschrittene statt. Den Unterricht erteilten damals M. H. Baege, Max Grunwald, Simon Katzenstein und Max Maurenbrecher. Ihr Lokal hatte die Arbeiterbildungsschule auch nach der Reorganisation noch wiederholt wechseln müssen. Von 1900 bis zum Frühjahr 1906 waren sie in den Räumen des Berliner Gewerkschaftshauses untergebracht. Weil die Schule aber immer größere Räume brauchte, zog die selbstverwaltende Bildungseinrichtung in die Grenadierstraße 37 um. Mit sehr viel weniger Anfangsschwierigkeiten schlug sich dagegen die noch in der Zeit der Sozialistengesetze im Oktober 1890 gegründete „Freie Volksbühne" herum (Vgl. Bd. I, S. 294f.). Die ersten Vorstellungen der Volksbühne fanden damals im Ostend-Theater in einem östlichen Vorort Berlins statt. Gespielt wurde das gesellschaftskritische Drama „Stützen der Gesellschaft" von Henrik Ibsen. Die ursprüngliche Absicht der Initiatoren, die ausgewählten Stücke jeweils vor der Aufführung in einer Mitgliederversammlung zu erläutern, mußte schon bald wieder aufgegeben werden: „Die Polizei leitete aus den Vorträgen das Recht her, den Verein ‚Freie Volksbühne' unter das Vereinsgesetz zu stellen, und ließ den Vorstand wissen, daß, wenn diese Vorträge fortgesetzt würden, der Verein für ‚politisch' erklärt werden würde, was den Ausschluß der Frauen zur Folge gehabt hätte."[2]

Trotz solcherlei Drangsal und einer hausgemachten Krise im Jahre 1892 wuchsen die Mitgliederzahlen der „Neuen Freien Volksbühne" unter der Leitung von Franz Mehring in den Jahren vor dem Ersten Weltkrieg auf fast 50 000 an. Weitere wichtige kulturelle Schöpfungen des Berliner Proletariats waren die Gründung des „Arbeiter-Sängerbundes Berlins und Umgebung" im September 1890, die Einrichtung der „Heimannschen Bibliothek und Lesehalle" im Oktober 1899 und natürlich die 1890 ins Leben gerufene Arbeiter-Radfahrer- und Turnerbewegung. So spielte z. B. bei den Reichstags- und Landtagswahlen der im Jahre 1904 aus der Taufe gehobene Arbeiter-Radfahrerbund „Freiheit" eine unschätzbare und durch nichts zu ersetzende propagandistische Rolle. Die sozialistisch fühlenden Arbeiter-Turner fanden sich mit wenigen Ausnahmen im Turnverein „Fichte" zusammen. Im Jahre 1905 turnten in diesem Verein 1285 Arbeiter, 679 Lehrlinge und 533 Schüler.

Leider läßt sich im nachhinein nicht mehr rekonstruieren, wie sich nach dem Fall des Sozialistengesetzes die Mitgliederzahlen und Beitragseinnahmen bzw. -ausgaben der Berliner Parteiorganisation der SPD entwickelt haben. Denn das statistische Material dafür ist seinerzeit unter der Mitwirkung des preußischen Ministers des Inneren, Ernst von Koeller, beschlagnahmt und später beseitigt worden. Aber obwohl in der Zeit der Sozialistengesetze 294 Personen mit etwa 500 Familienangehörigen aus der Stadt ausgewiesen worden

waren, war unter dem Ausnahmerecht die Mitgliederzahl auf etwa 100 000 Parteigenossen angewachsen. In einem Polizeibericht aus dem Jahre 1895 wurde die Parteistruktur der Berliner SPD folgendermaßen zusammengefaßt: „In jedem Berliner Reichstagswahlkreis besteht ein sozialdemokratischer Wahlvorstand. Die Statuten sämtlicher sechs Wahlvereine sind dem königlichen Polizei-Präsidium eingereicht; die Mitglieder des Vereins werden regelmäßig nach den Vorschriften des Vereinsgesetzes mitgeteilt. Der Vorstand besteht aus Vorsitzenden, Schriftführern, Kassierern und Beisitzern. Er wird in öffentlicher Versammlung gewählt. Zur Kontrolle der Kassenführung werden Revisoren öffentlich gewählt. Die Geschäfte des Vorstandes sind in den Statuten genau angegeben. Jedes Mitglied des Wahlvereins erhält ein Mitgliedsbuch, in welchem durch Einkleben einer Marke über den monatlichen Beitrag von 20 Pfennigen quittiert wird. ... Neben dieser öffentlichen Organisation besteht noch eine sogenannte innere Organisation, welche vor dem Königlichen Polizei-Präsidium geheimgehalten wird. Sie wird durch die Vertrauensmänner geleitet. Diese werden in öffentlichen Versammlungen von den einzelnen Kreisen gewählt. Ihre Zahl ist nach der Größe der Wahlkreise verschieden."[3]

Unter dem Eindruck der Massenstreikdebatte im Jahre 1905 demonstrierte die Berliner Organisation am 24. Januar auf 28 Volksversammlungen ihre Solidarität mit den streikenden 210 000 Bergleuten in Westfalen. Und am 9. Februar 1905 veranstaltete die Berliner SPD erneut 21 Volksversammlungen zur Unterstützung der russischen Revolution. Aber aufgrund der tradierten Trennung von Ökonomie und Politik in der deutschen Sozialdemokratie sprach sich die Gewerkschaftsführung gegen eine weitere Propagierung der Massenstreikidee aus. Trotzdem veranstaltete die Berliner Organisation am 8. August 1905 weitere 26 Volksversammlungen gegen die Verteuerung der Fleischpreise. Die Kampfeslust des Berliner Proletariats war nach wie vor ungebrochen. Am 3. November protestierten die Tabakarbeiter gegen eine geplante Erhöhung der Tabaksteuer und am 17. Dezember gingen die Brauereiarbeiter gegen eine gleich-

falls geplante Erhöhung der Brauereisteuer auf die Straße. Neben den zahlreichen Arbeitslosenversammlungen seit dem Winter 1891/92 fanden außerdem regelmäßig jedes Jahr am 18. März in Erinnerung der Berliner Barrikadenkämpfe von 1848 und der Pariser Commune Kampfdemonstrationen für die Märzgefallenen und die getöteten bzw. deportierten Kommunarden statt. Letztlich kanalisierte der SPD-Parteivorstand jedoch die wachsende Militanz der Arbeiter durch die Kampagne für ein allgemeines Wahlrecht in Preußen. In den sogenannten „Moabiter Unruhen" im September 1910 kam es dann noch einmal zu massenhaften Auseinandersetzungen zwischen streikenden Kohlearbeitern und der Bevölkerung einerseits und Streikbrechern und rund 1000 Schutzleuten andererseits. Schließlich verhängte der Berliner Polizeipräsident Traugott von Jagow über Moabit eine Art Belagerungszustand.

Die Spaltung

Im ersten Kriegsjahr 1914 hatte die Gesamtpartei über eine Million Mitglieder, davon allein in Berlin fast 120 000. Die acht Groß-Berliner Wahlorganisationen waren in 68 Ortsgruppen aufgeteilt. Ein geschulter Stamm von Funktionären konnte sich seit 1905 auf der Parteischule in der Lindenstraße 69 und ab September 1914 in der Lindenstraße 3 (vgl. S. 355–357) fortbilden. Rosa Luxemburg sprach damals vom „besten Elitekorps", das man sich wünschen konnte. Trotzdem zerbrach am 4. August 1914 in Europa die Illusion, die internationale Arbeiterklasse könne durch einen politischen Generalstreik ihren kollektiven Tod im Felde verhindern und nach dem Vorbild der Pariser Kommune zumindest in Europa die Volksmacht erringen. Statt dessen zogen die deutschen Facharbeiter den feldgrauen Rock an und brachen – gleich Lemmingen – aus ihrem industriellen Alltag auf zum großen Sterben. Der Kaiser bot den „vaterlandslosen Gesellen" von der Sozialdemokratie einen „Burgfrieden" an, und der deutsche Facharbeiter fühlte sich von den herrschenden Eliten endlich respektiert und rehabilitiert. Die SPD-Parteiführung glaubte darüber hinaus – subjektiv ehrlich – an den Verteidigungsfall; schließlich hatten die Vertreter der europäischen Arbeiterbewegung in den Beschlüssen der „Internationale" seit eh und je feinsinnig zwischen „Angriffs- und Verteidigungskrieg" unterschieden (vgl. Bd. I, S. 298ff.). Der linksradikale Literat Franz Jung beschrieb in seiner Autobiographie „Der Torpedokäfer" den damaligen chauvinistischen Taumel: „Die Straße Unter den Linden zu beiden Seiten entlang zum Schloß zog eine nach Tausenden zählende Menge hin und her, unter infernalischem Gebrüll. ... War das Ende der Welt gekommen? Zu mindestens stürzte eine Welt zusammen über die paar Dutzend Friedensdemonstranten, in die hinein ich geraten war. Soviel ich mich erinnere, war diese Demonstration von den Syndikalisten um Kater und Rocker aufgezogen worden. Ein Transparent, über zwei Stangen gespannt, wurde hochgehoben, eine rote Fahne entfaltet, und die Demonstration: Nieder mit dem Krieg! begann sich in Reihen zu ordnen. Wir sind nicht weit gekommen. Ich glaube nicht, daß besondere Gewalt angewendet worden ist; die Flut ging über uns weg, wir trieben vereinzelt und auseinandergerissen in dieser Flut, jeder wahrscheinlich unfähig, sich zu wehren, sich überhaupt zu rühren. Die Polizei hatte nicht nötig einzugreifen."[4]

Was damals mehr oder minder in allen europäischen Industrienationen massenpsychologisch aufgebrochen ist, hat bis zum heutigen Tage noch niemand überzeugend analysieren können. Die diversen Verratsthesen über die „Arbeiterbürokratie" oder die „Arbeiteraristokratie" greifen zu kurz.

Erst im zweiten Kohlrübenwinter 1915/16 tauchten in den Berliner Fabriken die ersten Anti-Kriegs-Flugblätter auf. Der Hauptwiderstand ging von der sozialistischen Jugend aus. Die ersten spontanen Demonstrationen gegen den Weltkrieg fanden statt. Rosa Luxemburg, Karl Liebknecht, Franz Mehring, Clara Zetkin und einige wenige Intellektuelle, Künstler und Funktionäre aus der sozialdemokratischen Arbeiterbewegung bildeten die konspirative „Spartakus-Gruppe" und verbreiteten Anti-Kriegs-Broschüren und Flugblätter. Im Frühjahr 1917 spaltete sich die Sozialdemokratie in einen unabhängigen Flügel, die USPD, und die vaterlandstreuen Mehrheitssozialdemokraten. In den Berliner Rüstungsbetrieben flammten

jetzt Hungerstreiks auf. Die „Revolutionären Obleute" bildeten eine illegale Streikleitung. Je länger das Stahlgewitter dauerte, desto deutlicher zeigte sich, daß der vaterländische Klassenkompromiß zerbrach. Ende Oktober 1918 meuterte die Kaiserliche Flotte in Kiel. Die militärische Disziplin brach abrupt in sich zusammen. Das Heer hatte den Zwei-Fronten-Krieg verloren. Der brillante Stratege, Planer und Mobilisator des ersten „totalen" Krieges, Erich Ludendorff, war am Ende seines Lateins und drängte auf die Kapitulation. Die Verantwortung für die militärische Niederlage sollten jedoch die Zivilisten tragen. So entstand die Legende vom Dolchstoß der Heimat in den Rücken der im Felde unbesiegten Front. Am 9. November 1918 brach auch in Berlin die Revolution aus. Der Kaiser ging, und seine Generäle blieben.

Das rote Berlin verkämpfte sich: Novemberrevolution, Massendemonstrationen, Besetzung des Zeitungsviertels durch Spartakisten, der Einmarsch der Ehrhardt-Brigade am 13. März 1920, Generalstreik der Berliner Arbeiter gegen den Kapp-Putsch usw. Bereits im Juni 1920 hatte die Weimarer Republik wieder eine „rein bürgerliche Reichsregierung": „Damit war die Herrschaft der Sozialdemokratie in Deutschland zunächst beseitigt. So weit die Novemberrevolution eine Demokratie unter Führung der sozialistischen Arbeiterschaft hatte aufrichten wollen, war sie im Sommer 1920, und zwar endgültig, gescheitert."[5]

Der kurze Sommer der Revolution war vorbei: Karl Liebknecht, Rosa Luxemburg waren ermordet, die KPD war ein besiegter Putschistenhaufen, die USPD war weitgehend mutlos und handlungsunfähig und die Mehrheitssozialdemokratie total diskreditiert. Die innere Geschlossenheit der deutschen Arbeiterbewegung war dahin. Die Kaiserlichen sannen auf Rache. Aber trotz Inflation und Weltwirtschaftskrise wählte das rote Berlin mehrheitlich weiter links. In der Groß-Berliner Stadtverordnetenversammlung – in Bezug auf die Ergebnisse ist zu berücksichtigen, daß Groß-Berlin erst seit 1920 als Verwaltungseinheit bestand – erzielten die Arbeiterparteien mehrfach die absolute Mehrheit der Sitze; konnten diese Mehrheit jedoch nicht politisch umsetzen, weil unabhän-

gige Sozialdemokraten, Mehrheitssozialdemokraten und Kommunisten untereinander verfeindet waren. So erzielten z. B. bei der Wahl zur Stadtverordnetenversammlung am 23. Februar 1919 die beiden Arbeiterparteien zusammen 93 Sitze (USPD: 47; SPD: 46), während die bürgerlichen Parteien insgesamt nur 51 Mandate errangen. Ähnlich sah auch das Kräfteverhältnis nach den Wahlen zur Stadtverordnetenversammlung am 20. Juni 1920 aus. Die untereinander zerstrittenen beiden sozialdemokratischen Parteien erzielten 127 Mandate (USPD: 87; SPD: 40), während die bürgerlichen Parteien dieses Mal bereits 108 Mandate erzielten (DDP: 16, Zentrum: 8, Wirtschaftliche Vereinigung: 19, DNVP: 25 und DVP: 40). Die USPD als stärkste Fraktion im Stadtparlament beanspruchte zwar das Oberbürgermeisteramt, trotzdem unterstützte die SPD im Januar 1921 die Wahl des von der Deutschen Demokratischen Partei (DDP) vorgeschlagenen Gustav Böß. Bei der Wahl am 16. Oktober 1921 wurde die SPD zum ersten Mal nach dem Kriegsende mit 20,5 % wieder stärkste Partei in der Stadtverordnetenversammlung. Sie erzielte 46 Sitze, während die USPD dieses Mal nur noch 44 Sitze errang. Die USPD hatte also insgesamt die Hälfte an Stimmen und Mandaten verloren. Gleichzeitig zog aber die KPD mit 9,5 % und 20 Sitzen ins Berliner Stadtparlament ein. Insgesamt hatte die Linke also 110 Sitze errungen. Die bürgerlichen Parteien erhielten dagegen mit 115 Mandaten wieder eine schwache Mehrheit (DDP: 17; DNVP: 42; DVP: 35; Zentrum: 8, Wirtschaftspartei: 12; Deutsche Soziale Partei: 1). Für den Berliner Magistrat blieb dieses Ergebnis zunächst aber ohne politische Konsequenzen, da bereits im Spätherbst 1920 die zehn Fachräte wie die acht besoldeten politischen Stadträte für eine Dauer von zwölf Jahren, die ehrenamtlichen Stadträte auf vier Jahre gewählt worden waren. Bei der Wahl am 25. Oktober 1925 erzielte die USPD mit 14 608 Stimmen (1,3 %) nur noch drei Sitze. Andererseits wurde die SPD mit 604 704 Stimmen (32 %) wieder stärkste Fraktion in der Stadtverordnetenversammlung mit nunmehr 74 Sitzen. Die KPD erzielte insgesamt 347 382 Stimmen (18,7 %) und zog mit 42 Mandaten gestärkt ins Berliner Kommunalparlament ein. Die Stimmenverluste der bürgerlichen Parteien waren unerheblich (DDP: 21, DNVP: 47, DVP: 13, Zentrum: 7, Wirtschaftspartei des deutschen Mittelstandes: 12).

Sozialdemokratische Kommunalpolitik

In diese Periode fielen wichtige – bis in die heutige Zeit nachwirkende – kommunalpolitische Pioniertaten: So z. B. die Erbauung der Berliner Großstadtsiedlungen Siemensstadt, der „Weißen Stadt" in Reinickendorf, der Waldsiedlung „Onkel Toms Hütte" in Zehlendorf und der Hufeisensiedlung in Britz (vgl. S. 118ff.). Diese Projekte gelten zu Recht als ein Wahrzeichen des modernen Bauens in Deutschland. Eine weitere wichtige Grundsatzentscheidung war die Verschmelzung der verschiedenen Berliner Verkehrsgesellschaften im Dezember 1928 zur „Berliner Verkehrs-Aktiengesellschaft" (BVG). Ab dem 1. Januar 1929 standen Straßenbahn, U-Bahn und die Omnibus-AG unter einer einheitlichen Leitung. Als Einheitstarif wurde damals ein Fahrpreis von zwanzig Pfennigen für die Einzelfahrkarte mit einmaligem Umsteigen festgesetzt. Mit rund 25 000 Arbeitern und Angestellten, einem Wagenpark von ca. 5000 Fahrzeugen und einem Aktienkapital von 400 Millionen Reichsmark, das sich in den Händen der Stadt Berlin befand, war die BVG Ende der 20er Jahre das größte kommunale Nahverkehrsunternehmen in der Welt (vgl. Bd. I, S. 128f., S. 130 und S. 138f.). Zum Vorsitzenden des Aufsichtsrates der BVG wurde der SPD-Stadtrat Ernst Reuter gewählt. Sein Ziel war die Entlastung des Oberflächenverkehrs durch eine Erweiterung des bisherigen U-Bahn-Netzes. Aus der Vorkriegszeit besaß Berlin ein Streckennetz von 37,6 Kilometer Länge, das bis zum Oktober 1926 um 15,8 Kilometer und während der Amtszeit Reuters auf insgesamt 81,1 Kilometer erweitert wurde. Diese Investitionen in die Zukunft setzte Reuter in der Stadtverordnetenversammlung gegen starke Widerstände durch.[6] Das mittelfristige Ziel der damaligen sozialdemokratischen Kommunalpolitik war eine städtebauliche Erneuerung Berlins. Obwohl die Berliner SPD aufgrund der Spaltung der Arbeiterbewegung in den 20er Jahren nie den Oberbürgermeister stellte, prägten einzelne SPD-Stadträte wie Ernst Reuter oder Martin Wagner (vgl. S. 124–141) durch ihre verkehrspolitischen und städtebaulichen Initiativen – gerade auch in den Randbezirken – das Gesicht der modernen Großstadt. Angesichts der leeren Staatskassen wurden diese Projekte durch langfristige Kredite finanziert.

Die Gebrüder Sklarek

Die Weltwirtschaftskrise führte im Jahre 1928 zu geringeren Steuereinnahmen der Berliner Kommune und zwang die Stadtverwaltung zu drastischen Sparmaßnahmen. Oberbürgermeister Gustav Böß (DDP) leitete selber die Sitzungen des Sparausschusses und schlug Abstriche an den bereits geplanten Investitionsvorhaben vor. Auf der Suche nach neuen Krediten entschloß sich Böß im Sommer 1929, in die Vereinigten Staaten zu fahren. Während seiner Abwesenheit wurde der sogenannte „Sklarek-Skandal" aufgedeckt (vgl. S. 128 f.). Die Gebrüder Sklarek, Inhaber einer Kleiderverwertungsgesellschaft, hatten zum Schaden der Berliner Stadtbank betrügerische Kreditgeschäfte getätigt. Außerdem waren eine Reihe von Beamten durch „Freundschaftsdienste" in die Abhängigkeit der Gebrüder Sklarek geraten. Zunächst wurde Gustav Böß nur ein Versagen bei der Dienstaufsicht im Berliner Magistrat vorgeworfen. Ihm war entgangen, daß den Textilhändlern Sklarek 1927 illegal ein Belieferungsmonopol für die Stadt bis 1935 gewährt worden war. Kurze Zeit später tauchte der Name Böß aber ein zweites Mal in Zusammenhang mit den staatsanwaltschaftlichen Ermittlungen gegen die Sklareks auf. Aus den beschlagnahmten Kundenlisten ging hervor, daß Frau Anna Böß ein Pelz zu einem offensichtlich zu niedrigen Preis geliefert worden war. Frau Böß hatte sich im Sommer 1928 dort eine Pelzjacke anfertigen lassen. Trotz vieler Mahnungen erhielt sie erst im Januar 1929 die Rechnung: „Da ihr die genannten 375 Mark nicht angemessen erschienen, unterrichtete sie ihren Mann. Angesichts der vielen, zunächst vergeblichen Bemühungen seiner Frau um die Rechnung unterließ er von vornherein eine nochmalige Bitte um einen realistischen Preis, weil er zu weiteren Auseinandersetzungen mit dieser Firma weder Zeit noch Lust verspürte."[7]

Statt dessen teilte er in einem Brief an die Firma Sklarek mit, er werde die restlichen 1000 Mark für den wohltätigen Ankauf eines Bildes verwenden. Das für 800 Mark erstandene kleine Ölgemälde von Max Pechstein hängte er dann in der Diele seiner Wohnung auf. Während seines Amerikaaufenthaltes schätzte Böß aufgrund der nur spärlichen Informationen die massenpsychologische Situation in der Stadt völlig falsch ein. Denn mittlerweile hatten die „Rote Fahne" und die Boulevardblätter der Verlagshäuser Hugenberg, Ullstein und Mosse den Oberbürgermeister zum Hauptverantwortlichen des „Sklarek-Skandals" abgestempelt. Angesichts der leeren Kassen im Magistrat hatte der größte Teil der Berliner für die Unkorrektheit von Böß keinerlei Verständnis. Obwohl das Preußische Oberverwaltungsgericht Böß letztlich von irgendwelchen Verfehlungen als Leiter der Stadtverwaltung freisprach und statt dessen eine disziplinarische Geldbuße in Höhe eines Monatsgehaltes verhängte, trat der erst 57jährige Böß kurze Zeit später aus gesundheitlichen Gründen zurück. Die noch völlig im Zeichen des Sklarek-Skandals stehenden Neuwahlen zur Berliner Stadtverordnetenversammlung am 17. November 1929 brachte zwar erneut eine Stimmenmehrheit für die beiden verfeindeten Arbeiterparteien, aber erstmalig zogen auch 13 Nationalsozialisten mit Dr. Joseph Goebbels als Fraktionsvorsitzenden in das „Rote Rathaus" in der Königstraße ein. Die SPD stellte zwar mit 651 735 Stimmen (28,5 %) und 64 Mandaten erneut die stärkste Fraktion, doch die KPD war mit 404 632 Stimmen (17,6 %) und 56 Mandaten gestärkt aus der Sklarek-Wahl hervorgegangen. Im Gegensatz dazu hatten die bürgerlichen Mitte-Rechts-Parteien eine erhebliche Einbuße ihrer Stimmen hinnehmen müssen (DNVP: 40, DDP: 14, DVP: 16, Reichspartei des deutschen Mittelstandes: 10, Zentrum: 8, Deutsch-Völkische Freiheitspartei: 1, Christlicher Volksdienst: 3). Während die Deutsche Demokratische Partei (DDP) und die Deutsch-Nationale Volkspartei (DNVP) im Vergleich zur Wahl im Jahr 1925 je 7 Mandate verloren hatten, konnten die Kommunisten die Anzahl ihrer Sitze um 14 erhöhen. Fraktionsvorsitzender der nunmehr 56 kommunistischen Abgeordneten war Wilhelm Pieck.[8]

Die braune Provinz marschiert

Die Nationalsozialisten konnten bei der Reichstagswahl am 6. November 1932 in Groß-Berlin nur ganze 22,5 % und bei der Reichstagswahl am 5. März 1933 – trotz SA-Bürgerkriegs-Terror – nur 31,3 % der Stimmen auf sich vereinigen. Bei der Wahl zur Stadtverordnetenversammlung am 12. März 1933 erzielte die NSDAP mit 984 467 Stimmen (38,5 %) nur 86 Mandate. Im Gegensatz dazu erhielten die beiden Linksparteien auch nach der Regierungsübergabe an die Nationalsozialisten noch 41,4 % der abgegebenen Stimmen. Die Sozialdemokraten erhielten 566 001 (22 %) und die Kommunisten 500 934 (19,4 %). Erst zusammen mit der nationalkonservativen „Kampffront Schwarz-Weiß-Rot", die 311 281 Stimmen (12,1 %) und 27 Mandate erhalten hatte, verfügte die NSDAP gegenüber allen anderen Parteien über eine Mehrheit von nur einer Stimme.[9] Die braune Provinz hatte also in Berlin nie eine parlamentarische Mehrheit erhalten. Die City der Zerstreuung, Hektik und Nervosität stand dem braunen Mummenschanz fremd gegenüber. Trotz Reichstagsbrand, SA-Terror in den Arbeiterbezirken und den ersten „wilden" KZs, war Berlin von den Nazis nicht von heute auf morgen klein zu kriegen. SA-Leute in Uniform hatten nachts noch Angst davor, verprügelt zu werden. Doch der totale Willkür- und Ausnahmestaat machte auch vor den Toren Berlins nicht halt. Hitler erklärte den klassenbewußten sozialdemokratischen und kommunistischen Arbeiter für vogelfrei. Die antisemitischen Pöbelinstinkte und der Haß gegen die Intellektuellen wurden Regierungspolitik. Wer aber glaubt, Berlin sei schließlich die befriedete Hauptstadt des ‚Dritten Reiches' und des ‚Zweiten Weltkrieges' gewesen, irrt. Berlin war immer auch die Hauptstadt des proletarischen und später des bürgerlichen Widerstandes. Die Geschichte dieser 4,3-Millionen-Stadt war in jenen Jahren auch immer eine Geschichte vom Überleben. Die Großstadtstruktur hatte so manchem Illegalen Untertauchen und Kontakte ermöglicht und das Überleben gesichert. Das proletarische Sozialmilieu erwies sich im „Tausendjähri-

gen Reich" durchaus als widerstandsfähig. Reste der gewachsenen Arbeitersubkultur, wie Schrebergarten-Kolonien, gleichgeschaltete Konsumgenossenschaften, Feuerbestattungs- und Gesangsvereine, Sportler- und Wandergruppen boten einen gewissen sozialen Schutz. Aus dem Dienst entlassene ehemalige sozialdemokratische Beamte machten in der Regel kleine Zeitungs- oder Zigarrenläden auf oder verdienten ihr Geld als Versicherungsvertreter. So entstand ein breites Netz von inoffiziellen Kontakten. Typisch für diesen Milieuwiderstand in Berlin war eine Tanzkapelle mit dem Namen „Die Goldene Sechs", die in den Berliner Arbeitervierteln damals äußerst beliebt gewesen war. Während ihrer lautstarken abendlichen Übungen druckten Mitglieder dieser Kapelle Flugblätter und verteilten sie unauffällig während ihrer öffentlichen Auftritte.

In den Jahren der Weimarer Republik hatten die Nationalsozialisten die SPD oftmals als „Judenschutzpartei" bezeichnet. Angesichts der immer ausgefeilteren Verfolgungsmethoden der GESTAPO konnte die Berliner Arbeiterbewegung freilich die Vertreibung, Deportation und Ermordung der jüdischen Bevölkerung nicht verhindern. Letztlich wurde auch die deutsche Sozialdemokratie diesem Ehrennamen nicht gerecht. Als am 23. März 1933 die bürgerlichen Parteien durch ihre Zustimmung zum Ermächtigungsgesetz dem NS-Regime eine parlamentarische Legitimation verschafften, umfaßte die „Jüdische Gemeinde zu Berlin" noch etwa 160 000 deutsche Staatsbürger, die sich zur jüdischen Religionsgemeinschaft bekannten. Wie viele Juden ohne religiöse Bindungen zu diesem Zeitpunkt noch in der Stadt gelebt haben, ist nicht bekannt. Während bis Anfang der 40er Jahre rund 90 000 Berliner Juden auswanderten, wurden seit Herbst 1941 55 000 Berliner aufgrund ihrer Rassenzugehörigkeit deportiert und ermordet. 1907 Berliner Juden entzogen sich dem Terror und der Deportation durch Selbstmord, und Hunderte tauchten unter und überlebten bis zum Kriegsende im Untergrund (vgl. S. 216 ff.). Insgesamt zeichnete der Westberliner Senat bis zum Jahre 1982 725 Berliner aus, weil sie unter Lebensgefahr Juden gerettet hatten.[10]

Befreiung von außen

„Wir sind nicht frei, man hat uns nur befreit" (Erich Kästner, Die kleine Freiheit).[10a]

Als die Rote Armee im Mai 1945 endlich die Vororte der Reichshauptstadt erreicht hatte, bestand nicht nur bei den älteren sowjetischen Offizieren, die zu Beginn der 20er Jahre noch den Geist des „proletarischen Internationalismus" kennengelernt hatten, die Hoffnung, daß zumindest jetzt – angesichts der totalen Niederlage – Teile des Berliner Proletariats die Gewehre gegen die Nazis richten würden. Die Realität sah jedoch anders aus: Jugendliche in HJ-Uniformen und alte Männer des Volkssturms bauten zusammen mit den Überresten der Waffen-SS in den traditionellen Arbeiterbezirken Panzersperren und schossen mit Panzerfäusten auf die anrückenden T 34 (vgl. S. 262 ff.). Vom organisierten antifaschistischen Widerstand noch immer fast keine Spur. Das bedeutete nun nicht, daß alle Berliner inzwischen überzeugte Nazis geworden wären. Obwohl nach den Hungerjahren der Weltwirtschaftskrise im Hitler-Deutschland – nicht zuletzt aufgrund des Rüstungsbooms – praktisch Vollbeschäftigung geherrscht hatte, blieb der offene Terror im Inneren auch nach Beginn des Zweiten Weltkrieges letzter und wichtigster Garant für den Fortbestand des NS-Regimes.[11] Andererseits war der organisierte Arbeiterwiderstand gegen die Nazis bereits in den Jahren 1934/35 zusammengebrochen. Obwohl man auch in den Kriegsjahren nicht von einer Kollaboration zwischen Arbeiterklasse und Nazis sprechen kann und ein großer Teil der kommunistischen und sozialdemokratischen Kader im aktiven Widerstand hohe Opfer brachte, muß man sich immer wieder in Erinnerung rufen, daß die braune Barbarei in Deutschland nicht durch einen Aufstand der Arbeiterklasse von innen, sondern durch den militärischen Sieg der Anti-Hitler-Koalition von außen beendet wurde. Inzwischen hatten nämlich Terror und Konzentrationslager die Arbeiter demoralisiert, und sie waren durch die militärischen Erfolge der ersten Kriegsjahre in Polen und Frankreich verunsichert. Die systematischen Flächenbombardements durch britische und amerikanische Verbände, die zunehmende Terrorisierung der kriegsmüden Bevölkerung durch GESTAPO-und SS-Standgerichte, aber auch die Angst vor der Rache der siegreich auf Berlin zumarschierenden Roten Armee lähmten fast vollständig die Arbeit der antifaschistischen Gruppen. Der sinnlose Endkampf gegen die „bolschewistische Gefahr" kostete in den letzten zehn Tagen des Zweiten Weltkrieges allein in der Reichshauptstadt über 150 000 deutsche Wehrmachtsangehörige und Zivilisten und über 100 000 Rotarmisten das Leben. Seit damals lebt West-Berlin ständig in der Angst, daß sich sein traumatisches Erlebnis wiederholen könnte: der Einmarsch der „Russen".

Die Spuren des NS-Terrors, das Columbia-Haus in Tempelhof oder die „GESTAPO-Leitzentrale" in der Prinz-Albrecht-Straße sind längst durch die Kahlschlagsanierung der 50er Jahre verwischt worden. Die genaue Anzahl der gemordeten „Politischen" kennt in Berlin niemand. In der Strafanstalt Plötzensee brachten die Nationalsozialisten allein fast 3000 Menschen um, darunter die Mitglieder der „Roten Kapelle", der „Baum-Gruppe" und des „Kreisauer Kreises". Nach dem Fehlschlag des Attentats vom 20. Juli 1944 erreichte das Morden in Plötzensee seinen Höhepunkt. Die Verbrechen des „Volksgerichtshofes" sind bis heute in der Bundesrepublik Deutschland nicht gesühnt worden.

Neubeginn

„Die eine Wand im ‚Deutschen Hof' war völlig aufgerissen, dadurch ein heller Saal. Und dann diese Freude der Menschen, die sich zum Teil während der ganzen Nazizeit nicht gesehen hatten. Es waren nicht nur Berliner, sondern es kamen auch Menschen aus der sowjetisch besetzten Zone . . . Diese Zusammenkunft gehört zu den stärksten Erinnerungen meines Lebens. Wir trafen uns wieder, und wir, die wir vorher politisch tätig waren, die wir die ganze Zeit überstanden hatten, die Jungen und die Alten und die, die bis zum Schluß in den KZs waren, wir alle hatten nun die Hoffnung, jetzt geht es wieder vorwärts, wenn selbst die Kommunisten sagen, daß das Volk mit allen demokratischen Rechten und Pflichten versehen sein sollte" (Franz Neumann, letztes Interview 1978).

Die Rekonstruktion der Sozialdemokratischen Partei in Berlin verlief stürmisch: Im Juli 1945 hatte die SPD in Groß-Berlin rund 30 000 Mitglieder, im Januar 1946 bereits 62 554 und im Dezember immer noch 51 772 Mitglieder (Im Vergleich dazu: Heute hat die SPD in West-Berlin noch ca. 29 500 Mitglieder). In beiden Arbeiterparteien gab es im Sommer 1945 starke Einheitsbestrebungen. Die antimilitaristische und teilweise antikapitalistische Grundströmung war damals nicht nur bei den Arbeitern weit verbreitet. Aber die KPD-Führung ging auf die spontan geäußerte Bereitschaft vieler Sozialdemokraten zur sofortigen Vereinigung nicht ein. Ihr Ziel war nicht eine proletarische Einheitspartei, sondern eine einheitliche Partei, die nach den Prinzipien des „demokratischen Zentralismus" von oben her aufgebaut werden sollte und sich ausdrücklich zur Freundschaft mit der Sowjetunion bekannte. Darüber hinaus unterstützte die „Sowjetische Militäradministration in Deutschland" (SMAD) gezielt den Wiederaufbau der KPD. Trotzdem ging der Parteiaufbau der Kommunisten in Berlin nur schleppend voran. Und erst im Frühjahr 1946 propagierten die Kommunisten die organisatorische Einheit der Arbeiterklasse. Ihr Ziel war die bürokratische Verschmelzung von SPD und KPD. Für Spontaneität und Basisdemokratie war da kein Raum. Unter der Führung des Berliner SPD-Funktionärs Franz Neumann wehrten sich die Sozialdemokraten gegen den Vereinigungsversuch von oben. Am 31. März 1946 stimmten in einer geheimen Urabstimmung 82 % der Sozialdemokraten in den drei westlichen Sektoren gegen eine sofortige Verschmelzung von SPD und KPD: 11,9 % waren dafür. Aber 61,5 % stimmten trotzdem für ein „Bündnis beider Parteien, das die Zusammenarbeit sichert und den Bruderkampf ausschließt." Die Führung der KPD um Walter Ulbricht bezeichnete diese Urabstimmung gegen den Führungsanspruch der Kommunisten als Konterrevolution. Die Spaltung der deutschen Arbeiterbewegung nahm erneut Konturen an. In diesen Tagen entstand in der West-Berliner Sozialdemokratie ein antikommunistischer Widerstandskonsens, der besonders bei den älteren Parteimitgliedern bis zum heutigen Tage vorherrscht.[12]

Die Bevölkerung West-Berlins befindet sich seit 1945 in einem permanenten Ausnahmezustand. West-Berlin war schon immer leicht unter Druck zu setzen. Am bekanntesten ist nach wie vor die Blockade der Land- und Wasserwege mit den drei Westzonen in der Zeit zwischen dem 24. Juni 1948 und dem 12. Mai 1949 (vgl. S. 296–299). Nachdem die drei Westalliierten die separate Währungsreform zuerst am 20. Juni 1948 in ihren drei Zonen durchgeführt und am 24. Juni dann auf die drei westlichen Sektoren Berlins ausgedehnt hatten, versuchte Stalin durch die Sperrung der Transitwege zwischen den Westzonen und West-Berlin zu Wasser und Land, seine Deutschlandpolitik mit Gewalt durchzusetzen. Um die Versorgung der Bevölkerung sicherzustellen, richteten die drei Westmächte eine Luftbrücke ein, über die täglich 6000 t Güter eingeflogen wurden. Die beherrschende Figur während der Blockade-Periode war der SPD-Oberbürgermeister Ernst Reuter. Er stammte selbst noch aus der alten KPD und agierte jetzt im sozialrevolutionären Jargon der 20er Jahre gegen die „sowjetischen Imperialisten" und ihre „deutschen Lakaien". Zahlreiche Kommunisten in den West-Berliner Arbeiterbezirken verließen erst jetzt ihre alte Partei und traten zu den Sozialdemokraten über. Besonders einige alte Genossen aus dem „roten Wedding" machten schon bald auf dem rechten Flügel der SPD eine steile Parteikarriere. Der langjährige DGB-Vorsitzende von West-Berlin, Walter Sickert, und der unfreiwillige Stadtbildzerstörer, der SPD-Bausenator Rolf Schwedler, sollen hier nur beispielhaft genannt werden.

Die sowjetische Blockade führte in Berlin zu einer hohen Arbeitslosigkeit: Im Juni 1949 betrug sie in den drei westlichen Sektoren 18,9 %, im Oktober 1949 26,4 % und im Februar 1950 schließlich 31 %. Bereits während der Berlin-Blockade verließen die Aufsichtsräte der großen Unternehmen Berlin. Nach dem Chruschtschow-Ultimatum 1958 folgten dann die Vorstände und nach dem Mauerbau 1961 schließlich – bis auf ganz wenige Ausnahmen – die Forschungseinrichtungen (vgl. S. 338 ff.).

Bei den ersten Wahlen zur Stadtverordnetenversammlung am 5. Dezember 1948 erhielt die SPD 64,5 %, die CDU

19,4 % und die LDP/FDP 16,1 % der abgegebenen gültigen Stimmen. Nicht zuletzt aufgrund der Massenarbeitslosigkeit verlor die Partei Ernst Reuters bei der zweiten Wahl zum Abgeordnetenhaus am 3. September 1950 rund 20 % der Stimmen. Sie erhielt damals nur noch 44,7 % der abgegebenen Stimmen. Die Union erreichte 24,6 % und die FDP 23 %. Ein Vergleich der Wahlergebnisse von 1948 und 1950 zeigt, wie schnell sich das politische Klima in Berlin angesichts einer Massenarbeitslosigkeit verändern kann.

Die erbitterte Auseinandersetzung zwischen der „Sowjetischen Militäradministration" und der Sozialdemokratie überlagerte schon bald die schwachen Ansätze eines gesellschaftspolitischen Neubeginns. Durch die völlige Wiedereingliederung West-Berlins in die Rechtsordnung der Bundesrepublik wurden Anfang der 50er Jahre folgende Reformvorhaben storniert oder zurückgenommen:

Die Abschaffung des Berufsbeamtentums;

Die Einrichtung einer einheitlichen „Versicherungsanstalt Berlin", in der alle Kranken-, Unfall- und Rentenversicherungen bereits am 14. Juli 1945 zusammengefaßt worden waren. Damit war bei Kriegsende an die Stelle der 122 Krankenkassen, 30 Unfallversicherungsanstalten und vier Rentenversicherungsanstalten ein neues Einheitssystem getreten.

Die Einführung einer gemeinwirtschaftlichen Ordnung. Mit dem „Gesetz zur Überführung von Konzernen und sonstigen Unternehmungen in Gemeineigentum" hatten am 13. Februar 1947 die Abgeordneten der SPD, SED und CDU gegen die Stimmen der LPD/FDP die gesetzliche Grundlage für die Errichtung eines gemeinwirtschaftlichen Sektors geschaffen. Im Sommer 1947 wiesen die drei westlichen Vertreter in der „Alliierten Kommandantur" den Gesetzesentwurf mit der Auflage einer Präzisierung der Art und Weise sowie des Umfangs der gedachten Überführung in Gemeineigentum an die Stadtverordneten zurück.

Aufgrund der verhängnisvollen Rolle der Unternehmerverbände in der Weimarer Republik hatten die Sozialdemokraten nach 1945 die Einrichtung einer zentralen Wirtschaftskammer gefordert: „Die Fachgemeinschaften in Industrie, Handel und Handwerk, in denen auch die Belegschaften durch die Gewerkschaften vertreten sind, finden ihre Zusammenfassung in einer einheitlichen Wirtschaftskammer. Diese wird ordnende Aufgaben der Selbstverwaltung unter demokratischer Kontrolle und lenkende Aufgaben der Wirtschaftsplanung unter gemeinwirtschaftlichen Gesichtspunkten durchzuführen haben". Dieses Gesetzesvorhaben scheiterte genauso wie das Gesetz über die Sozialisierung von Konzernen am Einspruch der drei westlichen Stadtkommandanten.

Die bereits 1848 erstmalig erhobene Forderung nach einer einheitlichen Schule des Volkes sollte endlich erfüllt werden. Ursprünglich schlug der Magistrat eine zwölfjährige Einheitsschule vor, bestehend aus einer sechsjährigen Grundschule und einem anschließenden dreijährigen praktischen Zweig sowie dreijähriger Berufsschule bzw. einem anschließenden sechsjährigen wissenschaftlichen Zweig. Angestrebt war eine Gemeinschaftserziehung von Jungen und Mädchen sowie die Schulgeld- und Lernmittelfreiheit. Der Religionsunterricht sollte außerhalb des ordentlichen Schulunterrichtes abgehalten werden. Die Union kritisierte an dieser Vorlage besonders die Trennung von Kirche und Schule. Der LDP/FDP paßte zunächst die gesamte Richtung nicht. In den diversen Ausschußberatungen wurde die Magistratsvorlage ständig abgeschwächt und verwässert. Trotzdem blieb noch der Entwurf einer achtjährigen Grundschule und das Verbot jeglicher Privatschulen in der Vorlage des Ausschusses übrig. Das Schulgesetz wurde schließlich am 13. November 1947 gegen die Stimmen der Union angenommen. Die LPD/FDP hatte sich im letzten Augenblick auf den fahrenden Zug geschwungen. Trotz des Beginns des Kalten Krieges stimmten die vier Alliierten am 19. Mai 1948 dem Schulgesetz zu. Die bürgerlichen Parteien polemisierten aber auch in den folgenden Jahren heftig gegen die sogenannte „Rote Einheitsschule" und erzwangen Anfang der 50er Jahre die Einführung der sechsjährigen Grundschule sowie die Abkehr von der Einheitsschule.[13]

Diese fast vollständige Revision des ge-sellschaftlichen Neubeginns durch die Anpassung an die Verhältnisse in der Bundesrepublik sollte die Hoffnung auf einen dritten Weg Berlins zwischen Ost und West endgültig zerstören. Denn trotz Blockade und Propagandakrieg von beiden Seiten konnte man in Berlin nach 1945 – wenn man nur genau hinhörte – auch ganz andere Töne hören: „Mir scheint für Deutschland die große Aufgabe gegeben, im Ringen der europäischen Nationen die Synthese zwischen östlichen und westlichen Ideen zu finden. Wir haben Brücke zu sein zwischen Ost und West, zugleich aber suchen wir unseren eigenen Weg zu gehen zu neuer sozialer Gestaltung."[14]

So der damalige erste Vorsitzende der CDU in der „Sowjetischen Besatzungszone", Jakob Kaiser, am 13. Februar 1946 vor dem Berliner Zentralvorstand der Union. Da sich die alte bürgerliche Gesellschaftsordnung überlebt habe, forderte Kaiser in Berlin einen „Sozialismus aus christlicher Verantwortung". Er warnte ausdrücklich vor jeder Art Antisowjetismus: „In Berlin, wo Ost- und Westeuropa im großen geschichtlichen Treffen der Nationen aufeinanderstoßen", komme „diese Zeitwende vom bürgerlichen Zeitalter zum Zeitalter des werktätigen Volkes unter dem Erlebnis der Begegnung mit dem vom Willen des werktätigen Volkes geformten Rußland" stärker ins Bewußtsein als dies nach dem verlorenen Zweiten Weltkrieg in anderen Teilen Deutschlands wohl der Fall gewesen sei. Die liberal-konservative Führungsgruppe in der westdeutschen CDU um Konrad Adenauer reagierte auf solche Argumente allergisch. Für einen „christlichen Sozialismus" oder einen Neutralismus à la Kaiser sei in der CDU kein Platz. In der zunehmenden Vereisung des politischen Klimas im Kalten Krieg wurden Politiker aus der Tradition der christlichen Gewerkschaften wie Jakob Kaiser oder Karl Arnold schon bald in die Defensive gedrängt.

Die Berlin Partei

Die SPD-Führung um Kurt Schumacher hielt zwar – trotz der Niederlage der SPD bei der ersten Bundestagswahl am 14. August 1949 – an der Einheit der Nation und der Konzeption der „Wirtschaftsdemokratie" fest, der Senatsflügel in der Berliner Sozialdemokratie vertrat aber schon längst das Konzept einer Westintegration mit allen Konsequenzen für die Innenpolitik der Stadt. Ernst Reuter hatte die absolute Mehrheit, die die Berliner SPD bei der Wahl 1948 mit 64,5 % der Stimmen gewonnen hatte, nie als Mandat für eine sozialdemokratische Stadtpolitik verstanden. Statt dessen forderte er von der Kleinen Koalition aus CDU/CSU, FDP und DP in Bonn unter Konrad Adenauer eine kräftige Finanzhilfe für einen schnellen Wiederaufbau der West-Berliner Wirtschaft: „Aber ich glaube, es ist das gute Recht der Berliner zu sagen, wir wollen auf der gleichen sozialen Ebene leben wie unsere Brüder im Westen ... und wir haben durch die Hilfestellung, die wir für den Westen hier geleistet haben, auch zu einem gewissen Grade einen Anspruch darauf."[15]

So Reuter während einer Etatdebatte in der Stadtverordnetenversammlung 1948. Sein politisches Kalkül war, Berlin durch eine massive Wirtschaftshilfe zu einem weithin leuchtenden Schaufenster des Westens auszubauen. Auf dem Landesparteitag der SPD 1948 sprach er davon, daß Berlin „die Insel, das Schaufenster der Freiheit" in der „Sowjetischen Besatzungszone" sei und daß daher „die Pläne der Sowjetmacht, die Ostzone endgültig sanieren zu können, unmöglich sind, solange diese Stadt hält". Mit dem Mauerbau am 13. August 1961 fand diese Politik schließlich ihr Ende.

Bei der dritten Wahl zum Abgeordnetenhaus am 5. Dezember 1954 stabilisierte sich zunächst das Wahlergebnis der beiden großen Parteien: Die SPD erreichte mit 684 906 Stimmen 44,6 %, und die Union erreichte mit 467 117 30,4 % der abgegebenen Stimmen. Die FDP verlor dagegen rund die Hälfte ihrer Stimmen und erzielte mit 197 204 Stimmen nur noch 12,7 %. Erst bei der vierten Wahl zum West-Berliner Abgeordnetenhaus am 7. Dezember 1958 erreichte die SPD mit 850 127 Stimmen und 52,6 % wieder die absolute Mehrheit. Die CDU erzielte mit 609 097 Stimmen immerhin 37,7 %, während die FDP mit 3,8 % an der 5-%-Klausel scheiterte. Und nur eineinhalb Jahre nach dem Bau der Mauer erreichte die Berliner Sozialdemokratie bei der fünften Wahl zum Abgeordnetenhaus mit 962 197 Stimmen und 61,9 % die absolu-

te Traumgrenze. Die Union kam nur noch auf 448 459 Stimmen (28,9 %), und die Liberalen übersprangen mit 7,9 % wieder die 5-%-Hürde. Was war geschehen?

Fraktionalismus
Die CDU/CSU unter Konrad Adenauer hatte in den 50er Jahren die Westorientierung, Wiederbewaffnung und Rekonstruktion des Kapitalismus forciert. Angesichts dieser Politik wurde die SPD immer stärker zur „Berlin-Partei". Andererseits taumelten die Sozialdemokraten in Westdeutschland trotz des starken Widerwillens in weiten Teilen der Bevölkerung gegen die Wiederaufrüstung 1953 und 1957 bei den Bundestagswahlen in ein nicht enden wollendes Fiasko. Nachdem die Union im September 1957 mit 50,2 % bundesweit die absolute Mehrheit der Stimmen erreicht hatte, begaben sich die jungen Reformtechnokraten um Willy Brandt auf den „langen Marsch" nach Godesberg. Nach der Wahl Brandts zum Regierenden Bürgermeister von Berlin im Oktober 1957 organisierten Klaus Schütz, Kurt Mattick, Joachim Lipschitz, Egon Erwin Müller und Kurt Neubauer in der Berliner Partei eine Kampagne mit dem Ziel, Franz Neumann als Landesvorsitzenden abzuwählen und an seiner Stelle Willy Brandt durchzusetzen. Auf dem 14. Landesparteitag der SPD am 12. Januar 1958 wurde schließlich Brandt mit 163 Stimmen gegen Neumann, der nur 124 Stimmen erhalten hatte, bei sechs Enthaltungen als neuer Landesvorsitzender gewählt.

Neumann verkörperte den für die Weimarer Spätzeit der Berliner Sozialdemokratie bzw. die unmittelbare Nachkriegszeit charakteristischen Typus des hauptamtlichen Parteifunktionärs. Von Haus aus Metallarbeiter, hatte er 1928 nach einem mehrjährigen Besuch des „Sozialpolitischen Seminars" für hochbegabte Arbeiter an der „Deutschen Hochschule für Politik" sein Examen als Jugendfürsorger abgelegt. Danach zählte er zu den Mitbegründern der sozialdemokratischen Jugendferienlager und der Werkheime für junge Arbeitslose. Nach 1933 stand er dauernd unter Polizeiaufsicht, erlitt Zuchthaus- und KZ-Haft, ansonsten arbeitete er wieder in der Metallindustrie. Ab Frühjahr 1945 erneut hauptamtlicher Parteifunk-

tionär, zunächst als Bezirksvorsitzender der SPD in Berlin-Reinickendorf. Die Partei war für ihn letztlich eine Lebensgemeinschaft, die auch den Einzelnen sozial – möglichst im öffentlichen Dienst – abzusichern hatte. Aus dieser Mentalität heraus entwickelte sich – übrigens nicht nur in der Sozialdemokratie, sondern auch in der christlichen Arbeiterbewegung – eine klassenspezifische Form des sozialen Filzes und des doktrinären Denkens in staatsfixierten Denkkategorien.

Durch die gezielte Verdrängungspolitik gegenüber solchen reformistischen Funktionären aus der Weimarer Republik zerbrach in der Berliner SPD zunächst die Solidarität zwischen den Generationen. Langfristig schuf die Ablösung dieses Funktionärstypus mit die Voraussetzung für eine Transformation der Berliner Sozialdemokratie in eine „Partei des öffentlichen Dienstes".[16] Der Unterschied zur unmittelbaren Nachkriegszeit bestand – sozialstrukturell gesehen – darin, daß nun überwiegend Beamte und Angestellte an Stelle aufgestiegener Facharbeiter den Ton in der Berliner SPD angaben. Ihr Anteil in der Mitgliedschaft verringerte sich ständig, während der Anteil der Angestellten und Beamten im Vergleich zur Wählerschaft der Partei ständig zunahm. Eine Tendenz, die freilich bereits in den 20er Jahren begonnen hatte. Diese Entwicklung wurde nach 1945 noch durch die Abwanderung der deutschen Industrie aus Berlin verstärkt.

Darüber hinaus entstand in der stark personalistisch geführten Kontroverse um Franz Neumann oder Willy Brandt der für die Berliner Partei in den 60er und 70er Jahren typische organisierte Fraktionalismus. Laut Hans-Jürgen Heß wurden im Winter 1957/58 die Parteitagsdelegierten von Klaus Schütz und Kurt Neubauer „karteikartenmäßig" erfaßt und in Einzelgesprächen bearbeitet. Nach diesem Modell verläuft die Fraktionsarbeit bis zum heutigen Tage.

Als Willy Brandt 1966 zum Außenminister der „Großen Koalition" in Bonn ernannt wurde, hatte die SPD in Berlin noch 61,8 % der Stimmen. Bei den folgenden drei Wahlen verlor die Berliner Partei dann unter ihrem Spitzenkandidaten Heinrich Albertz und Klaus Schütz jeweils rund 5 % der Stimmen.

Eine Partei zerstört ihre eigene Geschichte

*310–315 Lindenstraße 3, Berlin SW,
seit dem 13. September 1914 Sitz der
Redaktion, Anzeigenannahme, Expe-
dition, Druckerei und Sortimentsbuch-
handlung des „Vorwärts"-Verlages (l.).
Der Geschäftsführer der „Vorwärts"-
Buchdruckerei und der „Verlagsanstalt
Paul Singer & Co", Richard Fischer,
hatte bereits seit 1912 versucht, den von
Kurt Berndt (1863–1925) erbauten
Geschäfts- und Fabrikkomplex in unmittelbarer Nähe des Halleschen Tores
am Belle-Alliance-Platz zu erwerben.
Als der „Vorwärts"-Verlag am
13. September 1914 in der Lindenstraße 3 seine Produktion aufnahm, hatte
die I. und II. deutsche Armee gerade
die „Marneschlacht" verloren. Seit
dem 9. September befand sich die gesamte deutsche Front auf dem Rückzug. So veröffentlichte die „Vorwärts"-
Beilage des „Berliner Volksblatts" am
13. September 1914 – statt eines
Erinnerungsblattes anläßlich der Inbetriebnahme des Lindenhauses – eine
lange „Verlustliste".
Alle periodischen Druckschriften der
SPD, wie die ab 1906 erscheinende
Partei-Korrespondenz und die Partei-
tagsprotokolle, kamen ausschließlich
im „Vorwärts"-Verlag heraus. Dort erschienen u. a. auch der „Arbeiter-No-
tiz-Kalender", die „Sozialdemokrati-*

sche Agitationsbibliothek", die „Arbei-
ter-Gesundheits-Bibliothek" und die
„Sozialdemokratische Frauenbiblio-
thek". Auch die Schriften von Marx,
Engels, Lassalle, Bebel u. a. wurden
hier bis 1921 in billigen Ausgaben immer wieder neu aufgelegt.

Vom 5. bis zum 13. Januar 1919 verschanzten sich utopisch radikale Spartakisten in der Druckerei des „Vorwärts" (vgl. Bd. 1, Seite 304 ff.). Die
leicht zerstörte Fassade des Lindenhauses wurde – im Gegensatz zur
Nachkriegsperiode nach 1945 – sofort
wiederhergestellt (r. o.). Über den
sinnlos-verzweifelten Januarputsch
schrieb der linke Historiograph der
Weimarer Republik, Arthur Rosenberg:
„Schon am Abend des 6. Januar war
der klägliche Mißerfolg der mit so viel
Leidenschaft eingeleiteten revolutionären Aktion offenkundig. Rosa Luxemburg durchschaute die Sinnlosigkeit des
Unternehmens. Der Spartakusbund
hatte die Aktion nicht eingeleitet, die im
Interesse des (gerade erst abgesetzten
Polizeipräsidenten von Berlin und)
USPD-Mannes (Emil) Eichhorn begonnen hatte. Aber wenn die USPD
und die (revolutionären) Obleute vor-
wärtsgingen, konnten die Kommunisten nicht zurückbleiben. Als die anderen Instanzen abfielen, hielten (Karl)
Liebknecht und Rosa Luxemburg es für
ihre Pflicht, bei den kämpfenden Arbeitern auszuhalten. Sie haben beide
ihr Leben für eine Aktion geopfert, deren Zwecklosigkeit ihnen klar war."

Das „Vorwärts"-Gebäude im Jahre
1932 (S. 354 u.). Unter einem
Transparent „Für Freiheit! Gegen Frei-
herren!" drängen sich Passanten vor
der ausgehängten neuesten Ausgabe
des „Vorwärts". Vor dem rechten
Durchgang stehen uniformierte Mitglieder des „Reichsbanners Schwarz
Rot Gold" Wache. Trotz der beschwö-
renden Aufrufe des SPD-Parteivorstandes, Ruhe und Disziplin zu wahren,
herrschte in der Zeit vor und nach dem
„Preußenschlag" in den Reihen des
„Reichsbanners" eine starke Erregung. Trotz des Staatsstreichs der
Reichsregierung unter Franz von Pa-
pen gegen die gewählte preußische Regierung, war das sozialdemokratische
Widerstandspotential damals noch keineswegs erschöpft. Doch der Parteivor-
stand hielt an der bisherigen Stillhalte-

Straßenkämpfe in Berlin.
Das zerstörte Gebäude des „Vorwärts"

politik fest und gab sich letztlich selber
auf. Die nach London emigrierte Kriti-
kerin dieses Legalitätskurses, Evelyn
Anderson, schrieb noch 1945: „In allen
deutschen Städten standen Formationen des Reichsbanners und der Eisernen Front, putzten Gewehre und warte-
ten auf den Befehl zur Tat." Aber niemand hatte den Mut, das befreiende Signal zur Verteidigung der Republik zu
geben. Die Basis wartete auf die Führung statt selbst aktiv zu werden, und
die Spitze fürchtete sich vor dem Bürgerkrieg. Julius Leber, der eher auf
dem rechten Flügel der Partei angesiedelt war, kam 1933 in GESTAPO-
Haft in seiner Bestandsaufnahme über
die Todesursachen der deutschen Sozialdemokratie u. a. zu folgender Einschätzung: „Die deutsche Sozialdemokratie als Tatsache, als Organisation,
ist tot. Ob sie es auch als Glaube und
Erziehung deutscher Arbeiter ist, mag

die Zukunft entscheiden. Als Idee lebt
sie schon lange nicht mehr. Die Sozialdemokratische Partei war zur Zeit der
Machtübernahme im Jahre 1918 innerlich schon alt. Das war ein großes Verhängnis."

Das „Vorwärts"-Gebäude im Jahre
1962 (S. 355, r. u.). Zwar war das Lin-
denhaus im Zweiten Weltkrieg durch
Bomben getroffen worden und ausge-
brannt; die Fassade war jedoch auch
noch Anfang der 60er Jahre so gut erhalten, daß ein Wiederaufbau der Ruine durchaus möglich gewesen wäre.

Der Abriß des „Vorwärts"-Gebäudes in
der Lindenstraße 3 im Jahre 1962 (Von
rechts nach links: Fritz Heine, Geschäftsführer des SPD-Presseverbunds
„Konzentration" GmbH, Bad Godesberg; Alfred Nau, SPD-Schatzmeister,
und Erich Ollenhauer, SPD-Parteivor-
sitzender). Die Berliner Arbeiterbewegung erwies sich immer wieder als un-
mündige Erbin der historisch gewachsenen Stadt. Man erinnere sich: In der
ehemaligen Reichshauptstadt wurde
1950/51 die Ruine des Stadtschlosses
gesprengt bzw. abgetragen, 1962 besei-
tigten die Berliner Kommunisten die
weitgehend ausgebrannte, ansonsten
aber gut erhaltene Bauakademie von
Karl Friedrich Schinkel. Und die Berliner Sozialdemokraten zerstörten in
den 60er Jahren den barocken Mehringplatz. Ausgangspunkt dieser Kahlschlagsanierung der Südlichen Friedrichstadt war der Ideenwettbewerb
„Hauptstadt Berlin" von 1958. Dieser
wiederum war – so der Stadthistoriker
Dieter Hoffmann-Axthelm – ein „Kind
des Kalten Krieges". Nach dem Flächennutzungsplan lag die Lindenstraße
im Schatten einer geplanten Stadtautobahn. Diesem Planungsvorhaben
wurde auch das „Vorwärts"-Gebäude
geopfert. Der barocke Platz wich einer
Fassadenanlage. Die historische Straßenführung der Lindenstraße und der
Wilhelmstraße wurde abgeleitet. Die
‚Schlachtung' des historischen Platzes
haben Hans Scharoun und Werner
Düttmann zu verantworten. Wenn man
sich heute die Abriß- und Wiederauf-
baupolitik in beiden Teilen Berlins an-
schaut, hat man den Eindruck, daß die
beiden Hauptströmungen in der Berliner Arbeiterbewegung nach 1945 beim
Wiederaufbau schlichtweg überfordert
gewesen sind.

Im Jahre 1971 erreichte sie nur noch 50,4 %, und 1975 fiel sie sogar auf 42,6 % und wurde zum ersten Male in der Nachkriegsgeschichte von der Berliner CDU mit 43,9 % überholt. Der Machtzerfall der „Partei des öffentlichen Dienstes" hatte begonnen. Neben den bereits genannten Gründen gab es dafür noch eine weitere Reihe von Ursachen. Nachdem Willy Brandt im Oktober 1957 zum Regierenden Bürgermeister gewählt worden war, regierten im Rathaus Schöneberg – ausgenommen Hans-Jochen Vogel und Dietrich Stobbe – nur noch Außenpolitiker. Willy Brandt, Heinrich Albertz und Klaus Schütz interessierten sich herzlich wenig für die traditionelle Kommunalpolitik (vgl. S. 358 ff.). Und letztlich führte das von rechten und linken Gruppierungen praktizierte Blockwahlverfahren seit Ende der 50er Jahre in der Berliner Partei zu einer Spaltung in eine Senats- und Parteifraktion. Dieser Fraktionalismus ging schließlich einher mit einer inhaltslosen Ämterpatronage. Während Anfang der 30er Jahre die Spaltung der Berliner Arbeiterbewegung in Sozialdemokraten und Kommunisten als blutige Tragödie endete, wiederholte sich diese Spaltung in den 60er und 70er Jahren innerhalb der Berliner SPD als eine Farce, die letztlich zum Machtzerfall führte.

Die Revolte

„Wir kämpfen nicht nur um das Recht, längere Zeit zu studieren und unsere Meinung stärker äußern zu können. Das ist nur die halbe Sache. Es geht uns vielmehr darum, daß Entscheidungen, die die Studenten betreffen, demokratisch nur unter Mitwirkung der Studenten getroffen werden.

Was hier in Berlin vor sich geht, ist ebenso wie in der Gesellschaft ein Konflikt, dessen Zentralgegenstand weder längeres Studium noch mehr Urlaub ist, sondern der Abbau oligarchischer Herrschaft und die Verwirklichung demokratischer Freiheit in allen gesellschaftlichen Bereichen ... Es gilt, die Freiheit der Universität als Problem zu sehen, das über den Rahmen der Universität hinausweist. Aus diesem Grunde sieht die Studentenschaft die Notwendigkeit, mit allen demokratischen Organisationen der Gesellschaft zusammenzuarbeiten, um ihre Forderun-

gen durchzusetzen." (Mehr als 3000 FU-Studenten verabschiedeten diese Resolution in der Nacht vom 22. zum 23. Juni 1966 im Verlaufe des ersten sit-ins in der Bundesrepublik. Ursprünglich hatte es geheißen: „... die Notwendigkeit, mit den Gewerkschaften zusammenzuarbeiten." Der SDS verzichtete jedoch auf diese Formulierung, um die Aktionseinheit mit den Burschenschaften gegen die Einführung der befristeten Immatrikulation an der Juristischen und Medizinischen Fakultät der FU nicht zu gefährden.)

Am 15. April 1958 veranstalteten der SDS-Landesverband Berlin, die Jungsozialisten und die Falken einen Schweigemarsch auf dem Kurfürstendamm gegen die geplante atomare Bewaffnung der Bundeswehr. Am folgenden Tage schrieb die Springerpresse: „5000 Berliner marschieren für Moskau" und „Ihr marschiert für Moskau – und wißt es nicht". Nicht zuletzt als Reaktion auf diese veröffentlichte Intoleranz planten die autonomen „Studentischen Aktionsausschüsse gegen Atomrüstung" in der Freien Universität Berlin einen „Studentenkongreß gegen Atomrüstung". Mitten in diese Vorbereitungen platzte am 27. November 1958 das Berlin-Ultimatum Chruschtschows. Anfang Januar 1959 fand dann in der FU der Studentenkongreß statt, an dem 318 Vertreter von 20 westdeutschen und westberliner studentischen Aktionsausschüssen und mehr als 200 deutsche und ausländische Gäste teilnahmen. Die Delegierten nahmen mit Zwei-Drittel-Mehrheit – gegen den ausdrücklichen Protest des SPD-Wehrexperten Helmut Schmidt – folgende Resolution an: „Die weltpolitische Lage wird in Kürze die beiden Teile Deutschlands zwingen, miteinander zu verhandeln. Damit solche Verhandlungen möglich werden, ist es nötig, daß Formeln wie ‚Mit Pankow wird nicht verhandelt' aus der politischen Argumentation verschwinden. Das Ziel notwendiger Verhandlungen, die bisher stets von der Bundesregierung ungeprüft zurückgewiesen wurden, muß sein:
1. die Umrisse eines Friedensvertrages zu entwickeln,
2. die möglichen Formen einer interimistischen Konföderation zu prüfen."[17]
Auf diese Resolution reagierte die west-

berliner Presse hysterisch: „Genosse Ulbricht kann sich ins Fäustchen lachen" und „Totengräber unserer Freiheit". Darüber hinaus markierte dieser Studentenkongreß aber auch genau die Bruchstelle zwischen der SPD auf ihrem „langen Marsch" zur Staatspartei und einer Intelligenz, die immer offener gegen den Mief der Adenauer-Jahre rebellierte. Die wichtigsten Schritte in diesem Entfremdungsprozeß waren: der Beschluß des SPD-Parteivorstandes vom 6. November 1961 über die Unvereinbarkeit der Mitgliedschaft in der SPD und dem SDS; die Bereitschaft der SPD, im Mai 1965 einer Grundgesetzänderung zum „Notstandsrecht" zuzustimmen und last not least die fast bedingungslose Zustimmung der Berliner Sozialdemokratie zur amerikanischen Kriegsführung in Vietnam.

Die antiautoritäre Studentenrevolte der 60er Jahre war im Gegensatz zur Jugendbewegung eine bewußt politische Kulturrevolution der akademischen Jugend gegen die verlogene Moral der deutschen Bourgeoisie nach Hitler. Zwar war auch der „Wandervogel" um die Jahrhundertwende und die „Bündische Jugend" in der Weimarer Republik Ausdruck eines Generationskonflikts mit gesellschaftspolitischen Konsequenzen gewesen, es hatte sich jedoch damals um eine dezidiert unpolitische Revolte eines Teils der bürgerlichen Jugend gegen die Welt der Erwachsenen, gegen wilhelminischen Mief und Kadavergehorsam gehandelt. Der Jugendmythos der „Bünde" in den 20er Jahren enthielt sowohl lebensreformerische und reformpädagogische Aspekte als auch kulturkritische und antirepublikanische Elemente.

Spätestens nach der Erschießung des FU-Studenten Benno Ohnesorg am 2. Juni 1967 zerbrachen die letzten Reste von Solidarität zwischen der Berliner SPD und der immer stärker werdenden intellektuellen Szene. Hier sei nur an den Ausspruch des Regierenden Bürgermeisters Klaus Schütz am 21. Februar 1968 erinnert: „Ihr müßt diesen Typen nur ins Gesicht sehen".[18] Am 11. April 1968 schoß dann der 23jährige Hilfsarbeiter Josef Bachmann Rudi Dutschke mit drei Schüssen nieder. In einem unmittelbar darauf herausgegebenen Flugblatt stellte der Berliner SDS damals fest: „Ungeachtet der Frage, ob

Rudi das Opfer einer politischen Verschwörung wurde: Man kann jetzt schon sagen, daß dieses Verbrechen nur die Konsequenz systematischer Hetze ist, welche Springer-Konzern und Senat in zunehmendem Maße gegen die demokratischen Kräfte in dieser Stadt betrieben haben ...“[19]

Die nächsten Jahre waren von Feindschaft erfüllt: Straßenschlachten, Berufsverbote, politische Sprachlosigkeit und ein zunehmender Terror von links charakterisierten diese Periode der Berliner Innenpolitik. Erst zehn Jahre später, 1977, angesichts der Ermordung des Generalbundesanwalts Siegfried Buback, begann wieder ein vorsichtiger Dialog zwischen etablierten Sozialdemokraten und Mitgliedern der alternativen Berliner Szene. Dieser Dialog kam nicht zuletzt deshalb zustande, weil sich im Herbst 1977 der damalige sozialdemokratische Hochschulsenator Peter Glotz weigerte, dienstrechtlich gegen jene 13 Berliner Hochschullehrer vorzugehen, die zusammen mit 31 westdeutschen Kollegen den sogenannten „Buback-Nachruf“ der „Göttinger Mescaleros“ in einer Dokumentation unkommentiert nachgedruckt hatten. Im nachhinein fällt jedoch auf, daß sich an dieser Diskussion zunächst nur sehr wenige Westberliner Sozialdemokraten beteiligt haben. Die Mehrheit der einheimischen SPD-Kader reagierte auf die Aufforderung zum „Dialog“ unwillig oder höhnisch.

Auf dünnem Eis

„auf die plätze – fertig – arbeitslos“
(Graffito an einer Hauswand in der
Gardes-du-Corps-Straße in Berlin-
Charlottenburg)

Nachdem sich die Ära Schütz aufgrund der Affären „Steglitzer Kreisel“, „KPM-Ausschuß“ und „Kurt Neubauer“ – der langjährige Berliner Innensenator hatte es versäumt, seine Bezüge als Aufsichtsratsmitglied der Berliner Bank entsprechend den Bestimmungen des Berliner Senatorengesetzes an die Staatskasse abzuführen – ihrem Ende zuneigte, wurde der SPD-Bundessenator Dietrich Stobbe vom Landesparteitag am 1. Mai 1977 als Kandidat für das Amt des Regierenden Bürgermeisters nominiert. Am folgenden Tag wählte das Berliner Abgeordnetenhaus den neuen Regierenden Bürgermeister mit

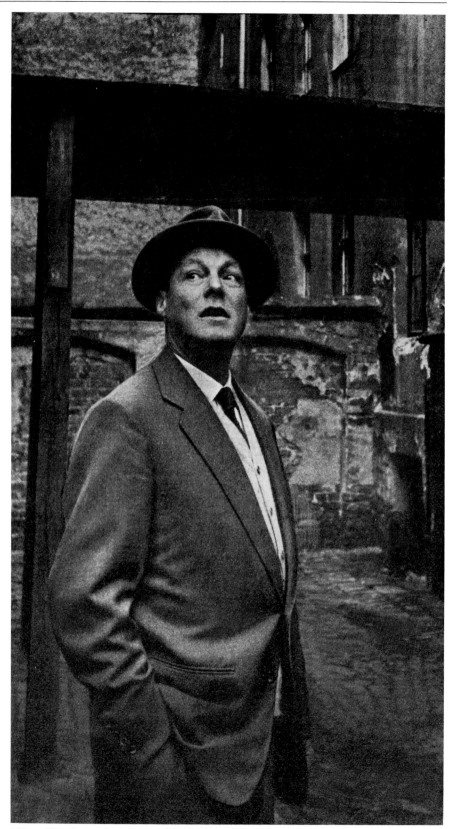

316 *„Hier ist noch viel zu tun! Willy Brandt besichtigt das Elend der Mietskasernen in seinem Wahlbezirk“. Text und Bild sind der vom SPD-Landesverband Berlin herausgegebenen Zeitschrift „Illus“ entnommen, die im Oktober 1957 den Nachfolger Otto Suhrs als Regierender Bürgermeister vorstellte.*

76 gegen 68 Stimmen bei drei Enthaltungen. Aus dem Koalitionslager fehlten Stobbe mindestens zwei Stimmen. Sein damaliger persönlicher Referat, Karl-Heinz Gehm, schätzte die Ausgangsposition für den Stobbe-Senat später folgendermaßen ein: „Die Stimmungslage der rund 38 000 SPD-Genossen war in jenen Krisenmonaten deckungsgleich mit den bescheidenen Ergebnissen, die von der Demoskopie zutage gefördert waren: Die langjährige Regierungspartei SPD war außer Tritt geraten, der Mitgliedschaft fehlte die Motivation. Zudem hatte die Stobbe-Nominierung das traditionelle innerparteiliche Gefüge der Berliner Sozialdemokraten gesprengt; die Basis der neuen innerparteilichen Koalition war schmal, ob sie von Dauer sein würde, war zweifelhaft. Der neue Anfang bewegte sich auf einem dünnen Eis, und die Berliner SPD schwankte nach dem Debakel im Frühjahr 1977 zwischen der Sehnsucht nach der Opposition und dem Wunsch nach einer Stabilisierung in der Regierungsverantwortung.“[20]

Bei der Abgeordnetenhauswahl am 18. März 1979 verteidigte die Berliner SPD mit 42,7 % der Stimmen ihre Position noch einmal erstaunlich erfolgreich. Dieser letzte Wahlsieg der Berliner Partei erklärte sich hauptsächlich aus der Tatsache, daß die Sozialdemokraten sich seit dem Frühjahr 1978 faktisch ständig im Wahlkampf befunden hatten.

Aber bereits zwei Jahre später stolperte der sozialliberale Senat von Berlin erneut über einen Skandal. Als am 15. Januar 1981 der Regierende Bürgermeister Dietrich Stobbe über die Bürgschaftspleite (über 100 Mio. DM) des Baulöwen und Spekulanten Dietrich Garski (seit 1978 Mitglied der FDP) stürzte, ließ sich die innere Krise der Berliner Sozialdemokratie nicht länger verheimlichen. Seit damals regiert in West-Berlin die Union mit Hilfe der Liberalen. Bei der letzten Wahl zum Abgeordnetenhaus erreichte die SPD mit ihrem Spitzenkandidaten Hans Apel nur noch 32,4 % der Stimmen. Trotzdem ist Berlin nach wie vor strukturell eine sozialdemokratische Stadt. Und der CDU/FDP-Diepgen-Senat ist sozialdemokratischer als den Sozialdemokraten lieb sein kann. Der langjährige

Kulturexperte der sozialliberalen Koalition, der Ex-FDP-Mann und jetzige AL-Sympathisant Prof. Jürgen Kunze, formulierte diesen erstaunlichen Sachverhalt Anfang 1985 folgendermaßen: „Wer die bemitleidenswerte Randexistenz der Berliner CDU aus den 60er und auch noch aus den 70er Jahren in Erinnerung hat, muß den neuen Parteistrategen ein Meisterstück bescheinigen. Es gelingt ihnen, ihre konservative Politik in letztlich sozialdemokratische Fassaden einzukleiden. Das offen Bösartige an der alten CDU, borniertе Kulturbevormundung, gewerkschaftsfeindliches und sozialpolitisches Desinteresse zum Beispiel werden zurückgeschnitten oder versteckt. Die immer noch bornierte CDU-Basis steht unter Kuratel. Um nicht mißverstanden zu werden: Die CDU-Politik ist immer noch schlechter als die SPD-Politik. Wo sie meint, es sich leisten zu können – im Hochschul- oder im Rundfunkbereich zum Beispiel –, verfolgt die CDU mit skrupelloser Rücksichtslosigkeit reaktionäre Ziele.“[21]

Neben den bereits aufgeführten Ursachen für den Machtzerfall der SPD in Berlin bildet auch noch die „eingemauerte Identität“ der West-Berliner eine wichtige Erklärung für den Niedergang. Denn seit dem Abschluß der Ostverträge 1969/70 hat die eingemauerte Restmetropole ihre ursprüngliche ideologische Funktion im Kalten Krieg verloren. Die Berliner SPD – ständig mit sich selbst und dem Gerangel ihrer diversen innerparteilichen Gruppierungen beschäftigt – hat sich schon damals so gut wie keine Gedanken über die Zukunft dieser Stadt gemacht. Die Parole von Klaus Schütz und Dietrich Stobbe, daß Berlin eine Stadt wie jede andere sei, kann man angesichts der wirtschaftlichen und deutschlandpolitischen Situation sicher nicht als eine zukunftsträchtige Idee bezeichnen. Sie war schon 1977 falsch. Doch angesichts der 1985 im Jahresdurchschnitt 80 969 Arbeitslosen (10 %) im Juli, der 150 000 Sozialhilfeempfängern (denen nach Schätzungen des Berliner-DGB noch einmal eine Dunkelziffer von 150 000 hinzuzurechnen ist) und rund 400 000 Rentnern ist die Berliner Sozialdemokratie weiter gefordert. Solange sich die SPD in dieser Stadt jedoch in erster Li-

nie als die Interessenvertretung des öffentlichen Dienstes versteht und die Alternative Liste (AL) vorwiegend die Interessen der Lehrer und Sozialhelfer vertritt, wird sich an der Malaise der Linken in Berlin nur wenig ändern. Durch die Anfang 1986 bekanntgewordenen Bestechungs- und Betrugsfälle der beiden CDU-Baustadträte Antes und Herrmann wurde sichtbar, daß es die Berliner Union nach fünf Jahren geschafft hat, dem roten Filz, gegen den sie angetreten war, durch die Verquickung von Politik und organisiertem Wirtschaftsverbrechen eine neue Qualität zu geben. Gerade weil die CDU in Berlin kaum über eine gewachsene Tradition verfügt, konnte der Vorwurf erhoben werden, daß z. B. die Bordellbesitzer vom Kurfürstendamm und Umgebung in Charlottenburg den dortigen CDU-Kreisverband weitgehend umfunktioniert hätten. Versuchter Mord, Parteispendenaffären, Steuerhinterziehung, Brandstiftung, Versicherungsbetrug, Erpressung und Korruption sind so auch Teil der politischen Wendekultur geworden. Eine alternative Politik müßte sich u. a. mit folgenden Problemen befassen: West-Berlin ist heute bereits wieder eine kulturelle Metropole und konkurriert weltweit mit New York, Paris und London. Die SPD und die AL sollten endlich ihre Berührungsängste gegenüber der Kultur abbauen. Doch eine Weltstadt, die nicht mehr produziert, verliert schließlich ihre Identität und entwickelt eine kollektive Bettlermentalität. Es wird also alles davon abhängen, ob es der Linken gelingt, für den Produktionssektor in West-Berlin eine ökonomisch attraktive, ökologische und humane Konzeption zu entwickeln. Denn durch die jetzige Wirtschaftspolitik des christdemokratisch-liberalen Senats wurde längst das Wirtschaftswachstum vom Arbeitsmarkt abgekoppelt. Im Durchschnitt ist ein Arbeitsloser heute in West-Berlin schon 30 Wochen, statt – wie noch vor einem Jahr – 17 Wochen, arbeitslos. Angesichts dieser Konstellation sei noch einmal an die Wahlergebnisse von 1948 und 1950 erinnert. Der Vergleich zeigt, wie schnell sich das politische Klima auch in Diepgen-Stadt in einer Phase der Massenarbeitslosigkeit verändern kann.   *Tilman Fichter*

Stadtbaupolitische Wende

Ab Mitte der 70er Jahre verschieben sich in West-Berlin die traditionellen politischen Gewichte. Aber schon ein Jahrzehnt später scheint ein neues Gleichgewicht erreicht. Nach einer politischen Katharsis aus Finanzskandalen, Personalfilz und Hausbesetzungen erlebt die ehemals sozialdemokratische Musterstadt unter christdemokratischer Führung eine Renaissance ihres metropolitanen Rufs. Den Maßnahmen zur „Reparatur der Stadt" gelingt es – für welche Zeitspanne? – das Defizit an Stadtentwicklung auszugleichen. Ohne grundsätzliche politische Entscheidung zum „Fortschritt durch Rückbau" treffen zu wollen, wird versucht, die Dialektik von Zerstören und Bewahren außer Kraft zu setzen: Der Preis ist die Normalität West-Berlins (dazu gehört auch die Wiederkehr von Skandalen zwischen Filz und Geld).

Wichtigstes Medium bei der Restabilisierung des lädierten Selbstbewußtseins der Halb-Stadt war die Auseinandersetzung um ihre Architektur. Unter dem Motto von der „Reparatur der Stadt" feierte die Descartes'sche Metapher vom Bauen an der Identität eine ins Paradox gewendete Wiederauferstehung als politische Handlungsmaxime. Der vorwärtsschreitende cartesische „Wille zur Vernunft" verkehrt sich zu einem neuen „Willen zur Ästhetik": Unsere Stadt soll wieder schöner werden, heißt die populäre Formulierung für diese Tendenz zur Auflösung der alten, vom Ergebnis diskreditierten Formen städtischer Entwicklungsplanung. Die neue konservative Regierung West-Berlins ‚plant' nicht mehr, sondern ‚zeichnet'. Die neue Architektur der Halbstadt verfolgt nicht nur das wohlfahrtsstaatliche Versorgungsziel des „Wohnens in der Innenstadt".[1] Sie will nicht nur zeigen, daß der lange verrufene kollektive Wohnblock mit individuellen Wohnbedürfnissen in Einklang zu bringen ist, daß hohe Bebauungsdichten, die auf zentralen Großstadtarealen alleine wirtschaftlich vertretbar sind, nicht notwendigerweise zum Städtebau des Märkischen Viertels führen müssen, und daß hohe innerstädtische Wohnqualität nicht die Aufgabe historisch bewährter Baustrukturen unter dem Imperativ von Licht, Luft, Sonne und Grün bedeuten muß.

Der Architektur der Postmoderne geht es um mehr, als um diese angenehm nützlichen Trivialitäten. Sie möchte ihre Fähigkeit, die bloße ‚Zweckdienlichkeit' zu verlassen, wieder in den Vordergrund stellen. Architektur soll – als Kunst – die Wirklichkeit in ein Besseres transzendieren, das Leben in der Stadt fiktiv überhöhen und es szenisch hinterlegen.[2] Architektur und Städtebau der 80er Jahre wollen nicht mehr nur „Vollzugsbeamter der Epochenstimmung"[3] sein, sondern versuchen sich in der „Sinngebung des Sinnlosen".[4] Die Baukunst will der Weltstadt neue Bedeutung verleihen.

Die Frage aber ist, ob die neue Abstraktion vom Berliner genius loci in der die Stadt neu bebildernden Versammlung von geschichtsträchtigen Formen nicht gerade von deren fortwährender Bedeutungslosigkeit zeugt. Ob die neuen Zeichen der Geschichte, die vom Ort ihrer Entwicklung ebenso abstrahieren wie vom Ort ihrer jetzigen Wiederverwendung, nicht von neuerlichem Verlust an Geschichte künden – von einer künstlerischen Überkompensation des Entwicklungsdefizits. Ob sich die verdrängte Geschichte für ihre Verdrängung nicht gerade in der prekären Wiederkehr des mythischen Glaubens an die Form als Rettung aus dem Chaos rächt? Die Frage ist, ob sich in der Sucht nach esoterischer Aufgeregtheit in der neuen Fassadenkultur nicht die Überkompensation des Defizits an Identität zeigt.[5] Ob die konservative Politik, die Architektur als Ornament der Regierungskunst einzusetzen, nicht signalisiert, daß ihre Zuversicht geschwunden ist[6] und ob die neuen Proportionen und Symmetrien in der Baukunst nicht von deren Absenz in der ‚Gesellschaftskunst' zeugen.[7]

Damit scheint die von den Sozialdemokraten begonnene Suche nach Berlin in „West-Berlin" in die nächste Sackgasse zu geraten. Das von ihnen nach funktionalen und sozialen Kriterien entworfene ‚Gesicht' der modernen Stadt, war am Ende so dürftig und zugleich wahrhaftig, daß es die Mehrheit der Wähler nicht mehr ertragen mochte.

Sozialdemokratische Hoffnung und Distanz

Die Stärke der Sozialdemokraten gründete bis Mitte der 70er Jahre darauf, daß sie von der Bevölkerung weitgehend akzeptierte Antworten auf den „politischen Bedeutungsüberschuß" gefunden hatten, der der Stadt mit ihrer Teilung eigen geworden war: denn die reale ökonomische und politische Macht, die die Vorkriegsmetropole noch zelebrierte, war verloren. Das geteilte Berlin zieht seine Bedeutung aus der Position des Brennpunktes im Koordinatensystem zwischen Ost und West: der konkrete Ort der Macht war ohnmächtig geworden; (West-)Berlin wurde zum abstrakten Politikum.

Nach der Aufgabe des Ziels der deutschen Einheit in Ost und West steht die erste Phase Westberliner Nachkriegsexistenz im Zeichen der Außenpolitik des Kalten Krieges. Die Zeitspanne von der institutionellen Spaltung Berlins (1948) über die Berlin-Blockade (1948/49), dem Ostberliner Aufstand am 17. Juni 1953, dem von den West-Mächten zurückgewiesenen Chruschtschow-Ultimatum zur „Umwandlung West-Berlins in eine selbständige politische Einheit" (1958) bis zum Bau der Mauer im Jahr 1961 bewältigt die Berliner SPD geeint in (nur kurzfristig unterbrochenen) großen Koalitionen mit CDU und FDP. Die demokratische „Frontstadt" kam im Kampf gegen die „kommunistische Bedrohung" über weite Strecken ohne parlamentarische Opposition aus. Geplant und gebaut wurde im Nachkriegs-Berlin nach einer kurzen Phase der zögerlichen Nachdenklichkeit in der Ambivalenz zwischen zukunftgläubigem Modernismus und der Hoffnung auf die Wiedervereinigung. Diese berlinspezifische Ambivalenz des Wiederaufbaus entfernte Politik und Planung stärker als andernorts von der Realität der Stadt.

Nach einer Phase akuter Instandsetzungsmaßnahmen an kriegsbeschädigten Gebäuden[8] sehen die neuen Pläne eine „Neuordnung der Flächennutzung vom Strukturellen" her vor und damit eine Entmischung der bisher nebeneinander gelegenen verschiedenartigen und überhöhten Nutzung in den einzelnen Stadtbezirken und vor allem im City-Gebiet. Der „Umbau des Gesamtstadtkörpers", die „strukturelle Bereinigung der einzelnen Viertel" sowie die „Anpassung an die modernen Verkehrsverhältnisse" sind das Ziel, für das 1957 mit der Internationalen Bauausstellung im Berliner Hansaviertel das gebaute Modell einer aufgelockerten, durchgrünten und verkehrsgerechten Parkstadt dem staunenden Publikum vorgestellt wird.[9]

Die Modernisierungsvisionen als solche waren für Berlin nicht weniger radikal und abstrakt (gegenüber der Geschichte der Stadt) als für alle anderen bundesrepublikanischen Groß-, Mittel- und Kleinstädte auch. Die Siedlungen der 50er Jahre und die Trabantenstädte der 60er und 70er Jahre sind keine Berliner Spezialität.[10]

Auch der Gedanke der „durchgreifenden Sanierung" ist keine Berliner Besonderheit. Es war der Deutsche Städtetag, die Interessenvertretung der deutschen Gemeinden, der in seiner Sitzung im Jahre 1960 unter dem Motto „Die Erneuerung unserer Städte jetzt!" die umfassende „Funktionssanierung" propagiert hat. Erreicht werden sollte die „Anpassung der Städte an die Gegenwart, (die) Prägung neuer und der modernen Industriegesellschaft gemäßer Umweltformen im einzelnen, (die) Erneuerung der Städte in ihrer Ganzheit und (eine) sinnvolle Weiterentwicklung des Stadtbegriffs zu einem Typus, der der Gegenwart und der Zukunft gerecht wird."[11]

Doch trotz dieses allgemeinen Modernisierungsfiebers in den bundesdeutschen Städten, ist der Westberliner Version der modernen Großstadt eine Besonderheit eigen. Das wird auch an den (Plan-)Zahlen deutlich: eine 1961 durchgeführte Untersuchung bestimmte die Zahl der „sanierungsbedürftigen Wohnungen" auf insgesamt 430 000 Einheiten; das waren mehr als 40 Prozent des damaligen Wohnungsbestandes.[12] Mit solchen Untersuchungsergebnissen war nicht die Reparatur der bestehenden Stadt und nicht nur ihre Anpassung an die „moderne Lebenswelt" intendiert. Geplant war, so der damals maßgebliche Planungsjurist der Berliner Bauverwaltung, „der große Wurf in städtebaulicher Hinsicht, die große Konzeption, die Absage an jedes

Klein-Klein".[13] Auf der Basis bundesrepublikanischer Finanzsubventionen sollte West-Berlin zum sozialdemokratischen Flaggschiff westlicher Zukunftseuphorie gegenüber der stalinistischen Stagnation im Osten umgebaut werden.

Auf Planungen von 1948 basierend, blieb in den Berliner Planwerken bis weit in die 70er Jahre ein aus einem Ring und vier Tangenten bestehendes Schnellstraßen- und Autobahnsystem eingezeichnet. Dieses „Radial-Ring-System"[14] war nicht auf die im abgeteilten West-Berlin notwendigen „Nord-Süd-Verbindungen" bezogen, sondern orientierte sich an den für das ungeteilte Vorkriegsberlin charakteristischen Ost-West-Beziehungen; das neu geplante Straßensystem im Westberliner Flächennutzungsplan bezog sich im wesentlichen auf die „alte", im Ostteil der Stadt liegende City. Ergänzt wurde diese „Erschließungsstruktur" durch ein „City-Band", das sich vom Kurfürstendamm im Westen durch die Gründerzeitbebauung in den Bezirken Schöneberg und Kreuzberg bis zum Alexanderplatz im Osten hinziehen sollte.

Wie viele der auf die Wiedervereinigung ausgerichteten Pläne konnte das „City-Band" nie verwirklicht werden. Planungsrechtlich allerdings wurden mit diesen Bestimmungen die Gründerzeit-Viertel der Sanierungs-Zerstörung anheim gegeben, zugleich war die Voraussetzung dafür geschaffen worden, daß der Kurfürstendamm auch westlich der Gedächtniskirche vom Wohn-Boulevard zur mit Warenhäusern und Banken bestückten Geschäftsstraße umgebaut werden konnte. Auch der „Hauptstadt Berlin-Wettbewerb" von 1957, der städtebauliche Ideen für den Wiederaufbau der „zerstörten Mitte" Gesamt-Berlins anregen sollte, hatte lediglich deklamatorischen Charakter in der Kalten-Kriegs-Auseinandersetzung zwischen Ost und West. Sieht man von diesem Teil der „Wiedervereinigungspläne" ab, waren die Bau- und Umbaumaßnahmen auf Westberliner Gebiet von gewaltigen Ausmaßen: von den ursprünglich für Gesamt-Berlin neu geplanten 80 Autobahnkilometern wurden bis zum Jahr 1985 etwa 30 Kilometer fertiggestellt, 10 Kilometer sind in Planung – das Radial-Ring-System wurde planerisch auf den Berliner Autobahnring

(mit den Anschlüssen für den Fernverbindungsverkehr) reduziert; im gleichen Zeitraum wurden 560 000 Wohnungen neu gebaut und, vor allem im Rahmen von Sanierungsmaßnahmen, fast 100 000 Altbauwohnungen abgerissen. Ein Großteil dieses „Modernisierungsschubs" für die Stadt war bereits zu Beginn der 70er Jahre vollbracht.

Ausgespart von diesen Stadt-Umbaumaßnahmen blieben jedoch die nach der Teilung nun an der (Staats-)Grenze zu Ost-Berlin liegenden Westberliner Gebietsanteile an der ehemaligen Gesamtberliner City. Die alte Stadtmitte und neue Stadtgrenze wurde zum (deutschlandpolitischen) Brachland. Einzig mit der bereits 1959 erfolgten Festlegung des Standortes des neuen West-Berliner „Kulturforums" rund um die Matthäi-Kirche am südlichen Rand des Tiergartens wurde dieses Tabu durchbrochen. Doch die Radikalität dieses frühen Bruchs konnte nicht aufrechterhalten werden. Das Forum blieb bis weit in die 80er Jahre hinein unvollendet (und wird, so wie einstmals geplant, nie zu Ende gebaut werden). Was gebaut wurde, waren geniale Einzelbaukörper (Hans Scharouns Philharmonie und Mies van der Rohes Nationalgalerie), später zunehmend gestört durch technokratisches Epigonentum (die nach Plänen Scharouns von Hans Wisniewski vollendete Staatsbibliothek). Das Verhältnis dieser Baukörper zueinander, ebenso wie der nicht vorhandene Bezug zur Geschichte des Ortes waren der räumliche Ausdruck der politischen und kulturellen Unsicherheit, unter der die Stadt damals litt. In dieser „Un-räumlichkeit" blieb das Kulturforum bis zur Mitte der 80er Jahre „berlinisch-offen".

Architektur und Städtebau standen nach Kriegsende vor dem Problem, nie gekannte (Wohnungs)Massen produzieren zu müssen. Sie antworteten darauf nicht nur mit ,Nützlichkeit'. Auf sichererem politischen Boden denn je seit dem Beginn der Geschichte des Industrialismus entwickeln sie eine „neue Sprache". So armselig – heute – die Ästhetik der Nützlichkeit in ihrem „vulgären Funktionalismus" auch erscheinen mag, sie war nicht sprachlos, sondern voll der Hoffnung auf eine bessere Zukunft.[15]

Die Desillusionierung dieser neuen Sinn-Erwartungen war den Plänen des Wiederaufbaus schon bei ihrer Entstehung eingeschrieben. Doch noch bevor die dauernde Enttäuschung der Hoffnungen in eine Krise des politischen Systems der Stadt und ihrer Regierbarkeit umschlagen konnte, begann sich der Bedeutungsgehalt der bis dahin für West-Berlin charakteristischen Differenz von (Plan)Hoffnungen und (Stadt)Realität zu wandeln. Nach der langen Dekade des „Kalten Krieges" begann für West-Berlin die ebenso lange Dekade der eindeutigen „sozialdemokratischen Hegemonie". West-Berlin wurde ab Mitte der 60er Jahre nicht mehr von der großen vaterländischen Allparteien-Koalition regiert. Der Bau der Mauer provozierte eine Hinwendung zur Realität der Stadt. Die außenpolitische Absicherung des unsicheren Status der Stadt soll nicht mehr den Waffen des Kalten Krieges überlassen werden, sondern Verhandlungen zwischen den Supermächten einerseits und den beiden Deutschland andererseits. Gespräche zwischen Ost- und West-Berlin sollen vorgeschaltet werden.[16] Die „sozialdemokratische Wende" zu einem „außenpolitischen Verhalten" gegenüber der DDR ist der Beginn der Reparaturarbeit an der zerstörten Identität der Halb-Stadt. Der Ausgangspunkt der Stadtreparatur in West-Berlin waren nicht die städtebaulichen, sondern die deutschlandpolitischen Verletzungen, die die Halb-Stadt in Krieg und Nach-Krieg erfahren hat. Während die (Bau)Pläne der Stadt noch für lange Jahre „Wiedervereinigung und Fortschritt" in Grund- und Aufriß zeichnen sollten, setzte der Berliner Senat deutschlandpolitisch bereits auf eine „Politik der menschlichen Erleichterungen".

Die Reform der Deutschlandpolitik wurde von den Sozialdemokraten auf bundespolitischer Ebene mit Willy Brandt als Außenminister (einer großen Koalition) und Kanzler (der sozialliberalen Koalition) (1966–1974) fortgeführt und durchgesetzt. Der Erfolg der außenpolitischen Stabilisierung West-Berlins war für mehr als ein Jahrzehnt die Stärke der Sozialdemokraten als Regierungspartei der Halb-Stadt.

Mit zunehmender Stabilisierung der „äußeren Identität" der West-Stadt stiegen politische Notwendigkeit und

öffentlicher Erwartungsdruck, den Umgang mit den „inneren" Realitäten der Halb-Stadt zu konkretisieren. Sozialdemokratische Wohlfahrtspolitik in Form riesiger Gesamtschulkomplexe, Krankenhausbauten und Kindertagesstätten mochten Vorteile in der ‚Versorgung' der Bürger bieten, zu einem kompakten Bild der Stadt wurden die neuen Funktionsbauten nicht verdichtet. Nach den außenpolitischen Reparaturmaßnahmen an den Kriegs- und Nachkriegsbeschädigungen klaffen nicht mehr städtischer Wiedervereinigungsgedanke und weltpolitische Realität auseinander. Der Konflikt entsteht nun zwischen dem Realismus der deutschlandpolitischen Reformverträge und der sozialdemokratischen (Un-)Fähigkeit, ein konkretes Bild von der Halb-Stadt als dennoch ‚vollkommener' Stadt zu entwickeln. Aus dem „deutschen" Nachkriegsdilemma wird ein sozialdemokratisches Dilemma, Berliner Stadtpolitik für West-Berlin neu zu definieren. Mit der Aufgabe der Illusion über den Verlauf der deutschen Geschichte wird der bis dato gehaltene Abstand zwischen Politik und Realität der Halb-Stadt nicht geringer, sondern konkreter.

Dietrich Stobbe, Regierender Bürgermeister von 1977 bis 1981, versucht diesem Problem mit der Formel von der „bewußten Hinwendung zur Stadtpolitik" gerecht zu werden. Doch das politische Bild der neuen Stadt bleibt diffus: Daß die Berliner Sozialdemokraten ihre Regierungsfähigkeit schließlich endgültig verloren, hat vor allem mit zwei Gegenbewegungen zu tun, die, von der Reaktion auf sozialdemokratische Politik ausgehend, sich politisch nicht mehr „einfangen" ließen. Zum einen änderten sich ab Mitte der 70er Jahre allmählich die Aktionsmuster und Inhalte studentischer Politik. Sie verlor die Abstraktheit allgemeiner Systemtheorie, wurde lokalpolitisch konkret und setzte allen wichtigen stadtplanerischen Begründungen und Entscheidungen der noch regierenden SPD Alternativen entgegen. Es gelang ihr, Detailkritik und umfassenden gesamtstädtischen Gegenentwurf miteinander zu verbinden. Die Zeit der Bürgerinitiativen begann: In der West-Stadt entwickelte sich eine lokalpolitisch aktive ‚Szene', die (nicht zuletzt aufgrund der allge-

meinen ökonomischen Krisendynamik) weit über das studentische Milieu hinaus reichte.

Zum zweiten begann die von den Sozialdemokraten lange gehegte Distanz zur städtischen Realität immer stärker in die über Geld und informelle Machtzirkelzuwächse vermittelte Tyrannei lokalpolitischen Filzes umzuschlagen. Der durch Bonner Zahlungen finanzierte Subventions-Kitt hatte seine stabilisierende Kraft für die Identität der Halb-Stadt längst eingebüßt und entwickelte immer stärkere Zerstörungskräfte im lokalpolitischen Geflecht. Dreißig Jahre verdrängte (deutsche) Stadtgeschichte kulminierten in nichts anderem mehr als Skandalen zwischen Geld, Dummheit und Filz.[17] Es war kein Zufall, sondern Ausdruck des Westberliner Identitäts-Systems, daß die beiden (vorläufig) letzten in Parlamentswahlen gewählten sozialdemokratischen Regierenden Bürgermeister, Klaus Schütz und Dietrich Stobbe, über Subventionsskandale stürzten. Stobbes Ende wurde beschleunigt von den Hausbesetzungen, die die bis dahin letztlich doch erfolglose Tätigkeit der lokalpolitischen Bürgerinitiativen in eine unübersehbare – und von weiten Teilen der Öffentlichkeit als vernünftig oder zumindest moralisch gerechtfertigt angesehene – Praxis umsetzten. Der sozialdemokratische „Interimssenat" unter Hans-Jochen Vogel (Januar bis Mai 1981) konnte dieser Zangen-

317–318 Internationale Bauausstellung: Stadtvillen an der Rauchstraße. Die Wohnanlage wurde nach einem städtebaulichen Entwurf von Rob Krier in den Jahren 1983 und 1984 am südlichen Rand des Tiergartens erbaut. Sie besteht aus sechs Mietshaus-Pallazzini und zwei Torhaus-Abschlüssen. Die beiden rechts abgebildeten Pallazzini sind von Rob Krier (o.) und Hans Hollein (u.) entworfen. Kriers Fassadenumlauf ist ein ironischer Gang durch die Baugeschichte von der Renaissance über die Revolutionsarchitektur bis zu Adolf Loos und der Moderne. Hans Hollein gewinnt den ökonomischen und politischen Zwängen ein positivheiteres architektonisches Statement ab. Die „Verquetschungen" im Baukörper sind aus dem Zwang zu einer ursprünglich nicht vorgesehenen Wohnungsdichte entstanden.

bewegung von über lange Zeit nur durch die Macht der Subventionsverteilung kaschiertem Kompetenzverlust und dem Kompetenzgewinn der alternativen lokalpolitischen Kräfte nicht mehr entkommen: Im Frühjahr 1981 wurde die SPD nach 30 Jahren Regierungsverantwortung von einer großen Koalition aus alternativen Visionären und Praktikern, überzeugten christdemokratischen Parteigängern und enttäuschten ehemaligen Wählern der SPD abgewählt.

Die christdemokratische Postmoderne

Die Krise der Regierungsfähigkeit der Berliner Sozialdemokraten steht in ihrem Kern für die Krise der „industriellen Identitätslogik": Die vermeintliche Objektivierung einer vielschichtigen Realität, Distanz und Abstraktion, die unbegrenzt verfügbar geglaubten Strukturen von Ort und Zeit und das Vertrauen auf den Einsatz technischer Rationalität zur Bewältigung des befürchteten Chaos haben an der Wende von den 70er zu den 80er Jahren unübersehbare politische Defizite entstehen lassen. Die auf die Stadt angewandte Logik der Maschine hat mehr zerstört, als daß neue Werte geschaffen wurden. Mit dem Verlust des Glaubens an einen utopischen Gehalt der Maschinenkraft und mit dem Verlust der arbeitsgesellschaftlichen Utopie ganz allgemein, entsteht (erneut) ein soziales und kulturelles Sinndefizit, dessen politische Sprengkraft durch das Verschwinden herkömmlicher Lebenswelten auf Grund der Zerstörung der alten Stadt noch verstärkt wird: Wissenschaft, Technik und Planung gelten nicht mehr als „verheißungsvolle und unbeirrbare Instrumente einer vernünftigen Kontrolle von Natur und Gesellschaft".[18] Die (Westberliner) SPD wurde zum Opfer der Krise der Industriekultur.

Als die Christdemokraten nach den gewonnenen Abgeordnetenhaus-Wahlen im Juni 1981 die Regierungsverantwortung in der Halb-Stadt übernahmen, war es vor allem Person und politische Vergangenheit von Richard von Weizsäcker als neuem Regierendem Bürgermeister, die der Westberliner CDU die Möglichkeit gaben, wesentliche Teile ihrer bisher für die Stadt verfolgten politischen Argumentationsmuster zu verlassen und programmatisch neue Weichenstellungen einzuleiten. Zum einen garantierte der neue Regierende Bürgermeister, daß der außenpolitische Anachronismus der CDU bei künftigen innerstädtischen Entscheidungen keine Rolle mehr spielen sollte.[19] Stadtpolitische Planungen im deutschlandpolitisch sensiblen Bereich an „der Mauer", die die SPD als Regierungspartei nie gewagt hätte, gegen die oppositionelle CDU durchzusetzen, wurden nun ein tragender Pfeiler für das identitätsbildende Bauprogramm der Konservativen.

Zum zweiten war Richard von Weizsäcker nicht in das lokalpolitische Filz-System der Halb-Stadt verstrickt; er kam als anerkannter Programm-Denker aus der (CDU-)Bundespolitik. Das gab ihm in Berlin die Freiheit zur Distanz gegenüber seiner eigenen lokalen Partei und zur Nähe zu (sozialdemokratisch-)modernen Argumentationsmustern. Diese doppelte Freiheit sollte ihn später nicht nur für das Amt des Bundespräsidenten qualifizieren, sondern bedeutete in der ersten Phase christdemokratischer Regierungspolitik auch eine Annäherung an die „schwierige Realität" der Halb-Stadt.

Richard von Weizsäcker nahm in seine erste für die CDU formulierte Regierungserklärung die Krise der Stadt zur Kenntnis und versuchte für die einzelnen Teilbereiche „funktionsgerechte Antworten" auf die Probleme. Er spricht in seiner Bestandsaufnahme vom „Verlust der Glaubwürdigkeit der politischen Führung und der öffentlichen Verwaltung", von „privatistischer politischer Beutepolitik", von der „allgemeinen Wirtschaftskrise" und den „Zukunftsängsten der Jungen", von der „abnehmenden Toleranz und der zunehmenden Aggression in der Stadt".[20] Und er seziert aus diesem Amalgam einer diffusen Endzeitstimmung die Wohnungs- und Stadtentwicklungspolitik, die Ausländer- und die Wirtschaftspolitik als konkret eingrenzbare und politisch beeinflußbare Problembereiche heraus, für die er positive Veränderungen verspricht. Richard von Weizsäcker liefert in seiner Regierungserklärung mit der impliziten Feststellung eines zunehmenden Sinnverlustes der „modernen Welt" eine ‚postmodern' anmutende Krisenanalyse, der er jedoch nicht in die Apokalypse von Leere und Erwartungslosigkeit folgt[21], sondern ein sich in seinem Vertrauen auf funktionale Rationalität „modern" darstellendes Programm entgegensetzt. Die vor dem Hintergrund bisheriger gesellschaftlicher Erfahrung mit derartigen politischen Programmen notwendigerweise entstehende Kluft zwischen Wirklichkeit und Erwartung gelingt dem neuen Regierenden Bürgermeister (wie später auch dem Bundespräsidenten) mit der Darstellung persönlicher moralischer Wahrhaftigkeit und dem Appell an die öffentliche Moral zu schließen. Der von ihm damit proklamierte Verzicht auf systemische Veränderungen der vorgegebenen gesellschaftlichen Strukturen wird kompensiert durch den – unpolitischen – Gestus allgemeiner persönlicher Betroffenheit.[22] Schon in der ersten, durch Richard von Weizsäcker präsidierten Phase konservativer Regierungspolitik in der Halb-Stadt gab es also die Tendenz, politischen Handlungsdefiziten mit Verhaltensweisen aus dem Bereich des „Unpolitischen" auszuweichen. Unberührt von durchaus erfolgreichen „Querschüssen" aus dem „Beton-Flügel" seiner Partei vor allem in der Rechts-, Ausländer-, Innen- und Stadtsanierungspolitik, trug dieser Stil Richard von Weizsäckers dazu bei, daß die Halb-Stadt wieder ein libertär-urbanes, weltoffenes Image erhielt. Wirklich wichtige neue stadtpolitische Entscheidungen, die sich in grundsätzlichem Gegensatz zur sozialdemokratischen Realpolitik befunden hätten, wurden nicht gefällt.

Richard von Weizsäckers Senat war ein Übergangssenat: Die Halb-Stadt hatte eine konservativ geführte Regierung, aber noch kein konservatives Programm. Als von Weizsäcker sein West-Berliner Regierungsamt nach knapp drei Jahren verließ, um im Sommer 1984 das Amt des Bundespräsidenten zu übernehmen, hinterließ er in der Stadt eine politisch-funktionelle Lücke, die durch Niemandens „persönlichen Stil" mehr geschlossen werden konnte. Die CDU mußte eine von der Persönlichkeit des Regierungschefs unabhängige Programmatik finden, die gleichwohl dem Erwartungsdruck der Öffentlichkeit nach einem neuen Gesicht für die Halb-Stadt trotz einer nur beschränkten politischen Handlungskapazität gerecht werden konnte.

Mit der Regierungserklärung, die Eberhard Diepgen als neuer Regierender Bürgermeister nach den eindrucksvoll gewonnenen Wahlen zum Berliner Abgeordnetenhaus im April 1985 vorlegt, scheint dieses Ziel fürs erste erreicht. Das neue Regierungsprogramm der christdemokratisch-liberalen Koalition basiert auf der Trennung von Form und Inhalt der Stadtpolitik. Die sich damit öffnende Kluft soll ästhetisch und im Rückgriff auf die geschichtliche Bedeutung der (ganzen) Stadt geschlossen werden.
Der Städtebau von „Schinkel über Lenné und Hobrecht" bis zu Bruno Taut und Martin Wagner[23] soll zur Kulisse für die Ungereimtheiten und Brüche der Gegenwart reduziert, die Geschichte (nicht nur) der Stadt in die Beliebigkeit politischer Rekonstruktion gestellt werden. Der postmodernen Krisenanalyse Richard von Weizsäckers läßt die CDU erst unter dessen Nachfolger auch ein postmodernes Regierungsprogramm folgen: Der Zauber von Ästhetik und Geschichte beläßt die Stadt auch weiterhin in der Rationalität anonymer gesellschaftlicher Zwänge. Die politische Handlung wird durch Gesten und tradierte Symmetrien, Proportionen und Ornamente der Baukunst ersetzt, die den Preis gesellschaftspolitischer Irrelevanz mit ihrer Ironisierung bezahlen muß. „Die Fragwürdigkeit der postmodernen Bilderflut liegt in ihrem substantiellen Unernst"[24], lautet eine Kritik an dieser Tendenz, die allerdings noch nicht weit genug geht: Das Problem ist, daß dieser „Unernst" politisch gewollt ist.
Unter Eberhard Diepgen als Westberliner Regierungschef rückt Richard von Weizsäckers Politik-Mischung aus moralischer Integrität und dem Versprechen auf ein modernes Problem-Management in den Hintergrund und erhält stattdessen unter dem Titel „Berlin: Stadt der Kultur und des Geistes" die „Gestaltung der Stadt" neue politische Priorität. Doch Diepgens programmatischer Bezug auf Schinkel bedeutet kein Nachdenken über das Verhältnis einer neuen sozialen Mitte der Gesellschaft zur architektonischen Gestalt der Stadt; seine Bezugnahme auf Lenné bedeutet nicht die konsequente Realisierung eines Programms urbaner Ökologie; die regierungsamtliche Hommage an

Hobrecht, Taut und Martin Wagner bedeutet keineswegs den Willen zur Erneuerung der wohlfahrtsstaatlichen Fundierung des Städtebaus: weder die Ökonomie des Bauens noch das Eigentumsrecht, weder Familien- und Mietenpolitik noch das Planungsrecht sollen einer grundsätzlichen Reform unterzogen werden; und die von Diepgen zugesagte Einbeziehung der Verkehrspolitik in die Neugestaltung der Stadt bedeutet mitnichten ein Nachdenken über neue verkehrspolitische Grundsätze, sondern lediglich über die Form der Straße.[25]
Die konservative Regierung der Stadt trennt die Gesellschaftspolitik vom Städtebau und politisiert damit die Ästhetik der Stadt. Der Krise der Arbeitsgesellschaft wird die (alte) Hoffnung auf den technologischen Fortschritt[26] sowie das Versprechen einer auch physischräumlich wieder spürbaren Verankerung in geschichtliche Tradition entgegengesetzt. „Stadtkultur" wird nicht zum Gespräch als „Wiederherstellung ursprünglicher Sinnkommunikation"[27] verdichtet, sondern auf ein Bauprogramm architektonischer Applikate reduziert.
Am Anfang dieser Entwicklung standen jedoch eine Reihe von stadtpolitischen Ausbruchsversuchen der Sozialdemokraten aus dem Ghetto ihrer Zwänge in der zweiten Hälfte der 70er Jahre. Doch diese Ausbruchsversuche aus der Stagnation blieben halbherzig.
Mit der IBA sollte nach dem Willen der (noch) sozialdemokratisch geführten Regierung der Versuch unternommen werden, „kaputte Stadt zu retten".[28] Selbstkritisch wurde in der Begründung für die Durchführung des Mammutprojektes festgestellt: „Das Ende der ersten Industrialisierungsphase (überalterte Arbeiter-Mietskasernen) und die Folgen von Wachstum (Zersiedelung, gesichtslose Großwohnsiedlungen, Entleerung der Innenstadt) setzen die heutigen Probleme für den internationalen Stadtbau. Die vorhandenen Stadtbaukonzepte bieten dafür keine ausreichenden Antworten mehr." Entsprechend komplex waren die inhaltlichen Zielvorgaben: „Neue Konzepte und Realutopien müssen sich an den zentralen Problemen des Stadtbaus bewähren und das Verhältnis von Innenstadt und Stadtrand, alter und neuer Bausub-

stanz, öffentlichem und privatem Raum klären." Ein neuer Konsens über die rechtlichen, wirtschaftlichen, technischen und ökologischen Kriterien für den Fortgang einer „integrierten Stadtentwicklungsplanung" sollte gefunden und anhand konkreter Baumaßnahmen in einzelnen Stadtbezirken modellhaft in die Praxis umgesetzt werden. Dieses Ziel beinhaltete nach der Vorstellung des Berliner Senats „auch die Aufgabe, das Erscheinungsbild der Stadt zu verändern". Erstmals nach den Jahrzehnten des Wiederaufbaus und nach den Jahren der Kritik an der „Ermordung der Stadt" formulierten die Sozialdemokraten eine baupolitische Position, die sich auch mit den Aufgaben der Baukunst auseinandersetzte: „Stadt kann im letzten nur als künstliche und synthetische Welt verstanden werden. Ihre Erscheinungsformen sind Ergebnis der Auseinandersetzung mit ihren Inhalten und Aufgaben. So verstanden ist ‚Stadtlandschaft' eine Zusammenschau von Architekturen. Diese vermögen mittels ihrer irrationalen Wirksamkeit Probleme und Konflikte umzusetzen, die rational nicht mehr begreifbar, erfaßbar sind."
Mit diesem Eingeständnis der letztendlichen Ohnmacht politischer Planung kündigte sich bereits die Repolitisierung der Architektur an. Doch auch angesichts der bereits am Ende der 70er Jahre sich abzeichnenden „Neuen Unübersichtlichkeit" blieben die Sozialdemokraten ihrer (modernen) Überzeugung treu, daß nur aus der Dialektik von Kunst und Gesellschaft „Humanes" entstehen könne. Die „Baukunst" sollte mit „Betroffenenarbeit" konterkariert werden, um daraus ein „produktives Spannungsverhältnis" sich entwickeln zu lassen, die „öffentliche Diskussion" mit der „individuellen Intuition" gepaart werden, weil einzeln keiner der beiden Gestaltungsmethoden mehr vertraut werden konnte. Die Krise traditioneller Stadtentwicklungsplanung wurde zum Geburtshelfer einer neuen Naivität. Methodisch versprachen sich die politischen Verfechter der Internationalen Bauausstellung die Rettung (der Stadt ebenso wie ihrer Mehrheit bei den Wählern) aus der Konfrontation einer neu zu belebenden politischen Öffentlichkeit mit dem Vermögen der Kunst widerspruchsvolle Realität „aufzulö-

319 *Hochhauslandschaft: Das postmoderne Hochhaus, errichtet Mitte der 80er Jahre nach einem Entwurf des Berliner Archi-tekten Hans-Peter Störl, kompensiert eine frühzeitig (halb)gescheiterte Autobahn (vgl. S. 310 f. und Abb. 275). Die Verwal-tungs- und Wohnhochhäuser aus den 60er und 70er Jahren verbeugen sich noch vor den alten Konzepten. Aus der Versöhnung von „Vulgärfunktionalismus" und „Postmoderne" entstand am östlichen Ende der Tauentzienstraße, dicht hinter dem Witten-bergplatz, eine anachronistische Homage an den Weltstadtplatz der 20er Jahre.*

sen". Organisatorisch bedeutete dies die Entmachtung des Staates und seiner Exekutive zugunsten einer neuen „Kunst-Öffentlichkeit". Die Gründung einer „Bauausstellung Berlin GmbH" zur Durchführung der IBA, die unab-hängig von der staatlichen Verwaltung und ihren Zwängen, ausgestattet mit einem hohen Maß an „man-power" aus Architekten, Soziologen, Juristen, Öko-nomen, Sozialarbeitern (Animateuren) und beträchtlichen Finanzmitteln (100 Millionen Mark), ein Brain-trust sein sollte, allerdings ohne hoheitliche Rech-te zur Durchsetzung seiner Stadt-Ent-würfe, war die logische Konsequenz.[29] Daß diese „städtebauliche Hilfs-Kon-struktion" zum Scheitern verurteilt war, lag nicht an ihren Mitarbeitern, son-dern an den Illusionen der Sozialdemo-

kraten. Deren politische Schwäche war durch die IBA nicht zu überspielen. Aus der erhofften stadtpolitischen Stütze wurde ein weiteres Ferment der Erosion der Regierungsmacht der SPD. Denn das Programm der Bauausstellung war innerhalb der neugegründeten Institu-tion ebenso umstritten wie bei allen an-deren in das Bau- und Planungsge-schäft der Stadt involvierten Interessen-trägern. Das „alte Machtkartell" aus so-zialdemokratisch dominierter Verwal-tung, gemeinnützigen Wohnungsbauge-sellschaften, privaten Spekulationssa-nierern, Hoch- und Tiefbauindustrie stemmte sich noch gegen jegliche Verän-derung der (bau-)politischen Leitlinien. Diese interne und externe Blockade der IBA wurde erst mit der politischen Wende von der SPD- zur CDU-Mehr-

heit im Stadtparlament überwunden. Die IBA wurde zum politischen Bastard. Die Bedingungen des Regierungswech-sels verhinderten, daß die CDU ersten Regungen nachgab, nach denen das Bauausstellungsprojekt noch vor Beginn der ersten Realisierungsphase wieder beendet werden sollte. Stattdessen wur-den im komplizierten Prozeß der all-mählichen Stabilisierung der CDU als neuer Regierungspartei (die sich anfangs nur auf eine parlamentarische Minder-heit stützen konnte), die ursprüng-lich sozialdemokratisch-reformerischen Zielsetzungen der Internationalen Bau-ausstellung teils zeitlich, personell, fi-nanziell und örtlich eingeschränkt, und teils in ein neues politisches Bedeu-tungsgeflecht „eingebaut". Das struktu-relle Reformkonzept der Sozialdemo-

320   *Das IBA-Tor zur Potsdamerstraße: Das großbürgerliche Villenviertel „Am Karlsbad" war schon der Gründerzeit zum Op-*
fer gefallen. Nur A. Bibendts Loeser + Wolff-Haus aus dem Jahr 1930 (r.) kündet noch von den Hoffnungen und Problemen der
„Moderne". Jetzt hat im Auftrag der Internationalen Bauausstellung der Berliner Architekt Jürgen Sawade versucht, dazu ein
Pendant zu entwerfen. Entstanden ist ein Monument innerstädtischer Verdichtungsarchitektur und des ökonomischen Zwangs.
Der Hinterhof des Hauses hat die Tristesse des Märkischen Viertels.

kraten praktizierten die Christdemokraten einerseits als vordergründige
politische Befriedungsstrategie – gegenüber den Hausbesetzern und bei der
Kreuzberger „Stadterneuerung –, andererseits als bloß formales Gestal-
tungsprogramm – im Rahmen der
IBA-Abteilung „Stadtneubau" in der
Südlichen Friedrichstadt und im Südlichen Tiergartenviertel. Ging es bei den
Sozialdemokraten (theoretisch-naiv)
um die Entpolitisierung der Staatsmacht
(weil sie ihr selbst zu sehr ausgeliefert
waren) durch die Demokratisierung von
Öffentlichkeit und Kunst, versuchten
die Christdemokraten (pragmatisch) die
Befriedung der (unterschiedlichen) Öffentlichkeiten mit Hilfe der Repolitisierung von Kunst und der Wiederver-
staatlichung von Entscheidungen (um

ihre Regierungs-Macht zu stabilisieren).
So endet der sozialdemokratische „Weg
ins Fiktive" unter der CDU in der postmodernen Halbunwirklichkeit der
Stadt, in der Fiktion und Realität zunehmend ununterscheidbar werden.[30]
Die Unterscheidbarkeit wird auf paradoxe und sehr materielle Weise erst wieder hergestellt, wenn (wie zur Jahreswende 1985/86 geschehen) öffentlich
wird, daß essentieller Bestandteil der
neuen Symmetrien der Baukunst in der
Halb-Stadt die Ablösung des „roten Filzes" durch die „schwarze Korruption"
ist.[31]
Die IBA-Abteilung „Stadterneuerung"
(geleitet von dem Architekten Hardt-
Waltherr Hämer) hat sich im Zentrum
des von Kriegszerstörungen weitgehend
verschont gebliebenen Kreuzberger

Südostens, anfangs gegen den Widerstand der noch regierenden SPD und
nach der politischen Wende gegen den
zunehmenden Widerstand der CDU die
Aufgabe „erobert", ein praktizierbares
Modell für eine Stadterneuerungspolitik
zu entwerfen, die an den Bedürfnissen
der Bewohner orientiert ist. Die „behutsame Stadterneuerung" der IBA hat
sich von anfang an als das soziale Gewissen der Berliner Baupolitik, als
Wiedergutmachung der Folgen der Politik der Flächensanierung in den 60er
und 70er Jahren verstanden.[32] „Die
Kunst der Proportionen"[33] waren für
diesen Bereich der Bauausstellung vor
allem soziale Proportionen. Die Instandsetzungsmaßnahmen an den Altbauten aus der Jahrhundertwende im
Südosten Kreuzbergs sind die Fortset-

321 *Das neue Kurfürstendamm-Design: Mitte der 80er sind die Zeiten vulgärfunktionalistischer Spekulationsarchitektur á la Ku'damm-Karree vorbei. Das vom Architektenteam Bandel und Schweger entworfene und 1984 fertiggestellte Geschäfts- und Bürohaus hält sich an die historisch vorgegebenen Traufhöhen und Baukanten. Die Fassade ist fröhlich-protzig wie zu Beginn des Jahrhunderts.*

zung der Politik der „Wohnung für das Existenzminimum" aus den 20er Jahren. 6000 Wohnungen sind hier innerhalb von sechs Jahren mit einem im Verhältnis zu den Kosten von klassischen Sanierungsverfahren relativ niedrigen Aufwand instandgesetzt worden. Die (vorläufige) Folge ist, daß die Mieten relativ niedrig bleiben und auch einkommensschwache Mieter ihre Wohnungen behalten können. 500 Neubauwohnungen, Schulbauten für 1500 Kinder, 1400 Kindergartenplätze, viele sonstige Einrichtungen der sozialen Infrastruktur, die Begrünung von mehr als 200 Hinterhöfen, sowie der Rückbau und die Verkehrsberuhigung von etlichen Straßen im Quartier gehörten außerdem zum Programm dieses Arbeitsbereiches der IBA. Nichts mehr wurde abgerissen.

Alle Neubaumaßnahmen wurden mehr oder minder gewaltlos in die vorhandene Baustruktur aus dem letzten Drittel des 19. Jahrhunderts eingefügt, der Begriff der „Umnutzung" wurde zu einer zentralen Kategorie des Kreuzberger Baugeschehens.[34]
Ging es bis weit in die 70er Jahre bei allen Sanierungsmaßnahmen um die Anpassung der Städte an immer großräumigere Austauschprozesse, um die Erhöhung der Umlaufgeschwindigkeit von Geld, Kapital, Bevölkerungssegmenten, Waren und Maschinen, plädierte die „Altbau-IBA" mit ihrer behutsamen Form der Stadterneuerung für ein Innehalten im besinnungslosen Geschwindigkeitsrausch, das dem vom Tempo und Entfremdung beschädigten Alltagsleben Zeit zum Nachdenken

gibt. Die soziale Basis dieses Experiments waren Hausbesetzer, sozial engagierte Architekten und Stadtplaner, die „alternative Szene" und ihre Partei, Sozialarbeiter und die Generation der ihrer Vergangenheit treu gebliebenen post-68er. Der Stimmenanteil der Alternativen Liste bei den Parlamentswahlen von 1985 stieg in den Erneuerungsgebieten der IBA auf weit über 20 Prozent. Der sich hierin ausdrückende politische Druck hat die IBA-Methode der Stadterneuerung ermöglicht. Das Bauprogramm dieser IBA-Abteilung wurde weitgehend verwirklicht. Dennoch ist es der CDU als Regierungspartei gelungen, nachdem sie das Experiment anfangs zulassen hat müssen, das gesellschaftskritische Potential dieser Form von „postindustrieller" Stadtentwicklung weitgehend auf einen Teil Kreuzbergs zu beschränken und damit seine politische Kraft zu schwächen. Die „Zwölf Grundsätze der behutsamen Stadterneuerung"[35] fanden nie eingang in die Sanierungspolitik der gesamten Halb-Stadt. Die polizeiliche Räumung von einem Drittel der ursprünglich 160 besetzten Häuser und der Tod eines jungen Mannes im Zusammenhang mit einer der vielen Hausbesetzer-Demonstrationen zeigte unüberwindbare politische Grenzen auf. Die Beschneidung und Nichtanerkennung der Rechte von Bürgervertretungsorganen durch den CDU-geführten Senat, die als unverzichtbarer Bestandteil der „behutsamen Stadterneuerung" ins Leben gerufen worden waren, war diametral gegen die ursprüngliche Absicht nach Demokratisierung gerichtet. Die im Jahr 1985 erfolgte Überleitung dieser IBA-Abteilung von einer öffentlichen in eine private Sanierungsträger-Gesellschaft bedeutet nicht nur den symbolischen Akt der Privatisierung einer originär öffentlichen Aufgabe des Wohlfahrtsstaates, sondern auch eine erhöhte (finanzielle) Unsicherheit für die Weiterführung des Projektes in Kreuzberg. Die für die instandgesetzten Wohnungen bisher zugesicherten relativ niedrigen Mieten stehen beständig in der Gefahr aufgrund neuer politischer Entscheidungen erhöht zu werden. Der einstmals von der CDU verfügte Stop der Abriß-Politik in den Altbauquartieren ist politisch längst widerrufen worden.
Mit der Ghettoisierung des Modells

322 *Der zu Beginn der 80er Jahre neu gestaltete und gesäuberte Wittenbergplatz. Im Zentrum Alfred Grenanders 1913 errichtetes „großes Stationsgebäude", das, nach Jahren des Verfalls unter sozialdemokratischen Stadtregierungen, sandstrahlgereinigt, nun nicht mehr vom vergangenen Glanz des technischen Fortschritts kündet, sondern vom neuen Wert des Tourismus für die Halbstadt. Die gesamte Platzanlage wurde neu gepflastert, mit Brunnenanlagen Waldemar Grzimeks und Straßenmöbeln dekoriert, die öffentlichen Toilettenanlagen so umgestaltet, daß sie ihren Aufenthaltswert für Homosexuelle und Stricher verloren haben.*

der behutsamen Stadterneuerung auf Kreuzberg und mit der zunehmenden Infragestellung bereits erreichter Ergebnisse hat die konservative Ordnungspolitik der CDU einen wichtigen gesellschaftspolitischen Sieg errungen.

Die von den Hausbesetzern zu Beginn der 80er Jahre als reale Utopie verfochtene „Freie Republik Kreuzberg" war immer Fiktion. Daß dieses geschundene Quartier an der Mauer mit seiner Mischung aus funktionierendem „Stadtteilsyndikalismus" und („gallischem") Dorf-Bewußtsein[36] im Urteil des Kulturskeptizisten Wolf Jobst Siedler dennoch den wichtigsten Bestandteil der Kultur-Metropole Berlin darstellt, „ein großes Labor, in dem unkonventionelle gesellschaftspolitische Ansätze erprobt

werden können"[37], ist der eine Aspekt der Westberliner Halbunwirklichkeit unter der konservativen Stadtregierung.

Die Fiktionalisierung des Lebens in der Stadt durch eine Architektur, die sich bewußt „wertneutral" verhalten will[38], und deren Formen-Kanon nicht mehr „sozialen Inhalt",[39] sondern historische Tradition und formale Konvention repräsentieren will[40], ist der dazu korrespondierende zweite Aspekt.

Das konservative Vertrauen auf die „irrationale Wirksamkeit" der neuen Architektur und auf das Funktionieren ihrer „Zeichen-Welt" als ordnungspolitische Versicherung, entlastet von der Verpflichtung zu gesellschaftspolitischen Reformen.

Für die Architektur ist dieser Weg in die

„Autonomie", für die es „politische, künstlerische, philosophische, erkenntnistheoretische Determinanten nicht geben kann" (so der Architekt Josef Paul Kleihues, Leiter der IBA-Abteilung Stadtneubau),[41] ebenfalls eine Entlastung: vom sozialen und gesellschaftspolitischen Anspruch der Architektur der 20er Jahre und von der Verpflichtung auf technokratisierte Fortschrittsvision im Bauen der 60er und 70er Jahre. Die Kritik an der Architektur des Wiederaufbaus ist die Ausgangsbasis für die Architektur-Entwicklung in den 80er Jahren.[42] Im Vertrauen darauf, daß es gelingen muß „die konstituierenden Elemente der Stadt wiederzuerkennen" und die „geschichtlichen Spuren der Stadt zu bewahren", damit es gelingen kann „die Identität der Stadt durch unsere eigenen sozialen und künstlerischen Ansprüche zu erweitern", beginnt die Phase der „Rekonstruktion der zerstörten Stadt". Die „Erhaltung, Erneuerung und Verbesserung des Stadtgrundrisses", die „Geometrie des Aufbaus der Stadt", der „Kontext zur Landschaft", und das „Bild der Stadt"[43] haben in dieser Version von „Stadtreparatur" keinen unmittelbaren sozialen und gesellschaftspolitischen Gehalt mehr, sondern werden aus der formalen Interpretation von Architekturgeschichte entwickelt. So entstehen aus „ästhetischer Rationalität" (Kleihues) die IBA-Neubauprojekte einer neuen „Utopie der Ordnung".[44] Ihr Wirklichkeitsbezug wird zumeist im bürokratisch-gewaltsamen Akt des Vollzugs ökonomischer und planungsrechtlicher Zwänge hergestellt. Die von den Sozialdemokraten imaginierte Dialektik von Kunst und Gesellschaft, von Projekt und Wirklichkeit, findet nicht statt. Der Bezug auf die Geschichte entsteht aus gesellschaftspolitischem Stillstand. Damit wird der Ort beliebig, die Stadt wird auf neue Weise abstrakt. Städtebau und Geschichte künden von einer Vergangenheit, die es nie gab und von einer Gegenwart, die nicht stattfindet. „Das Spiel der philologischen Wiederentdeckung" von historischen Rhetoriken und Ideologien stellt sich als eine immense rhetorische Maschine zur Verteidigung der Gegenwart dar: „Ein Exzeß an (architektonischem) Bewußtsein, der nicht in Erneuerung umschlägt, und also narkotisierend wirkt".[45]

Unter den Christdemokraten wird die Kunst wieder in die ihr angestammte Rolle zurückgedrängt, die (Stadt-)Bilder nicht vorhandener Harmonie zu stiften. Nach der sozialdemokratischen Phase der „Versachlichung der Ästhetik" beginnt die konservative Phase der „Repolitisierung der Baukunst". Unter dem neuen ästhetischen Imperativ erhält die Kunst des Städtebaus wieder staatstragenden Sinn. Denn mit dem zunehmenden Verlust der Hoffnungen auf allgemeine gesellschaftliche Wohlfahrt – auf den Wohlstand für alle – durch wirtschaftliches Wachstum und technischen Fortschritt ändert sich das Verhältnis von Gesellschaft und Architektur.

Architektur und Städtebau werden wieder zum politischen Mittel der Staatskunst, weil sie den gesellschaftspolitischen Impetus der Zwischenkriegsavantgarde in sein Gegenteil verkehren. Wurde in der ‚Moderne' die nicht vorhandene Rationalität von Gesellschaft und Wirtschaft ästhetisch vorweggenommen,[46] versucht die ‚Postmoderne' der 80er Jahre im sinnentleerten Chaos der durchrationalisierten Lebenswelten[47] Möglichkeiten der Identitätsfindung ästhetisch zurückzugeben. Damit aber kann die angestrebte und notwendige „Dialektik von Moderne und Postmoderne"[48] im Sinne einer fortschreitenden Suchbewegung nach einer „humanen Gesellschaft" gerade nicht funktionieren. Denn die Postmoderne wiederholt den ‚Fehler' der Moderne, den ästhetischen vom gesellschaftlichen Diskurs abzukoppeln: Der ebenso naive wie größenwahnsinnige Glaube, bei der Bewältigung der Krise der Werte alleine auf die ästhetische Form als sinnstiftendes Element setzen zu können, bringt Kunst und Gesellschaft erneut in Widerspruch. Das „Projekt der Postmoderne" aber müßte im Versuch deren gegenseitiger Durchdringung bestehen. „Dies wäre nicht die Idee einer Überwindung der instrumentellen Rationalität durch eine ästhetische Rationalität, sondern die Idee einer Öffnung der verschiedenen Diskurse mit ihren partikularen Rationalitäten füreinander: die Aufhebung der einen Vernunft in einem Zusammenspiel pluraler Rationalitäten."[49]

Stattdessen wollen nachfunktionalistische Architektur und der Städtebau der 80er Jahre zum neutralen ‚Gefäß' urbaner Gesellschaft werden. Hinter der Hypothese, „in ihrer ‚Leere' muß ein jeder die ihn bewegenden Fragen, Hoffnungen und Ängste hineinwerfen können",[50] verbirgt sich ein Architektur-Programm der gesellschaftlichen Vereinzelung, das als Ausgleich visuellen Genuß und mittelständisch geglättete Sinnlichkeit im esoterischen Formen-Detail verspricht.

Die neu gewonnene Freiheit von den einstmals selbst auferlegten Konventionen industrieller Rationalität und sozialen Anspruchs zwingt nicht nur zur Flucht ins Esoterische, sondern – in Ermangelung anderer gesellschaftlicher Sicherheiten – auch zum Rückgriff auf die Geschichte der Architektur-For-

men. Die postmoderne Auffassung von der Baukunst geht, nimmt man ihre Bauten als Zeugnis, vom Ende der Geschichte aus; von jenem statischen „Posthistoire", das Arnold Gehlen als den geschichts- und ereignislosen Endzustand beschrieb, in dem es unter immer gleichen Bedingungen der ‚Normalität' nur noch um die Versorgung immer größerer (oder neuer) Menschenmassen geht.[51] Für das was sich noch ereignen kann – so die Hypothese – läßt der ewig währende Formenkanon der europäischen Architektur- und Städtebaugeschichte genügend Raum und Platz. Nichts wird mehr in Frage gestellt – weder die Mechanismen der Ökonomie noch die der Politik: sie werden vollzogen und verkleidet.

Mit dieser Überzeugung wird das, aus dem ehemals preußischen (West-)Berlin nach den Zerstörungswellen des Stadtumbaus im Geiste des Industrialismus sich bis heute entwickelt hat, unter der Ägide der Internationalen Bauausstellung 1987 und der neuen konservativen Regierungschefs in eine beliebig konvenierende Ansammlung von Zitaten aus der europäischen Stadtgeschichte verwandelt: Römische Pallazzini, Wiener Genossenschaftshöfe, verfremdete Rokoko-Pavillons, brachiale Verdichtungsarchitektur des International Style der 60er und 70er Jahre, eine Renaissance des Neoklassizismus der 30er Jahre, Zeilenbauexperimente aus den 20ern, Blockrandschließungen im Stile des ausgehenden ebenso wie des beginnenden 19. Jahrhunderts, neue Stadtmittenpläne, barocke Autobahnverkleidungen, historisierende Straßenmöbel und ein neues Design für das Kulturforum kompensieren die politische Angst und Unfähigkeit, gesellschaftliche Konflikte auf neue Art zu lösen. Die Stadt wird zu einer zufälligen Folge von Sinnesreizen, die (Bau-)Kunst zum Surrogat für das Handeln.[52]

Die Frage ist mithin, ob die „postmoderne Architektur der Stadt" nicht Ausdruck eines profunden Erfahrungsverlustes der Gesellschaft im Umgang mit sich selbst ist, der seinen Ursprung in der Abkoppelung des gesellschaftlichen vom politischen System hat – in der weiterhin zunehmenden Distanz von Gesellschaft und Politik.[53]

Wenn dem so ist, dann würde die Repolitisierung der Architektur eine Folge der Depolitisierung der Gesellschaft sein. Und dann wäre die Betonung der Ästhetik als gesellschaftliches Ordnungselement zugleich Ausdruck der fortwährenden Ausgrenzung des (Architekten-)Künstlers aus der Gesellschaft[54] und Strategie des politischen Systems zu seiner Einbindung in die Kunst des Regierens.

Der Zustand der Halb-Stadt zur Mitte der 80er Jahre läßt diesen sprachlichen Konjunktiv entbehrlich erscheinen, weil der ästhetische sich allzu deutlich in den Vordergrund geschoben hat. West-Berlin zeigt sich im Schein einer neuen Zwangs-Identität. Die überlebten städtischen Identitätsmuster der Vergangenheit werden durch ästhetische Vollkommenheit ersetzt. Die alten und neuen Unübersichtlichkeiten in der Gesellschaft werden verborgen im Konzept des städtisch-baulichen Gesamtkunstwerks. Erfahrungsverlust, Geschichtsverlorenheit und esoterischer Bedeutungswille sind Folgen der unbewältigten Realitäten der Halb-Stadt. Die ästhetische Überhöhung ist Resultat (neo)konservativer Verdrängungsstrategien.

Denn, so das neue politische Programm, die Überwindung der Krise der Gesellschaft und ihrer Städte soll nicht aus der „freien und gewaltlosen Kommunikation" ihrer Bürger erwachsen. Das Ziel der Konservativen ist nicht Identitäts-Gewinn aus der „Überschreitung vorgegebener Subjektgrenzen", sondern die Restabilisierung traditioneller Verhaltensmuster, auch wo dies nur unter Zwang und Schein möglich ist. Der (alten) These, die Krise und das befürchtete Chaos durch die Demokratisierung der Gesellschaft und ihrer Institutionen zu bewältigen, halten die neuen Regierenden (der Halb-Stadt) die Regeln der Verfassung als Veto entgegen.[55]

Dem (zumindest Teilen) der Gesellschaft erteilten Sprechverbot stellt die konservative Politik als Ausgleich die Forderung an die Architektur entgegen, eine neue Sprache zu sprechen. Wo die Gesellschaft droht auseinanderzufallen, soll die Architektur für neue Integration sorgen.[56] Den architektonischen Ideenwettbewerben sind deshalb wie eh und je weniger Grenzen gesetzt, als dem Diskurs der Bürger. Damit aber trennt sich die Architektur von der Gesellschaft: die Stadt erhält kein „Gesicht", sondern verschwindet im Bild.

Es ist der Verlust der Erfahrung der Gesellschaft im Umgang mit sich selbst, der nun auf die Architektur zurückschlägt und sie mit hohem Bedeutungsanspruch überlädt. Die von der „Postmoderne" reklamierte „kritische Funktion" der Architektur gegenüber der gesellschaftlichen Wirklichkeit ist dem manipulativen Gebrauch der Geschichte gewichen. Ihre neue Sprache erschöpft sich in einem auf „Verständlichkeit hoffenden Geplapper" über die Schönheit der herrschenden Unordnung.[57] Die vielgepriesene Rückkehr zur Maßstäblichkeit bleibt letztendlich formaler Natur. Hinter dem neuen Historismus verbergen sich die neuen „Gewaltstreiche der Planung" und der Verlust des Wissens darum, „was Stadt eigentlich ist".[58] Die Identität der Halb-Stadt bleibt trotz ihres neuen Erscheinungsbildes brüchig. Architektur und Städtebau beschränken sich auf die Suche nach formalen Konventionen. Wo der „architektonische Kommunikationsakt" versucht darüber hinauszugehen, wird er vom politischen System zurückgezwungen.

Was Mitte der 80er Jahre an der konservativen Halbunwirklichkeit der Halbstadt Fiktion und was Realität ist, bleibt noch zu entscheiden. Die neuen Zeichen der Architektur bedeuten zu wenig, als daß sie langfristig Sicherheit bieten könnten. Geringe Irritationen schon können die neuen Fassaden beschädigen, größere geben sie der Lächerlichkeit preis. Die neuen Baukulissen zeigen keinen gesellschaftspolitischen Konsens, sie verbergen einen Mangel.

Armando Kaczmarczyk

Innerstädtische Peripherien

Geschichte ist über der Stadt hereingebrochen. Mit „Berlin-Schauplatz der Geschichte" lockt neuerdings die Senatswerbung, die doch sonst Jugend, Szene, Mode und Großstadtfieber anbot. Der hastige Griff nach Geschichte, der gegenwärtig in Berlin Behörden, Intelligenz und Parteien zu einen droht, erweckt den Verdacht, daß mit ‚Geschichte' nicht die Identität dieser Stadt gestärkt werden soll. In den letzten Jahren hat sich die Halb-Stadt in neuer Unnachsichtigkeit den unverdauten Resten ihrer Nachkriegsgeschichte zugewandt. Wir erleben die Innigkeit von Verdrängern und Verdrängten, von Li-

quidatoren und Liquidierten. Historische Gelände wie der sogenannte ‚Zentrale Bereich' oder die Brache über dem ehemaligen SS- und Gestapo-Hauptquartier (Gelände des ehemaligen Prinz-Albrecht-Palais), die noch vor einigen Jahren gleichgültige Objekte der Verkehrsplanung waren, gelten jetzt auch amtlicherseits als „hoch sensibel". Es fragt sich also, wofür steht Geschichte, wenn Geschichtliches allerorten ein Ausrufezeichen bekommt? Welche Funktion hat jenes „pasticcio" von Beschwörungsakten, von Schinkelleuchten und Gedenktafelprogramm, von geschönten Gründerzeitfassaden und der Kult um die Rekonstruktion alter Straßenführungen, von ‚oral history' und Nationalmuseumsprogrammen? Wird ‚Geschichte' nicht genau an der Stelle entdeckt, wo einst das ‚Schaufenster des freien Westens' leuchten sollte. Ist sie nicht Synonym für Erschleichung einer historischen Funktion, die über das real existierende West-Berlin hinauszielt? Ist Geschichte nicht der Name für Flucht vor Geschichte?

Die postmoderne Gefräßigkeit, die jetzt die historischen Restbestände ins schlimme Stadtbild verschmelzen will, knüpft nicht an, sondern stößt sich vielmehr an der eigentümlichen Präsenz von Geschichte in Berlin. Daß hier der faschistische Krieg zu Ende ging, davon zeugen nicht nur die Maschinengewehrspuren an Fassaden, nicht nur die selbstverständliche Anwesenheit von Ruinen und nicht allein die Tatsache, daß die wichtigsten Achsen des barocken Straßennetzes in der Öde, im plötzlich an die Oberfläche gelangten märkischen Sand enden. Über dem ganzen Stadtbild liegt vielmehr eine latente Trümmerstruktur.

Die Fahrt auf dem kürzesten Weg von Kreuzberg nach dem Wedding über Oranienplatz, Moritzplatz, Kochstraße, am Reichstag vorbei, zeigt, wie wenig West-Berlin in der Lage ist, die Berliner Nachkriegszeit zu überdecken. Ganze Straßenzüge wirken, als seien sie eben von Trümmern befreit. Der neue Asphalt läuft quer über das alte Straßenmuster. Nicht Transformation, sondern Liquidation stand auf der Tagesordnung. Das genau war der städtebauliche Beitrag zur Ideologie der Stunde Null. Wenn die Mitarbeiter des Generalbauinspektors Speer und emigrierte

Bauhausarchitekten den Bombenkrieg als urbanistische Chance begriffen, so ist das mehr als eine Anekdote, es ist Symptom einer blinden Aggressivität gegen die Stadt selbst. Der „Kollektiventwurf" von 1946, vorgestellt von Hans Scharoun (vgl. S. 302 ff.), beinhaltete nichts anderes als die Auslöschung der historischen Stadt rückwirkend bis in die Anfänge. Der sogenannte Wiederaufbau richtete sich gleichermaßen gegen die Geschichte als auch gegen das Städtische überhaupt.

Es war als ob die Verantwortlichen des Wiederaufbaus an die Kollektivschuld des Berliner Stadtvolkes glaubten. Die Metropole als Verdichtung großstädtischer Massen war nicht mehr gefragt. Straßenecken verschwanden, Plätze wurden versammlungsfeindlich dimensioniert, Blockränder aufgelöst. Eine Stadt zum Arbeiten und Wohnen für Überlebende, vor deren Augen in den letzten Jahrzehnten die steinernen Zeugen der Erinnerung, der Scham und der Schuld verschwanden.

Doch der liquidatorische Wiederaufbau hat nicht die Präsenz der Geschichte vernichten können, hat sie aber auch nicht zu transformieren vermocht. Von den innerstädtischen Brachen bis zu den bruchstückhaften Fassadenabwicklungen wirkt das Stadtbild merkwürdig doppelbelichtet. Geschichte ist abstrakt und drohend präsent. Die Trümmerstruktur der Stadt zeigt eine unbeherrschbare Größe, abschreckend und anziehend zugleich. Die neuen Architekten kokettieren postmodern mit der verlorenen historischen Substanz, verlieren sich in einer Kulissenarchitektur mit Türmchen, Erkern, Bögen und Säulchen. Die Politiker lassen sich angesichts der liegengelassenen Brachflächen, vom Irrlicht der Größe in Bann schlagen.

Die über Berlins städtebauliches Schicksal lastende Größe ist ein Zerfallsprodukt nicht geführter Auseinandersetzungen. An ihr ist weder anzuknüpfen, noch kann sie ignoriert werden. Selbst wenn der „Zentrale Bereich" bebaut sein sollte und keine Brache mehr quält, mahnt das Stadtbild jenseits der Mauer, daß die geschichtliche Dimension sich so nicht beruhigen läßt. Sich dieser Situation bewußt zu werden und sich dafür Zeit zu lassen, erfordert, daß dem fiebrigen Historismus unserer

Tage entgegengetreten wird. Es ist nicht der ‚genius loci', sondern die Empfänglichkeit der gegenwärtigen Berliner Politik für den postmodernen Zeitgeist, der die forcierte Planung z. B. eines Potemkin'schen Regierungsviertels oder einer Stadtmitte von maßstabsloser Größe zur Gefahr werden läßt. Der herrschende Provinzialismus, die Selbstbeschränkung auf die glatte Verwaltung der Bundesbindung, der totale Verzicht auf den geringsten politischen Spielraum innerhalb der deutsch-deutschen Auseinandersetzungen, der für die geteilte Stadt lebensnotwendig wäre, zeigt, was der fiebrige Historismus in Wahrheit ist: Ersatzpolitik (vgl. S. 360 ff.). Der „Zentrale Bereich" ist der innerstädtische Rückzugspunkt für die politische Bedeutungslosigkeit Berlins. Keine Frage: der herrschende Historismus hat eine mächtige und sehr fragwürdige Kräftekoalition hinter sich.

Mit den Veranstaltungen im Zusammenhang des vierzigsten Jahrestags des Kriegsendes tauchte verstärkt eine soziale Figur auf: der Zeitzeuge. Juden redeten nach vierzig Jahren, oft zum ersten Mal, über die Zeit ihrer Illegalität in Berlin. Sie alle – es sind, überflüssig zu sagen, wenige – waren im hohen Alter, redeten höflich, abgekürzt und zutiefst unsicher über das plötzlich über sie hereinbrechende öffentliche Interesse. Diese Veranstaltungen waren, wiewohl kaum spektakulär, die vielleicht wichtigsten Veranstaltungen zum 8. Mai 1985. Was aber in diesem Zusammenhang interessiert, ist die soziale Figur des Zeitzeugen selbst. Das Interesse an ihr ist die Kehrseite des ‚Zu-Spät'. Der Zeitzeuge ist Ausdruck der Ohnmacht und der Mißachtung historischer Erfahrungen. Sein Auftreten definiert exakt den historischen Ort gegenwärtiger Geschichtsbemächtigungsversuche: nicht genutzte Erinnerung stirbt mit ihren Trägern aus. Der fiebrige Historismus bewegt sich mithin an der Grenze zwischen Erinnerung und Überlieferung, zwischen Rede und Bücherwissen.

Ein Minimum an Scham und Einsicht in das Unrecht der Nachkriegsgeschichte sollte in Berlin geschichtsbeschwörende Gesten unterbinden. Es scheint aber, daß die Verdrängung des Faschismus selbst wieder verdrängt werden muß. Flucht in den Wilhelminismus als

Flucht vor dem Begreifen der Nachkriegsgeschichte scheint auf der Tagesordnung zu stehen. So kann es kommen, daß in West-Berlin jetzt eher ein Nationalmuseum gegenüber dem Reichstag entsteht als eine Gedenkstätte und ein Museum auf dem Gelände des ehemaligen Reichsicherheitshauptamts (vgl. Abb. 325–326), so wird wohl die Siegesallee eher rekonstruiert werden, als daß eine Erinnerungsstätte an den Volksgerichtshof initiiert wird. Das Unrecht der Nachkriegszeit besteht nicht nur in einer gleichgültigen Opferung der historischen Substanz für eine Utopie der fünfziger Jahre, sondern in der Liquidierung der Stätten der Opfer und der Verfolger. Anfang der fünfziger Jahre stand noch das Gestapohauptquartier, standen noch viele Synagogen. Das jüdische Hansaviertel wurde für die „Interbau" geräumt. Ganze Viertel, die eine politische Tradition hatten, wurden aufgelöst bis hin zum Straßennetz – am extremsten im Wedding (vgl. S. 318 ff.).

Vor allem aber bringt jener Historismus neues Unrecht mit. Er richtet sich gegen eine lebendige stadtgeschichtliche Strömung, die aus den Stadtteilen kommt. Sie wird von vielen Quellen gespeist und allemal verdanken sich ihre Anfänge politischen Auseinandersetzungen.

Selbst schon in den Zeiten der Basisgruppen am Ende der Studentenbewegung oder marxistisch-leninistischer Organisationsversuche führte die Suche nach dem historischen Subjekt in die Geschichte des Stadtteils hinein. Der Kampf gegen Flächenabriß ließ sich nicht nur – das begriff man schnell – im Namen der Wohnbedürfnisse führen. Besetzte Häuser ließen sich nur verteidigen, wenn der Stadtteil, seine Bewohner, d. h. ihr geschichtlicher Zusammenhang mit verteidigt wurde. Kein Straßenfest, keine Protestkampagne ohne die Mühe um historisches Wissen.

Allenfalls im Kiez zeichnet sich ab, was als dritte deutsche Lebensform vielleicht einmal politische Bedeutung erhalten könnte. Wir fragten aber nach dem Zustand dieses Widerspruchs: dort, wo sich der Kiez als Projekt der Urbanität am klarsten artikuliert hat, in der Kreuzberger-IBA, hat er die geringste stadtpolitische Bedeutung. Der Versuch, historische Stadtteilstruktur, Kleinindustrie im Hinterhof („Kreuzberger Mischung"), Selbsthilfeprojekte, Hausbesetzerszene, Ausländerghetto und Stadterneuerung miteinander zu versöhnen ist sozial gelungen, hat eine eigene Viertelästhetik geschaffen und ist hochattraktiv für die anderen Stadtteile. Jedoch die Versöhnung hängt ab vom niedrigen Mietpreis. Und da das so ist, sitzt die IBA im Namen des Kiezes im Vorzimmer des Bausenators. Politische Macht im Kiez, Ohnmacht in der Stadtpolitik, historische Bewußtwerdung und hektischer Historismus, alternative Kultur und Urbanität von Amts wegen – ein schwelender Widerspruch, der, so muß befürchtet werden, genug Zeit läßt, um im „Zentralen Bereich" Fakten zu schaffen.

Die Stadtteilkultur ist ein oder vielleicht das urbane Potential. Gleichwohl ist sie nicht nur politisch schwach, sondern nicht einmal Quell urbanen Lebens. Das hat verschiedene Gründe. Was einst emphatisch Kiez hieß, spaltet sich inzwischen schon wieder. Die einen ideologisieren Kiez als Lösung, Erlösung von der Stadt, als Lebensform gutnachbarlicher Art, als alternativen Rückzug vor den politischen Altlasten der Stadt Berlin. Stadt ist für sie ein Pluralismus ökologischer Ensemble, in deren Mitte nicht die Öffentlichkeit, sondern der ideelle Feuchtbiotop steht. Hinzu kommt dann noch der marxistisch-alternative Biedersinn, wonach repräsentatives Bauen, symbolische Architektur und historische Gestik grundsätzlich zum Überbau gehören, gegen den die Grasnarbe und die Basiskultur verteidigt werden müssen. Der „Zentrale Bereich" gehört für sie zum Naherholungsgebiet, die Fußballer vor dem Reichstag schießen nicht nur Tore, sondern ‚bewältigen' gewissermaßen deutsche Geschichte.

Es gibt die andere Haltung: Kiez als Ghetto, Rückzug als Selbstschutz vor westdeutscher Gleichzeitigkeit. Sie verteidigen Vermischung gegen die städtebauliche Entmischung. Für sie ist die unerlöste Trümmerstruktur der Stadt festgehaltene Utopie, Reservat einer Stadtidee. Für sie bedeutet der Zugriff auf den „Zentralen Bereich" die Vernichtung der Spannung zwischen Berlin und West-Berlin, die Umwandlung des „unbekannten Verlustes" in schlechte Gegenwart. Gegen diesen drohenden Schub der Baumassen, eingekleidet in historisierende Fassaden, die historisches Bewußtsein vortäuschen sollen, wird die Hauptstadt der Melancholie, der wüste Ort ungedachter Gedanken, das imaginäre Mitteleuropa verteidigt. Aber: die Verweigerung gefährdet ihre eigenen Motive und nicht nur, weil möglicherweise ein Zug schon abgefahren ist, wird sie politisch falsch. Die Wüste „Gobi" (1977, Kunstharz/Lwd., vgl. S. 12), so nennt der Berliner Maler Karl Horst Hödicke die Brache des ehemaligen Potsdamer Bahnhofs vor seinem Atelierfenster, oder der Portikus des Anhalter Bahnhofs inmitten des märkischen Sands, verlieren ihren mythischen Charakter sobald sie als Bastion verteidigt werden. Der Versuch mußte schon im Ansatz scheitern, wollte man das Prinzip einer behutsamen Stadterneuerung, daß zur Verteidigung der Luisenstadt gegen Sanierungswut entwickelt wurde, buchstabengetreu auf die ganze Stadt übertragen. Im Zentralen Bereich hieße das Konservierung. Denn die Stadt wächst nicht einfach von unten zur Stadtkrone, von der Peripherie in die Mitte, auch wenn die Mitte in West-Berlin innerstädtische Peripherie ist. Stadtteilkultur im Kiez bedarf aber der Brechung durch den öffentlichen Stadtraum, durch das, was symbolische Architektur genannt wird.

Der Griff nach der Mitte wird auch getragen von der Sehnsucht nach einem gestalteten öffentlichen Raum, nach einem „bedeutsamen Dialog von ‚res privata' und ‚res publica', der schmerzlich fehlt. Wie soll er sich entwickeln, wie kann er sich entwickelt, ohne daß er in der trüben Mischung von Architekturwettbewerben und Stadtbaufilz verkommt? Die Zeit ist reif, also kann man sich noch einen Moment Zeit lassen. Vielleicht finden die Kräfte zusammen, die gegenwärtig in eine Fraktion der Verweigerung und des protestierenden Mitmachens gespalten sind, im Kampf um einen Bebauungsplan, der sich alter, geschichtlicher Probleme der Stadtentwicklung annimmt und so der Geschichte gerecht wird.

Seit Kriegsende ist in West-Berlin eine fatale Tradition – bei der es rühmenswerte Ausnahmen gibt – vorherrschend geworden: Politik mit Mitteln der Architektur zu betreiben (vgl. S. 360 ff.). Am Zentralen Bereich zeigt sich die Konsequenz: weder gibt es eine leidenschaftliche Auseinandersetzung der Politiker mit der Architektur, noch eine Auseinandersetzung der Architekten mit der Politik. Bauherr und Stadtvolk verharren in anonymer Trägheit. Es werden eher Automatismen in Gang gesetzt und ein gemischter Chor von Kritikern, Stadtromantikern, Dennoch-Politikern wird den Marsch in den Zentralen Bereich bis zu dem Punkt begleiten, wo niemand für das Entstandene die Verantwortung mehr übernehmen will. Berlin als dritte deutsche Lebensform? Ausstellungsort für Geschichte, für Ghettokultur, für eine Unzahl von Widersprüchen, die so über das Stadtbild verstreut sind, daß sie nicht mehr zünden? Der Schub in den „Zentralen Bereich" ist schließlich deswegen so machtvoll, weil es keine Auseinandersetzung über die Zukunft der Stadt gibt. Mangelnde Identifikationsmöglichkeiten mit der Stadt und die Mauer im Kopf ergänzen sich. Daß die „Hauptstadt der DDR" ihre Mitte erobert, wird als diffuser Konkurrenzdruck über die Mauer empfunden und mit einer gewissen Verlegenheit auch amtlich bestätigt. Aber den Risiken einer Auseinandersetzung wird allemal noch die vage Konkurrenz vorgezogen, selbst um den Preis von Verdoppelungen.

Es zeigt sich also eine klare Alternative: entweder beginnt eine grundsätzliche Auseinandersetzung mit dem politischen Ort Berlin (West), in der die Diskussion um den Zentralen Bereich zur Frage der politischen Rolle West-Berlins hinführt, oder wir werden an dieser Stelle ein neues Ausstellungsstück auf dem Schauplatz der Geschichte besitzen und noch mehr zum Freizeitpark der Touristen degenerieren.

Klaus Hartung

Abschied von der Erinnerung

Genug der großen Überschriften, der staatstheoretischen Überhöhungen. Was ansteht, ist nicht der Aufstieg zur Weltstadt, nicht der Aufbau zur Hauptstadt der DDR oder zur Drehscheibe zwischen Ost und West, und erst recht nicht die Neuinszenierung im Reiche des Ephemeren, Berlin als letztes Preußen. Fällig, aber auch unaufhaltsam im Gange, ist Berlins Aufstieg zur Stadt, zur eigenen Gegenwart. Unter Stadt zu verstehen einen Ort, wo Menschen sich um ihrer selbst willen versammeln, nicht, um sich subsumieren zu lassen unter eine Idee. Berlin hat davon schon früher etwas gehabt; erst jetzt, nach allen Zerstörungen, kommt es langsam dahin, Ort seiner selbst zu sein, sich gegenwärtig, erst jetzt und um einen Preis – Völkermord, Zerstörung, Spaltung –, den freiwillig niemand bezahlt hätte.

Aber so ist es nun. Deshalb sind mit den großen Überschriften auch die Erinnerungszeiten vorbei. Am schlimmsten die Erinnerung an die 20er Jahre, im Feuilleton, in den Bildbänden – davon lebte die von sich selbst abwesende Stadt in den 50er und 60er Jahren noch, bis 1968, als sie endlich durch die Studentenrevolte ein echtes Thema bekam. Diese Zeit war nicht auszustehen: passives weinerliches Erinnern, und zur gleichen Zeit der Abriß und die Auflösung des wirklich Übriggebliebenen. Erst die von 1968 ausgehende wirkliche Aufarbeitung des Gewesenen, dieses heute unübersehbar gewordene Suchen und Wühlen nach der wirklichen Stadt, hat darüber hinweggebracht. Aus dem durchsuchten Schutt kommt heute nichts Antikisches mehr hervor, auch nicht das Exerzierfeld der Zukunft, sondern die ausgewachsene, die gegenwärtige Stadt: Die Stadt, die sich nicht mehr unter bloß eines, technischer Fortschritt oder Kaserne oder kulturelle Avantgarde oder Kalter Krieg unterordnen läßt, kein Entweder-Oder duldet, sondern nebeneinanderordnet, wie in Ost- und West-Berlin verschiedene Geschichten der Stadt nebeneinandergeordnet sind, und in diesem Nebeneinander allererst Gegenwart zuläßt. Es ist diese Durchsichtigkeit auf die Gegenwart, die heute Berlins Zugkraft ausmacht.

1. Gegenwart heißt, daß allererst die Substanz wieder sichtbar wird, weil Hinweisschilder und Leuchtreklamen allzuschnell gealtert sind. Die Substanz ist einfach das Normale, das, was passiert, wenn Überhöhungen und Überanstrengungen vorbei sind. Ursprüngli-

324 *Erdverwertungsgesellschaft beim Bodenaushub auf dem Gelände des ehemaligen Prinz-Albrecht-Palais. Foto: Gerhard Ullmann*

ches ist da in Berlin sowieso nicht zu erwarten. Aber selbstverständlich ist die Stadt, weder im West- noch im Ostteil, bloß eine Summierung von Menschen, die irgendwo herkommen. Die Gelassenheit des Nebeneinanderordnens erlaubt es, ohne anderes wegzudrängen, eine Grundtatsache zu sehen: Berlin liegt noch immer in der Mark Brandenburg. Das ist keine politische These, sondern eine physiognomische Beobachtung. Historisch genommen, ist die brandenburgische Schicht die unterste, und nichts scheint heute weniger aktuell. Aber in dem unverwechselbaren Zustand nach den großen Zerstörungen, den ich vorhin Durchsichtigkeit auf die Gegenwart genannt habe, liegen die Schichten aufgebrochen und in die Ebene gekippt nebeneinander. Die Amalga-

mierung der historischen Schichten zu einem nicht mehr auflösbaren Ganzen ist nicht geglückt, die Bestandteile treten wieder auseinander und halten die alten Spannungszustände wieder hoch, die sie aufwiesen, bevor die gewaltsamen Synthesen kamen.

Das Brandenburgische erkennt man an seiner Nüchternheit und Dürftigkeit. Es zu sehen, braucht Erfahrung mit brandenburgischen Eigenheiten, und Geduld, die durch mehrere aufeinanderfolgende Formungsversuche hindurch beobachtet, wie das Stadtbild reagiert. Umschwünge und Zerstörungen im Aufbau der Berliner Bevölkerung vorausgesetzt, ist die Herkunft statistisch überwiegend brandenburgisch gewesen. Besorgnis, daß das in germanische Ahnenforschung verwickelte, ist deswegen noch lange nicht angebracht. Genau umgekehrt: Die Brandenburger sind entstanden wie die Berliner, als Zusammenwachsen von Gruppen, die sich mit dem hiesigen Sand und dem schon immer unvermittelt und hoch drüber (aber ans Herz gehend) schwebenden roten Adler identifizierten – Slawen, Franken, Westfalen, Rhein- und Niederländer. Die Einwanderung aus der Mark hat Berlin zur Großstadt gemacht, die Abschnürung West-Berlins von diesem Umland macht die bevölkerungsmäßige Stagnation der Weststadt aus (aber, zaghaft wächst sie inzwischen wieder).

Brandenburgisch an Berlin ist das immanente Scheitern aller zu hoch gegriffenen, nicht in der realen Stadt verwurzelten Planungen. Was den Sand ignoriert, versandet. Die Berliner Baugeschichte ist dafür voller Beispiele. Zum einen im Positiven: Der Erfolg des Berliner Klassizismus, besonders Schinkels, liegt darin, daß er sich damit begnügt, die vorhandene brandenburgische Bautradition zur Form, zu ihrem sichtbaren Begriff, zu bringen, statt etwas ganz Fernes, Andersgebautes, drüberzustülpen. So wie Schinkel aus Neuruppin kam, kam diese Architektur auch wieder ins letzte Dorf zurück, was bis heute sichtbar ist. Das Gegenteil ist auch allenthalben sichtbar: die von Staats wegen veranstaltete große Form, die märkisch

325–326   *Wettbewerbsentwurf für die Gestaltung des Geländes des ehemaligen Prinz-Albrecht-Palais von Ulrich Baehr und Andreas Reidemeister, 1984. Zwei Gouachen von Ulrich Baehr: Blick nach Westen auf den Martin-Gropius-Bau (ehemaliges Kunstgewerbemuseum) über die geplanten Wasserflächen, deren Konturen gebildet werden von den bruchstückhaften Sockelmauern der nach 1945 ausgelöschten Gebäude der ehemaligen Kunstgewerbeschule (Gestapo) und des ehemaligen Prinz-Albrecht-Palais (Dienstgebäude der SS und des SD). Von hier aus wurde der NS-Terror in Europa organisiert. Der seitlich sichtbare Hohlweg führt auf die freigelegte Sockelwand des Gropius-Baus. Dort werden biographische Daten der Folteropfer aus dem Gestapokeller in gläsernen Kassetten dokumentiert. Auf dem Hohlweg unterschreiten die Besucher das Wasser um schließlich vor der Gedenkwand zu stehen. Nachtrag 1985: Der Wettbewerb ist inzwischen vom Berliner Senat annulliert worden.*

kleingearbeitet wird, bis sie paßt, und dann ist sie natürlich nicht mehr besonders groß und auch nicht mehr so deutlich Form. So erging es dem Rondel Friedrich Wilhelms I. (heutigem Mehringplatz), so erging es noch dem Haussmannismus der reichen Großberliner Terrainplanung, z. B. dem Charlottenburger Savignyplatz: dessen achter Strahl fehlt (vermutlich, weil irgendeinem Grundstücksbesitzer die Form des achtstrahligen Sterns weniger am Herzen lag als der Zusammenhang seiner Parzelle); aber der Platz lebt.

2. Dieses nüchterne, praktische, formabweisende Wesen hat natürlich nie ausgereicht, um der Stadt zu einem Bild zu verhelfen. Aber Bilder sind leicht zu verschreiben, zu entwerfen, an zentralen Stellen auch zu bauen, und wieder auszuwechseln gegen andere Bilder; daß eine Stadt wenigstens in bescheidenem Maße sie selbst ist, hängt dagegen an der normalen Substanz, am Alltag und Durchschnitt des Lebens. So unerkannt sie arbeitet, so ist die Brandenburgfraktion im Funktionsmodell des Gesamtberliners die eigentliche Großmacht. Das ist sie allerdings nur in der nach wie vor unaufgelösten Spannung zu den ständig erneuerten Versuchen staatlicher Überformung. Wenn diese Versuche letztendlich auch immer wieder gescheitert sind, sind sie doch – über 500 Jahre wiederholt – eine ständige Einrichtung. So liegt inzwischen das Staats-Berlin, auf beide Stadthälften verteilt, als eigene Materie neben dem brandenburgischen Berlin, und ohne diese Spannung wäre die Stadt ziemlich arm.

Das Staatsberlin ist, kurz gesagt, das preußische Berlin. Die Stadt, kann man getrost sagen, hat Preußen erlitten, nicht es angeleitet. Aber was Berlin an Form aufzuweisen hat – und das ist, nach allen Zerstörungen und einer Mauer mitten durch, nicht wenig –, geht auf die preußische Residenz zurück, noch da, wo es sie zu verleugnen sucht. Das preußische Berlin beginnt mit dem Schloßbau Joachims II., und es endet nicht mit dessen Abriß 1951. Die preußische Form der Stadt ist im wesentlichen vom Großen Kurfürsten bis zu Friedrich Wilhelm IV. geschaffen worden, jeweils bezeichnenderweise unter eindringlichem persönlichem Eingreifen der jeweiligen Her-

ren. Bekannt davon ist nur das – beinahe – Scheitern der großen Form. Weniger bekannt ist das preußische Bündnis mit der brandenburgischen Substanz: die ökonomische Stadtform, die als eine Topographie der Manufakturen, Lagerhäuser, Märkte und Zollstellen der ästhetischen Form die Unterlage und den Halt bot, noch da, wo sie sie störte. Dieses preußische Berlin ist noch keineswegs ganz bekannt – wie unbekannt es ist, zeigt die andauernde Ratlosigkeit gegenüber dem nachfolgenden industriellen Berlin, dessen Herkunft angesichts des herrschenden Bildes vom preußischen Berlin so schwer erklärbar scheint.

So ist es nicht weiter erstaunlich, daß das Ende des preußischen Berlin nicht deutlicher ist als das Preußens selbst. Am ehesten kann man sagen, daß es 1870 mit Preußen und mit dem preußischen Berlin zuende war. Zu diesem Zeitpunkt ging nämlich das Bündnis mit dem brandburgischen Am-Boden-Bleiben zuende. Ab 1870 – keiner hat das schärfer und mit so großer liebevoller Trauer analysiert als Theodor Fontane – wollte man nur noch hoch hinaus, und zum Unglück konnte man das auch meist bezahlen. Bis dahin war die Berliner Gesellschaft „provinziell" gewesen: keine Vorlesung in der Universität, die nicht auch möglicherweise den Besuch eines Maschinenfabrikanten oder eines Staatsbeamten gefunden und im Stadtgespräch – wie Hegels Ästhektikvorlesungen – zu Kontroversen geführt haben könnte; keine Oper im Schauspielhaus, deren Arien nicht die Chance gehabt hätte, von den Lehrlingen nachgepfiffen zu werden, kein Vaudeville, das nicht auch die Intelligenz beschäftigt hätte – Witz, Sprache, geistige Bewegung, Lebensformen blieben in Sichtweite. Das war nicht nur Reaktion und Biedermeier, sondern auch die gesellschaftliche Voraussetzung des Vormärz und die von 1848.

Die Zeit Wilhelms II. ist darüber hinausgekommen. Die Stadt emanzipierte sich vom Staat, gab sich ihr eigenes Gesicht, und trotzdem, als Projekt des Klassenkampfes, wurde der Wilhelminismus zu einer reaktionären Volksbewegung, finanziert vom Reichtum jener Industriestadt, die gerade das preußische Berlin ablöste. Unter Abriß des preußischen entstand das monumenta-

le Berlin der Eckhäuser und Ansichtskarten, dem man heute nachweint und per Stadtreparatur hinterherhinkt. Auch die DDR und der West-Berliner Senat sind darüber hinausgekommen. Die DDR, der preußischste Staat auf deutschem Boden, hat es nicht nur fertiggebracht, noch mehr Preußen abzureißen als Wilhelm II., sondern auch, eine den im 19. Jahrhundert gewonnenen Großdimensionen der Stadt angepaßte neue Monumentalform preußischer Herkunft herzustellen. In West-Berlin hat man dagegen die Form kurzerhand der Verkehrsplanung überlassen, im Namen der Auto-Demokratie, und sich auf flächendeckende Größe und Zerstörungswut des formalen Abhebens konzentriert.

3. Auch auf der industriellen Schicht ist kein Ausruhen. Auch sie, so gern man das heute hätte, ist nicht zur Gesamtform der Stadt geworden und liegt heute ebenfalls zur Seite gekippt als ausbeutbare Masse da. Am Plündern sind viele, einschließlich der Restindustrie selbst (siehe AEG). Andererseits macht das Ende des klassischen Industriezeitalters, indem es sich selbst ins Ephemere übersetzt: ausstellungswürdig wird, nur um so deutlicher sichtbar, wie wenig dieses dritte Berlin wegzuschaffen ist. Es stellt schlicht und einfach die Masse.

Das ist auch nicht nur Baumasse. Das auch, aber davon ist inzwischen viel zerbombt, noch mehr an die ewig notleidende Bau- und Spekulantenwirtschaft verfüttert und von dieser zwischen den Zähnen zermahlen. Nicht abreißbar sind die Entfernungen, die Weiträumigkeit, dieses für das industrielle Berlin typische Sichrecken, Entfernen und doch wieder am neuen Ort Sichneukonzentrieren. Das unterscheidet, zumindest auf den zweiten Blick, vom Ruhrgebiet. Die Industrialisierung ist in der Innenstadt erlernt worden, innerhalb der engen preußischen Form, einschließlich der Bauaufsicht. Erst spät ist man umgezogen in die umliegenden Landkreise und hat da gebaut, als befände man sich weiter in der Innenstadt. So hat Berlin sicherlich die städtischste Großindustrie hervorgebracht, städtischer noch als die Turiner. Zwischen diesen städtisch dichten und geformten Industrieclustern ist Ödland, Ackerbau, später zu Laubenkolonien geworden, sind immer neue Ansätze zu ebenfalls innerstädtisch anmutenden Wohnvierteln der unterschiedlichen Terraingesellschaften, und die alles zerschneidenden und collagierenden Trassen und Territorien der Eisenbahnen.

Es ist also nicht nur die geheime Kontinuität der Produktion des hochqualifizierten Facharbeiters, die das industrielle Berlin mit dem preußischen verbindet, sondern auch die steinerne Verwirklichung, das ästhetische Bild und das preußische Mauerwerk. Größte Teile des industriellen Berlin kamen mit dem Bild der draußen liegenden Industriekathedralen aber auch nie überein, sie waren in der Innenstadt geblieben, hatten sich, besonders in der Luisenstadt, mit dem Wohnwachstum und der spätklassizistischen (spätpreußischen) Stadtplanung verbündet und hinter antikisierenden Wohnfassaden für den Weltmarkt produziert, hatten nicht einmal die Form der Industrie recht erreicht, sondern waren beim industriell kooperierenden Handwerk stehen geblieben.

Trotzdem ist das Bestimmende bis heute der Widerspruch zwischen dem brandenburgisch-preußischen Traditionskern der Stadt einerseits und dem ausgedehnten, zerstreuten, immer neu ansetzenden industriellen Flächenstaat mit seinen Vorortbahnen, Vorortsiedlungen, Erholungs- und Versorgungsflächen. Sowohl die Teilnehmer des Städtebauwettbewerbs von 1910 als auch eine Generation weiter Albert Speer mit seinen Nord-Süd- und Ost-West-Achsen hatten das mit einer Monumentalstadt dritter Kategorie überwölben wollen, gleichsam eine einzige Kuppel über beiden Reichen, zugleich über Berliner Traditionszentrum und Charlottenburger City. Aber das zerstob in Luft, und statt dessen haben wir heute, durchaus folgerichtig, die Mauer. Mit dieser Grenze im Rücken, ist für die beiden Teilstädte das Verhältnis von Traditionsrest und industrieller Großstadt kein Problem mehr; zu weit ist ersterer aufgerieben. Festzuhalten bleibt, daß, anders als in New York, der unversöhnbare Widerspruch nicht durch die industrielle Lawine selbst gelöst wurde, sondern durch die nur indirekt mit ihr vermittelten politischen Spannungen und die Zerstörungen, in denen diese sich entluden. Wenn heute scheinbar die Industriestadt in Ost und West sich

den Traditionskern wieder aufzubauen sucht, dann ist das auch die alte Industriestadt nicht mehr, sondern ein neues Gebilde, das auf dem Boden der Abrisse sich ohne Nachdenken und sonderliche Anstrengungen eine Neuverteilung der Gewichte leisten kann, weil beide Teile gleich Geschichte geworden sind.

4. Der Drehpunkt war, um weiter in der geologischen Metapher der Schichten zu bleiben, der NS. Die Ereignisse von 1933 bis 1945 haben sozusagen die labilen Schichten der bisherigen Entwicklung aufgesprengt und umgeworfen. Die ungeheuren Zerstörungen entgehen freilich jeder Metapher, man sieht den Verlust des Gefüges, aber man sieht nicht, was verloren ging, die Menschenschicksale, die bürgerlichen Institutionen, die die heute leerstehenden Stadträume füllten, die osteuropäischen Bevölkerungsströme und die westeuropäischen Gedankenströme. Vor allem sieht man nicht, woran diese Stadt eigentlich gescheitert ist. Denn daß es zufällig war, daß gerade diese Stadt so zerstört übrigblieb, wird man nach allem nicht behaupten können. Da gibt es zweifellos den zwingenden Zusammenhang zwischen der Zerstörung Berlins und der Warschaus, Stalingrads oder Lidices. Innerhalb dieses unzweifelbaren Zusammenhanges muß man den anderen herausfragen, den zwischen der Geschichte der Stadt und ihrer Funktion als Zentrum des nationalsozialistischen Terrors.

Der NS wenigstens hat es verstanden, die Unstimmigkeiten im Schichtengefüge der Stadt zum Spielen zu bringen, mit jeder Schicht haben die Nazis sich gegen die jeweils anderen verbündet, und die damit freigesetzten Spannungen haben sie in die ihnen dienliche Zerstörungsenergie umzuwandeln gewußt. Daß sie das konnten, zeigt ja besser als alles andere, daß sie keine geschickten Verführer von außen waren, sondern Bauchredner der Sache selbst. Da hat sich, auch wenn die Protagonisten weitgehend von außen kamen – die Gestapo-Mannschaft beispielsweise aus München –, ein latenter Konflikt autoritär bündeln lassen, auf eine katastrophale Lösung hin. Berlin war keine braune Stadt, weit weniger als Nürnberg oder München, aber es hat sich in jeder seiner Schichten mindestens so weit ein-

gliedern lassen, daß es als Hauptstadt des NS funktionierte: es stellte proletarische Massen zur Verfügung, preußisches Beamtentum, industrielle Schlagkraft. Jede Schicht für sich betrachtet, käme besser weg als anderswo, da gibt es „unsere Straße" und den roten Wedding, den Widerstand des preußischen Milieus vom Grundschullehrer bis zum General, und die windstillen Zonen im Wirtschaftsbereich. Aber an diese Schichtenordnung haben die Nazis sich nicht gehalten, sie verstanden es, das, was sie an mobilisierter Stadt brauchten, quer zu diesen Schichten zu organisieren. Sie hatten ihre Fackelzüge am 30. 1. 33 und ihren Jubel vor der Reichskanzlei und sie hatten ihn erst recht zur Olympiade und noch im Sportpalast. Das war das erscheinende Berlin. Das andere war aus Sicherheitsgründen stumm, versuchte, Menschenleben zu retten, versteckte Linke und Juden, konspirierte und kam, verständlicherweise aber von außen nicht verstanden, selbst dann nicht hervor, als die russischen Armeen bereits vor Berlin standen und auf einen Aufstand von innen rechneten.

Die Nazis haben Berlin zum ersten Mal als historisches Subjekt auftreten lassen – seit 1452 war das nicht mehr geschehen, und auch 1848 hatte so weit keiner gedacht. Sie inszenierten nicht die realen historischen Schichten mit ihren Widersprüchen, sondern feierten nichts weniger als die angebliche Gründung (das siebenhundertjährige Alter einer Erwähnung eines Cöllnischen Beamten in einer Urkunde) – während gleichzeitig die Pläne für Germania entstanden, die Hauptstadt des 21. Jahrhunderts, die die Diskrepanzen der alten Stadt unter sich begraben sollte. So überhaupt begann der Umschwung zur Gleichzeitigkeit: als Gleichschaltung (vgl. S. 230 ff.). Diese Stadt war tatsächlich, als kollektives Subjekt, ab 1934 gleichgeschaltet, nämlich ihrer widersprüchlichen Öffentlichkeiten, des Dialogs der unversöhnten historischen Schichten, enteignet, gleichgeschaltet in der Realität ihrer öffentlichen Organe, ihrer Verwaltung, Justiz, Kultur, bis hinein in den anonymen Witz, von dessen kritischen Zügen bis heute nicht klar ist, ob und wie weit sie nicht von den Nazis selber in Umlauf gesetzt wurden. Nichts an dieser neuen Rolle der Stadt war echt. Der Auftritt als erstmaliges historisches Subjekt war mit Gewalt durchgesetzter Schein, und doch irreversibel. Berlin wurde mit dieser Rolle identisch, Hauptstadt des NS, und es wurde identisch mit den Folgen: Zerstörung, Teilung, Kriegsrecht bis zum heutigen Tag, Verlust seiner Geschichte.

5. Was wir heute von der Gegenwart sehen, ist, wie gesagt, weniger das Neue, als das so entstandene Nebeneinander des Alten. Ost- und West-Berlin quälen sich gleichlautend mit der übriggebliebenen Subjekt-Rolle ab, einer Rolle, die nicht ausgefüllt, aber auch nicht aus der Welt geschafft werden kann. Während aber in Ost-Berlin der Staat sich ein weiteres Mal verwirklicht und damit ein Studium dessen, was wirklich vor sich geht – was als Gegenwart produziert wird –, sehr erschwert, sind in West-Berlin die experimentellen Bedingungen durchaus günstig. Die Obrigkeit ist uneinheitlich, setzt hier und da durch und zerstört wie bisher, aber ohne Zwangsläufigkeit, vielmehr gehen die posthistorischen Brechungen, die die Stadtkultur bestimmen, auch durch sie mitten hindurch. Jeder Schritt in der West-Stadt deckt also so viel auf wie zu und macht sie stellvertretend zu einem Wahrnehmungsfeld des ganzen Berlin. Gerade so wird die Geschichte unübersehbar, zum eigentlich Inhalt der Subjekt-Rolle Berlins. Regisseur, Fokus, Forum ihrer Gegenwart ist zweifellos die politische Spaltung selbst, anwesend in der Mauer als dem Strukturgeber der Stadt schlechthin. Die Tatsache der Spaltung organisiert, gegen den bewußten Willen der Bewohner, die Offenheit der Geschichte, die Gegenwart der Zerstörungen, den Charakter des Nichtbeilegbaren, der einem überall im Stadtgebiet trotz beidseitigen unermüdlichen Normalisierens entgegentritt. Diese Gegenwärtigkeit ist heute die stärkste Produktivkraft der Stadt. Das Wort Produktivkraft ist dabei nicht metaphorisch gemeint und auch mit Be-

dacht benutzt. Über das Berlin der dritten Welle wird mehr geredet, als die ökonomischen Tatsachen zulassen, und es ist sinnvoll, erst einmal nach möglichen Wurzeln einer neuen Form der Stadt zu fragen. Die gemeinte Gegenwärtigkeit schlägt sich wenigstens erst einmal subjektiv nieder: in Erfahrungs- oder, genauer gesagt, Wahrnehmungsprozessen. Daß die Mauer diese Prozesse regiert, ist schon wörtlich zu verstehen, auch wenn das am Ende nur ein Bild der Sache ist: aus aller Welt stammen die Graffiti und ihre Autoren, die sich auf der Mauer niedergeschrieben haben. Die Mauer ist aber überall in Berlin anwesend. Sie ist der nicht wegzuleugnende Beweis für die Unheilbarkeit der gewesenen Geschichte. Daß da etwas ist, über das nicht hinwegzukommen ist, eine Geschichte, auf die man noch aufprallen, über die man aber nicht hinübersteigen kann, die einen bei allen Umwegen auf den Ausgangspunkt zurückbringt: dafür steht die Mauer, das stellt sie dar. Zwangsläufig gehorcht die Berliner Kultur dem Prinzip Grenze. Die Dinge werden entwickelt bis zu dem Punkt, wo sie ihre Eindeutigkeit verlieren, oder abstürzen. In einer geteilten Stadt ist nichts als Ganzes sichtbar, es fehlt immer jener Teil von Sichtbarkeit, der nur durch Wechsel der Mauerseite zu haben ist. Zuallererst an der Mauer selbst.

So ergeben sich ganz von selbst die Berliner Verzerrungen, die man im Bundesgebiet beklagt, belächelt, nicht mehr haben will. Die Mauer historisiert die übrigen Probleme der Stadt, spiegelt sie, deutlicher als das anderswo der normale Gang der Dinge tut, in die Waagrechte, den Zustand nach den großen Zerstörungen. In den Rissen zwischen den Wirklichkeitsschichten der Stadt ist der Platz, den die Berliner Kulturszene ausfüllt. Es sind Katastrophenrisse, in denen die Ruhe der Gegenwart herrscht, so tief, daß dort längst eine internationale Gesellschaft entstanden ist, von Leu-

ten nicht nur, die Maler, Filmer oder Dichter und Ereignisspezialisten sind, sondern sich in Berlin einfach als Pioniere eines anderen Lebens etablieren. Was sie hält, ist die Ausnahmesituation: daß hier keine Lüge so groß sein kann, um das Leben heil erscheinen zu lassen. Der Berliner Alltag hat darin eine sozusagen transzendentale Qualität. Er muß nicht erst auf den Begriff gebracht oder ästhetisiert werden, es genügt, hier zu sein, sich mit den Abstrusitäten des Normalen herumzuschlagen, der Berliner Ausländerpolizei, dem Abschreibungswesen oder dem Rechtstatus des Kapitulanten unter alliierter Kontrolle. Attraktivität nach außen ist in der Ökonomie sämtlicher Weltstädte inzwischen ein fixer Posten, ohne den keine Stadtverwaltung durchkäme. Auf diesem Markt bietet Berlin seine Grenzsituation an und sich selbst als Platz, wo die Grenzverwirrung als kulturelles Produkt mitzunehmen ist. Die Offenheit der Geschichtszerstörungen ist das, was auf dem Markt der Angebote den aufgehäuften Schatzgeschichten von Venedig oder Florenz, Wien oder Prag entspricht. Aber die Mauer ist eine Veranstaltung auf Dauer, nichts Ephemeres, und so auch die Durchsichtigkeit der Stadt auf Gegenwart hin. Das kann man subjektiv realisieren nur durch Dableiben. Dableiben heißt, in der Stadt zu leben, sich zu ernähren, sich einen Arbeitsplatz zu schaffen. Damit haben noch immer alle Stadtverjüngungen in der Geschichte angefangen – nicht mit Subventionen auf Kauf von Investitionen, die am Ende dann gar keine gewesen sind, sondern mit der Zuwanderung von Leuten, die von der Stadt etwas wollen, und dem entsprechenden Druck auf die Eingesessenen, ihrerseits zuzulegen. Das brandenburgische Dableiben ist die fortlaufende Ursache der Geschichte Berlins, auch heute beidseits der Mauer.

Dieter Hoffmann-Axthelm

Anmerkungen und Literaturhinweise

Berlin präsentiert sich der Welt

1 Bierzeitung des Berliner Architektenvereins aus dem Jahre 1893, Berlin/DDR, Märkisches Museum
2 Notiz: „Die Berliner Weltausstellung ist endgültig gescheitert", in: „Der Grundstein. Wochenblatt für den deutschen Maurer und diesen verwandten Berufsgenossen", Hamburg, 5. Jg. Nr. 35 vom 27. 8. 1892, S. 3 f.
3 Max Goldberger, Mitglied des dreiköpfigen Arbeitsausschusses der Treptower Gewerbeausstellung
4 Albert Kühnemann (Hg.), „Groß-Berlin. Bilder von der Ausstellungsstadt", Berlin 1896/97, S. 17–19
5 Pracht-Album photographischer Aufnahmen der Berliner Gewerbe-Ausstellung 1896, Text von Paul Lindenberg, Berlin o. J., S. 3
6 Das persönliche Regiment. Reden und sonstige öffentliche Äußerungen Wilhelms II. Zusammengestellt von Wilhelm Schröder, München 1907, S. 96 f.
7 Berlin und seine Arbeit. Amtlicher Bericht der Berliner Gewerbeausstellung 1896, hg. von F. Kühnemann, B. Felisch, L. M. Goldberger, Berlin 1898, S. 3
8 Annemarie Lange, Das Wilhelminische Berlin, Berlin/DDR 1976, S. 32–34
9 ebd., S. 36
10 Max Wolff, Club von Berlin 1864–1924, Berlin 1926, S. 10
11 Dr. Hans Freiherr von Berlepsch, Socialpolitische Erfahrungen und Erinnerungen, M.Gladbach 1925, S. 25 f.
12 Karl Erich Born, Staat und Sozialpolitik seit Bismarcks Sturz, Wiesbaden 1957, S. 67
13 Die Herrenhaus-Junker und die Arbeiter. Reden, gehalten von v. Puttkammer und v. Stumm in der Sitzung des Preußischen Herrenhauses am 24. Juni 1897. Nach dem stenographischen Bericht. Berlin 1897, S. 11, 13
14 Ottomar Beta, Die Marine-Schauspiele, in: Groß-Berlin. Bilder von der Ausstellungsstadt, hg. von Albert Kühnemann, Berlin 1896/97, S. 264 f.
15 Rede vom 17. 6. 1897 in Köln zur Einweihung des Denkmals für Wilhelm I., in: Das persönliche Regiment, a. a. O., S. 25
16 Pracht-Album, a. a. O., S. 21
17 Das persönliche Regiment, a. a. O., S. 266
18 ebd., S. 267
19 Ottomar Beta, Die Marine-Schauspiele, in: Groß-Berlin, a. a. O., S. 266
20 Berlin und seine Arbeit, a. a. O., S. 861
21 A. Lange, Das Wilhelminische Berlin, a. a. O., S. 59
22 ZStA, Potsdam. RKA 10.01/6349: Die für die Kolonial-Ausstellung bestimmten Eingeborenen der deutschen Schutzgebiete. Bd. I (28. 11. 1894–13. 8. 1896), Bl. 2
23 ebd., Bl. 19
24 ebd., Bl. 5–7
25 ebd., Bl. 43–48
26 ebd., Bl. 118–121
27 ebd., Bl. 157
28 Diese sowie weitere Schicksale: ebd., Bd. II, z. B. Bl. 71/72, Bl. 95
29 Kleine Enzyklopädie Weltgeschichte Bd. 1, Leipzig 1981, Stichwort Kamerun, S. 582
30 ZStA, Potsdam. RKA 10. 01/4299: Die inneren Verhältnisse Kameruns. Die Häuptlinge und ihre Familien. (1. Juni 1890–Febr. 1905), Bl. 49
31 Groß-Berlin, a. a. O., S. 255 f.
32 ZStA, Potsdam. RKA 10. 01/4299, Bl. 74/75

Das kostümierte Imperium
Das Kaiserpanorama. Katalog der Berliner Festspiele GmbH, Berlin 1984

Rhythmus der Großstadt

1 Felix Philippi, Alt-Berlin. Erinnerungen, 4. Aufl., Berlin 1913, S. 94
2 Erich Köhrer, Warenhaus Berlin. Ein Roman aus der Weltstadt, Berlin 1909, S. 23
3 Vgl. Meyers Enzyklopädisches Lexikon in 25 Bänden, Band 10, Stichwort: „genealogische Taschen- und Handbücher", S. 32, Mannheim 1974
4 Adolf von Wilke, Alt-Berliner Erinnerungen, Berlin 1920, S. 233
5 Vgl. ebenfalls dazu: Meyers Enzykl. Lexikon, a. a. O.
6 Fedor von Zobeltitz, Chronik der Gesellschaft unter dem Kaiserreich 1894 – 1901, Bd. 2, 1902 – 1914, Hamburg 1922, S. 276 f.
7 Philippi, a. a. O., S. 95 f.
8 ebd., S. 96
9 Georg Simmel, Philosophie des Geldes, 7. Aufl., Berlin 1977, S. 484
10 Franz Kafka, Der Nachbar, in: Franz Kafka, Ges. Werke, Bd. 5, Frankf. a. M. 1976, S. 100/101
11 Wolfgang Schivelbusch, Straßenlaternen und Polizei, in: Die nützlichen Künste, Hg. von T. Buddensieg und H. Rogge, Berlin 1981, S. 104
12 Johannes Schlaf, Das Wort, in: Deutsche Großstadtlyrik vom Naturalismus bis zur Gegenwart, Stuttgart 1975, S. 64
13 Kurt Eisner, Taylorismus, in: Die neue Rundschau, 1913, Bd. 2, S. 1448
14 ebd.
15 ebd., S. 1453
16 Dr.-Ing. W. de Beauclair, Hermann Hollerith. Schöpfer der Lochkartenmaschine, in: VDI-Nachrichten vom 27. 2. 1960
17 Die Lochkarte als Träger des Hollerith-Verfahrens, in: Die Hollerith-Lochkarte. Festschrift zur 25-Jahrfeier der Deutschen Hollerith Maschinen Gesellschaft, Berlin-Lichterfelde 1935, S. 84
18 ebd., S. 85
19 vgl. Aus dem Arbeitsfeld der Lochkarte, in: Die Hollerith-Lochkarte, a. a. O., S. 96
20 Götz Aly, Karl Heinz Roth, Die restlose Erfassung. Volkszählen, Identifizieren, Aussondern im Nationalsozialismus, Berlin 1984, S. 7
21 Kurt Tucholsky, Der Apparat, in: Kurt Tucholsky, Gesammelte Werke, Bd. 1, 1907–1918, Reinbek bei Hamburg, November 1975, S. 337
22 Ute Frevert, Emanzipation und Berufstätigkeit. Das Beispiel der weiblichen Angestellten und ihrer Organisation in der Weimarer Republik, unveröffentlichte Staatsexamensarbeit (Universität Bochum) Bielefeld 1977
23 Vgl. ebd.
24 Oscar T. Schweriner, Arbeit. Ein Warenhausroman, Berlin 1912, S. 28 f.
25 U. Frevert, a. a. O., S. 110
26 ebd.
27 Philippi, a. a. O., S. 140
28 ebd.
29 Emile Zola, Paradies der Damen, München 1976, S. 212
30 Schweriner, a. a. O., S. 24
31 Köhrer, a. a. O., S. 56
32 ebd., S. 54
33 Paul Göhre, Das Warenhaus, Frankfurt am Main 1907, S. 80
34 Werner Sombart, Das Warenhaus – ein Gebilde des hochkapitalistischen Zeitalters, in: Probleme des Warenhauses. Beiträge zur Geschichte und Erkenntnis der Entwicklung des Warenhauses in Deutschland, Berlin 1928, S. 84
35 Vgl. zu Entwicklung und Bedeutung des Warenhauses: Klaus Strohmeyer, Warenhäuser, Berlin 1980
36 Ernst Stadler, Abendschluß, in: Dt. Großstadtlyrik, a. a. O., S. 130
37 Emil Claar, Die Welt im Kleinen, in: Dt. Großstadtlyrik, a. a. O., S. 67
38 Annemarie Lange, Das wilhelminische Berlin. Zwischen Jahrhundertwende und Novemberrevolution, Berlin 1967, S. 374
39 Göhre, a. a. O., S. 12
40 Lange, a. a. O., S. 77
41 Karl Ernst Osthaus, Das Schaufenster, in: Julius Posener, Berlin auf dem Wege zu einer neuen Architektur. Das Zeitalter Wilhelms II., München 1979, S. 470
42 Paul Ruben, Schaufensterdekoration – eine vornehme Reklame, in: Die Reklame. Ihre Kunst und Wissenschaft, hg. von Paul Ruben, Berlin 1913, S. 168
43 Paul Ruben, Die Strecken-Reklame, in: Die Reklame . . ., a. a. O., S. 40
44 Paul Boldt, Auf der Terrasse des Café Josty, in: Paul Boldt, Junge Pferde! Junge Pferde!, Olten und Freiburg 1979, S. 70
45 Zobeltitz, a. a. O., Bd. 1 1894 – 1901, S. 65
46 Helmut Kreuzer, Die Boheme, Analyse und Dokumentation der intellektuellen Subkultur vom 19. Jahrhundert bis zur Gegenwart, Stuttgart 1968, S. 203
47 Georg Zivier, Das Romanische Café, Berlin 1968, S. 23
48 Volksgesundheit und Städtebau, in: Ber-

liner Illustrirte Zeitung, 1910, Nr. 16, 17. April
49 Die Polizei, 1909, VI
50 ebd.
51 Merkblatt in den Akten des Polizeimuseums. Der Vf. dankt Herrn Schulp
52 Hans Hitzer, Die Geschichte der Verkehrszeichen. Vom Steinhaufen zur Verkehrsampel, ADAC-Motorwelt 11/1972
53 Die Polizei, 1927, IV
54 Die Polizei, 1909, II u. IV
55 Lange, a. a. O., S. 82
56 ebd., S. 138
57 Jules Huret, Berlin um Neunzehnhundert, Berlin 1979, S. 54
58 Die Woche, 1909, Nr. 34
59 E. E. Hermann Schmidt, Die Reklame in der Zigaretten-Industrie, in: Die Reklame, a. a. O., S. 126
60 Werner Siemens. Ein kurzgefaßtes Lebensbild, hg. von Conrad Matschoß, Berlin 1916, S. 534, zit. nach: Dt. Sozialgeschichte, Bd. II, a. a. O., S. 103
61 Huret, a. a. O., S. 236
62 Walter Benjamin, Berliner Kindheit um Neunzehnhundert, Frankfurt am Main 1970, S. 22
63 ebd.
64 Der Traumograph, in: Berliner Illustrirte Zeitung, 1904, Nr. 14
65 ebd.
66 Peter Schlobinski, Berlinisch für Berliner und alle, die es werden wollen, Berlin 1984, S. 40 f.
67 Kurt Tucholsky, Berlin! Berlin!, in: Kurt Tucholsky, Gesammelte Werke, Bd. 2 1919–1920, Reinbek bei Hamburg November 1975, S. 130
68 ebd., S. 129
69 Wilhelm Erb, Über die wachsende Nervosität unserer Zeit, Heidelberg 1893, S. 14 f., zit. nach: Sigmund Freud, Die ‚kulturelle‘ Sexualmoral und die moderne Nervosität (1908), in: Sigmund Freud, Studienausgabe, Bd. IX, Fragen der Gesellschaft / Ursprünge der Religion, S. 14 f.
70 Eugen Loewenstein, Nervöse Leute. Gedanken eines Laien, Leipzig 1914, S. 9
71 Fritz Deichen, Verhältnisse der Bediensteten und Arbeiter im Straßengewerbe Berlins. Schriften des Vereins für Sozialpolitik 99 (1902), S. 367–531, zit. nach: Dt. Sozialgeschichte, Bd. II, a. a. O., S. 54
72 Loewenstein, a. a. O., S. 179
73 Willy Hellpach, Nervenleben und Weltanschauung. Ihre Wechselbeziehung im deutschen Leben von heute, in: Grenzfragen des Nerven- und Seelenlebens, 41. Heft, Wiesbaden 1906, S. 51 f.
74 ebd.
75 Le Metropolitain, in: Die Woche, 1900, Nr. 15
76 Ernst Stadler, Bahnhöfe (1914), in: Dt. Großstadtlyrik, a. a. O., S. 130

Kunst im Widerspruch
1 Jules Huret, Berlin um Neunzehnhundert, Reprint Berlin 1979, S. 245
2 Gerhard Masur, Das kaiserliche Berlin, München, Wien, Zürich 1971, S. 90
3 Emil Ludwig, Wilhelm der Zweite, Berlin 1926, S. 304
4 Werner Doede, Berlin. Kunst und Künstler seit 1870, Recklinghausen 1961, S. 97
5 Ludwig, a. a. O., S. 243
6 Huret, a. a. O., S. 10 f.
7 Masur, a. a. O., S. 222
8 Doede, a. a. O., S. 81 f.
9 Albert Soergel, Dichtung und Dichter der Zeit, 5. Aufl., Leizpzig 1916, S. 201 ff.
10 Soergel, a. a. O., S. 202
12 Vgl. Doede, a. a. O., S. 53 ff. und: Peter Paret, Die Berliner Secession, Berlin 1981

Stadtbild-Baumeister
Berlin und seine Bauten, Berlin 1896
Berlin und seine Bauten, 3. Aufl., Teil IV Band A + B: Die Wohngebäude, Teil IX: Industriebauten, Bürohäuser, Berlin, München, Düsseldorf 1971
Georg Haberland, 40 Jahre Berlinische Bodengesellschaft, Berlin 1930
Ludwig Hoffmann, Lebenserinnerungen eines Architekten, hg. von W. Schäche, Die Bau- und Kunstwerke von Berlin, Beiheft 10, Berlin 1983
Manfred Klinkott, Backsteinbauten Karl Friedrich Schinkels und das Werk seiner Schüler, in: Karl Friedrich Schinkel, Kat., Berlin 1981, S. 123 ff.
ders., Hermann Blankenstein und die Architektur seiner städtischen Gebäude, in: Berlin. Von der Residenzstadt zur Industriemetropole, Kat. Bd. 1, Aufsätze, hg. von Karl Schwarz, Berlin 1981, S. 401 ff.
Edina Meyer, Miethausbau 1906–1938 in Berlin – Paul Mebes, Berlin o. J.
Thomas Nagel, Die Luisenstadt im System der Berliner Elektrizitätsversorgung, in: Kreuzberger Mischung, hg. von K. Fiebig, D. Hoffmann-Axthelm, E. Knödler-Bunte, Berlin 1984, S. 104 ff.
Julius Posener, Berlin auf dem Wege zu einer neuen Architektur. Das Zeitalter Wilhelms II., München 1979
Ludovica Scarpa, Martin Wagner e Berlino. Casa e Città nella Republica di Weimar, Roma 1983; deutsch: Braunschweig/Wiesbaden 1985

Vororte
1 Werner Hegemann, Das steinerne Berlin, Lugano 1930. Neu herausgegeben Berlin – Frankfurt – Wien 1963
2 a. a. O. (neue Ausgabe), S. 245
3 a. a. O. (neue Ausgabe), S. 245/246

Zwischen Belgien und Baltikum
Der Fußnotenteil mußte aus Platzgründen um gut ⅔ gekürzt werden. Die Dokumentation von wissenschaftlichen Kontroversen, zahlreichen Personalnachweisungen und eigenen weiterführenden Forschungsergebnissen fiel dem zum Opfer. Der Verlag war unter diesen Umständen bereit, der späteren Gesamtpublikation in einer wissenschaftlichen Zeitschrift zuzustimmen.
1 Richard Müller, Vom Kaiserreich zur Republik, Bd. 2, Die Novemberrevolution, Wien 1925, S. 10 ff., 16 f. Vossische Zeitung, Nr. 576, 10. Nov. 1918. Zum zeitlichen Ablauf: Ernst Rudolf Huber, Deutsche Verfassungsgeschichte nach 1789, Bd. 5, Weltkrieg, Revolution und Reichserneuerung 1914–1919., Stuttgart 1978, S. 674–691
2 E. R. Huber, a. a. O., 685–691, 695, 708, 713; Richard N. Hunt, Friedrich Ebert und die deutsche Revolution von 1918, in: E. Kolb (Hrsg.), Vom Kaiserreich zur Weimarer Republik, Köln, 1972, S. 120–137, spez. S. 125
3 Die in der Folge zitierten Korrespondenzen entstammen z. T. aus Beständen des 1982 aufgelösten und seitdem vom Berliner „Museum für Verkehr und Technik" betreuten Archivs der „A. Borsigschen Vermögensverwaltung, Berlin" („ABV."). Die Kenntnis einiger der Materialien der „ABV." verdanke ich der freundlichen Hilfsbereitschaft von Herrn Lothar Binger in Berlin. Herr Binger gewährte mir auch die Einsicht in ein Manuskript zum Thema: Borsig im I. Weltkrieg, dem ich wertvolle Anregungen verdanke.
4 Zu den Verbandskarrieren von Max Roetger und H. Friedrichs s. u. Anmerkung 7. Hans von Raumer (1870–1965), war Geschäftsführer des im März 1918 gegründeten „Zentralverbands der deutschen elektrotechnischen Industrie". In der Leitung des Verbands überwogen von Anbeginn an die Großfirmen Siemens und AEG. (Interview von Raumer; Hans Martin Barth, Berliner Elektro-Großindustrie in der deutschen Politik. Elektro-Industrie, Verbände, Parteien 1862–1920, phil. Diss. Bln. (FU) 1980, S. 588 ff., zitiert: Barth, Elektroindustrie . . .). Zur Rolle von Hugo Stinnes bei der Vorbereitung der „ZAG" vgl. Gerald D. Feldman, „German Business between War and Revolution: The Origins of the Stinnes-Legien-Agreement", in: Gerhard A. Ritter (Hrsg.), Entstehung und Wandel der modernen Gesellschaft, Festschrift Hans Rosenberg zum 65. Geburtstag, Berlin 1970, S. 312–341, speziell S. 326, 329; und G. D. Feldman, „The Origins of the Stinnes-Legien-Agreement – A Documentation", in: Internationale wissenschaftliche Korrespondenz zur Geschichte der deutschen Arbeiterbewegung, 19/20, 1973, S. 45–103, speziell S. 77–80. Feldman nutzte das Archiv des „Carl Friedrich von Siemens-Institutes" in München – zitiert: „SAA.", das Bundesarchiv und Archive der Firmen: MAN., Bayer, Phönix-Rheinrohr und Gutehoffnungshütte; Hauptfundus bei Barth, Elektroindustrie: „SAA."-Bestände.
5 Hugo Stinnes, Berlin, Hotel Continental, 9. XI. 1918 an Roetger, Berlin-Grunewald, Höhmannstr. 9, unsignierter Bestand „ABV."
6 Hans von Raumer, Berlin, 9. XI. 1918 an Roetger, ebda.
7 Hartmut Kaelble, Industrielle Interessenpolitik in der Wilhelminischen Gesellschaft.

Centralverband deutscher Industrieller 1895–1914, Berlin 1967, S. 256; Hans-Peter Ullmann, *Der Bund der Industriellen. Organisation, Einfluß und Politik klein- und mittelbetrieblicher Industrieller im Deutschen Kaiserreich 1895–1914,* Göttingen 1976, S. 232 f., 252 f.; Dankwart Guratzsch, *Macht durch Organisation. Die Grundlagen des Hugenbergschen Presseimperiums,* Düsseldorf 1974, S. 128; Hellmut Bauer, „*Der Kriegsausschuß der Deutschen Industrie – Die industriellen Organisationen im Ersten Weltkrieg",* in: *Der Weg zum industriellen Spitzenverband,* Darmstadt 1956, S. 74–101, speziell S. 79–85; Zitat: Kommerzienrat H. Friedrichs bei der Gründung des „Industrierates". (Bauer, *Der Kriegsausschuß . . .* S. 84); Jürgen Kocka, *Klassengesellschaft im Krieg 1914–1918. Deutsche Sozialgeschichte 1914–1918,* Göttingen 1973, S. 22–29. Zur Zusammensetzung des „Kriegsausschusses" vgl. Ullmann, *Der Bund,* S. 232 f., 252

8 Bei Hans von Raumer, „*Die Zentralarbeitsgemeinschaft"* in: *Der Weg zum industriellen Spitzenverband,* S. 102–117, spez. S. 109, und bei Feldman, *Business,* S. 333, schon auf 3. November datiert. Entwurf in „ABV." datiert 6. XI. Feldman, *Origins,* S. 82 ff., belegt ebenfalls den 6. XI.

9 Grundsätzliche Einigung 30. Oktober 1918

10 Barth, *a. a. O.,* S. 596; v. Raumer, *Zentralarbeitsgemeinschaft,* S. 118; *Interview von Raumer;* ZAG.-Abkommen behandelt in der Sitzung des „Rates" vom 15. XI. 1918; veröffentlicht im „Reichsanzeiger" vom 18. XI. 1918. Huber, *Verfassungsgeschichte,* V., S. 771. Ernennung Koeths: Ernst Rudolf Huber (Hrsg.), *Dokumente zur deutschen Verfassungsgeschichte,* Bd. III., Stuttgart 1916, S. 7

11 Zur Reichweite des ZAG-Abkommens: Hans Joachim Bieber, *Gewerkschaften in Krieg und Revolution – Arbeiterbewegung, Industrie, Staat und Militär in Deutschland 1914–1920,* Hamburg 1981, Teil II., S. 595–617

12 Telegramme Roetgers an Reichswirtschaftsamt und den Reichskanzler Max von Baden sowie Telefonat Roetger–Stinnes jeweils 8. XI. '18. Eingabe an Max von Baden 9. XI. und Kopien an Borsig am 9. XI. Über Borsig war angesprochen: Verband Berliner Metallindustrieller, (B.=Vors.), Verein deutscher Maschinenbauanstalten, Gesamtverband deutscher Metallindustrieller (B.=jeweils stellv. Vors.); „Norddeutsche Gruppe" im „Verein deutscher Eisen- und Stahlindustrieller" (VDESTI) (B.=Mitglied).

13 Telegramm Roetger/Friedrichs vom 8. XI. '18 an Reichskanzler Max von Baden („ABV.")

14 Gleichlautendes Anschreiben Roetger an Reichskanzler und Reichswirtschaftsamt vom 9. XI. '18, Tagebuch-Nr. 333, „Eilt sehr!" („ABV.")

15 Feldman, *Business,* S. 338: „Counterrevolution before the Revolution"; bezogen auf „Government control of the economy . . ."

16 Hugo Stinnes: Vors. AR.: „Deutsch-Luxemburgische Bergwerks- und Hütten-AG.", „Rheinisch-Westfälische Elektrizitätswerke-AG."; stellv. Vors.: „Zechenverband", Arbeitgeberorg. Montanindustrie im Bez. Oberbergamt Dortmund; „Verein für die bergbaulichen Interessen" ebda. Mit Emil Kirdorf (Generaldir. „Gelsenkirchener Bergwerks-AG." und Vors. des „Rheinisch-Westfälischen Kohlensyndikats AG.") und W. Beukenberg (Generaldir. „Phoenix-AG. für Bergbau und Hüttenbetrieb", Vors.: „Nordwestliche Gruppe" VDESTI., des „Langnamvereins"; stellv. Vors.: „Verein deutscher Eisenhüttenleute") gehörte Stinnes im Weltkrieg zum Freundeskreis Alfred Hugenbergs.

17 Gustav Williger, Generaldir. „Kattowitzer AG. f. Bergbau und Hüttenindustrie", stimmte vor dem 9. XI. der ZAG.-Politik für den „Oberschlesischen berg- und hüttenmännischen Verein" zu. Vgl. H. J. Bieber, *Gewerkschaften,* II., S. 605

18 Zur Rolle von Stinnes bei der Vorbereitung der ZAG. und seinen Kontakten zu v. Raumer in Berlin vgl.: Feldman, *Origins,* S. 47, 67, und ders., *Business,* 326 u. 329; Barth, *a. a. O.,* S. 597

19 So auch als Leitbegriff bei Feldman, *a. a. O.*

20 G. D. Feldman, „*Die Demobilmachung und die Sozialordnung der Zwischenkriegszeit in Europa",* in: *Geschichte und Gesellschaft,* IX., 1983, Heft 2, S. 156–177, speziell S. 170 f.

21 „*Soziale Praxis",* Jgg. XXVIII, Nr. 5, 31. X. 1918

22 Aufstellung der unterzeichneten Arbeitgeber und Industrieverbandssprecher bei Huber, *Verfassungsgeschichte,* Bd. V., S. 93, 770 f.

23 von Raumer an E. v. Borsig, 5. X. 1918, „ABV."

24 Barth, *a. a. O.,* S. 599; Feldman, *Origins,* S. 83

25 Ein „kaum vorstellbares Durcheinander und Nebeneinander" einander befehdender Zweckgründungen. (Interview mit Dr. Maximilian Frese (+), ehemaliger Syndikus des Zentralverbands der deutschen elektrotechnischen Industrie)

26 Vgl. Dirk Stegmann, *Die Erben Bismarcks. Parteien und Verbände in der Spätphase des Wilhelminischen Deutschlands. Sammlungspolitik 1897–1918.* Köln 1970, S. 146–175

27 Brief Wilhelm v. Siemens' an Carl Friedrich von Siemens, 24. IV. 1912 *(SAA. 4/Lf 666)*

28 Briefwechsel Wilhelm v. Siemens–Walther Rathenau. *(SAA. 4/Lk 196–199,* Siemens an Rathenau, 26. VII. 1915 und Rathenau an Siemens am 10. VIII. 1915)

29 Barth, *a. a. O.,* S. 482 f.

30 Brief Wilhelm v. Siemens' an Walter Rathenau, 26. VII. '15 *(SAA. 4/Lk 196–199)*

31 Vgl. *SAA. 4/Lk 196–199* und *SAA. 4/Lk 637;* Barth, *a. a. O.,* S. 535 ff., 562 ff., 587 ff.

32 Vgl. G. D. Feldman, *Army, Industry and Labor in Germany* 1914–1918, Princeton (N. J.), 1966, S. 45–52

33 So z. B. bei Stegmann, *Bismarcks Erben,* S. 461 und Guratzsch, *Macht durch Organisation,* S. 130

34 Fritz Fischer, *Griff nach der Weltmacht. Die Kriegszielpolitik des kaiserlichen Deutschland 1914/18,* Düsseldorf, 4. Aufl. 1971, S. 190

35 Hier und in der Folge hauptsächlich bezogen auf Positionen in der DDR-Historiographie.

36 Willibald Gutsche, „*Die Entstehung des Kriegsausschusses der deutschen Industrie und seine Rolle zu Beginn des Ersten Weltkrieges",* in: *Zeitschrift f. Geschichtswissenschaft,* XVII. Jgg., 1970, S. 877–898, spez. S. 890; Fritz Klein (u. Autorenkollektiv), *Deutschland im Ersten Weltkrieg,* Bd. I., Berlin/DDR., 1968, S. 391 f.; Fritz Fischer, *Griff . . .,* S. 197

37 Belgien als „Herzstück der deutschen Kriegsziel-Politik im Westen" von September 1914 bis zum Herbst 1918: Fischer, *Griff . . .,* S. 121–128, Zitat S. 127

38 Vgl. Jürgen Kocka, *Unternehmensverwaltung und Angestelltenschaft am Beispiel Siemens 1847–1914.* Stuttgart 1969, S. 408–459; Barth, *a. a. O.,* S. 236

39 Gutsche, *Kriegsausschuß, a. a. O.,* S. 890. Protokollierung Stresemann

40 Einladungsschreiben 9. VI. 1915 an Wilhelm zur Besprechung am 20. VI. 1915 in Berlin. *(SAA. 4/Lk 134–135).* Zur Vorgeschichte Klaus Schwabe, *Wissenschaft und Kriegsmoral. Die deutschen Hochschullehrer und die politischen Grundfragen des Ersten Weltkrieges,* Göttingen 1969, S. 70 f.; Fritz Klein (Gesamtherausg.), *Deutschland im Ersten Weltkrieg, Bd. II.,* Willibald Gutsche (Hrsg.), 2. Aufl. Berlin/DDR. 1970, S. 170 ff.

41 Fuhrmann, neben dem Historiker D. Schäfer der führende Kopf, gehörte dem rechten Flügel der rheinisch-westfälischen Nationalliberalen an. Vgl. Thieme, *Nationaler Liberalismus,* S. 59 f. Siemens schickte am 21. VI. 1915 das ihm zugesandte Eingabendruckexemplar an Fuhrmann zurück. *(SAA. 4/Lk 134–135)*

42 Stegmann, *Erben,* S. 451 f.; Guratzsch, *Organisation,* S. 138–163. Thieme, *Nationaler Liberalismus,* S. 62

43 Fischer, *a. a. O.,* S. 196–201, 205

44 Fritz Klein, *Deutschland im Ersten Weltkrieg,* Bd. II., S. 737 ff.; Fischer, *a. a. O.,* S. 198, 200, 207 f.

45 Wilhelm von Siemens gehörte dem Präsidium der im November 1915 gegründeten „Deutschen Gesellschaft von 1914" an und nahm an den Diskussionssitzungen des sogenannten „Delbrück'schen Mittwochabends" in Berlin teil.

46 Wilhelm an P. Fuhrmann, 21. VI. 1915 *(SAA. 4/Lk 134–135)*

47 So Stegmann, *Erben,* S. 460 ff. und öfter.

48 *SAA. 4/Lk 134–135.* Auf dieser Sitzung wurde bereits die sog. „Delbrück-Rohrbach-Harnack-Eingabe" vom 9. VII. 1915

49 Unterlagen zur Mitgliedschaft in *SAA. 4/Lk 196–199*

50 Thieme, *Nationaler Liberalismus*, S. 76 f., 91 f. und passim

51 Unterlagen in *SAA. 4/Lk 196–199*

52 Thieme, *a. a. O.,* S. 61 ff., 71, 88–93; Stegmann, *Erben*, S. 465 ff., 469 ff.; Guratzsch, *a. a. O.,* S. 140–150; Fischer, *a. a. O.,* S. 201; Schwabe, *Wissenschaft und Kriegsmoral,* S. 55 f., 81, 84 ff., 87 und passim

53 Vgl. E. R. Huber, *Verfassungsgeschichte,* Bd. V., S. 240, 261–279; Klein, *Deutschland im Ersten Weltkrieg, II.,* S. 371–383

54 Stegmann, *Erben,* S. 497–508; Guratzsch, *Organisation,* S. 146–150

55 Vgl. Huber, *Verfassungsgesch.,* Bd. V., S. 331 ff., Stegmann, *Erben,* S. 505–509

56 Vgl. Huber, *a. a. O.,* S. 229 f., 267 f.

57 Klein, *Deutschland im Ersten Weltkrieg, II.,* S. 376

58 Wilhelm v. Siemens an den Würzburger Professor Wien am 27. III. 1916 *(SAA. 4/Lk 134–135)*

59 Vgl. Klein, *Weltkrieg, II.,* S. 377

60 Thieme, *Nationaler Liberalismus,* S. 92

61 Wilhelm v. Siemens an Prof. Wien

62 Vgl. Klein, *Weltkrieg, II.,* S. 329–335; Huber, *Verfassungsgeschichte, V.,* S. 269 f.

63 Tirpitz in seiner „Programmrede" zur Konstituierung der DVLP am 24. XI. 1917. Zitiert bei Robert Ulrich, „*Deutsche Vaterlandspartei (DVLP) 1917–1918",* in: Dieter Fricke (Hrsg.), *Die bürgerlichen Parteien in Deutschland – Handbuch der Geschichte der bürgerlichen Parteien und anderer bürgerlicher Interessenorganisationen vom Vormärz bis zum Jahre 1945,* Bd. I, Leipzig 1968, S. 620–638; Zitat: S. 622

64 *(SAA. 4/Lk 196–199).* W. v. Siemens 27. XII. 1917 an Tirpitz und Hauptgeschäftsführung DVLP. Siemens nahm noch zwischen 14. XI. und 10. XII. 1918 an 8 DVLP-Terminen teil.

65 Wilhelm v. Siemens am 27. XII. 1917 an Tirpitz. *(SAA. 4/Lk 134–135)*

66 *SAA. 4/Lk 75.* Zur annexionistischen „Besetzung" des Begriffs der „Freiheit der Meere" vgl., Hans W. Gatzke, *Germany's Drive to the West (Drang nach Westen). A Study of Germany's Western War Aims during the first World War,* Baltimore, 1950, S. 62 f.; Schwabe, *Wissenschaft und Kriegsmoral,* S. 47 ff.

67 „*Belgien und die Abrüstungsfrage"* in: ‚*Der Tag'* 25. und 27. Nov. 1917; „*Seerecht und Sicherung der Volkswirtschaft",* in: ‚*Recht und Wirtschaft'* V. Jgg., Aug./Sept. 1916, S. 173–185

68 „*Sicherungsmittel der deutschen Zukunft gegen die englische Suprematie",* Denkschrift an Reichskanzler Michaelis vom 20. IX. 1917. *(SAA. 4/Lk 76).* Kopien an: Ludendorff, Admiral H. Scheer, Chef der Hochseeflotte, von Capelle, Staatssekretär im Reichsmarineamt, General E. W. A. v. Hoeppner, Oberbefehlshaber der Heeres-

luftwaffe und an v. Kühlmann, Staatssekretär im AA.

69 Antwort Ludendorffs vom 26. IX. 1917, *ebd.*

70 „*Archiv für Innere Kolonisation",* Bd. IX., H. 10/11, 1917 S. 322 f.

71 Der Aufruf gehört in den Kontext der „Neuformung des Kriegszielwillens" (Fritz Fischer) bei den bürgerlichen Parteien der Rechten und der Mitte nach der Verabschiedung der Friedensresolution des Reichstags vom 19. VII. 1917. Fischer, *Griff,* S. 561–568

72 „*Archiv f. Innere Kolonisation",* a. a. O.

73 Zu seiner Rolle bei der Propagierung von Ost-Annexionen: Fischer, *a. a. O.,* S. 607

74 Zur Gründung (Mai 1915), Zusammensetzung und Ideologie: Stegmann, *Erben,* S. 341 ff., 344; Guratzsch, *Organisation,* S. 106 f., 140, 145, 150 u. öfter.

75 Schäfer und Fuhrmann hatten für den „Unabhängigen Ausschuß für einen deutschen Frieden" unterzeichnet.

76 Vgl. Schwabe, *Wissenschaft,* S. 162

77 Als Broschüre 1917 auch in Berlin im Buchhandel. Die Schrift wird, als im August/September 1917 ein Verhandlungsfriede mit England sich abzuzeichnen „droht", erneut vielfach versandt.

78 Auch in den Begleit- und Folgekorrespondenzen. *(SAA. 4/Lk 75; SAA. 4/Lk 76; SAA. 4/Lk 134–135; SAA. 4/Lk 196–199)*

79 Anschriftenliste in *SAA. 4/Lk 75: „Schriftwechsel betr. ‚Freiheit der Meere'"*

80 Die Liste führt hier u. a. an: Ein Vorstandsmitglied des Alldeutschen Verbands; zwei Vertreter der „Auskunftsstelle vereinigter Verbände", ein Vertreter der „Baltischen Gesellschaft" und den Vors. des „Baltischen Vertrauensrates" sowie den Generaldir. der im Dienste der Hugenbergschen Agitation stehenden „Deutschen Überseedienst-GmbH."

81 MAN: Theodor, Frh. v. Cramer-Klett; BASF.: Direktor R. Hüttenmüller; Krupp: Fritz Rausenberger, Geschützkonstrukteur; „Rheinmetall": Dir. Heinrich Ehrhardt; „Köln-Rottweil": Dir. C. Duttenhofer; „Union-AG. für Eisen- und Stahlindustrie", Dortmund: „Generaldirektor Vögler" (Fehleintragung: Vögler 1917 unter Stinnes Generaldir. der „Deutsch-Luxemburgischen Bergwerks- und Hütten-AG."); „Oberschlesische Kokswerke & Chemische Fabriken" sowie „Oberschlesische Kohlenkonvention": Fritz v. Friedländer-Fuld.

82 Friedrich Achelis, Präsident des „Norddeutschen Lloyd", „Hapag"-Direktor Th. Amrinck, Heinrich Soetbeer, Syndikus des deutschen Handelstages, und Carl F. R. Dimcker, Präsident der Lübecker Handelskammer.

83 Entfällt aus Platzgründen.

84 Vgl. Laudatio anläßlich Verleihung des Grades eines „Dr. e. h." durch die Universität Berlin im Sommer 1915 („*Wilhelm von Siemens 1855 – 30. Juli – 1915",* in: „*Recht und Wirtschaft",* IV, Jgg., Nr. 8/9, Aug./Sept. 1915, S. 189 f.

85 Entfällt aus Platzgründen.

86 Senatoren: Max Planck, der Heidelberger Internist Prof. Dr. Ludolf von Krehl; Dr. Passavant und der Kölner Bankier und Mäzen Richard von Schnitzler. Mitglieder: Reg.präs. Dr. F. Kruse, Vors. „Kaiser Wilhelm-Institut f. Kohlenforschung" (Mülheim/Ruhr), Dr. C. Duttenhofer, Dir. „Köln-Rottweiler Pulverfabriken"; Prof. Beer, Vors. Reichsentschädigungskomm. Leipzig, und Ministerialdir. Dr. Schmidt, preuß. Kultusmin. Im Siemens-Konzern gehörte neben Wilhelm v. Siemens, der dort seit 1916 als Leiter d. „wissenschaftl.-techn. Forschungsdienstes" tätige Chemiker Dr. C. D. Harries der „KWG." an. *(SAA. 11/Le 651)*

87 August Franz Max v. Parseval, baute mit zwei weiteren Konstrukteuren den 1897 beim deutschen Militär eingeführten sog. „Drachenballon"; ließ sich aus dem Militärdienst beurlauben, um 1906 sein erstes Luftschiff zu bauen, das er 1908 an die deutsche Regierung verkaufte.

88 Vgl. Stegmann, *Erben,* S. 461

89 Vgl. Schwabe, *Wissenschaft und Kriegsmoral,* S. 21, 194

90 Der Name „von Siemens" erscheint an letzter Position unter den Zeichnern mittelständischer Organisationen.

91 Gründungsdatum: 26. März 1911. Gründungsaufruf „*Um das Recht der Gegenwart"* in der „Deutschen Juristen-Zeitung", Nachdruck in: „*Nachrichten vom Verein ‚Recht und Wirtschaft'"* Nr. 9, 1. II. 1914, S. 139–142. Wilhelm von Siemens, seit November 1913 2. Vorsitzender des Vereins, hatte den Aufruf unterzeichnet und wurde 1915 Vorstandsmitglied des Berliner Bezirksverbandes.

92 Kennzeichnend in der Gründungserklärung der Ruf nach den „Fachkennern" und das später interessenpolitisch „besetzte" Verlangen, „die Tatsachen ... nach den Zusammenhängen des wirtschaftlichen und sozialen Lebens" bei richterlichen Entscheidungen zu werten. Starke industrielle Präsenz im Zentralvorstand von „R. + W." und seinen Ausschüssen sowie in den einzelnen Bezirksverbänden.

93 Die „Vermittlungsstelle für Assessoren" suchte über das Angebot von „Betriebspraktika" Juristen früh für „R. + W." zu gewinnen.

94 Vgl. „*Allgemeiner Bericht über die Tätigkeit des Vereins während der letzten zwei Jahre"* in der „*Niederschrift über die zweite Mitgliederversammlung ..."* (am 6. XII. 1914 in Berlin) (=„*Recht und Wirtschaft",* IV. Jgg., Nr. 1, Jan. 1915, S. 29–36, spez. S. 30)

95 Im Presse-Ausschuß u. a. vertreten: der „Reichsverband der deutschen Presse", der „Verein deutscher Zeitungsverleger", die offiziöse Nachrichtenagentur „WTB", ferner Chefredakteur Rippler („Tägliche Rundschau"), Georg Bernhard („Vossische Zeitung"). Exkursionen: „*Nachrichten ...",* S. 145, 150; „*Recht und Wirtschaft",* V. Jgg., Nr. 4, Febr. 1916, S. 107 f.

96 Vor 1914 schon 15 Veröffentlichungen als „Schriften des Vereins ‚Recht und Wirtschaft'" erschienen.

97 Vgl. Franz Wieacker, *Privatrechtsgeschichte der Neuzeit*, 2. Aufl. Göttingen 1967, S. 575–581. Als weitere „Freirechtler" mit gelegentlichen Beiträgen in „R. + W." vertreten: Der Begründer der deutschen Rechtssoziologie, Eugen Ehrlich und Hermann Kantorowicz, sowie Ernst Fuchs.

98 A. Düringer, „*Victor Börngen ...*", in: „*Recht und Wirtschaft*", VI. Jgg., März 1917, S. 82, Zitate auch aus „*Niederschrift...*", *a. a. O.*, S. 30

99 Wilhelm von Siemens, „*Seerecht und Sicherung der Volkswirtschaft*", in: „*Recht und Wirtschaft*", V. Jgg., Nr. 8/9, 1916, S. 173–185

100 *SAA. 4/Lk 175:* Wilh. v. Siemens am 9. VII. 1917 an Otto v. Gierke: Dank für die Agitationsschrift: „*Unsere Friedensziele*", Berlin 1917. Deren „kräftiger Ruf", werde „den Widerstand gegen die demokratisch-sozialistische Flut" anfeuern. Gierke legitimierte nicht nur die Konstruktion von Schutzstaaten im Hinblick auf Belgien und Polen, sondern auch die völlige Ellbogenfreiheit des Siegers. Gierke rechtfertigte den deutschen U-Boot-Krieg, war erfolgreichster akademischer Gegner der Kriegszielpositionen Delbrücks u. a. bei der Vorbereitung der „Intellektuellen-Eingabe" von 1915; im Krieg entschieden gegen innenpolitische Reformen. (Schwabe, *Kriegsmoral*, S. 53, 70, 72, 78 f.) Der Bonner Jurist Zitelmann hatte 1915 für die „Oberste Heeresleitung" die Aufteilung Belgiens in eine flämische und wallonische Region unter deutscher Oberhoheit vorgeschlagen. (Schwabe, *a. a. O.*, S. 86 f.)

101 Bernhard Harms, (1876–1939): Nach Forschungen zur Wirtschaftsgeschichte und Sozialpolitik weltwirtschaftliche Studien. Der Fördergesellschaft des von ihm 1911 gegründeten und bis 1933 verwalteten Kieler „Instituts für Seehandel und Weltverkehr" (Später: „Institut für Weltwirtschaft") gehörten 1918 beim Siemens-Konzern außer Wilhelm von Siemens noch 3 Vorstandsmitglieder von SSW an, daneben auch der Leiter des „Wiss.-techn. Forschungsdienstes", Dr. C. D. Harries. *(SSA. 11/Le 651).* Harms wurde 1915 von der Marineleitung zur Begutachtung der Chancen des deutschen U-Boot-Krieges herangezogen und hat damals wie 1917 Tirpitz unterstützt, sprach sich aber 1917 auch für innenpolitische Reformen aus. Vgl. Schwabe, *Kriegsmoral*, S. 97, 235, 237 f., 257

102 *SAA. 4/Lk 76,* Harms an Wilhelm v. Siemens am 15. VII. 1917

103 Ein bitteres Schlußverdikt für den bis zum Kriegsende am Wert der „deutschen militärischen Bastion" Belgien festhaltenden Siemens: „Wer das (die militärische „deutsche" Bastion Belgien, d. Vf.) noch für möglich hält, ist um seinen Optimismus zu beneiden – dem sicheren Fundament realer Erkenntnis ist er entrückt". *Ebda.*

104 *SAA. 4/Lk 76,* Brief vom 23. August 1917

105 Leitmotivisch Anfang 1917 von Johannes Haller formuliert: Es werde sich „der Staatsmann finden, der Mann mit dem großen Herzen und starken Willen, der das Geschlecht der Kämpfer und Sieger von 1914–1917 hinaufführen wird zu der Höhe, die Gott ihm bestimmt" habe. (Schwabe, *a. a. O.*, S. 151 f.)

106 So Tadel im Brief an Otto v. Gierke vom 9. VII. 1917: *SAA. 4/Lk 75*

107 Der Historiker E. Brandenburg wollte 1917 den Reichstag „zum Teufel jagen"; sein Kollege Werminghoff in Halle verlangte nach Handgranaten für die SPD. Und antisemitisch argumentierte in diesem Zusammenhang der Freiburger Historiker Gg. v. Below. Vgl. Schwabe, *a. a. O.*, S. 152 f., 160 f., 265

108 Dietrich Schäfer, „*Die Neuorientierung und des Vaterlandes Lage*", in: „*Der Panther*", V. Jgg., 1917, S. 565, zit. bei Schwabe, *a. a. O.*, S. 156, 284

109 Max Weber zit. bei Schwabe, *a. a. O.*, S. 134, 139

110 Rieppel war 1913 Generaldir. der „MAN.", 1901–1919 Mitglied des CDI-Direktoriums, ab 1911 Vors. d. Gesamtverbands deutscher Metallindustrieller.

111 Ausarbeitung vom 17. VIII. 1917 in „ABV". Handschriftlicher Vermerk Borsigs: „Von Herrn von Rieppel". Zur engen Beziehung Hugenberg–v. Rieppel: Guratzsch, *Organisation*, S. 416 f.

112 Brief von Prof. E. A. Budde vom 1. X. 1917 an Wilh. v. Siemens. (*SAA. 4/Lk 134–135*). B., wie Wilh. v. Siemens Propagandist der DVLP., rechnete die „MNN" neben dem „Berliner Tageblatt" und der „Frankfurter Zeitung" zu den „drei schädlichsten Blättern, die wir in Deutschland haben" und berichtete Siemens, daß sich Rieppel über den Bamberger Tabakfabrikanten Raolino mit 1 Million am geschätzten Kaufpreis von 8 Millionen Mark beteiligen wolle (*ebda.*). Die „MNN" war 1917 die größte Tageszeitung Münchens; sie galt vor 1914 als nationalliberal, agierte aber im Weltkrieg häufig linksliberal. Vgl. Guratzsch, *a. a. O.*, S. 401

113 Replik Buddes vom 12. X. '17 auf Antwortschreiben von Wilh. v. Siemens vom 11. X. '17. Es ging um die Aufbringung der von Hugenbergs und Rieppels Zusagen noch nicht gedeckten 2 Millionen Restkaufgelder. (*SAA. 4/Lk 134–135*)

114 Daten bei Barth, *Elektroindustrie*, S. 577

115 Zitat aus Buddes Brief vom 1. X. 1917 an Wilh. v. Siemens. Zur Innenpolitik kennzeichnendes Urteil: „... Prinzipienreiterei... (schaffe das) parlamentarische Regime unter Erzberger und Scheidemann und hat den Verzichtfrieden und damit die Verarmung glücklich wieder aus der Rumpelkammer hervorgeholt..." (*SAA. 4/Lk 134–135*).

116 „*Denkschrift ...*", *a. a. O.*

117 Vgl. Gg. Siemens, *Carl Friedrich v. Siemens. Ein großer Unternehmer*, Freiburg, 1960, S. 69, 79, 81, 103

118 So auch in der Beurteilung durch Hans von Raumer. (*Interview von Raumer*). Vgl. auch G. Siemens, *Carl Friedrich v. Siemens*, S. 42–75; *SAA. Briefsammlung Heintzenberg, Bd. II.* 18 und 31, Briefe an Kirdorf und Geheimrat Bücher (AEG) vom 15. IX. 1922 und 25. XI. 1932

119 Diese Opposition ist vielfach unkritisch „dem" Siemenskonzern, bzw. „der" Elektroindustrie gutgeschrieben worden. Vgl. oben, Anm. 45 und 47. Kritisch dazu: Barth, *a. a. O.*, S. 567 f.

120 *SAA. – Briefsammlung Heintzenberg I.*, S. 73 ff., Briefe an das SSW-Vorstandsmitglied Hugo Natalis vom 20. I. 1915 und April 1915 (ohne Tagesangabe). In dem „April-Brief": gegen Freigabe der Kriegszieldiskussion, gegen Annexionen in Belgien. Im „Januar-Brief" gegen Rufe nach einem Diktatfrieden.

121 *Ebda.*, S. 73 f.

122 Zur Gründung, den Organisationszielen, der Organisationsstruktur und der zeitweiligen industriellen Präsenz in der „F.V.V." vgl. Barth, *a. a. O.*, S. 581–584

123 *SAA. 4/Lk 134–135*

124 Das SSW-Vorstandsmitglied Carl Dihlmann; außerdem Gg. Graf v. Arco, technischer Direktor bei „TELEFUNKEN".

125 Vgl. Schwabe, *Kriegsmoral*, S. 81; Fischer, *Griff*, S. 207

126 Vgl. Hans Delbrück, „*Censur, Kriegsziele, innerer Kampf*", in: *Preuß. Jahrbücher*, Bd. 165, Juli–Okt. 1916, S. 177–183

127 Zur Behinderung der Gründung von „F.V.V."-Gruppen durch die „stellvertretenden Generalkommandos" bzw. zur Ablehnung bei der westl. Schwerindustrie vgl. Barth, *a. a. O.*, S. 581 und Stegmann, *a. a. O.*, S. 464

128 Ausführlicher: Barth, *a. a. O.*, S. 581–584

129 Zu den auslösenden Faktoren der „gelben" Politik bei Siemens: Kocka, *Unternehmensverwaltung*, S. 347–363; Barth, *Elektroindustrie*, S. 358 ff., 361 ff., 380–386, 420–438. Zum „gelben" Organisationsgrad bei der Belegschaft und zur „Züchtung" der „Gelben": Schriftwechsel Siemenskonzern – preuß. Kriegsministerium, Okt./Dez. 1914, *SAA. 4/Lk 17*

130 Barth, *a. a. O.*, S. 584 ff. und H. J. Bieber, *Gewerkschaften ...*, Teil I., S. 441 ff.

131 Adolf Wermuth, *Ein Beamtenleben – Erinnerungen*, Berlin 1922, S. 374–379, 420, 425, 432. Briefe C. F. v. Siemens vom 18. IV. 1917 an Wilh. v. Siemens und Zuschrift von Wilhelm vom 19. IV. 1917 an C. F. (*SAA. 4/Lf 666*)

132 In gleicher Weise Ablehnung eines „politischen Kompagniegeschäftes" mit dem „Jesuiten Erzberger" (*ebda.*)

133 Brief C. F. v. Siemens an Wilhelm vom 23. IV. 1917 (*ebda.*)

134 C. F. v. Siemens an Wilhelm am 23. IV. 1917, *ebda.*

135 Fischer, *Griff*, S. 763. Mit Borsig hatte sich Rieppel 1916 für die „Angliederung der belg. Bergbauzone" und d. Übernahme der belg. Bahnen ausgesprochen, *ebda.*, S. 328. Vo-

tum zu Longwy-Briey in Borsigs Beantwortung einer Umfrage der „Vossischen Zeitung" vom 7. IV. 1918. (Gatzke, *Germany's Drive . . . .*, S. 264)

136 Dank der oberschlesischen Rohstoffwerke innerhalb der „O. H. G. A. Borsig, Berlin" war Ernst von Borsig verbandspolitisch mit seinen Interessen sowohl in Organisationen der Schwerindustrie wie in denen des Maschinenbaus verankert. Zum Problem des „polnischen Grenzstreifens" als deutschem Kriegsziel 1914–1918: Imanuel Geiss, *Der polnische Grenzstreifen 1914–1918*, Lübeck 1960, passim; Fischer, *a. a. O.*, S. 346–349. Die wichtigsten Gründe, die von der oberschles. Industrie zwischen 1915 und 1918 für die Abtretung eines – schwankend bemessenen – Grenzstreifens geltend gemacht wurden, hatte bereits Wolfgang v. Kries, Verwaltungschef im deutsch besetzten Polen, in einer Denkschrift an den Reichskanzler vom 19. VII. 1915 zusammengefaßt. (Geiß, *Grenzstreifen*, S. 151–158). An Borsig gelangten u. a.: Abschrift der „streng vertraulichen" Denkschrift der Handelskammer f. d. Regbez. Oppeln an den Reichskanzler vom Juli 1917 (*„Das Interesse Oberschlesiens an der Zukunft Polens"*) mit Anschreiben an Borsig vom 28. VII. 1917; in der Anlage vorausgegangene Eingabe der Handelskammer vom 24. IX. 1916 sowie entsprechendes Petitum des „berg- u. hüttenmänn. Vereins" v. Oberschlesien vom 3. IX. 1916 an den Reichskanzler; ferner die gutachtliche Stellungnahme des bei d. dtn. Zivilverwaltung in Polen tätigen „königl. Landesgeologen" Prof. R. Michael, vom 10. X. 1917 (*„Die für die Sicherstellung der oberschlesischen Industrie erforderliche Verlegung der Landesgrenze"*). Diesem Gutachten vorangestellt ist ein argumentatives Vorwort des Vors. des „Oberschles. berg- u. hüttenmänn. Vereins", G. Williger (Generaldir. „Kattowitzer AG. f. Bergbau u. Eisenhüttenbetrieb").

137 Williger-Michael-Gutachten, Okt. 1917, „ABV". Bezugnahme auf Briey und Longwy im argumentativen Vorwort, S. 8

138 *Ebda.*, im Text von Michael, S. 14 f. und in den Kartenanlagen. Der Text spricht verschämt davon, daß die vorgeschlagene Krakau–Wieluner Höhenlinie, die „auch bei weisester Beschränkung der Wünsche" einzuhalten sei, östlich „bzw. westlich von Wielun" zu modifizieren sei, falls „gewichtige Gründe für die Belassung der Stadt Czenstochau außerhalb der neuen Landesgrenze sprechen sollten" (vgl. Abb. 64).

139 „ABV". E. v. Borsig am 3. V. 1916 an A. v. Rieppel.

140 „ABV", v. Rieppel am 5. V. 1916 an E. v. Borsig.

141 „Streng vertrauliches" *Protokoll der Sitzung des Beirates des „Waffen- und Munitionsbeschaffungsamtes" („WUMBA") vom 26. I. 1917* unter Leitung von Generalmajor Karl Coupette („ABV"). „Die Organisationen arbeiten befriedigend, haben aber die einzelnen Arbeiter nicht mehr genügend in der Hand". (E. v. Borsig, *ebda.*).

Die lobenden Charakterisierungen v. Rieppels und v. Borsigs durch Groener werden häufig überbewertet. Vgl. Barth, *Elektroindustrie*, S. 487. Noch im August 1918 subventionierte Borsig den „Reichsverband gegen die Sozialdemokratie" mit einer Überweisung von 3.000 Mark. Auf dem Dankschreiben des „Reichsverbandes", notierte das Borsigsche Sekretariat: „Die Vorgänge sollen auf Wunsch des Herrn Geheimrat E. v. B. geheim behandelt werden. 15. 8. 1918." (*„ABV"*, v. Liebert an Borsig, 12. VIII. 1918)

Berlin als Hure Babylon

1 Neues Testament, Offenbarung des Johannes, Kap. 17

2 Gustave Doré, The New Zealander oder Der Blick nach Jahrtausenden, in: G. D., Blanchard Jerrold, London a Pilgrimage, 180 Holzstiche, London 1872, Reprint David and Charles, London 1971, S. 180

3 vgl. James Ensor, Zürich 1983 (Kat.)

4 vgl. Christine Buci-Glucksmann, Walter Benjamin und die Utopie des Weiblichen, Hamburg 1984

5 Rudolf Schlichter, Hausvogteiplatz, um 1926 Hamburg, Rolf Uecker

6 vgl. Buci-Glucksmann, S. 17

7 vgl. Ulrike Scholvin, Döblins Metropolen. Über reale und imaginäre Städte und die Travestie der Wünsche. Inaugural Dissertation, Marburg 1982

8 Johannes R. Becher, Die Huren, in: Über die großen Städte. Gedichte 1885–1967, Berlin/Weimar 1968, S. 108

9 Paul Gurk, Berlin (1923–25), Berlin 1980, S. 5

10 Friedrich Nietzsche, Menschliches, Allzumenschliches, In: F. N., Ges. Werke, Hg. von Karl Schlechta, Bd. 1, München 1976, S. 824

11 Friedrich Nietzsche, Also sprach Zarathustra, in: F. N., G. W., Bd. 2, Hg. von Karl Schlechta, München 1976, S. 699/425

12 vgl. Mythos Berlin – Wahrnehmungsgeschichte einer industriellen Metropole, Hg. von Ulrich Baehr, Berlin 1984, S. 76

13 Nietzsche, Also sprach Zarathustra, a. a. O., S. 671

14 Nietzsche, zit. nach Dietrich Schubert, Nietzsche – Konkretionen in der bildenden Kunst 1890–1933. Ein Überblick, in: Nietzsche-Studien, Bd. 10/11, 1981/82, S. 313

15 ebd., S. 312

16 Julius Hart, Berlin (1900), in: Die gespiegelte Stadt, 200 Jahre Gedichte über Berlin, Berlin 1971, S. 22/23

17 Wieland Herzfelde, Berlin (1914), in: Berlin, 99 Autoren, Stimmen einer Stadt, 100 Jahre an der Spree, Hg. von Ruth Greuner, Berlin 1971, S. 101

18 Rudolf Schlichter, Tönerne Füße, Berlin 1933, S. 206

19 Charles Baudelaire, A une passante, in: Les Fleurs du Mal, Hg. J. Crepet/G. Blin, Paris 1968, S. 181 vgl. Walter Grasskamp, Trivialität und Geschichtlichkeit. Das Motiv der Passantin, Aachen 1981

20 Ernst Ludwig Kirchner, Frauen auf der Straße, 1915 Kat. E. L. K., 1880–1938, Berlin 1980, Abb. S. 215

21 Walter Benjamin, Charles Baudelaire. Ein Lyriker im Zeitalter des Hochkapitalismus, Hg. von Rolf Tiedemann, Frankfurt 1974, S. 184

22 Johannes R. Becher, Die Huren, a. a. O., S. 108

23 Rudolf Schlichter, Tönerne Füße, a. a. O., S. 222

24 vgl. Werner Hofmann, Nana. Mythos und Wirklichkeit, Köln 1974

25 ebd. S. 53

26 Rudolf Schlichter, Tönerne Füße, a. a. O., S. 222

27 Bernhard Kellermann, Der 9. November, in: Berlin, 99 Autoren, a. a. O., S. 101

28 Walter Benjamin, Berliner Kindheit um 1900, in: W. B., Ges. Schriften, Bd. IV, I, Frankfurt 1980, S. 242

29 Georg Heym, Die Stadt der Qual, in: G. H., Dichtungen und Schriften, Gesamtausgabe, Hg. von Karl Ludwig Schneider, Bd. 1, Lyrik, Hamburg und München 1964, S. 350

30 vgl. Ulrike Scholvin, a. a. O., S. 215 ff.

31 Vgl. Ernst G. Güse, Besprechung des Bildes, Das Kunstwerk des Monats, Juni 1980

32 Rudolf Schlichter, Tönerne Füße, a. a. O., S. 210

33 Ernst Jünger, zit. nach Karl Heinz Bohrer, Die Ästhetik des Schreckens, München 1978, S. 275

34 Abb.: Uwe M. Schneede, George Grosz, Der Künstler in seiner Gesellschaft, Köln 1975, S. 35

35 George Grosz, Die Stadt, 1916/17 Slg. Thyssen-Bornemisza, Lugano

36 Abb.: Uwe M. Schneede, George Grosz, a. a. O., S. 55

37 Georg Heym, Die Stadt der Qual, a. a. O.

38 George Grosz, Brief an Otto Schmalhausen, 15. 12. 1917, in: G. G., Briefe 1913–1959, Reinbek bei Hamburg 1979, S. 56

39 ebd. S. 57

40 George Grosz, Brief an Otto Schmalhausen, 18. 1. 1917 in: Briefe a. a. O., S. 46

41 ebd.

42 James Ensor, Triumph des Todes, 1896; James Ensor, Kat., Zürich 1983, S. 287

43 George Grosz, Gott mit uns, Malik Verlag, Berlin, Juni 1920, Mappe mit Titelblatt und 9 losen Blättern – Alexander Dückers, George Grosz, Das druckgraphische Werk, Berlin 1979, MIII, S. 189

44 Max Beckmann, Die Hölle, 1919. Folge von 10 Umdrucklithographien mit lithographiertem Titelblatt und einer Mappe mit lithographiertem Umschlagbild, Verlag Graphisches Kabinett I. B. Neumann, Berlin 1919; vgl. Alexander Dückers, Kat. Max Beckmann, Die Hölle 1919, Berlin 1983

45 Max Beckmann, Berliner Reise, 1922. Folge von Umdrucklithographien mit lithographiertem Titelblatt

46 Otto Dix, Prager Straße (meinen Zeitgenossen gewidmet), 1920; Abb.: Fritz Löffler, Otto Dix, Dresden 1977, Abb. 31

47 Otto Dix, Das Grausen der Stadt, 1918; Abb.: Fritz Löffler, Otto Dix, Dresden 1977, Abb. 15

48 Max Beckmann, Die Nacht, 1918/19; Kunstsammlung Nordrhein-Westfalen, Düsseldorf; vgl. Matthias Eberle, Die Nacht. Passion ohne Erlösung, Frankfurt a. M. 1984

49 Max Beckmann, Untergang der Titanic, 1912/13; Morton D. May, St. Louis; Abb.: Eberle, a. a. O., S. 16

50 Max Beckmann, zit. nach Eberle, a. a. .O., S. 45

51 ebd.

52 Max Beckmann, Große Sterbeszene 1906; Bayerische Staatsgemäldesammlung; Abb.: Eberle, S. 56

53 Hans Magnus Hirschfeld, Sittengeschichte des Weltkrieges, Leipzig/Wien 1930, 2 Bde.

54 Buci-Glucksmann, a. a. O., S. 26

55 Abb.: Uwe M. Schneede, a. a. .O., S. 54

56 Bl. 3 von „Die Hölle"; Abb.: A. Dückers, Die Hölle, a. a. O., S. 87

57 Nicolaus Sombart, Bisexualität und Preußentum; Manuskript (maschinengeschr.)

58 ebd.

59 Alfred Döblin, November 1918, München 1978, S. 592/593

60 Offenbarung Johannes, Kap. 21

61 Bruno Taut, Die Stadtkrone, 1915–17; Abb.: Kat. Bruno Taut 1880–1938, Berlin 1980, S. 189

62 Abb.: Kat. Mies van der Rohe, Berlin 1968

63 Off. Joh. Kap. 21: Die große Stadt, das heilige Jerusalem ... hatte die Herrlichkeit Gottes und ihr Licht war gleich dem alleredelsten Stein, einem hellen Jaspis.

64 Wassilij Kandinsky, Über das Geistige in der Kunst, Bern 1952, S. 56

65 ebd., S. 39

66 Ludwig Hilberseimer, Großstadt-Architektur, Stuttgart 1927

67 Max Beckmann, zit. nach Eberle, S. 43

68 ebd.

69 Kurt Schwitters, Kathedrale des erotischen Elends, Teil des Merzbaus, 1923, Abb.: Werner Schmalenbach, Kurt Schwitters, Köln 1968, Abb. 160 ff.

70 Kurt Schwitters, Schloß und Kathedrale mit Hofbrunnen, in: Frühlicht. Eine Folge zur Verwirklichung des neuen Baugedankens, III, Nr. 3, Magdeburg 1922. Neuausgabe (Auswahl) Frühlicht 1920–22, hg. von Ulrich Conrads, Berlin, Frankfurt/M., Wien 1963, S. 166/167

71 Bertolt Brecht, Vergänglichkeit, in: B. B., Ges. Werke, Bd. 20, Frankfurt a. M., 1967, S. 21

72 Klabund, Berliner Weihnacht 1918, in: Berlin, 99 Autoren, a. a. O., S. 129

73 Art Institute of Chicago, Chicago

74 Hans Fallada, 99 Autoren, a. a. O., S. 165

75 Alfons Goldschmidt, a. a. O., S. 229

76 ebd., S. 227

77 Otto Dix, Großstadt, Triptychon, 1926; Abb.: Fritz Löffler, Otto Dix, a. a. O., Abb. S. 106

78 Klaus Mann, Der Wendepunkt, Frankfurt/M., 1952, S. 144

79 George Grosz, Brief an Otto Schmalhausen, 30. 6. 1917; in: G. G., Briefe, a. a. O., S. 53/54

80 Abb.: Fritz Löffler, Otto Dix, Dresden 1977, Nr. 19

81 Charles Baudelaire, zit. nach Walter Benjamin, Ges. Schriften V.1, Das Passagenwerk, Hg. von Rolf Tiedemann, Frankfurt a. M. 1982, S. 109

82 Kurt Schwitter, MZ 222, 1921, Collage; Abb.: John Elderfield, The early work of Kurt Schwitters, Artforum 10, Nov. 1971, S. 65

83 Alfons Goldschmidt, Sinfonie der Großstadt, in: Berlin, 99 Autoren, a. a. O., S. 227

84 John Heartfield/George Grosz, Universal City um 12 Uhr 5 mittags 1920, Montage und Zeichnung, verschollen; Abb.: Eckard Siepmann, Montage: John Heartfield, Berlin 1977, S. 43

85 George Grosz, Kannst du radfahren?, in: Neue Jugend, Berlin, Juni 1917, S. 2

86 Louis Aragon, Pariser Landleben (1926), München 1969, S. 142; vgl. Hans Freier, Odyssee eines Pariser Bauern: Aragons „mythologie moderne" und der Deutsche Idealismus, in: Karl Heinz Bohrer (Hg.), Mythos und Moderne, Frankfurt/M. 1983, S. 157 ff.

87 Raoul Hausmann, Schnitt durch die Zeit, in: R. H., Bilanz der Feierlichkeit, Texte bis 1933, Hg. von Michael Erlhoff, München 1983, S. 81

88 George Grosz, Briefe, a. a. O., S. 54

89 George Grosz, Der Goldgräber, 1916; Abb.: Uwe M. Schneede, George Grosz, a. a. O., S. 47

90 vgl. George Grosz, Ein kleines Ja und ein großes Nein, Sein Leben von ihm selbst erzählt, Reinbek bei Hamburg 1955/74, S. 103

91 Volker Klotz, Die erzählte Stadt, Ein Sujet als Herausforderung des Romans von Lesage bis Döblin, München 1969, S. 402/403

92 Conrad Felixmüller, Tod des Dichters W. Rheiner, 1925

93 Friedrich Nietzsche, Also sprach Zarathustra, Vor Sonnenaufgang, in: F. N., Ges. Werke, Hg. von Karl Schlechta, a. a. O., S. 688/689

94 Karl Hubbuch, Detail einer Berliner Fassade, 1924; Abb.: Kat. Karl Hubbuch, Badischer Kunstverein Karlsruhe, München 1981, Nr. 112, Abb. S. 158, vgl. auch Abb. S. 159

95 Georg Hermann, Kubinke, Berlin 1910, S. 16

96 Siegfried Kracauer, Ornament der Masse, 1929, Frankfurt/M. 1977, S. 311

97 Hans Fallada, Panoptikum, in: Berlin, 99 Autoren, a. a. O., S. 165

98 Kracauer, a. a. O., S. 331

99 Karl Hubbuch, Ecke Leipziger-/Friedrichstraße, 1922; Abb.: Kat. Hubbuch, a. a. O., Nr. 60

100 Alfred Döblin, Berlin Alexanderplatz, 1929, München 1978, S. 146

101 Alfons Goldschmidt, Sinfonie der Großstadt, a. a. O., S. 232/233

102 Karl Hubbuch, Jannowitzbrücke, 1922; Abb.: Kat. Hubbuch, Nr. 78, S. 139

103 Walter Mehring, 4. Strophe aus: Aus den Kanälen (1920), in: W. M. Großes Ketzerbrevier, München 1974, S. 38

104 Richard Huelsenbeck, Doctor Billig am Ende (1918–20), Frankfurt/M. 1973, S. 132

105 Paul Celan, Du liegest im großen Gelausche (1967); zit. nach Gundel Mattenklott, Literarische Spaziergänge: Berlin – Vom Alten in den Neuen Westen, Berlin 1983, S. 30

106 Georg Heym, Luna, zit. nach Kurt Mautz, Georg Heym, Mythologie und Gesellschaft im Expressionismus, Frankfurt am Main 1982, S. 249

107 Richard Huelsenbeck, Doctor Billig am Ende, a. a. O., S. 313

108 Ernst Bloch, Übergang: Berlin, Funktionen im Hohlraum, in: Erbschaft dieser Zeit, Frankfurt 1973, S. 213

109 ebd.

110 George Grosz, Ohne Titel, 1920; Kunstsammlung Nordrhein-Westfalen, Düsseldorf

111 Rudolf Schlichter, Dada-Dachatelier, 1920; Galerie Nierendorf, Berlin

112 George Grosz, Licht und Luft dem Proletariat, Bl. 4 aus der Mappe „Gott mit uns", 1920

113 Gustave Doré, Newgate – Exercise Yard, in: G. D., Blanchard Jerrold, London a Pilgrimage, a. a. O., S. 137

114 Oskar Nerlinger, Der Schulhof, 1933; Kat.: Alice Lex-Nerlinger, Oskar Nerlinger, Berlin 1975, Abb., S. 52

115 Oswald Spengler, Der Untergang des Abendlandes, Umrisse einer Morphologie der Weltgeschichte, Bd. 2, München 1973, S. 673

116 ebd. S. 676

117 Paul Citroen, Metropolis, Montagen; Abb.: Paul Citroen en het Bauhaus, Utrecht/Antwerpen 1974

118 vgl. Werner Hegemann, Das steinerne Berlin, Berlin 1930

119 Bernhard Kellermann, Der 9. November, a. a. O., S. 101

120 Armin T. Wegner, Der Zug der Häuser, in: A. Dückers, Bilder aus der Großen Stadt, Kat., Berlin 1977, o. S.

121 Axel Eggebrecht, Volk ans Gewehr, zit. nach Mythos Berlin, Hg. von Ulrich Baehr, Berlin 1984, S. 91

Hochburg der Wohnreform

1 J. Posener, Berlin auf dem Wege zu einer neuen Architektur. Das Zeitalter Wilhelms II, München 1979, S. 319

2 K. Novy, Die veralltäglichte Utopie. Richtungen genossenschaftlicher Wohnreformen in Berlin vor 1914, in: Die Zukunft der Metropolen: Paris, London, New York, hg. v. K. Schwarz, Berlin 1984, S. 384–394

3 W. Förster und K. Novy, Einfach bauen. Genossenschaftliche Selbsthilfe nach der Jahrhundertwende, Wien 1985

4 K. Novy, Genossenschafts-Bewegung. Geschichte und Zukunft der Wohnreform, Berlin 1983, S. 164 ff.

5 E. Brücker, Gemeinnützige „Siedlung Lindenhof", in: Berliner Geschichtswerkstatt, Projekt: Spurensicherung. Alltag und

Widerstand im Berlin der 30er Jahre, Berlin 1983, S. 9 ff.

6 Vgl. zur GEHAG und GSW: Siedlungen der zwanziger Jahre – heute. Vier Berliner Großsiedlungen 1924–1984, Berlin 1984

7 Vgl. K. Novy u. a. (Hg.), Anders leben. Geschichte und Zukunft der Genossenschaftskultur, Bonn 1985, S. 220 f.; und ders./ M. Prinz, Illustrierte Geschichte der Gemeinwirtschaft. Genossenschaftliche Selbsthilfe und Arbeiterbewegung von den Anfängen bis 1945, Bonn 1985

Abschreibungsmythos Alexanderplatz

1 Ludovica Scarpa, Martin Wagner e Berlino. Casa e città nella Repubblica di Weimar, Roma 1983. (Deutsche Ausgabe: Braunschweig, Wiesbaden, 1985)

2 Martin Wagner, Die städtebaulichen Probleme der Großstadt, Vortrag vom 18. 3. 1929, S. 8; Landesarchiv Berlin

3 a. a. O., S. 14

4 Vorwärts, Berlin, 22. 12. 1926

5 Heinrich Mendelsohn, Die Stadt am Alexanderplatz, in: Das neue Berlin, Berlin 1929, S. 192 ff.

6 Stenographische Berichte der Stadtverordnetenversammlung der Stadt Berlin, Sitzung vom 22. 11. 1928, S. 871 ff. und entsprechende Vorlage, datiert vom 18. 10. 1928, Nr. 858, S. 730

7 Ludwig Hilberseimer, Das Projekt Mies van der Rohes im Wettbewerb für die Umgestaltung des Alexanderplatzes, in: Das neue Berlin, Berlin 1929, Nr. 2

8 Martin Wagner, Die städtebaulichen Probleme der Großstadt, a. a. O., S. 7

9 Manfredo Tafuri, La sfera e il labirinto, Torino 1980, S. 198

10 Franziska Bollerey, Martin Wagners „Politopolis" oder Berlin, die Metropole für Alle, in: Karl Schwarz (Hg.), Die Zukunft der Metropolen, Katalog zur Ausstellung, Berlin 1984, S. 365 ff.

11 Alfred Döblin, Berlin Alexanderplatz, Berlin 1929

12 Martin Wagner, Die städtebaulichen Probleme der Großstadt, a. a. O., S. 6

13 ebd.

14 a. a. O., S. 7

15 ebd.

16 a. a. O., S. 14

17 a. a. O., S. 15

18 a. a. O., S. 16

19 Ignaz Wrobel, Berliner Verkehr, in: Die Weltbühne, Berlin 1926, II, S. 739 – 741

20 Alexander Schwab, Bauherr in Berlin ist Stadt Berlin, in: Europa-Dienst, Berlin 1929

21 Vgl. dazu Ludovica Scarpa, Martin Wagner und Berlin, S. 148, und Christian Engeli, Gustav Böß Oberbürgermeister von Berlin, Stuttgart/Berlin 1971, S. 226 ff.

22 Vorlage für die Stadtverordnetenversammlung der Stadt Berlin, Berlin 1930, Nr. 15 (342), S. 243–282. Vgl. auch Ludovica Scarpa, Die gerade Straße, in: Stadtbauwelt, Berlin, 24. 9. 1984

23 Martin Wagner, Die Krisis im Städtebau, in: Bauwelt, Berlin, 23. 7. 1925, Nr. 30,

S. 701–702; ders., Zur kommenden Umbildung Berlins, in: Bauwelt, Berlin, Juli 1927, Nr. 29, S. 707–709

24 Otto Büsch, Geschichte der Berliner Kommunalwirtschaft in der Weimarer Epoche, Berlin 1960, S. 51

25 F. W. Fischer, Stadtbaurat und Baupolizei, in: Bauwelt, Berlin 1929, Nr. 24, S. 552

26 Martin Wagner, 25 Jahre preußische Ansiedlungskommission, in: Tägliche Rundschau, Berlin, 26. 4. 1911; ders., Das neue Berlin – die Weltstadt Berlin, in: Das neue Berlin, Berlin 1929, Nr. 1, S. 4–5; ders., Die Sanierung der Berliner City, in: Deutsche Bauzeitung, Berlin, 21. 2. 1934, S. 142 ff.

27 Martin Wagner, Zur Ökonomie von Städtebau und Bauwirtschaft, in: Der internationale Kapitalismus und die Krise, Stuttgart, 20. 4. 1932, S. 361 ff. (die Zitate S. 364–365)

28 Martin Wagner, Das wachsende Haus, Leipzig/Berlin, 1932, S. 27

29 Wohnungswirtschaft, Berlin, 15. 5. 1928, 5. Jahrgang, Nr. 9/10

30 Martin Wagner, Das neue Berlin – die Weltstadt Berlin, a. a. O.

31 Alfred Döblin, Geleitwort zu: Mario von Bucovic, Berlin (Fotoband), Berlin 1928, S. VIII

32 Bernard Huet, La città come spazio abitabile, in: Lotus International, Milano 1984, Nr. 41, S. 6–16 (Zitat S. 9)

Weltstadtplätze und Massenverkehr

1 Martin Wagner, Verkehr und Tradition, in: Das neue Berlin, 1929, S. 129

2 Fr. Brömstrup, Studie über eine Verkehrssanierung der Berliner City, in: Deutsche Bauzeitung (DBZ), 1931, Heft 6, S. 46

3 E. Giese, Die Entwicklung und örtliche Verteilung des Straßenverkehrs, in: Verkehrstechnik, 1925, Heft 26, S. 453 ff.

4 vgl. dazu Vogt/Zabel, Die Umgestaltung des Spittelmarktes, Verkehrstechnik, 1926, Heft 23, S. 897 ff. und Schuppan, Die Neuregelung des Straßenverkehrs in Berlin, in: Verkehrstechnik, 1925, Heft 6, S. 65 ff.

5 Die Verkehrsstärken auf den Straßen des Innenrings, in: Berliner Wirtschaftsberichte 1935, Nr. 3

6 Walter Curt Behrendt, Städtebau und Wohnungswesen in den Vereinigten Staaten, Berlin 1927, S. 44/45

7 Neben Hegemann und Wagner, der 1924 die USA besuchte, hielten sich 1925 anläßlich des in New York durchgeführten „Internationalen Städtebaukongresses" zahlreiche deutsche Experten in den USA auf.

8 W. C. Behrendt, a. a. O., S. 8

9 ebd., S. 41

10 Ernst Reuter, Die Verkehrsprobleme der Nordamerikanischen Groß-Städte, in: Verkehrstechnik 1929, Heft 39, S. 663–669; ders., Amerikanische Reiseeindrücke, in: Die Fahrt (Zeitschrift der BVG) 1929, Heft 19, S. 1–18

11 Martin Wagner, Städtebauliche Probleme in nordamerikanischen Städten und ihre Rückwirkungen auf den deutschen Städtebau, Berlin 1929, S. 6

12 Ernst Reuter, Amerikanische Reiseeindrücke, a. a. O.

13 Ernst Reuter, Die Verkehrsprobleme der Nordamerikanischen Groß-Städte, a. a. O., S. 669

14 Orth's Plan enthält fast alle Vorschläge, wie sie in den folgenden Jahrzehnten von verschiedenen Stellen und Personen vorgebracht wurden; Durchbrüche (u. a. durch die Ministergärten, den Ausbau der Radialstraßen und die Ausbildung einer neuen Ringstraße nach Wiener Vorbild im Zuge des Königsgraben (vgl. dazu bei W. Hegemann, Städtebau, Bd. I, S. 56, Abb. 43).

15 Fr. Brömstrup, Studie über eine Verkehrssanierung der Berliner City, a. a. O., S. 45 ff.

16 Der Ausbau des Berliner Straßennetzes (Bericht über eine Denkschrift des Stadtbaurates Hahn) in: Verkehrstechnik (Beilage) 1928, Nr. 22, S. 385–387

17 Die Entstehung und Veränderung des Potsdamer Platzes ist ausführlich dokumentiert und kommentiert in: „Berlin im Abriß – Beispiel Potsdamer Platz", Ausstellungskatalog der Berlinischen Galerie, Berlin 1981, und Wilhelm Dehmel, Platzwandel und Verkehr (Diss., TU Berlin 1976), S. 96 ff. und 180 ff.

18 Der Umbau ist beschrieben in der „Deutschen Bauzeitung", 1898, S. 205 ff.

19 vgl. dazu bei Leopold, Die Umgestaltung des Alexanderplatzes in Berlin, in: Verkehrstechnik, 1932, Heft 21, S. 419 ff.

20 Martin Wagner, Das Formproblem eines Weltstadtplatzes, in: Das neue Berlin, 1929, Heft 2, S. 33 ff., und Martin Wagner, Die Neugestaltung des Alexanderplatzes – ein Wettbewerb der BVG –, in: Die Fahrt, 1929, Nr. 7, S. 9 ff.

21 ebd.

22 L. Hilberseimer, Zum Entwurf von Mies van der Rohe, in: Das neue Berlin, 1929, S. 39 ff.

23 E. Henard, Die Stadtmitte von Paris und die Knotenpunkte des Verkehrs, in: Der Städtebau, 1910, S. 109; neu erschienen: E. Henard, Etudes sur le transformations de Paris, Paris 1982

24 Marcel Breuer, Verkehrsarchitektur – ein Vorschlag zur Neuordnung des Potsdamer Platzes, in: Das neue Berlin, 1929, S. 136 ff.

25 A. Düvel; Zwei städtebauliche Brennpunkte in Berlin, in: Deutsche Bauzeitung (Beilage), 1931, Nr. 13, S. 105

Beschleunigte Wahrnehmung

1 Vgl. Rudolf Wendorff, Zeit und Kultur. Geschichte des Zeitbewußtseins in Europa, Opladen 1980, S. 422 ff.

2 Stephan Oettermann, Das Panorama. Geschichte eines Massenmediums, Frankfurt/ M. 1980, S. 57

3 Inge Krengel-Strudhoff, Das antike Rom auf der Bühne und der Übergang vom gemalten zum plastischen Bühnenbild, in: Rolf Badenhausen/Harald Zielske (Hg.), Bühnenformen, Bühnenräume, Bühnendekorationen. Beiträge zur Entwicklung des Spielorts, Berlin 1974, S. 160 ff.

4 Friedrich Kranich, Bühnentechnik der Gegenwart, München/Berlin 1929, Bd. I, S. 9

5 Zit. n. Günther Rühle, Max Reinhardt und sein Vermächtnis, in: Theater heute, 1983, H. 11, S. 31
6 F. Kranich, a. a. O., Bd. II, S. 127
7 Günter Schöne, Karl Lautenschläger, ein Reformator der Szene, in: R. Badenhausen/ H. Zielske (Hg.), a. a. O., S. 177 ff.
8 F. Kranich, a. a. O., Bd. II, S. 4
9 Karl Grube, Die Meininger, Berlin/Leipzig 1904, S. 31
10 ebd.
11 Herbert Jhering, Von Josef Kainz bis Paula Wessely, Heidelberg u. a. 1942, S. 18
12 Julius Bab, Kränze dem Mimen, Berlin/Darmstadt 1954, S. 310
13 Richard Hamann/Jost Hermand, Stilkunst um 1900, Berlin 1959; hier zit. in: Frankfurt/M. Fischer-TB 1977, S. 320
14 Hermann Bahr, Kritiken; hg. v. Heinz Kindermann, Wien 1963, S. 287 f.
15 Erwin Panofsky, Stil und Stoff im Film, 1934. Nachdruck in: Filmkritik 1967, H. 6, S. 345
16 Walter Benjamin, Das Kunstwerk im Zeitalter seiner technischen Reproduzierbarkeit, Frankfurt/M. 1963
17 Henny Porten, Theater und Film; in: Filmphotos wie noch nie, hg. von Edmund Bucher/Albrecht Kindt, Gießen 1929, S. 31
18 Werbeprospekt „Der Andere", o. O. (Berlin), o. J. (1913); (Theaterhistorische Sammlung Unruh)
19 Max Lehrs, Als ich zum ersten Mal im Kino war, in: Berliner Tageblatt Nr. 157, 16. 3. 1913
20 Urban Gad, Der Film, seine Mittel, seine Ziele, Berlin o. J. (1921), S. 150
21 Zit. n. Paul Wiegler, Josef Kainz, Berlin 1941, S. 56
22 Max Martersteig, Das deutsche Theater im 19. Jahrhundert, Leipzig 1904, S. 667
23 Alfred Freiher von Berger, Meine Hamburgische Dramaturgie, Wien 1910, S. 77 ff.
24 Günther Rühle, Theater in unserer Zeit, Frankfurt/M. 1976, S. 16; vgl. auch: Frank Wedekind und das Theater, Berlin 1915, sowie Werner Krauß, Das Schauspiel meines Lebens, Stuttgart 1958, S. 53
25 G. Rühle, Theater der Zeit, a. a. O., S. 16
26 Herbert Jhering, Schauspieler im Film. Artikelfolge im Berliner Börsen-Courier v. 31. 10. 1920 bis 16. 10. 1921; in: Von Reinhardt bis Brecht, Bd. I, Berlin 1958, S. 358 ff.
27 H. Jhering, Schauspieler im Film, a. a. O., S. 385
28 Bela Balazs, Der sichtbare Mensch, 1924. Nachdruck: Hamburg 1977, S. 135 und S. 68
29 ebd. S. 25
30 Herbert Jhering, Berliner Börsen-Courier v. 5. 2. 1930
31 F. Kranich, a. a. O., Bd. II, S. 128
32 Erwin Piscator, Das Politische Theater, Berlin 1929, S. 71
33 Friedrich Huth, Die Eisenbahnkatastrophe auf der Bühne, in: Die Deutsche Bühne 7. Jg. (1915) H. 23, S. 227 ff.
34 Arnold Zweig: Ästhetik des Rundfunks; in: Funk 1927, H. 51
35 Susanna Großmann-Vendrey u. a., Auf der Suche nach sich selbst, Anfänge des Hörfunks in Deutschland – Oktober 1923 bis März 1925, in: ARD-Jahrbuch 1983, S. 41 ff.
36 Vgl. Peter Czerny/Heinz P. Hofmann, Der Schlager, Berlin 1968, S. 48 ff.
37 Vgl. Ingrid Grünberg, Operette und Rundfunk, in: Dietrich Stern (Hg.), Angewandte Musik der 20er Jahre, Berlin 1977, S. 59 ff.
38 Heinz Schwitzke, Das Hörspiel. Dramaturgie und Geschichte, Köln/Berlin 1963, S. 206
39 F. Kranich, a. a. O., Bd. II, S. 128

Denn das Kino ist Geschäft
1 Hans Schließmann, Lichtspieltheater. Eine Sammlung ausgeführter Kinohäuser in Groß-Berlin, Berlin 1914, S. 3
2 Meyers Konversations-Lexikon, 5. Aufl., Erster Band, Leipzig und Wien (Bibliographisches Institut) 1894
3 Die intermittierende, das meint die immer neu unterbrochene, aussetzende Bewegung ist die physiologische Grundlage des Films. Da Lichtreize noch einen kurzen Moment nach ihrem Ende im menschlichen Auge nachwirken, verschmelzen sich die Bilder bei genügend schneller Bewegung, hier 16 Teile, heute 24 bzw. 25 pro Sekunde, im Gehirn zu einer fließenden Bewegung.
4 Schliepmann, a. a .O., S. 4
5 „In Berlin beispielsweise beginnt die Steuer bei den bisher billigsten Plätzen à 30 Pfg. Die Kinobesitzer beschlossen infolgedessen fortan statt 30 Pfg. Eintrittsgeld nur noch 29 Pfg. zu erheben." Victor Noack, Das Kino. Etwas über sein Wesen und seine Bedeutung, Gautzsch b. Leipzig 1913, S. 17/18
6 Ernst Raab, Statistik und Kritik des deutschen Filmgeschäfts, Frankfurt a. M. (Diss.) 1923, S. 6; Rahel Lipschütz, Der Ufa-Konzern. Geschichte, Aufbau und Bedeutung des deutschen Filmgewerbes, Berlin (Diss.) 1932, S. 6/7
7 Noack, a. a. O., S. 16
8 Berliner Volkszeitung, Nr. 260, vom 24. 4. 1917
9 Wilfried von Bredow/Rolf Zurek (Hg.), Film und Gesellschaft in Deutschland. Dokumente und Materialien. Hamburg 1975, S. 102
10 Noack, a. a. O., S. 16
11 Lipschütz, a. a. O., S. 11
12 Günter Peter Straschek: Handbuch wider das Kino. Frankfurt a. M. 1975, S. 245
13 Rosa Luxemburg: Gesammelte Werke. Band 1: 1883 bis 1905 / Erster Halbband. Berlin (DDR) 1972, S. 378

Die vernünftige Nephertete
1 Franz Hessel, Die vernünftige Nephertete, in: F. H., Ermunterung zum Genuß, neu aufgelegt: Berlin 1981, S. 181
2 „Die Mädchen mit dem eiligen Gang" von Walter Anatole von Persich, in: Die schöne Frau, 2. Jg. 1927, Heft 7
3 Vgl. Berliner Wirtschaftsberichte, Beilage zum Amtsblatt der Stadt Berlin, hg. vom Statistischen Amt der Stadt Berlin, 6. Jg. Nr. 21, 6. Oktober 1929, S. 313
4 „Tippmädchen sein" von einem solchen, in: Die neue Linie, Heft 1, Sept. 1929
5 Vgl. dazu Anna Geyer, Die Frauenerwerbsarbeit in Deutschland, Jena 1924, und W. Müller/A. Wilms/J. Handl, Strukturwandel der Frauenarbeit 1880–1980, Frankfurt/Main – New York 1983, S. 54
6 Irmgard Keun, Gilgi – eine von uns, Bergisch Gladbach 1981, S. 70 (Erstveröffentlichung 1931)
7 Erich Kästner, Fabian. Die Geschichte eines Moralisten, in: Kästner für Erwachsene, hg. von Rudolf Walter Leonhardt, Gütersloh (o. J.), S. 232 f. (Erstausgabe 1931)
8 Vgl. Vera Linger, Die Wohnweise der alleinstehenden erwerbstätigen Frau, in: Die schaffende Frau, Jg. 1, Heft 3, 1929
9 Alice Salomon, Charakter ist Schicksal, hg. von Rudeger Baron/Rolf Landwehr, Weinheim und Basel 1983, S. 180
10 Anfang 1928 gibt es in Berlin 147 Zeitungen und 2486 Zeitschriften. Berlins Anteil an der Zahl der Zeitschriften in Deutschland hat sich von 13% – 1826 auf 26% – 1927 gesteigert. (Angaben aus: Berliner Wirtschaftsberichte, Beilage zum Amtsblatt der Stadt Berlin, hg. vom Statistischen Landesamt der Stadt Berlin, 6. Jg. Nr. 10, 5. Mai 1929, S. 137–141)
11 Rudolf Braune, Das Mädchen an der Orga Privat, Berlin 1975, S. 13 (Erstausgabe Ende der 20er Jahre)
12 ebd., S. 50
13 Franz Hessel, Die vernünftige Nephertete, a. a. O., S. 179 f.
14 Rudolf Braune, a. a. O., S. 61 f.
15 Franz Hessel, Von der Mode, in: Ein Flaneur in Berlin, Berlin 1984, S. 37 (Die Erstausgabe „Spazieren in Berlin" erschien 1929)
16 Franz Hessel, Von der Lebenslust, in: Ein Flaneur in Berlin, a. a. O., S. 40
17 Irmgard Keun, Das kunstseidene Mädchen, Bergisch Gladbach 1980, S. 99 (Erstausgabe 1932)
18 „Warum soll eine Frau kein Verhältnis haben?" Chanson aus der Komödie mit Musik „Eine Frau, die weiß, was sie will". Uraufführung: 1. Sept. 1932, Metropoltheater, Berlin. Text: Alfred Grünwald, Musik: Oscar Strauss. 1932 Dreiklang-Dreimasken Verlag, Berlin – München
19 „Mir ist heut so nach Tamerlan", Chanson-Foxtrott aus der Revue ‚Wir steh'n verkehrt'. Text: Theobald Tiger (d. i. Kurt Tucholsky), Musik: Rudolf Nelson. 1922 Dreiklang-Dreimasken Verlag
20 Erich Kästner, a. a. O., S. 178 f.
21 Rudolf Braune, a. a. O., S. 98
22 Zahlen von Prof. Liepmann, nach Dr. Kauschansky, Die Legalisierung des Abortus, Zeitschrift für Sexualwissenschaft, 1931
23 Benjamin B. Lindsey/Wrainwright Evans, Die Kameradschaftsehe, Leipzig 1928. In einer Bibliotheksumfrage des „Uhu", veröffentlicht Mai 1930, steht diese Publikation an 14. Stelle der meistgelesenen Bücher. Auf Platz 17. folgt van de Veldes „Die vollkommene Ehe".

24 „Die Probeehe" ist der Titel eines Buches von Rudolf Urbantschitsch, Wien 1929. Die Probeehe soll eine ‚freie Liebesverbindung' in gesetzlicher Form sein.

25 Nach Frederick Winslow Taylor benannte Zerlegung und Standardisierung von Bewegungsabläufen in der Zeit.

26 Irmgard Keun, Das kunstseidene Mädchen, a. a. O., S. 213

27 Angaben aus: Statistisches Jahrbuch für das Deutsche Reich, Jg. 1934, S. 12 und 26

28 Berliner Wirtschaftsberichte, Beilage zum Amtsblatt der Stadt Berlin, hg. vom Statistischen Amt der Stadt Berlin, 6. Jg. Nr. 8, 7. 4. 1929, S. 115

29 Vgl. Frieda Glass, Der weibliche ‚Doppelverdiener' in der Wirtschaft, in: Jahrbuch der Frauenarbeit, Berlin, 3. Jg. 1927, S. 24

Massensport

1 vgl. hierzu Hans Seiffert, Weltreligion des 20. Jahrhunderts, in: Der Querschnitt, 12 (1932) H. 6, S. 385–387

2 Emil Marcus Paul, Heimweh nach dem Kurfürstendamm, Berlin 1962, S. 197

3 vgl. hierzu Carl Diem, Die Zukunft der Leibesübungen und der Reichsausschuß, in: Stadionkalender 3–5 vom 15. 2. 1917, S. 26–30; hier zitiert nach Carl Diem, Ausgewählte Schriften (Hg.: Carl-Diem-Institut e. V. an der Deutschen Sporthochschule Köln. Ausgew. u. bearb. von Ulrich Müller), St. Augustin 1982, Bd. 2, S. 113–119

4 E. M. Paul, S. 196

5 Georg Kaiser, Von Morgens bis Mitternachts, Potsdam 1927, S. 74; hier zitiert nach Gordon A. Craig, Deutsche Geschichte 1866–1945. Vom Norddeutschen Bund bis zum Ende des Dritten Reiches, München 1981³, S. 434

6 Reichsadreßbuch der Behörden, Verbände und Vereine für Leibesübungen. Übungsstätten / Jugendherbergen / Jugendheime. Preußen Teil 1, Ausgabe 1929/30, hg. vom Archiv für Leibesübungen, Düsseldorf o. J., S. 147, 149

7 Arbeiterfußball. Organ der Märkischen Spielvereinigung, Jg. 1927, Nr. 32, S. 3

Erich Beyer, Sport in der Weimarer Republik, in: Horst Ueberhorst, Geschichte der Leibesübungen. Leibesübungen und Sport in Deutschland vom Ersten Weltkrieg bis zur Gegenwart, Berlin 1982. S. 657–699

Willy Meisl, Der Sport am Scheidewege, Heidelberg 1928

Theodor Lewald und Carl Diem, Berlin als Sportstadt, in: Unser Berlin. Ein Jahrbuch, Berlin 1928

Gertrud Pfister, Aspekte sportlichen Leistens in der Weimarer Republik, in: G. Hecker u. a., Schulsport – Leistungssport – Breitensport, St. Augustin 1981

Heinz Risse, Soziologie des Sports, Berlin 1921

Reklamewelten

1 Victor Mataja, Die Reklame, München 1920 (1. Aufl. 1909)

2 Mataja, a. a. O., S. 94

3 Georg Simmel, Berliner Gewerbeausstellung, in „Die Zeit" Nr. 95, Wien, 25. Juli 1896

4 Mataja, a. a. O., S. 1

5 Henriette Väth-Hinz, Odol. Reklamekunst um 1900, Gießen 1985

6 Väth-Hinz, a. a. O., S. 109–10

7 Mataja, a. a. O., S. IV

8 Adolf Behne, Kultur, Kunst und Reklame, in: „Das neue Frankfurt", Heft 3, Frankfurt/M. 1926/27

9 Adolf Behne, Kunstausstellung Berlin, in: „Das neue Berlin", Heft 8, S. 150–51, Berlin 1929

Claude C. Hopkins, Propaganda, Stuttgart 1951 (1. Aufl. der dt. Ausgabe 1929)

K. Popitz, Plakate der 20er Jahre, Berlin 1977

Ch. Scheegass, Ludwig Hohlwein, Bestandskatalog Staatsgalerie Stuttgart, Stuttgart 1985

Helga Hollmann u. a., Das frühe Plakat in Europa und den USA, Bd. 3, Deutschland, Berlin 1980

E. Grosse, 100 Jahre Werbung in Europa, Berlin 1980

R. Schock, Politische Plakate der Weimarer Republik, Kat. Ausst., Darmstadt 1980

Chicago und Moskau

1 Vgl. John Willett, Explosion der Mitte. Kunst – Politik 1917–1933, München 1981

2 Gottfried Benn, Der neue Staat und die Intellektuellen (1933)

3 Ernst Bloch, Erbschaft dieser Zeit, Frankfurt a. M. 1962, S. 56

4 ebd., S. 212

5 Wilhelm Hausenstein, Berliner Eindrücke, in: Hier schreibt Berlin, hg. v. Herbert Günther (1929), München 1963, S. 182

6 Richard Huelsenbeck, Berlin … Endstation, in: Hier schreibt Berlin, a. a. O., S. 199

7 René König, Zur Soziologie der zwanziger Jahre oder Ein Epilog zu zwei Revolutionen, die niemals stattgefunden haben, und was daraus für unsere Gegenwart resultiert, in: Die Zeit ohne Eigenschaften. Eine Bilanz der zwanziger Jahre, Stuttgart 1961, S. 84

8 ebd., S. 86

9 Siegfried Kracauer, Die Angestellten, Frankfurt/M. 1930

10 Reinhard Spree, Angestellte als Modernisierungsagenten. Indikatoren und Thesen zum reproduktiven Verhalten von Angestellten im späten 19. und frühen 20. Jahrhundert, in: Jürgen Kocka (Hg.), Angestellte im europäischen Vergleich, Göttingen 1981

11 Siegfried Kracauer, Kult der Zerstreuung. Über die Berliner Lichtspielhäuser (Frankfurter Zeitung 4. März 1926), in: Das Ornament der Masse, Essays, Frankfurt a. M. 1963, S. 313

12 Egon Jameson, Augen auf! Streifzüge durch das Berlin der zwanziger Jahre. Frankfurt a. M./Berlin/Wien 1982, S. 50–73

13 Vgl. Jost Hermand, Frank Trommler, Die Kultur der Weimarer Republik, München 1978, S. 40–93; Helmut Lethen, Neue Sachlichkeit 1924–1932. Studien zur Literatur des „Weißen Sozialismus", Stuttgart 1970, S. 19–58

14 a. a. O., S. 180

15 Karin Hirdina, Pathos der Sachlichkeit. Traditionen materialistischer Ästhetik, Berlin 1981, S. 50 ff.

16 In: Die Literarische Welt (23. Juli 1926)

17 René König, a. a. O., S. 99

18 Arnolt Bronnen gibt zu Protokoll. Beiträge zur Geschichte des modernen Schriftstellers, Hamburg 1954, S. 171

19 Berlin und die Künstler (Vossische Zeitung Nr. 180; 16. 4. 1922)

20 Paul Westheim, Berlin, die Stadt der Künstler, in: Hier schreibt Berlin. a. a. O., S. 149

21 Hannes Meyer, Die neue Welt (1926), in: H. Meyer, Bauen und Gesellschaft. Schriften, Briefe, Prospekte, Dresden 1980, S. 27–32

22 Peter Sloterdijk, Weimarer Kultur. Zum Psychogramm einer Epoche

23 Angaben nach: Das Wochenende. Anregungen zur praktischen Durchführung, hg. v. K. Vetter und K. A. Tramm, Berlin 1928

24 Angaben nach: Gerald R. Blomeyer, Barbara Tietze, „. . . grüßt Euch Eure Anneliese, die im Lunazauber schwelgt. Lunapark 1924–1934, eine Berliner Sonntagsarchitektur. In: Stadt. Monatshefte für Wohnungs- und Städtebau, 4/82, S. 32–37

25 Arthur Kahane, Der Gassenhauer im Wandel der Zeiten und Städte; Julius Bab, Berlin und Wien, in: Hier schreibt Berlin, a. a. O., S. 156–177

26 Wolfgang Steinitz, Deutsche Volkslieder demokratischen Charakters aus sechs Jahrhunderten, Berlin 1962

27 Revue oder Theater, in: Der Querschnitt. Das Magazin der aktuellen Ewigkeitswerte (Dez. 1925)

28 René König. a. a. O., S. 95

29 Willy Haas, Die literarische Welt. Erinnerungen, München 1960, S. 149

30 Erich Peter Neumann, Einführung zur Neuausgabe von Kracauers „Die Angestellten", Allensbach und Bonn 1959, S. XIII

31 Ernst von Salomon, Der Fragebogen, Hamburg 1951, S. 239

32 Ernst Jünger, Der Arbeiter. Herrschaft und Gestalt, Hamburg 1932, S. 61

33 Ossip K. Flechtheim, Die KPD in der Weimarer Republik, Frankfurt a. M. 1969, S. 253

34 Klaus Neukrantz, Barrikaden am Wedding. Der Roman einer Straße aus den Berliner Maitagen 1929, Berlin 1931

35 Straßenrevolte am ersten Mai, in: Rumpelstilzchen 1928/29, Ja hätt'ste, Berlin 1929, S. 265–268

36 Wolfgang Ruge, Weimar. Republik auf Zeit, Berlin 1969, S. 239

37 Hans Ostwald, Sittengeschichte der Inflation. Ein Kulturdokument aus den Jahren des Marktsturzes, Berlin 1929

38 Henri Lefèbvre, Die Revolution der Städte, München 1972

39 Angaben nach: Winfried B. Lerg, Rundfunkpolitik in der Weimarer Republik, München 1980

40 Angaben nach: Peter de Mendelssohn, Zeitungsstadt Berlin, Frankfurt a. M./Wien/

Berlin 1959. Zit. n. der erweiterten Auflage 1982

41 Siegfried Kracauer, Die Photographie (Frankfurter Zeitung 28. Oktober 1927), a. a. O., S. 34

42 Robert Musil, Der Mann ohne Eigenschaften Bd. 1. (1930), Hamburg 1952, S. 224

43 Der Arbeiter, a. a. O., S. 267

44 Angaben nach: Babette Gross, Willi Münzenberg. Eine politische Biographie, Stuttgart 1967

45 Ludwig Hoffmann, Daniel Hoffmann-Ostwald, Deutsches Arbeitertheater 1918–1933, Bd. 2, S. 454 ff.

46 Arbeiter-Bühne und Film, Juni 1930–Juni 1931 – Reprint Köln 1974

47 Peter Dahl, Arbeitersender und Volksempfänger. Proletarische Radio-Bewegung und bürgerlicher Rundfunk bis 1945, Frankfurt a. M. 1978

Jüdisches Berlin und seine Vernichtung
Heinrich Silbergleit, Die Bevölkerungs- und Berufsverhältnisse der Juden im Deutschen Reich, Bd. I Preußen, Berlin 1930

Ders., Zur Statistik der jüdischen Bevölkerung Berlins, Zeitschrift für Demographie und Statistik der Juden 1927, Heft 9–12

Brunhilde Dähn, Berlin Hausvogteiplatz, Göttingen 1968

Helmut Genschel, Die Verdrängung der Juden aus der Wirtschaft im Dritten Reich, Göttingen 1966

S. Adler-Rudel, Ostjuden in Deutschland 1880–1940, Tübingen 1959

Im Scheunenviertel, Hg. Eike Geisel, Berlin 1981

Jüdisches Leben in Deutschland, Selbstzeugnisse zur Sozialgeschichte Bd. 2 und 3, hg. von Monika Richarz, Stuttgart 1979 u. 1982

Leistung und Schicksal. 300 Jahre Jüdische Gemeinde zu Berlin, Berlin 1971

Gegenwart im Rückblick. Festgabe für die Jüdische Gemeinde zu Berlin 25 Jahre nach dem Neubeginn, Hg. Herbert Strauss und Kurt Grossmann, Heidelberg 1970

Juden in Preußen. Hg. Bildarchiv Preußischer Kulturbesitz, Dortmund 1981

Synagogen in Berlin. Zur Geschichte einer zerstörten Architektur, 2 Bde, Berlin 1983

Jüdisches Leben, Hg. Wolfgang Dreßen, Berlin 1985

Jüdische Friedhöfe in Berlin, Hg. Institut für Denkmalspflege, Berlin-DDR 1980

Burkhard Asmuss und Andreas Nachama, Zur Geschichte der Juden in Berlin und das Jüdische Gemeindezentrum in Charlottenburg, in: Von der Residenz zur City, 275 Jahre Charlottenburg, Hg. Wolfgang Ribbe, Berlin 1980

Heiko Roskamp, Tiergarten 1933–1945, Verfolgung und Widerstand in einem Berliner Innenstadtbezirk, Berlin 1984

Wolfgang Wippermann, Steinerne Zeugen. Stätten der Judenverfolgung in Berlin, Berlin 1982

Konrad Kwiet, Helmut Eschwege, Selbstbehauptung und Widerstand. Deutsche Juden im Kampf um Existenz und Menschenwürde 1933–45, Hamburg 1984

In den Katakomben. Jüdische Verlage in Deutschland 1933–1938, Hg. Ingrid Belke, Marbacher Magazin Nr. 25, Stuttgart 1983

Nicht Mißhandeln. Das Krankenhaus Moabit 1920–1945, Berlin 1984

Leonhard Gross, Versteckt. Wie Juden in Berlin die Nazi-Zeit überlebten, Hamburg 1983

Geist des total platten Landes
1 Will Vesper in der „Neuen Literatur", Heft 4, 1933, S. 230

2 Zit. nach Gerhard Sauder (Hg.), Die Bücherverbrennung. Zum 10. Mai 1933, S. 254 ff.

3 Alfred Rosenberg, Blut und Ehre. Ein Kampf für die deutsche Wiedergeburt. Reden und Aufsätze 1919–1933, München 1934, S. 221, 223 f.

4 Alfred Rosenberg, Der Mythus des 20. Jahrhunderts, München 1934, S. 82

5 Prof. K. Berger im „Völkischen Beobachter" vom 14. 11. 1931

6 Gottfried Benn, Kunst und Drittes Reich, in: Gesammelte Werke in acht Bänden. Hg. von Dieter Wellershoff, Wiesbaden 1968, Band 3, S. 877 f.

7 Zit. n. Gerhard Sauder, a. a. O., S. 286

8 Hildegard Brenner, Ende einer bürgerlichen Kunst-Institution. Die politische Formierung der Preußischen Akademie der Künste ab 1933, Stuttgart 1972, S. 11

9 Zit. n. Hildegard Brenner, a. a. O., S. 27 f.

10 Vgl. Hildegard Brenner, a. a. O., S. 58 ff.

11 Zit. n. Hildegard Brenner, a. a. O., S. 61

12 Zit. n. Hildegard Brenner, a. a. O., S. 65

13 Oskar Loerke: Tagebücher 1903–1939. Hg. von Hermann Kasack. Heidelberg, Darmstadt 1955, S. 275 f.

14 Zit. n. Hildegard Brenner, a. a. O., S. 86

15 Hildegard Brenner, a. a.O., S. 22

16 vgl. Hildegard Brenner, a. a. O., S. 111

17 Hildegard Brenner, a. a. O., S. 23 f.

18 Vgl. Leo Löwenthal: Calibans Erbe. In: Neue Rundschau, Heft 3/1984, S. 5

Vom Dschungel zum Fahnenwald
1 Helene Nostiz, Berlin. Erinnerung und Gegenwart, Leipzig und Berlin, 1938, S. 6

2 Hitler im Gespräch mit Speer, 1937, zit. n.: Albert Speer, Erinnerungen, Berlin ⁷1970, S. 88

3 Adolf Hitler, Mein Kampf, München 1939, S. 291, zit. n.: Jochen Thies, Architekt der Weltherrschaft. Die Endziele Hitlers, Königstein/Ts. und Düsseldorf, 1980, S. 75

4 Vgl. die Rede Hitlers zum Richtfest der Neuen Reichskanzlei, 2. August 1938, zit. n.: A. Speer, Erinnerungen, a. a. O., S. 538. Werner Hegemann, den das ‚erwachte Deutschland' vertrieb, merkte indessen zum Reichspräsidentenpalais an, daß es „keinen vornehmeren Sitz für unseren Reichspräsidenten geben (kann) als dieses alte Adelshotel" (W. Hegemann, Geschichte einer berühmten Straße. Politik und Schicksale der Wilhelmstraße in Berlin, Für alle Zeiten und wert, noch als Ruine Macht zu verkörpern, in: Uhu, 7. Jg., Heft 12, Sept. 1931, S. 110).

5 Zum Aspekt des Stadtbildes als patheti-

scher Kundgebung vgl. Dieter Bartetzko, Illusion in Stein. Stimmungsarchitektur im deutschen Faschismus, Reinbek bei Hamburg, 1985

6 Vgl. Helene Nostiz, a. a. O., S. 7. In diesem Anspruch traf sich die Partei mit den präfaschistischen Verfechtern eines deutschen Imperiums als Drittem Reich. Siehe dazu: Richard Faber, Roma Aeterna. Zur Kritik der „Konservativen Revolution", Würzburg 1981 und: ders., Die Verkündigung Vergils – Reich – Kirche – Staat. Zur Kritik der „Politischen Theologie", Hildesheim/New York 1975

7 Auch in der Verwaltung. Vgl. dazu den Brief des Oberbürgermeisters an den Bezirksbürgermeister des Bezirks Wedding „Betrifft: Neuaufbau der Reichshauptstadt..." vom 21. Dez. 1937, in: Ausst. Kat. Berlin durch die Blume oder Kraut und Rüben. Gartenkunst in Berlin-Brandenburg, Hg. von Marie-Louise Plessen, Kat.Nr. 461, S. 230, Berlin 1985

8 Rede Hitlers zum Richtfest der Neuen Reichskanzlei, 2. Aug. 1938, zit. n.: A. Speer, Erinnerungen, a. a. O., S. 153

9 L. E. Hill (Hg.), Die Weizsäcker-Papiere 1933–1950, Frankfurt/M.–Berlin–Wien, 1974, S. 252 – 1. 5. 41 (Notiz Hewel), zit. n.: Thies, a. a. O., S. 83

10 Vgl. Hitlers Satz zu Speer im Frühsommer 1939: „Als Bekrönung dieses größten Gebäudes der Welt muß der Adler nicht das Hakenkreuz, sondern die Weltkugel in den Fängen halten.", in: A. Speer, Erinnerungen, a. a. O., Abb. Unterschrift nach S. 160.

11 Hitlerrede vom 13. Sept. 1937, in: Max Domarus, Hitler. Reden und Proklamationen 1932–1945, 2 Bde, Würzburg 1962/63, Bd. I, S. 732

12 Hitlerrede vom 7. Sept. 1937, in: Domarus, a. a. O., S. 715

13 Hitlerrede vom 7. Sept. 1937, in: Domarus, a. a. O., S. 716

14 Zum Münchner Festzug vom 18. Juli 1937 vgl. Die Kunst im Dritten Reich (ab 1938: Die Kunst im Deutschen Reich), 1. Jg. 1937, Heft 7/8, Juli/August 1937

15 Hitler zu Speer, in: A. Speer, Erinnerungen, a. a. O., S. 87

16 Hitlerrede in Nürnberg, 6. Sept. 1937. „So erhält, dem übrigen Deutschland vielleicht voraneilend, zunächst diese Stadt (Nürnberg) ihr künftiges und damit ewiges Gepräge." in: Domarus, a. a. O., S. 715

17 Illustrierter Beobachter, Sonderausgabe „Das Deutschland Adolf Hitlers" – die ersten vier Jahre des Dritten Reiches, Sonderbeilage Gau Groß-Berlin, 1937, S. 112 c

18 Illustrierter Beobachter, 12. Jg. 1937, Folge 26, 1. Juli 1937, S. 1010. In der gleichen Folge ein dreiseitig nostalgisierend bebilderter Kommentar: „Erst der Nationalsozialismus brachte der Stadt die Grundsätze straffer Führung, nach denen sich heute Umbau und Ausbau vollziehen."

19 Die Inschrift des „Ehrenschilds": Ihrem Ehrenbürger, dem Eroberer Berlins, Reichsminister Dr. Goebbels aus Anlaß der

700-Jahr-Feier in dankbarer Verehrung gewidmet, Die Reichshauptstadt, 15. August 1937.

20 Adolf Ehrt, Bewaffneter Aufstand! Enthüllungen über den kommunistischen Umsturzversuch am Vorabend der nationalen Revolution, hg. vom Gesamtverband deutscher antikommunistischer Vereinigungen EV., Eckart-Verlag, Berlin–Leipzig 1933. Das Propagandabuch versucht, den legalen Regierungswechsel zur „Revolution" zu stilisieren, als habe man sich nach dem Muster gerichtet, das Siegfried Kracauer bei Napoleon III. fand: „Ein richtiger Staatsstreich braucht eine richtige Insurrektion!"
21 Bertolt Brecht, Gesammelte Werke in 20 Bänden, Frankfurt/M. 1967, Bd. 20, S. 34
22 Elias Canetti, Masse und Macht, Düsseldorf 1978, S. 195 f. Für die Intensität der Wald/Mensch/Krieg-Empfindung, doch die Canetti widersprechende Konsequenz, z. B. Ernst Toller: „Ein Wald ist ein Volk. Ein zerschossener Wald ist ein gemeucheltes Volk" (Ernst Toller, Eine Jugend in Deutschland, Reinbek bei Hamburg, 1963, S. 48).
23 Max Arendt, Eberhard Faden, Otto-Friedrich Gandert, Geschichte der Stadt Berlin. Festschrift zur 700-Jahr-Feier der Reichshauptstadt, Berlin 1937. Darin vor allem: Max Arendt, Durch das Inferno zur Hauptstadt des Dritten Reiches
24 Das Deutschland Adolf Hitlers, a. a. O., S. 112 b
25 ebd.
26 Rede Goebbels' anläßlich der Entgegennahme des ‚Ehrenschildes der Reichshauptstadt'; zit. n.: Der Montag, 16. August 1937
27 Rede Hitlers zum (letzten) Erntedankfest auf dem Bückeberg bei Hameln, 3. Okt. 1937, zit. n.: Max Domarus, Hitler. Reden und Proklamationen 1932–1945, 2 Bde, a. a. O., Bd. I, Zweiter Halbband, S. 740
28 So Karlheinz Schmeer: „Jetzt (nach dem Aufblühen staatlicher Zeremonien im Dritten Reich, d. Vf.) rächte sich die der Weimarer Republik von Anbeginn ihres Bestehens mangelnde Symbolfreudigkeit, ihr erschreckendes Unvermögen zum anfeuernden Pathos, das in den schwung- und lustlosen Formen ihres öffentlichen Handelns offenbar wurde" (Karlheinz Schmeer, Die Regie des öffentlichen Lebens im Dritten Reich, München 1956, S. 26). Zur Selbstinszenierung des Dritten Reiches vgl. vor allem: Klaus Vondung, Magie und Manipulation. Ideologischer Kult und politische Religion des Nationalsozialismus, Göttingen 1971
29 Zur Nationalhymne wurde das ‚Deutschlandlied' am 11. August 1922 vom Reichstag proklamiert.
30 zit. n.: Karlheinz Schmeer, a. a. O.
31 Vgl. Harry Graf Kessler, Tagebücher. 1918 bis 1937, hg. von W. Pfeiffer-Bebli, Frankfurt/M. 1961
32 André François-Poncet, Als Botschafter in Berlin. 1931–1938, Mainz ²1949, S. 271
33 Zahlen in: Unser Wille und Weg. Monatsblätter der Reichspropagandaleitung, Hg.

Dr. Goebbels, München, 9. Jg. 1939, Heft 1, S. 22; zit. n.: Karlheinz Schmeer, a. a. O., S. 156
34 Rede Rosenbergs im Reichskriegsministerium am 7. März 1935, in: Alfred Rosenberg, Gestaltung der Idee. Reden und Aufsätze von 1933–35, München 1936, S. 303; hier zit. n.: Karlheinz Schmeer, a. a. O., S. 159
35 Gerdy Troost, Das Bauen im Neuen Reich, Bayreuth 1938¹, S. 10. (Der Vf. dankt W. Schäche für den Hinweis auf dieses Zitat.)
36 Vgl. Heinz Weidner, Berlin im Festschmuck, Berlin 1940. Ein einheitliches Gesamtbild herzustellen, wenn es denn die Architektur nicht abgibt, ist Aufgabe des Festschmucks. Weidner spricht explizit von ‚Theaterdekoration', die „einheitliche festliche Wände" (durch Fahnenkulissen) aufbaut, zu einem „einheitlichen Schmuckganzen" kommt und so fort (vgl. Weidner, a. a. O., S. 188).
37 Weidner, a. a. O., S. 153; hier bezogen auf Unter den Linden
38 Albert Speer, Erinnerungen, a. a. O., S. 40
39 Vgl. B. Hinz, H. E. Mittig, W. Schäche, A. Schönberger (Hg.), Die Dekoration der Gewalt – Kunst und Medien im Faschismus, Gießen 1979
40 Ausführliche Schilderung bei François-Poncet, a. a. O., S. 270 f.
41 Nevile Henderson, Failure of a Mission. Berlin 1937–1939, New York 1982 (Reprint der Erstveröffentlichung von 1940), S. 66 f., Übersetzung vom Vf.
42 François-Poncet, a. a. O., S. 308
43 Begrüßungsrede Goebbels' auf der Großkundgebung anläßlich des Mussolini-Besuchs in Berlin, 28. Sept. 1937, Reichssportfeld, zit. n.: Helmut Heiber (Hg.), Goebbels-Reden, Bd. 1: 1932–1939, Düsseldorf 1971, S. 287.
44 Zahlen nach Weidner, a. a. O., S. 139. Dazu kam ein Feuerwerk mit 20 Fronten bei 400 m Breite. Die Fahnengruppen der Platzdekoration erhoben sich bis zu 33 m über Gelände.
45 Helene Nostiz, a. a. O., S. 5 f.
46 Deutsche Allgemeine Zeitung, 14. 8. 1937
47 Geleitwort im Programmheft „700-Jahr-Feier der Reichshauptstadt – Folge der Feier", August 1937.
48 Dem Festspiel lag nicht mehr, wie bei der Olympiade (Carl Diem: Olympische Jugend. Musik: Carl Orff und Werner Egk), ein eigens verfaßter Text zugrunde, sondern eine Montage aus Schiller, Friedrich dem Großen, Kleist, Soldatenliedern, Hitler. Der Regisseur (Gesamtspielleiter war derselbe wie 1936) Hanns Niedecken-Gebhard. Vgl. Programmheft, a. a. O. und Klaus Sauer/German Werth, Lorbeer und Palme. Patriotismus in deutschen Festspielen, München 1971
49 Ein Volksfest, das überhaupt erst wieder reaktiviert zu haben man sich rühmte: „Erst das Dritte Reich hat es (das „bedeutendste Alt-Berliner Volksfest", d. Vf.) wieder zu einem allgemeinen Berliner Volksfest im alten Stil machen können" (Herrmann Kügler,

Wenn die Berliner feiern... Berlin o. J. (1938), S. 23). Kügler war Vorsitzender des „Vereins für die Geschichte Berlins".

Platz für die staatliche Macht
1 Gerhard Lawrentz, Mitglied des Abgeordnetenhauses Berlin, anläßlich einer Tagung der Berliner CDU über die „Zukunft des Berliner Stadtzentrums" am 7. 7. 1985 im Reichstagsgebäude. Vgl. dazu „Podiumsdiskussion der CDU über Berliner Mitte" im Tagesspiegel vom 9. 7. 1985 sowie „CDU plant Hauptstadt Deutschlands" in der Berliner Morgenpost vom 9. 7. 1985.
2 Die Bauwerke und Kunstdenkmäler von Berlin – Bezirk Tiergarten (bearbeitet von Irmgard Wirth), Berlin 1955, S. 204
3 Michael S. Cullen, Der Reichstag, Die Geschichte eines Monuments, Berlin 1983, S. 240
4 Klaus Dettmer, Die Grundsteinlegungsurkunden der Siegessäule, in: Berlin in Geschichte und Gegenwart – Jahrbuch des Landesarchivs Berlin 1984 (hg. von Hans J. Reichhardt), Berlin 1984, S. 59
5 Otto March, 1845–1912 (hg. von Werner March), Tübingen 1972, S. 106
6 Die neuen Entwürfe zum Berliner Königlichen Opernhaus (XII. Sonderheft der Berliner Architekturwelt mit Text von Hans Schliepmann), Berlin 1913, S. XI
7 Felix Wolff, Das Deutsche Forum (Sonderdruck), Berlin 1915, S. 1
8 F. Wolff, a. a. O., S. 3
9 F. Wolff, a. a. O., S. 3
10 Helge Pitz, Wolfgang Hofmann, Jürgen Tomisch, Berlin-W. Geschichte und Schicksal einer Stadtmitte, Berlin 1984, Band II, S. 99
11 Helge Pitz u. a., a. a. O., Band I, S. 194
12 Helge Pitz u. a., a. a. O., Band II, S. 99
13 Helge Pitz u. a., a. a. O., Band II, S. 100
14 Jost Dülffer, Jochen Thies, Josef Henke, Hitlers Städte. Baupolitik im Dritten Reich, Köln/Wien 1978, S. 92
15 Jost Dülffer u. a., a. a. O., S. 97
16 Jost Dülffer u. a., a. a. O., S. 97
17 Albert Speer, Erinnerungen, Frankfurt/M.–Berlin–Wien 1969, S. 69
18 Albert Speer, Spandauer Tagebücher, Frankfurt/M.–Berlin–Wien 1975, S. 309

Rüstungsbetrieb Rheinmetall-Borsig
Kurt Pierson, Borsig – ein Name geht um die Welt, Berlin 1973
Museumspädagogischer Dienst Berlin (Hg.), Borsig und Borsigwalde. Berichte und Bilder von Borsianern und Borsigwaldern, Berlin 1982–84
Barbara Kasper, Lothar Schuster, Christof Watkinson, Arbeiten für den Krieg, Berlin 1984 (unveröffentlichtes Manuskript)

Kriegsalltag
Die drei Tätigkeitsbücher sind zu finden in: Landesarchiv Berlin, Rep. 20, Acc. 1124.

Modernität und innerer Feind
Zu Diem: Volkssturmbataillon der Reichssport-

führung, Befehlshaber Ritter von Halt und Guido von Mengden. Über genaue Einsatzorte widersprüchliche Angaben.

1 Karl Marx, Das Kapital, Bd. I, 24. Kapitel

2 Carl Schmitt, Der Wert des Staates und die Bedeutung des Einzelnen, Hellerau 1917, S. 93 f.

2ᵃ Rita Bischof, Souveränität und Subversion. George Batailles Theorie der Moderne, München 1984, S. 248

3 Carl Schmitt, Der Begriff des Politischen, Berlin 1963², S. 46

4 a. a. O., S. 47

5 Ulrich Scheuner, Die staatsrechtliche Bedeutung des Gesetzes zur Behebung der Not von Volk und Reich (Leipziger Zeitschrift für Deutsches Recht, 27. Jg. 1933), in: Martin Hirsch u. a., Recht, Verwaltung und Justiz im Nationalsozialismus. Ausgewählte Schriften Gesetze und Gerichtsentscheidungen von 1933–1945, Köln 1984, S. 112 ff.

6 Carl Schmitt, Staat, Bewegung, Volk, Hamburg 1933, S. 7 f.

7 Heinrich Triepel, Die nationale Revolution und die deutsche Verfassung (Deutsche Allgemeine Zeitung, 72. Jg. 1933), in: Martin Hirsch, a. a. O., S. 116 ff.

8 Friedrich Naumann, Mitteleuropa, Berlin 1915, S. 108

9 a. a. O., S. 111 f.

10 Eugen Varga, Probleme der Kriegswirtschaft, in: Die Neue Zeit, 33. Jg. 1915, Bd. 1, S. 457 ff.

11 Hans von Seeckt, Aus meinem Leben, Leipzig 1941, S. 302

12 Emil Kloth, Volksgemeinschaft und Volkswirtschaft, in: Sozialistische Monatshefte, 22, 1916, I, S. 433 ff.

13 Roland Freisler, Gemeinschaft und Recht (Deutsche Justiz, 1938), in: Martin Hirsch, a. a. O., S. 239

14 in: Peter Hinrichs, Um die Seele des Arbeiters. Arbeitspsychologie, Industrie- und Betriebssoziologie in Deutschland, Köln 1981, S. 134

15 ebd.

16 ebd.

17 Fritz Giese (Hg.), Handwörterbuch der Arbeitswissenschaft, Halle 1930, Spalte 3600

18 in: Peter Hinrichs, a. a. O., S. 247

19 a. a. O., S. 267

20 Goetz Briefs, Rationalisierung der Arbeit, in: Industrie- und Handelskammer (Hg.), Die Bedeutung der Rationalisierung für das deutsche Wirtschaftsleben, Berlin 1928, S. 32 ff.

21 in: Peter Hinrichs, a. a. O., S. 285

22 Goetz Briefs emigrierte: Die von ihm vertretene katholische Soziallehre bereitete zwar den Nationalsozialismus mit vor, aber sie ließ sich nicht in die reine Funktionalität der Modernisierung integrieren.

23 Goetz Briefs, Betriebsführung und Betriebsleben in der Industrie, Stuttgart 1934, S. 139 ff.

24 in: Peter Hinrichs, a. a. O., S. 302

25 in: Timothy W. Mason, Sozialpolitik im Dritten Reich. Arbeiterklasse und Volksgemeinschaft, Opladen 1977, S. 109

26 a. a. O., S. 183

27 a. a. O., S. 185

28 in: Hans Dieter Schäfer, Das gespaltene Bewußtsein. Deutsche Kultur und Lebenswirklichkeit 1933–1945, München–Wien 1981, S. 122

29 ebd.

30 in: Timothy W. Mason, Arbeiterklasse und Volksgemeinschaft. Dokumente und Materialien zur deutschen Arbeiterpolitik 1936 bis 1939, Opladen 1975, S. 191

31 G. Starcke, Die deutsche Arbeitsfront, Berlin 1940, S. 10 f.

32 dazu: Karl Heinz Roth, Die „andere" Arbeiterbewegung und die Entwicklung der kapitalistischen Repression von 1880 bis zur Gegenwart, München 1974

33 Ursula von Kardorff, Berliner Aufzeichnungen 1942–1945, München 1962, S. 220 f.

34 in: Hans Dieter Schäfer, Berlin im Zweiten Weltkrieg. Der Untergang der Reichshauptstadt in Augenzeugenberichten

35 in: H. Buchheim, Die Aktion „Arbeitsscheu Reich", in: Gutachten des Instituts für Zeitgeschichte, Bd. II, Stuttgart 1966, S. 192 f.

36 a. a. O., S. 190

37 dazu: Wolfgang Dreßen, Die pädagogische Maschine. Zur Geschichte des industrialisierten Bewußtseins in Preußen/ Deutschland, Frankfurt/M.–Berlin–Wien 1982

38 Bill Drews, Preußisches Polizeirecht, Berlin 1927, S. 13

39 Ernst van den Bergh, Polizei und Volk – Seelische Zusammenhänge, Berlin 1926, S. 16

40 in: Ferdinand Kroh, Kriminaltango. 65 Jahre Bandenkriminalität in Berlin, Manuskript 1984, S. 4

41 Angelika Ebbinghaus, G. Preissler, Die Ermordung psychisch Kranker in der Sowjetunion, in: Aussonderung und Tod, Berlin 1985, S. 80

42 a. a. O., S. 83 ff.

43 Hans Schneickert, Für und wider die Todesstrafe (Kriminalistische Monatshefte, 1. Jg. 1927), in: Hsi-Huey Liang, Die Berliner Polizei in der Weimarer Republik, Berlin–New York 1977, S. 161

44 Hans Schneickert, Einführung in die Kriminalsoziologie und Verbrechensverhütung, Jena 1935, zit. in: a. a. O., S. 161

45 dazu: Oskar Dressler, Große Polizei-Ausstellung Berlin – Internationaler Polizeikongreß, Wien 1927

46 Reinhard Heydrich, Geleitwort (Kriminalistik, Jg. 12 1938), in: Bernd Wehner, Dem Täter auf der Spur. Die Geschichte der deutschen Kriminalpolizei, Bergisch Gladbach 1983, S. 194 f.

47 in: Hsi-Huey Liang, a. a. O., S. 167

48 ebd.

49 in: Bernd Wehner, a. a. O., S. 200

50 a. a. O., S. 209 f.

51 Götz Aly, Karl Heinz Roth, Die restlose Erfassung. Volkszählen, Identifizieren, Aussondern im Nationalsozialismus, Berlin 1984, S. 123 f.

52 in: Donald Kenrick, G. Puxon, Sinti und Roma – die Vernichtung eines Volkes im NS-Staat, Göttingen 1981, S. 57

53 Aly, Roth, a. a. O., S. 104

54 a. a. O., S. 106

55 in: Detlev Peukert, Volksgenossen und Gemeinschaftsfremde. Anpassung und Ausmerze, Aufbegehren unter dem Nationalsozialismus, Köln 1982, S. 253 f.

56 in: Aly, Roth, a. a. O., S. 127

57 in: Martin Hirsch a. a. O., S. 536 ff.

58 A. Grotjahn, Soziale Pathologie, Berlin 1912, S. 520

59 A. Grotjahn, Leitsätze zur sozialen und generativen Hygiene, Karlsruhe 1921, S. 26

60 Karl Heinz Roth, Schein-Alternativen im Gesundheitswesen, in: Karl Heinz Roth, Erfassung zur Vernichtung. Von der Sozialhygiene zum „Gesetz über Sterbehilfe", Berlin 1984, S. 49

61 in: Benno Müller-Hill, Tödliche Wissenschaft. Die Aussonderung von Juden, Zigeunern und Geisteskranken 1933–1945, Reinbek 1984, S. 11

61a Bericht Frau Gertrud Fischer, Tochter von Prof. Eugen Fischer, in: a. a. O., S. 120

62 a. a. O., S. 13 f.

63 Karl Heinz Roth, Erbbiologische Bestandsaufnahme, in: K. H. Roth a. a. O., S. 62

64 ebd.

65 R. Ritter, Ein Menschenschlag. Erbärztliche und erbgeschichtliche Untersuchungen über die – durch 10 Geschlechterfolgen erforschten – Nachkommen von „Vagabunden, Jaunern und Räubern", Leipzig 1937, S. 9

66 a. a. O., S. 110

67 Ernst Forsthoff, Der totale Staat, Hamburg 1934², S. 38 f.

68 Karl Binding, A. Hoche, Die Freigabe der Vernichtung lebensunwerten Lebens, Leipzig 1920

69 Gerhard Baader, Die „Euthanasie" im Dritten Reich, in: Gerhard Baader, U. Schultz, Medizin und Nationalsozialismus, Berlin 1983², S. 98 f.

70 Götz Aly, Medizin gegen Unbrauchbare, in: Aussonderung und Tod, a. a. O., S. 21 ff.

71 ebd.

72 ebd.

73 Martin Rudnick, Die Ausgrenzung Behinderter im Nationalsozialismus am Beispiel Berliner Sterilisationsverfahren, Manuskript 1985, S. 108 f.

74 G. Aly, a. a. O., S. 36

75 in: a. a. O., S. 39

76 a. a. O., S. 46

77 a. a. O., S. 48

78 Hans Marsalek, Die Geschichte des Konzentrationslagers Mauthausen, Wien 1980, S. 123 f.

79 B. Müller-Hill, a. a. O., S. 52

80 in: Aly, a. a. O., S. 51

81 a. a. O., S. 60

82 a. a. O., S. 62

83 a. a. O., S. 66 f.

84 ebd.

85 a. a. O., S. 67

86 ebd.

87 ebd.

88 Matthias Hamann, Die Morde an polnischen und sowjetischen Zwangsarbeitern in

deutschen Anstalten, in: Aussonderung und Tod, a. a. O., S. 146

89 Aly, a. a. O., S. 69, und Peter Neuhof, Er war mein Kinderarzt, in: Antifaschistisches Magazin, September 1984, S. 18 f.

90 Aly, a. a. O., S. 70

91 B. Müller-Hill, a. a. O., S. 62 f.

92 a. a. O., S. 72

93 a. a. O., S. 74

94 dazu: M. Nyiszli, Auschwitz. A Doctor's Eyewitness Account, New York 1960

95 Nyiszli, in: B. Müller-Hill, a. a. O., S. 73

96 ebd.

97 Bericht Dr. Helmut von Verschuer, Sohn von Prof. Otmar von Verschuer, in: a. a. O., S. 129

98 Bericht Dr. Engelhard Blüher, in: a. a. O., S. 150

99 in: Martin Rudnick, a. a. O., S. 156

100 a. a. O., S. 160

101 Christian Pross, Das Krankenhaus Moabit 1920 1933 1945, in: Chr. Pross, R. Winau, nicht mißhandeln, Berlin 1984, S. 110

102 M. Rudnick, a. a. O., S. 136

103 dazu: Rudnick, a. a. O., und: Manfred Höck, Die Hilfsschule im Dritten Reich, Berlin 1979

104 Rudnick, a. a. O.

105 in: Rudnick, a. a. O., S. 152

106 a. a. O., S. 171

107 a. a. O., S. 174 ff.

108 a. a. O., S. 88 ff.

109 Rudnick, a. a. O., und Höck, a. a. O.

110 Rudnick, a. a. O., S. 189

111 a. a. O., S. 166

112 Höck, a. a. O., S. 244

113 Alfred Baeumler, Antrittsvorlesung in Berlin, in: A. Baeumler, Männerbund und Wissenschaft, Berlin 1937[2], S. 137 f.

114 ebd.

115 A. Baeumler, Der Weg zur Leistung, in: A. Baeumler, Bildung und Gemeinschaft, Berlin 1942, S. 122

116 A. Baeumler, Die deutsche Schule in Gegenwart und Zukunft, a. a. O., S. 124 ff.

117 Arbeitsgruppe Pädagogisches Museum (Hg.), Heil Hitler, Herr Lehrer. Volksschule 1933–1945. Das Beispiel Berlin, Berlin 1983, S. 149

118 a. a. O., S. 199

119 A. Baeumler, Mannschaft und Leistung (Politische Leibeserziehung), in: Sport und Staat, Berlin 1937, Bd. 2, S. 136 ff.

120 ebd.

121 Margarete Knipper, Wege zur politischen Leibeserziehung der Frau in der Schule, in: Politische Leibeserziehung, 1936, H. 10, S. 4

122 Jugendführer des Deutschen Reiches (Hg.), Kriminalität und Gefährdung der Jugend, 1941, in: A. Klönne (Hg.), Jugendkriminalität und Jugendopposition im NS-Staat, Münster o. J.

123 Louis P. Lochner (Hg.), Goebbels Tagebücher aus den Jahren 1942–1943, Zürich 1948, S. 502

124 in: H. D. Schäfer, Berlin, a. a. O., S. 379

125 a. a. O., S. 75 und S. 383

126 in: Arbeitsgruppe, a. a. O., S. 221

Metropole verinselt

1 Gina Angress, Elisabeth Niggemeyer, Wolf Jobst Siedler, Die verordnete Gemütlichkeit. Abgesang auf Spielstraße, Verkehrsberuhigung und Stadtbildpflege. Der gemordeten Stadt II. Teil, Berlin 1985, S. 218

2 Jules Huret, Berlin um Neunzehnhundert [Berlin, 1909], Berlin 1979 (Reprint), S. 29

3 W. T. Stead, Die Amerikanisierung der Welt. Berlin 1902, S. 11

4 Huret, a. a. O., S. 46. Die Unhöflichkeit der Amerikaner war schon um 1900 ein Stereotyp, vgl. Ernst Smithanders, Land und Leute in Nordamerika, Berlin-Schöneberg [4]1926, S. 340 f. (Langenscheidts Handbücher für Auslandskunden)

5 Huret, a. a. O., S. 225 erwähnt die Gewohnheit, den Schnurrbart „in der Form [...] eine[r] abgenützte[n] Zahnbürste" zu tragen und die „Mode, die Worte abzukürzen".

6 Felix Deutsch nach Ernst Schulin, Walther Rathenau, Repräsentant, Kritiker und Opfer seiner Zeit, Göttingen u. a. 1979, S. 16 (Persönlichkeit und Geschichte Bd. 104/104 a)

7 Ebd. S. 28

8 Ebd. S. 17

9 Fritz Blaich, Amerikanische Firmen in Deutschland 1890–1918. US-Direktinvestitionen im deutschen Maschinenbau, Wiesbaden 1984, S. 56 (Zeitschrift für Unternehmensgeschichte, Beiheft 30)

10 ebd. S. 57

11 Huret, a. a. O., S. 26

12 Nach Blaich, a. a. O., S. 15

13 Stead, a. a. O., S. 18

14 Nach Blaich, a. a. O., S. 3

15 Stead, a. a. O., S. 11

16 ebd. S. 16

17 Hans A. Joachim, Romane aus Amerika, in: Neue Rundschau (1930), S. 397

18 ebd. S. 398

19 Die Dame, Okt. 1924, S. 2; Uhu, Nov. 1924, S. 26; Revue des Monats, Nov. 1926, S. 23

20 Rolf Lauckner 1928 nach Otto Basler, Amerikanismus, Geschichte des Schlagwortes, in: Deutsche Rundschau (1930), S. 144, Anm. 4

21 Laszlo Glozer, Wols, Photograph, München 1978, S. 22

22 Gottfried Benn, Saison, in: ders., Gesammelte Werke Bd. 2, Wiesbaden 1958, S. 119

23 Sigismund von Radecki, Auf der Straße, in: ders., Alles mögliche, Stuttgart–Berlin 1938, S. 42

24 Wolfgang Weyrauch (Hg.), Das Berlin-Buch, Leipzig 1941, S. 10

25 Walter Waffenschmidt, Die gegenwärtigen Probleme der Rationalisierung in Deutschland, in: Soziale Praxis 47 (1938) S. 1162; Die deutsche Rationalisierung und das Reichskuratorium für Wirtschaftlichkeit, Berlin 1936; Notwendigkeit der Rationalisierung der gesamten Volkswirtschaft, Rationalisierung und Leistungssteigerung, in: Berliner Börsen Zeitung 27. 10. 1938, 9. 5. 1939; Volkswirtschaftliche Antriebe der Rationalisierung in: Frankfurter Zeitung 30. 10. 1938

26 O. Jung, Drei Jahre Rationalisierung, in: Völkischer Beobachter Berlin v. 3. 1. 1939

27 Reichstagsrede 30. 1. 1939, in: Der Vierjahresplan 3 (Februar 1939), S. 361

28 Der Vierjahresplan 3 (September 1939) S. 1067

29 Der Vierjahresplan 3 (Juli 1939) S. 882 f.

30 E[rich] W[elter], Rationalisieren wie noch nie, in: Frankfurter Zeitung v. 9. 11. 1941, nur Teile dieses Aufsatzes in: Erich Welter, Der Weg der deutschen Industrie, Frankfurt/M. 1943, S. 83–94

31 Der Vierjahresplan 3 (März 1939) S. 409

32 Nachweise des Vf. in: H. Denkler, E. Lämmert (Hg.), „Das war ein Vorspiel nur . . .", Berliner Colloquium zur Literaturpolitik im Dritten Reich, Berlin [West] 1985, S. 112 f., Anzeige der Radio-Union in: Wer leitet? Die Männer der Wirtschaft und der einschlägigen Verwaltung 1941/42, Berlin 1941, nach S. 348

33 wie Anm. 30

34 Fritz Todt, Die deutsche Rationalisierung, in: Der deutsche Baumeister 1 (1939) S. 9

35 Huret, a. a. O., S. 186

36 Der Telefunken-Kamerad 6 (Sept./Okt. 1939), S. 104–109

37 Festschrift zur 25-Jahrfeier der Deutschen Hollerith Maschinen Gesellschaft, Berlin-Lichterfelde 1935, S. 46

38 Erich Welter, Fabrikation im Takt, in: ders., Der Weg der deutschen Industrie, Frankfurt/M. 1943, S. 108

39 O. Graf und E. Bornemann, Zur Frage der Arbeits- und Pausengestaltung bei Fließarbeit, in: Arbeitsphysiologie (1942/43), S. 336

40 Welter, a. a. O., S. 110

41 Hellmut Robert Brückmann, Der Wert der Amerika-Studienreisen, in: Der Vierjahresplan 1 (September 1937), S. 546; ders., Amerikanische Werbe- und Verkaufsmethoden, Frankfurt/M. 1938; ders., Americana. Brevier für Amerika-Reisende [Geleitwort Louis P. Lochner], Berlin 1938

42 Ferry Porsche, Geburtsort Garage, in: auto motor sport 9 (6. 5. 1981), S. 17

43 Otto Graf, Eindrücke von einer Studienreise in den Vereinigten Staaten von Nordamerika, in: Die Betonstraße 12 (Juni 1937), S. 117–125

44 Amerika-Reise 1937, in: Der Überblick (1937) 16, S. 433

45 German-American Commerce Bulletin 14 (März 1939), S. 30

46 Amerika-Studienfahrt des NS.-Rechtswahrerbundes, vom 12. Juli bis 2. August 1938 mit den Expressdampfern „Bremen" und „Europa" [Programmheft Norddeutscher Lloyd], Bremen 1938, S. 4–6

47 Berlin in Zahlen, Ausgabe 1928, Berlin 1928, S. 21; Berlin in Zahlen, Ausgabe 1938, Berlin 1938, S. 179 f.

48 Mitteilungen der Vereinigung Carl Schurz e. V. (Juli 1938) 12, S. 3–8

49 Howard K. Smith, Feind schreibt mit [Last Train from Berlin, 1942], Berlin 1982, S. 27

50 Sten Flygt, Carl-Schurz-Reise 1937, in: Mitteilungen der Vereinigung Carl Schurz e. V. (August 1937) 19, S. 31

51 Mitteilungen der Vereinigung Carl Schurz e. V. (Juli 1940) 26, S. 9

52 Mitteilungen der Vereinigung Carl Schurz e. V. (Juli 1938) 22, S. 11

53 Ford-Almanach, Köln 1938, S. 6; Ford Works in Germany, in: Motor-Kritik 15 (1935) S. 711; Louis P. Lochner, Die Mächtigen und der Tyrann, Die deutsche Industrie von Hitler bis Adenauer, Darmstadt 1955, S. 246

54 Coca-Cola, Fünfzig Jahre in Deutschland [Festschrift], Essen 1979, S. 10

55 Richard Sasuly, I G Farben, Berlin [Ost] 1952, S. 168–182, bes. 172 f.; Hershel D. Meyer, Amerika am Scheideweg, Berlin [Ost] 1953, S. 29; Lochner, a. a. O., S. 219 f.

56 Anthony Sampson, Weltmacht ITT. Die politischen Geschäfte eines multinationalen Konzerns, Reinbek 1975, S. 23–25

57 Karl Schiller, Arbeitsbeschaffung und Finanzordnung in Deutschland, Berlin 1936, S. 30 (Zum wirtschaftlichen Schicksal Europas II, 4)

58 Hans-Jürgen Schröder, Das Dritte Reich und die USA, in: Manfred Knapp u. a., Die USA und Deutschland 1918–1975, Deutsch-amerikanische Beziehungen zwischen Rivalität und Partnerschaft, München, S. 124

59 wie Anm. 55

60 Staatssekretär v. Weizsäcker am 12. 9. 1939, Hitler am 7. 9. 1939 nach Gerhart Hass, Von München bis Pearl Harbor. Zur Geschichte der deutsch-amerikanischen Beziehungen 1938–1941, Berlin [Ost] 1965, S. 139 f. (Deutsche Akademie der Wissenschaften zu Berlin, Schriften des Instituts für Geschichte I, 29)

61 Smith, a. a. O., S. 13 f.

62 Farbenspiel über Berlin, in: Berliner Tageblatt Nr. 314/7. 7. 1937

63 wie Anm. 54

64 Helmut Fritz, Coca-Cola. Das Evangelium der Erfrischung, Siegen 1980, S. 22 (Massenmedien und Kommunikation 9)

65 Ford-Almanach, Köln 1938, S. 20

66 Wer macht mit? In: Der Telefunken-Kamerad 6 (April 1939), S. 55

67 Hans Dieter Schäfer, Berlin im Zweiten Weltkrieg. Der Untergang der Reichshauptstadt in Augenzeugenberichten, München u. a. 1985, S. 44–78

68 Benny Härlin, Michael Sontheimer, Potsdamer Straße, Sittenbilder und Geschichten, Berlin 1983, S. 37 (Rotbuch 274)

69 ebd. S. 32

70 Richard Sennett, Verfall und Ende des öffentlichen Lebens. Die Tyrannei der Intimität [The Fall of Public Man, 1974], Frankfurt/M. 1983, S. 382

71 Johan Huizinga, Schriften zur Zeitkritik [Im Schatten von morgen; Die geschändete Welt], Zürich–Brüssel 1948, S. 168

Krieg und Kalter Krieg

1 Howard K. Smith, Feind schreibt mit. Ein amerikanischer Korrespondent erlebt Nazi-Deutschland, Berlin 1982, S. 48 f.

2 Wolfgang Franz Werner, „Bleib übrig!" Deutsche Arbeiter in der nationalsozialistischen Kriegswirtschaft, Düsseldorf 1983, zit. n. H. D. Schäfer, Berlin im Zweiten Weltkrieg. Der Untergang der Reichshauptstadt in Augenzeugenberichten, München, Zürich 1985, S. 171

3 Howard K. Smith, a. a. O., S. 102 f.

4 Vgl. Olaf Groehler, Berlin im Bombervisier. Von London aus gesehen 1940–1945, Miniaturen zur Geschichte, Kultur und Denkmalpflege Berlins, Nr. 7, Berlin (Ost) 1982

5 Howard K. Smith, a. a. O., S. 56

6 Georg Holmsten, Berlin-Chronik, S. 377

7 Vgl. Berlin in Zahlen 1945, hg. vom Statistischen Amt der Stadt Berlin, Berlin 1947 und Berlin. Kampf um Freiheit und Selbstverwaltung 1945–1946. Hg. im Auftrage des Senats von Berlin, Berlin ¹1957, ²1961

8 Hans Rumpf, Das war der Bombenkrieg, 1961, zit. n. Berlin-Chronik, S. 380

9 Louis P. Lochner (Hg.), Goebbels Tagebücher aus den Jahren 1942–1943, Zürich 1948, S. 502 (29. 11. 1943), zit. n. H. D. Schäfer, S. 41

10 Goebbels Tagebücher, S. 498 (27. 11. 1943), zit. n. H. D. Schäfer, S. 43

11 Ursula von Kardorff, Berliner Aufzeichnungen 1942–1945, München 1976, S. 208 (30. 11. 1944)

12 Theo Findahl, Letzter Akt – Berlin 1939–1945, Hamburg 1946, S. 97 ff., zit. n. H. D. Schäfer, S. 188

13 Eine Frau in Berlin. Tagebuch-Aufzeichnungen (anonym), Genf, Frankfurt/M., 1959, zit. n. Erich Kuby, Die Russen in Berlin 1945, Bern u. München 1965, S. 30

14 Ursula von Kardorff, Berliner Aufzeichnungen 1942–1945, a. a. O., S. 88 (27. 11. 1943)

15 Erich Kuby, Die Russen in Berlin 1945, a. a. O., S. 45

16 ebd., S. 63

17 I. W. Parotkin, Der letzte Schlag, in: Zeitschrift für Militärgeschichte 4, 1965, S. 240, zit. n. H. D. Schäfer, a. a. O., S. 71

18 Ruth Andreas Friedrich, Schauplatz Berlin, München 1962, S. 195 (12. 5. 1945)

19 Erich Kuby, a. a. O., S. 83

20 ebd., S. 79

21 Karla Höcker, Beschreibung eines Jahres. Berliner Notizen 1945, Berlin 1984, S. 46 (2. 5. 1945)

22 Aussage eines Buchhändlers, zit. n. E. Kuby, a. a. O., S. 322

23 Vgl. E. Kuby, a. a. O., S. 302

24 ebd., S. 303; vgl. auch den Bericht des SS-Hauptsturmführers Wilke an den Chef der Sicherheitspolizei in Minsk über Maßnahmen gegen die Bevölkerung des Rayons Wilejka im Kreis Minsk (November 1943): „Abgebrannt 87 Dörfer...", E. Kuby, a. a. O., S. 299 f.

25 Molotow zum Überfall der deutschen Wehrmacht am 22. 6. 1941: „Dieser Krieg ist uns nicht vom deutschen Volk, von den deutschen Arbeitern, Bauern und der Intelligenz, deren Leiden wir gut kennen, aufge-

zwungen worden, sondern durch die Clique der blutdürstigen faschistischen Herrscher Deutschlands", zit. n. E. Kuby, a. a. O., S. 297

26 Erich Kuby, a. a. O., S. 312 f.

27 Vgl. ebd., S. 313

28 ebd., S. 314 f.

29 ebd., S. 329

30 Vgl. Fritz R. Allemann, Deutsche Bilanz 1945, Teil X, in: Die Tat Nr. 301, 2. 11. 1945, S. 2: „Es kommt hinzu, daß die Russen ja an der Zerstörung der deutschen Städte durch die anglo-amerikanischen ‚Flächenbombardemente' unbeteiligt waren und daß sie das zum Teil geschickt auswerten..."; zit. n. H. D. Schäfer, S. 72

31 Eine Frau in Berlin (anonym), Zürich 1953, S. 252 (26. 5. 1945); zit. n. H. D. Schäfer, a. a. O., S. 72

32 Fritz R. Allemann (Anm. 30)

33 ebd.

34 Ruth Andreas Friedrich, Schauplatz Berlin, München 1962, S. 207 (3. 7. 1945)

35 ebd., S. 230, 235, 237, 239, 241 f., 246, 247, 250, 251, 252 f., 254, 255 f., 257 f., 259, 260, 261, 262, 264, 265 f., 267

36 Vgl. dazu Handzettel, Plakate usw. im Landesarchiv Berlin

37 Hans D. Reichardt stellte sich freundlicherweise als ‚Zeitzeuge' für die in diesem Abschnitt gemachten Angaben zur Verfügung.

38 Bollwerk Berlin. Weißt Du wie es bei uns aussieht?..., Berlin 1952, S. 10

39 Der Spiegel Nr. 41, 1966

Die autogerechte Stadt

1 Die Darstellung und Bewertung stützt sich auf verschiedene Einzelveröffentlichungen des Verfassers. Genannt sei hier vor allem: Verkehrsflächenüberbauung Bde. 1 u. 2, Berlin 1980

2 Die Nachkriegsstraßenplanung ist ausführlich dokumentiert in: Hans Stimmann/ Thomas Nagel, Berliner Ringstraßenplanungen, Berlin 1982

3 Die Planungsgruppe Scharouns setzte sich zusammen aus Wils Ebert, Selman Selmanagic, Peter Friedrich (der Verkehrsplaner im Kollektiv), Ludmilla Herzenstein, Herbert Weinberger, Luise Seitz und Reinhold Lingner

4 Hartmut Frank, Trümmer – Traditionelle und moderne Architekturen im Nachkriegsdeutschland, in: Kat. Grauzonen – Farbwelten, Berlin 1983, S. 46

5 H. Scharoun, Zur Ausstellung „Berlin plant", in: Neue Bauwelt, Nr. 10, 1946, S. 4

6 Unter dem Gestaltungsprinzip ‚Stadtlandschaft' verstand Lingner mehr eine an ökologischen Gesichtspunkten orientierte Stadtplanung (siehe dazu bei: R. Lingner, Die Stadtlandschaft, in: Neue Bauwelt, Heft 6, 1948, S. 83 ff.)

7 H. Scharoun, Vortrag anläßlich der Ausstellung „Berlin plant – erster Bericht", in: Peter Pfannkuch (Hg.), Hans Scharoun, Berlin 1974, S. 156

8 H. Scharoun, a. a. O., S. 3

9 Peter Friedrich, Zum Berliner Innenraum

und seinem Verkehrsplan, in: Bauplanung und Bautechnik, Bd. 1, Nr. 6, Dezember 1946, S. 176

10 Hans Bernhard Reichow, Die autogerechte Stadt – Ein Weg aus dem Verkehrschaos, Ravensburg 1959

11 Der Bauwirtschaftsausschuß des Magistrats lehnte den Kollektivplan ab. Nach der Teilung der Stadt wurde ein modifizierter Kollektivplan als ,Generalaufbauplan' beschlossen, blieb jedoch ohne praktische Auswirkungen.

12 Drucksache der Stadtverordnetenversammlung von Groß-Berlin, Nr. 1034, II. Wahlperiode vom 23. 9. 1950

13 B. Wehner, Zur Verkehrsbelastung des geplanten inneren Schnellstraßennetzes von Berlin, in: Straße und Autobahn 1959, Heft 9, S. 337–344 und Heft 10, S. 399–406

14 Hauptstadt Berlin. Planungsgrundlagen für den städtebaulichen Ideenwettbewerb „Hauptstadt Berlin". Bearbeitet vom Senator für Bau- und Wohnungswesen, Berlin 1957

15 Vgl. dazu bei: Dieter Hoffmann-Axthelm, Das abreißbare Klassenbewußtsein, Berlin 1975

16 Zu Rolf Schwedler und seinen Senatsbaudirektoren vgl. bei G. Kühne, Die Senatsbaudirektoren – Geschichten aus der Spinnstube des Senators, in: Der Architekt, Heft 9, 1983, S. 412 ff.

17 Die finanztechnisch begründete Umstellung der Berliner Stadtautobahnen in Bundesautobahnen erfolgte im Zuge der Netzreduzierungen in den Jahren nach 1974. Siehe dazu bei Stimmann, Verkehrsflächenüberbauung, Bd. 2, S. 74 ff.

18 Die Planungs- und Durchsetzungsgeschichte ist ausführlich analysiert in Thomas Nagel, Stadtverträgliche Gestaltung einer Hauptverkehrsstraße – Das Beispiel Lietzenburger Straße. Diplomarbeit am Institut für Stadt- und Regionalplanung der TU Berlin, Berlin 1983, S. 162–230

19 Thomas Nagel, a. a. O., S. 187, 190

20 ebd., S. 214

21 Siehe dazu ausführlich bei H. Bodenschatz, V. Heise, J. Korfmacher, Schluß mit der Zerstörung, Gießen 1983, S. 17 ff., besonders S. 79 ff.

22 Abgeordnetenhaus von Berlin, Mitteilungen des Präsidenten Nr. 56, V. Wahlperiode, 13. 10. 1970. Vorlage zur Kenntnisnahme Nr. 192 über den Siebenten Bericht über die Stadterneuerung in Berlin.

23 Die Geschichte der Berliner Stadtautobahnüberbauungen ist ausführlich analysiert und dokumentiert in: Hans Stimmann, Verkehrsflächenüberbauung (2 Bd.), Berlin 1980, Arbeitshefte Nr. 15 und 16 des Instituts für Stadt- und Regionalplanung.

24 H. Stimmann, a. a. O., S. 168 ff.

25 1976 erschien die inzwischen zum Klassiker gewordene kritische Bestandsaufnahme zur West-Berliner Stadtautobahnplanung BIW: Stadtautobahnen. Ein Schwarzbuch zur Verkehrsplanung, Berlin 1976

26 H.-J. Vogel, Erklärung des Regierenden Bürgermeisters über die Richtlinien der Re-

gierungspolitik vom 12. 2. 1981, Plenarprotokoll des Abgeordnetenhauses von Berlin 8/47.

27 Josef Paul Kleihues, Sieben Essentials zum Rahmenplan für die Neubaugebiete der Internationalen Bauausstellung, in: Stadtbauwelt 71 (1981), S. 285 ff., hier S. 288

28 Der Vorschlag von Colin Rowe ist abgedruckt in: Senator für Stadtentwicklung und Umweltschutz (Hg.), Gutachten zum IBA-Neubaugebiet Bd. 1, Berlin o. J. (1982), S. 105 ff., besonders S. 114 f. Grundsätzliches zum Thema Straßennetz und Straßentyp im Zentralen Bereich und zum Thema Parkway siehe bei: Hans Stimmann, Straßennetz und Straßentyp im Zentralen Bereich, in: Kutter, Lüpke, Stimmann, Verkehrsplanung im Zentralen Bereich, Berlin 1982, S. 3 ff.

29 Prof. Dr. G. Hoffmann, Straßenplaner an der TUB, wies in seiner Stellungnahme zum IBA-Plan darauf hin, daß angesichts der zu erwartenden Verkehrsbelastungen von der „mit dem Begriff des Boulevards gedanklich verknüpften Aufenthaltsfunktion nicht mehr die Rede sein kann. Hier sollte man ehrlicher sein..." In: Sen StadtUm (Hg.), a. a. O., Bd. 2, S. 59

30 BIW: Verkehrsplanung statt Straßenbau, Konzept der BIW für Berlins „offene Mitte", April 1982, S. 2

31 Das im Rahmen eines Planungsverfahrens zum sog. „zentralen Bereich" von Mai 1982 bis 83 erarbeitete neue Straßenkonzept verzichtet zwar auf die Westtangente und schlägt stattdessen eine „neue Nord-Süd-Straße" als Stadtstraße vor. Vgl. dazu: Senator für Stadtentwicklung und Umweltschutz (Hg.), Räumliche Ordnung im Zentralen Bereich, 1. Bericht, März 1983, S. 48 ff.

32 Vgl. dazu: Hans Stimmann, Verkehrspolitik für wen?, in: K. Nevermann (Hg.), Lokal 2000, Reinbek 1983, S. 110 ff.

33 Vgl. dazu S. 318–327

34 Vgl. dazu: Gina Köhler, Elisabeth Niggemeyer, W. Jobst Siedler, Die verordnete Gemütlichkeit, Berlin 1985

35 Zur Bilanz der bisherigen Maßnahmen aus der Sicht der Verwaltung vgl. Senator für Stadtentwicklung und Umweltschutz (Hg.), Bericht über Verkehrsberuhigung, Berlin 1983

36 Vgl. dazu Hans Stimmann, Stadtplätze – zwischen Autobahn und Verkehrsberuhigung, in: Der Architekt, 1983, Heft 9, S. 420 ff.

37 Zu der sehr aufschlußreichen Entstehungsgeschichte der gegen den Willen Scharouns von der Senatsbauverwaltung durchgesetzten Straßenplanung vgl. Bauwelt 1962, Heft 15/16, S. 399 ff., bes. S. 403 f.

38 Schulze: Straßen- und Platzumbauten in Berlin-Charlottenburg, in: Straßenbau und Straßenverkehr (Straßenbauteil der Zeitschrift Verkehrstechnik), 18. Jg., Heft 3, Febr. 1937, S. 3 f.

39 Vgl. dazu: Bauwelt, 1955, Heft 38, S. 751, und Berlin und seine Bauten, Teil IX, Industriebauten und Bürohäuser, Berlin 1971,

S. 166 ff., u. a. mit der Abbildung des preisgekrönten Entwurfes von Hermkes

40 Vgl. dazu: H. Bodenschatz, H. Stimmann, Der Fehrbelliner Platz, ISR Diskussionsbeitrag Nr. 12, Berlin 1983

Abriß der Geschichte

Der Aufsatz wurde im Rahmen des Forschungsprojektes der TU Berlin „Stadtentwicklung Berlin seit 1945" verfaßt. Für Information und Unterstützung möchte ich der Familie Küstner in der Wiesenstr. 41, den Damen Albert vom Stadtplanungsamt Wedding, Hiller von der Kleinwohnungsbau GmbH & Co. KG, Schoen von der TU Berlin, den Herren Autzen vom difu, Bartz vom Senator für Bau- und Wohnungswesen, Dohne vom Stadtplanungsamt Wedding, Radicke von der Plansammlung der TU Berlin, Ripp von der Geschichtswerkstatt Wedding, Schäche von der TU Berlin sowie dem Landesarchiv Berlin herzlichst danken.

1 Die Untersuchungen werden in einer Broschüre veröffentlicht: Erich Frank, Geordnete Wohnungswirtschaft – Neuaufbau und Sanierung, Berlin 1939

2 ebd. S. 32 f.

3 ebd. S. 19

4 ebd.

5 Neubauten im Gebiet des alten Weddings, Berliner Bauwirtschaft, Juli 1961, S. 328

6 So die berühmte Formulierung von Katrin Zapf für die Sanierung im Wedding 1969

7 6. Stadterneuerungsbericht, Berlin 1969. Alle folgenden Zitate, die dieses Konzept erläutern, sind der Anlage 4 dieses Berichts entnommen.

8 Stadterneuerung im Sanierungsgebiet Wedding-Nettelbeckplatz, Berlin 1981, S. 6

9 So Joachim Kops von der DeGeWo in dem Artikel: Die Modernisierung eines Stadtviertels – Der Berliner Wedding als gelungenes Beispiel, Gemeinnütziges Wohnungswesen 11/1979, S. 600

10 Der Wedding im Wandel der Zeit, Katalog der gleichnamigen Ausstellung des Bezirksamtes Wedding, Berlin 1985, S. 89

11 Die Zukunft der Metropolen: Utopischer Ort Berlin – Historische Topographie, Katalog der Ausstellung in der TU Berlin, Band 3, Berlin 1984, S. 87. 1.–15. Stadterneuerungsbericht, Berlin 1964 bis 1983

Die sozialistische Metropole

1 vgl. „Neue Bauwelt" 42/1949

2 Minister Dr. Lothar Bolz, Der Aufbau in der Deutschen Demokratischen Republik, in: „Planen und Bauen" 4/1950, S. 104–107, zit. S. 104. Dr. Kurt Liebknecht, Entwurfsarbeiten, Entwurfsbüro und Architekten, in: „Planen und Bauen" 4/1950, S. 112–115, zit. S. 115

3 „Neues Deutschland" 12. 7. 1950

4 „Neues Deutschland" 23. 7. 1950

5 Interview in der „National-Zeitung" 5. 5. 1950, zit. n.: Lothar Bolz, Von deutschem Bauen. Reden und Aufsätze, Berlin 1951, S. 31

6 Lothar Bolz, Unser Aufbaugesetz, zit. n.: Lothar Bolz, a. a. O., S. 56

7 „Neues Deutschland" 18. 4. 1951
8 Lieselotte Thoms, Das Volksfest auf der Weberwiese, in: „Neues Deutschland" 3. 5. 1952
9 Zum Preisrichtergremium gehörten auch Vertreter der demokratischen Massenorganisationen und Aktivisten als beratende Mitglieder des Preisgerichts.
10 Die prozentuale Verteilung der Wohnungsgrößen: 5,6 % Einzimmerwohnungen mit 42 m² Nutzfläche; 56,9 % Zweizimmerwohnungen mit 67 m² Nutzfläche; 28,6 % Dreizimmerwohnungen mit 75 m² Nutzfläche; 8,4 % Vierzimmerwohnungen mit 105 m² Nutzfläche; 0,5 % Fünfzimmerwohnungen
11 „DER SPIEGEL" 20/1952, S. 29
12 Vgl. R. Autzen u. a., Stadterneuerung in Berlin, Berliner Topografien 2, Berlin 1984
13 „Neues Berlin" 2/1947, S. 2
14 Vgl. Grundsätze des Städtebaues, in: „Planen und Bauen" 9/1950, S. 288–293 (mit Kommentaren von Lothar Bolz); vgl. Grundsätze des Städtebaues, in: Deutsche Bauakademie (Hg.), Handbuch für Architekten, Berlin 1954, S. 101–103
15 Vgl. Deutschlands Hauptstadt ersteht neu, in: „Neues Deutschland" 26. 8. 1950; Der Lustgarten erhält ein neues Gesicht, in: „Bauzeitung" 10/1950, S. 198; Das neue Berlin – Symbol des nationalen Lebenswillens, Oberbürgermeister Friedrich Ebert über den Neuaufbau der deutschen Hauptstadt im Rahmen des Fünfjahrplans, in: „Neues Deutschland" 7. 9. 1950
16 Grundstein zu einer deutschen Nationaloper, Festrede des Ministers für Kultur, Dr. h. c. Johannes R. Becher, anläßlich der Wiedereröffnung der Deutschen Staatsoper, in: „Neues Deutschland" 6. 9. 1955
17 H. G. Rebitzki, Ein Stück der Wahrheit oder der Chimäre…, Zum Wettbewerb „Hauptstadt Berlin", in: „Baukunst und Werkform" 8/1958, S. 444
18 Zur Veröffentlichung des Entwurfs von Kosel/Hopp/Mertens vgl. Gerhard Kosel, Aufbau des Zentrums der Hauptstadt des demokratischen Deutschlands Berlin, in: „Deutsche Architektur", 4/1958, S. 177 ff.; ders., „Zentrum Berlin". Zur Diskussion um den Aufbau der Hauptstadt unserer Republik, in „Neues Deutschland" 6. 9. 1958
19 Zum Preisrichtergremium gehörten u. a. Paul Schwenk, Veteran der Arbeiterbewegung; Ilse Thiele, Vorsitzende des Demokratischen Frauenbundes Deutschlands
20 Leitartikel in: „Neues Deutschland" 5. 4. 1955
21 Zur Wiederentdeckung der Stalinallee vgl. Christian Borngräber, Das Nationale Aufbauprogramm der DDR, in „ARCH +" 56 – April 1981

Das rote Berlin

1 Eduard Bernstein, Die Geschichte der Berliner Arbeiter-Bewegung, dritter Teil, unveränderter Neudruck der Ausgabe Berlin 1910, Glashütten im Taunus 1972, S. 391
2 ebd. S. 393
3 ebd. S. 102 f.
4 Franz Jung, Der Torpedokäfer, Neuwied und Berlin 1972, S. 96 f.
5 Arthur Rosenberg, Geschichte der Weimarer Republik, Frankfurt/M. 1974, S. 99
6 Ernst Reuter, zweiter Band, Artikel – Briefe – Reden 1922–1946, bearbeitet von Hans J. Reichhardt, Berlin 1973, S. 210
7 Hans J. Reichhardt, Berlin in der Weimarer Republik. Die Stadtverwaltung unter Oberbürgermeister Gustav Böß, Berliner Forum 7/79, S. 94 ff.
8 Hans J. Reichhardt, Wahlen in Berlin 1809 bis 1967. Ein Rückblick auf 160 Jahre Berliner Kommunalpolitik, Berliner Forum 7/70, S. 40 ff.
9 ebd. S. 43 f.
10 Jüdisches Leben in Deutschland. Selbstzeugnisse zur Sozialgeschichte 1918–1945, hg. von M. Richarz, Stuttgart 1982, S. 60 ff. und S. 429 ff.
10ª Zit. n. einer Sendung des WDR „Aufnahmen bestätigen die Regel – Eine Bilanz des Funkkabaretts von 1947–57", zusammengestellt und kommentiert von Peter Kottmann
11 Timothy W. Mason, Sozialpolitik im Dritten Reich. Arbeiterklasse und Volksgemeinschaft, Opladen 1977, S. 15 ff. und S. 312 ff.
12 Harold Hurwitz, Demokratie und Antikommunismus in Berlin nach 1945, Bde. 1–3, Köln 1983 und 1984
13 Jürgen Fijalkowski, Peter Hauck, Axel Holst, Gerd-Heinrich Kemper, Alf Minzel, Berlin – Hauptstadtanspruch und Westintegration, Köln und Opladen 1967, S. 281 ff.
14 ebd. S. 59 f.
15 ebd. S. 256
16 Joachim Raschke, Innerparteiliche Opposition. Die Linke in der Berliner SPD, Hamburg 1974, S. 53 und S. 66 ff.
17 Hochschule im Umbruch, Teil III: Auf dem Weg in den Dissens (1957–1964), ausgewählt und dokumentiert von Siegward Lönnendonker und Tilman Fichter unter Mitarbeit von Claus Rietzschel, im Auftrag des Präsidenten der FUB, hg. von der Presse- und Informationsstelle der FU Berlin, Berlin 1974, S. 7 und S. 12 f.
18 Tilman Fichter/Siegward Lönnendonker, Kleine Geschichte des SDS. Der Sozialistische Deutsche Studentenbund von 1946 bis zur Selbstauflösung, Berlin 1977, S. 126 ff.
19 ebd.
20 Karl-Heinz Gehm, Innenansicht einer Stadtpolitik. Der Machtzerfall der sozialliberalen Koalition in Berlin, Berlin 1985, S. 36
21 Jürgen Kunze, SPD als Langzeitverlierer?, in: links, Februar 1985, S. 6

Stadtbaupolitische Wende

1 So der zum Schlagwort verkürzte Auftrag der Internationalen Bauausstellung Berlin. Vgl. Senatsvorlage zum Abgeordnetenhaus von Berlin vom 30. 6. 1978, abgedruckt in: Internationale Bauausstellung. Die Neubaugebiete, Bd. 1, Berlin 1984, S. 204–211
2 Vgl. Heinrich Klotz, a. a. O., S. 133 ff.
3 Wolf Jobst Siedler, Vom Boulevard zur Spielstraße, in: Gina Angress, Elisabeth Niggemeyer, Die verordnete Gemütlichkeit, Berlin 1985, S. 217
4 Vgl. Heinrich Klotz, Einleitung zu O. M. Ungers, 1951–1984 Bauten und Projekte, Braunschweig/Wiesbaden 1985, S. 29
5 Vgl. zu den Fragen Odo Marquard, Gesamtkunstwerk und Identitätssystem, in: Der Hang zum Gesamtkunstwerk, Ausstellungskatalog, Aarau und Frankfurt/M. 1983, S. 40–51
6 Wolf Jobst Siedler, Am Ende der Utopien, in: Gina Angress, Elisabeth Niggemeyer, a. a. O., S. 12
7 Die Kunst der Symmetrie, Daidalos, Berlin Architectural Journal, Nr. 15/1985; Anton Bammer, Architektur und Gesellschaft in der Antike, Wien 1985
8 Wolfgang Schäche, Wolfgang J. Streich (Hg.), Wiederaufbau oder Neuaufbau? Über die Legende der „total zerstörten Stadt", in: IFP Stadtentwicklung Berlin nach 1945 (I), Institut für Stadt- und Regionalplanung der Technischen Universität Berlin, Diskussionsbeitrag Nr. 17, Berlin 1985, S. 36–55
9 Vgl. Interbau Berlin 1957, Katalog, Berlin 1957; Johannes Cramer, Niels Gutschow, Bauausstellungen, Stuttgart 1984, S. 223 ff.
10 Vgl. Deutscher Städtebau 1945–1957, Katalog, Berlin 1957
11 Vgl. Deutscher Städtetag, Die Erneuerung unserer Städte jetzt!, Bonn 1961
12 Vgl. Franziska Eichstädt-Bohlig u. a., Aspekte der Berliner Wohnungspolitik. Beiträge einer öffentlichen Vortragsveranstaltung, IWOS-Bericht zur Stadtforschung Heft 4, Berlin 1980
13 Zitiert nach Eckart Scharmer, Historischer Abriß zur Entstehung des Berliner Sanierungsträgermodells, in: Institut für Stadt- und Regionalplanung (Hg.), ISR-Workshop Alternative Sanierungsträgermodelle, Diskussionsbeitrag Nr. 2, Berlin 1981, S. 4
14 Vgl. Hans Stimmann, Thomas Nagel, Berliner Ringstraßen Planungen, Institut für Stadt- und Regionalplanung der Technischen Universität, Diskussionsbeitrag Nr. 4
15 Vgl. Stadtbauwelt, Nr. 76/1983, Nr. 84/1984, Nr. 85/1984
16 Vgl. Hans Jürgen Heß, Innerparteiliche Gruppenbildung. Macht- und Demokratieverlust einer politischen Partei am Beispiel der Berliner SPD in den Jahren von 1963 bis 1981, Bonn 1984.
17 Vgl. Hans-Jürgen Heß, a. a. O.; Karl Heinz Gehm, Der Machtzerfall der sozialliberalen Koalition in Berlin: Innenansicht einer Stadtpolitik, Berlin 1985
18 Jürgen Habermas, Die neue Unübersichtlichkeit, in: Merkur, Nr. 431/1985, S. 2
19 v. Weizsäcker hat Ende der 60er und Anfang der 70er Jahre während der großen Auseinandersetzung um die „neue Ostpolitik" der SPD innerhalb der CDU für die Zustimmung zu den „Ostverträgen" plädiert.
20 Richard von Weizsäcker, a. a. O.
21 Vgl. Tod der Moderne. Eine Diskussion, Konkursbuch, Tübingen 1983
22 Vgl. Otto Kallscheuer, Markt, Straße, Republik, in: Werk und Zeit, 2/3, 1985, S. 2
23 Vgl. Eberhard Diepgen, Die Regierungserklärung vom 25. April 1985, Stadt der Chan-

cen, in: Berliner Forum 6/85, hg. vom Presse- und Informationsamt des Landes Berlin.

24 Mathias Schreiber, Immer wieder: Kulturkehre, FAZ vom 9. 1. 1986, S. 19

25 Vgl. Werk und Zeit, Nr. 3/1981

26 Vgl. Eberhard Diepgen, Die Regierungserklärung, a. a. O.

27 Hans-Georg Gadamer, Wahrheit und Methode, Tübingen 1975[4], S. 350

28 Vgl. Senatsvorlage zum Abgeordnetenhaus über die Vorbereitung und Durchführung einer Internationalen Bauausstellung in Berlin im Jahre 1984 vom 30. 6. 1978, in: Internationale Bauausstellung, Berlin Bd. 1, S. 204 ff.

29 Zum ursprünglichen personalpolitischen Konzept vgl. Hans Stimmann, in: Wolfgang Kabisch, a. a. O.

30 Zur Argumentation und Begrifflichkeit vgl. Odo Marquard, Kunst als Antifiktion. Versuch über den Weg der Wirklichkeit ins Fiktive, in: Dieter Henrich, Wolfgang Iser (Hg.), Funktionen des Fiktiven, München 1983, S. 48 ff.

31 Aus der Vielzahl der aktuellen Veröffentlichungen zur „schwarzen Korruption" während der zweiten Legislaturperiode mit einer CDU-Mehrheit seien hier zitiert: Der Spiegel, Berliner CDU im schwarzen Sumpf, Nr. 5/1986, S. 96 ff.; Michael Sontheimer, Das ist der Berliner Sumpf, in: Die Zeit, Nr. 6/1986, S. 12 ff.

32 Vgl. Idee, Prozeß, Ergebnis. Die Reparatur und Rekonstruktion der Stadt, Katalog der Internationalen Bauausstellung, Berlin 1984, Teil: Stadterneuerung, S. 13–187

33 Hardt-Waltherr Hämer, Die Kunst der Proportionen, in: Idee, Prozeß, Ergebnis, a. a. O., S. 12–19

34 Werk und Zeit, Heft 2/1984 zum Thema Umnutzung

35 Abgedruckt in: Internationale Bauausstellung, Leitfaden, Projekte, Daten, Geschichte, Berlin 1984, S. 35/36. Erläutert in: Wulf Eichstädt, Die Grundsätze der behutsamen

Stadterneuerung, in: Idee, Prozeß, Ergebnis, a. a. O., S. 111–113

36 Vgl. Wulf Eichstädt, Kreuzberger Stadtteilsyndikalismus – ein Beispiel für andere?, in: Arch+, Nr. 66, 1982, S. 54–57

37 Wolf Jobst Siedler, Interview, in: Zitty, Nr. 25/1985, S. 12

38 Vittorio Magnago Lampugnani, Eigensinn ohne Illusionen, a. a. O., S. 45

39 Wolf Jobst Siedler, Auf dem Weg zur Konvention (Interview mit Peter Glotz und Ulrich Pfeiffer), in: Idee, Prozeß, Ergebnis, a. a. O., S. 27–34

40 ebd., sowie Josef Paul Kleihues, Internationale Bauausstellung, Berlin 1984, Die Neubaugebiete, Bd. 2, Architektur als Sehnsucht – grenzenlos, Berlin 1981, S. 58–72

41 Josef Paul Kleihues, Architektur als Sehnsucht – grenzenlos, in: a. a. O., S. 70

42 Volker Klotz, Moderne und Postmoderne, a. a. O.; Josef Paul Kleihues, Die IBA vor dem Hintergrund der Berliner Architektur und Stadtplanung des 20. Jahrhunderts, in: Internationale Bauausstellung. Die Neubaugebiete, Bd. 1, a. a. O., S. 24–38

43 ebd.

44 ebd. S. 36

45 Umberto Eco, Einführung in die Semiotik, München 1972, S. 321

46 Vgl. Michael Müller, Architektur als ästhetische Form oder ästhetische Form als lebenspraktische Architektur?, in: Architektur und Avantgarde, Frankfurt/M., 1984.

47 Vgl. Jürgen Habermas, Theorie des kommunikativen Handelns, 2 Bde., Frankfurt/ M. 1981

48 Analytiker ebenso wie Vertreter der „Postmoderne" leiten sie – mit unterschiedlichen Begründungen – als kritische Fortentwicklung aus der „Moderne" ab. Vgl. dazu Albrecht Wellmer, Zur Dialektik von Moderne und Postmoderne, Aufsatzsammlung, Frankfurt/M. 1985; Heinrich Klotz, Moderne und Postmoderne, Braunschweig/Wiesbaden 1984

49 Albrecht Wellmer, Adorno, Anwalt des Nicht-Identischen, in: Albrecht Wellmer, a. a. O., S. 164; kritisch dagegen zu lesen ist die Position von Jürgen Habermas, Moderne und postmoderne Architektur, in: Die andere Tradition. Architektur in München von 1800 bis heute, Ausstellungskatalog, München, 1981; oder: ders., Der philosophische Diskurs der Moderne, Frankfurt/M. 1985

50 Vittorio M. Lampugnani, Eigensinn ohne Illusionen. Fragmente zu einem Programm für die architektonische Kultur der nahen Zukunft, in: Freibeuter, Nr. 22, 1984, S. 41–54

51 Arnold Gehlen, Ende der Geschichte?, in: Einblicke, Frankfurt/M. 1975

52 Carl E. Schorske, Die Seele und die Politik: Schnitzler und Hofmannsthal, in: Wien. Geist und Gesellschaft im Fin-de-siècle, Frankfurt/M. 1982

53 Mit dem „Erfahrungsverlust" beschäftigt sich Odo Marquard dagegen in diametral entgegengesetzter Richtung, was die Stellung der Kunst angeht, in: Krise der Erwartung – Stunde der Erfahrung, Konstanzer Universitätsreden, Konstanz 1982

54 Vgl. Hans-Georg Gadamer, Die Aktualität des Schönen, Stuttgart 1984

55 Vgl. hierzu Richard von Weizsäckers erste Regierungserklärung am 2. Juli 1981, in: Richtlinien der Regierungspolitik, Berliner Forum 6/81, S. 8

56 Vittorio M. Lampugnani, Das Ganze und die Teile. Typologie und Funktionalismus in der Architektur des 19. und 20. Jahrhunderts, in: Internationale Bauausstellung. Die Neubaugebiete, Bd. 1, Berlin 1984, S. 83–117

57 Karl Markus Michel, Silentium bitte! Wider das fortgesetzte Reden der heutigen Architektur, in: Internationale Bauausstellung. Die Neubaugebiete, Bd. 1, a. a. O., S. 188

58 Wolf Jobst Siedler. Peinliche Vertraulichkeiten, Interview, in: Werk und Zeit, 1/1985, S. 3

Bildnachweis

wachsende Haus, Berlin, Leipzig 1932, S. 110; **98-100** BPK; **101-105** Das Neue Berlin, Berlin 1929, S. 34, 35, 40, 41; **106-107** BPK; **108-109** Das Neue Berlin, Berlin 1929, S. 87, 139; **110-111** Deutsche Bauzeitung 1931, Nr. 6, S. 48, 49; **112-113** Das Neue Berlin, Berlin 1929, S. 238, 153; **114-117b** Slg. Hans D. Reichardt; **118** Oskar Kalbus, Vom Werden deutscher Filmkunst, 1. Teil: Der stumme Film, Berlin 1935, S. 7; **119** Friedrich Kranich, Bühnentechnik der Gegenwart, München und Berlin 1929, S. 330; **120-124** Hans Rothe, Max Reinhardt – 25 Jahre Deutsches Theater, München 1930, S. 18, 19, 2, 3, 4; **125** Oskar Kalbus, Vom Werden deutscher Filmkunst, 1. Teil: Der stumme Film, Berlin 1935, S. 110; **126** ebd., S. 117; **127-128** ebd., S. 101; **129-130** Slg. Hickethier; **131** Oskar Kalbus, Vom Werden deutscher Filmkunst, 1. Teil: Der stumme Film, Berlin 1935, S. 20; **132** Klaus Scheel, Krieg über Ätherwellen, Berlin (Ost) 1970, S. 97; **133-135** Slg. Christoph Arzt; **136** Oskar Kalbus, Vom Werden deutscher Filmkunst, Berlin 1935, S. 9; **137** Das wandernde Bild, Der Filmpionier Guido Seeber, Hg. Stiftung Deutsche Kinemathek, Berlin 1979; **138** ebd.; **139** Oskar Kalbus, Vom Werden deutscher Filmkunst, Berlin 1935, S. 98; **140** Das wandernde Bild, Der Filmpionier Guido Seeber, Hg. Stiftung Deutsche Kinemathek, Berlin 1929; **141** Kunstbibliothek, Berlin; **142** Archiv für Kunst und Geschichte, Berlin; **143** Kunstbibliothek, Berlin; **144** Ullstein Bilderdienst; **145** Die Dame, Reprint, hg. von Christian Ferber, Berlin 1980, S. 231; **146** Ullstein Bilderdienst; **147** Lotte Jacobi; **148** Ullstein Bilderdienst; **149** Die Dame, Berlin 1980, S. 257; **150** Archiv für Kunst und Geschichte, Berlin; **151** Ullstein Bilderdienst; **152** Kunstbibliothek, Berlin; **153** Slg. G. Pfister; **154-160** Ullstein Bilderdienst; **161-163** LBS; **164-166** Ullstein Bilderdienst; **167-170** Slg. Herbert Dierker; **171-172** Kunstbibliothek, Berlin; **173** Berliner Illustrirte Zeitung, Reprint, hg. von Christian Ferber, Frankfurt/M, Berlin 1982, S. 80; **174** BPK; **175** LBS; **176** Henriette Väth-Hinz, Odol, Reklamekunst um 1900, Gießen

1985; **177** Richard Hamilton, Katalog, London 1979; **178-179** BPK; **180-181** Osram Fotodienst, BG; **182** LBS; **183-184** BPK; **185-186** Akademie der Künste; **187-188** BPK; **189** UHU, Frankfurt/M, Berlin 1980, S. 61; **190** LBS; **191-192** BG; **193** BPK; S. 214/215: Archiv Abraham Pisarek; **194** LBS; **195** Der ewige Jude, Hg. Hans Diebow, Berlin 1938; **196-197** Lotte Jacobi; **198** LBS; **199** Ullstein Bilderdienst; **200** Archiv Abraham Pisarek; **201** LBS; **202** Bundesarchiv Koblenz; **203** BG; **204** Das war ein Vorspiel nur, . . , Hg. Akademie der Künste, Berlin – Wien 1983, S. 391; **205** Theatermuseum der Universität zu Köln, Schloß Wahn; **206** Slg. Wolfgang Schäche; **207** LBS; **208** Deutsche Fotothek Dresden; **209** Bilderdienst Süddeutscher Verlag; **210-211** LBS; **212** Theatermuseum der Universität zu Köln, Schloß Wahn; **213** BPK; **214-215** BG; **216** Deutsche Bauzeitung, 1894, Nr. 62; **217** Deutsche Bauzeitung 1889, Nr. 86; **218-220** Slg. Wolfgang Schäche; **221** Märkisches Museum, Berlin (Ost); **222** Das Neue Berlin, Berlin 1929, S. 70; **223-229** Slg. Wolfgang Schäche; **230** LBS; **231-234** Borsig-Archiv; **235** Rheinmetall – Borsig, Werkzeitschrift, Okt. 1937; **236** Slg. Lothar Schuster; **237-238** Borsig-Archiv; **239** Hilde Radusch; **240** Bundesarchiv Koblenz; **241** Hans Berger-Rothschwaige, Wohnwagen-Bilderbuch, 1941; **242** Götz Aly, Karl Heinz Roth, Die restlose Erfassung, Berlin 1984, S. 14; **243** BPK; **244** Jakob Graf, Biologie für Oberschule und Gymnasium, 3. Band, Berlin 1940, S. 178; **245-246** BPK; **247** Heil Hitler, Herr Lehrer, Hamburg 1983; **248** Ullstein Bilderdienst; **249** BPK; **250** Osram Fotodienst, BG; **251** BG; **252** Bayrisches Hauptstaatsarchiv München; S. 290/291: BPK; **253-256** BPK; **257** MD; **258-265** LBS; **266-269** Deutsche Fotothek Dresden; **270** LBS; **271-272** Akademie der Künste, Berlin, Abt. Baukunst; **273** LBS; **274** BG; **275-276** LBS; **277** BPK; **278-280** LBS; **281** BG; **282** Foto: Klaus Mehner; **283** LBS; **284** Archiv Dieter Kramer; **285** Das Zille Buch, Berlin 1929, Abb. 129; **286** AIZ Nr. 48, 1931; **287** Ernst Thälmann, Berlin (Ost) 1955, S. 109; **288** Der Wed-

ding, Berlin 1935, S. 85; **289** Erich Frank, Geordnete Wohnungswirtschaft, Berlin 1939, Abb. 45; **290** ebd., Abb. 3; **291** ebd., Abb. 6; **292** Berliner Bauwirtschaft, 2. Juliheft 1961, S. 328; **293** Slg. Harald Bodenschatz; **294** Wedding – Ein Spaziergang durch den Bezirk, Berlin 1966; **295** Stadterneuerung in Berlin – Sechster Bericht an das Abgeordnetenhaus von Berlin, Berlin 1969, Anlage 4 b; **296** LBS; **297** Slg. Harald Bodenschatz; **298** Stadterneuerung im Sanierungsgebiet Wedding – Nettelbeckplatz, Berlin 1981, S. 8/9; **299-301** Berlin heute und morgen, Berlin 1953; **302** Illustrierte Berliner Zeitung, Interbau Berlin (Titelblatt), Berlin 1957; **303** Deutsche Architektur, Hg. Deutsche Bauakademie, Heft 1, 1959; **304** Hermann Henselmann, Gedanken, Ideen, Bauten, Projekte, Berlin (Ost) 1978, Abb. 36; **305** Architektur in der DDR, Berlin 1980, S. 45; **306** Günter Stahn, Das Nikolaiviertel am Marx-Engels-Forum, Berlin (Ost) 1985, S. 82; **307-309** Paul Glaser; **310-315** Friedrich-Ebert-Stiftung, Archiv der sozialen Demokratie, Bonn; **316** Illus, Okt. 1957; **317-322** MD; **323** Gerhard Ullmann; **324-325** Ulrich Baehr; Vorsatzseiten: BG

BG – Berlinische Galerie
BPK – Bildarchiv Preußischer Kulturbesitz
LBS – Landesbildstelle Berlin
MD – Museumspädagogischer Dienst Berlin

© Copyright für die Abb. von M. Beckmann, G. Grosz und K. Kollwitz: VG Bild-Kunst, Bonn 1986; W. Heldt: Kurt Heldt, Hannover; Th. Th. Heine: Dr. Ernest A. Seemann, Miami; O. Dix: Otto-Dix-Stiftung, Vaduz; K. Hubbuch: Ellen Hubbuch, Karlsruhe; E. L. Kirchner: Dr. Wolfgang u. Ingeborg Henze, Campione Italia; L. Meidner: Frau Loth, Darmstadt; E. Munch: Edvard-Munch-Stiftung, Oslo; M. Pechstein: Max K. Pechstein, Hamburg
Hg. und Verlag haben sich bemüht, alle Inhaber von Bildrechten zu ermitteln und die Rechte einzuholen. Im Zweifelsfall mögen sich Rechteinhaber an Verlag u. Hg. wenden.

Namenregister

Hardenbergplatz vor dem
Bahnhof Zoo in den 50er Jahren.
Berlin: ,,Abschreibungsobjekt
der Wirtschaft der Bundesrepublik, unproduktiv, arm aber glitzernd, und gleichzeitig voller
Menschen, die in den dunklen
Seitenstraßen energisch von
einem Leben träumen, das die
Bundesrepublik nicht kennt . . .
die unheilbar leuchtende, blin-
de, zersprungene Spiegelstadt
deutscher Geschichte . . . Von
der Bundesrepublik aus gesehen
liegt die Stadt exotisch weit im
Osten . . . Von der DDR aus gesehen liegt sie im heißesten Westen, irgendwo zwischen New
York und San Franzisco".
(Richard Hey).